개념을 잡아 주는 **자율학습 기본서**

고등 **셀파**

Sherpa 윤리와 사상

강혜원·김하람·윤용기·정다영·정선희·정우영

이 책의 구성과 특징

BOOK 1 개념 잡는 알집

교과서 내용 정리

1 교과서 핵심 개념 정리 핵심 개념을 중심으로 5종 교과서의 내용을 체계적으로 정리

2 고득점을 위한 셀파 Tip 시험에 꼭 출제되는 핵심 부분을 한눈에 볼 수 있도록 정리

셀파 자료 탐구

1 핵심 자료 & 자료 분석 시험에 자주 활용되는 교과서와 수능의 주요 자료를 수록하고, 상세하게 설명

2 기출 선택지 ○, ×로 정리하기 수능, 평가원, 교육청 기출 선택지를 정리하면서 주요 개념을 완벽하게 숙지

개념 완성

1 개념 완성 앞에서 정리한 교과서의 주요 내용을 주제별로 깔끔하게 표로 정리하고, 빈칸 채우기로 주요 개념을 다시 확인

탄탄 내신 문제

1 내신 문제와 서답형 문제 내신 기출 문제와 예상 문제, 시험 비중이 높아지고 있는 서답형 문제로 집중 연습

STRUCTURE

● 도전 수능 문제
수능, 평가원, 교육청 기출 문제로 수능 유형 연습

BOOK 2 | 딱 맞는 풀이집

● 딱 맞는 풀이집
모든 문제에 대한 상세한 풀이, 자료를 분석하는 셀파 –Tip, 정답을 찾아가는 셀파 –Tip, 내 것으로 만드는 셀파 –Tip 등의 코너를 통한 친절한 해설 수록

이 책의 **차례**

I 인간과 윤리 사상

II 동양과 한국 윤리 사상

CONTENTS

고등셀파 윤리와 사상

5종 교과서 단원별 페이지 찾아보기

천재교과서	교학사	미래엔	비상교육	씨마스
10 ~ 21	10 ~ 25	10 ~ 25	10 ~ 23	14 ~ 31
26 ~ 43	28 ~ 45	30 ~ 48	28 ~ 43	36 ~ 51
44 ~ 51	46 ~ 55	49 ~ 58	44 ~ 51	52 ~ 59
52 ~ 61	56 ~ 65	59 ~ 68	54 ~ 63	60 ~ 67
62 ~ 69	66 ~ 73	69 ~ 75	64 ~ 71	68 ~ 75
70 ~ 79	74 ~ 83	76 ~ 84	72 ~ 81	76 ~ 83
80 ~ 87	84 ~ 91	85 ~ 93	82 ~ 88	84 ~ 93
94 ~ 101	94 ~ 103	98 ~ 105	94 ~ 101	98 ~ 107
102 ~ 111	104 ~ 113	106 ~ 115	102 ~ 111	108 ~ 115
112 ~ 119	114 ~ 123	116 ~ 123	112 ~ 119	116 ~ 123
120 ~ 127	124 ~ 133	124 ~ 132	120 ~ 127	124 ~ 131
128 ~ 135	134 ~ 143	133 ~ 141	128 ~ 135	132 ~ 141
136 ~ 145	144 ~ 153	142 ~ 151	136 ~ 149	142 ~ 153
146 ~ 153	154 ~ 163	152 ~ 159	150 ~ 157	154 ~ 163
160 ~ 175	166 ~ 183	164 ~ 170	162 ~ 175	168 ~ 183
176 ~ 185	184 ~ 193	171 ~ 180	176 ~ 185	184 ~ 191
186 ~ 195	194 ~ 203	190 ~ 197	186 ~ 193	192 ~ 199
196 ~ 203	204 ~ 213	198 ~ 205	196 ~ 203	200 ~ 207
204 ~ 211	214 ~ 221	206 ~ 215	204 ~ 209	208 ~ 217

I

인간과 윤리 사상

• 인간의 특성
• 윤리 사상과 사회사상의 중요성
• 윤리 사상과 사회사상의 관계

이 단원의 핵심 포인트

중단원	핵심 포인트	학습일
01 윤리 사상과 사회사상	• 인간의 특성 • 윤리 사상과 사회사상의 중요성 • 윤리 사상과 사회사상의 관계	월 일 ～ 월 일

01 윤리 사상과 사회사상

1 인간에 대한 다양한 관점

1. 인간의 특성

이성적 존재	뛰어난 이성●적 사고 능력을 갖춤
도구적 존재	삶에 필요한 유형·무형의 도구를 만들어 사용함
문화적 존재	언어, 지식, 기술, 예술 등 인간 고유의 문화를 창조하고 계승함
유희적 존재❷	놀이를 즐길 줄 알고 삶의 재미를 찾고자 함
사회적 존재	사회 속에서 비로소 온전하게 성장하고 삶을 영위할 수 있음
정치적 존재	국가를 이루며 정치 활동을 함 자료01
종교적 존재	유한한 세계를 넘어 초월적이고 무한한 것을 추구함
윤리❸적 존재 자료02	• 옳고 그름을 판단해 도덕 법칙을 수립하고 자율적으로 실천할 수 있음 • 인간을 인간답게 만들어 주는 가장 중요한 특성임

2. 인간의 본성에 대한 다양한 관점❹ 자료03
─ 인간의 본성에 대한 관점은 다양하지만, 모두 인간이 선한 삶을 살기 위해 윤리적 노력을 기울여야 한다고 본다는 점에서 공통적이다.

성선설 (性善說)	• 인간은 순수하게 선한 성품을 지니고 태어나지만 욕망이나 환경에 따라 악행을 저지를 수도 있음 ➡ 선한 본성을 잘 유지하고 확충하는 것이 중요함 • 대표 사상가: 맹자
성악설 (性惡說)	• 인간은 이기적 욕망을 가지고 태어나 악한 충동이나 공격성을 지님 ➡ 악한 본성을 억제하고 교화하기 위한 인위적·후천적 노력을 중시함 • 대표 사상가: 순자
성무선악설 (性無善惡說)	• 선악은 인간의 본성이 아니라 인간 자신의 선택이나 판단, 환경에 달려 있음 ➡ 주변의 환경과 교육 등 후천적 요인이 중요함 • 대표 사상가: 고자

2 윤리 사상과 사회사상의 중요성

1. 윤리 사상의 의미와 중요성

의미	• 인간의 행위 규범이자 삶의 도리인 윤리에 대한 체계적인 생각 • 대표적인 예: 동양의 유교·불교·도가 사상, 서양의 의무론과 공리주의 등
중요성	• 자아 탐색의 근거를 제공함 ➡ 나는 어떤 존재인가? • 바람직한 삶의 목적 및 가치 체계를 제공함 ➡ 무엇을 위해 살아야 하는가? • 도덕적 행동 지침 및 판단 근거를 제공함 ➡ 무엇을 해야 하는가?, 어떻게 행동해야 하는가?

2. 사회사상의 의미와 중요성

의미	• 사회적 삶에서 나타나는 현상과 바람직한 사회를 구현하는 방법을 체계적으로 다룬 생각 • 대표적인 예: 자유주의, 공화주의, 민족주의, 세계 시민주의, 민본주의, 민주주의, 자본주의, 사회주의 등
중요성	• 이상 사회❺의 모습을 설계하고 이상 사회의 실현 방안을 모색하는 데 도움을 줌 • 사회 제도나 정책을 판단하는 근거가 됨 ➡ 현 사회를 진단하고 평가하는 데 도움을 줌 • 공적 삶의 영역에서 마주치는 윤리 문제와 딜레마를 해결하는 데 도움을 줌

---

❶ 이성
일반적으로 감성 또는 감정과 구별되는 인간의 인식 및 판단 능력을 의미한다.

❷ 유희적 존재
인간은 생존이나 삶의 목적 달성에 필요한 일만을 하는 존재가 아니다. 인간은 피로를 풀고 생활에 활력을 주며 삶의 기쁨과 슬픔을 표현하는 여러 가지 놀이를 발전시키는 유희적 존재이다.

❸ 윤리(倫理)
인간이 마땅히 지켜야 하는 삶의 도리이다. 인간은 윤리를 바탕으로 옳고 그름, 좋고 나쁨, 정의와 부정의를 판단한다.

❹ 인간 본성에 대한 서양 사상가의 입장

루소	인간의 본성은 본래 선한데 문명과 제도의 영향을 받아 악하게 변하였다.
홉스	인간의 본성은 남을 해치더라도 이득을 추구하고, 안전을 지키며, 좋은 평판을 얻고자 한다.
로크	인간의 마음은 본래 아무것도 그려지지 않은 흰 종이와 같다.

고득점을 위한 셀파 Tip 개념

| 인간의 본성 |

관점	내용
성선설	• 인간의 본성이 선하다고 보는 입장 • 대표 사상가: 맹자
성악설	• 인간의 본성이 악하다고 보는 입장 • 대표 사상가: 순자
성무선악설	• 선악은 인간의 본성이 아니라고 보는 입장 • 대표 사상가: 고자

❺ 이상 사회
사람들이 가장 바람직하다고 여기고 그렇게 이루어지기를 바라는 사회

자료 01 정치적 존재로서의 인간

국가는 단순한 생존을 위해 형성되지만 훌륭한 삶을 위해 존속하는 것이다. …… 인간이 벌을 포함한 다른 군집 생명체보다 고차적인 '정치적 동물'이라는 점은 자명한 사실이다. 자연은 어떤 이유 없이 뭔가를 만들어 내지 않는다는 것이 우리의 주장이다. 동물들 가운데 오직 인간만이 언어 능력을 갖추고 있다. 언어는 무엇이 유익하고 무엇이 유해한지, 그리고 무엇이 옳고 그른지 밝히는 데 쓰인다. 인간과 다른 동물들의 차이점은 인간만이 좋음과 나쁨, 옳고 그름 등을 인식할 수 있다는 것이다. 그리고 이런 인식의 공유에서 가정과 국가가 생성되는 것이다.

– 아리스토텔레스, 『정치학』 –

자료 분석 | 아리스토텔레스는 국가 공동체는 인간의 본성에 따라 자연적으로 만들어진 산물로, 선과 악, 옳고 그름에 대한 인식의 공유 과정에서 생성된 것이라고 본다. 또한 인간만이 언어를 통해 좋음과 나쁨, 옳고 그름 등을 밝히고 인식할 수 있으며, 인간은 이러한 인식의 공유를 기초로 공동체와 국가를 생성하고 운영하는 정치적 존재라고 주장한다.

자료 02 윤리적 존재로서의 인간

- 검토되지 않은 삶은 살 가치가 없다.

  – 소크라테스 –

- 생각하면 할수록 더욱 새롭고 더욱 높아지는 감탄과 경외로 내 마음이 가득 채우는 것이 두 가지 있다. 그것은 내 위에 있는 별이 빛나는 하늘과 내 마음속에 있는 도덕 법칙이다.

  – 칸트 –

- 인간에게는 마땅한 도리가 있으니, 배불리 먹고 따뜻한 옷을 입고 편안하게 살아도 도리를 배우지 않는다면 짐승과 같다.

  – 맹자 –

자료 분석 | 소크라테스는 반성적으로 성찰하는 삶을 강조하고, 칸트는 도덕 법칙을 강조하며, 맹자는 인간의 도리를 지켜야 한다고 본다. 이처럼 동서양의 여러 사상가는 인간이 다른 존재와 달리 옳고 그름을 판단해 도덕 법칙을 수립하고 자율적으로 실천할 수 있는 윤리적 존재라고 보았다. 이는 인간의 본질적 특성이라고 볼 수 있다.

자료 03 맹자와 고자의 인간 본성론 논쟁

고자(告子)가 말하였다. "본성은 소용돌이치는 물과 같아서 동쪽으로 트면 동쪽으로 흐르고, 서쪽으로 트면 서쪽으로 흐른다. 사람의 본성에 선함과 선하지 않음의 구분이 없는 것은 물에 동쪽과 서쪽의 구분이 없는 것과 같다." 맹자가 말하였다. "물에 동서의 구분이 없지만 위아래의 구분도 없겠는가? 사람의 본성이 선한 것은 물이 아래로 흐르는 것과 같다. 사람은 선하지 않음이 없고, 물은 아래로 흐르지 않음이 없다."

– 맹자, 『맹자』 –

자료 분석 | 고자는 인간이 타고나는 것은 식욕과 성욕뿐이며, 이는 선하지도 악하지도 않다고 본다. 그는 인간이 선하고 악한 것은 후천적인 요인에 의해서 정해진다고 본다. 반면에 맹자는 모든 인간은 태어날 때부터 선한 네 가지 마음인 사단(四端)이 있고, 선한 본성을 유지하기 위해 수양이 필요하다고 강조한다.

---

1 좋음과 나쁨, 옳고 그름 등을 인식할 수 있는 것은 인간과 동물의 공통점이다.

(○ , ×)

2 아리스토텔레스에 따르면 인간은 국가를 만들고 운영하는 정치적 동물이다.

(○ , ×)

3 아리스토텔레스에 따르면 국가는 인간의 본성에 따라 만들어진 산물이다.

(○ , ×)

4 인간은 자신의 삶을 반성적으로 검토할 수 있는 윤리적 존재이다.

(○ , ×)

5 맹자는 인간의 본성은 선하지도 악하지도 않다고 보았다.

(○ , ×)

6 고자는 인간이 도덕적인 욕구를 가지고 태어나는 존재라고 보았다.

(○ , ×)

7 성선설에 따르면 인간은 자신의 본성을 바꾸기 위해 노력해야 한다.

(○ , ×)

8 성무선악설에서는 선과 악이 후천적인 요인에 의해 정해진다고 본다.

(○ , ×)

9 맹자는 인간의 본성이 선하다는 근거로 사단(四端)을 제시하였다.

(○ , ×)

정답 1 × 　 2 ○ 　 3 ○ 　 4 ○ 　 5 ×
　　 6 × 　 7 × 　 8 ○ 　 9 ○

3 윤리 사상과 사회사상의 역할

1. 한국과 동·서양 윤리 사상

(1) 한국과 동양 윤리 사상

특징	• 세계를 개체[6]의 단순한 집합이 아니라 유기적 관계[7]로 맺어진 통합된 전체로 이해함 ➡ 인간과 자연, 인간과 인간 사이의 구별과 차이보다 상호 연관성과 조화를 중시함 • 개인의 가치를 경시하지 않지만, 개인은 공동체 안에 있을 때 의미가 있다고 봄 ➡ 공동체 의식 속에서 개인의 도덕성 함양과 개인과 집단 간의 화해를 추구함
사례	유교, 불교, 도가 사상, 한국의 사상적 풍토 등
현대적 의의	• 인간은 자연 속의 다른 존재와의 연관성 속에서만 삶을 영위할 수 있음을 인식함 ➡ 자연 파괴 문제의 근본적 해결책을 찾을 수 있음 • 관계의 단절 속에서 개체적이고 파편화된 극단적인 소외를 해결할 수 있음

(2) 서양 윤리 사상

특징	• 인간이 구현해야 하는 보편적 가치[8]를 추구함 ➡ 때와 장소에 따라 강조되는 구체적 도덕 규범은 다르더라도 인간이 지향해야 하는 보편적 가치가 있음을 강조함 • 이성과 이성에 바탕을 둔 윤리적 탐구를 중시함
사례	의무론과 공리주의, 그리스도교 사상 등
현대적 의의	• 인간의 존엄성, 자유, 평등, 인권 등의 보편적 가치 성립에 영향을 줌 • 인간의 도덕적 삶과 행복, 바람직한 공동체 등을 합리적으로 논의할 수 있는 다양한 틀을 제공함

(3) 윤리 사상의 역할 인간이 자신의 삶을 도덕적으로 성찰하게 함으로써 생각의 전환을 일으키고, 도덕적 실천을 하면서 더 나은 삶을 살아가도록 도와줌

2. 사회사상

(1) 사회사상의 특징 [자료 04]

① 사람들은 특정한 사회사상을 바탕으로 사회 현상을 이해하고 비판하며 자신이 속한 사회를 더 나은 모습으로 발전시키고자 노력함 예 자유주의, 자본주의, 민주주의 등

② 사회사상은 인류에게 긍정적인 역할뿐만 아니라 부정적인 역할을 할 수도 있음 ➡ 사회사상을 바라볼 때 인간다움과 행복의 실현에 기여할지 아니면 인류의 비극을 초래할지를 비판적으로 평가할 수 있어야 함

(2) 사회사상의 역할[9] 사회에서 발생하는 문제와 갈등을 해결하는 근본 지침과 개선된 사회의 모습을 제시해 줌

3. 윤리 사상과 사회사상의 관계 [자료 05] [자료 06]

(1) 윤리 사상과 사회사상의 공통점과 차이점 ┌─ 윤리 사상과 사회사상은 밀접한 관계를 맺고 있지만, 각 사상은 고유한 독립된 영역이 있다.

구분	윤리 사상	사회사상
차이점	• 주로 바람직한 인간 삶의 모습을 탐구함 • 개인의 삶에 초점을 맞춤	• 주로 바람직한 사회의 모습을 탐구함 • 공동체가 갖춰야 할 집단의 윤리, 규범, 가치 등에 초점을 맞춤
공통점	궁극적으로 인간다움과 행복을 실현하고자 함	

(2) 상호 의존적이고 보완적인 관계 도덕적인 인간은 바람직한 사회 속에서 구현될 수 있으며, 바람직한 사회를 실현하려면 구성원의 노력이 필요함

---

⑥ 개체
독립적인 하나의 존재

⑦ 유기적 관계
전체를 구성하는 각각의 부분이 서로 밀접하게 연결되어 있어서 따로 떼어 낼 수 없는 관계

⑧ 보편적 가치
인간의 존엄성, 자유, 평등 등과 같이 시대와 장소를 초월하여 언제나 존중되어야 할 가치

⑨ 사회사상의 역할
• 자유주의: 개인의 자유와 권리 보장
• 공화주의: 공적인 삶과 공공성을 중시
• 민주주의: 국민이 국가의 주인으로서 다양한 형태로 정치에 참여
• 자본주의: 자유로운 경제 활동 보장
• 세계 시민주의: 전 인류를 보편적 가치와 권리를 지닌 시민으로 간주

고득점을 위한 셀파 Tip 비교

| 윤리 사상과 사회사상 |

구분	윤리 사상	사회사상
특징	바람직한 인간 삶의 모습을 탐구	바람직한 사회의 모습을 탐구
예	유·불·도, 의무론과 공리주의 등	자유주의, 민주주의, 사회주의 등
관계	상호 의존적이고 보완적인 관계	

자료 04 사회사상을 공부하는 이유와 방법

소득 불평등, 소수 집단 우대 정책, 병역 등을 둘러싼 논쟁은 정치 철학의 문제이다. 이 문제들은 함께 살아가는 시민들을 상대로 우리의 도덕적·정치적 신념을 분명히 하고 정당화하라고 촉구한다. 한층 더 까다로운 상대는 사상가들이다. 고대와 근현대 사상가들은 시민의 삶에 생기를 불어넣는 개념들을 때로는 급진적이고 놀라운 방식으로 이해한다. …… 이들의 사상을 공부하는 목적은 누가 누구에게 영향을 미쳤는지 알려주는 정치사상사를 다루는 데 있는 것이 아니다. 자신의 견해를 정립하고 비판적으로 검토하도록 만들어, 자신이 무엇을 왜 그렇게 생각하는지 알도록 하는 데 있다.   – 샌델, 『정의란 무엇인가』 –

자료 분석 | 샌델은 사회사상을 수동적으로 받아들이기보다는 비판적으로 검토하고, 이를 통해 자신의 견해를 성찰하고 정립해야 한다고 주장한다. 즉, 샌델은 사회사상을 공부하는 목적이 현대 사회의 도덕적 문제 해결을 위한 능동적인 자세를 기르는 데 있다고 본다.

자료 05 윤리 사상과 사회사상의 관계에 대한 맹자와 플라톤의 입장

(가) 왕께서는 어째서 이익만을 말씀하십니까? 인(仁)과 의(義)가 중요할 뿐입니다. 왕이 '어떻게 내 나라를 이롭게 할까?'라고 궁리하면 대부는 '어떻게 내 집안을 이롭게 할까?'를 궁리합니다. 선비와 서민들은 '어떻게 하면 내 한 몸을 이롭게 할까?'를 궁리합니다. 이처럼 위아래가 서로 자신의 이익만을 탐하면 나라는 위태로워집니다.   – 맹자, 『맹자』 –

(나) 국가의 수호자들은 전적으로 필요한 것이 아닌 한 어떤 사유 재산도 가져서는 아니 되네. …… 금이나 은으로 만든 잔으로 술을 마셔서도 아니 되네. 이들로 하여금 가능한 한에 있어서 가장 훌륭한 수호자이기를 그만두게 하거나 다른 시민들에 대해 해코지를 하도록 하는 것이 안 되게끔 해야 하네. 이렇게 함으로써 이들은 자신도 구하며 나라도 구원할 것일세.   – 플라톤, 『국가』 –

자료 분석 | (가)는 맹자, (나)는 플라톤의 국가에 대한 생각이다. 맹자와 플라톤은 국가를 단순히 수단이 아니라 바람직한 공동체로 인식하고, 지도자 개인의 덕성을 공동체의 도덕성과 관계 짓는다. 이들의 주장을 현대적으로 해석하면 윤리 사상과 사회사상은 서로에게 영향을 주고 서로에게 토대를 제공하는 상호 보완적인 관계라고 볼 수 있다.

자료 06 윤리 사상과 사회사상의 관계에 대한 아리스토텔레스의 입장

국가가 훌륭해지는 것은 행운의 소관이 아니라, 지혜와 윤리적 결단의 산물이다. 훌륭한 국가가 되려면 국정에 참여하는 시민들이 훌륭해야 한다. 그런데 우리의 시민들은 모두 국정에 참여한다. 따라서 우리는 어떻게 해야 사람이 훌륭해질 수 있는지 고찰해 봐야 한다.   – 아리스토텔레스, 『정치학』 –

자료 분석 | 아리스토텔레스는 인간은 본성상 국가 없이 살아갈 수 없고, 국가의 구성원으로 정치에 참여하며 살아갈 때 명예롭고 행복한 삶을 누릴 수 있다고 본다. 그는 각자가 훌륭할 때 전체도 훌륭해질 것이라고 보았다. 또한 좋은 국가 없이는 인간다운 삶이 불가능하고, 국가 역시 바람직한 인간 없이는 제대로 운영되지 않는다고 보았다. 이러한 아리스토텔레스의 생각은 개인의 도덕성과 공동체의 도덕성이 밀접한 관계에 있고, 윤리 사상과 사회사상 역시 상호 의존적인 관계임을 보여 준다.

1 사회사상은 현대 사회의 도덕적 문제들을 해결하는 데 도움을 준다.

(O , ×)

2 역사적으로 유명한 사상가들의 사상들은 맹목적으로 받아들여야 한다.

(O , ×)

3 사회사상에 대한 공부를 통해 자신의 견해를 정립할 수 있어야 한다.

(O , ×)

4 윤리 사상과 사회사상은 상호 보완적인 관계이다.

(O , ×)

5 플라톤에 따르면 지도자의 덕성은 공동체와 무관한 개인적인 품성이다.

(O , ×)

6 맹자에 따르면 통치자는 이익을 먼저 탐할 수 있어야 한다.

(O , ×)

7 아리스토텔레스는 일반 시민들은 정치에 참여할 수 없다고 본다.

(O , ×)

8 아리스토텔레스에 따르면 훌륭한 국가가 되려면 시민들이 훌륭해져야 한다.

(O , ×)

9 아리스토텔레스는 개인의 도덕성과 공동체의 도덕성을 별개의 것으로 본다.

(O , ×)

정답 1 O 2 × 3 O 4 O 5 ×
       6 × 7 × 8 O 9 ×

1 인간에 대한 다양한 관점

인간의 특성		• (❶) 존재: 뛰어난 사고 능력을 갖춤 • 도구적 존재: 필요에 따라 도구를 만들어 사용함 • 문화적 존재: 문화를 창조하고 계승함 • 유희적 존재: 삶의 즐거움과 재미를 적극적으로 추구함 • (❷) 존재: 사회 속에서 온전한 인간으로 성장함 • 정치적 존재: 국가를 이루고 정치 활동을 함 • 종교적 존재: 초월적이고 무한한 것을 추구함 • (❸) 존재: 옳고 그름을 판단하여 자율적으로 실천할 수 있음 → (❹)의 핵심
인간 본성에 대한 관점	성선설	• 인간은 선천적으로 선한 성품을 지님 • 선한 본성을 유지하기 위한 노력이 필요함
	성악설	• 인간은 이기적 욕망을 갖고 태어남 • 본성을 변화시키려는 노력이 필요함
	(❺)	선악은 본성이 아니라 인간의 선택이나 판단, 환경에 달려 있음 → 교육과 같은 후천적 요인이 중요함

2 윤리 사상과 사회사상의 중요성

(❻)	의미	인간의 행위 규범이자 삶의 도리인 윤리에 대한 체계적인 생각
	중요성	• (❼)의 근거 제공 • 바람직한 삶의 목적 및 가치 체계 제공 • 도덕적 행동 지침 및 판단 근거 제공
사회사상	의미	사회 현상과 바람직한 사회를 구현하기 위한 방법에 대한 체계적인 생각
	중요성	• (❽)를 설계하고 실현하는 데 도움을 줌 • 현 사회의 진단과 평가에 도움을 줌 • 공적 삶에서의 윤리 문제 해결에 도움을 줌

3 윤리 사상과 사회사상의 역할

윤리 사상	삶을 도덕적으로 성찰하게 하고 도덕적 실천을 통해 더 나은 삶을 살아가도록 도와줌
(❾)	사회에서 발생하는 문제와 갈등을 해결하는 근본 지침과 개선된 사회의 모습을 제시함
윤리 사상과 사회사상의 관계	• 공통점: 인간다운 삶의 실현에 도움을 줌 • 개인과 사회를 분리할 수 없듯, 사회사상의 구현과 윤리 사상의 구현도 분리될 수 없음 → 상호 의존적이고 보완적인 관계

정답 ❶ 이성적 ❷ 사회적 ❸ 윤리적 ❹ 인간다움 ❺ 성무성악설 ❻ 윤리 사상 ❼ 자아 탐색 ❽ 이상 사회 ❾ 사회사상

01 다음에 나타난 인간의 특성으로 가장 적절한 것은?

> 동물과 달리 인간은 스스로 옳고 그름을 판단해 도덕 법칙을 수립하고 실천할 수 있는 도덕적 자율성을 지니고, 어떤 삶이 가치 있는지를 고민하며, 인간답게 살려면 어떻게 해야 하는가를 스스로 묻고 선택할 수 있다. 오직 인간만이 자신의 삶과 자신을 둘러싼 세계의 모습을 반성하고 성찰할 수 있으며 더 나은 방향으로 변화시킬 수 있다.

① 고유의 문화를 창조하고 계승해 나가는 존재이다.
② 필요에 따라 도구를 만들어서 사용하는 존재이다.
③ 삶의 재미와 즐거움을 적극적으로 추구하는 존재이다.
④ 도덕적 행동을 실천하여 인간다움을 실현하는 존재이다.
⑤ 절대적 존재에 대한 믿음으로 종교 생활을 하는 존재이다.

02 사상가 갑, 을이 공통적으로 강조하는 인간의 특성으로 가장 적절한 것은?

> 갑: 사람이 사람이라고 다 사람이냐, 사람이 사람다워야 사람이지.
> 을: 생각하면 할수록 더욱 새롭고 더욱 높아지는 감탄과 경외로 내 마음이 가득 채우는 것이 두 가지 있다. 그것은 내 위에 있는 별이 빛나는 하늘과 내 마음속에 있는 도덕 법칙이다.

① 여러 가지 도구를 만들어 사용한다.
② 공동체를 이루어 정치적 활동을 한다.
③ 다양한 예술 활동을 통해 아름다움을 추구한다.
④ 언어나 기술, 지식 등의 다양한 문화를 창조한다.
⑤ 도덕적 주체로서 옳고 그름을 판단하여 행동한다.

03 다음에서 강조하는 인간의 특성으로 가장 적절한 것은?

> '호모'라는 이름으로 인류가 출발할 수 있었던 가장 중요한 사건은 불의 발견과 그것을 다루는 기술뿐만 아니라, 불로 요리한 음식을 먹는 정기적인 '식사(食事)'라는 의례이다. 이와 같이 음식을 동일한 장소에서 일정한 시간에 먹는 습관은 인류가 행한 최초의 의례이다.

① 도구적 존재
② 문화적 존재
③ 윤리적 존재
④ 이성적 존재
⑤ 종교적 존재

04 다음에서 강조하는 인간의 특성으로 적절한 것을 〈보기〉에서 고른 것은?

> 물과 불은 생명이 없고, 초목은 생명이 있어도 지각(知覺)이 없으며, 짐승은 지각이 있어도 도의(道義)가 없다. 소는 인간보다 힘이 세고, 말은 인간보다 달리기를 잘하는데, 소나 말이 도리어 사람에게 쓰이는 것은 무슨 까닭인가? 그것들은 능히 모여 살 수 없기 때문이다. 왜 능히 모여 살지 못하는 것인가? 그것들은 분별하지 못하기 때문이다. 왜 분별하지 못하는 것인가? 그것들은 도의가 없기 때문이다.

┤ 보기 ├
ㄱ. 초월적 존재와 세계를 향한 믿음을 가지고 있다.
ㄴ. 옳고 그름을 판단해 도덕규범을 만들고 실천할 수 있다.
ㄷ. 사회 조직과 제도를 만들어 다른 사람들과 더불어 살아간다.
ㄹ. 자신의 필요에 따라 다양한 유형·무형의 도구를 만들어 사용한다.

① ㄱ, ㄴ
② ㄱ, ㄷ
③ ㄴ, ㄷ
④ ㄴ, ㄹ
⑤ ㄷ, ㄹ

05 다음에 나타난 인간의 특성으로 적절한 것을 〈보기〉에서 고른 것은?

> 인간은 동물처럼 자연조건으로부터 보호받을 수 있는 털을 가지고 있지 않습니다. …… 인간은 이러한 부담을 극복하고 살아남기 위해 자연을 개조해야만 했습니다. 무기와 불이 없는 인간 사회, 음식을 비축하고 식품을 조리할 줄 모르는 인간 사회, 피난처와 협동의 체계가 없는 인간 사회는 없습니다.

┤ 보기 ├
ㄱ. 인간은 필요에 따라 도구를 만들어 사용한다.
ㄴ. 인간은 삶의 재미와 즐거움을 적극적으로 추구한다.
ㄷ. 인간은 언어, 기술, 삶의 양식 등 문화를 창조하고 계승한다.
ㄹ. 인간은 유한함을 극복하고자 초월적이고 무한한 것을 추구한다.

① ㄱ, ㄴ
② ㄱ, ㄷ
③ ㄴ, ㄷ
④ ㄴ, ㄹ
⑤ ㄷ, ㄹ

06 고대 동양 사상가 갑, 을의 입장에 대한 설명으로 옳지 <u>않은</u> 것은?

> 갑: 사람의 본성은 소용돌이치는 물과 같다. 동쪽으로 트면 동쪽으로 흐르고, 서쪽으로 트면 서쪽으로 흐른다. 사람의 본성에 선함과 선하지 않음의 구분이 없는 것은 이와 같다.
> 을: 사람의 본성이 선한 것은 물이 아래로 흐르는 것과 같다. 물에 동서의 구분이 없지만, 위아래의 구분도 없는가? 사람은 선하지 않음이 없고, 물은 아래로 흐르지 않음이 없다.

① 갑은 인간이 타고나는 것은 식욕과 성욕뿐이라고 본다.
② 갑은 선악이 인간 자신의 선택이나 판단, 환경에 달려 있다고 본다.
③ 을은 인간에게 선한 네 가지 마음인 사단(四端)이 있다고 본다.
④ 을은 인간은 타고난 도덕심 덕분에 악행을 저지르지 못한다고 본다.
⑤ 갑, 을은 모두 선한 삶을 살기 위해서는 인간의 노력이 필요하다고 본다.

07 다음 동양 사상가의 입장에만 모두 '✓'를 표시한 학생은?

> 사람은 나면서부터 이익을 좋아하는데, 본성과 감정을 따르면 다투고 분수를 어기고 이치를 어지럽히게 된다. 그러므로 스승과 법도에 따른 교화와 예의(禮義)의 인도가 있어야 한다.

입장 \ 학생	갑	을	병	정	무
인간의 본성은 악하다.	✓	✓		✓	
인간의 본성을 방치하면 사회적 혼란을 피하기 어렵다.	✓			✓	✓
교육과 제도를 통해 인간의 욕망을 적절히 제어해야 한다.			✓	✓	✓
인간의 타고난 본성을 유지하기 위해 인위적인 노력이 필요하다.		✓	✓		✓

① 갑　　② 을　　③ 병　　④ 정　　⑤ 무

08 ㉠에 들어갈 내용으로 적절한 것을 〈보기〉에서 고른 것은?

> 윤리 사상은 주로 인간의 본질과 삶의 영역에서 바람직한 인간의 모습을 탐구하고, 사회사상은 주로 사회적·정치적 영역에서 바람직한 공동체의 모습을 탐구한다. 윤리 사상 속에서 추구하는 도덕적인 인간은 바람직한 사회 속에서 구현될 수 있으며, 사회사상에서 추구하는 바람직한 사회를 실현하려면 구성원의 노력이 필요하다. 따라서 윤리 사상과 사회사상은 　　㉠　　.

┤ 보기 ├
ㄱ. 각자 독자적인 영역을 지니지 않는다.
ㄴ. 서로 상호 의존적이고 보완적인 관계이다.
ㄷ. 모두 인간다움과 행복을 실현하고자 한다.
ㄹ. 서로 추구하는 바가 다른 대립적인 관계이다.

① ㄱ, ㄴ　　② ㄱ, ㄷ　　③ ㄴ, ㄷ
④ ㄴ, ㄹ　　⑤ ㄷ, ㄹ

09 다음을 통해 알 수 있는 내용으로 적절한 것을 〈보기〉에서 고른 것은?

> 좋은 사람이 되기 위해서는 좋은 공동체가 뒷받침되어야 하며, 좋은 공동체가 되기 위해서는 공동체 구성원이 도덕적이어야 한다. 이러한 점은 "덕을 갖춘 훌륭한 시민에 의해 정의로운 국가가 형성된다."라는 아리스토텔레스의 입장에서도 확인할 수 있다.

┤ 보기 ├
ㄱ. 사회와 분리되어 존재할 수 있는 개인은 없다.
ㄴ. 윤리 사상과 사회사상은 대립적인 관계에 있다.
ㄷ. 개인의 도덕적 삶은 좋은 공동체 안에서 가능하다.
ㄹ. 개인의 도덕성과 사회의 도덕성은 상호 독립적인 것이다.

① ㄱ, ㄴ　　② ㄱ, ㄷ　　③ ㄴ, ㄷ
④ ㄴ, ㄹ　　⑤ ㄷ, ㄹ

10 다음을 통해 알 수 있는 사회사상의 역할로 가장 적절한 것은?

> 자유주의는 인류 사회의 모습을 크게 바꾸어 놓았다. 근대 이전까지 당연시되었던 신분제의 문제점을 비판하고, 신분제에 따른 차별을 인류 역사에서 철폐하는 데 막대한 영향을 끼쳤다. 이와 더불어 자유주의는 시민이 단지 국가에 예속된 존재가 아니라 그 자체로 자유로운 존재임을 인식시켜 오늘날과 같은 자유 시민의 모습을 정립하는 데 기여하였다.

① 자아를 탐색하고 성찰할 수 있도록 돕는다.
② 바람직한 삶의 목적과 방향을 설정해 준다.
③ 윤리적 딜레마를 해결할 수 있는 대안을 제시한다.
④ 부당한 사회 제도나 정책을 합리화하는 근거가 된다.
⑤ 사회 문제를 비판하고 개선할 수 있도록 기준을 제공한다.

11 그림은 한 학생의 필기 내용이다. ㉠~㉤ 중 옳지 <u>않은</u> 것은?

[학습 주제] 사회사상의 의미와 특징
1. 의미: 복잡한 사회 현상에 관한 해석이나, 인간의 삶과 사회의 관계 등을 이론적으로 체계화한 사상
2. 사례: 자유주의, 민주주의, 사회주의 등 ············· ㉠
3. 특징
  • 사회를 이해하는 체계적인 틀을 제시함 ············· ㉡
  • 바람직한 사회로 나아가는 방향을 알려 줌 ········· ㉢
  • 윤리적 판단을 배제하고 사회 현상을 바라보게 함·· ㉣
  • 공적 영역에서의 윤리 문제 해결에 도움을 제공함·· ㉤

① ㉠　② ㉡　③ ㉢　④ ㉣　⑤ ㉤

12 다음에 나타나는 윤리 사상의 특징으로 가장 적절한 것은?

지호는 성적을 올려야 한다는 막연한 생각으로 열심히 공부했지만 계속되는 입시 경쟁과 성적에 대한 고민 때문에 공부에 대한 의욕이 사라져 버렸다. 그러던 중 "처음 학문을 할 때는 반드시 맨 먼저 뜻을 세워야 한다. 그렇게 하여 자신도 성인(聖人)이 되리라고 마음먹어야 한다."라는 율곡 이이의 가르침을 접하면서 자신을 반성하게 되었다. 지호는 자기 삶의 목적을 돌이켜 보면서, 자신이 정말 해야 할 공부가 무엇인지를 생각해 보았다. 그러고 나서는 자신이 해야 할 공부를 적극적으로 찾아서 하게 되었고 공부에 대한 흥미도 크게 높아지게 되었다.

① 윤리 사상은 우리의 일상생활과는 동떨어져 있다.
② 윤리 사상은 현실 사회의 잘못과 모순을 비판한다.
③ 윤리 사상은 삶의 목적 설정에 도움이 되지 못한다.
④ 윤리 사상은 자신의 삶을 도덕적으로 성찰하게 한다.
⑤ 윤리 사상은 특별한 사람들의 삶과 연관이 있을 뿐이다.

13 그림은 서술형 평가 문제와 학생 답안이다. 학생 답안의 ㉠~㉤ 중 옳지 <u>않은</u> 것은?

〈서술형 평가〉

◎ **문제** (가), (나)의 입장을 비교해 서술하시오.

(가) 이 사상은 어떻게 사는 것이 올바르게 사는 것이고 잘 사는 것인지를 체계화하였고, 어떤 행위가 옳은 행위인지를 이론적으로 정당화하였다.
(나) 이 사상은 사회적 삶에서 나타나는 현상을 설명하고 해석하여 바람직한 사회를 구현하고 운영하는 방법을 체계적으로 다룬 생각이다.

◎ **학생 답안**

(가)는 주로 ㉠ 자아를 탐색하고 성찰할 수 있는 근거를 제공해 준다. 또한 ㉡ 개인의 인격 완성에 큰 관심을 갖는다. 반면, (나)는 주로 ㉢ 이상 사회의 모습을 제시해 사회 발전의 원동력이 되며, ㉣ 정책과 사회 제도 개선을 중시한다. (가)와 (나)는 ㉤ 서로 탐구하는 영역이 다른 완전히 별개의 것이라고 볼 수 있다.

① ㉠　② ㉡　③ ㉢　④ ㉣　⑤ ㉤

14 다음을 통해 추론할 수 있는 내용으로 적절하지 <u>않은</u> 것은?

국가가 훌륭해지는 것은 행운의 소관이 아니라, 지혜와 윤리적 결단의 산물이다. 훌륭한 국가가 되려면 국정에 참여하는 시민들이 훌륭해야 한다. 그런데 우리의 시민들은 모두 국정에 참여한다. 따라서 우리는 어떻게 해야 사람이 훌륭해질 수 있는지 고찰해 봐야 한다.

① 개인의 삶과 사회를 분리해서 생각해야 한다.
② 좋은 국가가 없으면 훌륭한 삶을 살기 어렵다.
③ 국가는 바람직한 인간 없이 제대로 운영되지 않는다.
④ 윤리 사상과 사회사상은 떼려야 뗄 수 없는 관계이다.
⑤ 개인의 도덕성과 공동체의 도덕성은 밀접한 관계에 있다.

15 밑줄 친 '한국과 동양의 윤리 사상'의 특징에 대한 옳은 설명을 〈보기〉에서 고른 것은?

> 오늘날 우리는 자연을 인간의 행복과 이익을 위한 수단으로 보아 온 까닭에 환경 파괴, 자원 고갈 등의 문제를 겪고 있다. 또한 관계의 단절 속에서 개체적이고 파편화된 채 극단적인 소외를 느끼면서 살고 있기도 하다. 이러한 문제들의 근본적인 해결책은 한국과 동양의 윤리 사상에서 찾을 수 있다.

| 보기 |
ㄱ. 인간의 이성과 이성에 바탕을 둔 탐구를 중시한다.
ㄴ. 공동체 의식 속에서 개인의 인격 수양을 강조한다.
ㄷ. 세계를 유기적 관계로 맺어진 통합된 전체로 이해한다.
ㄹ. 세계에 대한 객관적인 원리와 법칙의 발견을 최우선 과제로 삼는다.

① ㄱ, ㄴ　　② ㄱ, ㄷ　　③ ㄴ, ㄷ
④ ㄴ, ㄹ　　⑤ ㄷ, ㄹ

16 그림은 학생의 노트 필기이다. ㉠~㉢에 들어갈 내용으로 적절한 것을 순서대로 배열한 것은?

> **〈다양한 사회사상과 그 영향〉**
> ・ ㉠ : 타인, 집단, 제도 등의 부당한 간섭과 침해로부터 개인의 자유와 권리를 보장받게 됨
> ・ ㉡ : 사유 재산과 자유로운 시장 경제 체제를 보장하고, 개인이 노력하면 노력에 따른 소득을 보장받게 됨
> ・ ㉢ : 국민이 국가의 주인으로서 책임감을 지니고 정치에 적극적으로 참여할 수 있게 됨

	㉠	㉡	㉢
①	민주주의	자본주의	세계 시민주의
②	민주주의	세계 시민주의	자본주의
③	자유주의	사회주의	자본주의
④	자유주의	자본주의	민주주의
⑤	민본주의	사회주의	민주주의

17 갑, 을의 입장에 대한 옳은 설명을 〈보기〉에서 고른 것은?

> 갑: 통치자는 인의(仁義)의 덕으로 다스려 사람들이 본성을 함양하며 살아가도록 해야 합니다. 인간은 도덕적 본성을 타고나기 때문입니다.
> 을: 국가의 수호자들로 하여금 가장 훌륭한 수호자이기를 그만두게 하거나 다른 시민들에 대해 해코지를 하는 것이 안 되게끔 해야 하네. 이렇게 함으로써 이들은 자신도 구하며 나라도 구원할 것일세.

| 보기 |
ㄱ. 갑은 인간이 타고난 본성을 함양하며 살아가야 한다고 본다.
ㄴ. 을은 바람직한 국가는 통치자의 덕성과 무관하다고 본다.
ㄷ. 갑과 을 모두 개인의 도덕성과 사회의 도덕성을 상호 보완적인 관계로 본다.
ㄹ. 갑과 을 모두 지도자의 도덕성보다 올바른 사회 제도를 갖추는 것이 중요하다고 본다.

① ㄱ, ㄴ　　② ㄱ, ㄷ　　③ ㄴ, ㄷ
④ ㄴ, ㄹ　　⑤ ㄷ, ㄹ

18 밑줄 친 '이 사상'의 역할로 적절하지 않은 것은?

> 이 사상은 사회적 삶에서 나타나는 현상에 대한 해석과 사회 체제나 제도의 바람직한 모습 및 그것의 구현에 관한 체계적인 사유를 말한다. 이 사상은 역사적으로 한 사회가 나아가야 할 바람직한 방향을 제시하는 역할을 해 왔고, 인류 사회의 발전에 큰 기여를 하였다.

① 사회 제도나 정책을 판단하는 근거가 된다.
② 바람직한 사회의 이상(理想)을 제시해 준다.
③ 자기 이해에 필요한 올바른 기준을 제공한다.
④ 사회적 존재로서 개인의 삶의 방식을 알려 준다.
⑤ 다양한 사회 문제를 비판하고 개선할 수 있는 기준을 제공한다.

19 ㉠~㉢에 들어갈 알맞은 말을 쓰시오.

> • 인간은 고도의 사고 능력을 지닌 [　㉠　] 적
> 존재이다. 이를 통해 인간은 자신과 세계에 대해
> 끊임없이 사유하고 해석한다.
> • 인간은 놀이를 즐길 줄 알고 삶의 재미를 찾고자
> 하는 [　㉡　] 적 존재이다.
> • 인간은 사회 안에서 다른 사람들과 더불어 살아간
> 다는 점에서 [　㉢　] 적 존재라고 할 수 있다.

20 다음 글을 읽고 물음에 답하시오.

> 인간의 행위 규범이자 삶의 도리인 윤리에 대한
> 체계적인 생각을 [　㉠　] (이)라고 한다. 또한 인
> 간의 사회적 삶에서 나타나는 현상을 설명하고 해석
> 하여 바람직한 사회를 구현하고 운영하는 방법을 체
> 계적으로 다룬 생각을 [　㉡　] (이)라고 한다.

(1) ㉠, ㉡에 들어갈 알맞은 말을 쓰시오.

(2) ㉡의 역할을 두 가지 이상 서술하시오.

(3) ㉠과 ㉡의 관계에 대해 서술하시오.

21 다음과 관계 깊은 인간의 특성을 쓰고, 그 특성이 갖는 특징
을 서술하시오.

> • 검토되지 않은 삶은 살 가치가 없다.
>
> – 소크라테스 –
>
> • 인간에게는 마땅한 도리가 있으니, 배불리 먹고
> 따뜻한 옷을 입고 편안하게 살아도 그 도리를 배
> 우지 않는다면 짐승과 같다.
>
> – 맹자 –

22 사상가 갑, 을의 인간 본성에 대한 관점의 공통점을 서술
하시오.

> 갑: 모든 사람에게 차마 어찌하지 못하는 마음이 있
> 다고 말하는 까닭은 어린아이가 우물로 들어가
> 려는 것을 보면 누구나 깜짝 놀라며 측은한 마음
> 이 들기 때문이다.
> 을: 모든 사람은 태어나면서부터 이익을 좋아하고
> 욕망을 충족하려는 본성을 가지고 태어난다. 이
> 것을 방치하면 다툼과 사회적 분쟁이 생긴다.

| 교육청 기출 |

01 그림의 강연자가 강조하는 인간의 특성으로 가장 적절한 것은?

> 어느 동양 사상가는 매일 세 가지를 반성하면서 살았다고 합니다. 그것은 '남을 위함에 최선을 다했는가? 벗과 사귐에 있어 믿음을 주었는가? 스승에게 배운 바를 실천으로 옮겼는가?'입니다. 우리도 이와 같은 삶을 살아갈 때 비로소 인간다운 삶을 살아갈 수 있습니다.

① 자연적인 욕구에 충실한 유희적 삶을 실현하는 존재이다.
② 자신의 고정 관념에 따라 수동적인 삶을 영위하는 존재이다.
③ 구성원으로서의 역할 수행보다 사익 추구를 우선하는 존재이다.
④ 도덕적 성찰을 통해 가치 있는 삶을 살고자 노력하는 존재이다.
⑤ 자신의 성공을 위해 남에게 보이기 위한 삶을 살아가는 존재이다.

02 다음 글에 나타난 인간의 특성으로 가장 적절한 것은?

> '나'라는 존재에 대하여, '나'를 둘러싸고 있는 여러 관계를 모두 끊어버리고 순수하게 '나'에게 속해 있는 것, 순전히 '나'에 의해서만 이루어진 것이 얼마나 있는지 한 번 헤아려 보라. 언뜻 생각해 보면 내 주위의 많은 사물이나 사건이 순전히 '나'에 의해서 이룩된 것처럼 보일 것이다. 그러나 조금만 깊이 생각해 보면 '순전한 나(의 것)'는 일종의 환상임을 어렵지 않게 깨닫는다. 인간이 아무리 강하고 독립적인 존재라고 하더라도, 그가 속한 국가와 문화, 정치적 영향, 경제적 측면, 시대정신 등을 벗어나서 사고하거나 행동할 수 없다.

① 절대적 존재에 대한 믿음으로 종교 생활을 한다.
② 언어, 기술 등을 배워 문화를 창조하고 계승한다.
③ 이성을 통해 논리적 사고를 할 수 있는 존재이다.
④ 삶에 필요한 유형·무형의 여러 도구를 만들어 사용한다.
⑤ 혼자서는 살아갈 수 없고 사회 속에서 생활해야 하는 존재이다.

| 교육청 기출 |

03 다음 가상 대화에서 갑, 을이 공통으로 강조하는 인간의 특성으로 가장 적절한 것은?

> 갑: 사사로운 욕심을 이기고 예로 돌아가는 것이 인(仁)입니다. 인을 실현하는 것은 나를 돌이켜 보고 스스로 경계하려는 노력에 의한 것이지 어찌 남에게 달려 있겠습니까?
> 을: 그렇습니다. 검토되지 않은 삶은 살 가치가 없습니다. 그러므로 사람이 할 수 있는 최상의 일은 매일 대화와 토론을 통해 자신의 무지를 자각해야 한다는 것입니다.

① 삶을 반성하고 성찰하여 인격 완성을 추구하는 존재이다.
② 마음의 평정을 위하여 은둔적인 삶을 추구하는 존재이다.
③ 생활에 활력을 주는 놀이와 즐거움을 추구하는 존재이다.
④ 본능적인 욕구에 따라 자신의 행복을 추구하는 존재이다.
⑤ 초월적 존재인 신의 명령에 순응하는 삶을 추구하는 존재이다.

04 다음 글에 나타난 사회사상의 필요성으로 가장 적절한 것은?

> 민주 사회에서의 삶은 옳고 그름, 정의와 부정의에 관해 서로 다른 의견으로 가득하다. 어떤 사람은 부자에게 세금을 거두어 가난한 사람을 돕는 것이 공정하다고 생각하지만, 다른 사람은 노력으로 번 돈을 세금으로 빼앗는 행위는 공정하지 못하다고 생각한다. …… 이처럼 정의와 부정의, 평등과 불평등, 개인의 권리와 공동선에 관한 다양한 주장이 난무하는 영역을 어떻게 이성적으로 통과할 수 있을까?

① 바람직한 삶의 목적을 설정할 수 있도록 도와준다.
② 복잡한 사회적 현상에 대해 가치 중립적인 입장을 갖게 한다.
③ 사회적 논쟁의 쟁점을 체계적으로 이해할 수 있도록 도와준다.
④ 새로운 윤리적 가치를 발견함으로써 인간의 도덕적 삶을 발전시킨다.
⑤ 삶의 목적을 세우고 삶을 이끌어 주는 가치 체계를 형성해 나가는 데 도움을 준다.

05 다음 글과 관계 깊은 인간의 특성에 대한 설명으로 가장 적절한 것은?

> 돼지는 과식을 하지 않는다. 필요한 만큼 먹고 그 이상 더 먹지 않는다. 그러나 인간은 종종 과음·과식을 하고 소화 불량에 걸리곤 한다. 이렇듯 인간은 다른 동물들처럼 자동으로 조절되지 않는다. 그러므로 그때마다 인간은 자기반성을 통해 자기 제어를 해야 한다. 니체는 인간은 자기를 극복해야 할 존재라고 말한 바 있다. …… 인간을 정신적 존재라고 할 때, '정신'이라는 말은 자기 억제와 금욕에서부터 나오는 것이다.

① 놀이를 통해 즐거움을 추구하는 유희적 존재이다.
② 유한성을 극복하기 위해 노력하는 종교적 존재이다.
③ 타인과 더불어 집단을 형성해 삶을 영위하는 사회적 존재이다.
④ 자신의 행동과 삶의 방식을 스스로 결정하고 성찰할 수 있는 윤리적 존재이다.
⑤ 도구를 만들어서 사용함으로써 부족한 신체적 능력을 극복하는 도구적 존재이다.

| 평가원 응용 |

06 (가)의 갑, 을의 입장을 (나)의 그림으로 표현할 때, A~C에 들어갈 적절한 내용만을 〈보기〉에서 고른 것은?

(가)	갑: 무릇 사람의 본성은 군자와 소인이 동일하다. 그러나 군자를 귀하게 여기는 것은 본성을 교화하고, 인위를 일으켜 예의를 생기게 했기 때문이다. 을: 인(仁)은 사람의 마음이요, 의(義)는 사람의 길이다. 그 길을 버리고 따라가지 않으며, 마음을 놓아버리고 찾을 줄 모르니 슬프다. 학문의 길은 다른 것이 아니라 놓아버린 마음을 찾는 것일 뿐이다.
(나)	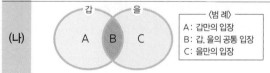

〈범례〉
A: 갑만의 입장
B: 갑, 을의 공통 입장
C: 을만의 입장

| 보기 |
ㄱ. A: 예의·법도를 배우고 익혀 본성을 회복해야 한다.
ㄴ. B: 선과 악은 후천적인 요인에 의해 정해진다.
ㄷ. B: 도덕적이고 선한 삶을 위해 수양이 필요하다.
ㄹ. C: 선한 도덕심을 유지하고 확충하기 위해 노력해야 한다.

① ㄱ, ㄴ   ② ㄱ, ㄷ   ③ ㄴ, ㄷ
④ ㄴ, ㄹ   ⑤ ㄷ, ㄹ

07 고대 동양 사상가 갑, 을, 병의 입장에 대한 설명으로 옳은 것은?

> 갑: 사람은 만약 어린아이가 물에 빠지는 상황을 당하게 되면 측은해하는 마음을 갖게 된다. 그것은 어린아이의 부모와 친분을 맺으려고 해서도 칭찬을 바라서도 아니다.
> 을: 사람은 본래부터 이기적이며 욕망이 있다. 욕망이 있는데 얻지 못하면 구하고자 하고, 구하고자 하면 다투지 않을 수 없고, 다투면 혼란해지고 궁색해진다.
> 병: 사람의 본성은 식욕과 성욕이며 타고난 그대로가 본성이다. 사람의 본성을 선이나 악으로 규정지을 수 없는 것은 물에 동서의 구분이 없는 것과 같다.

① 갑: 선한 본성은 타고나는 것이 아니다.
② 을: 본성은 인위적으로 변화시킬 수 없다.
③ 병: 사단을 확충하면 선한 삶을 살 수 있다.
④ 갑, 을: 본성은 선 또는 악으로 정해져 있다.
⑤ 을, 병: 도덕적인 삶을 위해 예의가 필요하다.

| 교육청 기출 |

08 고대 동양 사상가 갑, 을의 입장에 대한 설명으로 가장 적절한 것은?

> 갑: 사람의 본성은 소용돌이치는 물과 같다. 동쪽으로 트면 동쪽으로 흐르고, 서쪽으로 트면 서쪽으로 흐른다. 사람의 본성에 선함과 선하지 않음의 구분이 없는 것은 이와 같다.
> 을: 사람의 본성은 물이 아래로 흐르는 것과 같다. 물에 동서의 구분이 없지만, 위아래의 구분도 없는가? 사람은 선하지 않음이 없고, 물은 아래로 흐르지 않음이 없다.

① 갑은 인간마다 선한 본성 또는 악한 본성이 있다고 본다.
② 을은 인간의 본성에는 선과 악이 서로 뒤섞여 있다고 본다.
③ 갑은 을과 달리 인간의 본성은 서로 다르지 않다고 본다.
④ 을은 갑과 달리 인간은 본래 도덕성을 지닌 존재라고 본다.
⑤ 갑, 을은 모두 인간의 본성은 고정되어 있지 않다고 본다.

09 | 교육청 기출 |
그림에서 교사의 질문에 적절한 답변을 한 학생만을 있는 대로 고른 것은?

① 갑   ② 을   ③ 병   ④ 갑, 을   ⑤ 을, 병

10 ㉠에 들어갈 내용으로 적절하지 <u>않은</u> 것은?

> 학생: 윤리 사상과 사회사상의 탐구 대상은 무엇인가요?
> 교사: 윤리 사상은 인간에 대한 이해를 바탕으로 바람직한 인간의 삶을 탐구하고, 사회사상은 사회 현상을 해석하고 이상 사회의 모습을 그려 보면서 바람직한 사회에 대해 탐구하는 것이란다.
> 학생: 그렇다면 윤리 사상과 사회사상은 각각 탐구 대상이 다른 독립적인 영역으로 볼 수 있겠네요.
> 교사: 그렇지 않단다. 독립적인 영역도 있지만 기본적으로 상호 의존적인 관계라고 볼 수 있어. 왜냐하면
>   ㉠

① 개인의 삶은 사회와 분리되어서 생각할 수 없기 때문이야.

② 개인의 정체성과 사회의 정체성은 서로 영향을 주기 때문이야.

③ 구성원이 비도덕적이라면 좋은 공동체가 되기 어렵기 때문이야.

④ 개인의 도덕성과 공동체의 도덕성은 언제나 일치하기 때문이야.

⑤ 윤리 사상과 사회사상 모두 인간다움과 행복을 목표로 하기 때문이야.

11 ㉠에 비해 ㉡이 중시하는 과제로 옳은 것을 〈보기〉에서 고른 것은?

> 바람직한 인격을 형성하고 이상적인 사회를 건설하려면 어떤 것이 더 나은 삶인가를 평가하는 기준이 필요하다.   ㉠   은/는 주로 인간의 본질과 삶의 영역에서 도덕 판단 기준을 제공하는 데 비해,   ㉡   은/는 정치적·사회적 영역에서 인간의 가치 판단과 사회적 행동에 대한 기준을 제공함으로써 사회 현실을 올바른 방향으로 이끌어 준다.

┤ 보기 ├
ㄱ. 나는 누구이고 어떤 존재인가?
ㄴ. 바람직한 삶의 목적 및 가치 체계는 무엇일까?
ㄷ. 사회 제도나 정책이 올바르게 형성되어 있는가?
ㄹ. 우리 사회가 지향해야 할 이상적인 사회는 어떤 모습일까?

① ㄱ, ㄴ   ② ㄱ, ㄷ   ③ ㄴ, ㄷ
④ ㄴ, ㄹ   ⑤ ㄷ, ㄹ

12 | 교육청 기출 |
㉠, ㉡에 대한 설명으로 옳지 <u>않은</u> 것은?

> •   ㉠   은/는 인간의 본질에 대한 이해를 바탕으로 인간다운 삶의 방향을 제시하고, 도덕적 삶과 도덕적 행위에 관한 생각을 이론적으로 체계화한 것이다.
> •   ㉡   은/는 사회적 삶에서 나타나는 현상을 설명하고 해석하는 개념적 틀로서, 사회 체제나 제도의 바람직한 모습을 제시하고 그것의 구현 과정을 체계화한 것이다.

① ㉠은 도덕적 문제 상황을 해결할 수 있도록 도와준다.

② ㉠은 행위의 옳고 그름에 대한 판단 기준을 제공해 준다.

③ ㉡은 현실을 정당화하거나 비판하는 기준을 제시해 준다.

④ ㉡은 이상적인 사회를 구현하기 위한 방향을 안내해 준다.

⑤ ㉠과 ㉡은 함께 나아가는 것으로 독자적인 탐구 영역을 갖지 않는다.

01. 윤리 사상과 사회사상

① 인간에 대한 다양한 관점

• 인간의 특성

이성적 존재	뛰어난 이성적 사고 능력을 갖춤
도구적 존재	삶에 필요한 유형, 무형의 도구를 만들어 사용함
문화적 존재	언어, 지식, 기술, 예술 등을 문화를 창조하고 계승함
유희적 존재	놀이를 즐길 줄 알고 삶의 재미를 찾고자 함
사회적 존재	사회 속에서 온전하게 성장하고 삶을 영위할 수 있음
정치적 존재	국가를 이루며 정치 활동을 함
종교적 존재	유한한 세계를 넘어 초월적이고 무한한 것을 추구함
윤리적 존재	옳고 그름을 판단해 도덕 법칙을 수립하고 자율적으로 실천할 수 있음

→ 아리스토텔레스는 인간이 정치적 존재라고 함

• 인간의 본성에 대한 다양한 관점

성선설	인간은 순수하게 선한 성품을 지니고 태어남 → 선한 본성을 유지하기 위해 노력해야 함
성악설	인간은 이기적 욕망을 가지고 태어남 → 악한 본성을 억제하기 위해 노력해야 함
성무선악설	선악은 인간의 본성이 아니라 환경, 교육 등 후천적 요인에 달려 있음

② 윤리 사상과 사회사상의 중요성

• 윤리 사상의 의미와 중요성

의미	인간의 행위 규범이자 삶의 도리인 윤리에 대한 체계적인 생각
중요성	자아 탐색의 근거, 바람직한 삶의 목적 및 가치 체계, 도덕적 행동 지침 및 판단 근거 제공

• 사회사상의 의미와 중요성

의미	사회적 삶에서 나타나는 현상과 바람직한 사회를 구현하는 방법을 체계적으로 다룬 생각
중요성	• 이상 사회 설계, 이상 사회 실현 방안 모색 • 사회 제도나 정책을 판단하는 근거가 됨

③ 윤리 사상과 사회사상의 역할

• 윤리 사상의 특징

한국과 동양 윤리 사상	• 세계를 유기적 관계로 맺어진 통합된 전체로 이해 • 공동체 의식 속에서 개인과 집단 간의 화해를 추구
서양 윤리 사상	• 인간이 구현해야 하는 보편적 가치를 추구 • 이성에 바탕을 둔 윤리적 탐구를 중시

• **윤리 사상의 역할:** 인간이 자신의 삶을 도덕적으로 성찰하고, 도덕적 실천을 할 수 있도록 도움
• **사회사상의 특징:** 사람들은 특정 사회사상을 바탕으로 사회 현상을 이해하고 비판함
• **사회사상의 역할:** 사회에서 발생하는 문제와 갈등을 해결하는 지침과 개선된 사회의 모습을 제시함
• **윤리 사상과 사회사상의 공통점과 차이점**

공통점	궁극적으로 인간다움과 행복을 실현하고자 함
차이점	윤리 사상은 바람직한 인간 삶의 모습을 탐구하고, 사회사상은 바람직한 사회의 모습을 탐구함

• **윤리 사상과 사회사상의 관계:** 상호 의존적이고 보완적인 관계

II

동양과 한국 윤리 사상

이 단원의 핵심 포인트

중단원	핵심 포인트	학습일
01 사상의 연원 ~ 인의 윤리	• 동양과 한국 윤리 사상의 연원과 특징 • 공자의 사상 • 맹자의 사상 • 순자의 사상 • 주희의 성리학 • 왕수인의 양명학	월 일 ~ 월 일
02 도덕적 심성	• 이황의 사상 • 이이의 사상 • 정약용의 사상	월 일 ~ 월 일
03 자비의 윤리	• 초기 불교의 가르침 • 대승 불교의 교리 • 교종의 특징 • 선종의 특징	월 일 ~ 월 일
04 분쟁과 화합	• 원효의 사상 • 의천의 사상 • 지눌의 사상 • 한국 불교의 윤리적 특징	월 일 ~ 월 일
05 무위자연의 윤리	• 노자의 사상 • 장자의 사상 • 도교의 전개 • 도교의 윤리관과 생명관	월 일 ~ 월 일
06 한국과 동양 윤리 사상의 의의	• 실학과 강화학파 • 위정척사와 개화사상 • 신흥 종교 • 동양의 이상적 인간상의 특징	월 일 ~ 월 일

01 사상의 연원 ~ 인의 윤리

1 동양과 한국 윤리 사상의 연원

1. 동양 윤리 사상의 연원과 특징

(1) 동양 윤리 사상의 전개

유교	• 인(仁)과 예(禮)의 실천을 통한 개인의 도덕적 완성과 이상 사회의 실현에 주목함 • 인간 사이의 도리를 지키며 사회적 관계 속에서 도덕적 삶을 살아갈 것을 주장함
불교	• 연기(緣起)에 따르면 세계의 모든 존재는 서로 인과적으로 의존함 ➡ 만물의 상호 의존성을 강조함 • 괴로움의 원인을 깨달아 모든 고통에서 벗어난 해탈을 추구하고 자비를 실천할 것을 주장함
도가	• 인간과 세계를 도(道)의 관점에서 이해하며 도를 따르는 삶을 살아야 한다고 봄 • 인위적이고 세속적인 가치에서 벗어나 자연을 따르는 무위자연(無爲自然)의 삶을 제시함

(2) 동양 윤리 사상의 특징 [자료 01]

① 유기체적 세계관❶ 모든 존재의 상호 연관성을 중시함 ── 개인을 중심에 두는 개체적 관점과 다르다.

② 공존과 공생의 사회관 인간은 타인, 만물과 더불어 살아가는 존재라고 봄

③ 도덕적 수양 중시 스스로의 수양과 노력을 통해 이상적인 인격에 도달해야 한다고 봄

2. 한국 윤리 사상의 연원과 특징

(1) 한국 윤리 사상의 토대 건국 신화, 민간 신앙 등의 고유 사상과 유교, 불교, 도교 등의 외래 사상

(2) 한국 윤리 사상의 특징 [자료 02] ── 고조선의 단군 신화, 고구려의 주몽 신화 등

① 인본주의 인간을 존중하고 존엄하게 여김 예 민본주의, 동학의 인간 존중 사상 등

② 현세 지향 현세에서 사람들이 좋은 삶을 실현하기를 염원함

③ 화합과 조화 중시 자연과 인간, 사상들 간의 화합과 조화를 추구함 예 풍류❷, 원효의 화쟁 사상, 의천과 지눌의 사상 등

2 도덕의 성립 근거

1. 제자백가❸의 등장 춘추 전국 시대의 정치적·사회적 혼란을 해결하기 위해 다양한 사상가와 학파가 등장함
── 중국의 주나라가 혼란에 빠지고 제후국 사이의 경쟁과 싸움이 일어난 시대

2. 공자의 사상

(1) 인과 예 [자료 03]
── 친소(親疏)의 구별이 있는 사랑을 의미한다.

인(仁)	의미	사랑의 정신이자 인간을 인간답게 해 주는 덕
	실천	• 인을 실천하기 위한 기본적인 덕목: 효제(孝悌) ➡ 효제를 타인과 사회적 관계로 확장해야 함 ── 부모에 대한 효와 형제에 대한 우애 • 인을 실천하는 구체적인 방법: 충서(忠恕)❹
예(禮)	의미	인을 실현하는 외면적 사회 규범
	실천	극기복례(克己復禮): 자신의 사욕을 극복하고 진정한 예를 회복해야 함

(2) 정치사상

① 정명(正名) 군주는 군주답고 신하는 신하답고 부모는 부모답고 자식은 자식다워야 함〔君君臣臣父父子子〕 ➡ 각자 자신의 명분에 부합하는 덕을 갖추고 자기 역할을 온전히 수행해야 함

② 덕치(德治) 법령과 형벌에만 의지하지 않고, 도덕과 예의로 백성을 교화하는 정치

③ 수기치인(修己治人) 통치자가 먼저 군자다운 인격을 닦은 후에 백성을 다스려야 함

④ 대동 사회(大同社會) 사회적 재화가 고르게 분배되고 모두가 더불어 잘 사는 대동 사회를 이상 사회로 제시함
── 인과 예를 바탕으로 덕을 갖춘 도덕적 인간

고득점을 위한 셀파 Tip 개념

| 동양 사상의 특징 |

대표 사상	유교	인(仁)의 윤리
	불교	자비의 윤리
	도가	무위자연의 삶
특징	• 유기체적 세계관 • 공존과 공생의 사회관 • 도덕적 수양 중시	

❶ 유기체적 세계관
만물이 부분과 부분, 부분과 전체로서 밀접한 관련을 맺으며 하나의 통일체를 이루고 있다고 보는 관점

❷ 풍류(風流)
유교, 불교, 도교의 여러 사상을 포섭하는 조화 정신을 지닌 사상으로 화랑도의 정신적 밑거름이 되었다. 신라의 최치원은 난랑비 서문에서 풍류를 언급하였다.

❸ 제자백가
춘추 전국 시대에 등장한 수많은 학파와 학자를 뜻하며, 유가, 도가, 묵가, 법가 등이 대표적이다. 묵가의 묵자는 모든 사람을 차별 없이 사랑하는 겸애를 주장하였고, 법가의 한비자는 나라를 다스리는 데 법이 중요하다는 점을 강조하였다.

❹ 충(忠)과 서(恕)

충	진실한 태도를 지니고 자신의 온 정성을 다하는 것
서	자신을 미루어 다른 사람의 마음을 헤아리는 것

자료 01 유교, 불교, 도가에서 자연과 세계를 바라보는 시각

(가) 하늘을 아버지라 하고 땅을 어머니라 한다. 나의 이 작은 몸은 그 사이에 어울려 있다. 천지 안에 가득 찬 기를 내 몸으로 여기고, 천지를 이끄는 원리를 나의 본성으로 여긴다.

– 장재, 「서명」 –

(나) 천지와 나는 같은 뿌리를 지니고 있고, 만물은 나와 한 몸이다.

– 승조, 「조론」 –

(다) 천지는 나와 나란히 생겨나고, 만물은 나와 하나이다.

– 장자, 「장자」 –

자료 분석 | (가)는 유교, (나)는 불교, (다)는 도가의 자연관이다. 동양 윤리 사상은 모든 존재가 서로 조화를 이루는 생명으로 연결되어 있으며, 따로 떨어져 있지 않다고 본다. 이처럼 동양에서는 만물이 서로 의존하여 존재한다고 파악해 서로 조화를 이루며 공존하는 삶을 강조한다.

자료 02 단군 신화 속에 나타난 한국 윤리 사상의 특징

하느님인 환인의 아들 환웅이 인간 세상을 다스리기를 원하였다. 아버지는 아들의 뜻을 알고서 인간 세상을 내려다보니 인간을 널리 이롭게[弘益人間] 할 만하였다. 그래서 아들 환웅이 인간 세상에 내려가서 다스리게 하였다. 환웅이 무리를 이끌고 태백산 정상의 신단수 아래로 내려와 그곳을 신시(神市)라고 일컬으며 다스렸다. …… 곰과 범이 환웅에게 인간이 되게 해 달라고 간청하였다. 이들의 간청을 들은 환웅은 쑥과 마늘을 주면서 "이것만 먹고 100일간 햇빛을 보지 않으면 사람이 될 수 있다."라고 하였다. 결국 곰은 여자의 몸을 얻었지만, 범은 참지 못하고 뛰쳐나가 사람이 되지 못하였다. 웅녀는 혼인할 상대가 없어 늘 신단수 아래에서 아이를 가지게 해 달라고 기원하였다. 이에 환웅은 잠시 인간으로 변해 웅녀와 혼인하였다. 그 후 웅녀가 아들을 낳았으니, 그가 단군왕검이다.

– 일연, 「삼국유사」 –

자료 분석 | 단군 신화에는 하늘과 인간을 연결하고자 하는 경천사상(敬天思想)과 천인합일(天人合一) 사상, 인간을 중시하는 인본주의 정신, 현세 지향적인 가치관, 널리 인간 세상을 이롭게 하고자 하는 홍익인간 정신, 화합과 조화의 정신 등 한국 윤리 사상의 중요한 특징들이 나타나 있다.

자료 03 공자의 인(仁)과 예(禮)

• 자공이 물었다. "일생 동안 행할 만한 한 마디 말이 있습니까?" 공자가 답했다. "그것은 서(恕)일 것이다. 내가 원하지 않는 것은 남에게도 행하지 마라."
• 자신의 이기심을 극복하고 예(禮)로 돌아가는 것[克己復禮]이 인(仁)이다. 하루만이라도 자신의 이기심을 극복하고 예로 돌아가면, 천하가 인에 귀의할 것이다. 인을 실천하는 것이 자신에게 달린 것이지 다른 사람에게 달린 것이겠느냐?

– 「논어」 –

자료 분석 | 공자는 인(仁)의 구체적인 실천 방법으로 충서(忠恕)의 덕목을 제시한다. 공자가 제시하는 '서'는 다른 사람을 나와 동등하게 대우하는 마음가짐으로, 상호 존중의 원칙이다. 인의 실천은 서의 원칙 덕분에 보편성을 지닐 수 있게 된다. 공자는 인과 더불어 예(禮)도 강조한다. 공자에 따르면 인은 예의 형식으로 표현되는데, 개인의 이기심을 극복하고 예를 실천해야 도덕적인 사회가 될 수 있다.

3. 맹자의 사상

(1) **인의(仁義)** 사익 추구와 경쟁, 다툼 등으로 사회 혼란이 발생함 ➡ 인과 의의 중요성을 강조함
┌─ 타인을 사랑하는 어진 마음
└─ 옳고 그름을 분별하는 도덕적 정당성

(2) **성선설(性善說)** 자료 04

불인인지심(不忍人之心)	남에게 차마 어찌하지 못하는 선한 마음
사단(四端)	선천적인 도덕적 마음으로 성선설의 근거이자 사덕(四德)의 실마리

└─ 선천적 도덕적 자각 능력인 양지(良知)와 도덕적 실천 능력인 양능(良能)을 바탕으로 사단을 확충해야 한다.

(3) **수양 방법**

호연지기(浩然之氣)	집의(集義)를 통해 호연지기를 갖춤 ➡ 대장부가 될 수 있음
구방심(求放心), 과욕(寡欲)	잃어버린 마음을 되찾고[求放心], 욕심을 적게 가져야 함[寡欲]

└─ 지극히 크고 강한 기개로, 잘 기르면 천지간에 충만하게 된다.

(4) **정치사상**

왕도 정치(王道政治)	군주는 백성을 아끼고 사랑하며 덕으로 다스려야 함
역성혁명(易姓革命)	백성을 저버린 군주는 교체할 수 있음 ➡ 패도(覇道)를 비판함
항산(恒産)과 항심(恒心)	항산(恒産)이 있어야 항심(恒心)이 있음 ➡ 백성들의 경제적 안정을 강조함

4. 순자의 사상

(1) **천인분이(天人分二)** 하늘을 자연적 현상으로 파악하고, 인간을 하늘로부터 독립된 존재로 봄
└─ 하늘을 도덕의 근원으로 본 공자와 맹자와 차이가 있다.

(2) **성악설(性惡說)** 자료 04

① **화성기위(化性起僞)** 인간은 이기적인 존재임 ➡ 본성을 변화시켜 인위를 일으켜야 함

② **예(禮)** 성인(聖人)이 제정한 것으로, 인간의 본성을 교화하고 규제하는 외면적 도덕규범

(3) **정치사상**

① **예치(禮治)** 객관적 기준인 예를 통해 사회와 국가를 다스려야 함

② 덕에 따라 지위를 정하고, 능력을 헤아려 관직을 맡기며 재화를 공평하게 분배해야 함

3 도덕 법칙의 탐구 방법

⭐ 1. 주희의 성리학 자료 05

이기론	• 세계와 만물을 이(理)와 기(氣)로 설명함 • 이(理)는 만물의 자연법칙 또는 근본 원리이고, 기(氣)는 만물을 형성하는 질료임 • 이와 기는 개념적으로 구분되지만[理氣不相雜], 현실에서는 서로 분리되지 않음[理氣不相離]
심성론	• 성즉리(性卽理): 사람의 본성은 곧 이와 일치함 ─ 주희는 마음이 성과 정을 주재하고 포괄한다고 보았다. • 본연지성(本然之性): 하늘로부터 받은 순수하고 선한 본성 • 기질지성(氣質之性): 현실에서 변화하는 기질의 영향을 받아 나타나는 본성
수양론	• 존천리거인욕(存天理去人欲): 천리를 잘 보전하고 인욕을 없애야 함 • 격물치지(格物致知): 도덕 법칙이 내재된 사물의 이치를 탐구하여 앎을 이루어 나감 자료 06 • 존양성찰(存養省察): 선한 본성을 보존하고 함양하면서 마음을 잘 성찰함 • 거경궁리(居敬窮理): 몸과 마음을 경건하게 유지하면서 사물의 이치를 탐구함

⭐ 2. 왕수인의 양명학 자료 05

┌─ 인간이라면 누구나 선천적으로 타고나는 것으로, 시비와 선악을 가려내고 행할 수 있는 능력

심즉리(心卽理)	마음이 곧 이치[心卽理]라는 의미로 도덕 법칙은 선천적으로 마음에 내재함
치양지(致良知)	• 자기 마음의 양지를 자각하고 실천해야 함 • 존천리거인욕: 양지의 실천을 방해하는 사욕을 극복해 순선한 마음을 유지해야 함
격물치지(格物致知)	사욕을 제거하여 마음을 바로잡고[格物], 마음의 양지를 실현[致知]해야 함 자료 06
지행합일(知行合一)	앎과 행동은 본래 별개가 아니라 하나임 ➡ 이론적 학습 없이도 도덕성이 실현 가능함

---

⑤ 사단

측은지심 (惻隱之心)	남을 불쌍히 여기는 마음 → 인의 단(端)
수오지심 (羞惡之心)	자신의 잘못을 부끄러워하고 다른 사람의 옳지 못함을 미워하는 마음 → 의의 단(端)
사양지심 (辭讓之心)	겸손하고 양보하는 마음 → 예의 단(端)
시비지심 (是非之心)	옳고 그른 것을 가릴 줄 아는 마음 → 지의 단(端)

⑥ 집의(集義)

의로운 일을 꾸준히 실천하여 쌓는 것

⑦ 패도(覇道)

인의(仁義)를 가볍게 여기고 무력이나 권모술수로써 백성을 다스리는 것

⑧ 항산과 항심

항산은 의식주와 같은 경제적 안정을, 항심은 도덕적인 마음을 말한다.

⑨ 순자의 예

성인에 의해 제정된 것으로 사람들의 성정을 교화하고 재화를 공정하게 분배하기 위한 규범이다.

⑩ 성리학에서 보는 지와 행의 관계

지행병진 (知行竝進)	지와 행이 서로 영향을 주어 함께 나아감
선지후행 (先知後行)	올바른 앎을 먼저 갖추어야 참된 실천을 할 수 있음

고득점을 위한 셀파 Tip 비교

| 성리학과 양명학 |

관점		성리학	양명학
입장		성즉리	심즉리
수양 방법		존천리거인욕, 격물치지	
		존양성찰, 거경궁리	치양지
앎과 실천		선지후행, 지행병진	지행합일

셀파 자료 탐구

자료 04　인간 본성에 대한 맹자와 순자의 관점

(가) 사람이 사단(四端)을 가지고 있는 것은 마치 사지(四肢)를 가지고 있는 것과 같다. 사단을 가지고 있는데도 자신은 선을 실천할 수 없다고 하는 사람은 스스로를 해치는 자이다.

－맹자, 『맹자』 －

(나) 인간의 본성은 악한 것이고, 선은 인위[僞]에 따른 것이다. 인간은 나면서부터 이익을 좋아하기 마련이므로, 그대로 내버려 두면 서로 싸우고 빼앗기 때문에 양보란 있을 수 없다.

－순자, 『순자』 －

자료 분석 | (가)는 맹자, (나)는 순자의 인간 본성에 대한 관점이다. 맹자는 인간의 본성과 본심 자체는 선하다고 본다. 맹자에 따르면 모든 사람의 마음속에는 사단이 있으므로 이를 잘 키워서 인의예지를 실천해야 한다. 순자는 인간의 본성은 이익과 쾌락을 좋아하고 서로 미워하며 시기하므로 본성을 변화시켜 인위를 일으켜야 한다고 주장한다.

자료 05　주희의 성즉리(性卽理)와 왕수인의 심즉리(心卽理)

(가) 천지간에는 이도 있고 기도 있다. 이는 형이상의 도(道)이고, 사물을 생성하는 근본이다. 기는 형이하의 기(器)이고, 사물을 생성하는 도구이다. 그러므로 사람과 사물이 생성될 때는 반드시 이를 부여받은 뒤에 성(性)이 생기고, 기를 부여받은 뒤에 형체가 생긴다.

－주희, 『주문공문집』 －

(나) 마음[心]이 곧 이(理)이다. 천하에 마음 밖의 일이 있고, 마음 밖의 이치가 있겠는가? …… 부모에게서 효도[孝]의 이치를 구할 수 없고, 임금에게서 충성[忠]의 이치를 구할 수는 없다. …… 모두 마음에 있을 뿐이니, 마음이 곧 이이다.

－왕수인, 『전습록』 －

자료 분석 | (가)는 주희의 성즉리 사상, (나)는 왕수인의 심즉리 사상이다. 주희는 사람의 본성은 곧 이(理)와 일치한다고 보았다. 주희에 따르면 인간에게는 하늘로부터 받은 순수하고 선한 본성인 본연지성이 있다. 이에 비해 왕수인은 마음이 곧 이(理)라고 본다. 왕수인은 사람이 지켜야 할 도덕적 이치는 인간의 마음을 떠나서 외부의 사물에 객관적으로 존재하는 것이 아니라, 사욕에 가려지지 않은 순수한 천리의 마음에 있다고 강조한다.

자료 06　성리학과 양명학에서 제시하는 도덕 법칙의 탐구 방법 비교

(가) 하나의 사물이 있으면 거기에는 반드시 하나의 이치가 있다. 격물이란 사물의 이치를 궁구하는 것이다. 그러나 격물에는 하나의 방법만이 있는 것은 아니다. － 주희, 『대학혹문』 －

(나) 격물의 격은 바로잡는다는 정(正)의 의미이고, 물은 일이라는 사(事)의 의미이다. 내 마음의 뜻과 생각이 향하는 일이 물이고, 격물이란 그 일을 바로잡는 것이다. 즉 어떤 일을 당해서 그 일에 관한 자신의 바르지 않은 생각을 바로잡는 것이다. － 왕수인, 『전습록』 －

자료 분석 | (가)는 주희, (나)는 왕수인이다. 주희는 도덕 법칙의 탐구 방법으로서 먼저 사물에 나아가 그 이치를 끝까지 탐구해야 한다는 격물치지설을 주장하였다. 반면에 왕수인은 격물치지를 다르게 해석하여, 격물이란 사욕을 제거해 마음의 바르지 못함을 없앰으로써 마음을 바로잡는다는 뜻이라고 하였다.

1 맹자는 모든 사람의 마음속에 사단이 있다고 본다.

(O , ×)

2 순자는 인간의 본성 자체는 선하다고 주장한다.

(O , ×)

3 왕수인은 인간의 마음이 곧 이(理)라는 심즉리를 주장한다.

(O , ×)

4 왕수인은 도덕적 이치가 외부의 사물에 객관적으로 존재한다고 본다.

(O , ×)

5 주희는 도덕 법칙의 탐구 방법으로 사물에 나아가 이치를 끝까지 탐구해야 한다는 격물치지를 주장하였다.

(O , ×)

6 왕수인은 인간이 자신의 본성을 변화시켜 도덕성을 형성해야 한다고 주장한다.

(O , ×)

7 성리학에서는 격물치지의 격물을 사물 속의 이치를 탐구하는 것이라고 본다.

(O , ×)

8 성리학과 양명학은 격물치지를 같은 의미로 해석한다.

(O , ×)

9 왕수인은 자기 마음의 양지를 실천할 것을 주장한다.

(O , ×)

정답　1 O　2 ×　3 O　4 ×　5 O
　　　6 ×　7 O　8 ×　9 O

1 동양과 한국 윤리 사상의 연원

동양 윤리 사상	유기체적 세계관	모든 존재의 상호 연관성을 중시함
	공존과 공생	만물은 더불어 살아가는 존재임
	도덕적 수양 중시	수양을 통한 도덕적 완성을 중시함
한국 윤리 사상	인본주의	인간을 존중하고 존엄히 여김
	현세 지향	현세에서의 좋은 삶의 실현을 중시함
	화합과 조화	자연과 인간의 화합과 조화를 추구함

2 도덕의 성립 근거

공자	기본 입장	• (❶): 사랑의 정신이자 인간을 인간답게 해 주는 덕 → 기본 덕목은 효제, 실천 방법은 충서가 있음 • 예: 인을 실현하는 외면적인 사회 규범 → (❷): 사욕을 극복하여 예를 회복함
	정치 사상	• (❸): 각자의 신분과 지위에 따라 맡은 역할을 다해야 함 • 덕치: 도덕과 예의로 백성을 교화하는 정치
맹자	기본 입장	• (❹): 인간은 사단을 가지고 태어난 선한 존재임 • 집의를 통해 호연지기를 기를 것을 강조함
	정치 사상	• 왕도 정치, 역성혁명을 주장함 • 항산이 있어야 항심이 있다고 봄
순자	기본 입장	• (❺): 본성을 교화하고 규제하는 외면적 도덕규범 • (❻): 본성을 변화시켜 인위를 일으켜야 함
	정치 사상	예를 통해 사회와 국가를 다스려야 한다는 예치를 주장함

3 도덕 법칙의 탐구 방법

주희	이기론	모든 존재와 현상은 만물의 근본 원리인 이와 만물을 생성하는 재료인 기로 이루어짐
	심성론	• (❼): 사람의 본성이 곧 이치와 일치함 • 인간의 본성은 선한 성품인 본연지성과 기질의 영향을 받아 나타난 기질지성으로 이루어짐
	수양론	• 존천리거인욕: 본성을 보존하고 인욕을 제거함 • (❽): 사물의 이치를 탐구해앎을 이룸 • 존양성찰: 선한 본성을 보존하고 마음을 성찰함 • 거경궁리: 경건한 자세로 사물의 이치를 탐구함
왕수인		• 심즉리: 본래 타고난 인간의 마음이 곧 이치 • 치양지: (❾)를 자각하고 실천해 나가는 것 • 존천리거인욕: 사욕을 극복해 순선한 마음을 유지함 • 격물치지: 사욕을 제거하여 마음을 바로잡음 • 지행합일: 이론적인 학습 없이도 도덕성 실현이 가능함

정답 ❶ 인 ❷ 극기복례 ❸ 정명 ❹ 성선설 ❺ 예 ❻ 화성기위 ❼ 성즉리 ❽ 격물치지 ❾ 양지

01 그림의 학생들이 모두 옳은 대답을 했다고 할 때, ㉠에 들어갈 내용으로 적절한 것을 〈보기〉에서 고른 것은?

─ 보기 ─
ㄱ. 유기체적 세계관을 바탕으로 합니다.
ㄴ. 자연에 대한 인간의 우위를 강조합니다.
ㄷ. 모든 존재의 상호 연관성을 중시합니다.
ㄹ. 인간과 자연을 분리된 독립적 개체로 바라봅니다.

① ㄱ, ㄴ　　　② ㄱ, ㄷ　　　③ ㄴ, ㄷ
④ ㄴ, ㄹ　　　⑤ ㄷ, ㄹ

02 ㉠~㉢에 들어갈 개념을 알맞게 짝지은 것은?

　　유·불·도 사상은 각기 구별되는 윤리 사상을 제시하며 인간의 행복과 사회적 질서를 실현하는 원리와 방법을 제시하였다. 유교는 ┌ ㉠ ┐의 윤리에 기초하여 인격의 수양과 도덕적 실천을 강조하였고, 불교는 연기(緣起)를 깨닫고 ┌ ㉡ ┐을/를 실천해야 함을 주장하였다. 도가는 인위적인 것에서 벗어나 우주와 자연의 질서에 순응하는 ┌ ㉢ ┐의 삶을 제시하였다.

	㉠	㉡	㉢
①	자비	인(仁)	무위자연
②	무위자연	자비	인(仁)
③	무위자연	인(仁)	자비
④	인(仁)	무위자연	자비
⑤	인(仁)	자비	무위자연

03 갑, 을의 입장에 대한 옳은 설명을 〈보기〉에서 고른 것은?

> 갑: 인(仁)을 행하려면 예(禮)가 아니면 보지도, 듣지도, 말하지도, 움직이지도 말아야 한다.
> 을: 이것이 생기기[生] 때문에 저것이 생기고, 이것이 사라지기[滅] 때문에 저것이 사라진다.

┤ 보기 ├
ㄱ. 갑은 무위자연(無爲自然)의 삶을 강조한다.
ㄴ. 을은 모든 고통에서 벗어난 해탈을 추구한다.
ㄷ. 갑은 을과 달리 만물을 더불어 살아가는 공생의 관계로 본다.
ㄹ. 갑, 을은 수양을 통해 이상적인 인격에 도달해야 한다고 본다.

① ㄱ, ㄴ   ② ㄱ, ㄷ   ③ ㄴ, ㄷ
④ ㄴ, ㄹ   ⑤ ㄷ, ㄹ

04 다음을 통해 알 수 있는 동양 윤리 사상의 특징으로 가장 적절한 것은?

> 동양에서는 자연이 최고의 질서입니다. 자연이란 본디부터 있는 것이며 어떠한 지시나 구속을 받지 않는 스스로 그러한 것입니다. 글자 그대로 자연(自然)이며 그런 점에서 최고의 질서입니다. 질서라는 의미는 이를테면 시스템이라고 생각할 수 있습니다만 장(場)이라는 개념에 더 가깝다고 할 수 있습니다. 장이란 비어 있는 공간이 아니라 …… 그 자체로서 하나의 체계이며 질서입니다. 장은 그것을 구성하는 모든 것이 서로 조화·통일되어 있습니다. 모든 것이 조화·통일됨으로써 장이 되고 그래서 최고의 어떤 질서가 됩니다.

① 인간과 자연을 이분법적인 관계로 이해한다.
② 공동체보다 개인을 중시하는 태도를 강조한다.
③ 이성을 지닌 인간이 가장 우월한 존재라고 여긴다.
④ 자연은 인간과 독립된 질서를 지닌 유기체로 본다.
⑤ 자연과의 조화를 바탕으로 인간과 자연의 하나됨을 추구한다.

05 다음 대화 속 스승의 입장으로 옳은 것을 〈보기〉에서 고른 것은?

> 제자: 스승님, 인(仁)이란 무엇입니까?
> 스승: 인은 인간다움이다. 인간다움이란 자기가 서고 싶은 대로 주위 사람을 세우고, 자기가 이르고 싶은 대로 주위 사람을 이르게끔 하는 것이다.

┤ 보기 ├
ㄱ. 자신의 마음을 미루어 남을 헤아려야 한다.
ㄴ. 자신의 이기심을 극복하고 예(禮)를 회복해야 한다.
ㄷ. 효제(孝悌)를 실천하는 것만으로 인(仁)이 완성된다.
ㄹ. 친소의 구분 없이 모든 사람을 평등하게 사랑해야 한다.

① ㄱ, ㄴ   ② ㄱ, ㄷ   ③ ㄴ, ㄷ
④ ㄴ, ㄹ   ⑤ ㄷ, ㄹ

06 다음 동양 사상가의 입장에만 모두 '✓'를 표시한 학생은?

> • 백성이 가장 귀하고, 사직이 그다음이고, 군주는 가벼운 존재이다.
> • 항산(恒産)이 없어도 항심(恒心)을 지니는 것은 오직 선비만이 할 수 있는 일이다. 일반 백성은 항산이 없으면 항심을 지닐 수 없다.

입장＼학생	갑	을	병	정	무
백성이 나라의 근본[民本]이다.	✓	✓			✓
백성들의 경제적 안정[恒産]을 위해 힘써야 한다.	✓		✓	✓	
군주가 군주답지 못한 경우에도 군주를 교체할 수는 없다.				✓	
군주는 힘으로 다스리는 패도 정치(覇道政治)를 행해야 한다.		✓	✓		✓

① 갑   ② 을   ③ 병   ④ 정   ⑤ 무

07 다음 고대 동양 사상가의 입장으로 옳은 것을 〈보기〉에서 고른 것은?

> 예(禮)는 어디에서 기원하는가? 사람은 나면서부터 욕망이 있는데 욕망을 채우지 못하면 이를 추구하지 않을 수 없다. 욕망을 추구하는 데 일정한 기준과 제한이 없으면 다툼이 없을 수 없다. 다툼은 혼란을 가져오고 혼란은 사람을 궁핍하게 만든다. 고대의 성왕은 그 혼란을 싫어한 까닭에 예의를 제정하여 구분을 지었다.

| 보기 |
ㄱ. 하늘로부터 부여받은 사덕(四德)을 확충해야 한다.
ㄴ. 예는 백성이 스스로 만들어서 지키는 도덕규범이다.
ㄷ. 능력에 따라 관직을 맡기고 재화를 공평하게 분배하게 한다.
ㄹ. 예는 인간의 본성을 교화하고 규제하는 외면적인 도덕규범이다.

① ㄱ, ㄴ   ② ㄱ, ㄷ   ③ ㄴ, ㄷ
④ ㄴ, ㄹ   ⑤ ㄷ, ㄹ

★08 갑은 부정, 을은 긍정의 대답을 할 질문으로 가장 적절한 것은?

> 갑: 인간은 배우지 않고도 할 수 있는 것이 있는데, 그것이 양능(良能)이다. 깊이 사려하지 않고도 알 수 있는 것이 양지(良知)이다. 어린아이라도 그 부모를 사랑할 줄 알게 마련이고, 자라나면 그 형을 공경할 줄 안다.
> 을: 자식이 아비에게 사양하고 아우가 형에게 사양하는 것은 본성에 위배되는 것이요, 성정(性情)에 어긋나는 것이다. 효자의 도리는 예의의 규범에 의해 가능하다. 성정대로만 행하고자 한다면 사양할 까닭이 없다.

① 후천적인 노력 없이 인격을 완성할 수 있는가?
② 성인의 예법에 따라 성정을 교화시켜야 하는가?
③ 인의에서 벗어나 무위(無爲)의 삶을 살아야 하는가?
④ 인의의 구현을 위해 타고난 본성을 보존해야 하는가?
⑤ 성인(聖人)과 보통 사람은 선천적인 성정(性情)이 다른가?

★09 (가)의 갑, 을의 입장을 (나)의 그림으로 표현할 때, A~C에 들어갈 적절한 내용만을 〈보기〉에서 고른 것은?

(가)	갑: 사람이 사단(四端)을 가지고 있는 것은 마치 사지(四肢)를 가지고 있는 것과 같다. 사단을 가지고 있는데도 자신은 선을 실천할 수 없다고 하는 사람은 스스로를 해치는 자이다. 을: 인간의 본성은 악한 것이고, 선은 인위에 따른 것이다. 인간은 나면서부터 이익을 좋아하기 마련이므로, 그대로 내버려 두면 서로 싸우고 빼앗기 때문에 양보란 있을 수 없다.
(나)	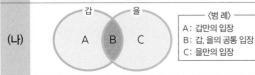

〈범례〉
A: 갑만의 입장
B: 갑, 을의 공통 입장
C: 을만의 입장

| 보기 |
ㄱ. A: 사단을 확충하여 사덕(四德)에 이르러야 한다.
ㄴ. B: 도덕적인 인간이 되기 위해 노력이 필요하다.
ㄷ. B: 선함과 악함은 선천적인 본성이라고 볼 수 없다.
ㄹ. C: 예의와 법도를 배우고 익혀서 본성을 회복해야 한다.

① ㄱ, ㄴ   ② ㄱ, ㄷ   ③ ㄴ, ㄷ
④ ㄴ, ㄹ   ⑤ ㄷ, ㄹ

10 다음 사상가의 입장으로 옳은 것은?

> 기(氣)가 있으면 반드시 그 이(理)가 있다. 맑은 기를 타고난 사람은 성현인데, 이는 마치 보석이 맑고 깨끗한 물속에 있는 것과 같다. 반면에 탁한 기를 타고난 사람은 우매한 사람인데, 이는 마치 보석이 탁한 물속에 있는 것과 같다.

① 본성을 변화시켜 인위를 일으켜야 한다.
② 지는 행의 시작이고 행은 지의 완성이다.
③ 사람의 근본 본성은 곧 이(理)와 일치한다.
④ 사람의 마음속에 이미 도덕 법칙이 내재한다.
⑤ 인간은 본래 이익을 좋아하고 남을 질투하는 존재이다.

11 다음 사상가에 대한 옳은 설명을 〈보기〉에서 고른 것은?

> 천지간에는 이(理)도 있고 기(氣)도 있다. 이는 형이상의 도(道)이고, 사물을 생성하는 근본이다. 기는 형이하의 기(器)이고, 사물을 생성하는 도구이다. 그러므로 사람과 사물이 생성될 때는 반드시 이를 부여받은 뒤에 성(性)이 생기고, 기를 부여받은 뒤에 형체가 생긴다.

┤보기├
ㄱ. 세계와 만물을 이(理)와 기(氣)의 결합으로 설명한다.
ㄴ. 본연지성은 선한 본성, 기질지성은 악한 본성이라고 본다.
ㄷ. 항상 경건한 자세로 사물의 이치를 탐구해야 한다고 본다.
ㄹ. 성인(聖人)이 되기 위한 수양 방법으로 치양지(致良知)를 제시한다.

① ㄱ, ㄴ   ② ㄱ, ㄷ   ③ ㄴ, ㄷ
④ ㄴ, ㄹ   ⑤ ㄷ, ㄹ

12 다음 사상가의 입장에만 모두 '✓'를 표시한 학생은?

> 마음으로 자연히 알 수 있다. 아버지를 보면 자연히 효도를 알게 되고, 형을 보면 자연히 공경을 알게 되며, 어린아이가 우물에 들어가는 것을 보면 자연히 측은함을 알게 된다. 이것이 바로 양지이므로 쓸데없이 밖에서 구할 필요가 없다.

입장 \ 학생	갑	을	병	정	무
마음이 곧 리(理)이다.	✓		✓	✓	
양지는 수양을 통해 후천적으로 형성된다.		✓	✓		✓
도덕적 앎〔知〕과 실천〔行〕은 분리될 수 없다.	✓		✓	✓	✓
객관적으로 사물에 존재하는 이(理)를 탐구해야 한다.		✓		✓	✓

① 갑   ② 을   ③ 병   ④ 정   ⑤ 무

13 고대 동양 사상가 갑과 을의 공통점으로 가장 적절한 것은?

> 갑: 사물의 이치와 도리를 먼저 알아야 그에 맞는 올바른 도리를 행할 수 있다.
> 을: 마음 밖에 이(理)가 있지 않으며, 마음 밖에 사물이 없다. 마음이 곧 이(理)이다.

① 선지후행(先知後行)의 자세를 강조한다.
② 모든 사물에 하늘이 부여한 이치가 있다고 본다.
③ 모든 이치는 마음을 떠나 존재하지 않는다고 본다.
④ 이론적 학습 없이도 도덕성을 실현할 수 있다고 본다.
⑤ 도덕적 실천을 위해 마음의 사욕을 제거해야 함을 강조한다.

14 갑은 긍정, 을은 부정의 대답을 할 질문으로 가장 적절한 것은?

> 갑: 심(心)은 곧 이(理)이다. 천하에 마음 밖에 일이 없고, 마음 밖에 이치가 없다. 마음이 사사로운 욕심에 가려지지 않은 것이 곧 천리(天理)이니, 마음 밖에서 조금이라도 보탤 필요가 없다.
> 을: 성(性)은 곧 이(理)이다. 마음〔心〕에서는 성이라고 부르고, 일〔事〕에서는 이(理)라고 부른다. 성이란 사람이 하늘로부터 부여받은 이(理)에서 온전하게 선하지 않음이 없다.

① 도덕적 행위는 도덕적 앎이 선행되어야 하는가?
② 양지를 발휘하여 인간 본성을 변화시켜야 하는가?
③ 마음과 이치가 분리될 수 없음을 깨우쳐야 하는가?
④ 천리를 보존하고 사사로운 욕구를 제거해야 하는가?
⑤ 사물의 이치를 탐구하여 앎을 극진하게 해야 하는가?

15 다음을 읽고 물음에 답하시오.

> 신라의 최치원은 난랑비(鸞郎碑) 서문에서, "나라에 현묘(玄妙)한 도가 있으니 ⬚ ㉠ ⬚(이)라고 하는데, 그 내용에는 유교, 불교, 도교의 요소가 포함되어 있다."라고 하였다.

(1) ㉠에 들어갈 알맞은 내용을 쓰시오.

(2) ㉠에 나타난 한국 윤리 사상의 특징을 서술하시오.

16 다음을 읽고 물음에 답하시오.

> ⬚ ㉠ ⬚은/는 생계를 유지하는 데 필요한 일정한 재산이나 생업을 뜻하고, ⬚ ㉡ ⬚은/는 늘 지니고 있는 선한 마음을 뜻한다. 국가는 백성이 먹고살 수 있는 ⬚ ㉠ ⬚을/를 마련해 주는 데에 신경을 써야 한다.

(1) ㉠, ㉡에 들어갈 알맞은 말을 쓰시오.

(2) 위 사상가가 ㉠을 강조한 이유를 서술하시오.

17 다음을 읽고 물음에 답하시오.

> 성리학에 따르면, 모든 사물은 ⬚ ㉠ ⬚와/과 ⬚ ㉡ ⬚의 결합으로 이루어져 있다. 여기서 ⬚ ㉠ ⬚은/는 사물의 본질을 가리키는 무형의 원리이자 인간이 마땅히 따라야 할 도덕 법칙이고, ⬚ ㉡ ⬚은/는 사물을 이루는 유형의 재료를 가리킨다.

(1) ㉠, ㉡에 들어갈 알맞은 말을 쓰시오.

(2) 위 사상의 입장에서 ㉠과 ㉡의 관계를 서술하시오.

18 갑과 을의 '격물치지'에 대한 해석을 비교해 서술하시오.

> 갑: 성(性)은 곧 이(理)이다. 성이란 사람이 하늘로부터 부여받은 순선한 이치이니 온전하게 선하지 않음이 없다.
>
> 을: 심(心)은 곧 이이다. 마음 밖의 일이 없고, 마음 밖의 이치가 없다.

| 평가원 기출 |

01 고대 동양 사상가 갑, 을의 입장으로 옳은 것만을 〈보기〉에서 고른 것은?

> 갑: 군자는 의로움을 최상으로 여기고, 학문으로 벗을 모으며, 벗을 통해서 인(仁)의 덕을 행한다. 그는 먹는 데 배부름을 추구하지 않고, 거처하는 데 편안함을 추구하지 않으며, 일하는 데 민첩하고 말하는 데 신중하다.
>
> 을: 군자로서 의로움을 행하려는 사람이라면 하늘의 뜻을 따르지 않으면 안 된다. 하늘의 뜻을 따른다면 모두를 아울러 사랑할 것[兼愛]이고, 하늘의 뜻을 따르지 않는다면 자신과 가까운 사람만 사랑할 것이다.

■ 보기 ■
> ㄱ. 갑: 인과 예를 회복하여 소국과민(小國寡民)을 실현해야 한다.
> ㄴ. 갑: 자신의 몸과 마음을 닦고 백성이 편안하도록 다스려야 한다.
> ㄷ. 을: 다른 나라를 정복하기 위한 침략 전쟁을 해서는 안 된다.
> ㄹ. 갑, 을: 존비친소(尊卑親疏)의 구별 없는 사랑을 실천해야 한다.

① ㄱ, ㄴ   ② ㄱ, ㄷ   ③ ㄴ, ㄷ
④ ㄴ, ㄹ   ⑤ ㄷ, ㄹ

| 교육청 응용 |

02 다음 고대 동양 사상가의 입장으로 가장 적절한 것은?

> 사욕(私欲)을 이기고 예(禮)로 돌아가는 것이 인이다. 하루만이라도 사욕을 이기고 예로 돌아가면 천하가 모두 인으로 귀결될 것이니, 인을 실현하는 것이 나로 말미암은 것이니 어찌 남에게 달려 있겠는가.

① 예(禮)를 실천하여 악한 본성을 변화시켜야 한다.
② 가족과 타인을 차별 없이 동등하게 사랑해야 한다.
③ 분별적인 관념을 모두 잊고 마음을 비우기 위해 힘써야 한다.
④ 신분과 직책에 맞는 덕을 갖추고 주어진 역할을 다해야 한다.
⑤ 인위적인 규범을 거부하고 본성에 따라 소박하게 살아야 한다.

| 교육청 기출 |

03 (가) 사상가의 입장에서 볼 때, (나)의 ㉠에 들어갈 진술로 가장 적절한 것은?

(가)	군주는 이익[利]이 아니라 인의(人義)에 관심을 기울여야 한다. 군주가 군주답지 못하여 사직(社稷)을 위태롭게 하면 바꿀 수 있다. 백성이 가장 귀하고 사직이 다음이며 군주는 가볍기 때문이다.
(나)	질문: 통치자의 올바른 자세는 무엇일까요? 대답: ㉠

■ 보기 ■
> ㄱ. 인의(人義)의 덕으로 왕도 정치를 추구해야 한다.
> ㄴ. 시비와 선악의 분별에서 벗어나 백성을 다스려야 한다.
> ㄷ. 백성의 도덕적인 삶을 위해 항산(恒産)을 보장해야 한다.
> ㄹ. 통치의 궁극적 목표를 엄격한 법치의 실현에 두어야 한다.

① ㄱ, ㄴ   ② ㄱ, ㄷ   ③ ㄴ, ㄷ
④ ㄴ, ㄹ   ⑤ ㄷ, ㄹ

04 다음 고대 사상가의 입장으로 옳은 것만을 〈보기〉에서 고른 것은?

> 굽은 나무는 반드시 교정목을 대고 쪄서 바로잡은 뒤에야 곧아지며, 무딘 쇠는 반드시 숫돌에 간 뒤에라야 날카로워진다. 사람은 본성[性]은 반드시 스승과 법도에 의한 교화가 있는 뒤에야 바르게 된다. 사람들에게 스승과 법도가 없다면 편벽되고 음험하여 바르지 않을 것이며, 예의가 없다면 이치에 어긋나는 어지러운 짓을 해서 다스려지지 않을 것이다.

■ 보기 ■
> ㄱ. 자연 현상과 인간의 일을 독립적으로 보아야 한다.
> ㄴ. 선왕의 가르침을 익히기보다 스스로 예법을 제정해야 한다.
> ㄷ. 인간의 성정(性情)을 교화하기 위해 예(禮)로 다스려야 한다.
> ㄹ. 본성의 선한 단서[端]를 확충하여 도덕적 덕을 실현해야 한다.

① ㄱ, ㄴ   ② ㄱ, ㄷ   ③ ㄴ, ㄷ
④ ㄴ, ㄹ   ⑤ ㄷ, ㄹ

| 평가원 응용 |

05 다음을 주장한 고대 동양 사상가의 입장으로 옳은 것만을 <보기>에서 있는 대로 고른 것은?

> 옛날에 어버이의 장례를 모시지 않고 시신을 골짜기에 놓아둔 사람이 있었다. 그가 나중에 그곳을 지나는데 들짐승들이 시신 주변에 몰려들고 있었다. 그는 이마에 진땀을 흘리며 차마 똑바로 보지 못했다. 이마에 진땀이 났던 것은 다른 사람의 비난을 두려워했기 때문이 아니라, 스스로 부끄러운 속마음[羞惡之心]이 얼굴에 드러났기 때문이다.

> ▌보기▐
> ㄱ. 타고난 사단을 지속적으로 확충해야 한다.
> ㄴ. 평소 의로운 행위를 쌓는 삶을 살아야 한다.
> ㄷ. 불의를 부끄러워하는 마음은 의(義)의 실마리이다.
> ㄹ. 마음을 보존하고 본성을 변화시켜야 성인(聖人)이 될 수 있다.

① ㄱ, ㄴ   ② ㄱ, ㄹ   ③ ㄷ, ㄹ
④ ㄱ, ㄴ, ㄷ   ⑤ ㄴ, ㄷ, ㄹ

| 교육청 기출 |

06 고대 중국 사상가 갑, 을의 입장으로 옳지 **않은** 것은?

> 갑: 자신의 마음을 다 발휘한 사람은 자신의 선한 본성[性]을 알게 되고, 본성을 알게 되면 하늘[天]을 알게 된다. 자신의 마음을 보존하고 본성을 함양하는 것[存心養性]이 곧 하늘을 섬기는[事天] 방법이다.
> 을: 천지가 합쳐 만물이 생겨나고, 인위적인 노력[僞]을 통해 본성은 선해지며[化性起僞] 천하가 다스려지는 것이다. 그러므로 하늘은 만물을 낳을 수 있으나 만물을 분별하지 못하며, 땅은 인간을 담고 있으나 인간을 다스릴 수는 없다.

① 갑: 인간은 하늘이 부여한 도덕규범을 실천해야 한다.
② 갑: 인간은 불인인지심(不忍人之心)을 가지고 태어난다.
③ 을: 인간의 본성은 악하고 선은 인위적인 노력의 결과이다.
④ 을: 하늘의 일과 인간의 일을 엄격히 구분[天人分二]해야 한다.
⑤ 갑, 을: 인간마다 본성은 다르지만 타고난 본성을 확충해야 한다.

| 평가원 기출 |

07 고대 중국 사상가 갑, 을의 입장으로 옳은 것은?

> 갑: 인(仁)은 하늘이 주는 벼슬이며 사람의 마음이다. 아무도 막지 않는데 인을 행하지 않는다면 마음을 잃어버리고도 찾을 줄 모르는 것이다. 학문의 길은 잃어버린 마음을 찾는 것이다.
> 을: 예(禮)는 성인이 작위[僞]를 일으켜 만든 것으로, 배우면 행할 수 있고 노력하면 이룰 수 있는 것이다. 임금이 예를 따르면 천하를 얻을 수 있지만 그렇지 않으면 사직이 훼손된다. 엄한 명령과 형벌만으로는 위세를 떨칠 수 없다.

① 갑: 인을 실천함으로써 내면의 측은지심을 형성해야 한다.
② 갑: 인은 친소의 구별이 없는 따뜻하고 포용적인 사랑이다.
③ 을: 예는 욕망 조절의 기준이자 욕망 충족의 한계를 제시한다.
④ 을: 예는 타고난 성품을 유지할 수 있게 하는 성현의 가르침이다.
⑤ 갑, 을: 인과 예로 다스림으로써 백성의 성(性)을 교화시킬 수 있다.

08 (가)의 갑, 을의 입장을 (나)의 그림으로 표현할 때, A~C에 들어갈 내용으로 옳은 것은?

(가)	갑: 사람이 네 가지 선의 단서[四端]를 모두 확충할 수 있으면 천하를 보존할 수 있지만, 그렇지 않으면 부모조차도 제대로 모시지 못하게 된다. 을: 사람이 자신의 본성을 따르면 서로 다투고 뺏게 되며, 분수를 어기고 이치를 어지럽게 되어 결국 난폭하게 된다. 그러므로 반드시 예의의 가르침이 있어야 한다.
(나)	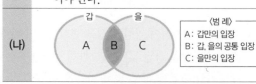

① A: 본성의 함양이 군자가 걸어가야 할 길이다.
② B: 군자와 소인의 본성은 태어날 때부터 다르다.
③ B: 본성을 변화시켜야 도덕적 인간이 될 수 있다.
④ C: 태어날 때부터 지닌 사단을 확충해야 한다.
⑤ C: 본성을 변화시키기 위해 형벌을 적극 시행해야 한다.

09 갑, 을은 중국 유교 사상가들이다. 갑은 긍정, 을은 부정의 대답을 할 질문만을 〈보기〉에서 있는 대로 고른 것은?

> 갑: 마음[心]과 이치[理]는 자연스럽게 구분된다. 신령하게 밝은 것은 마음이요, 실제적인 것은 성(性)이다. 신령하게 밝은 것은 곧 깨닫고 느끼는 주체이다.
> 을: 마음의 본체[體]는 성이요, 성은 곧 이치이다. 천하에 어찌 마음 밖에 성이 있고, 성 바깥에 이치가 있겠으며, 이치 바깥에 마음이 있겠는가?

┃ 보기 ┃
ㄱ. 마음에는 이치를 파악할 수 있는 능력이 있는가?
ㄴ. 성(性)과 마음은 그 의미가 명확하게 구분되는가?
ㄷ. 마음은 이치인 성에 따라 정(情)을 주재해야 하는가?
ㄹ. 격물치지는 천리의 보존[存天理]으로 수렴될 수 있는가?

① ㄱ, ㄴ   ② ㄱ, ㄹ   ③ ㄴ, ㄷ
④ ㄱ, ㄷ, ㄹ   ⑤ ㄴ, ㄷ, ㄹ

10 중국 유교 사상가 갑, 을의 입장으로 옳은 것은?

> 갑: 격물(格物)은 마음의 바르지 못함을 제거하여 그 본체의 바름을 온전히 회복하는 것이다. 의념[意]이 머무는 곳의 바르지 못함을 없애서 그 바름을 온전히 회복해야 한다.
> 을: 격물은 치지(致知)하는 방법이다. 한 사물에서 한 개의 이치[理]를 궁구하면 나의 지식도 한 개를 얻게 되고, 두 사물에서 두 개의 이치를 궁구하면 나의 지식도 두 개를 얻게 된다. 따라서 사물의 이치를 궁구할수록 나의 지식도 넓어진다.

① 갑: 사물에 나아가 그 이치를 탐구하여 앎을 극진히 해야 한다.
② 갑: 모든 이치는 내 마음과 독립해 바깥에 객관적으로 존재한다.
③ 을: 도덕적 앎과 실천은 서로 의존적 관계임을 자각해야 한다.
④ 을: 치지는 내 마음의 양지를 각각의 사물에서 실현하는 것이다.
⑤ 갑, 을: 격물이란 의념이 머무는 곳을 바로잡는 것이다.

11 동양 사상가 갑, 을의 입장에 대한 설명으로 가장 적절한 것은?

> 갑: 마음의 본체는 성(性)이고, 성은 선하지 않음이 없다. 생각이 일어나면서 바르지 않음이 생긴다. 생각이 머무는 곳이 물(物)이고, 바로잡는 것이 격(格)이다. 그릇된 생각을 바로잡고 옳은 생각을 행해야 마음의 본체가 회복된다.
> 을: 마음은 성과 정(情)을 통괄한다. 하늘이 만물을 생성함에 기(氣)로 형체를 만들고 성 또한 부여하였다. 기질의 차이로 누구나 성이 고유함을 알아 온전하게 할 수는 없다. 사물의 이치를 궁구[窮理]해야 앎을 지극히 할 수 있다.

① 갑은 사물에 대한 이론적인 학습 과정의 필요성을 강조하였다.
② 을은 격물(格物)을 사물에 나아가 이치를 탐구하는 것이라고 보았다.
③ 갑은 을과 달리 사욕을 제거하고 본성을 함양해야 한다고 보았다.
④ 을은 갑과 달리 사람의 마음 밖에서 이치[理]를 구할 수 없다고 보았다.
⑤ 갑, 을은 모두 이치를 아는 것과 실천하는 것은 본래 하나라고 보았다.

12 (가)의 사상가 갑, 을의 입장을 (나)의 그림으로 표현할 때, A~C에 들어갈 내용으로 옳은 것은?

> (가)
> 갑: 마음 안에 모든 앎이 갖추어져 있고, 천하의 사물에는 모두 이(理)가 내재되어 있다. 그러므로 내 앎을 온전히 이루려면 사물에 나아가 그 이치를 궁구(窮究)해야 한다.
> 을: 마음 밖에 물(物)이 없고, 마음 밖에 일이 없으며, 마음 밖에 이가 없다. 격물(格物)은 그 마음이 바르지 못함을 제거하여 본체를 온전히 하는 것이다.

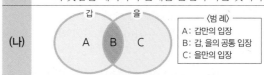

(나)

〈범례〉
A: 갑만의 입장
B: 갑, 을의 공통 입장
C: 을만의 입장

① A: 사욕을 극복하여 천리를 보존해야 한다.
② A: 앎과 실천은 선후와 경중을 따질 수 없다.
③ B: 도덕적 실천을 하려면 이론적 학습이 필요하다.
④ C: 마음과 분리된 채 존재할 수 있는 이치는 없다.
⑤ C: 도덕적 실천을 통해 양지(良知)를 형성해야 한다.

02 도덕적 심성

1 도덕 감정

1. 유교 윤리의 수용

(1) **삼국 시대** 유교를 주체적으로 수용하여 정치 원리와 생활 규범의 토대로 적용함

(2) **고려 시대** 고려 말 원(元)나라를 통해 성리학을 수용해 정치적·사회적 개혁을 진행함

(3) **조선 시대** 성리학❶을 바탕으로 개인의 도덕적 완성과 이상 사회를 구현하는 방법을 제시함

2. 이황의 사상

┌─ 사단은 이가 발하여 기가 따르는 것이고, 칠정은 기가 발하여 이가 탄 것이라고 하였다.

(1) **이기호발설(理氣互發說)** 이(理)와 기(氣) 모두 각각 발할 수 있음 ➡ 이의 능동적 운동성을 강조함 자료 01

(2) **이귀기천(理貴氣賤)** 이는 귀하고 기는 천함 ➡ 가치론의 입장에서 '기'보다 '이'를 강조함

① 주희의 '이와 기는 서로 뒤섞이지 않는다[理氣不相雜].'라는 입장에 주목함

② 이는 기의 주재자로서 명령할 뿐 기에 구속되지 않음 ➡ 기에 대한 이의 주재성을 강조함

(3) **사단 칠정론**❷

① 사단은 이가 발한 것으로 순선무악하지만, 칠정은 기가 발한 것으로 선악의 가능성이 모두 있음

② 사단과 칠정의 원천이 각기 다르므로 엄격하게 구분해야 함 ➡ 사단은 본연지성(本然之性)이 발한 것이고, 칠정은 기질지성(氣質之性)이 발한 것임

(4) **수양론** 자료 03

① 경(敬)❸ 일종의 도덕적 긴장 상태 ➡ 경을 통해 인간의 욕망을 막고 삶의 원리와 우주 자연의 원리가 하나가 되어야 함

② 거경궁리(居敬窮理) 덕성을 함양하기 위한 수양 방법 ➡ 경의 태도가 없으면 올바른 행위를 할 수 없고, 학문도 이룰 수 없음

3. 이이의 사상

┌─ 이이는 이는 발하는 까닭이고 기는 발하는 것이라고 보아 이의 운동성을 인정하지 않았다.

(1) **기발이승일도설(氣發理乘一途說)** 사단과 칠정 모두 기(氣)가 발하고 이(理)가 탄 것 ➡ 현실에서 구체적으로 작용하는 것은 기이고, 이는 기가 발하는 근거임 자료 02

(2) **이기지묘(理氣之妙)** 이와 기는 하나이면서 둘이고 둘이면서 하나인 묘합의 관계 ➡ 주희의 '이와 기가 서로 떨어져 있을 수 없다[理氣不相離].'라는 입장에 주목함

(3) **이통기국(理通氣局)** 이는 형체가 없고 보편적으로 실재하므로 만물에 통하고, 기는 형체가 있으므로 시공간의 제약을 받아 국한됨

(4) **사단 칠정론**

① 사단과 칠정은 부분과 전체의 관계 ➡ 칠정은 사단을 포함하는 것이며, 사단은 칠정의 선한 측면일 뿐임

② 사단과 칠정의 차이는 근원이 다른 것이 아니라 기의 맑고 흐린 것에 있음

(5) **수양론** 자료 03

① 경(敬)의 실천을 통해 사사로움과 바르지 못함을 제거하여 성(誠)❹에 이르러야 함

② 교기질(矯氣質) 불선의 원인이 되는 기질을 바로잡아야 함

③ 극기(克己) 사사로운 욕망을 극복하여 기질을 바로잡아야 함

(6) **사회 개혁론** ┌─ 이이의 사회 개혁론은 도덕과 더불어 실리를 추구함으로써 실학사상에 큰 영향을 끼쳤다.

① 무실 실질적인 것에 힘쓴다는 뜻으로, 사회적·제도적 차원의 실천성을 강조함

② 경장❺ 시대의 변화에 맞춰 개혁을 해야 한다는 뜻으로, 사회 전반적인 개혁을 도모함

---

❶ 조선 시대의 성리학
조선 시대의 성리학은 사단 칠정(四端七情)을 중심으로 인간의 본성과 감정 및 도덕적 가치 문제를 탐구하는 심성론(心性論)을 깊이 있게 논의하였다.

❷ 사단과 칠정
- 사단(四端): 인간의 본성에서 우러나오는 도덕적인 마음(측은지심, 수오지심, 사양지심, 시비지심)
- 칠정(七情): 인간의 본성이 사물과 만나면서 표현되는 모든 감정(희로애구애오욕(喜怒哀懼愛惡欲): 기쁨, 성냄, 슬픔, 두려움, 사랑, 미움, 욕심)

❸ 경(敬)의 실천 방법

정제엄숙	몸가짐을 바르게 하고 엄숙한 태도를 유지함
주일무적	마음을 한곳에 집중하여 잡념이 들지 않게 함
상성성	항상 또렷한 정신 상태를 유지함

❹ 성(誠)
진실, 성실, 참됨 등의 의미이다. 성은 하늘이 가는 길이면서 동시에 사람이 가야 할 길이다. 즉 성은 천인합일을 가능하게 하는 근거이다.

❺ 경장(更張)
정치적·사회적으로 묵은 제도를 개혁하여 새롭게 한다는 것을 의미한다.

고득점을 위한 셀파 Tip 비교

| 이황과 이이의 사상 |

이황	• 이기호발설 • 이귀기천 • 사단 칠정의 엄격한 구분 • 경(敬)의 실천
이이	• 기발이승일도설 • 이기지묘, 이통기국 • 칠정은 사단을 포함함 • 경(敬)과 성(誠), 교기질 • 사회 개혁론

자료 01 '이'와 '기'에 관한 이황의 입장

• 칠정(七情)이 이(理)와 기(氣)를 겸하였다는 것은 두말할 나위 없이 분명합니다. 칠정을 사단 (四端)과 비교하여 말하자면, 기와 칠정의 관계는 이와 사단의 관계와 같습니다. 따라서 발현 하는 것에 각각 혈맥이 있고, 그 이름에는 모두 가리키는 것이 있기 때문에 위주가 되는 것에 따라 나누어 이와 기로 귀속할 수 있습니다.

• 천하에 이(理) 없는 기(氣)는 없고 기(氣) 없는 이(理)는 없습니다. 사단은 이가 발하여 기가 따 르고, 칠정은 기가 발하여 이가 타는 것입니다. 기가 따르지 않는 이는 나올 수가 없고, 이가 타 지 않는 기는 곧 이욕(利慾)에 빠져서 금수(禽獸)가 되는 것이니, 이것은 바뀔 수 없는 확고한 이치입니다.　　　　　　　　　　　　　　　　　　　　　　　　　　　　　－ 이황, 『퇴계집』 －

자료 분석 | 이황은 사단과 칠정이 발하는 원천을 각각 이와 기로 보고 명확히 구분하였다. 또한 이와 기가 함께 한다는 주희의 학설을 따르면서도 사단은 이가 발한 순수한 선으로 운동성과 자발성을 지닌다는 것 을 분명히 하였다. 이황에 따르면 칠정은 이러한 '이'의 주재 능력에 따라 선할 수도, 악할 수도 있으 므로 '이'의 역할이 더욱 중요해진다.

자료 02 '이'와 '기'에 관한 이이의 입장

물이 담겨 있는 그릇에서 물이 그릇을 떠날 수 없는 것과 마찬가지로 이와 기는 개개 사물에서 오묘하게 어우러져 있다. 그리고 그릇이 움직일 때 물이 움직이는 것은 기가 발할 때 이가 거기에 타는 것과 같다.　　　　　　　　　　　　　　　　　　　　　　　　　　－ 이이, 『율곡집』 －

자료 분석 | 이이는 물이 담긴 그릇에 비유하여 기와 분리된 이를 인정하지 않았다(理氣不相離). 이이에 따르면 그릇 모양에 따라 물의 모양에 달라지듯이 모든 차이의 원인은 기의 특성이다. 또한 이이는 이는 시 공간의 제약을 받지 않아 어디에서나 보편적으로 실재하지만, 기는 시공간의 제약을 받기 때문에 조 건에 따른 특수성을 가진다는 이통기국(理通氣局)을 주장하였다.

자료 03 이황과 이이의 수양론

(가) 마음의 이치는 매우 방대하여 본떠서 잡을 수 없으며, 매우 넓어서 끝을 볼 수 없으니, 만약 경(敬)을 첫째로 삼지 않으면, 어찌 능히 그 성(性)을 보존하고 그 본체를 세우겠는가. 이 마 음의 발하는 것이 미묘하여 가는 털끝을 살피기보다 어렵고, 위태하여 구덩이를 밟기보다 어려울 것이니, 진실로 경을 첫째로 삼지 않으면 또 어찌 그 기미를 바르게 하고, 그 쓰임에 통달할 수 있겠는가.　　　　　　　　　　　　　　　　　　　　　－ 이황, 『퇴계집』 －

(나) 사람의 기질은 맑고 흐리고 순수하고 섞임이 다르지만 그것을 변화시킬 수 있다. 기가 맑고 질이 순수한 사람은 힘쓰지 않아도 지행(知行)에 능할 것이다. 하지만 기가 맑지 않고 질이 순수하지 않은 사람도 힘써 성(誠)하고자 한다면 맑고 순수해질 수 있다.　－ 이이, 『율곡전서』 －

자료 분석 | (가)는 이황, (나)는 이이의 글이다. 이황과 이이 모두 도덕 본성을 실현하며 살아가기 위해 노력하는 삶의 자세를 강조하였다. 이황은 경(敬)으로 마음을 주재할 것을 강조하였으며, 이이는 불선의 원인 을 기질의 흐림과 치우침으로 보아 수양을 통해 기질을 교정(矯氣質)할 것을 주장하였다.

1 이황은 칠정은 선악의 가능성을 모두 가 지고 있다고 보았다.　　　　　　　(O , ×)

2 이황은 이의 운동성을 부정하고 기만 발 할 수 있다고 주장하였다.　　　　(O , ×)

3 이황은 사단과 칠정의 연원을 명확히 구 분하였다.　　　　　　　　　　　(O , ×)

4 이이는 상대적으로 이와 기가 섞일 수 없 다는 점을 강조하였다.　　　　　(O , ×)

5 이통기국을 주장한 사상가는 이황이다.　　　　　　　　　　　　　　　(O , ×)

6 이이는 이는 보편적으로 실재하지만 기 는 시공간의 제약을 받는다고 보았다.　　　　　　　　　　　　　　　(O , ×)

7 이이는 수양을 통해 기질을 교정하는 교 기질을 강조하였다.　　　　　　　(O , ×)

8 이황은 수양의 태도로 경(敬)을 실천하여 성(性)을 보존할 것을 강조하였다.　　　　　　　　　　　　　　　(O , ×)

9 이이는 선과 악의 차이는 이(理)의 특성에 따라 결정된다고 보았다.　　　　(O , ×)

정답　1 ○　2 ×　3 ○　4 ×　5 ×
　　　6 ○　7 ○　8 ○　9 ×

2 도덕 본성

1. 실학⁶ 사상

(1) 등장 배경

① 임진왜란과 병자호란 이후 국가적 혼란이 거듭됨

② 이론적 논쟁에만 치중한 성리학에 대한 반성 ➡ 실생활에 도움을 주는 학문을 추구하는 움직임이 나타남
  └ 성리학이 개인의 도덕적 수양에 집중했다면, 실학은 현실적인 사회 문제 해결을 중시하였다.

(2) 특징

① 청나라의 고증⁷ 학풍과 발달한 문물에 자극을 받음

② 민생의 구제를 목표로 사회 개혁론에 주목하고, 지배 계급의 윤리적 건전성 회복에 관심을 기울임

⑥ 실학

성리학에 대한 반성으로부터 나타난 사상으로, 현실적인 사회 문제 해결을 중시하였다.

⑦ 고증

예전에 있던 사물들의 시대, 가치, 내용 따위를 옛 문헌이나 물건에 기초하여 증거를 세워 이론적으로 밝히는 것

2. 정약용의 사상

(1) 인간관

① 인간을 자율적이면서 실천적인 존재로 파악함

② 인간의 욕구를 생존과 더불어 도덕적인 삶을 위한 원동력으로 봄
  └ 성리학의 엄격한 금욕주의적 수양론에서 벗어나 욕구에 대한 긍정적인 측면을 인정하였다.

③ 자주지권(自主之權) 자료04
  • 선과 악을 스스로 선택할 수 있는 자유 의지로, 하늘로부터 부여받은 것
  • 인간은 선하고자 하면 선할 수 있고, 악하고자 하면 악할 수 있음 ➡ 인간의 도덕적 자율성을 강조함
    └ 도덕 행위에 대한 책임이 인간 자신에게 있음을 명확히 하였다.

(2) 성기호설(性嗜好說)

① 의미 성(性)은 마음이 어떤 것을 좋아하거나 싫어하는 경향성(기호)임 자료05

② 기호의 종류

형구(形軀)의 기호	• 인간과 동물이 모두 가지고 있는 생리적 기호 • 육체적이고 감각적인 것을 즐기고 좋아하는 경향성
영지(靈知)의 기호	• 인간만이 가진 도덕적 기호 • 선을 좋아하고 악을 미워하는 경향성

⑧ 사단에 대한 성리학과 정약용의 입장

성리학	• 사단의 단을 단서로 봄(단서설) • 사단은 사덕의 실마리임
정약용	• 사단의 단을 시작으로 봄(단시설) • 사단을 시작점으로 하여 일상에서의 도덕적 실천을 통해 사덕이 형성됨

(3) 덕의 후천설 자료06

① 인의예지의 덕은 일상적인 행위 속에서 실천하면서 형성된다고 봄 ➡ 일상생활에서 사단⁸을 확충함으로써 후천적으로 사덕이 형성됨

② 덕을 선천적 본성으로 본 성리학적 관점을 비판하고 일상에서의 윤리적 실천을 강조함

(4) 수양론

자기 수양의 자세	• 신독(愼獨)⁹: 매 순간 양심의 소리에 귀를 기울여야 함 • 사천(事天): 하늘에 뜻에 부합하려는 자세를 지녀야 함
관계 윤리에서 필요한 자세	• 서(恕): 자신의 마음을 미루어 상대방을 이해하고 배려해야 함 • 구인(求仁): 도리를 실천하는 자세를 지녀야 함

⑨ 신독

홀로 있을 때 더욱 삼가는 수양법으로, 몸과 마음을 함부로 하지 않는 공부

3. 한국 유교 윤리 사상의 현대적 의의

(1) 개인의 도덕성 강조 인간 존재 본연의 도덕적 가능성을 논하고 실천 방법을 탐구함 ➡ 누구나 도덕적 주체로 설 수 있음을 주장함

(2) 개인과 공동체의 도덕성 회복 도덕 주체의 자각을 강조함 ➡ 개인과 사회의 도덕적 역량을 키우기 위한 지침을 제공함

고득점을 위한 셀파 Tip 개념

| 정약용의 사상 |

인간관	• 인간은 자율적 존재 • 인간의 욕구를 긍정 • 자주지권: 선과 악을 선택할 수 있는 자유 의지가 있음
성기호설	• 인간의 본성은 마음의 기호 • 영지의 기호, 형구의 기호
덕의 후천설	덕은 일상생활 속에서 실천하면서 형성됨

자료 04 정약용의 자주지권

하늘은 인간에게 자주지권(自主之權)을 주어, 선(善)을 하고자 하면 선을 할 수 있고, 악(惡)을 하고자 하면 악을 할 수 있게 하였다. (인간의 마음은) 이리저리 움직여서 고정되어 있지 않으니, 자주지권은 자기에게 있다. 이것은 동물에게 정해진 마음이 있는 것과 같지 않다. 그러므로 선을 행하면 자기의 공이 되고 악을 행하면 자기의 죄가 되는 것이니, 이것은 마음의 자주지권이며, 이른바 본성이 아니다.   – 정약용, 『맹자요의』 –

자료 분석 | 정약용에 따르면 하늘은 인간에게 선을 좋아하고 악을 미워하는 기호를 부여함과 동시에 선과 악 중 어느 쪽을 행할지 스스로 선택할 수 있는 능력을 주었는데 이를 자주지권이라고 한다. 정약용은 자주지권을 바탕으로 도덕 행위에 대한 책임은 인간 자신에게 있음을 명확히 하였고 인간의 자율성을 보장하는 인간관과 윤리관을 제시하였다.

자료 05 정약용의 성기호설(性嗜好說)

한 가지 선을 행하면 그 마음이 한가득 즐겁고, 한 가지 악을 행하면 그 마음이 침울하고 답답하다. 내가 선을 행한 적이 없는데 사람들이 선하다고 하면 기쁘고, 내가 악한 적이 없는데 사람들이 나를 악하다고 비방하면 화가 난다. 이런 것을 보면 선이 기뻐할 만하고 악이 부끄러워할 만한 것임을 알 수 있다. 타인의 선을 보면 따라가 선하다고 하고 타인의 악을 보면 따라가 악하다고 한다. 이러한 것을 보면 선은 사모할 만하고 악은 미워할 만한 것임을 알겠다. 이러한 것들이 모두 성의 기호(嗜好)를 눈앞에서 보여 주는 예들이다.   – 정약용, 『심경밀험』 –

자료 분석 | 정약용은 선을 좋아하고 악을 부끄러워하는 마음의 경향성, 즉 기호(嗜好)를 인간의 본성으로 파악하였다. 또한 인간은 태어날 때부터 도덕적인 행동을 지향하는 마음을 지니고 있다고 보았다.

자료 06 성리학의 사덕과 정약용의 사덕

(가) 인의예지(仁義禮智)는 모두 본성에 갖추어져 있으나 그 형체가 혼연하여 볼 수가 없습니다. 사물에 감촉하여 움직인 뒤에야 측은(惻隱)·수오(羞惡)·사양(辭讓)·시비(是非)의 작용을 볼 수 있습니다. 인의예지의 단서도 그때 형상을 드러내니 이를 정(情)이라 합니다.
                      – 주희, 『주자대전』 –

(나) 인의예지라는 이름은 일을 행한 뒤에 이루어진다. 그러므로 사람을 사랑한 뒤에 인(仁)이라고 하지 사람을 사랑하기 전에 인이라 하지 않고, 자신을 선하게 한 뒤에 의(義)라고 하지 자신을 선하게 하기 전에 의라고 하지 않는다. 손님과 주인이 절하고 읍한 뒤에 예(禮)라 하고, 사물을 분명히 분간한 뒤에 지(智)라고 말할 수 있다. 어찌 인의예지 네 알맹이가 복숭아씨나 살구씨처럼 사람의 마음 가운데 주렁주렁 매달려 있는 것이겠는가? – 정약용, 『맹자요의』 –

자료 분석 | (가)는 주희, (나)는 정약용의 입장이다. 성리학을 집대성한 주희는 사단과 사덕이 모두 인간에게 선천적으로 내재되어 있다고 파악하고, 사단을 통해서 사덕을 확인할 수 있다고 본다. 반면 정약용은 사단은 선천적인 마음이지만 사덕은 사단을 실천함으로써 형성되는 후천적인 덕이라고 주장하며 일상에서의 윤리적 실천을 강조하였다.

1 자주지권은 윤리적 실천을 통해 인간 스스로 형성해 나가야 얻을 수 있다.
(O , ×)

2 정약용은 인간을 자신의 행동에 책임질 수 있는 자율적인 존재로 파악하였다.
(O , ×)

3 정약용은 인간의 본성을 기호(嗜好)로 파악하였다.
(O , ×)

4 성기호설에 따르면 인간은 선을 좋아하고 악을 미워하는 경향성을 타고난다.
(O , ×)

5 정약용에 따르면 인간은 선한 행동을 하도록 결정되어진 존재이다.
(O , ×)

6 정약용은 인간에게는 동물과 다른 마음이 존재한다고 보았다.
(O , ×)

7 성리학에서는 사단을 사덕의 실마리, 즉 단서로 보았다.
(O , ×)

8 정약용은 인의예지의 사덕을 확충하여 사단을 형성할 수 있다고 보았다.
(O , ×)

9 정약용은 사덕은 일상에서의 실천을 통해 후천적으로 형성되는 것으로 보았다.
(O , ×)

정답 1 ×   2 O   3 O   4 O   5 ×
6 O   7 O   8 ×   9 O

1 도덕 감정

유교 윤리의 수용	삼국 시대	유교 사상을 주체적으로 수용하여 정치 원리와 생활 원리로 적용함
	고려 시대	원나라로부터 성리학을 수용함
	조선 시대	성리학을 바탕으로 사회를 운영함
이황		• (❶): 이(理)와 기(氣)가 모두 각각 발할 수 있음(이의 운동성 인정) • 이귀기천: 이는 귀하지만 기는 천함 • 사단 칠정론: 사단은 (❷)가 발한 것으로 순선한 감정이고, 칠정은 (❸)가 발한 것으로 선악의 가능성이 모두 있음 → 사단과 칠정의 엄격한 구분을 강조함 • 수양론: (❹)을 통해 인간의 욕망을 막고 삶과 우주 자연의 원리가 하나가 됨 → 주일무적, 정제엄숙, 상성성의 실천 강조
이이		• (❺): 오직 기만 발할 수 있음(이의 운동성 부정) → 기가 발하고 이가 타는 것 • 이기지묘: 이와 기는 하나이면서 둘이고 둘이면서 하나인 묘합의 관계 • (❻): 이는 보편성, 기는 특수성으로, 이는 만물에 통하고 기는 형체에 국한됨 • 사단 칠정론: 사단은 칠정 가운데 선한 부분을 가리킴, 사단과 칠정의 차이는 기의 맑고 흐림에 달려 있음 • 수양론: 경(敬)의 실천을 통해 사사로움을 제거하면 마음의 본체인 (❼)에 이를 수 있음 → 교기질(矯氣質)과 극기(克己) 강조 • 사회 개혁론: 사회적·제도적 차원의 실천성을 강조하고 사회 전반에 걸친 점진적인 개혁을 도모함

2 도덕 본성

실학의 등장	• 임진왜란과 병자호란으로 혼란해진 사회 질서, 사변화된 성리학에 대한 반성으로 말미암아 등장함 • 실생활에 도움을 줄 수 있는 학문을 추구함
정약용	• 인간은 자율적이고 선택에 책임질 수 있는 존재임 • 인간의 욕구는 생존 및 도덕적 삶을 위한 추동력임 • (❽): 인간은 선을 행하고자 하면 선할 수 있고, 악을 행하고자 하면 악할 수 있는 능력이 있음 • 성(性) (❾)설: 성(性)은 어떤 것을 좋아하거나 싫어하는 경향성(영지의 기호, 형구의 기호)임 • 덕의 후천설: 성리학과 달리 사덕은 선천적인 것이 아니라 (❿)을 통해 형성된다고 봄 • 수양론: 신독, 사천, 서, 구인 등을 강조함
한국 유교의 의의	• 누구나 도덕적 주체로 설 수 있음을 강조함 • 개인과 사회의 도덕적 역량을 키우기 위한 지침을 제공함

정답 ❶ 이기호발설 ❷ 이 ❸ 기 ❹ 경 ❺ 기발이승일도설 ❻ 이통기국 ❼ 성 ❽ 자주지권 ❾ 기호 ❿ 실천

01 다음 사상가의 관점에만 모두 '✓'를 표시한 학생은?

> 이(理)가 발(發)하고 기(氣)가 따른다는 것은 이를 주로 하여 말하였을 뿐이지, 이가 기를 벗어난 것을 말함이 아니니 그것이 사단이다. 기가 발하고 이가 탄다는 것은 기를 주로 하여 말하였을 뿐이지, 기가 이를 벗어난 것을 말함이 아니니 그것이 칠정이다.

관점 \ 학생	갑	을	병	정	무
이는 귀하고 기는 천하다.	✓	✓			✓
사단과 칠정이 발하는 근원은 같다.	✓		✓	✓	
사단과 칠정은 엄격하게 구분되어야 한다.		✓		✓	
이는 기를 주재할 뿐 직접 발하지는 못한다.			✓		✓

① 갑　　② 을　　③ 병　　④ 정　　⑤ 무

02 다음 사상가에 대한 옳은 설명을 〈보기〉에서 고른 것은?

> 이(理)와 기(氣)는 원래 서로 떨어질 수 없는 까닭에 마치 하나의 사물인 것 같다. 그러나 그것이 서로 다른 까닭은 이는 무형(無形)이고 기는 유형(有形)이며 이는 무위(無爲)이고 기는 유위(有爲)이기 때문이다.

┤ 보기 ├
ㄱ. 이기불상리(理氣不相離)의 입장을 강조한다.
ㄴ. 이는 항상 기보다 가치적 우위를 점한다고 본다.
ㄷ. 이는 만물에 통하고 기는 형체에 국한된다고 본다.
ㄹ. 이와 기는 서로 발하여 운동할 수 있다고 주장한다.

① ㄱ, ㄴ　　　② ㄱ, ㄷ　　　③ ㄴ, ㄷ
④ ㄴ, ㄹ　　　⑤ ㄷ, ㄹ

03 갑은 긍정, 을은 부정의 대답을 할 질문으로 가장 적절한 것은?

> 갑: 사단은 말 탄 사람[理]이 자기 의지대로 말[氣]을 몰고 가는 것에 비유할 수 있다. 반면 칠정은 말[氣]이 사람[理]을 태우고 자기 마음대로 가는 경우에 비유할 수 있을 것이다.
>
> 을: 말 탄 사람의 비유라 하면 말[氣]이 움직이는 것이지 사람[理]이 움직이는 것은 아니다. 하지만 사람은 말을 주재하므로, 사단을 포함하는 칠정은 기가 발하고 이가 주재하는 것이다.

① 이는 운동성이 없는가?

② 칠정은 사단을 포함하는가?

③ 사단은 순수하고 선한 감정인가?

④ 사단과 칠정은 모두 기에서 발한 것인가?

⑤ 사단은 이가 발하여 기가 이를 따르는 것인가?

04 그림은 수행 평가 문제와 학생 답안이다. 학생 답안의 ㉠~㉤ 중 옳지 **않은** 것은?

> **〈수행 평가〉**
> ◎ **문제** 이이의 수양론과 사회 개혁론을 서술하시오.
> ◎ **학생 답안**
>   이이는 기의 특수성으로 선함과 악함이 나타난다고 보아, ㉠ 기질을 바로잡는 교기질(矯氣質)의 수양론을 제시하였다. 이이는 이황이 강조한 ㉡ 경(敬)의 실천을 비판하며, ㉢ 하늘의 진실한 이(理)이자 마음의 본체인 '성(誠)'에 이를 것을 강조하였다. 한편, 이이는 ㉣ 시대 변화에 따른 개혁론인 경장(更張)을 주장하였고, 도덕과 더불어 실리를 추구함으로써 ㉤ 훗날 실학의 형성에 영향을 주었다.

① ㉠   ② ㉡   ③ ㉢   ④ ㉣   ⑤ ㉤

05 다음 사상가의 ㉠에 대한 입장으로 옳은 것만을 〈보기〉에서 있는 대로 고른 것은?

> 마음의 이치는 매우 방대하여 본떠서 잡을 수 없으며, 매우 넓어서 끝을 볼 수 없으니, 만약 ㉠ 경(敬)을 첫째로 삼지 않으면, 어찌 능히 그 성(性)을 보존하고 그 본체를 세우겠는가. 이 마음의 발하는 것이 미묘하여 가는 털끝을 살피기보다 어렵고, 위태하여 구덩이를 밟기보다 어려울 것이니, 진실로 경을 첫째로 삼지 않으면 또 어찌 그 기미를 바르게 하고, 그 쓰임에 통달할 수 있겠는가.

┃ 보기 ┃
> ㄱ. 항상 또렷한 정신 상태를 유지해야 한다.
> ㄴ. 선과 악을 분별하는 마음에서 벗어나야 한다.
> ㄷ. 의식을 집중시켜 마음이 흐트러지지 않아야 한다.
> ㄹ. 몸가짐을 단정하게 하고 엄숙한 태도를 유지해야 한다.

① ㄱ, ㄴ   ② ㄱ, ㄷ   ③ ㄴ, ㄹ
④ ㄱ, ㄷ, ㄹ   ⑤ ㄴ, ㄷ, ㄹ

06 갑, 을에 대한 설명으로 옳지 **않은** 것은?

> 갑: 사단(四端)의 발(發)은 순리이므로 선하지 않음이 없고, 칠정(七情)의 발은 기(氣)를 겸하였으므로 선악이 있다.
>
> 을: 사단과 칠정 모두 기(氣)가 발하고 이(理)가 탄 것으로, 사단이 이(理)가 발하고 기(氣)가 이(理)를 따른 것이라는 주장은 옳지 않다.

① 갑은 이와 기가 모두 운동성을 지닌다고 본다.

② 갑은 가치론의 입장에서 기보다 이를 강조한다.

③ 을은 이를 보편적인 것, 기를 특수한 것으로 본다.

④ 을은 기발이승일도설(氣發理乘一途說)을 주장한다.

⑤ 갑, 을은 모두 사단과 칠정의 연원을 구분할 수 없다고 본다.

07 ㉠에 들어갈 비판으로 가장 적절한 것은?

> 갑: 사단은 이가 발하고 기가 이를 따름으로써 드러나는 도덕 감정입니다. 이와 반대로 칠정은 기가 발하고 이가 기를 타면서 드러나는 감정입니다.
> 을: 아닙니다. 사단이든 칠정이든 모든 감정은 기가 발하고, 이가 기를 타면서 드러나는 것입니다. 제가 보기에 당신은 　　　　　㉠

① 이가 발할 수 있다는 것을 간과하고 있습니다.
② 이와 기는 섞일 수 없다는 점을 간과하고 있습니다.
③ 사단과 칠정이 모두 정(情)임을 간과하고 있습니다.
④ 사단이 칠정에 포함되는 것임을 간과하고 있습니다.
⑤ 칠정은 선악의 가능성이 모두 있음을 간과하고 있습니다.

08 ㉠, ㉡에 대한 설명으로 옳지 않은 것은?

> 조선 전기의 통치 이념으로 절대적 권위를 확립하였던 　㉠　은/는 논쟁을 거듭하면서 사변적으로 변질하였고, 사회적 변화와 요구를 따라가지 못하였다. 이러한 가운데 임진왜란과 병자호란을 겪으면서 백성의 삶이 더욱 어려워지고, 백성의 실생활에 도움을 줄 수 있는 학문을 해야 한다는 개혁적 움직임이 나타나면서 　㉡　이/가 등장하였다.

① ㉠은 개인의 도덕적 수양을 강조하였다.
② ㉠은 심성론(心性論)을 심도 있게 논의하였다.
③ ㉠의 대표학자 이이는 ㉡의 형성에 영향을 주었다.
④ ㉡은 청나라의 고증 학풍에서 벗어나고자 하였다.
⑤ ㉡은 민생의 구제 등 현실적인 사회 문제 해결을 중시하였다.

★09 다음 조선 시대 사상가의 입장으로 옳은 것을 〈보기〉에서 고른 것은?

> 어린아이가 우물로 기어 들어가는 것을 보고 측은해하면서도 가서 구하지 않는다면, 그 마음만으로 인(仁)이라 할 수 없을 것이다. 누군가 욕을 하거나 발로 차면서 밥을 줄 때 이를 수치스러워하면서도 버리고 가지 않는다면, 그 마음만으로 의(義)라 할 수 없을 것이다. 귀한 손님이 대문 앞에 왔을 때 공경하면서도 마중을 나가지 않는다면, 그 마음만으로 예(禮)라 할 수 없을 것이다. 착한 사람이 억울한 일을 당한 것을 보고 부당하다고 여기면서도 옳고 그름에 대한 태도가 뚜렷하지 못하다면, 그 마음만으로 지(智)라 할 수 없을 것이다.

┤보기├
ㄱ. 사덕은 하늘로부터 부여받은 선한 본성이다.
ㄴ. 사덕은 덕 있는 행동을 통해 완성될 수 있다.
ㄷ. 사덕은 선천적으로 갖추어져 있는 마음의 기호이다.
ㄹ. 사덕은 선을 좋아하는 기호에 따라 행동함으로써 형성된다.

① ㄱ, ㄴ   ② ㄱ, ㄷ   ③ ㄴ, ㄷ
④ ㄴ, ㄹ   ⑤ ㄷ, ㄹ

10 다음 사상가가 긍정의 대답을 할 질문을 〈보기〉에서 고른 것은?

> 사람에게는 두 가지 기호가 있다. 하나는 마음에 관계된 것으로서 선을 좋아하고 악을 부끄러워하는 마음이다. 이것은 사람만이 가지는 마음으로, 도심(道心)이다. 다른 하나는 몸과 관계된 것으로, 아름다운 색을 좋아하고 맛있는 음식을 즐기며 좋은 옷을 입기를 좋아하는 인심(人心)이다.

┤보기├
ㄱ. 인간의 본성은 마음의 기호(嗜好)인가?
ㄴ. 영지(靈知)의 기호는 육체적이고 감각적인 욕망인가?
ㄷ. 인간은 선하고자 하면 선할 수 있고 악하고자 하면 악할 수 있는가?
ㄹ. 도덕적 인격 완성을 위해 모든 육체적 욕구를 제거하는 수양을 해야 하는가?

① ㄱ, ㄴ   ② ㄱ, ㄷ   ③ ㄴ, ㄷ
④ ㄴ, ㄹ   ⑤ ㄷ, ㄹ

11 다음 사상가의 관점에만 모두 '✓'를 표시한 학생은?

> 하늘은 인간에게 자주지권(自主之權)을 주어, 선(善)을 하고자 하면 선을 할 수 있고, 악(惡)을 하고자 하면 악을 할 수 있게 하였다. (인간의 마음은) 이리저리 움직여서 고정되어 있지 않으니, 자주지권은 자기에게 있다. 이것은 동물에게 정해진 마음이 있는 것과 같지 않다. 그러므로 선을 행하면 자기의 공이 되고 악을 행하면 자기의 죄가 되는 것이니, 이것은 마음의 자주지권이며, 이른바 본성이 아니다.

관점 학생	갑	을	병	정	무
성(性)은 곧 리(理)이다.	✓	✓			✓
인간은 도덕적 자율성을 지닌 존재이다.	✓		✓	✓	
인간은 언제나 선한 것만을 선택하도록 정해져 있다.		✓		✓	
인간은 도덕적 행위에 대한 책임을 질 수 있어야 한다.			✓		✓

① 갑 ② 을 ③ 병 ④ 정 ⑤ 무

12 다음 사상가의 입장으로 옳은 것을 〈보기〉에서 고른 것은?

> 한 가지 선을 행하면 그 마음이 한가득 즐겁고, 한 가지 악을 행하면 그 마음이 침울하고 답답하다. 내가 선을 행한 적이 없는데 사람들이 선하다고 하면 기쁘고, 내가 악한 적이 없는데 사람들이 나를 악하다고 비방하면 화가 난다. 이런 것을 보면 선이 기뻐할 만하고 악이 부끄러워할 만한 것임을 알 수 있다.

┤ 보기 ├
ㄱ. 인간의 성(性)은 마음의 경향성일 뿐이다.
ㄴ. 인간은 태어날 때부터 악한 본성을 지닌 존재이다.
ㄷ. 인간은 선천적으로 선을 좋아하는 경향성을 지니고 있다.
ㄹ. 선을 좋아하고 악을 미워하는 본성을 형구(形軀)의 기호라고 한다.

① ㄱ, ㄴ ② ㄱ, ㄷ ③ ㄴ, ㄷ
④ ㄴ, ㄹ ⑤ ㄷ, ㄹ

[13~14] 다음을 읽고 물음에 답하시오.

> 갑: 사단(四端)과 칠정(七情)은 비록 감정[情]인 것은 같지만 그 유래[所從來]가 다른 점이 없지 않다. 사단의 유래가 이미 이(理)인데, 칠정의 유래가 기(氣)가 아니고 무엇이겠는가.
> 을: 사단은 단지 이만 말한 것이고 칠정은 이와 기를 합하여 말한 것이니, 두 갈래의 정(情)이 있는 것이 아니다. 따라서 정을 두 갈래로 보는 설은 주의하여 살펴보지 않을 수 없다.

13 갑, 을의 입장을 다음 그림으로 표현할 때, A~C에 해당하는 내용으로 적절한 것만을 〈보기〉에서 있는 대로 고른 것은?

〈범례〉
A: 갑만의 입장
B: 갑, 을의 공통 입장
C: 을만의 입장

┤ 보기 ├
ㄱ. A: 사단은 이가 발하고 기가 이를 따른 것이다.
ㄴ. B: 사단과 칠정은 모두 정이지만 근원이 다르다.
ㄷ. B: 칠정은 기가 발한 것으로 선악의 가능성이 있다.
ㄹ. C: 사단은 칠정 가운데 순선한 부분을 가리킨다.

① ㄱ, ㄴ ② ㄱ, ㄹ ③ ㄴ, ㄷ
④ ㄱ, ㄷ, ㄹ ⑤ ㄴ, ㄷ, ㄹ

14 다음 한국 사상가가 갑, 을 모두에게 제기할 수 있는 비판으로 가장 적절한 것은?

> 사단의 '단(端)'은 '시작'을 뜻한다. 백성을 자애롭게 대한 후에 인(仁)이라고 하고, 자신을 올곧게 한 후에 의(義)라 하며, 손님을 맞아 인사한 후에 예(禮)라 하고, 사물을 분별한 후에 지(智)라 한다.

① 사단은 본성이 아닌 감정임을 간과하고 있다.
② 사단은 기(氣)가 발하여 이가 탄 것임을 간과하고 있다.
③ 사단을 확충해야 사덕이 형성되는 것임을 간과하고 있다.
④ 사단은 칠정과 철저하게 구분되어야 함을 간과하고 있다.
⑤ 사단은 덕 있는 행위를 실천해야 갖춰질 수 있음을 간과하고 있다.

15 갑과 을이 사단과 칠정을 바라보는 관점의 공통점과 차이점을 서술하시오.

> 갑: 이(理)는 기(氣)의 주재자이고, 기는 이의 재료이므로 이는 귀하고 기는 천하다. 이 두 가지는 본래 분별되어 있으나, 다만 사물에 있어서는 혼합되어 나눌 수가 없을 뿐이다.
>
> 을: 이와 기는 떨어질 수 없는 관계이며, 하나이면서 둘이고 둘이면서 하나인 묘합의 관계인 이기지묘(理氣之妙)로 설명할 수 있다.

16 다음 글을 읽고 물음에 답하시오.

> 조선 시대 성리학자인 이이는 [㉠](이)란 하늘의 진실한 이치이자 마음의 본체라고 보았다. 사람이 본래 마음을 회복하지 못하는 것은 개인적이고 간사한 것이 가리기 때문이므로 [㉡]의 실천을 통해 개인적인 것과 간사함을 없애면 그 본체가 온전할 수 있다고 주장하였다.

(1) ㉠, ㉡에 들어갈 알맞은 말을 쓰시오.

(2) 조선 시대 사상가 이황이 제시한 ㉡의 실천 방법을 세 가지 서술하시오.

17 ㉠의 의미와 특징을 서술하시오.

> 채소가 거름을 좋아하고 연꽃이 물을 좋아하는 것처럼 인간의 본성은 일종의 경향성, 즉 마음의 기호(嗜好)이다. 인간에게는 두 가지 기호가 있는데, 하나는 ㉠ 영지의 기호이고 다른 하나는 형구의 기호이다.

18 다음 사상가의 사단과 사덕에 대한 입장을 서술하시오.

> 인의예지의 이름은 행한 뒤에 이루어진다. 사람을 사랑한 뒤에 인(仁)하다고 하지 사람을 사랑하기 전에 인하다고 하지 않는다. …… 어찌 인의예지의 네 알맹이가 복숭아씨나 살구씨처럼 사람 마음 가운데 주렁주렁 매달려 있는 것이겠는가.

| 수능 기출 |

01 한국 유교 사상가 갑, 을의 입장으로 옳은 것은?

> 갑: 본연지성은 가리키는 바가 이(理)에 있고 기(氣)에 있지 않기 때문에 순선무악하다. 만일 서로 떨어지지 않는다는 이유로 이를 기와 함께 말한다면, 그것은 이미 성(性)의 본래 모습이 아니다.
>
> 을: 기질지성과 본연지성은 결코 두 가지 성(性)이 아니다. 기질 중에서 이(理)만을 가리키면 본연지성이고, 이와 기를 합하여 말하면 기질지성이다. 성이 이미 하나인데, 정(情)에 어찌 두 근원이 있겠는가?

① 갑: 본연지성은 품부받은 기질에 따라 다르게 발현된다.

② 갑: 이와 기는 개념상 구분되지만 그것들의 발현 과정은 서로 다르지 않다.

③ 을: 이와 기는 분리되지 않으므로 각각 따로 작용하지 않는다.

④ 을: 천리가 기질에 들어와 이루어진 성은 본연지성을 포함하지 않는다.

⑤ 갑, 을: 이는 기의 근원이므로 기에서 독립하여 홀로 존재할 수 있다.

02 (가)의 사상가 갑, 을의 입장을 (나) 그림으로 표현할 때, A~C에 들어갈 내용으로 옳은 것만을 〈보기〉에서 있는 대로 고른 것은?

(가)	갑: 이(理)가 발하고 기(氣)가 따른다는 것은 이를 주(主)로 하여 말한 것일 뿐이지 이가 기에서 벗어난다는 것은 아니니, 사단이 바로 그것이다. 을: 이가 발하고 기가 따른다는 것은 이기에 선후가 있다는 주장이므로 옳지 않다. 사단을 비롯한 모든 정(情)은 기가 발하고 이가 타는 것이다.
(나)	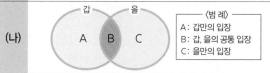

〈범례〉
A: 갑만의 입장
B: 갑, 을의 공통 입장
C: 을만의 입장

| 보기 |

ㄱ. A: 사양하는 마음은 이가 발하고 기가 따른 것이다.

ㄴ. B: 사단은 본성[性]이고 칠정은 감정[情]이다.

ㄷ. B: 이와 기는 모두 운동성과 자발성을 가지고 있다.

ㄹ. C: 선한 정(情)과 악한 정은 모두 기가 발한 것이다.

① ㄱ, ㄴ   ② ㄱ, ㄹ   ③ ㄴ, ㄷ
④ ㄱ, ㄴ, ㄹ   ⑤ ㄱ, ㄷ, ㄹ

03 (가)의 한국 사상가 갑, 을의 입장을 (나) 그림으로 탐구할 때, A~C에 해당하는 질문으로 옳은 것은?

(가)	갑: 정(情)에 사단과 칠정의 구분이 있다고 여기는 것은, 성(性)에 본연지성과 기질지성의 다름이 있는 것과 같다. 성에 대해서는 이(理)와 기(氣)로 나누어 말할 수 있는데, 유독 정에 대해서는 이와 기로 나누어 말할 수 없는 것인가? 을: 정(情)은 하나이지만 사단이다 칠정이다 말하는 것은 이(理)만 말할 때와 기(氣)를 겸하여 말할 때가 같지 않기 때문이다. 본연지성은 기질지성을 겸할 수 없지만 기질지성은 본연지성을 겸하듯이 사단은 칠정을 겸할 수 없으나 칠정은 사단을 겸한다.
(나)	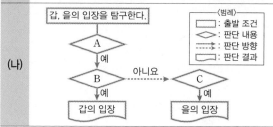

① A: 사단은 칠정의 순선한 측면을 가리키는 것인가?

② B: 사단은 이가 발한 성이고 칠정은 기가 발한 정인가?

③ B: 마음의 작용은 이의 발현과 기의 발현으로 구분되는가?

④ C: 시비지심(是非之心)은 이가 발하고 기가 따르는 것인가?

⑤ C: 사단과 칠정은 기가 발함에 이가 타서 나타난 순선한 정인가?

04 다음 사상가가 긍정의 대답을 할 질문으로 가장 적절한 것은?

> 무릇 어린아이는 아는 것이 없지만 선하다고 칭찬하면 좋아하고 악하다고 꾸짖으면 성내고, 도둑은 수치심이 없지만 청렴하다고 칭찬하면 기뻐하고 탐욕스럽다고 꾸짖으면 슬퍼하니, 사람의 성(性)은 기호(嗜好)라는 것을 알 수 있다.

① 사단을 발휘하기 위해서 모든 욕구를 억제해야 하는가?

② 사덕은 일상 속에서 사단을 실천함으로써 형성되는 것인가?

③ 사단은 선을 좋아하는 기호에 따라 행위 해야 획득되는 것인가?

④ 사단은 마음에 사덕이 부여되어 있음을 알게 해 주는 단서인가?

⑤ 사덕은 마음의 본체인 성(性)이고 사단은 마음의 작용인 정(情)인가?

05 한국 사상가 갑, 을의 입장에 대한 설명으로 옳지 <u>않은</u> 것은?

> 갑: 칠정(七情)이 이(理)와 무관하게 바깥 사물과 우연히 만나 감응하여 발동하는 것은 아니다. 사단(四端)이 사물에 감응하여 움직이는 것은 칠정과 다르지 않다. 다만 사단은 이가 발(發)함에 기(氣)가 그것을 따르는 것이고, 칠정은 기가 발함에 이가 그것을 타는 것이다.
>
> 을: '사단은 이가 발하여 기가 따르는 것이며, 칠정은 기가 발하여 이가 올라타는 것'이라고 말한다면, 이것은 이와 기가 두 갈래 길로 나오는 격이다. 이와 기는 원래 서로 떠나지 않는 것이니, 마음이 동(動)하여 정(情)이 됨에 발하는 것은 기(氣)요, 발하는 까닭은 이(理)이다.

① 갑은 칠정에 선악의 가능성이 모두 있다고 본다.
② 갑은 사단을 칠정에 포함된 순선한 본성이라고 본다.
③ 을은 기질을 바로잡아 이의 본연을 실현해야 한다고 본다.
④ 을은 사단과 칠정은 동일한 연원에서 나오는 감정이라고 본다.
⑤ 갑, 을은 모두 칠정은 기가 발하고 이가 기에 타는 것이라고 본다.

06 (가)를 주장한 한국 사상가의 입장에서 볼 때, (나)의 ㉠에 들어갈 진술로 적절한 것을 〈보기〉에서 있는 대로 고른 것은?

(가)	무릇 도(道)란 어디를 가도 없는 곳이 없고 어느 순간에도 없는 때가 없다. 성(誠)은 하늘의 길[天道]이요, 경(敬)은 사람의 길[人道]이다. 무릇 마음은 한결같이 몸을 주재하고, 경은 한결같이 마음을 주재해야 한다. 스스로 노력하여 성으로 나아가려면 어찌 다른 것이 있겠는가. 역시 오직 경에 힘쓸 뿐이다.
(나)	질문: 경(敬)을 실천하려면 어떻게 해야 하나요? 대답: ㉠

┤ 보기 ├
ㄱ. 항상 깨어 있는 정신 상태를 유지하여 공부한다.
ㄴ. 엄숙하고 고요함에 마음을 두고 이치를 궁구한다.
ㄷ. 정신을 집중해 시비선악을 분별하는 마음을 제거한다.
ㄹ. 자신을 구속하는 사심과 주관을 버리고 자연의 흐름에 따른다.

① ㄱ, ㄴ   ② ㄴ, ㄷ   ③ ㄷ, ㄹ
④ ㄱ, ㄴ, ㄷ   ⑤ ㄴ, ㄷ, ㄹ

| 평가원 응용 |
[07~08] 다음을 읽고 물음에 답하시오.

> 갑: 사단(四端)과 칠정(七情)의 근원을 찾아 올라가면 이기(理氣)의 분별이 있다. 같음 속에 다름이 있으니, 사단은 이(理)를 위주로 칠정은 기(氣)를 위주로 말한 것이다. 이들을 나누어 배속시키는 것에 어찌 불가함이 있겠는가?
>
> 을: 사단은 기가 발(發)함에 이가 타는 것이다. 어린아이가 우물에 빠지는 것을 보면 측은지심이 발한다. 그것을 보고 측은히 여기는 것은 기이니 이것이 기발(氣發)이며, 측은의 본(本)은 인(仁)이니 이것이 이승(理乘)이다.

07 갑, 을 중 적어도 한 사람이 긍정의 대답을 할 질문만을 〈보기〉에서 있는 대로 고른 것은?

┤ 보기 ├
ㄱ. 사단의 정(情)과 칠정의 정은 연원이 모두 같은가?
ㄴ. 발하는 것은 기(氣)이고 발하는 까닭은 이(理)인가?
ㄷ. 성의 기호는 형구의 기호와 영지의 기호로 나눌 수 있는가?
ㄹ. 사단은 칠정을 겸(兼)할 수 없지만 칠정은 사단을 겸할 수 있는가?

① ㄱ, ㄴ   ② ㄴ, ㄷ   ③ ㄷ, ㄹ
④ ㄱ, ㄴ, ㄹ   ⑤ ㄱ, ㄷ, ㄹ

08 다음을 주장한 한국 사상가가 갑에게 제기할 수 있는 반론으로 가장 적절한 것은?

> 인의예지(仁義禮智)라는 명칭은 행사(行事) 이후에 성립한다. 남을 사랑한 뒤에 인이라 하고 나를 선하게 한 뒤에 의라 한다. 손님과 주인이 공손히 인사한 뒤에야 예라는 명칭이 성립한다. 사물을 분명하게 분별한 뒤에 지라는 명칭이 세워진다. 인의예지라는 네 개의 낱알이 어찌 복숭아씨와 살구씨처럼 사람의 마음 가운데 따로따로 매달려 있는 것이겠는가?

① 사단은 사덕이 내재한다는 단서임을 모르고 있다.
② 사덕은 태어나면서부터 갖춘 본성임을 모르고 있다.
③ 사단은 인간이라면 누구나 지니는 선천적인 감정임을 모르고 있다.
④ 사단은 이가 발하고 기가 그것을 따르는 도덕 감정임을 모르고 있다.
⑤ 사덕은 선을 좋아하는 기호(嗜好)를 따라 실천하여 형성됨을 모르고 있다.

| 평가원 기출 |

09 ㉠에 대한 설명으로 가장 적절한 것은?

> 사람의 성(性)은 선을 즐거워하고, 악을 부끄러워하지 않음이 없다. 그런데 선배 유학자가 말한 것처럼 ㉠ 이/가 본심의 완전한 덕이라 하면, 사람의 일은 마음만 들여다보아 그저 이 마음을 비우고 밝게 만들려고만 할 뿐이다. 그러나 ㉠ 은/는 실행을 통해 이룰 수 있는 것이니 누구나 그것을 완성하려고 정진하지 않을 수 없다.

① 인간과 동물이 모두 지니고 있는 생리적 욕구의 경향성이다.

② 인간의 본성에 깃든 것이 아니라 노력[功]으로 이루는 것이다.

③ 인간의 마음으로서 덕으로 나아가는 시작점[始]이 되는 것이다.

④ 선하거나 악한 행동을 스스로 선택할 수 있는 권능[自主之權]이다.

⑤ 하늘로부터 부여받은 이치[天理]가 아닌 마음의 기호(嗜好)이다.

| 교육청 응용 |

10 다음을 주장한 한국 사상가의 입장으로 가장 적절한 것은?

> 선을 좋아하고 악을 부끄러워함은 양지(良知)에서 나왔다. 이것이 짐승과 인간이 확연히 다른 바이다. 어떤 사람이 나쁜 짓을 하는데도 이를 모르는 사람이 그를 선하다고 하면 좋아하고, 어떤 사람이 나쁜 짓을 할 때 다른 사람이 그를 악하다고 하면 부끄러워한다. 사람의 성(性)은 선을 좋아하고 악을 부끄러워하는 경향성[嗜好]일 뿐이다.

① 도덕적 실천을 통해 자주지권을 형성할 수 있다.

② 사단의 실천을 위해서는 모든 욕구를 억제해야 한다.

③ 인간과 동물은 모두 영지(靈知)의 기호를 지니고 있다.

④ 사단은 마음에 사덕이 내재함을 알게 해 주는 단서이다.

⑤ 수오(羞惡)의 마음은 의(義)라는 덕을 형성하는 시작이다.

| 교육청 응용 |

[11~12] 갑은 중국 사상가, 을과 병은 한국 유교 사상가들이다. 다음을 읽고 물음에 답하시오.

> 갑: 마음[心]은 이(理)를 갖추고 있는 곳이고, 성(性)은 마음이 가지고 있는 이이다. 성은 곧 이이고, 마음은 이것을 싣고 있다가 베풀어 쓴다.
>
> 을: 사람의 성에는 인의예지신 다섯 가지가 있을 뿐이며 정(情)에는 희노애구애오욕 일곱 가지가 있을 뿐이다. 따라서 사단(四端)이란 선한 정에 붙여진 이름일 뿐이다.
>
> 병: 부모를 효로써 섬김이 인(仁)이며, 임금을 충으로써 섬김이 인이다. 무릇 사람과 사람이 그 본분을 다한 연후에 그것을 인이라 일컫는다. 마음에는 본래 덕이 없는데 어찌 인이 있을 수 있겠는가?

11 갑, 을, 병이 서로에게 제기할 수 있는 비판으로 가장 적절한 것은?

① 갑이 을에게: 인간의 본래 타고난 성(性)이 곧 이치임을 간과하고 있다.

② 을이 갑에게: 인간의 성(性)은 이(理)가 아니라 기호임을 간과하고 있다.

③ 을이 병에게: 사단(四端)은 누구나 지니고 있는 선한 마음임을 간과하고 있다.

④ 병이 갑에게: 인간은 하늘로부터 도덕적 본성을 부여받았음을 간과하고 있다.

⑤ 병이 을에게: 인은 측은지심을 실천함으로써 형성할 수 있음을 간과하고 있다.

12 다음을 주장한 한국 사상가의 입장에서 을에게 제시할 수 있는 견해로 가장 적절한 것은?

> 이(理)는 존귀해서 상대할 수 있는 것이 없으며, 사물에 명령하기만 하지 명령을 받지 않는다. 이의 본체가 무위라는 것만을 보고 묘한 쓰임이 능히 드러나 행해지고 있음을 모른다면 이를 죽은 물건으로 여기는 것이다.

① 이는 통하고 기는 국한되는 것임을 모르고 있다.

② 기와 마찬가지로 이도 발할 수 있음을 모르고 있다.

③ 사단은 칠정의 순선한 측면을 가리키는 것임을 모르고 있다.

④ 사단은 이가 발한 것이고 칠정은 기가 발한 것임을 잘 알고 있다.

⑤ 사단과 칠정은 각각 그것이 유래하는 근원이 다름을 잘 알고 있다.

03 자비의 윤리

1 깨달음

1. 초기 불교의 특징과 근본 사상

(1) 초기 불교의 특징

① 완전한 번뇌의 소멸을 목표로 함

② 인생의 본질이 괴로움이라는 것을 자각하게 함

③ 해탈의 길을 체계적으로 제시하고자 함

(2) 초기 불교의 가르침

① 연기(緣起) 모든 현상이 여러 조건에 의존해 생겨나고 소멸한다는 상호 의존성의 원리 [자료 01]
　└ 모든 것은 인(직접적 원인)과 연(간접적 조건)에 의지해 생겨난다.

② 사성제(四聖諦) 인간이 겪는 고통의 원인과 이를 제거해 해탈에 이르는 방법을 제시한 가르침

고성제(苦聖諦)	• 인생은 본질적으로 괴롭다는 진리 • 괴로움의 예: 생로병사, 이별, 싫어하는 사람과의 만남, 원하는 것을 얻지 못함, 오온❶ 등
집성제(集聖諦)	• 괴로움에는 원인이 있다는 진리 • 고통의 원인: 삼독❷, 무명❸, 애욕 등
멸성제(滅聖諦)	• 괴로움이 소멸한 상태에 관한 진리 • 현상의 본성에 대한 인식을 통해 괴로움이 소멸한 상태 ➡ 열반
도성제(道聖諦)	• 열반에 이르는 길에 관한 진리 • 수행 방법: 팔정도(八正道), 삼학(三學) [자료 02]

③ 삼법인(三法印)
　└ 연기의 원리를 현상 전체에 적용해 특징을 명시한 것으로, 열반적정을 더해 사법인이라고 부르기도 한다.
- 제행무상(諸行無常): 모든 현상은 연기에 따라 생성, 소멸해 영원하지 않다는 의미
- 제법무아(諸法無我): 모든 현상에는 '나'라는 불변의 자아가 없다는 의미
- 일체개고(一切皆苦): 영원하지 않은 모든 것이 괴로움이라는 의미
- 열반적정(涅槃寂靜): 열반에 이르면 모든 고통과 번뇌에서 벗어난다는 의미

2. 불교의 전개

(1) 부파 불교❹

① 개인의 해탈을 중시함 ➡ 사회와 분리된 엄격한 종교성을 추구함

② 아라한 부파 불교의 이상적 인간상으로, 가장 높은 경지에 오른 수행자

(2) 대승 불교

① 중생과 함께하는 대중적 측면을 강조함 ➡ 자신의 깨달음뿐만 아니라 타인의 깨달음도 중시함

② 공(空) 사상❺ 모든 현상과 존재가 고정불변의 실체를 지니지 않는다고 봄

③ 보살 위로는 깨달음을 얻고자 하고, 아래로는 중생을 구제하고자 하는 이상적 인간상

(3) 대승 불교의 교리
　└ 대표적 사상가는 용수이다.

중관(中觀) 사상	• 중관: 극단에 치우친 잘못된 견해를 바로잡고 중도의 진리를 올바르게 관찰하는 지혜 • 연기의 재해석: 연기는 개별 현상에 고유한 본질이 없다는 공성(空性)을 의미함 • 중도 추구: 유에 집착하는 관점과 무에 집착하는 관점의 양극단을 벗어나야 함 [자료 03] • 부처의 가르침을 궁극적 진리와 언어적 진리로 구분 ➡ 언어적 진리의 한계와 기능을 지적함
유식(唯識) 사상	• 유식: 불변의 본질을 가진 객관적 현상은 없고 오직 그것을 경험하는 마음만 있음 ➡ 마음의 작용을 떠나서는 어떠한 실재도 없음을 강조함 • 일체유심조(一切唯心造): 현상을 구성하는 모든 것은 우리의 마음이 만들어 낸 것임 • 마음을 닦는 수행법에 관심을 가짐

　└ 공 사상이 허무주의로 빠지는 것을 경계하여 나타난 사상으로, 대표적 사상가는 세친이다.

---

❶ 오온

끊임없이 변화하는 인간 존재를 일시적으로 구성하는 물질, 느낌, 분별 의식, 의지, 인식의 다섯 더미이다. 부처는 오온의 일시적 결합체를 불변의 자아로 착각하는 중생을 일깨우고자 불변의 자아가 없다는 무아(無我)를 주장하였다.

❷ 삼독

탐욕(貪慾), 분노(瞋恚), 어리석음(愚癡)의 번뇌로, 줄여서 탐·진·치라고도 한다. 세 가지 번뇌가 중생을 해롭게 하는 것이 독약과 같다고 해서 삼독이라고 부른다.

❸ 무명

현상계의 모든 사물이 무상(無常)이며 무아(無我)임을 모르는 상태

❹ 부파 불교

석가모니가 열반에 든 후 그의 가르침은 한동안 제자들에 의해 구두로 전승되었다. 이후 경전 편찬을 통해 석가모니의 가르침을 정리하고 체계화하기 시작하였는데, 그 과정에서 계율과 교리에 대한 해석을 둘러싸고 교단이 다양한 부파로 분열되었다. 이 시기의 불교를 부파 불교라고 한다.

❺ 공(空) 사상

모든 존재는 연기에 의해 원인과 결과로 얽힌 상호 의존적 존재이므로 고정불변하는 독자적인 성질, 즉 자성(自性)이라는 것은 존재하지 않는다고 보는 사상이다. 공 사상에 따르면 우리가 실체라고 믿는 것들도 실은 존재하지 않고, 모든 존재는 실체가 없는 공이다.

자료 01 연기설(緣起說)

- 이것이 있을 때 저것이 있고, 이것이 생겨날 때 저것이 생기며, 이것이 있지 않을 때 저것이 있지 않고, 이것이 사라질 때 저것이 사라진다.
- 비유하면 세 개의 갈대를 아무것도 없는 땅 위에 세우려고 할 때 서로 의지해야 설 수 있는 것과 같다. 만일 그 가운데 한 개를 제거해 버리면 두 개의 갈대는 서지 못하고, 그 가운데 두 개의 갈대를 제거해 버리면 나머지 한 개도 역시 서지 못한다. 그 세 개의 갈대는 서로 의지해야 설 수 있는 것이다.
  － 「잡아함경」 －

자료 분석 | 연기설은 불교의 핵심 사상이다. 연기설에 따르면 모든 현상은 다양한 원인과 조건에 근거해 생겨나고, 괴로움도 다양한 원인과 조건 때문에 발생한다. 따라서 불교에서는 괴로움의 원인과 조건을 완전히 없애야 괴로움에서 벗어날 수 있다고 보았다.

자료 02 삼학과 팔정도

삼학(三學)	팔정도(八正道)
계(戒, 계율): 그릇됨과 악을 고치고 좋은 습관을 유지하는 공부	• 정어(正語): 올바로 말을 하는 것 • 정업(正業): 올바로 행동하는 것 • 정명(正命): 올바로 생활하는 것
정(定, 선정): 마음을 고요한 경지에 이르게 하는 공부	• 정정진(正精進): 올바른 노력을 하는 것 • 정념(正念): 올바로 기억해 잊지 않는 것 • 정정(正定): 올바로 마음을 집중하는 것
혜(慧, 지혜): 사물의 실상을 통찰해 깨달음을 얻는 공부	• 정견(正見): 올바로 보는 것 • 정사(正思): 올바로 생각하는 것

자료 분석 | 삼학은 계율을 지키는 계학, 선정 수행을 실천하여 집중하는 정학, 부처의 깨달음과 같은 지혜를 얻는 혜학을 의미한다. 팔정도를 삼학으로 구분하면 정어, 정업, 정명은 계(戒), 정정진, 정념, 정정은 정(定), 정견, 정사는 혜(慧)에 해당한다.

자료 03 중도(中道)

출가자가 가까이하지 않아야 할 두 가지 극단이 있다. 그것은 저열하고 촌스럽고 범속하고 성스럽지 못하여 이익을 주지 못하는 감각적 욕망들에 대한 쾌락의 탐닉에 몰두하는 것과 성스럽지 못하고 이익을 주지 못하는 자기 학대에 몰두하는 것이다. 이러한 두 가지 극단에 의지하지 않고 부처는 중도를 완전하게 깨달았나니, 이 중도는 안목을 만들고 지혜를 만들며 고요함과 최상의 지혜와 바른 깨달음과 열반으로 인도한다.
－ 「상응부경」 －

자료 분석 | 석가모니는 수행 끝에 쾌락과 고통의 양극단을 벗어나 심신의 조화를 얻는 중도(中道)를 따를 때 비로소 깨달음을 얻을 수 있다는 것을 알게 되었다. 진리를 깨우친 석가모니는 자신과 함께 고행한 다섯 제자에게 중도를 설파하였다.

1 불교에 따르면 인연생기(因緣)에 의한 모든 것은 일시적인 현상일 뿐이다.
(O , ×)

2 불교의 연기설에 따르면 괴로움에는 원인이 없다.
(O , ×)

3 불교에서는 팔정도의 수행을 통해 열반에 이를 수 있다고 본다.
(O , ×)

4 일체개고는 영원하지 않은 모든 것이 괴로움이라는 뜻이다.
(O , ×)

5 팔정도의 정견, 정사는 삼학의 계에 해당한다.
(O , ×)

6 대승 불교는 개인의 해탈과 함께 중생 구제에 힘써야 할 것을 강조한다.
(O , ×)

7 공 사상에 따르면 모든 현상과 존재는 고정불변의 실체를 지닌다.
(O , ×)

8 쾌락과 고통 두 가지 극단에 의지하지 않고 양극단을 벗어나는 것이 중도이다.
(O , ×)

9 유식 사상에 따르면 마음의 작용을 떠나서는 어떠한 실재도 없다.
(O , ×)

정답 1 O 2 × 3 O 4 O 5 ×
6 O 7 × 8 O 9 O

2 깨달음의 길

1. 교종

(1) 교종의 형성

① 교판[6]을 중시하는 전통이 형성됨 ➡ 특정한 경전의 이론에 입각해 여러 종파가 나타남

② 대표적 종파[7] 화엄종, 천태종, 법상종, 정토종 자료 **04**

(2) 교종의 특징과 의의 ⭐

① 특징 경전의 가르침에 근거해 단계적인 수행 방법을 세움 ➡ 점진적 수행인 점수(漸修)를 통해 깨달음을 얻을 수 있다고 봄

② 의의 다양한 경전을 체계적으로 이해하면서 부처의 가르침이 지닌 여러 측면을 밝혀내고, 많은 주석을 통해 부처의 가르침에 대한 이해를 심화함

③ 한계
  • 자기 종파의 우월성만을 강조함 ➡ 타 종파와의 갈등이 일어남
  • 대중을 위한 의례를 지나치게 중시하는 경향이 있음
  • 방대한 경전 주석과 복잡한 이론 체계의 학습에 주력함 ➡ 깨달음의 목적을 소홀히함

2. 선종

(1) 선종의 특징 ─── 선종의 대표적 사상가는 혜능이다.

① 경전이나 수행 체계보다 본성의 자각을 중시함

② 법은 부처의 마음에 있으니 복잡한 교리를 떠나 심성을 도야해야 한다는 것을 강조함

③ 선(禪)을 강조하며 불성(佛性)[8]에 대한 직관을 중시하고, 좌선과 화두[9] 등을 통한 깨달음을 중시함

④ 돈오(頓悟) 지식 공부나 점진적 수행 없이도 자신의 본성을 보면 즉각적으로 깨달음에 이를 수 있음

⑤ 혜능은 돈오의 방법으로 훌륭한 스승에게서 직접적인 가르침을 받을 것을 중시함[10]

(2) 선종의 가르침 ⭐ 자료 **05**

이심전심(以心傳心)	진리는 마음에서 마음으로 전하는 것
불립문자(不立文字)	언어와 문자를 세워 말하지 않는 데 참뜻이 있음
교외별전(教外別傳)	경전과는 별도로 전하여 가르치는 것
직지인심(直指人心)	자신의 마음을 직접 바라보는 참선
견성성불(見性成佛)	마음속의 불성을 깨달으면 누구나 부처가 될 수 있음

(3) 선종의 의의와 한계

① 의의 일상과 깨달음을 관련짓고, 내면의 자각을 중시해 자유로운 수행 기풍을 형성함

② 한계 맹목적으로 깨달음을 추구하고 계율에 따른 도덕적 생활을 경시하는 경향을 낳음

3. 불교 윤리의 특징[11]

(1) **자비의 윤리** 모든 존재가 하나로 연결되어 있으므로 고통에 빠진 모든 존재에 대해 슬픔을 느끼고 연민을 가져야 한다고 강조함

(2) **평등적 세계관** 누구에게나 불성이 있어 부처가 될 수 있으므로 모든 존재를 구별하거나 차별하지 않아야 한다는 것을 강조함

(3) **인간의 주체성** 인간 스스로가 의지를 지니고 수행하여 깨달음을 얻을 수 있다는 점을 강조함

---

⑥ 교판(教判)
한문 경전에 담긴 다양한 부처의 가르침을 체계적으로 분류하고 해석한 것

⑦ 교종의 두 가지 경향
교종은 크게 두 가지 경향으로 나눌 수 있다. 스스로의 힘으로 단계적인 수행을 통해 깨달음을 추구하는 경향으로 화엄종, 천태종, 법상종이 있고, 부처와 보살에 의지하여 해탈을 추구하는 경향으로 정토종이 있다.

⑧ 불성(佛性)
부처에 이를 수 있는 근본 성품으로, 미혹이나 깨달음에 의해 변하는 일 없이 본래부터 중생에게 갖추어져 있는 것

⑨ 화두(話頭)
'말머리'라는 의미로 불교에서 수행자가 깨달음을 얻기 위해 참선하며 해결해야 할 과제를 뜻한다.

⑩ 혜능의 수행법
혜능은 대상에 집중하는 고요한 명상만을 수행으로 보지 않고, 일상의 모든 행위 속에서 대상에 대한 집착이 없는 마음을 체험할 것을 강조한다.

⑪ 불교 윤리의 현대적 의의
불교 윤리는 자신뿐만 아니라 대중을 구제할 것을 강조한다. 이는 사회 전체의 변화를 이끄는 원동력이 된다. 또한 모든 것이 평등하며 연기의 관계에 있다는 관점은 인간과 자연을 상호 의존적인 관계로 파악해 환경 문제를 해결하는 데 도움을 줄 수 있다.

자료 04   교종의 종파

(가) 천태종: 『법화경』을 주요 경전으로 삼았다. 이론에 해당하는 교(敎)와 실천에 해당하는 관(觀)이 모두 어우러져야 깨달음을 얻을 수 있다는 교관이문(敎觀二門)을 주장하였다.

(나) 화엄종: 『화엄경』에 따라 만물은 끝없는 시간과 공간 속에서 서로의 원인이며, 대립을 초월해 하나로 융합된다는 무진연기(無盡緣起)의 법칙을 강조하였다. 따라서 모든 것은 서로 차별함 없이 하나이며, 분별과 대립은 지양되고 극복되어야 한다고 보았다.

(다) 정토종: 학문적 불경 중심의 중국 불교를 비판하는 세력으로, 천태종보다 앞서서 발생한 실천 불교 종파이다. 부처가 거주한다는 정토와 아미타불의 존재를 믿으며, 이승에서 염불하기만 하면 극락정토(極樂淨土)에서 다시 태어날 수 있다고 주장하였다.

자료 분석 | 교종은 경전 이해에 기초해 세계와 인간에 대한 체계적인 이론을 제시하였고, 이에 근거해 깨달음을 위한 실천 수행을 강조하였다. 하지만 지나치게 이론적이고 엄격한 성격 때문에 대중에게 널리 퍼지지는 못하였다. 이에 비해 정토종은 염불하기만 하면 극락정토에서 다시 태어날 수 있다고 주장하여 대중의 폭넓은 지지를 받았다.

자료 05   혜능의 가르침

혜능은 15년 동안 저잣거리를 떠돌았는데, 하루는 한 무리의 승려들이 입씨름을 하고 있는 것을 보았다. 어떤 승려들은 바람이 깃발을 펄럭이는 것이니, 실은 바람이 펄럭이는 것이라고 주장하고 있었고, 다른 승려들은 그저 깃발이 펄럭이는 것이라고 주장하였다. 보다 못한 혜능이 나서서 말하기를 "그건 깃발이 펄럭이는 것도, 바람이 펄럭이는 것도 아니다."라고 말하였다. 그러자 한 사람이 "그러면 당신은 도대체 무엇이 펄럭인다고 생각하는 것이냐?"라고 물었다. 혜능은 "펄럭이는 것은 그대들의 마음이다."라고 답하였다고 전해진다. 또 어느 날에는 여승 무진장이 혜능에게 경전을 여러 번 보았으나 아직도 모르겠다며 가르침을 청하였다. 그러자 혜능은 "나는 글을 모른다. 그대가 경문을 소리 내어 읽으면 내가 혹시 그 가운데의 진리를 알 수도 있다."라고 말하였다. 무진장이 다시 글도 모르면서 어찌 그 가운데 진리를 알 수 있느냐고 묻자, 혜능이 답하였다. "진리는 문자와 무관한 것이다. 진리는 마치 하늘에 떠 있는 달과 같다. 문자는 달을 가리키는 손가락일 뿐이다. 손가락이 달을 가리킬 뿐이지 달 자체는 아니다. 달을 보기 위해 반드시 손가락을 거칠 필요는 없지 않은가?"

자료 분석 | 선종에서는 불교의 진리, 곧 법(法)이란 마음으로 마음에 전하는 것(以心傳心)이므로, 따로 언어와 문자를 세워 말하지 않는 데(不立文字)에 참뜻이 있다고 보았다. 그리고 석가모니의 교설 이외에 따로 전하는 것(敎外別傳)이 있으니 복잡한 교리를 떠나 심성을 도야해야 한다고 보았다.

1 깨달음

연기	모든 현상이 여러 조건에 의존해 생겨나고 소멸한다는 원리
사성제	• 고성제: 인생은 본질적으로 괴롭다는 진리 → 생로병사의 고통, 오온 등의 괴로움이 있음 • (❶): 괴로움에는 원인이 있다는 진리 → 고통의 원인으로 삼독, 무명, 애욕 등이 있음 • 멸성제: 괴로움이 소멸한 상태에 관한 진리 → 괴로움이 소멸한 상태가 열반임 • 도성제: 열반에 이르는 길에 관한 진리 → 팔정도, 삼학의 수행 방법
삼법인	• 제행무상: 모든 현상은 고정된 것이 없이 항상 변화함 • 제법무아: '나'라는 불변의 (❷)는 존재하지 않음 • 일체개고: 영원하지 않은 모든 것은 (❸)임 • 열반적정: 열반에 이르면 모든 고통과 번뇌에서 벗어날 수 있음
부파 불교	• (❹)의 해탈을 중시함 • 사회와 분리된 엄격한 종교성을 추구함 • 이상적 인간상: 아라한
대승 불교	• 중생과 함께하는 대중적 측면을 중시함 • 자신의 깨달음뿐만 아니라 타인의 깨달음도 중시함 • 공 사상: 모든 현상에는 고정불변의 실체가 없음 • 이상적 인간상: (❺)
중관 사상	• 중관: 극단에 치우친 잘못된 견해를 바로잡고 중도의 진리를 올바르게 관찰하는 지혜 • 연기는 개별 현상에 고유한 본질이 없는 공성임 • 양극단을 벗어나는 (❻)를 추구함
유식 사상	• 마음의 작용인 식(識)을 떠나서는 어떠한 실재도 없다고 봄 • (❼): 현상을 구성하는 모든 것은 우리의 마음이 만들어 내는 것임 • 마음을 닦는 수행법에 관심을 가짐

2 깨달음의 길

교종	• (❽)의 가르침에 근거해 단계적인 수행 방법을 세우고 점진적 수행을 통해 깨달음을 얻을 수 있다고 봄 • 천태종, 화엄종, 법상종, 정토종 등의 여러 종파가 발전함 • 다양한 경전을 체계적으로 이해하면서 부처의 가르침이 지닌 여러 측면을 밝혀냄
선종	• 경전의 수행 체계보다 본성의 자각을 중시함 • (❾): 지식 공부나 점진적 수행 없이 본성을 보면 깨달음에 이를 수 있음 • (❿)을 강조하며 불성에 대한 직관과 좌선, 화두 등을 중시함

정답 ❶ 집성제 ❷ 자아 ❸ 괴로움 ❹ 개인 ❺ 보살 ❻ 중도 ❼ 일체유심조 ❽ 경전 ❾ 돈오 ❿ 선

01 다음 사상에 대한 설명으로 옳지 않은 것은?

> 이것이 있을 때 저것이 있고, 이것이 생겨날 때 저것이 생기며, 이것이 있지 않을 때 저것이 있지 않고, 이것이 사라질 때 저것이 사라진다.

① 모든 현상은 독립적으로 존재한다고 본다.
② 불교에서 삶과 우주를 설명하는 근본적인 원리이다.
③ 모든 현상은 원인과 조건의 결합으로 발생한다고 강조한다.
④ 현재 삶의 행동들이 필연적으로 미래에 영향을 준다고 본다.
⑤ 만물의 존재와 현상은 상호 의존적인 관계로 이루어져 있다고 본다.

02 그림은 한 학생의 필기 내용이다. ㉠~㉢에 대한 설명 중 옳지 않은 것은?

> [학습 주제] 불교의 사성제
> 1. 의미: 연기의 원리를 인생에 적용하여 인간이 겪는 고통의 원인과 해탈에 이르는 방법을 제시한 것
> 2. 내용
> ㉠ 고성제: 인생의 본질은 고통이라는 진리이다.
> ㉡ 집성제: 괴로움에는 원인이 있다는 진리이다.
> ㉢ 멸성제: 괴로움이 소멸한 상태에 대한 진리이다.
> ㉣ 도성제: 열반에 이르는 길에 관한 진리다.

① ㉠에서 괴로움의 예로 생로병사가 있다.
② ㉡에서 괴로움의 원인으로 삼독을 들 수 있다.
③ ㉢에서 괴로움이 소멸한 상태를 열반이라고 한다.
④ ㉣에서 수행 방법으로 팔정도와 삼학을 제시한다.
⑤ ㉡, ㉢은 모든 현상을 오직 마음을 통해 경험할 수 있다는 의미이다.

03 ㉠에 대한 설명으로 옳지 <u>않은</u> 것은?

> 석가모니가 열반에 든 후, 그의 가르침은 한동안 구두로 전승되었다. 이후 경전 편찬을 통해 석가모니의 가르침을 정리하고 체계화하기 시작하였는데, 그 과정에서 계율과 교리에 대한 해석을 둘러싸고 교파의 분열이 나타났다. 이 시기의 불교를 ◯㉠◯(이)라고 한다.

① 재가자와 출가자의 구분을 중시하였다.
② 불교 경전을 체계화하는 데 이바지하였다.
③ 수행자가 자신의 내면에 몰입할 것을 강조하였다.
④ 사회와 분리된 엄격한 종교성을 추구하고자 하였다.
⑤ 기존의 불교를 개혁하는 새로운 불교 운동을 일으키고자 노력하였다.

⭐ 04 다음 사상가의 입장으로 옳지 <u>않은</u> 것은?

> 일어나는 것도 아니고 사라지는 것도 아니며
> 상주하는 것도 아니고 단절되는 것도 아니며
> 동일한 것도 아니며 다른 것도 아니며
> 오는 것도 아니며 가는 것도 아니다.

① 모든 현상은 인연에 따라 모이고 흩어진다.
② 모든 현상과 존재는 고정불변의 실체를 지닌다.
③ 극단에 치우치는 잘못된 견해를 바로잡아야 한다.
④ 모든 것은 양극단을 벗어나 중도의 자리에 머물러야 한다.
⑤ 모든 존재는 독자적인 성질을 지닐 수 없음을 알아야 한다.

05 (가), (나)에 대한 설명으로 옳지 <u>않은</u> 것은?

> (가) 모든 것은 독자적인 실체가 아니고, 임시로 붙여진 이름에 불과합니다. 그러므로 우리는 사물이 실체로서 존재한다는 무지로부터 벗어나 집착에서 생겨나는 온갖 고통과 번뇌를 없애야 합니다.
>
> (나) 현상 세계는 마음이 만들어 낸 허상에 불과하지만, 그것을 만들어 낸 마음은 존재합니다. 그러므로 우리는 수행을 통해 자아에 대한 집착에서 벗어나 청정한 마음을 얻어야 합니다.

① (가): 모든 것이 인연에 의존해 발생한다고 본다.
② (가): 모든 것이 있음과 없음의 양극단에 머무름을 지양한다.
③ (나): 모든 현상이 마음을 떠나서는 존재할 수 없다고 본다.
④ (나): 불변하는 자아를 중심으로 마음을 청정하게 하는 수양을 강조한다.
⑤ (가), (나): 연기설과 공 사상에 뿌리를 두고 집착에서 벗어날 것을 강조한다.

06 ㉠에 대한 설명으로 옳지 <u>않은</u> 것은?

> 대승 불교에서는 부파 불교가 개인의 번뇌를 소멸한 아라한(阿羅漢)의 길인 소승(小乘), 즉 작은 수레를 타고 개인의 구원만을 추구한다며 소승 불교라고 비판한다. 아울러 자신을 큰 수레로 자처하며 자비를 실천하고자 깨달음을 구하는 ◯㉠◯의 높은 이상을 추구한다.

① 대승 불교의 이상적 인간상이다.
② 가장 높은 경지에 오른 수행자를 의미한다.
③ 자비의 실천을 통해 연기와 공성을 이해한다.
④ 중생과 함께하는 대중적인 깨달음을 추구한다.
⑤ 위로는 진리를 추구하고 아래로는 중생을 구제하고자 한다.

07 다음 사상에 대한 설명으로 옳지 <u>않은</u> 것은?

> 생성에 대해 올바르게 본다면 없음〔無〕은 있지 않으며, 소멸에 대해 올바르게 본다면 있음〔有〕도 있지 않다. 이것이 두 극단에서 벗어난 중도(中道)이다. 무명(無明)으로 인해 괴로움이 모이는 것이며, 무명을 소멸해 감으로써 괴로움이 사라진다.

① 중도의 실천을 통해 고통에서 벗어나고자 한다.
② 진정한 괴로움에서 벗어나기 위해 무명에 도달해야 한다.
③ 양극단에 치우치지 않은 상태로서의 중도를 실천해야 한다.
④ 현상에 불변하는 본질이 있다는 유(有)에 대한 집착에서 벗어나야 한다.
⑤ 모든 현상이 우연적으로 존재한다는 무(無)에 대한 집착에서 벗어나야 한다.

08 다음을 주장한 사상가에 대한 설명으로 옳은 것은?

> 올바른 지혜를 가지고 세간(世間)의 출현을 있는 그대로 보면 무(無)는 있을 수 없고, 세간의 소멸을 있는 그대로 보면 유(有)도 있을 수 없다. '일체가 유다.'라는 입장은 하나의 극단이며, '일체가 무다.'라는 입장도 또 하나의 극단이다.

① 만물의 실상이 공임을 깨달아야 한다고 본다.
② 현실에서 벗어나 불성을 형성해야 한다고 본다.
③ 도의 관점에서 만물을 차별적으로 인식해야 함을 강조한다.
④ 중생의 구제를 위해 개인의 해탈을 우선해야 함을 강조한다.
⑤ 삶의 고통을 극복하기 위하여 무명을 실천해야 함을 강조한다.

09 다음 사상에서 강조하는 내용으로 가장 적절한 것은?

> 세상 사람들이 매달리는 두 가지가 있다. 그것은 '있다'와 '없다'이다. 집착하기 때문에 이 두 가지에 매달린다. 세상에서 일어나는 것을 사실대로 알면 무(無)라는 집착은 없을 것이요, 세상에서 소멸하는 것을 사실대로 알면 유(有)라는 집착도 없을 것이다. 그래서 두 극단을 떠나 중도(中道)를 말하게 되니, '이것이 있기 때문에 저것이 있고, 이것이 일어나기 때문에 저것이 일어난다.'라는 것이다.

① 모든 현상은 독자적인 실체를 지닌다는 점을 알아야 한다.
② 공은 아무것도 없는 무의 극단이라는 점을 파악해야 한다.
③ 모든 존재는 고정불변의 자성을 지니고 있음을 깨달아야 한다.
④ 어느 한 편으로 기울지 않는 산술적 중간의 태도를 취해야 한다.
⑤ 있음과 없음, 생겨남과 사라짐과 같은 양극단에 집착하지 말아야 한다.

10 다음 사상의 입장으로 옳은 것은?

> 오식(五識)은 인연에 따라 일어난다. 어느 때는 함께하고 어느 때는 함께하지 않는다. 마치 파도가 물에 의지하는 것과 같다. 또한 의식(意識)은 항상 일어난다. 이 모든 식(識)이 전변해서 분별과 분별되는 것으로 나눈다. 이것들에 의지해서 나타나는 이것과 저것은 모두 존재한다고 볼 수 있다. 따라서 일체는 오직 식(識)뿐이다.

① 자기중심적 관점 때문에 괴로움이 발생한다.
② 개별 사물은 고정불변의 실체로서 존재한다.
③ 염불을 외우면 극락정토에서 다시 태어날 수 있다.
④ 모든 것은 연기에 의해 발생하며 자성(自性)이 있다.
⑤ 모든 것은 마음이 만든 허상이지만 진리를 깨닫는 마음은 존재한다.

11 ㉠, ㉡에 대한 설명으로 옳지 <u>않은</u> 것은?

> 중국 불교는 다양한 불경 번역을 통해 격의 불교에서 벗어나 불교를 새롭게 연구하였다. 이에 따라 경전의 이론을 중시한 ㉠ 교종과 부처의 마음에 주목한 ㉡ 선종이 성립되었다.

① ㉠: 경전의 교리를 통해 진리를 깨닫고 실천하는 것을 중시하였다.
② ㉠: 난해한 이론적 성격 때문에 대중적 기반을 확보하지 못하였다.
③ ㉡: 불교의 진리는 마음에서 마음으로 전하는 것임을 강조하였다.
④ ㉡: 스스로가 자신의 본성이 부처라는 것을 깨달을 것을 강조하였다.
⑤ ㉠, ㉡: 수행 단계를 설정한 뒤 점진적인 수행의 과정을 거칠 것을 강조하였다.

12 다음 사상에 대한 옳은 설명을 〈보기〉에서 고른 것은?

> 부처는 자신의 본성 속에서 이루어지니 자신 밖에서 부처를 찾지 마라. 자신의 본성이 미혹되면 중생이고, 자신의 본성을 깨달으면 부처이다. 자신의 본성을 깨닫는다는 것은 단박에 깨치고 단박에 닦는 것이니, 점진적 단계란 것은 없다.

┤ 보기 ├
ㄱ. 경전의 해석을 통한 깨달음을 추구하였다.
ㄴ. 깨달음에 이르는 방법으로 선(禪)을 강조하였다.
ㄷ. 화두를 통해 마음의 실상을 깨닫는 것을 중시하였다.
ㄹ. 경전의 번역을 통해 교종과 선종의 조화를 추구하였다.

① ㄱ, ㄴ   ② ㄱ, ㄷ   ③ ㄴ, ㄷ
④ ㄴ, ㄹ   ⑤ ㄷ, ㄹ

13 다음과 관련된 사상에 대한 설명으로 옳은 것은?

> 홍인(弘忍)이 제자에게 말하였다. "세상 사람에게 삶과 죽음이 중요하다. 너희는 종일 공양(供養)만 하면서 대중을 위안하는 일만 추구할 뿐 삶과 죽음의 고해(苦海)를 벗어나려고 노력하지 않는구나. 너희가 자신의 본성을 알지 못한다면 대중을 위안하는 길이 어찌 너희를 구원하겠느냐?"

① 마음으로 가르침을 주고받는 것을 강조한다.
② 참선 수행보다 경전을 통한 깨우침을 강조한다.
③ 중생의 깨달음보다 자신의 깨달음에 힘써야 함을 강조한다.
④ 불성을 깨닫기 위해 외부의 도움이 필요하다는 것을 강조한다.
⑤ 깨달음에 이르기 위해 타고난 본성을 변화시켜야 함을 강조한다.

14 다음 글의 관점에서 강조한 진리로 옳지 <u>않은</u> 것은?

> 훌륭한 스승의 가르침 속 핵심은 자기 마음의 참된 본성을 정확히 지적하여 보여 주는 것이다. 따라서 경전의 가르침 외에도 참된 본성의 깨달음에 대한 훌륭한 스승의 가르침이 별도로 전해 내려오는 것이다. 당신이 아무리 많은 경전을 아무리 오래 읽는다고 하더라도 그것은 당신이 참된 본성의 깨달음에 대한 가르침을 이해하고 깨닫는 데 아무런 도움이 되지 못한다.

① 불립문자(不立文字)
② 교외별전(敎外別傳)
③ 견성성불(見性成佛)
④ 이심전심(以心傳心)
⑤ 무진연기(無盡緣起)

15 다음을 읽고 물음에 답하시오.

> 괴로움을 꿰뚫어 알려고 노력해야 하고, ㉠ 괴로움이 일어남을 꿰뚫어 알려고 노력해야 하며, 어디서 괴로움이 남김없이 소멸하는지 꿰뚫어 노력해야 하고, ㉡ 괴로움의 소멸로 인도하는 도(道)도 꿰뚫어 알려고 노력해야 한다.

(1) 윗글에서 설명하는 불교의 가르침을 쓰시오.

⋯⋯⋯⋯⋯⋯⋯⋯⋯⋯⋯⋯⋯⋯⋯⋯⋯⋯⋯⋯⋯⋯⋯⋯

(2) ㉠의 원인과 ㉡의 방법을 서술하시오.

⋯⋯⋯⋯⋯⋯⋯⋯⋯⋯⋯⋯⋯⋯⋯⋯⋯⋯⋯⋯⋯⋯⋯⋯
⋯⋯⋯⋯⋯⋯⋯⋯⋯⋯⋯⋯⋯⋯⋯⋯⋯⋯⋯⋯⋯⋯⋯⋯
⋯⋯⋯⋯⋯⋯⋯⋯⋯⋯⋯⋯⋯⋯⋯⋯⋯⋯⋯⋯⋯⋯⋯⋯

16 다음 사상의 특징을 서술하시오.

> 대승 경전에서는 "윤회의 세계가 단지 마음을 통해 만들어진 것일 뿐이다."라고 한다. 여기서 '단지'라는 말은 대상을 부정하는 것이지 그 대상을 경험하는 마음을 부정하는 것은 아니다.

⋯⋯⋯⋯⋯⋯⋯⋯⋯⋯⋯⋯⋯⋯⋯⋯⋯⋯⋯⋯⋯⋯⋯⋯
⋯⋯⋯⋯⋯⋯⋯⋯⋯⋯⋯⋯⋯⋯⋯⋯⋯⋯⋯⋯⋯⋯⋯⋯
⋯⋯⋯⋯⋯⋯⋯⋯⋯⋯⋯⋯⋯⋯⋯⋯⋯⋯⋯⋯⋯⋯⋯⋯

17 다음을 읽고 물음에 답하시오.

> (가)   ㉠   은/는 대체로 경전의 가르침을 통해서만 부처의 가르침을 올바르게 이해할 수 있다고 주장한다. 그리고 경전에 근거하여 자세한 수행 단계를 설정한 뒤, 그에 따른 점진적 수행인 점수(漸修)의 과정을 거쳐 깨달음을 얻을 수 있다고 본다.
>
> (나)   ㉡   은/는 부처의 마음에 주목하고 그에 기초하여 성립되었다고 볼 수 있다. 이는 인도 불교에서 기원하였으나 달마에 의해 중국에 전해지면서 새로운 발전의 계기를 마련하였고, 이후 혜능에 의해 본격적으로 발전하였다.

(1) ㉠, ㉡에 들어갈 알맞은 말을 쓰시오.

⋯⋯⋯⋯⋯⋯⋯⋯⋯⋯⋯⋯⋯⋯⋯⋯⋯⋯⋯⋯⋯⋯⋯⋯

(2) ㉠, ㉡의 차이점을 서술하시오.

⋯⋯⋯⋯⋯⋯⋯⋯⋯⋯⋯⋯⋯⋯⋯⋯⋯⋯⋯⋯⋯⋯⋯⋯
⋯⋯⋯⋯⋯⋯⋯⋯⋯⋯⋯⋯⋯⋯⋯⋯⋯⋯⋯⋯⋯⋯⋯⋯
⋯⋯⋯⋯⋯⋯⋯⋯⋯⋯⋯⋯⋯⋯⋯⋯⋯⋯⋯⋯⋯⋯⋯⋯

18 다음 사상가가 강조하는 깨달음의 방법을 서술하시오.

> • 완전한 깨달음의 지혜는 세상 사람이 본래 가지고 있는데 대상을 향하는 마음에 미혹되어 스스로 깨달을 수 없으니 반드시 훌륭한 스승에게서 도(道)와 본성에 대한 깨우침을 받아야만 한다.
> • 어리석은 사람은 염불을 통해 저곳에 태어나고자 하지만 깨달은 사람은 자신의 마음을 깨끗하게 할 뿐이다. …… 어리석은 사람은 청정한 자신의 본성을 알지 못하고 몸속에 정토가 있다는 것을 알지 못한다.

⋯⋯⋯⋯⋯⋯⋯⋯⋯⋯⋯⋯⋯⋯⋯⋯⋯⋯⋯⋯⋯⋯⋯⋯
⋯⋯⋯⋯⋯⋯⋯⋯⋯⋯⋯⋯⋯⋯⋯⋯⋯⋯⋯⋯⋯⋯⋯⋯

| 수능 기출 |

01 다음을 주장한 고대 동양 사상가의 입장으로 옳지 않은 것은?

- 색(色)은 물방울 같고 수(受)는 물거품 같으며 상(想)은 봄날의 아지랑이 같고 행(行)은 파초와 같으며 식(識)은 허깨비와 같다고 관찰하라.
- 고통〔苦〕, 그 고통을 발생시키는 원인, 고통을 남김없이 다 없앤 상태, 고통이 없는 곳으로 나아가는 바른 도(道), 이 네 가지를 알지 못한다면 항상 잠들어 있는 것과 같으니라.

① 탐욕, 분노, 어리석음을 없애 고통 없는 경지〔涅槃〕로 나아가야 한다.

② 고통의 원인을 모두 제거해도 윤회(輪廻)에서 벗어날 수는 없다.

③ 고통을 없애려면 여덟 가지 수행 방법〔八正道〕을 실천해야 한다.

④ 오온(五蘊)의 참모습을 파악하지 못하면 고통에서 벗어날 수 없다.

⑤ 연기(緣起)를 바르게 통찰하면 고통의 원인을 소멸시킬 수 있다.

| 교육청 응용 |

02 다음 가상 대화의 스승이 강조하는 삶의 태도로 가장 적절한 것은?

제자: 스승님, 인간이 생로병사의 고통을 겪는 이유는 무엇입니까?

스승: 인간이 끊임없이 애욕(愛慾)하고 집착하기 때문이라네.

제자: 그렇다면 고통에서 벗어나기 위해서는 어떻게 해야 합니까?

스승: 극단적인 쾌락이나 극단적인 고행을 추구하지 않아야 한다네.

① 만물이 상호 의존함을 자각하여 윤회(輪廻)의 세계에 머문다.

② 삼독(三毒)을 제거해 자아가 고정불변의 실체임을 깨닫는다.

③ 무명(無明)의 경지에 이르기 위해서 조건 없는 자비를 베푼다.

④ 사물에 대한 그릇된 인식에서 벗어나 중도(中道)를 실천한다.

⑤ 도덕과 예의를 지속적으로 수양하여 타고난 본성을 변화시킨다.

| 교육청 기출 |

03 다음 동양 사상가의 입장에 대한 옳은 설명을 〈보기〉에서 고른 것은?

보시(布施)하는 사람은 탐욕〔貪〕을 끊게 되고, 인욕(忍辱)하는 사람은 분노〔瞋〕를 떠나며, 선행을 쌓는 사람은 어리석음〔癡〕을 벗어나게 된다. 이 세 가지를 갖추어 실천하면 열반에 이르게 될 것이다. 가난하여 보시할 수 없더라도 다른 사람이 보시하는 것을 보고 기뻐하면 그 복은 보시하는 사람과 다를 것이 없다.

| 보기 |

ㄱ. 연기(緣起)를 바탕으로 자비(慈悲)를 행할 수 있다고 본다.

ㄴ. 팔정도의 수행을 통해 해탈(解脫)에 이를 수 있다고 본다.

ㄷ. 집착과 탐욕을 버려야 무명(無明)을 얻을 수 있다고 본다.

ㄹ. 불변의 자아를 깨달아야 고통〔苦〕에서 벗어날 수 있다고 본다.

① ㄱ, ㄴ   ② ㄱ, ㄷ   ③ ㄴ, ㄷ

④ ㄴ, ㄹ   ⑤ ㄷ, ㄹ

| 평가원 기출 |

04 다음 동양 사상의 입장만을 〈보기〉에서 있는 대로 고른 것은?

- 모든 법(法)은 생겨나지도 없어지지도 않으며, 지속되지도 단절되지도 않으며, 같지도 다르지도 않으며, 오지도 가지도 않는다.
- 만약 모든 상(相)을 상이 아닌 것으로 볼 수 있다면 곧 여래를 보는 것이다. 어떤 대상에도 머무는 바 없이 그 마음을 내야 한다.

| 보기 |

ㄱ. 분별적 인식을 통해 궁극적 깨달음에 도달해야 한다.

ㄴ. 멸제(滅諦)에서 벗어나기 위해 보시를 실천해야 한다.

ㄷ. 모든 존재에 고정된 실체가 없음〔空〕을 깨달아야 한다.

ㄹ. 연기의 법칙을 깨달아 자신에 대한 집착을 버려야 한다.

① ㄱ, ㄴ   ② ㄴ, ㄹ   ③ ㄷ, ㄹ

④ ㄱ, ㄴ, ㄷ   ⑤ ㄱ, ㄷ, ㄹ

| 평가원 기출 |

05 다음을 주장한 고대 동양 사상가의 입장으로 옳지 <u>않은</u> 것은?

> 네 가지 거룩한 진리가 있다. 인생이 괴로움이라는 사실[苦], 괴로움이 생기는 원인[集], 괴로움이 소멸된 경지[滅], 괴로움을 소멸시킬 수 있는 방법[道]을 말한다. 이 진리를 아직 밝게 깨닫지 못하였다면, 더욱더 정진하고 참고 견디어 바른 생각과 바른 앎으로 깨달아야 한다.

① 욕망을 충족시켜 무명(無明)에 이르러야 괴로움이 소멸된다.
② 모든 존재와 현상은 끊임없이 변하므로 고정된 실체가 없다.
③ 괴로움의 발생뿐만 아니라 괴로움의 소멸에도 원인이 있다.
④ 인간의 의도적 행위[業]로 인하여 태어남과 죽음이 반복된다.
⑤ 팔정도(八正道)는 열반에 이르기 위해 실천해야 할 방법이다.

| 수능 기출 |

06 다음을 주장한 고대 동양 사상가의 입장으로 옳은 것만을 〈보기〉에서 있는 대로 고른 것은?

> 색(色)을 즐거워하지 말고 색을 찬양하지 말며 색을 취하지 말고 색에 집착하지 말라. 무슨 까닭인가? 만일 비구가 그럴 수 있다면, 곧 색을 즐거워하지 않게 되어 마음이 해탈하기 때문이니라. 수(受), 상(想), 행(行), 식(識)에서도 마찬가지이므로, 이 오온(五蘊)에 집착하지 말아야 하느니라.

┤ 보기 ├
ㄱ. 오온의 실상(實相)을 바르게 알아야 해탈할 수 있다.
ㄴ. 만물은 무상(無常)하며 현실적 삶 그 자체는 고통이다.
ㄷ. 불변의 실체로서의 '나'에 근거하여 깨달음을 얻어야 한다.
ㄹ. 모든 고통의 발생과 소멸에는 반드시 그 원인이 존재한다.

① ㄱ, ㄴ ② ㄴ, ㄷ ③ ㄷ, ㄹ
④ ㄱ, ㄴ, ㄹ ⑤ ㄱ, ㄷ, ㄹ

| 교육청 기출 |

07 다음 사상의 입장을 〈보기〉에서 고른 것은?

> 보살의 길로 들어선 자는 일체중생을 아무것도 남지 않는 열반[無餘涅槃]의 세계로 인도하여 완전한 멸도(滅度)에 들게 하리라는 다짐을 해야 한다. 그리고 마땅히 색(色)에 머무는 바 없이 보시를 해야 한다.

┤ 보기 ├
ㄱ. 만물의 실상이 공(空)임을 깨달아야 열반에 이를 수 있다.
ㄴ. 깨달음을 얻으려면 탈속해서 중도(中道)를 실천해야 한다.
ㄷ. 보살은 마땅히 상(相)에 머물지 않는 베풂을 행해야 한다.
ㄹ. 팔정도(八正道)를 실천해야 불변의 자아를 찾을 수 있다.

① ㄱ, ㄴ ② ㄱ, ㄷ ③ ㄴ, ㄷ
④ ㄴ, ㄹ ⑤ ㄷ, ㄹ

| 교육청 기출 |

08 다음을 주장한 고대 동양 사상가의 입장으로 옳지 <u>않은</u> 것은?

> 우리의 육체[色]는 변한다. 느낌[受]은 변한다. 표상[想]은 변한다. 의지[行]는 변한다. 의식[識]은 변한다. 이를 관찰하여 일체를 떠나라. 일체를 떠나면 탐욕이 없어지고, 탐욕이 없어지면 해탈할 수 있다.

① 모든 정신적·물질적 현상은 끊임없이 변화한다.
② 존재하는 모든 것에는 '나'라는 고정된 실체가 없다.
③ 윤회를 궁극적 목적으로 삼아 선한 행위를 쌓아가야 한다.
④ 오온(五蘊)에 대한 집착을 버리지 못하면 고통을 겪게 된다.
⑤ 양극단에 치우치지 않는 수행[中道]으로 열반에 이르러야 한다.

| 교육청 응용 |

09 (가)의 스승의 입장에서 볼 때, (나)의 ㉠에 들어갈 진술로 가장 적절한 것은?

(가)	제자: 저 펄럭이는 깃발은 깃발이 움직이는 것입니까? 아니면 바람이 움직이는 것입니까? 스승: 너희의 마음이 흔들리는 것이다. 모든 법(法)은 마음에 있다. 어찌하여 진여(眞如)의 성품을 단박에 깨닫지 못하는가.
(나)	_____㉠_____ 그것만 한다면 깨달음에 이를 수 있다.

① 본성을 직관(直觀)하라.

② 점진적으로 수행〔漸修〕하라.

③ 경전(經典) 공부에 전념하라.

④ 교리에 대한 이론적 탐구에 몰두하라.

⑤ 마음의 수양을 통해 악한 본성을 제거하라.

| 평가원 기출 |

10 (가)의 중국 사상가 갑, 을의 주장을 (나) 그림으로 표현할 때, A~C에 해당하는 적절한 진술만을 〈보기〉에서 있는 대로 고른 것은?

(가)	갑: 마음의 바탕〔心地〕에 그릇됨이 없는 것이 자성(自性)의 계(戒)이고, 산란함이 없는 것이 자성의 정(定)이며, 어리석음이 없는 것이 자성의 혜(慧)이다. 자성이 문득 깨닫고〔頓悟〕 문득 닦으면〔頓修〕 늦고 더딤이 없으므로 '일체법'을 세우지 않는다. 을: 치지격물(致知格物)이란 내 마음의 양지(良知)를 사물 하나하나에서 실현하는 것이다. 내 마음의 양지가 이른바 천리(天理)이다. 천리를 사물 하나하나에 온전히 실현하면 사물 하나하나는 그 이(理)를 얻는 것이다. 내 마음의 양지를 온전히 실현하는 것이 치지이다.
(나)	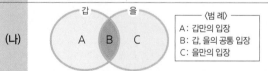 〈범례〉 A: 갑만의 입장 B: 갑, 을의 공통 입장 C: 을만의 입장

| 보기 |

ㄱ. A: 오온으로 이뤄진 '나'가 영원하다는 집착을 버려야 한다.

ㄴ. B: 평범한 사람은 이론적 학습으로 진리를 깨달아야 한다.

ㄷ. B: 이미 마음에 갖춰진 이상적 인간됨을 발현해야 한다.

ㄹ. C: 사물에 내재한 이치를 궁구하여 천리에 도달해야 한다.

① ㄱ, ㄷ ② ㄱ, ㄹ ③ ㄴ, ㄹ

④ ㄱ, ㄴ, ㄷ ⑤ ㄴ, ㄷ, ㄹ

| 교육청 기출 |

11 다음 동양 사상가의 입장에만 모두 '✓'를 표시한 학생은?

> 비구들이여, 출가자가 가까이하지 않아야 할 두 가지 극단이 있다. 두 가지 극단은 무엇인가? 그것은 감각적 욕망에 탐닉하는 것과 고행(苦行)에 몰두하는 것이다. 비구들이여, 여래(如來)는 이러한 두 가지 극단에 의지하지 않고 중도(中道)를 완전히 깨달았다. 이처럼 중도는 안목을 만들고 지혜를 만들며, 고요함과 최상의 지혜와 바른 깨달음과 열반(涅槃)으로 인도한다.

입장 \ 학생	갑	을	병	정	무
쾌락과 고행의 양극단에서 벗어나야 한다.	✓	✓		✓	
연기(緣起)를 깨달아 자비를 실천해야 한다.	✓			✓	✓
무아(無我)를 자각하여 탐욕을 버려야 한다.			✓	✓	✓
현실에서 벗어나 불성(佛性)을 형성해야 한다.		✓	✓		✓

① 갑 ② 을 ③ 병 ④ 정 ⑤ 무

| 교육청 기출 |

12 다음 가상 편지를 쓴 고대 동양 사상가가 강조하는 삶의 태도로 가장 적절한 것은?

> ○○ 님께
> 우리는 누구나 살면서 고통스러운 순간을 마주하게 됩니다. 자신이 좋아하는 것과 헤어지는 것도 고통이고, 자신이 싫어하는 것과 만나는 것도 고통이며, 자기가 원하는 것을 다 얻지 못하는 것도 고통입니다. 우리 안에 타고 있는 애욕(愛慾)의 불길은 '훅'하고 불어서 꺼, 열반(涅槃)에 이르기 위해서는 모든 현상과 사물의 실상을 바로 보고, 중도(中道)의 길을 걸어야 할 것입니다.

① 삶의 고통을 극복하기 위해 무명(無明)을 추구한다.

② 연기(緣起)를 자각하고 양극단의 치우침에서 벗어난다.

③ 번뇌(煩惱)를 제거하여 본성을 변화시키고자 노력한다.

④ 바른 수행을 통해 불변의 자아(自我)를 확립하고자 힘쓴다.

⑤ 윤회(輪廻)를 거듭하기 위해 탐욕, 분노, 어리석음을 버린다.

04 분쟁과 화합

1 한국 불교의 전통

1. 불교의 수용과 발전
(1) **삼국 시대** 중앙 집권 국가 형성 과정에서 국가적으로 불교를 수용함 ➡ 왕실 중심의 불교가 정착됨
(2) **통일 신라** 통일 신라 초기에 교종이 번성함 ➡ 통일 신라 말 선종이 유입되면서 교종과 선종이 함께 발전함
(3) **고려** 고려 초 교종과 선종의 갈등이 발생함 ➡ 교종과 선종을 화합하고자 노력함

2. 원효의 사상
(1) **일심(一心) 사상** 자료 01
① 마음에는 청정한 본래의 마음인 진여(眞如)와 현실의 마음인 생멸(生滅)❶의 두 측면이 있지만 별개의 것이 아님
② 일심은 일체의 대립을 초월하는 것 ➡ 일심을 바탕으로 많은 이론이 생기지만 다시 일심으로 종합됨
③ 부처와 중생은 둘이 아니며 중생이 무지에서 벗어나면 본래의 마음으로 돌아가 부처가 됨
(2) **화쟁(和諍) 사상**
① 화쟁❷ 부처의 가르침 간에 서로 모순이 없다는 것을 밝힘 ➡ 종파 사이의 다툼을 화해시키고자 함
② 원융회통(圓融會通)❸ 모든 종파와 사상을 분리하여 고집하지 말고, 보다 높은 수준에서 하나로 종합해야 함
(3) **무애행(無碍行)** 자료 02 ┌ 원효는 표주박에 걸림이 없다는 뜻의 무애라는 이름을 붙이고 전국을 돌아다니며 가르침을 전하였다.
① 보통 사람도 염불을 하면 극락에 갈 수 있다고 주장함 ➡ 불교의 대중화에 기여함
② 실천과 수행에는 일정한 형식이나 방법이 없음을 강조함
(4) **의의**
① 화합과 조화를 중시하는 한국 불교의 전통을 수립함
② 왕실 중심이었던 불교를 대중에게 널리 알림

3. 의천의 사상
(1) **배경** 교종과 선종의 대립 의식이 발생함 ➡ 이론적 측면에서 양자의 화해를 모색하여 천태종(교종)을 중심으로 선종을 통합하고자 함
(2) **수행법** 자료 03
① 교종의 수행 방법과 선종의 수행 방법의 조화를 추구함
② 교관겸수(教觀兼修) 경전 속 부처의 가르침을 이해하는 수행 방법인 교(教)와 명상 속에서 부처의 가르침을 음미하면서 진리를 통찰하는 수행 방법인 관(觀)을 균형 있게 강조함 ┌ 교종에서 중시하는 수행 방법
③ 내외겸전(內外兼全) 선종에서 강조하는 마음 수양〔內〕과 교종에서 강조하는 교리 공부〔外〕를 함께 행해야 함 └ 선종에서 중시하는 수행 방법
(3) **의의**
① 선종과 교종의 갈등을 화합하고자 노력함
② 깨달음을 위해 종파에 얽매이지 않고 폭넓고 균형 있게 공부하는 포용적 사유를 보임

---

❶ 일심이문(一心二門)

심진여문 (心眞如門)	중생이 본래 갖추고 있는 분별과 대립이 소멸된 청정한 성품의 방면
심생멸문 (心生滅門)	중생이 본래 갖추고 있는 청정한 성품이 분별과 대립을 일으키는 방면

❷ 화쟁
'화(和)'는 조화, 화합을 '쟁(諍)'은 주장과 견해 사이의 대립을 뜻하는 것으로, 서로 다른 주장과 견해 사이의 조화를 말한다.

❸ 원융회통
'원융(圓融)'은 원만하여 막힘이 없음을 말하고, '회통(會通)'은 온갖 대립과 갈등을 해소하여 더 높은 차원에서 통합하는 것을 말한다.

고득점을 위한 셀파 Tip 개념

원효의 사상

일심	일체의 대립을 초월하는 마음
화쟁	다툼과 대립에서 벗어나 화해와 화합으로 이끌어야 함
무애행	보통 사람도 염불을 하면 극락에 갈 수 있음

자료 01 원효의 오도송(悟道頌)

마음이 일어나니 온갖 법(분별)이 일어나고
마음이 사라지니 감실이나 무덤이나 똑같네.
세상 모두가 마음일 뿐이며 만 가지 현상도 식(識)일 뿐이네.
마음 밖에 아무것도 없는데 무엇을 달리 구할 수 있겠는가.

– 찬녕, 「송고승전」 –

자료 분석 | 승려가 깨달음을 얻었을 때 시로 나타낸 것을 오도송이라고 한다. 원효는 오도송을 통해 마음 밖에서는 깨달음을 얻을 수 없으며, 모든 것이 마음에 달려 있다는 점(心外無法)을 강조하였다. 이러한 의미에서 원효는 일체의 모든 이론은 일심(一心)을 바탕으로 한 깨달음을 제시하고 있는 것이고, 서로 다른 이론은 하나인 마음을 다른 시각에서 본 것일 뿐이라고 보았다.

자료 02 원효의 무애행

원효는 이미 계(戒)를 잃어 아들 총(聰)을 낳은 후로는 속인의 옷으로 바꾸어 입고 스스로 소성거사(小姓居士)라고 이름했다. 그는 우연히 광대들이 가지고 노는 큰 박을 얻었는데 그 모양이 괴상했다. 원효는 그 모양을 따라서 도구를 만들어 『화엄경』의 "모든 걸림 없는 사람(無碍人)은 한결같이 죽고 사는 것을 벗어난다."라는 문구를 따서 이름을 무애(無碍)라 하고 계속하여 노래를 지어 세상에 퍼뜨렸다. 이 도구를 가지고 수많은 마을에서 노래하고 춤추면서 교화시키고 읊다가 돌아왔다. 이 때문에 무리들이 모두 부처의 이름을 알고, 나무아미타불(南無阿彌陀佛)을 부르니 원효의 교화야말로 참으로 컸다 할 것이다.

– 일연, 「삼국유사」 –

자료 분석 | 원효는 '나무아미타불'만 염불하면 누구나 쉽게 깨달음에 이를 수 있다고 설파하였고, 정해진 틀이나 형식에서 벗어나 수행하는 무애행(無碍行)을 강조하였다. 이러한 원효의 사상은 당시 귀족화되어 있던 불교를 대중화하는데 크게 기여하였다.

자료 03 의천이 말하는 올바른 수행

명상 속에서 진리를 통찰하는 수행을 배우지 않고 경전만을 공부한다면, 비록 윤회와 해탈의 원인과 결과에 대한 가르침을 듣더라도 진리를 통찰하는 명상법은 잘 알지 못할 것이다. 또한 경전은 공부하지 않고 오직 진리를 통찰하는 명상법만을 배운다면, 설령 진리를 통찰하는 명상법을 알게 되더라도 윤회와 해탈의 원인과 결과에 대한 가르침을 제대로 이해할 수 없을 것이다.

– 의천, 「대각국사문집」 –

자료 분석 | 의천은 깨달음을 얻기 위해서 경전 공부와 명상 수행 가운데 그 어느 것도 빠뜨려서는 안 된다고 강조한다. 의천은 원효의 화쟁 사상이 지닌 의의를 재발견하였고, 더 나아가 당시 동아시아 불교에 퍼져 있던 각 종파의 문헌을 정리하였다.

---

1 원효는 모든 것이 마음에 달려 있다는 점을 강조한다.

(O , ×)

2 원효는 중생이 무지에서 벗어나면 본래의 마음으로 돌아가 부처가 될 수 있다고 본다.

(O , ×)

3 원효는 존재하는 모든 것들을 불변하는 실체로 보아야 한다고 주장한다.

(O , ×)

4 원효는 형식을 갖추어 실천하고 수행할 것을 강조한다.

(O , ×)

5 의천은 외적 수행인 교(敎)와 내적 수행인 관(觀)을 함께 닦아야 한다고 본다.

(O , ×)

6 의천은 교종과 선종의 조화를 추구한다.

(O , ×)

7 의천은 경전을 충실하게 공부하면 참선 수행까지는 필요하지 않다고 본다.

(O , ×)

8 의천은 교리 공부 없이 마음 수양만으로 깨달음을 얻을 수 있다고 주장한다.

(O , ×)

9 의천은 교종을 중심으로 선종을 통합하고자 하였다.

(O , ×)

정답 1 O   2 O   3 ×   4 ×   5 O
6 O   7 ×   8 ×   9 O

4. 지눌

(1) **배경** 고려 시대 중기 이후 교종과 선종의 갈등이 심화되고 불교가 타락함 ➡ 선종의 입장에서 교종을 융화하고자 함

(2) **수행법** 자료 04

① **돈오점수(頓悟漸修)** '내 마음이 곧 부처'라는 사실을 한순간에 자각[頓悟]한 후 마음속에 쌓인 나쁜 습관이나 인식을 점진적으로 제거[漸修]해야 함

② **정혜쌍수(定慧雙修)** 마음을 고요한 경지에 이르도록 하는 선정[定]과 이러한 마음을 바탕으로 사물의 실상을 파악하는 지혜[慧]를 함께 닦는[雙修] 수행법 *지눌은 정혜쌍수를 내세워 선종과 교종을 화해시키고자 하였다.*

③ 교종이 의지하는 언어적 가르침과 선종이 추구하는 교외별전(敎外別傳)❹은 근원에서 서로 모순되지 않음 자료 05

④ 간화선 화두를 들고 수행하는 참선 방법

(3) **의의**

① 선종의 전통을 계승하였지만, 경전의 가르침도 경시하지 않음

② 명상 체험과 경전 공부의 균형을 강조함 ➡ 한국 불교의 중요한 전통이 형성됨

2 한국 불교의 윤리적 특징

1. 한국 불교의 특징

(1) **조화 전통** 자료 06

① **의미** 다양한 경전과 종파 사이의 조화와 일치를 추구함

② **원효** 부처의 모든 가르침은 중생을 깨달음으로 인도하고자 제시되었다는 관점에서 다른 종파의 가르침을 포용하고자 노력함

③ **의천과 지눌** 정과 혜의 균형을 강조하는 초기 불교의 정신을 계승하여 다양한 종파 사이의 다툼을 해결하고자 함

(2) **실천 전통**

① **의미** 대중의 구제를 지향함

② **원효** 더 많은 사람이 깨달음을 얻게 하고자 무애행을 통해 자비의 윤리를 실천함

③ **지눌** 선교 일치 정신에 입각한 수행 공동체인 정혜결사❺를 만들고 소박하고 절제된 수행을 추구하여 대중의 호응을 이끌어 냄

(3) **호국 불교**❻

① **의미** 나라의 위기를 불교의 힘으로 극복하고자 함

② **원광 법사** 신라의 화랑도에게 세속오계(世俗五戒)❼를 전해 국가에 대한 충성과 전쟁에서의 용맹을 강조함

③ 고려 시대의 대장경 간행, 조선 승려의 의병 투쟁 등의 사례가 있음

2. 한국 불교의 현대적 의의

(1) **조화 전통과 갈등의 해결**

① 종파 간의 차이와 다양성 존중 ➡ 갈등 해결을 위한 실마리를 제공함

② 현대 사회의 세대 갈등, 이념 갈등, 노사 갈등 등을 해결하는 데 도움을 줌

(2) **실천 전통과 현실 문제 해결**

① 보살의 정신을 강조하며 대중을 도우려는 전통 ➡ 공동체의 유대감을 회복하는 데 도움이 됨

② 이기주의, 환경 문제 등을 해결하는 데 도움을 줌

고득점을 위한 셀파 Tip 비교

| 의천과 지눌의 사상 |

의천	지눌
• 교종 중심의 선종 통합	• 선종 중심의 교종 통합
• 교관겸수	• 돈오점수
• 내외겸전	• 정혜쌍수
• 천태종	• 조계종

❹ 교외별전

부처의 가르침을 말이나 글에 의하지 않고 바로 마음에서 마음으로 전하여 진리를 깨닫게 하는 법

❺ 정혜결사

지눌은 정과 혜를 벗들과 함께 수행할 것을 기약하며 결사를 조직하였고, 불교 개혁 운동을 펼쳤다.

❻ 호국 불교

불교의 교법으로 난리와 외세를 진압하고 나라를 지킨다는 불교 사상으로, 한국 특유의 불교 전통이다.

❼ 세속오계

신라의 승려 원광이 제정한 다섯 가지 계율이다. 임금에게 충성하고, 부모에게 효도하고, 신의로써 친구를 사귀고, 전쟁에 나가서는 물러나지 않고, 함부로 살생하지 않는다는 다섯 가지 규정이 있다.

고득점을 위한 셀파 Tip 개념

| 한국 불교의 특징 |

조화 전통	경전과 종파 사이의 조화와 일치를 추구함
실천 전통	대중의 구제를 지향함
호국 불교	나라의 위기를 불교의 힘으로 극복하고자 함

자료 04 의천과 지눌의 수행 방법

(가) 세상에는 완전한 재능을 갖춘 이가 드물고 교(敎)와 선(禪)의 아름다움을 모두 갖추기 어렵기 때문에 교를 배우는 자는 대다수 내적인 것을 버리고 외적인 것을 구하며, 선을 익히는 자는 외적 경계를 잊고 내적인 것을 밝히기를 좋아한다. 그렇지만 이는 한쪽에 치우친 태도로, 양자의 대립은 마치 토끼 뿔이 긴가 짧은가, 신기루로 나타난 꽃의 빛깔이 진한가 옅은가를 놓고서 싸우는 것과 같다.　　　　　　　　　　　　　　　　　　　　　　　　　－ 의천, 「대각국사문집」 －

(나) 어린아이의 눈, 귀, 코, 혀, 몸 등이 어른과 다름없음을 알 때 돈오(頓悟)요, 이것이 점점 공훈(功勳)을 들여 성장하는 것이 점수(漸修)이다. 연못의 얼음이 전부 물인 줄 알지만, 그것이 해를 받아 녹는 것처럼, 범부가 곧 부처임을 깨달았으나 법력으로 부처의 길을 닦는 것과 같은 것이다.　　　　　　　　　　　　　　　　　　　　　　　　　　　－ 지눌, 「수심결」 －

자료 분석 | (가)는 의천, (나)는 지눌의 글이다. 의천은 경전 속 부처의 가르침을 이해하는 교(敎)와 명상 속에서 부처의 가르침을 음미하며 진리를 통찰하는 관(觀)을 균형 있게 수행할 것을 강조한다. 지눌은 단번에 진리를 깨친 후 번뇌를 점차 소멸시키는 수행법인 돈오점수를 주장한다.

자료 05 선종과 교종에 대한 지눌의 입장

부처가 입으로 설하면 교이며 훌륭한 스승이 마음으로 전하면 선이다. 부처와 훌륭한 스승의 마음과 입은 결코 서로 어긋나지 않는다. 어찌 그 근원을 궁구하지 않고 각기 자기가 익숙한 데에만 안주하여 쓸데없이 쟁론을 일으켜 헛되이 시간을 낭비하는가!　　　　　　　－ 지눌, 「화엄론절요서」 －

자료 분석 | 지눌은 정학을 강조하는 선종과 혜학을 강조하는 교종이 그 근본에서 일치한다는 점을 주장한다. 또한 그는 교종이 의지하는 부처의 언어적 가르침과 선종이 추구하는 교외별전은 그 근원에서 서로 모순되지 않는다고 설명한다.

자료 06 한국 불교의 조화 전통

불도(佛道)는 넓고 탕탕하여 걸림이 없고 범주가 없다. 영원히 의지하는 바가 없기에 타당하지 않음이 없다. 이 때문에 일체의 다른 교의가 모두 불교의 뜻이요, 백가의 설이 옳지 않음이 없으며, 팔만의 법문이 모두 이치에 들어간다. 그런데 자기가 조금 들은 바 좁은 견해만 내세워, 그 견해에 동조하면 좋다고 하고 그 견해에 반대하면 잘못이라고 하는 사람이 있다. 마치 갈대 구멍으로 하늘을 보는 사람이 갈대 구멍으로 하늘을 보지 않는 사람은 모두 하늘을 보지 못하는 자라고 하는 것과도 같다. 이런 것을 일컬어 식견이 적은데도 많다고 믿어서 식견이 많은 사람을 도리어 헐뜯는 어리석음이라고 한다.　　　　　　　　　　　　　　－ 원효, 「보살계본지범요기」 －

자료 분석 | 불교는 진리에 대한 독단과 종교 자체의 절대화를 용납하지 않는다. 또한 소통을 통해 서로 다른 의견을 포용하고자 한다. 이러한 한국 불교의 정신은 우리 사회의 다양한 갈등을 해결하는 데 도움을 줄 수 있다.

개념 완성

1 한국 불교의 전통

원효	(❶) 사상	• 본래의 마음인 진여와 현실적 마음인 생멸은 별개의 것이 아님 • 중생이 무지에서 벗어나면 본래의 마음으로 돌아가 부처가 됨
	화쟁 사상	• 종파 간의 다툼을 화해시키고자 함 • 원융회통: 종파와 사상을 보다 높은 수준에서 하나로 종합해야 함
	무애행	보통 사람도 (❷)을 하면 극락에 갈 수 있다고 주장함
	의의	화합과 조화를 중시하는 한국 불교의 전통을 수립함
의천	(❸)	• 교: 경전 속의 부처의 가르침을 지적으로 이해하는 수행 방법 • 관: 부처의 가르침을 음미하며 진리를 통찰하는 수행 방법 • 교와 관을 균형 있게 강조함
	내외겸전	• 내: 선종에서 강조하는 마음 수양 • 외: (❹)에서 강조하는 교리 공부 • 내와 외를 함께 행해야 함
	의의	선종과 교종의 갈등을 화합하고자 노력함
지눌	돈오점수	• (❺): 내 마음이 곧 부처임을 한순간에 자각하는 것 • (❻): 나쁜 습관과 인식을 점진적으로 제거하는 것
	(❼)	• 정: 마음을 고요한 경지에 이르는 방법 • 혜: 사물의 실상을 파악하는 지혜 • 정과 혜를 함께 닦는 수양법
	의의	선종의 전통을 계승하면서 경전의 가르침을 경시하지 않음

2 한국 불교의 윤리적 특징

(❽) 전통	• 경전과 종파들 사이의 조화와 일치를 추구함 • 원효, 의천, 지눌의 조화 사상
(❾) 전통	• 대중의 구제를 지향함 • 원효의 무애행, 지눌의 정혜결사 등
호국 불교	• 나라의 위기를 불교의 힘으로 극복하고자 함 • 세속오계, 대장경 간행, 승려의 의병 투쟁 등
현대적 의의	• 현대 사회의 다양한 갈등 해결에 도움을 줌 • 이기주의, 환경 문제 등을 해결하는 데 도움을 줌

정답 ❶ 일심 ❷ 염불 ❸ 교관겸수 ❹ 교종 ❺ 돈오 ❻ 점수 ❼ 정혜쌍수 ❽ 조화 ❾ 실천

탄탄 내신 문제

01 다음 사상가에 대한 설명으로 옳지 <u>않은</u> 것은?

> 모든 경계가 무한하지만 다 일심(一心) 안에 들어가는 것이다. 부처님의 지혜는 모양을 떠나 마음의 원천으로 돌아가고, 지혜와 일심은 완전히 같아서 둘이 없는 것이다.

① 일체의 대립을 초월하는 경지를 강조한다.
② 다양한 이론과 종파의 차이점과 우열을 구분한다.
③ 불경에 담긴 가르침 사이에는 모순이 없다고 주장한다.
④ 중생이 무지에서 벗어나면 본래의 마음으로 돌아간다고 본다.
⑤ 종파 간의 대립과 다툼에서 벗어나 화해와 협력을 할 것을 강조한다.

02 다음 사상가에 대한 옳은 설명을 〈보기〉에서 고른 것은?

> 여러 경전의 부분적 이해를 통합하여 온갖 흐름을 한맛[一味]으로 돌아가게 하고, 부처의 뜻의 지극히 바른 뜻을 열어 여러 학파의 다양한 주장을 화회(和會)시킨다.

┤ 보기 ├
ㄱ. 교종과 선종의 통합을 강조하였다.
ㄴ. 서로 다른 주장과 견해들의 조화를 강조하였다.
ㄷ. 당시 귀족화되었던 불교를 대중화하는데 기여하였다.
ㄹ. 진여(眞如)와 생멸(生滅)의 엄격한 구분을 강조하였다.

① ㄱ, ㄴ   ② ㄱ, ㄷ   ③ ㄴ, ㄷ
④ ㄴ, ㄹ   ⑤ ㄷ, ㄹ

03 다음 사상가에 대한 설명으로 옳지 <u>않은</u> 것은?

> 더러움과 깨끗함의 모든 법(法)은 그 본성이 둘이 아니고, 참됨과 거짓됨의 두 문은 다르지 않으므로 하나이다. 이 둘이 아닌 곳이 모든 법의 진실이므로 허공과 같지 않으며, 그 본성이 스스로 알아차리므로 일심(一心)이라 한다.

① 마음 밖에서는 깨달음을 얻을 수 없다는 점을 강조하였다.

② 제도나 형식에 얽매이지 않는 무애행(無碍行)을 실천하였다.

③ 여러 종파의 갈등을 보다 높은 차원에서 통합하고자 하였다.

④ 존재하는 모든 것을 불변하는 실체로 보아야 한다고 주장하였다.

⑤ 진여와 생멸의 두 가지 문은 결국 일심으로 귀결될 수 있다고 보았다.

04 ㉠ 사상가에 대한 설명으로 옳은 것은?

> ┌─────┐
> │ ㉠ │ 은/는 이미 계(戒)를 잃어 아들 총(聰)을 낳은 후로는 속인의 옷으로 바꾸어 입고 스스로 소성거사(小姓居士)라고 이름했다. 그는 우연히 광대들이 가지고 노는 큰 박을 얻었는데 그 모양이 괴상했다. ┌─────┐
> │ ㉠ │ 은/는 그 모양을 따라서 도구를 만들어 『화엄경』의 "모든 걸림 없는 사람[無碍人]은 한결같이 죽고 사는 것을 벗어난다."라는 문구를 따서 이름을 무애(無碍)라 하고 계속하여 노래를 지어 세상에 퍼뜨렸다.

① 선종을 중심으로 교종을 종합하였다.

② 불교를 널리 퍼뜨리는 데 기여하였다.

③ 교종을 중심으로 선종을 통합하고자 하였다.

④ 고려 천태종을 설립하여 교종을 부흥시키고자 하였다.

⑤ 일부 선종이 진리에 대한 통찰이 없다고 비판하였다.

05 다음 사상가의 입장으로 옳은 것을 〈보기〉에서 고른 것은?

> 교(敎)를 배우는 사람은 대개 안을 버리고 밖에서 구하는 경향이 강하고, 반면에 선을 익히는 사람은 밖의 대상을 잊고 안으로만 파고들기를 좋아한다. 그러나 이 둘은 모두 어느 한쪽으로 치우친 집착으로 두 극단에 막혀 있다.

┤ 보기 ├
ㄱ. 경전의 공부와 함께 명상을 실천해야 한다.
ㄴ. 외적인 공부와 내적인 공부를 함께 해야 한다.
ㄷ. 화두를 들고 수행하여 깨달음에 이르러야 한다.
ㄹ. 단박에 깨친 후 점진적으로 나쁜 것을 제거해야 한다.

① ㄱ, ㄴ   ② ㄱ, ㄷ   ③ ㄴ, ㄷ
④ ㄴ, ㄹ   ⑤ ㄷ, ㄹ

06 다음 사상가의 입장으로 옳은 것은?

> 교(敎)를 배우는 자는 대다수 내적인 것을 버리고 외적인 것을 구하며, 선(禪)을 익히는 자는 외적 경계를 잊고 내적인 것을 밝히기를 좋아한다. 그렇지만 이는 한쪽에 치우친 태도로, 양자의 대립은 마치 토끼 뿔이 긴가 짧은가, 신기루로 나타난 꽃의 빛깔이 진한가 옅은가를 놓고서 싸우는 것과 같다.

① 번뇌는 마음 밖의 외부 세계에서 발생한다.

② 경전의 탐구를 통하여 불성을 형성하여야 한다.

③ 경전 탐구보다 참선 수행을 통한 깨우침이 중요하다.

④ 철저한 고행을 통해 부처의 가르침을 인식해야 한다.

⑤ 내적인 선(禪)과 외적인 교(敎)를 함께 수행해야 한다.

07 갑, 을 사상가에 대한 설명으로 옳지 <u>않은</u> 것은?

> 갑: 일심(一心)과 두 개의 문[二門] 안에 일체의 불법 (佛法)이 포함되어 있다. 진(眞)과 속(俗)은 둘이 아 니지만[無二], 하나를 고수하지 않는다. 둘이 아니 므로 곧 일심이다.
>
> 을: 명상 속에서 진리를 통찰하는 수행을 배우지 않고 경전만을 공부한다면, 참된 진리를 통찰하는 명상법 을 잘 알지 못할 것이다. 또한 경전은 공부하지 않고 명상만을 몰두한다면 참된 진리를 이해하지 못할 것 이다.

① 갑은 일심이 일체의 대립을 초월하는 것이라고 본다.
② 갑은 부처의 가르침 사이에 모순이 없음을 밝히고자 한다.
③ 을은 경전 공부와 명상 실천의 균형 있는 수행을 강조 한다.
④ 을은 폭넓은 경전 공부를 통하여 종파를 넘나드는 포 용적 사유를 강조한다.
⑤ 갑, 을은 교종과 선종을 통합하여 조화를 실현하고자 한다.

08 다음 사상가의 입장으로 옳은 것은?

> 어린아이의 눈, 코, 귀, 혀, 몸 등이 어른과 다름없음 을 알 때 돈오(頓悟)요, 이것이 점점 공훈(功勳)을 들여 성장하는 것이 점수(漸修)이다. 연못의 얼음이 전부 물 인 줄 알지만, 그것이 해를 받아 녹는 것처럼, 범부가 곧 부처임을 깨달았으나 법력으로 부처의 길을 닦는 것과 같은 것이다.

① 불성을 회복하여 시비와 선악을 초월해야 한다.
② 성인의 가르침을 배워 불변의 지식을 얻어야 한다.
③ 경전을 공부하는 것만이 참된 깨달음으로 인도한다.
④ 지속적인 수양으로 타고난 본성을 변화시켜야 한다.
⑤ 깨달은 후에도 나쁜 습관을 제거하기 위한 노력이 필 요하다.

09 다음 사상가의 ㉠, ㉡에 대한 입장으로 옳은 것은?

> 자신의 성품이 곧 부처의 본성과 같음을 홀연히 깨닫 는 것을 ⬜ ㉠ ⬜ (이)라고 하고, 자기 성품이 부처와 같음을 깨달았지만, 내가 가지고 있는 나쁜 성품을 없애 기 어렵기에 꾸준히 수양하는 것을 ⬜ ㉡ ⬜ (이)라고 한다.

① ㉠은 초월자에 의지하여 진리를 파악하는 것이다.
② ㉠은 오랜 시간 경전 공부를 통해 이르는 경지이다.
③ ㉡의 방법은 선정과 지혜를 함께 수양하는 것이다.
④ ㉡이 ㉠에 선행해야만 참된 깨달음을 얻을 수 있다.
⑤ ㉡은 모든 종파의 근원이 하나임을 인식하는 것이다.

10 다음 사상가의 입장으로 옳은 것을 〈보기〉에서 고른 것은?

> 평범한 사람이 진리를 모를 때 자신의 본성이 곧 진실 한 진리의 몸임을 알지 못하다가 어느 날 갑자기 훌륭한 스승을 만나 가르침을 받으면 한순간에 진리의 빛으로 자신의 본성을 본다. 비록 본성을 깨달은 점에서 부처와 차이가 없지만 근원을 알 수 없이 오래된 미세한 번뇌는 완전히 제거하지 못하기 때문에 깨달음에 의지하며 수 행하여 점차 성취해 나가야 한다.

┤ 보기 ├
ㄱ. 깨달음과 함께 마음속의 오래된 인식과 습관도 제거 된다.
ㄴ. 참된 깨달음을 위해 경전에 대한 의존에서 벗어나야 한다.
ㄷ. 중생 스스로 부처가 될 수 있다는 자각과 수행이 필 요하다.
ㄹ. 마음의 본체인 정과 마음의 인식 작용인 혜는 분리 되지 않는다.

① ㄱ, ㄴ ② ㄱ, ㄷ ③ ㄴ, ㄷ
④ ㄴ, ㄹ ⑤ ㄷ, ㄹ

11 갑, 을 사상가에 대한 설명으로 옳은 것은?

> 갑: 중생이 곧 부처임을 미혹한 범부가 단박에 깨쳤더라도 오랫동안 습기(習氣)는 갑자기 버리기 어려우므로 깨달은 후에도 법력으로써 익히고 닦아야 한다.
> 을: 나의 스승은 "관(觀)도 배우지 않으면 안 되고, 경(經)도 전수하지 않으면 안 된다."라고 하였다. 내가 교관에 지극히 마음을 다하는 것은 이 말씀을 가슴 속에 간직하고 있기 때문이다.

① 갑은 연기에 의해 만물의 개별적 실체가 형성된다고 본다.
② 갑은 깨달음을 얻은 후에도 지속적인 수양이 필요함을 강조한다.
③ 을은 깨달음을 얻기 위해 자신의 본성을 직관해야 함을 강조한다.
④ 을은 경전의 탐구를 통해 만물의 불변함을 자각해야 한다고 본다.
⑤ 갑, 을은 교종과 선종 가운데 하나의 관점으로 통일해야 함을 강조한다.

12 다음 사례들에서 공통적으로 알 수 있는 한국 불교의 특징으로 가장 적절한 것은?

> • 원광 법사의 세속오계(世俗五戒)
> • 고려 시대의 대장경 간행
> • 조선 승려의 의병 투쟁

① 종파 간의 통합을 추구하였다.
② 마음의 깨달음과 그 실천을 강조하였다.
③ 불교의 이론적 정비와 대중화에 기여하였다.
④ 전통 신앙과 결합하여 기복적인 특징이 나타난다.
⑤ 나라의 위기를 극복하려는 호국 불교의 성격이 드러난다.

13 다음 문제 해결을 위해 필요한 한국 불교의 특징으로 가장 적절한 것은?

> 오늘날에는 사회 양극화의 심화로 어려움을 겪고 있는 소외된 사람이 늘어나고 있다. 경제적으로 풍요로워졌으나 빈부의 격차는 심화되고 있다. 또한 세계화의 급속한 진행으로 다양한 문화가 한 사회에 공존하고 있으나, 인종, 종교, 문화적 차이에서 오는 갈등이 표출되어 사회 문제가 되고 있다.

① 국가에 대한 충성을 강조하고 국가를 발전시키려고 노력한다.
② 종파 간의 차이와 다양성을 존중하고 균형과 조화를 추구한다.
③ 욕구에 대해 긍정적인 관점을 취해 인간의 자율성을 강조한다.
④ 경(敬)의 실천을 통해 사사로움과 바르지 못함을 제거하고자 한다.
⑤ 개인의 주체적 수행에 관심을 기울여 진정한 자신을 발견하고자 한다.

14 다음 사상에 입각해 해결할 수 있는 현대 사회의 문제로 가장 적절한 것은?

> 불도(佛道)는 넓고 탕탕하여 걸림이 없고 범주가 없다. 영원히 의지하는 바가 없기에 타당하지 않음이 없다. 이 때문에 일체의 다른 교의가 모두 불교의 뜻이요, 백가의 설이 옳지 않음이 없으며, 팔만의 법문이 모두 이치에 들어간다. 그런데 자기가 조금 들은 바 좁은 견해만 내세워, 그 견해에 동조하면 좋다고 하고 그 견해에 반대하면 잘못이라고 하는 사람이 있다. 마치 갈대 구멍으로 하늘을 보는 사람이 갈대 구멍으로 하늘을 보지 않는 사람은 모두 하늘을 보지 못하는 자라고 하는 것과도 같다. 이런 것을 일컬어 식견이 적은데도 많다고 믿어서 식견이 많은 사람을 도리어 헐뜯는 어리석음이라고 한다.

① 지구 온난화로 인한 환경 문제
② 회사와 노동자 사이의 갈등 문제
③ 경제 성장에 따른 자원 고갈 문제
④ 인구 고령화에 따른 노동력 부족 문제
⑤ 정보의 발전과 함께 등장한 정보 격차 문제

15 다음 사상가의 중생 구제 방안을 서술하시오.

> 중생이 삶과 죽음의 바다에 빠져서 열반의 언덕에 이르지 못하는 것은 다만 의혹과 잘못된 집착 때문입니다. 그러므로 일심(一心)의 법을 세워 진여(眞如)와 생멸(生滅)의 두 가지 문에 들어가야 합니다.

17 갑은 중국 불교 사상가, 을은 한국 불교 사상가이다. 갑, 을의 수행 방법의 공통점과 차이점을 서술하시오.

> 갑: 부처는 자신의 본성에서 이루어지니 자신 밖에서 부처를 찾지 말라. 자신의 본성이 미혹되면 중생이고, 자신의 본성을 깨달으면 부처이다. 자신의 본성을 깨닫는다는 것은 단박에 깨치고 단박에 닦는 것이니, 점진적 단계라는 것은 없다.
>
> 을: 돈오란 평범한 사람이 진리를 모를 때 자신의 본성이 곧 진실한 진리의 몸임을 알지 못하다가 어느 날 갑자기 훌륭한 스승을 만나 가르침을 받으면 한순간 진리의 빛으로 자신의 본성을 보는 것을 말한다. 점수는 비록 본성을 깨달은 점에서 부처와 차이는 없지만 근원을 알 수 없이 오래된 미세한 번뇌는 완전히 제거하지 못했기 때문에 깨달음에 의지하며 수행하여 점차 성취해 나가는 것을 말한다.

16 갑, 을 사상가가 강조한 수행 방법을 서술하시오.

> 갑: 교(敎)를 공부하는 사람은 내적인 것을 버리고 외적인 것을 구하고자 하며, 선(禪)을 익힌 사람은 외부의 대상을 잊고 내적으로 깨치고자 하는데, 이는 다 같이 양극단에 치우친 것이다.
>
> 을: 비록 본래 성품이 부처와 다르지 않음을 깨달았으나[頓悟], 나쁜 습관[習氣]은 한꺼번에 없애기 어렵다. 따라서 깨달음에 의지해 나쁜 습관을 점진적으로 제거해 공덕(公德)을 이루어야 한다.

18 (가) 사상가의 입장에서 (나)의 상황에 할 수 있는 조언을 서술하시오.

(가)	더러움과 깨끗함의 모든 법(法)은 그 본성이 둘이 아니고, 참됨과 거짓됨의 두 문은 다르지 않으므로 하나이다. 이 둘이 아닌 곳이 모든 법의 진실이므로 허공과 같지 않으며, 그 본성이 스스로 알아차리므로 일심(一心)이라 한다.
(나)	사람들은 대부분 쓰레기 소각장의 필요성을 인정하지만, 그 시설이 자기 동네에 들어온다고 하면 이기적으로 변한다. 사회 전체를 위하여 필요한 시설이지만, 각자의 입장의 차이를 좁히지 못하고 완강한 저항에 부딪혀 소위 말하는 혐오 시설은 갈 곳이 없는 것이 현실이다.

| 수능 기출 |

01 한국 불교 사상가 갑, 을의 입장으로 옳지 <u>않은</u> 것은?

> 갑: 법이란 '중생의 마음[衆生心]'을 일컫는다. 대승 가운데 있는 일체의 법은 별도의 본질이 있는 것이 아니다. 모든 법 자체가 오직 일심(一心)이다. 그러므로 일심을 대승의 법이라고 말하는 것이다.
>
> 을: 부처는 '중생의 마음' 속의 부처이지 다른 것이 아니다. 모든 부처의 근원을 알고자 하면 무명(無明) 속에 있는 자신조차도 본래 부처임을 깨달아야 한다. 깨친[頓悟] 다음에도 습기를 점차 소멸시켜 나가야[漸修] 한다.

① 갑: 일심의 법에서 보면 생겨남[生]과 사라짐[滅]은 둘이 아니다.

② 갑: 부처의 가르침은 하나의 마음에서 비롯되니 화쟁(和諍)해야 한다.

③ 을: 내 마음이 부처임을 자각하면 더 이상의 수행[修]은 필요 없다.

④ 을: 혜(慧)는 정(定)을 떠나지 않고 정(定)은 혜(慧)를 떠나지 않는다.

⑤ 갑, 을: 모든 중생은 불성(佛性)을 지녔으므로 차별해서는 안 된다.

| 수능 기출 |

02 갑은 한국 불교 사상가, 을은 중국 불교 사상가이다. 갑, 을의 공통된 입장만을 〈보기〉에서 있는 대로 고른 것은?

> 갑: 경전에서 "깨닫기만 하면 된다[一覺了]."라고 말했다. 이는 모든 존재가 오직 한 마음[一心]이요, 모든 사람들의 마음이 하나뿐인 본디 맑은 마음이므로, 차별이 있을 수 없고 모두 똑같다는 의미이다.
>
> 을: 중생은 마음이 미혹되어 자기 자신 밖에서 붓다를 찾는다. 이는 자성(自性)을 깨닫지 못한 어리석음 때문이다. 밖에서 닦지 말고 돈교(頓敎)의 이치에 따라 오직 자신의 마음에서 본성을 바로 보아야 한다.

> **| 보기 |**
>
> ㄱ. 모든 존재와 현상은 마음이 지어낸 것이다.
> ㄴ. 아무리 비천한 사람이라도 불성(佛性)이 있다.
> ㄷ. 중생도 염불만으로 이상 세계에 진입할 수 있다.
> ㄹ. 깨달은 순간부터 과거 행동의 결과는 모두 사라진다.

① ㄱ, ㄴ   ② ㄱ, ㄷ   ③ ㄷ, ㄹ

④ ㄱ, ㄴ, ㄹ   ⑤ ㄴ, ㄷ, ㄹ

| 교육청 기출 |

03 다음을 주장한 한국 사상가의 입장으로 가장 적절한 것은?

> • 일심(一心)이 미혹되어 번뇌가 일어나는 자는 중생이고, 일심을 깨달아 묘용(妙用)을 일으키는 자는 부처이다.
>
> • 단박에 깨친[頓悟] 뒤에도 늘 살펴서 문득 망념이 일어나도 따르지 말고 덜고 덜어서 무위(無爲)에 이르러야 한다.

① 마음 밖에 있는 진리를 찾아야만 돈오할 수 있다.

② 계율을 버리고 자연의 흐름을 따라야 깨달을 수 있다.

③ 바른 선(禪) 수행을 위해 교학(教學)도 연구해야 한다.

④ 습기(習氣)를 모두 다 제거해야만 단박에 깨칠 수 있다.

⑤ 화쟁(和諍)을 위해 종파의 특수성을 모두 부정해야 한다.

| 평가원 기출 |

04 한국 사상가 갑, 을의 입장으로 가장 적절한 것은?

> 갑: 깨끗함과 더러움[染淨]의 세계는 이미 둘 다 없는데, 어떻게 '하나[一]'가 될 수 있는가? '하나'도 없는데 무엇을 마음[心]이라 하는가? 이는 말을 떠나고 생각을 끊은 것이라 무어라 이름 지을 수 없어 억지로 '일심(一心)'이라 한 것이다.
>
> 을: 교(教)를 닦으면서 관(觀)을 폐하거나 관에 치우쳐 교를 버리는 것은 모두 한쪽으로 치우쳐 나온 것이다. 따라서 교종의 승려도 선(禪)을 닦아야 하며, 선종의 승려 역시 교리를 익히지 않으면 안 된다.

① 갑: 부처의 힘으로 극락왕생을 바라는 염불 수행은 삼가야 한다.

② 갑: 모든 종파의 이론들을 하나인 근원에 의거하여 회통해야 한다.

③ 을: 능력이 출중한 자는 화두를 드는 간화선 수행을 해야 한다.

④ 을: 점차적인 수행을 거치지 않고 단박에 깨달아야[頓悟] 한다.

⑤ 갑, 을: 선(禪) 수행을 중심으로 하여 경전 연구를 병행해야 한다.

05 | 평가원 기출 |
한국 불교 사상가 갑, 을의 입장으로 가장 적절한 것은?

> 갑: 교학(敎學)과 지관(止觀)을 함께 해야 한다. 교종은 외적인 공부에 치중하고, 선종은 내적인 공부에 치중한다. 따라서 내외겸전(內外兼全)하지 못하는 수행은 참다운 수행의 방법이 아니다.
>
> 을: 선정[定]은 본체[體]이고 지혜[慧]는 작용[用]이다. 지혜는 본체를 마주하여 나온 작용이므로 선정을 떠나지 않고, 선정은 작용을 마주하여 나온 본체이므로 지혜를 떠나지 않는다.

① 갑: 모든 존재는 자성(自性)이라는 고정된 실체를 지니고 있다.

② 갑: 경전을 충실하게 공부하면 참선 수행까지 할 필요는 없다.

③ 을: 본체인 선정을 작용인 지혜보다 우선적으로 닦아 나가야 한다.

④ 을: 선(禪)은 부처의 말씀과 같고 교(敎)는 부처의 마음과 같다.

⑤ 갑, 을: 세상의 모든 것이 변화한다는 것[無常]을 깨달아야 한다.

06 | 평가원 응용 |
한국 불교 사상가 갑, 을의 입장에 대한 설명으로 옳은 것은?

> 갑: 나의 스승은 "관(觀)도 배우지 않으면 안 되고, 경(經)도 전수하지 않으면 안 된다."라고 말씀하셨다. 내가 교관에 지극히 마음을 다하는 것은 이 말씀을 가슴속에 간직하고 있기 때문이니, 화엄을 전수하더라도 관문은 반드시 배워야 한다.
>
> 을: 점수문에 속하는 열등한 수행이더라도 마음을 다스리는 데에는 필요하다. 망상이 들끓으면 우선 정(定)으로 그 마음을 다스려 본래의 고요함으로 되돌리고, 혜(慧)로 명한 상태를 다스려야 한다.

① 갑은 내적인 교(敎)와 외적인 선(禪)을 함께 닦아야 한다고 본다.

② 을은 정혜를 함께 닦는 것을 수심(修心)의 요체로 삼아야 한다고 본다.

③ 갑은 을과 달리 단박에 깨닫고 닦아야 한다고 본다.

④ 을은 갑과 달리 참선을 통해 악한 본성을 제거해야 한다고 본다.

⑤ 갑, 을은 화두(話頭)를 들고 수행하는 간화선이 필요하다고 본다.

07 | 교육청 기출 |
다음 한국 불교 사상가의 입장에서 긍정의 대답을 할 질문을 〈보기〉에서 고른 것은?

> 일체의 법(法)은 본래부터 말이나 글로 설명할 수 없는 것이어서 결국 차별 없이 평등하게 되고, 변하거나 달라지는 것도 없는 것이어서 오직 일심(一心)일 뿐인 것이다. 그러므로 이러한 일체의 법을 우주 만유의 본체[眞如]라 이르는 것이다.

【 보기 】
ㄱ. 여러 종파의 갈등을 더 높은 차원에서 통합해야 하는가?
ㄴ. 존재하는 모든 것들을 불변하는 실체로 보아야 하는가?
ㄷ. 나와 너, 나와 세계를 분별하지 않는 진리를 추구해야 하는가?
ㄹ. 서로의 다름을 제거하고 하나의 관점으로 통일해야 하는가?

① ㄱ, ㄴ   ② ㄱ, ㄷ   ③ ㄴ, ㄷ
④ ㄴ, ㄹ   ⑤ ㄷ, ㄹ

08 | 수능 기출 |
한국 사상가 갑, 을의 입장에 대한 옳은 설명만을 〈보기〉에서 있는 대로 고른 것은?

> 갑: 일심(一心)과 두 개의 문[二門] 안에 일체의 불법(佛法)이 포함되어 있다. 진(眞)과 속(俗)은 둘이 아니지만[無二], 하나를 고수하지도 않는다. 둘이 아니므로 곧 일심이다.
>
> 을: 돈(頓)과 점(漸) 두 개의 문은 모든 깨달은 자가 걸었던 길이다. 예로부터 그들은 먼저 깨닫고[悟] 뒤에 닦아[修], 그로 인해 깨달음을 얻었다.

【 보기 】
ㄱ. 갑은 마음과 별개인 현상이 불변의 실체로 존재한다고 본다.
ㄴ. 갑은 일심이 화쟁(和諍)을 가능하게 하는 근거가 된다고 본다.
ㄷ. 을은 깨친 뒤에도 정혜(定慧)를 닦는 것이 필요하다고 본다.
ㄹ. 갑, 을은 경전의 이해만으로 완전한 해탈에 이를 수 있다고 본다.

① ㄱ, ㄴ   ② ㄱ, ㄹ   ③ ㄴ, ㄷ
④ ㄱ, ㄷ, ㄹ   ⑤ ㄴ, ㄷ, ㄹ

| 평가원 기출 |
09 한국 불교 사상가 갑, 을의 입장으로 옳지 <u>않은</u> 것은?

> 갑: 왜 일심(一心)이라 부르는가? 진여(眞如)와 생멸(生滅)은 두 가지로 존재할 수 없으므로 일(一)이라 하며, 허공처럼 텅 비어 있는 것이 아니라 그 본성이 스스로 신령스럽게 알아차리므로 심(心)이라 한다.
> 을: 이치〔理〕에 들어가는 방법은 수없이 많지만 그것은 선정〔定〕과 지혜〔慧〕가 아닌 것이 없다. 선정은 자성(自性)의 본체이며 지혜는 자성의 작용으로서 서로 분리되지 않는다.

① 갑: 다양한 현상은 마음과 별개로 고정적 실체로서 존재한다.
② 갑: 모든 종파의 이론들은 하나의 근원에 의해 회통되어야 한다.
③ 을: 돈오(頓悟)는 습기(習氣)가 쌓여 있는 상태에서도 가능하다.
④ 을: 정혜를 함께 닦는 것을 점수(漸修)의 요체로 삼아야 한다.
⑤ 갑, 을: 무아(無我)를 철저히 깨달아야 중생의 구제가 가능하다.

| 평가원 응용 |
10 한국 불교 사상가 갑, 을의 입장만을 〈보기〉에서 있는 대로 고른 것은?

> 갑: 일심(一心)이 미혹되어 끝없는 번뇌를 일으키는 자는 중생이며, 일심을 깨달아 끝없이 오묘한 작용을 일으키는 자는 부처이다. 그러므로 선정〔定〕과 지혜〔慧〕를 함께 닦는 결사(結社)를 통해 수행에 정진해야 한다.
> 을: 모든 존재는 생멸 없이 본래 적정(寂靜)하여 오직 일심이기 때문에, 이를 '진여문'이라 한다. 이 일심의 본체는 본래 깨달아 있지만 무명(無明)에 따라 생멸을 일으키기 때문에 '생멸문'이라 한다.

| 보기 |
ㄱ. 갑: 화두를 활용한 수행으로 깨달음에 이를 수 있다.
ㄴ. 갑: 참마음의 본체는 지혜, 참마음의 작용은 선정이다.
ㄷ. 을: 일반 백성들도 염불을 통해 극락왕생할 수 있다.
ㄹ. 갑, 을: 불교계의 종파 간 갈등을 해소해야 한다.

① ㄱ, ㄴ　　② ㄴ, ㄷ　　③ ㄷ, ㄹ
④ ㄱ, ㄴ, ㄹ　　⑤ ㄱ, ㄷ, ㄹ

| 교육청 기출 |
11 한국 불교 사상가 갑, 을의 입장으로 옳지 <u>않은</u> 것은?

> 갑: 대승(大乘)의 법에는 오직 일심(一心)만이 있으니 일심 밖에는 다른 법이 없다. 다만, 무명(無明)이 일심을 미혹하게 하여 모든 물결을 일으키니 여섯 갈래 길〔六道〕에 속하여 헤매게 됨을 밝히려 한 것이다.
> 을: 교(敎)를 배우는 사람은 대부분 안을 버리고 밖에서 구하려고만 하고, 반면에 선(禪)을 익히는 사람은 밖의 대상을 잊고 안으로만 파고들기를 좋아한다. 이는 모두 하나에 집착한 것으로 두 극단에 갇힌 것이다.

① 갑: 일체의 이원적 분별에서 벗어나 일심으로 돌아가야 한다.
② 갑: 계율이나 형식에 얽매이지 않는 무애행(無碍行)을 실천해야 한다.
③ 을: 교리와 경전에 의하지 않고 해탈의 경지를 추구해야 한다.
④ 을: 미혹에서 벗어나기 위해 교학과 참선 공부에 매진해야 한다.
⑤ 갑, 을: 깨달음을 얻기 위해 계(戒), 정(定), 혜(慧)를 수행해야 한다.

| 교육청 기출 |
12 그림은 어떤 학생이 작성한 노트 필기의 일부이다. ㉠~㉤ 중 옳지 <u>않은</u> 것은?

> [학습 주제] 한국의 불교 사상
> 1. 원효의 사상
> - 대립되는 논쟁을 조화시키는 화쟁(和諍)을 주장함 ㉠
> - 일심(一心)은 이원적 대립을 초월하는 절대불이(絶對不二)한 것임을 강조함 ·················· ㉡
> 2. 의천의 사상
> - 교학과 선(禪) 불교에 대한 이해를 통해 화해를 모색함
> - 경전 읽기와 참선 수행을 함께 해야 함〔敎觀兼修〕을 강조함 ·················· ㉢
> 3. 지눌의 사상
> - 깨달음에 이르는 선 수행의 한 부분으로 교학을 받아들임
> - 깨침과 닦음이 일시에 완성되는 것〔頓悟頓修〕만을 강조함 ·················· ㉣
> - 마음의 본체〔定〕와 마음의 작용〔慧〕은 분리될 수 없음을 주장함 ·················· ㉤

① ㉠　　② ㉡　　③ ㉢　　④ ㉣　　⑤ ㉤

05 무위자연의 윤리

1 도가 사상의 전개

1. 노자의 사상

(1) 사회 혼란의 원인과 해결 방안

① 사회 혼란의 원인 인간의 그릇된 인식과 가치관 및 인위적 사회 제도 ➡ 유가에서 강조하는 인(仁)과 같은 덕목도 혼란의 원인임

② 해결 방안 도(道)를 따르는 삶의 자세가 필요함

(2) 도(道)❶의 의미와 특징 [자료 01]

① 의미 우주 만물의 근원이나 변화 법칙

② 특징
- 형상이 없고, 비교할 수 없으므로 개념을 통해 이해할 수 없음 ➡ 말해질 수 있는 도는 참다운 도가 아님
- 무위(無爲): 사유나 감정을 가지고 무엇을 조작하지 않음
- 천지불인(天地不仁): 하늘과 땅은 어질지 않음 ➡ 천지는 인간적인 덕목을 가지지 않음

(3) 이상적 경지

① 무위자연(無爲自然) 인위를 행하지 않고 자연을 따르는 것 ➡ 허정(虛靜), 무위, 무욕(無欲)을 따르는 삶의 자세를 강조함

② 상선약수(上善若水) 최상의 선은 물과 같다는 의미로, 겸허(謙虛)와 부쟁(不爭)❷을 강조함

③ 성인(聖人) 물과 같은 삶을 살아가며 스스로를 드러내지 않는 사람

(4) 이상 사회 [자료 02]

① 소국과민(小國寡民) 적은 인구가 있는 조그만 국가에서 모든 사람이 가식 없이 자신의 본성에 따라 편안하게 살 수 있는 사회

② 무위지치(無爲之治) 무위의 다스림을 통해 백성들의 평화롭고 소박한 삶을 실현해야 함

2. 장자의 사상 — 노자의 사상을 계승하면서도 개체를 중시하는 경향을 보인다.

(1) 도(道)의 의미와 특징

① 의미 천지 만물의 근원이자 천지 만물 어디에나 내재하는 것

② 특징 도(道)의 관점에서 사물을 바라보면 만물은 모두 평등하다고 주장함
— 만물은 주관적인 방식으로 판단되기 때문에 옳고 그름은 객관적 관점이 아니라 자기의 관점에서만 말할 수 있다.

(2) 이상적 경지 [자료 03]

① 제물(齊物) 도의 관점에서 만물을 평등하게 인식하는 것 ➡ 제물의 관점에서 사물을 보면 시비(是非), 귀천(貴賤), 미추(美醜), 생사(生死) 등의 분별은 상대적이며 만물은 평등함

② 소요유(逍遙遊)❸ 도를 깨달아 시비(是非)에 얽매이지 않는 정신적 자유의 경지 ➡ 각자 타고난 본성과 능력에 따라 유유자적하게 살아야 함

③ 물아일체(物我一體) 일체의 대립과 구별에서 벗어나 자연 만물과 내가 하나가 되는 경지

(3) 수양법 — 좌망과 심재를 통해 인위 조작적인 것이 사라지면 도가 드러난다고 보았다.

① 좌망(坐忘) 조용히 앉아서 마음속에서 인위와 조작으로 된 것을 지우는 훈련

② 심재(心齋) 잡념을 없애고 마음을 깨끗이 하는 것

(4) 이상적 인간상❹

① 진정한 자유와 평등의 경지에 이른 사람

② 성인(聖人), 지인(至人), 진인(眞人), 천인(天人), 신인(神人) 등

---

❶ 노자의 도(道)
노자는 『도덕경』에서 현묘한 도는 인간의 감각을 초월하여 존재하기 때문에 언어로 규정할 수 없다고 하였다. 또한 도는 천지 만물을 창조하고 운행하는 원리라고 하였다.

❷ 겸허와 부쟁
- 겸허: 낮은 곳에 머묾
- 부쟁: 남과 다투지 않음

❸ 소요유
자유롭게 거닐며 노닌다는 뜻이다. 장자는 세속을 초월해 무엇에도 얽매이지 않는 정신적 자유의 경지를 소요유라고 표현하였다.

❹ 장자의 이상적 인간상
지인(至人)인 자신에 집착하지 않고, 신인(神人)은 공적에 얽매이지 않으며, 성인(聖人)은 명예를 탐내지 않는다.

고득점을 위한 셀파 Tip 비교

| 노자와 장자 |

노자	장자
• 무위자연	• 제물
• 상선약수	• 소요유
• 도의 관점 중시	
• 상대주의적 세계관	
• 평등주의	

자료 01 노자의 도와 자연

혼합하여 이루어진 것이 있는데, 천지보다도 먼저 생겼다. 고요히 소리도 없고 형체도 없다. 짝도 없이 홀로 있다. 언제나 변함이 없다. 어디나 안 가는 곳이 없지만 깨어지거나 손상될 위험이 없다. 그것은 천하 만물의 어머니가 될 만하다. 나는 그 이름을 알지 못한다. 그래서 그저 부르는 이름이 '도'이다. …… 사람은 땅을 본받고, 땅은 하늘을 본받는다. 하늘은 도를 본받고, 도는 자연을 본받는다.

– 노자, 「도덕경」 –

자료 분석 | 노자에 따르면 도란 우주 만물이 따르는 근본으로서 인간의 지식과 감각으로 표현할 수 없는 것이고 항상 저절로 본래부터 그러한 것(自然)이다. 이러한 도는 사유나 감정을 가지고 무엇을 조작하지 않으므로 무위(無爲)라고 한다. 또한 천지도 도를 본받았기 때문에 하늘과 땅은 어질지 않다.

자료 02 노자의 이상 사회

나라는 작고 백성은 적다. 열 가지 백 가지 기계가 있으나 쓰이지 않도록 한다. 백성들로 하여금 죽음을 무겁게 여기도록 하여 멀리 옮겨가지 않게 한다. 비록 배와 수레가 있어도 탈 일이 없으며 갑옷과 병기가 있어도 펼칠 일이 없다. 백성들이 다시 노끈을 매어 쓰도록 하고, 자기가 먹는 음식을 달게 여기며, 그 옷을 아름답게 여기고, 그 거처를 편안히 여기며, 그 풍속을 즐기게 한다. 또한 이웃 나라가 서로 바라보이고 닭이 울고 개가 짖는 소리가 서로 들려도 백성들이 늙어 죽을 때까지 서로 왕래할 일이 없다.

– 노자, 「도덕경」–

자료 분석 | 노자는 생명 중시라는 이상을 실현하고자 적은 인구가 있는 조그만 국가에서 모든 사람이 자신의 본성에 따라 살아가는 소국과민(小國寡民)을 주장한다. 노자는 이러한 이상적 경지에 도달하기 위해서는 무위의 다스림(無爲之治)이 이루어져야 한다고 보았다. 무위의 다스림이 이루어지면 백성들의 평화롭고 소박한 삶을 실현할 수 있다. 이는 '다스림 없는 다스림'이자 백성들의 무지(無知)와 무욕(無欲)을 실현하는 정치이다.

자료 03 장자의 상대주의적 세계관

• 사람은 가축의 고기를 좋아하고, 사슴은 풀을 좋아하고 지네는 뱀을 좋아하고 까마귀는 쥐의 고기를 좋아한다. 이 넷 가운데에서 누가 제대로 된 음식을 먹는 것인가? 여희는 모든 사람이 인정하는 미녀이다. 그런데 물고기는 그를 보면 물속으로 들어가 버리고 새가 그를 보면 멀리 날아가 버린다. 사슴이 그를 보면 재빨리 도망간다. 누가 진정한 아름다움을 알고 있는가?

• 바다에 사는 새가 노나라로 날아왔다. 노나라 임금이 이 새를 귀하게 여겨 종묘에 살게 하였고, 아름다운 음악을 연주하여 즐겁게 해 주고 훌륭한 음식을 제공하였다. 하지만 새는 흐릿한 눈빛으로 슬퍼하였다. 고기 한 점도 먹지 않고 술 한 잔도 마시지 않더니 사흘 만에 죽어 버렸다. 이것은 인간이 새의 방식으로 새를 봉양하지 않고 인간으로 방식으로 봉양하였기 때문이다.

– 장자, 「장자」 –

자료 분석 | 장자에 따르면 만물은 서로 다른 본성을 가지고 태어났고, 타고난 능력도 서로 다르다. 그러나 능력이 다르다고 우열이 있는 것이 아니다. 장자는 만물이 각각 도에 따르는 적합한 본성을 부여받았기 때문에 각자가 타고난 자연스러운 본성대로 살 때 행복할 수 있다고 보았다.

1 노자는 인위적인 규범을 벗어나 도에 따른 삶을 살아야 함을 강조한다.
(○ , ×)

2 노자는 인의의 덕을 수양하여 마음을 깨끗이 비워야(心齋) 함을 강조한다.
(○ , ×)

3 노자는 인위적으로 일을 도모하지 않고 겸허한 자세로 소박하게 사는 삶을 중시한다.
(○ , ×)

4 노자는 통치자는 무력으로 나라를 강대하게 만들려고 노력하지 말아야 한다고 주장한다.
(○ , ×)

5 장자는 선한 본성을 회복해야 하며 이를 위해 수양해야 한다고 강조한다.
(○ , ×)

6 장자는 자신을 구속하는 일체의 것을 잊고 마음을 비우는 수양의 필요성을 강조한다.
(○ , ×)

7 장자는 다양한 경험을 축적하여 자신의 주관을 확립해야 함을 강조한다.
(○ , ×)

8 장자는 성인의 도를 구현하기 위해 도덕적 규범의 실천을 중시한다.
(○ , ×)

9 노자와 장자는 성인이 예법을 제정하여 무위로 다스려야 한다고 주장한다.
(○ , ×)

정답 1 ○   2 ×   3 ○   4 ○   5 ×
6 ○   7 ×   8 ×   9 ×

2 도가 사상의 영향

1. 도교의 성립과 전개

(1) 도교의 의미와 특징

① 의미 도를 중심으로 하며 신선이 되는 것을 목표로 하는 종교

② 특징 도교는 도가와 밀접한 관계가 있지만 순수하게 도가 사상의 연장은 아님 ➡ 도교는 유교, 불교 등 다양한 사상과 과학 기술을 받아들임

(2) 도교의 전개

① 황로학파(黃老學派)⑤ 황제와 노자를 숭상하고, 도가를 바탕으로 유가·법가·묵가 등의 사상을 수용하였으며, 무위(無爲)로 다스린다는 제왕의 통치술을 주장함

② 태평도(太平道) 태평(太平) 시대를 현실 사회에 실현한다는 종교적 이상을 제시함

③ 오두미교(五斗米敎)⑥ 교리를 믿고 규정된 규율과 의식을 따르면 병이 낫는다고 주장하고, 도덕적 선행을 권장함

④ 현학(玄學)⑦ 죽림칠현(竹林七賢)의 현학자들이 도가 사상을 철학적으로 계승함 ➡ 형이상학적이고 예술적인 논의를 중시하고 정신적 자유를 추구하는 청담(淸談) 사상을 제시함

2. 도교의 윤리관과 생명에 대한 관점

(1) 윤리관

① 귀신에 대한 믿음 인간의 도덕적 선악은 귀신에게 감시되어 화복으로 나타난다고 봄

② 삼관수서(三官手書) 병을 치유하기 위해 불선을 회개하게 하는 글을 써서 하늘, 물, 산에 보냄

③ 공과격⑧, 권선서⑨의 출현 ➡ 민간의 윤리 의식과 생활에 큰 영향력을 행사함 `자료 04`

(2) 생명의 보존과 발휘

① 양생(養生) 생명을 중시해 소극적으로는 불사(不死), 적극적으로는 신선을 추구함 `자료 05`

② 외단(外丹) 장생불사하고 신선이 되는 단약 ➡ 인간의 의지로 만물을 바꿀 수 있다고 생각함

③ 내단(內丹) 인간의 정신과 육체를 함께 수련하는 방식[性命雙修] ➡ 마음과 육체의 상호 영향을 중시함

3. 도가·도교 사상과 한국 고유 사상

(1) 도가의 영향 `자료 06`

① 자유 중시와 은둔 지향의 태도 고려 무신 정권 시기 무력을 행하는 당시 정치에 혐오를 느낀 지식인 무리가 죽림고회(竹林高會)라는 모임을 만들고 은둔하는 삶을 지향함

② 유·불·도의 조화 이규보가 도가 사상을 활용하여 다양한 주제를 폭넓게 연구하고, 만인 평등과 만물 평등을 주장함

(2) 도교의 영향

① 여러 신에게 복을 청하고 화를 물리쳐 달라는 제사인 재초(齋醮)를 지냄 ➡ 삼국 시대에 시작되어 고려 때 흥성하고 조선 초기까지 국가 의례로 거행됨

② 내단과 양생술⑩이 유행함 ➡ 『동의보감』과 같은 의서에도 영향을 줌

③ 조선 후기에 권선서가 백성의 윤리 지침서가 됨

4. 도가·도교 사상의 한계와 현대적 의의

(1) 한계 국가 통치 이념이나 학문으로서의 독자적 영역을 확보하지 못함

(2) 의의 차별 의식을 벗어나야 함을 강조함, 정신적 자유를 누리며 행복한 삶을 살아가는 길을 제시함, 환경 문제를 해결하는 데 필요한 자연관을 제시함

---

⑤ 황로학파
황로이라는 명칭은 고대 중국의 전설적 임금인 황제와 도가의 창시자인 노자의 앞 글자를 따서 만든 것이다.

⑥ 오두미교
오두미교라는 명칭은 교단에 가입하려는 사람에게서 쌀 다섯 말을 받은 것에서 유래하였다.

⑦ 현학
위진 시대에 발생한 사조로, 존재의 근원과 제도 등을 추상적인 방법으로 논의하였다. 당시 사회에 실망하여 은거하여 지낸 지식인 집단인 죽림칠현(竹林七賢)이 대표적이다.

⑧ 공과격
현재의 금전 출납부처럼 선악의 행위를 적어 계산하고 반성하는 책

⑨ 권선서
선행을 권장하는 책

⑩ 양생술
생명을 온전히 보존하고 발휘하는 방법

자료 04 공과격에 나타난 도교 사상

『역경(易經)』에서 말하기를 선을 쌓은 집안은 반드시 기쁜 일이 있으며, 악을 쌓은 집안은 자손에게까지 재앙이 미친다고 한다. 『도과(道科)』에서 말하기를 선을 쌓으면 좋은 징조가 보이고, 악을 쌓으면 재앙을 초래한다고 한다. 그래서 유교와 도교의 가르침은 다른 점이 하나도 없다. 옛날 성인군자와 도가 높은 사람은 모두 계율을 만들어 안으로 마음을 가다듬고 수양했을 뿐만 아니라, 밖으로는 다른 사람들을 훈계하고 타일러 공덕을 쌓았다. 나는 꿈속에서 태미선군을 찾아뵙고 『공과격』을 받아 심신이 돈독한 자에게 전하라는 명을 받았다.   - 「태미선군 공과격」 -

자료 분석 | 도교에 따르면 인간의 길흉화복은 물질적 원인뿐만 아니라 귀신과도 관련이 있다. 그래서 병이 들면 종이에 자기의 성명을 적고 불선(不善)을 회개하는 글을 써 하늘에 올리고 산에 묻고 물에 흘려보내게 하여 치유하였다. 이처럼 귀신이 선한 사람에게 복을 주고 악한 사람에게 화를 내린다는 생각은 공과격(功過格)과 권선서(勸善書)가 출현하는 바탕이 되어 민간의 윤리 의식과 생활에 큰 영향력을 행사하였다.

자료 05 『사기』에 등장하는 도교에 대한 설명

대체로 보면 사람이 살아가는 것은 마음 때문이며 삶이 의지하고 있는 것은 몸이다. 마음을 지나치게 사용하면 고갈되고 몸을 지나치게 혹사하면 망가지게 된다. 그 결과 몸과 마음이 갈라서면 삶이 마감된다. 죽으면 다시 살아날 수 없고 갈라서면 다시 돌아오게 할 수 없다. 그래서 성인은 생명을 중시한다. 이렇게 본다면 마음은 삶의 근본이고 몸은 삶의 도구이다. 우선적으로 이 몸과 마음을 안정시키지 못하면서 "나는 세상을 통치할 수 있다."라고 말한다면 도대체 무슨 방법으로 그럴 수 있겠는가!   - 사마천, 「사기」 -

자료 분석 | 도교의 내단(內丹)은 인간의 정신과 육체를 수련하는 방식인데, 이를 성명쌍수(性命雙修)라고 한다. 여기에서 성(性)은 마음을 말하고 명(命)은 육체를 말한다. 도교는 마음과 육체가 서로 밀접하게 영향을 주고받는다고 보아 건강하지 못한 몸에 건전한 정신이 깃들 수 없다고 보았다.

자료 06 우리나라 전통 사상의 도가·도교적 요소

나라에 현묘한 도가 있으니 그것을 풍류(風流)라고 한다. 그 가르침의 근원은 선사(仙史)에 상세히 실려 있으니, 그 내용은 유·불·도의 삼교의 가르침을 포함하고 있어 뭇 사람을 교화한다. 예를 들어, 집에 들어와서는 효도하고, 나라에 나아가서는 충성하는 것은 공자의 취지이고, 무위로써 일을 처리하고 말 없는 가르침을 행하는 것은 노자의 근본 주장이며, 모든 악을 저지르지 않고 모든 선을 받들어 행하는 것은 석가의 교화이다.   - 최치원, 「난랑비서」 -

자료 분석 | 우리나라의 전통 사상에는 도가와 도교가 전래되기 이전의 삼국 시대부터 이미 도가·도교적인 요소가 자리 잡고 있었다. 신라의 사상가 최치원은 「난랑비서」에서 고유의 사상인 풍류 사상에 이미 도가적인 요소가 포함되어 있음을 밝히고 있다.

1 도교 사상은 현세에서 복을 기원하고 불로장생을 목표로 하였다.

(O , X)

2 도교 사상은 주로 지배층의 도덕과 정치 사상으로 발전하였다.

(O , X)

3 태평도와 오두미교는 도덕적인 반성과 선행을 적극적으로 장려하였다.

(O , X)

4 위진 시대의 현학은 도교 사상을 정치적으로 해석하여 현실 문제를 적극적으로 개혁하고자 노력하였다.

(O , X)

5 「난랑비서」의 내용에 근거하면 우리나라의 도교는 고려 시대에 전래되어 발전하였다.

(O , X)

6 도교의 양생술은 신체와 정신의 상호 영향이 건강을 결정한다고 보았다.

(O , X)

7 도교는 신선이 되는 단약을 만들기 위해 권선서를 저술하였다.

(O , X)

8 고려 시대에는 도교가 국가 의식 행사에 영향을 줄 정도로 크게 성행하였다.

(O , X)

정답 1 O 2 X 3 O 4 X 5 X
6 O 7 X 8 O

개념 완성

1 도가 사상의 전개

노자	도(道)	• 우주 만물의 근원이나 변화 법칙 • (❶): 사유나 감정으로 무엇을 조작하지 않음 • 천지불인: 하늘과 땅은 어질지 않음
	이상적 경지	• 무위자연: 인위를 행하지 않고 자연 그대로의 질서를 따르는 것 • 상선약수: 최상의 선은 (❷)과 같음 • 성인: 물과 같은 삶을 살아가며 스스로 드러내지 않는 사람
	이상 사회	(❸): 적은 인구가 있는 조그만 국가에서 사람들이 본성에 따라 살 수 있는 사회
장자	도	• 천지 만물의 근원이자 모든 만물에 내재함 • (❹)의 관점에서 만물을 바라보면 평등함
	이상적 경지	• (❺): 도의 관점에서 만물을 평등하게 인식하는 것 • 소요유: 도를 깨달아 시비에 얽매이지 않는 (❻)의 경지
	수양법	• (❼): 조용히 앉아서 인위와 조작을 지우는 훈련 • 심재: 잡념을 없애고 마음을 깨끗이 하는 것

2 도가 사상의 영향

황로학파	• 황제와 노자 숭상 • 유가, 법가, 묵가를 수용하고 무위로 다스림을 주장함
태평도	태평 시대의 도래라는 종교적 이상을 제시함
오두미교	교리를 믿고 선행을 하면 병이 낫는다고 주장함
(❽)	• 형이상학적이고 예술적인 논의를 중시함 • 정신적인 자유를 추구하는 청담 사상을 제시함
도교의 윤리관	• 인간의 선악은 귀신에게 감시되어 화복으로 나타남 • 병을 치유하도록 불선을 회개하는 글을 써서 하늘, 물, 산에 보냄
도교의 생명관	• 양생: 소극적으로는 불사, 적극적으로는 신선을 추구함 • 외단: 장생불사하고 신선이 되는 단약 • (❾): 인간의 정신과 육체를 함께 수련하는 방식
도가·도교의 영향	• 재초가 국가 의례로 거행됨 • 내단과 양생술이 유행함 • 조선 후기에 (❿)가 백성의 윤리 지침서가 됨

정답 ❶ 무위 ❷ 물 ❸ 소국과민 ❹ 도 ❺ 제물 ❻ 정신적 자유 ❼ 좌망 ❽ 현학 ❾ 내단 ❿ 권선서

01 다음 사상가의 입장으로 옳은 것은?

> 대도(大道)가 무너지자 인의가 생겨났고, 크나큰 인위가 있기 때문에 지혜가 나타나고, 육친이 화목하지 못하자 효와 자애가 생겨났고, 나라가 혼란에 빠지자 충신(忠臣)이 나타났다.

① 겸손한 자세로 예의를 실천해야 한다.
② 자연의 흐름에 따라 소박한 삶을 살아야 한다.
③ 분별적 인식을 바탕으로 규율을 정비해야 한다.
④ 법에 의해 통치되는 이상적 공동체를 형성해야 한다.
⑤ 옳은 일을 반복적으로 실천하여 도덕성을 회복해야 한다.

02 다음 사회에 대한 옳은 설명을 〈보기〉에서 고른 것은?

> 나라는 작고 백성은 적다. 열 가지 백 가지 기계가 있으나 쓰이지 않도록 한다. 백성들로 하여금 죽음을 무겁게 여기도록 하여 멀리 옮겨가지 않게 한다. 비록 배와 수레가 있어도 탈 일이 없으며 갑옷과 병기가 있어도 펼칠 일이 없다. 백성들이 다시 노끈을 매어 쓰도록 하고, 자기가 먹는 음식을 달게 여기며, 그 옷을 아름답게 여기고, 그 거처를 편안히 여기며, 그 풍속을 즐기게 한다. 또한 이웃 나라가 서로 바라보이고 닭이 울고 개가 짖는 소리가 서로 들려도 백성들이 늙어 죽을 때까지 서로 왕래할 일이 없다.

┤ 보기 ├
ㄱ. 백성들이 무위와 무욕을 실현하는 사회이다.
ㄴ. 모든 사람이 본성에 따라 편안하게 살아간다.
ㄷ. 정의롭게 정비된 사회 규범이 준수되는 사회이다.
ㄹ. 사회를 위한 최고의 가치로 문화적 발전을 추구한다.

① ㄱ, ㄴ   ② ㄱ, ㄷ   ③ ㄴ, ㄷ
④ ㄴ, ㄹ   ⑤ ㄷ, ㄹ

03 다음 사상가에 대한 옳은 설명을 〈보기〉에서 고른 것은?

> 최상의 선은 물과 같다. 물의 선함은 만물을 이롭게 하지만 다투지 않고, 여러 사람이 싫어하는 낮은 위치에 처한다. 그러므로 도(道)에 가깝다.

┤ 보기 ├

ㄱ. 인위를 가하지 않은 자연스러움을 강조한다.
ㄴ. 겸허(謙虛)와 부쟁(不爭)의 덕을 실천할 것을 강조한다.
ㄷ. 무명(無明)에서 벗어나 참된 진리를 추구해야 한다고 주장한다.
ㄹ. 욕심을 줄이고 선한 본성을 잘 길러서 사단을 확충할 것을 강조한다.

① ㄱ, ㄴ   ② ㄱ, ㄷ   ③ ㄴ, ㄷ
④ ㄴ, ㄹ   ⑤ ㄷ, ㄹ

04 다음 사상가의 입장으로 옳은 것을 〈보기〉에서 고른 것은?

> 오리의 다리가 짧다고 하여 길게 늘여 주어도 괴로움이 따르고, 학의 다리가 길다고 하여 잘라 주어도 아픔이 따른다. 그러므로 본래 긴 것은 자를 것이 아니며, 본래 짧은 것은 늘일 것이 아니다. 두려워하거나 괴로워할 까닭이 없다. 인의가 사람들의 본래적 특성일 수 있겠는가? 인을 갖춘 사람들, 괴로움이 얼마나 많겠는가?

┤ 보기 ├

ㄱ. 만물의 구분은 오직 도(道)에 의해서 가능하다.
ㄴ. 도의 관점에서 만물을 평등하게 인식해야 한다.
ㄷ. 오직 인간의 관점에서 옳고 그름을 판별해야 한다.
ㄹ. 만물은 각기 다르기 때문에 취향이나 관점도 서로 다를 수밖에 없다.

① ㄱ, ㄴ   ② ㄱ, ㄷ   ③ ㄴ, ㄷ
④ ㄴ, ㄹ   ⑤ ㄷ, ㄹ

05 다음 사상가의 입장으로 옳지 않은 것은?

> 도(道)로써 사물을 보면 사물들 사이의 귀천(貴賤)이 없으나, 사물의 관점에서 사물을 보면 자기를 귀하다고 하고 상대편을 천하다고 한다. 만물은 한결같이 평등한 것이니, 어느 것이 못하고 어느 것이 더 나은가?

① 자기중심적 편견에서 벗어나야 한다.
② 옳고 그름에 대한 명확한 기준이 존재한다.
③ 도의 관점에서 만물의 상대성을 인식해야 한다.
④ 도의 관점에서 보면 만물의 우열을 가릴 수 없다.
⑤ 세속의 구속에서 해방되어 물아일체의 삶을 살아가야 한다.

06 다음 사상가에 대한 설명으로 옳지 않은 것은?

> 사람은 가축의 고기를 좋아하고, 사슴은 풀을 좋아하고 지네는 뱀을 좋아하고 까마귀는 쥐의 고기를 좋아한다. 이 넷 가운데에서 누가 제대로 된 음식을 먹는 것인가? 여희는 모든 사람이 인정하는 미녀이다. 그런데 물고기는 그를 보면 물속으로 들어가 버리고 새가 그를 보면 멀리 날아가 버린다. 사슴이 그를 보면 재빨리 도망간다. 누가 진정한 아름다움을 알고 있는가?

① 자기중심적 관점에서 세상 만물을 바라볼 것을 강조한다.
② 인위적 규범이나 제도가 인간의 자유를 구속한다고 주장한다.
③ 자연의 도에 따라 살면서 정신적 자유에 도달할 것을 강조한다.
④ 도의 관점에서 보면 자연 만물이 절대적으로 평등하다고 본다.
⑤ 일체의 대립과 구별에서 벗어나 자연과 하나가 되는 경지를 추구한다.

07 다음 사상가의 입장으로 옳지 <u>않은</u> 것은?

> 만일 나와 네가 논변을 하였고 네가 나를 이겼고 내가 너를 감당하지 못하였다면 너는 진실로 옳은 것인가, 나는 진실로 잘못된 것인가?

① 도의 관점에서는 만물에 우열이 없다.
② 만물은 주관적인 방식으로만 판단된다.
③ 각자 다른 취향이나 관점을 인정해야 한다.
④ 만물은 보편적 진리를 통해서 파악해야 한다.
⑤ 만물을 객관적 기준으로 분별하는 것은 불가능하다.

08 중국 고대 사상가 갑, 을에 대한 옳은 설명을 〈보기〉에서 고른 것은?

> 갑: 배우고자 하면 날마다 늘어나고, 도(道)를 행하고자 하면 날마다 줄어든다. 성인(聖人)은 배우지 않는 것을 배우고, 사람들이 지나쳐 간 곳으로 되돌아간다. 만물이 있는 그대로 있도록 도우며 감히 억지로 하지 않는다.
> 을: 사람들은 아름다운 것을 신기해하고 추한 것을 흉하게 여기지만 흉한 것은 신기한 것이 되고 신기한 것은 흉한 것이 된다. 성인은 만물이 하나임을 통달하여 작위(作爲)가 없다.

| 보기 |

ㄱ. 갑은 겸허의 덕으로 인의(仁義)를 실현해야 함을 강조한다.
ㄴ. 갑은 사유나 감정을 가지고 무엇을 조작하지 않을 것을 강조한다.
ㄷ. 을은 옳고 그름에 대한 객관적인 기준이 필요하다는 점을 강조한다.
ㄹ. 을은 조용히 앉아서 마음을 비우고 고요하게 하는 수양을 강조한다.

① ㄱ, ㄴ   ② ㄱ, ㄷ   ③ ㄴ, ㄷ
④ ㄴ, ㄹ   ⑤ ㄷ, ㄹ

09 갑, 을 모두 긍정의 대답을 할 질문으로 가장 적절한 것은?

> 갑: 인의(仁義)를 실행하여 사람의 마음을 달래려는 것은 타고난 본성을 잃게 하는 것입니다. 도구를 가지고 바로잡으려는 것은 타고난 덕을 해치는 것입니다.
> 을: 지혜를 끊고 지식을 버리면 백성의 이익은 백배나 더할 것이고, 인(仁)을 끊고 의(義)를 버리면 자식은 효도하고 부모는 자애로워지며, 기교를 끊고 이익을 버리면 도둑은 없어진다.

① 인의(仁義)의 덕이 만물을 이롭게 하는가?
② 인간의 감각에 근거하여 진리를 추구해야 하는가?
③ 자연의 이치에 따르는 소박한 삶을 지향해야 하는가?
④ 성현의 가르침을 바탕으로 제도를 정비해야 하는가?
⑤ 지속적인 수양을 통해 타고난 본성을 변화시켜야 하는가?

10 중국 고대 사상가 갑, 을에 대한 설명으로 옳은 것은?

> 갑: 본성을 닦으면 덕(德)으로 돌아가고, 덕이 지극해지면 도(道)와 같아진다. 이것이 곧 텅 빈 허(虛)이고, 마음을 비워 광대함을 포용하면 곧 대자연의 순리와 같아진다.
> 을: 배움은 예(禮)에 지극해지는 경지를 추구해야 한다. 예는 성정(性情)으로 인한 혼란을 바로잡고자 성왕(聖王)들이 제정한 것이다. 군자의 배움은 귀로 들어가 마음에 담기고 소인의 배움은 귀로 들어가 입으로 나온다.

① 갑은 타고난 본성을 극복하기 위해 수양할 것을 강조한다.
② 갑은 하늘과 땅은 인간적인 덕목을 가지지 않는다고 본다.
③ 을은 본성을 잘 보존해 도덕적인 인간이 될 것을 강조한다.
④ 을은 예의 규범이 사회를 혼란하게 만드는 원인이라고 주장한다.
⑤ 갑, 을은 모든 것은 객관적으로 옳고 그름이나 비교를 벗어난 상태라고 본다.

11 그림은 한 학생의 필기 내용이다. ㉠~㉢에 대한 설명으로 옳은 것을 〈보기〉에서 고른 것은?

〈도교 사상의 전개 과정〉
- ㉠ : 전한(前漢) 시대의 사상, 황제(黃帝)와 노자(老子)를 숭상하는 학파
- ㉡ : 후한(後漢) 시대의 사상, 노자를 신격화하였고, 입교자에게 다섯 말의 쌀을 받음
- ㉢ : 위진(魏晉) 시대의 사상, 노장사상을 재해석하였고, 청담(淸談)을 중시함

┤ 보기 ├
ㄱ. ㉠은 무위로써 다스리는 제왕의 통치술을 주장하였다.
ㄴ. ㉡은 규정된 규율을 따르면 병이 낫는다고 주장하였다.
ㄷ. ㉢은 혼란한 사회를 극복하고자 적극적인 노력을 기울였다.
ㄹ. ㉡, ㉢은 백성들의 삶과 괴리된 학문적 경향으로 발전하였다.

① ㄱ, ㄴ   ② ㄱ, ㄷ   ③ ㄴ, ㄷ
④ ㄴ, ㄹ   ⑤ ㄷ, ㄹ

12 다음 동양 사상에 대한 설명으로 옳은 것은?

중국 위진 시대에 나타난 철학 사조로서 도가의 노장사상을 바탕으로 유가의 경서를 해석하며 형이상학적인 철학 논변을 전개하였다. 부패한 현실을 벗어나, 예와 도덕성을 초월한 우주론적 최고 원리의 경지를 토론하는 논변을 즐겼다. 철학적·예술적 사유와 가치를 중시하는 죽림칠현(竹林七賢)이 대표적이다.

① 신선(神仙)이 되기 위해 제왕의 통치술을 강조한다.
② 도덕적 행위와 불로장생(不老長生)이 무관함을 강조한다.
③ 일상 행위에 점수를 매기는 공과격을 통해 선행을 강조한다.
④ 도(道)에 대한 탐구보다 현실 정치에 참여할 것을 강조한다.
⑤ 탈속적 가치와 무(無)의 세계에 대한 청담(淸談)을 강조한다.

13 (가)의 입장에서 (나)에게 제시할 수 있는 견해로 가장 적절한 것은?

(가)	위진 시대 죽림칠현 중 한 사람인 유령(劉伶)은 자유분방한 기인(奇人)이었다. 그는 항상 우주를 작게 여기고 만물을 하나로 여겼으며, 다른 은자(隱者)들과 함께 산림에 들어가 세상일을 잊고 정신적 해방감을 누렸다.
(나)	관직에 나가지 않는 것은 의로운 일이 아니다. 어른과 아이 사이의 예절도 버릴 수 없거늘, 어찌 임금과 신하 간의 의리를 저버릴 수 있겠는가? 자신의 몸만 깨끗이 하려다 보면 큰 인륜(人倫)을 어지럽히게 된다. 군자의 임무는 의리를 행하는 것이다.

① 본성을 변화시켜 인위를 일으켜야 합니다.
② 각자의 사회적 역할을 소홀히 해서는 안 됩니다.
③ 정치적 혼란에서 벗어나 예술에 집중해야 합니다.
④ 선한 본성을 잘 길러서 인의예지를 실천해야 합니다.
⑤ 예라는 객관적 기준에 따라 세상을 다스려야 합니다.

14 그림은 한 학생의 필기 내용이다. ㉠~㉢ 중 옳지 **않은** 것은?

[학습 주제] 중국 도교 사상의 전개와 특징
1. 전한 시대: 황로(黃老)학파
- 황제와 노자의 사상을 숭상함 ·················· ㉠
- 무위(無爲)로써 백성을 다스릴 것을 강조함 ······ ㉡
2. 후한 시대: 오두미교(五斗米敎)
- 도가를 종교적으로 계승함
- 도덕적 선행(善行)에 대한 언급 없이 종교적 의례만을 강조함 ·················· ㉢
3. 위진 시대: 현학(玄學)
- 도가를 철학적으로 계승함 ·················· ㉣
- 세속을 초월한 청담(淸談)을 중시함 ·················· ㉤

① ㉠   ② ㉡   ③ ㉢   ④ ㉣   ⑤ ㉤

15 다음 사상가가 사회 혼란의 원인과 극복을 위해 제시한 개념에 관해 서술하시오.

> 대도(大道)가 사라지면 인(仁)과 의(義)와 같은 것이 나서고, 지략(智略)이니 지모(智謀)니 하는 것이 설치면 엄청난 위선이 만연한다. 가족 관계가 조화롭지 못하면 효(孝)나 자애[慈]와 같은 것이 나서고, 나라가 어지러워지면 충신이 생겨난다.

16 ㉠에 들어갈 수양 방법을 **두 가지** 쓰고, 구체적인 내용을 서술하시오

> 동양의 사상가 장자에 따르면 절대적인 도의 관점에서 사물을 인식할 때, 만물의 소중함과 평등함을 깨우치고 자연의 도에 따라 살아갈 수 있다. 이러한 정신적 자유의 경지를 소요라고 한다. 장자는 이상적 경지에 이르기 위한 수양 방법으로 ㉠ 을/를 제시하였다.

17 (가) 사상가의 입장에서 (나)의 상황에 대해 할 수 있는 조언을 서술하시오.

(가)	바다에 사는 새가 노나라로 날아왔다. 노나라 임금이 이 새를 귀하게 여겨 종묘에 살게 하였고, 아름다운 음악을 연주하여 즐겁게 해 주고 훌륭한 음식을 제공하였다. 하지만 새는 흐릿한 눈빛으로 슬퍼하였다. 고기 한 점도 먹지 않고 술 한 잔도 마시지 않더니 사흘 만에 죽어 버렸다. 이것은 인간이 새의 방식으로 새를 봉양하지 않고 인간의 방식으로 봉양하였기 때문이다.
(나)	세계화 시대의 도래는 많은 외국인과의 교류를 빈번하게 만들었다. 세계 각국의 외국인을 주변에서 쉽게 접하게 되는데, 대체로 선진국으로 여겨지는 유럽이나 북미의 백인에게는 호의적인 태도로 대하지만 동남아, 아프리카 등에서 온 유색 인종을 대하는 태도는 유럽이나 북미의 백인을 대할 때의 태도와 사뭇 다름을 느낄 수 있다.

18 다음과 관련해 도교에서 바라보는 마음과 육체의 관계를 서술하시오.

> 대체로 보면 사람이 살아가는 것은 마음 때문이며 삶이 의지하고 있는 것은 몸이다. 마음을 지나치게 사용하면 고갈되고 몸을 지나치게 혹사하면 망가지게 된다. 그 결과 몸과 마음이 갈라서면 삶이 마감된다. 죽으면 다시 살아날 수 없고 갈라서면 다시 돌아오게 할 수 없다. 그래서 성인은 생명을 중시한다. 이렇게 본다면 마음은 삶의 근본이고 몸은 삶의 도구이다.

딱풀 p. 19

| 교육청 기출 |

01 다음을 주장한 고대 동양 사상가의 입장으로 옳은 것은?

> 도(道)란 언제나 이름도 없고 자연 그대로 순박하며, 비록 작게 보이지만 천하에 그것을 지배할 수 있는 것은 없다. 만약 통치자가 도를 잘 지킨다면 만물이 스스로 통치자를 따를 것이며, 백성은 아무 명령이 없어도 스스로 다스려지게 될 것이다.

① 도는 감각적으로 경험되지 않으나 언어로 온전히 규정된다.
② 도가 천하에 행해지면 인의를 갖춘 현자(賢者)가 숭상된다.
③ 도를 인륜의 근본으로 삼아 예법(禮法)을 발달시켜야 한다.
④ 도에 따라 살기 위해 마음을 비우고 고요하게〔虛靜〕해야 한다.
⑤ 도를 체득해야만 자신의 본성을 교정하여 선을 이룰 수 있다.

| 교육청 기출 |

02 다음 고대 중국 사상가의 입장에만 모두 'V'를 표시한 학생은?

> • 상덕(德)은 덕이라고 하지 않기에 덕이 있고, 하덕(下德)은 덕을 잃지 않으려고 하기에 덕이 없다. 상덕은 무위(無爲)이므로 작위가 없으며, 하덕은 유위(有爲)이므로 작위가 있다.
> • 예(禮)는 진실함과 믿음〔忠信〕이 희박해진 것으로 세상을 분란케 하는 시초이다. 이에 대장부(大丈夫)는 중후한 곳〔上德〕에 처하지, 천박한 곳〔下德〕에 처하지 않는다.

입장＼학생	갑	을	병	정	무
도(道)에 따르는 삶을 추구해야 한다.	✔	✔		✔	
겸허(謙虛)의 자세로 다투지 않아야 한다.	✔			✔	✔
상덕을 바탕으로 소박한 삶을 살아야 한다.			✔	✔	✔
집의(集義)를 통해 호연지기를 길러야 한다.		✔	✔		✔

① 갑　② 을　③ 병　④ 정　⑤ 무

| 평가원 기출 |

03 갑, 을은 고대 중국 사상가들이다. 갑의 입장에 비해 을의 입장이 갖는 상대적 특징을 그림의 ㉠~㉤ 중에서 고른 것은?

> 갑: 가장 훌륭한 지도자는 사람들에게 그 존재 정도만 알려져 있다. 그다음은 사람들이 가까이하고 칭찬하며, 그다음은 사람들이 두려워한다. 성인(聖人)은 무위(無爲)하지만 다스리지 못하는 것이 없다.
> 을: 가장 훌륭한 도(道)가 행해지면 천하는 모두의 것〔公〕이 된다. 현명한 사람을 지도자로 뽑고 유능한 자에게 관직을 주며 신의와 화목을 가르친다. 홀아비와 과부, 고아와 홀로 남은 노인이 모두 보살핌을 받는다.

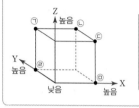

> • X: 인륜과 도덕의 중요성을 강조하는 정도
> • Y: 규모가 작은 정치 공동체를 지향하는 정도
> • Z: 지도자의 적극적 역할(有爲)을 강조하는 정도

① ㉠　② ㉡　③ ㉢　④ ㉣　⑤ ㉤

| 교육청 기출 |

04 다음을 주장한 고대 동양 사상가의 입장으로 옳지 않은 것은?

> 개별적 존재〔物〕의 관점에서 보면 자기는 귀하고 남은 천하다. 도(道)의 관점에서 보면 만물에 귀천은 없다. 어떤 존재가 다른 존재보다 크기 때문에 크다고 한다면 만물 중에 크지 않은 것이 없고, 어떤 존재가 다른 존재보다 작기 때문에 작다고 한다면 만물 중에 작지 않은 것이 없다. 도의 관점에서 만물을 본다면, 무엇이 크고 무엇이 작겠는가?

① 만물의 타고난 모습을 있는 그대로 받아들여야 한다.
② 자연의 이치에 따르기 위해 분별적 지혜를 쌓아야 한다.
③ 오감(五感)을 통한 앎은 참된 앎이 아님을 깨달아야 한다.
④ 만물은 가치의 측면에서 평등함〔萬物齊同〕을 알아야 한다.
⑤ 외물(外物)에 얽매이지 말고 정신적 자유를 추구해야 한다.

| 교육청 기출 |

05 고대 동양 사상가 갑, 을의 입장에 대한 옳은 설명만을 〈보기〉에서 있는 대로 고른 것은?

> 갑: 으뜸가는 선(善)은 물과 같다. 성인(聖人)은 만물을 이롭게 하고 다투는 일이 없으며 모두가 싫어하는 낮은 곳에 처한다. 성인의 다스림은 백성들의 마음을 비우고 배를 든든하게 한다.
> 을: 도(道)는 오로지 빈[虛] 곳에만 모이는 것이니 이렇게 마음을 비움이 심재(心齋)이다. 성인의 다스림은 밖을 다스리는 것이 아니라 자기를 바르게 한 후에 행동하는 것에 그친다.

▮ 보기 ▮
> ㄱ. 갑은 통치자가 갖추어야 할 무위(無爲)의 덕을 강조한다.
> ㄴ. 을은 분별적 지식을 얻는 수행으로서 좌망(坐忘)을 강조한다.
> ㄷ. 을은 성인의 다스림을 통한 자연적 본성[性]의 교화를 강조한다.
> ㄹ. 갑, 을은 인위(人爲)를 거부하며 자연에 순응하는 삶을 강조한다.

① ㄱ, ㄴ ② ㄱ, ㄹ ③ ㄴ, ㄷ
④ ㄱ, ㄷ, ㄹ ⑤ ㄴ, ㄷ, ㄹ

| 평가원 기출 |

06 다음 고대 중국 사상가가 긍정의 대답을 할 질문으로 옳은 것은?

> 성인(聖人)은 아무런 속박이 없이 자연에 노닌다. 지식을 재앙의 근원으로 여기고, 예의 규범을 몸을 얽매는 갖풀[膠]로 여기며, 도덕을 교제의 수단으로 여기고, 기교를 장사하는 솜씨로 여긴다. 성인은 모략하지 않으니 어찌 지식이 필요하고, 깎고 다듬지 않으니 어찌 갖풀이 필요하겠는가!

① 무명(無明)에서 비롯되는 윤회의 굴레에서 벗어나야 하는가?
② 성인의 도를 구현하기 위해 도덕적 규범을 실천해야 하는가?
③ 의(義)를 쌓아 자연과 하나되는 호연지기를 길러야 하는가?
④ 시비와 선악을 모두 초월하여 마음을 깨끗이 비워야 하는가?
⑤ 백성의 악한 본성을 변화시키기 위해 인과 예를 가르쳐야 하는가?

| 평가원 기출 |

07 다음 고대 동양 사상가의 입장으로 옳은 것은?

> 성인(聖人)은 이름과 지혜를 얻으려는 마음을 버리고, 독단과 교묘함도 버린다. 자연의 도(道)를 깨달아 고요한 경지에서 노닐고 자연의 본성을 받아들인다. 또한 스스로 자랑하는 일조차도 삼가게 될 때 공명(空明)*의 마음 상태에 이른다.
>
> *공명: 고요한 물에 비친 달의 그림자

① 도덕규범에 따라 자연에 순응하는 삶을 추구해야 한다.
② 타고난 본성을 극복하기 위해 지속적인 수양이 필요하다.
③ 도의 관점에서 보면 분별적 관념들은 상대적인 것에 불과하다.
④ 예(禮)로써 외물에 얽매이지 않는 자세를 확립해야 한다.
⑤ 절대 자유의 경지를 위해 시비(是非)의 판단이 필요하다.

| 평가원 기출 |

08 고대 동양 사상가 갑, 을의 입장으로 옳은 것은?

> 갑: 지인(至人)은 기(氣)의 변화에 얽매이지 않고 어떤 것에도 거리낌이 없다. 그의 마음 씀은 거울과 같아서 보내지도 않고 맞이하지도 않는다. 응대하되 마음에 두지 않는다. 그리하여 사물과의 대립을 이겨 내고 상처받지 않는다.
> 을: 성인(聖人)은 백성들로 하여금 교활한 지식과 말재간을 버리도록 하여 그들의 이로움을 크게 늘린다. 또한 인의(仁義)를 버리도록 하여 효도와 자애를 회복하도록 한다. 그리고 교묘한 재능을 버리도록 하여 세상에서 도적이 사라지게 한다.

① 갑: 마음을 깨끗이 비워 절대 자유를 누려야 한다.
② 갑: 절대적 기준에 따라 선악미추를 명확하게 구분해야 한다.
③ 을: 도는 감각으로 경험할 수 없지만 언어로 규정할 수는 있다.
④ 을: 백성을 다스리는 제도와 규범이 생겨나 도와 덕이 이루어졌다.
⑤ 갑, 을: 성인은 예법(禮法)을 제정하여 무위로 다스려야 한다.

| 수능 응용 |

09 갑은 긍정, 을은 부정의 대답을 할 질문으로 옳은 것은?

> 갑: 해와 달은 본래부터 밝고, 수목은 본래부터 서서 자란
> 다. 자연의 덕을 본받아 행하고, 자연의 도(道)를 따르
> 기만 하면 되지 애써 인의를 내세울 필요가 없다.
> 을: 선비[士]가 거처해야 할 곳은 인(仁)이며, 선비가
> 걸어야 할 길은 다름 아닌 의(義)이다. 인에 거처하
> 고 의를 따르면, 대인(大人)의 일이 갖추어진다.

① 언어[言]로 도에 이를 수 있고 인위로 인의를 형성할 수
있는가?

② 이상적 경지에 이르기 위해 누구나 따라야 할 도가 존
재하는가?

③ 도를 행하면 분별적 지식이 늘어나고 타고난 덕성이
함양되는가?

④ 도의 관점에서 사물을 바라보고 선악을 명확히 구분
해야 하는가?

⑤ 인의는 인간 본성을 어지럽히고 예(禮)는 세상을 혼란
하게 하는가?

| 수능 기출 |

10 고대 중국 사상가 갑, 을의 입장으로 옳지 <u>않은</u> 것은?

> 갑: 그림쇠는 동그라미, 곱자는 네모꼴, 먹줄은 곧음, 저
> 울은 공평함의 표준이듯 예(禮)란 올바른 도(道)의
> 기준이다. 군자는 스승과 법도[師法]를 따르고 예
> 의를 실천하는 자이며 소인은 본성을 좇아 멋대로
> 행동하고 예의를 어기는 자이다.
> 을: 동그라미를 그리는 그림쇠, 네모꼴을 만드는 곱자,
> 직선을 긋는 먹줄을 빌려 사물을 정해진 규격대로
> 만드는 것은 본성을 해친다. 예악에 따라 몸을 굽히
> 고 인의(仁義)를 좇아 사람들의 마음을 위로하는 것
> 은 본래의 모습을 잃게 한다.

① 갑: 예를 기준으로 신분에 관계없이 재화를 균등하게
분배해야 한다.

② 갑: 조화로운 사회를 위하여 구성원 각자가 직분에 충
실해야 한다.

③ 을: 인의를 벗어나 자연에 순응하며 타고난 본성을 회
복해야 한다.

④ 을: 사회 혼란을 일으키고 본성을 해치는 예악을 거부
해야 한다.

⑤ 갑, 을: 성(性)을 인위적으로 가공되지 않은 상태로 보
아야 한다.

| 수능 기출 |

11 (가)의 고대 동양 사상가 갑, 을의 입장을 (나) 그림으로 표현할
때, A~C에 해당하는 적절한 진술만을 〈보기〉에서 있는 대로
고른 것은?

(가)	갑: 죽음은 부스럼이 사라지거나 종기가 터지는 것과 같고, 삶은 몸에 군살이 붙거나 혹이 달리는 것과 같다. 진인(眞人)은 구속하는 모든 것을 잊은 채 속 세를 벗어나 한가롭게 무위(無爲)의 경지에서 자유 로이 노닌다. 을: 죽음은 홍수가 잠든 마을을 휩쓸어 가듯 감각적 쾌 락에 집착하는 이들을 휩쓸어 간다. 오온(五蘊)의 결합인 몸이 아지랑이처럼 무상(無常)한 것임을 알 고 몸에 대한 애착을 제거하면 죽음을 벗어나 열반 (涅槃)에 이른다.

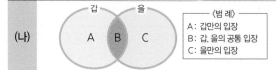

(나)

| 보기 |

ㄱ. A: 삶과 죽음은 기(氣)가 모이고 흩어지는 자연스러
운 과정이다.

ㄴ. B: 자연의 순리대로 삶을 기뻐하고 죽음을 슬퍼해야
한다.

ㄷ. B: 현세의 삶에서 쌓은 업(業)에 의해 내세의 삶이
결정된다.

ㄹ. C: 삶과 죽음은 무명(無明)으로 인해 끝없이 순환하
는 것이다.

① ㄱ, ㄴ　　　② ㄱ, ㄹ　　　③ ㄴ, ㄷ
④ ㄱ, ㄴ, ㄷ　　　⑤ ㄴ, ㄷ, ㄹ

| 평가원 응용 |

12 다음 동양 사상의 입장만을 〈보기〉에서 있는 대로 고른 것은?

> 몸을 혹사하면 기(氣)가 흐트러지고, 기가 고갈되면
> 목숨이 다한다. 그러므로 선인(仙人)은 약물과 수련법
> 으로 생명을 기르고 정신을 단련하여, 몸에 병이 생기지
> 않고 근심거리가 침범치 못하게 한다.

| 보기 |

ㄱ. 육체와 관계없이 정신을 독립적으로 수양해야 한다.

ㄴ. 양생(養生)을 위해 정신 수련과 의약 연구가 필요하다.

ㄷ. 몸 안의 기를 단련하면 수명 연장을 도모할 수 있다.

ㄹ. 도에 이르기 위해 자연의 이치에 따라서 살아야 한다.

① ㄱ, ㄴ　　　② ㄱ, ㄷ　　　③ ㄷ, ㄹ
④ ㄱ, ㄴ, ㄹ　　　⑤ ㄴ, ㄷ, ㄹ

06 한국과 동양 윤리 사상의 의의

1 한국 전통 윤리 사상의 근대적 지향성

1. 실학과 강화학파

(1) 실학 〔자료 01〕

등장 배경	임진왜란과 병자호란 이후 사회적 혼란이 가중되고 성리학의 한계가 드러남 ➡ 사회와 삶의 실제 문제를 해결하고자 등장함
특징	• 청나라의 고증학과 서양의 학문을 비판적으로 수용함 • 자연을 도덕과 결부된 대상이 아닌 물리적이고 객관적인 대상으로 파악하는 경향이 등장함 • 우리의 역사, 지리, 문화, 군사, 언어, 풍속 등에 대한 독자적 탐구를 전개함 • 경세치용, 이용후생, 실사구시❶
영향	토지 개혁, 상공업 진흥, 신분제 개혁 등의 주장으로 이어져 개화사상가들에게 전통이 계승됨

(2) 강화학파 〔자료 02〕

등장 배경	성리학에 치우친 사상적 분위기 속에서 정제두가 왕수인의 주장을 받아들여 독자적인 사상을 수립함 └ 양명학은 한동안 주요 성리학자들에 의해 이단으로 배척되었으나 조선 후기에 이르러 새로운 사상적 흐름을 형성하였다.
특징	• 인간을 도덕적 주체로 여겨 내면에 충실하고 참된 자아를 각성할 것과 생활 속에서 도덕을 실천할 것을 강조함 • 양명학을 뿌리로 불교, 도교 등 다른 사상에도 관심을 두는 개방적인 학문 태도를 보임
영향	국학❷ 진흥에 힘썼던 여러 민족주의 학자들의 사상에 영향을 줌

2. 근대 격변기의 사상과 신흥 민족 종교

(1) 위정척사 〔자료 03〕

① 바른 가르침인 유교를 지키고, 그릇된 가르침인 서양 문물과 천주교를 물리쳐야 한다는 주장

② 내적으로는 군주와 집권 관료층의 수양을 강조하고 외적으로는 척양과 척왜❸를 주장함

③ 주체성을 지키려는 의식과 절의를 강조하는 선비 정신의 표출 ➡ 상소 운동, 의병 활동으로 이어짐
└ 절개와 의리를 이르는 말

(2) 개화사상

① 급진적 개화론 절대 군주제를 개혁하고 새로운 정부를 구성할 것을 주장함

② 온건적 개화론(동도서기론) 유교의 질서〔東道〕를 지키면서 서양의 우수한 과학 문명〔西器〕을 받아들일 것을 주장함 〔자료 03〕

③ 일제의 국권 침탈 이후 국권 회복과 실력 양성을 추진하는 애국 계몽 운동으로 이어짐

(3) 신흥 종교

동학	• '나라를 돕고 백성을 편안하게 한다.'라는 보국안민(輔國安民)을 목표로 최제우가 창시함 • 백성들에게 '새로운 세상이 반드시 올 것'이라는 후천 개벽(後天開闢)❹의 희망을 심어 줌 • 시천주(侍天主): 사람은 모두 한울님을 모시고 있다. • 사인여천(事人如天): 사람을 하늘처럼 섬겨라. • 인내천(人乃天): 사람이 곧 하늘이다. • 오심즉여심(吾心卽汝心): 내 마음이 곧 네 마음이다.
증산교	• 강일순이 무속 신앙과 유·불·도 사상을 새롭게 해석해 창시한 민족 종교 • 원한을 풀어버리고 함께 살아가는 해원상생(解冤相生)과 보은(報恩) 사상을 제시함
원불교	• 박중빈이 창시한 종교로, 일상생활 속에서의 수행을 통한 깨달음을 강조함 • 만물의 근원을 상징하는 일원상(一圓相)을 신앙의 대상으로 삼았으며, 보은, 평등, 불공을 강조함

곁주

❶ 실학의 특징
• 경세치용: 세상을 다스리는 데 실익을 증진하는 학문을 하자는 주장
• 이용후생: 이용은 경제적 풍요, 후생은 사회 복지로, 이용후생에 힘써야 백성의 덕을 이룰 수 있다는 주장
• 실사구시: 사실에 근거해 진리를 탐구하는 태도

❷ 국학
나라의 고유한 역사, 풍속, 신앙, 제도 예술 등을 연구하는 학문

❸ 척양과 척왜
서양과 일본의 문물이나 세력 따위를 거부하여 물리침

고득점을 위한 셀파 Tip | 비교

| 위정척사와 개화사상 |

위정척사	개화사상
• 정통 성리학자 • 서양 문화 및 열강의 침략 배척	• 개화파 • 급진: 새로운 국가 질서 수립 • 온건: 동도서기

❹ 후천 개벽 사상
불평등, 부조리 등이 가득한 낡고 어두운 선천(先天) 세계가 끝나고, 평등, 정의 등이 구현되어 살기 좋은 세상인 후천(後天) 세계가 도래한다는 사상이다. 개벽(開闢)은 동양 고대로부터 어지러운 세상이 뒤집혀 다시 평화로워진다고 할 때 쓰여 온 개념이다.

 **셀파 자료 탐구**

자료 01 실학자 홍대용의 직업관

우리나라는 본래부터 명분(名分)을 중히 여겼다. 양반들은 아무리 심한 곤란과 굶주림을 겪더라도 팔짱 끼고 편하게 앉아 농사를 짓지 않았다. 그들은 쓸모 있는 일에 힘쓰고 몸소 천한 일을 달갑게 여기는 자가 있다면 나무라고 비웃으며 노예처럼 무시하니, 노는 백성은 많아지고 생산하는 자는 줄어든다. 그러므로 재물이 어찌 궁하지 않을 수 있으며, 백성이 어찌 가난하지 않을 수 있겠는가? 따라서 사농공상에 관계없이 놀고먹는 자에 대해서는 관(官)에서 벌칙을 마련하여 세상에 용납할 수 없도록 하여야 한다. 재능과 학식이 있다면 비록 농부나 상인의 자식이 관직에 들어가 앉더라도 분수에 넘칠 것이 없고, 재능과 학식이 없다면 비록 관리의 자식이 하인으로 돌아간다 할지라도 한탄할 것이 없다. 위와 아래가 힘을 다하여 함께 그 직분을 부지런하고 게으름을 알려 상벌을 베풀어야 한다.

– 홍대용, 「담헌서」 –

자료 분석 | 실학자인 홍대용은 백성들의 삶을 윤택하게 하기 위해 먼저 노동을 비천하게 생각하는 의식이 변화되어야 하고, 각 개인의 재능에 따라 누구든지 직업을 가져야 한다고 주장하였다. 이러한 홍대용의 주장에는 직업적 서열만을 중시하던 당시 현실에 대한 비판 정신과 개혁 의지가 담겨 있다.

자료 02 정제두와 강화학파

천리(天理)의 바름이 사물에 있다고 여겨 그것에서 천리를 구할 수 있겠는가? 사물에 이(理)가 정해져 있는 것이 아니고, 사람이 사물을 연구해서 이를 얻을 수 있는 것도 아니다. 사물에 따라 각각 결정하고 때에 맞게 사물을 처리하는 것은 오직 내 마음에 있는데, 어찌 내 마음 바깥에 있다고 여겨 따로 이치를 구하려 하는가?

– 정제두 「하곡집」 –

자료 분석 | 정제두는 양명학을 중심으로 하는 독자적인 학문 체계를 이룩하였다. 그는 심즉리설을 바탕으로 선한 삶의 근거를 자신의 내면, 즉 양지에서 찾고자 하였다. 정제두의 학문을 계승한 강화학파는 심즉리설을 바탕으로 주체로서의 참된 자아에 대한 각성과 생활 속의 실천을 중시하였다. 특히 인식 주체로서의 '나'가 바로 도덕 문제의 판단 기준이라고 주장하면서, 참다운 마음의 이치를 알고 이를 실천할 것을 강조하였다.

자료 03 위정척사와 동도서기

(가) 저들의 물건은 손으로 생산하는 것이므로 날마다 계산해도 남음이 있지만, 우리의 물건들은 백성들의 생명이 달린 것이고, 땅에서 생산되는 것이므로 양이 한정되어 있습니다. 부족한 것으로 남는 물건과 바꾸는데 우리가 어떻게 곤란을 겪지 않을 수 있겠습니까?

– 이항로, 「화서문집」 –

(나) 동서고금을 막론하고 바꿀 수 없는 것은 도(道)이고 수시로 바뀌어 고정적일 수 없는 것은 기(器)이다. …… 대개 동양인들은 형이상[道]에 밝은 반면, 서양인들은 형이하[器]에 밝다. 동양의 도로써 서양의 기를 행한다면 지구의 오대주는 평정할 것도 없다.

– 신기선, 「농정신편」 –

자료 분석 | (가)는 위정척사 사상, (나)는 동도서기론이다. 위정척사는 성리학에 바탕을 둔 유교적 질서를 지키고 서양의 종교와 문물을 배척해야 한다는 주장이다. 즉 서구 열강의 침략 상황에서 유교적 인륜과 의리 정신을 고수하겠다는 입장이다. 반면, 동도서기론은 유교적 질서(東道)를 지키는 가운데 서양의 과학 기술(西器)을 수용하자는 주장이다.

1 실학은 성리학의 이론 체계를 계승하고 더욱 심화하였다.　(○ , ×)

2 강화학파는 '나'가 도덕 문제의 판단 기준이라고 주장한다.　(○ , ×)

3 정제두는 주희의 사상을 받아들여 학문 체계를 이룩하였다.　(○ , ×)

4 위정척사 사상에서는 동양의 도와 서양의 기가 둘이 아님을 주장한다.　(○ , ×)

5 위정척사 사상에서는 성리학적 가치를 기반으로 사회 질서 유지를 도모해야 한다고 주장한다.　(○ , ×)

6 동도서기론에서는 백성을 이롭게 하는 서양의 과학 기술의 수용을 주장한다.　(○ , ×)

7 동학은 보국안민을 목표로 최제우가 창시하였다.　(○ , ×)

8 증산교는 무속과 유·불·도를 독자적으로 해석하여 사상을 발전시켰다.　(○ , ×)

9 원불교는 일상생활에서의 깨달음을 중시한다.　(○ , ×)

정답　1 ×　2 ○　3 ×　4 ×　5 ○
　　　6 ○　7 ○　8 ○　9 ○

2 동양의 이상적 인간상과 시민

1. 현대 사회의 윤리적 상황
(1) **현대 사회의 윤리적 문제** 도덕성 상실, 황금 만능주의, 사회 갈등 등 다양한 문제가 있음
(2) **현대 사회의 시민** 경제적 가치에 대한 관심이 높고, 남에게 해를 끼치지 않는 최소 도덕을 지키는 것에 만족하며, 상호 경쟁적인 경향이 있음

2. 동양의 이상적 인간상의 특징
(1) 특징

유교의 군자 자료 04	• 이익을 추구하는 것을 넘어서 올바른 의리를 실천하는 데 힘씀 • 스스로 덕을 닦고 타인을 배려하며 살기 좋은 사회와 나라를 위해 헌신함 • 인의예지의 덕을 갖추고 사회 속에서 자신의 도덕적 책임을 자각하여 좋은 공동체를 만들고자 노력함 ➡ 대동 사회⑤를 추구함
불교의 보살 자료 05	• 대승 불교의 이상적 인간상 • 위로는 깨달음의 지혜를 구하고 아래로는 중생을 교화하고 구제하면서 부처가 되기를 추구함 ➡ 고통스러운 현실 세계에서 수행을 통해 지혜를 깨닫고자 노력하면서 중생의 어려움을 돕고자 헌신하는 존재 • 타인에게 조건 없이 베풀며 함께 잘 사는 공동체를 만들고자 노력함
도가의 이상적 인간 자료 06	• 성인(聖人), 지인(至人), 신인(神人), 진인(眞人) 등 • 자연의 도를 따르는 삶을 추구함 • 인위적으로 행동하지 않고 자연스럽게 사는 무위의 삶을 지향함 • 물질적 가치에 집착하지 않고, 정신적 자유를 누리면서 만물을 차별하지 않고 대하며, 조화로운 삶을 추구함

(2) **공통점과 차이점**

공통점	• 높은 이상을 추구함 • 자아 완성을 위해 덕과 지혜를 닦으며 수양에 힘씀 • 더 나은 공동체 형성을 위해 노력하고, 정신적·도덕적 가치를 중시함
차이점	• 유교: 자신을 먼저 수양하고, 가정을 가지런히 하며, 나아가 국가를 바르게 하고자 함 • 불교: 가정과 국가의 한계를 넘어서 두루 자비를 베풀고자 함 • 도가: 다른 생명체에 대한 간섭을 줄여서 만물이 각자 자신의 본성에 따라 살아갈 수 있도록 함

3. 동양의 이상적 인간상의 현대적 의미
(1) **정신적·윤리적 가치 추구**
① 경제적 가치보다 인격적 가치를 중시함
② 최소 도덕에 만족하지 않고 높은 도덕적 이상을 추구함
(2) **조화로운 삶 지향**
① 경쟁만을 추구하지 않고 서로 공존하는 이상적 공동체를 추구함
② 군자의 화이부동(和而不同), 보살의 중도(中道), 지인·진인의 자연과의 조화 지향 등에서 알 수 있음
(3) **생명 존중 정신**
① 인간뿐만 아니라 모든 생명을 아끼고 배려하는 정신을 지님
② 군자의 불인인지심, 보살의 자비심, 지인·진인의 만물제동⑥ 등에서 알 수 있음
(4) **자기 수양의 필요성**
① 초월적 존재의 도움 없이 스스로의 노력을 통해 이상적 인간에 이를 수 있음
② 부단한 자기 수양과 성찰을 통해 더 바람직한 삶을 살도록 함

⑤ **대동 사회**
유교의 이상 사회로, 이상적인 성인(聖人)이 나라를 다스리고, 모든 사람이 가족 같은 관계를 맺으며, 자기 이익만을 위해 재물을 사용하지 않는 사회

⑥ **만물제동(萬物齊同)**
도(道)의 관점에서 보면 만물은 모두 같다는 뜻으로, 선악, 시비, 미추, 귀천 등의 상대적 차별과 대립을 넘어선 경지이다.

고득점을 위한 셀파 Tip 개념

| 이상적 인간상이 제시한 시민의 덕목 |

구분	덕목
유교	청렴과 절의
불교	공감과 배려
도가	평등과 정신적 자유

자료 04 군자와 소인의 차이점

- 군자는 마음이 평온하고 너그럽고, 소인은 마음이 항상 근심으로 조마조마하다.
- 군자는 태연하면서도 교만하지 않고, 소인은 교만하면서도 태연하지 않다.

– 「논어」 –

자료 분석 | 군자는 유교의 이상적 인간상이다. 공자는 "군자가 인(仁)을 떠난다면 어디에서 이름을 이루겠는가?"라고 하며 군자는 언제 어디서나 인을 실천해야 할 것을 강조한다. 또한 군자는 "의리에 밝고 소인은 이익에 밝다."라고 하며 군자는 이익을 추구하는 것을 넘어서 올바른 의리를 실천하는 데 힘써야 한다고 본다.

자료 05 자비를 실천하는 보살

이후로 백천만억겁 동안에 죄의 업보로 고통받는 일체 중생을 제도하여 지옥·축생·아귀 등에서 벗어나게 하고, 일체 중생이 모두 성불한 뒤에야 제가 바야흐로 깨달음을 이루겠습니다.

– 「지장경」 –

자료 분석 | 업보란 모든 운명은 자신이 전생부터 쌓은 업에 의해 결정된다는 불교의 사상이다. 지장보살은 전생부터 현생에 이르기까지 자신이 지어 온 죄의 업보 때문에 고통받는 일체 중생을 구제하기 위해 자비를 실천하는 보살이다.

자료 06 장자가 죽음을 대하는 태도

장자의 아내가 죽어 혜시가 문상을 갔다. 그때 장자는 두 다리를 뻗고 앉아 동이를 두드리며 노래를 하고 있었다. 혜시가 말했다. "자네는 아내가 죽었는데 곡은 하지 않고, 동이를 두드리며 노래를 하다니 너무 심하지 않은가?" 장자가 대답했다. "아내가 죽었을 때 나라고 어찌 슬퍼하는 마음이 없었겠나? 하지만 곰곰이 생각해 보니 본래 삶이란 게 없었네. 삶이 없었을 뿐만 아니라 형체도, 기(氣)도 없었던 것이네. 그저 흐릿하고 어두운 곳에 섞여 있다가 그것이 변하여 기가 되고, 형체가 되고, 삶이 되었지. 이제 그것이 다시 변해 죽음이 된 것인데, 이것은 마치 봄, 여름, 가을, 겨울 계절의 흐름과도 같은 일이네. 아내는 지금 저 방에 편안히 누워 있는데, 내가 시끄럽게 울고불고한다는 것은 스스로 운명을 모르는 일이지. 그래서 울기를 그만두었네." – 장자, 「장자」 –

자료 분석 | 도가의 이상적 인간은 부귀나 명예와 같은 세속적 가치로부터 자유롭다. 그래서 물질적 가치에 집착하지 않고, 초연하게 정신적 자유를 누리면서 만물을 차별하지 않고 대하며, 조화로운 삶을 추구한다. 이러한 도가의 이상적 인간이 되기 위해서는 마음을 비우고 고요하게 하는 수양을 통해 인위적 욕심이나 차별적 지식을 버려야 한다.

개념 완성

1 한국 전통 윤리 사상의 근대적 지향성

실학	• 청나라의 (❶　　　　)과 서양의 학문을 비판적으로 수용함 • 자연을 객관적인 대상으로 파악함 • 우리의 역사, 지리, 문화, 언어, 풍속 등에 대한 독자적 탐구를 전개함 • 경세치용, 이용후생, 실사구시
강화학파	• (❷　　　　)을 수용해 독자적인 사상을 수립함 • 인간을 도덕적 주체로 여김 • 생활 속에서 도덕을 실천할 것을 강조함
위정척사	• (❸　　　　)를 지키고 서양 문물과 천주교를 물리쳐야 한다는 주장 • 내적으로 군주와 지배층의 수양, 외적으로 척양과 척왜를 주장함 • 상소 운동, 의병 활동으로 이어짐
개화사상	• 급진적 개화론: 절대 군주제를 개혁하고 새로운 정부를 구성할 것을 주장함 • 온건적 개화론(동도서기론): 유교의 질서를 지키면서 (❹　　　　)의 과학을 수용할 것을 주장함
동학	• 나라를 돕고 백성을 편안하게 한다는 (❺　　　　)을 목표로 함 • 후천 개벽 사상: 평등이 구현된 이상 세계가 도래한다는 사상
증산교	• 무속 신앙과 유·불·도 사상을 재해석함 • 해원상생(解冤相生), 보은(報恩)을 강조함
원불교	• (❻　　　　) 속에서 불교의 가르침을 실천할 것을 중시함 • 일원상을 신앙의 대상으로 삼음 • 보은, 평등, 불공을 강조함

2 동양의 이상적 인간상과 시민

유교의 군자	• 올바른 의리의 실천을 강조함 • 스스로 덕을 닦고 좋은 사회와 나라를 위해 헌신함 • 좋은 공동체를 만들고자 노력함
불교의 보살	• 대승 불교의 이상적 인간상으로, 위로는 깨달음의 지혜를 구하고, 아래로는 (❼　　　　)을 구제함 • 타인에게 조건 없이 베풀며 함께 사는 공동체를 형성하고자 노력함
도가의 이상적 인간	• 자연의 (❽　　　　)를 따르는 삶을 추구함 • 무위의 삶을 지향함 • 정신적 자유를 누리면서 만물을 차별하지 않고 대함
현대적 의미	• 정신적·윤리적 가치를 추구함 • 조화로운 삶을 지향함 • 생명 존중 정신을 강조함 • 자기 수양을 강조함

정답 ❶ 고증학 ❷ 양명학 ❸ 유교 ❹ 서양 ❺ 보국안민 ❻ 일상생활 ❼ 중생 ❽ 도

---

01 다음과 관련된 사상에 대한 설명으로 옳지 **않은** 것은?

> 우리나라는 본래부터 명분(名分)을 중히 여겼다. 양반들은 아무리 심한 곤란과 굶주림을 겪더라도 팔짱 끼고 편하게 앉아 농사를 짓지 않았다. 그들은 쓸모 있는 일에 힘쓰고 몸소 천한 일을 달갑게 여기는 자가 있다면 나무라고 비웃으며 노예처럼 무시하니, 노는 백성은 많아지고 생산하는 자는 줄어든다. 그러므로 재물이 어찌 궁하지 않을 수 있으며, 백성이 어찌 가난하지 않을 수 있겠는가?

① 백성들의 삶과 직결되는 사회 제도의 개혁을 주장하였다.

② 도덕의 근원인 사단과 칠정에 관해 심도 있게 논의하였다.

③ 성리학의 공리공론에만 몰두하던 당시 상황을 반성하였다.

④ 자연을 도덕과 결부된 물리적이고 객관적인 대상으로 보았다.

⑤ 서양의 과학 기술과 종교 사상 등에 개방적인 자세를 보였다.

02 다음 사상가에 대한 옳은 설명을 〈보기〉에서 고른 것은?

> 천리(天理)의 바름이 사물에 있다고 여겨 그것에서 천리를 구할 수 있겠는가? 사물에 이(理)가 정해져 있는 것이 아니고, 사람이 사물을 연구해서 이를 얻을 수 있는 것도 아니다. 사물에 따라 각각 결정하고 때에 맞게 사물을 처리하는 것은 오직 내 마음에 있는데, 어찌 내 마음 바깥에 있다고 여겨 따로 이치를 구하려 하는가.

┤ 보기 ├

ㄱ. 불교나 도교 사상과도 자유롭게 소통하였다.

ㄴ. 사물의 이치를 탐구하여 진리를 구하려 하였다.

ㄷ. 주체로서의 참된 자아에 대한 각성을 강조하였다.

ㄹ. 만물에 선천적으로 이치가 내재되어 있다고 보았다.

① ㄱ, ㄴ　　② ㄱ, ㄷ　　③ ㄴ, ㄷ

④ ㄴ, ㄹ　　⑤ ㄷ, ㄹ

03 다음 사상에 대한 설명으로 옳지 않은 것은?

> 관리들에게 명하여 저잣거리에 있는 양물(洋物)을 거두어 이를 거리에서 불태우게 하고, 이후로 교역하고자 오는 자에 대해서 외구(外寇)와 통교했다는 죄로 다스리면 민심도 자연히 안정될 것이다.

① 제국주의 열강을 물리쳐야 한다고 주장하였다.
② 유교의 절의 정신을 강조하여 항일 의병 운동으로 이어졌다.
③ 유교 사상을 바탕으로 우리의 역사와 문화를 수호하고자 하였다.
④ 정치 개혁을 통해 기존의 국가 질서에 대한 쇄신의 필요성을 강조하였다.
⑤ 서양의 문물과 사조를 사악한 것으로 간주하고 배척의 대상으로 삼았다.

04 다음 사상이 주장하는 내용으로 옳지 않은 것은?

> 신이 보건대 요즘에 유생들이 상소문을 올리는 것이 유행이 되어서 마치 큰 변고나 위급한 화가 당장 이를 것처럼 하고 있습니다. 그 상소의 내용은 '정학을 옹호하고 사교를 배척해야 한다.'라는 내용으로, 이웃 나라와 사귀고 수교하는 것을 문제로 삼고 있습니다. 우리는 예의 바른 풍속을 지켜 오고 있으니, 기계에 관한 기술과 농업 및 수예에 대한 책과 같은 것이 만약 이익이 될 수 있다면 선택하여 행할 것이지 굳이 외국의 것이라고 해서 좋은 것까지 배척할 필요는 없습니다.

① 동양의 정신을 근간으로 현 체제를 유지해야 한다.
② 정신적 가치를 담고 있는 유교 전통을 유지해야 한다.
③ 서양이 비교 우위에 있는 과학과 기술만 수용해야 한다.
④ 현재의 절대 군주제를 개혁하고 새로운 정부를 구성해야 한다.
⑤ 서양의 과학과 기술을 삶을 개선하는 수단으로 활용해야 한다.

05 다음 사상에 대한 옳은 설명을 〈보기〉에서 고른 것은?

> 경천(敬天)함으로써 남을 위해 희생하는 마음, 세상을 위해 의무를 다할 마음이 생긴다. 한울님이 사람을 떠나 별도로 있는 것이 아니니, 사람을 버리고 한울님을 공경한다는 것은 물을 버리고 갈증을 풀려는 것과 같다.

┤ 보기 ├
ㄱ. 원한을 풀면 육체가 영생한다고 보았다.
ㄴ. 평등이 구현된 이상 세계를 추구하였다.
ㄷ. 성리학적 세계관을 통한 외세의 극복을 주장하였다.
ㄹ. 만민평등 사상에 따라 신분 차별이 사라진 사회를 추구하였다.

① ㄱ, ㄴ ② ㄱ, ㄷ ③ ㄴ, ㄷ
④ ㄴ, ㄹ ⑤ ㄷ, ㄹ

06 갑, 을에 대한 설명으로 옳지 않은 것은?

> 갑: 우주의 근본 원리인 일원상(一圓相)의 진리를 신앙의 대상과 수행의 표본으로 삼았다.
> 을: 지상 낙원을 이룩하기 위해서는 모든 사람이 반성과 수행을 통해 해원(解冤)과 상생(相生)을 실현해야 한다.

① 갑은 현세보다 내세의 이상적인 삶을 강조하였다.
② 갑은 종교적 수행과 사회적 실천을 분리하지 않았다.
③ 을은 무속과 유·불·도 사상을 독자적으로 해석해 사상을 발전시켰다.
④ 을은 누구나 은혜를 잊지 말고 갚아가는 정신을 실천해야 함을 강조하였다.
⑤ 갑, 을은 모두 인본주의를 바탕으로 차별 없는 평등 사회를 구현하고자 하였다.

07 ⊙에 대한 설명으로 옳지 **않은** 것은?

> • ⊙ 은/는 마음이 평온하고 너그럽고, 소인은 마음이 항상 근심으로 조마조마하다.
> • ⊙ 은/는 태연하면서도 교만하지 않고, 소인은 교만하면서도 태연하지 않다.

① 언제 어디서나 인(仁)을 실천하고자 노력한다.
② 개인의 이익보다 올바른 의리를 실천하는 데 힘쓴다.
③ 스스로 덕을 닦고 타인을 배려하는 행동을 실천한다.
④ 마음을 비우는 수양을 통해 인위적 욕심과 차별적 지식을 버린다.
⑤ 자신의 도덕적 책임을 자각하고 좋은 공동체를 만들고자 노력한다.

08 다음 사상의 이상적 인간상에 대한 옳은 설명을 〈보기〉에서 고른 것은?

> 일체중생을 아무것도 남지 않는 열반[無餘涅槃]의 세계로 인도하여 완전한 멸도(滅度)에 들게 하리라는 다짐을 해야 한다. 그리고 마땅히 색(色)에 머무는 바 없이 보시해야 한다.

| 보기 |
ㄱ. 중생의 어려움을 돕고자 헌신하는 존재이다.
ㄴ. 자신의 윤리적 성숙을 타인에게 보여 주고자 한다.
ㄷ. 자신의 깨달음뿐만 아니라 중생의 구제를 중시한다.
ㄹ. 수행을 통해 분별적 지식에서 벗어난 자유를 얻고자 한다.

① ㄱ, ㄴ   ② ㄱ, ㄷ   ③ ㄴ, ㄷ
④ ㄴ, ㄹ   ⑤ ㄷ, ㄹ

09 다음 사상의 이상적 인간상에 대한 설명으로 옳지 **않은** 것은?

> 도(道)로써 사물을 보면 사물들 사이의 귀천(貴賤)이 없으나, 사물의 관점에서 사물을 보면 자기를 귀하다고 하고 상대편을 천하다고 한다. …… 만물은 한결같이 평등한 것이니, 어느 것이 못하고 어느 것이 더 나은가?

① 자연의 도를 따르는 삶을 추구한다.
② 부귀와 같은 세속적 가치로부터 자유롭다.
③ 자유를 누리면서 조화로운 삶을 추구한다.
④ 중생의 어려움을 돕고자 헌신하는 존재이다.
⑤ 자기를 내세우지 않고 겸허한 삶을 중시한다.

10 다음을 통해 알 수 있는 동양 사상의 의의로 가장 적절한 것은?

> • 군자는 자신의 생각을 지키면서도 타인과 조화롭게 살아가고자 한다.
> • 보살은 중도(中道)의 깨달음을 추구하며 살아간다.
> • 지인·진인은 자연과 함께하는 삶을 지향한다.

① 부단한 자기 수양을 바탕으로 깨달음을 얻게 한다.
② 조화 정신을 제시하여 사회 갈등 해결에 도움을 준다.
③ 도덕적 사회를 구현하기 위한 제도 정비를 제시해 준다.
④ 정신적·윤리적 가치를 추구하는 삶의 모습을 제시해 준다.
⑤ 인간의 존엄성과 생명의 가치가 실현된 사회를 지향한다.

11 ㉠ 사상의 특징 세 가지를 서술하시오.

> 17세기 후반에 들어와 성리학의 한계를 비판하며 사회와 삶의 실제 문제를 해결하고자 하는 새로운 학문인 ⟨ ㉠ ⟩이/가 대두하였다. 이 학문은 백성의 삶과 직결되는 사회 제도를 개혁할 것을 주장하였고, 청나라를 통해 들어온 서양의 학문과 사상도 비판적으로 받아들였다.

12 (가) 사상의 입장에서 (나)의 문제를 해결하기 위한 방안을 서술하시오.

(가)	사람이 곧 하늘이니 평등하고 차별이 없어야 한다. 사람의 귀천(貴賤)을 분별함은 곧 한울님의 뜻을 어기는 것이다. …… 사람이 오거든 손님이 오셨다 말하지 말고 한울님이 오셨다 말하라. 마음을 떠나 한울님을 생각할 수 없고 사람은 떠나 한울님을 생각할 수 없으니, 사람을 공경하는 것은 멀리하면서 한울님을 공경하는 것은 꽃을 따 버리고 열매가 생기기를 바라는 것과 같다.
(나)	정부의 보고서에 따르면, 북한 이탈 주민의 42.5%, 이주민의 39.0%는 외모나 출신 지역 때문에 차별받은 적이 있다고 응답하였다. 차별당한 영역으로는 채용과 승진, 임금 등의 고용 분야가 가장 많았다. 다음으로 시설 이용, 교육 등의 순이었다. 이들은 자신들에 대한 상당한 수준이 편견이 사회에 퍼져 있다고 인식하였다.

13 갑, 을 사상의 공통점과 차이점을 서술하시오.

> 갑: 혼란한 세상을 구하려면 이단(異端)을 먼저 물리쳐야 하고, 이단을 물리치기 위해서는 정학(正學)을 밝혀야 하며, 정학을 밝히려면 천리와 인욕을 구별해야 한다.
>
> 을: 동양인은 형이상의 도(道)에 밝고 서양인은 형이하의 기(器)에 밝다. 진실로 우리의 도를 잘 행한다면 서양의 기를 행하는 것이 쉬울 것이다.

14 다음을 읽고 물음에 답하시오.

(가)	갑: ⟨ ㉠ ⟩은/는 아우르되 당파(黨派)를 짓지 않으나, 소인은 당파를 지을 뿐 아우르지 않는다. 을: ⟨ ㉡ ⟩은/는 깨달음을 통해 자비의 마음으로 타인을 구제하기 위해 노력한다. 병: ⟨ ㉢ ⟩은/는 세속의 차별 의식에서 벗어나 도(道)의 관점에서 모든 사물을 평등하게 인식한다.
(나)	최근 열린 ○○지역 특수학교 설립 토론회에서 장애인 학생 부모들이 학교 설립 반대 주민들에게 무릎을 꿇고 지지를 호소한 일이 있었다. 이런 현실을 안타까워하는 여론이 들끓고 있지만, 특정 시설이 자기 지역에 들어오는 것을 반대하는 현상은 날이 갈수록 심해지고 있다.

(1) (가)의 ㉠~㉢에 들어갈 이상적 인간상을 쓰시오.

(2) (가)의 ㉡의 입장에서 (나)의 문제를 해결할 수 있는 방안을 서술하시오.

| 평가원 응용 |

01 고대 동양 사상가 갑, 한국 사상가 을의 입장에 대한 옳은 설명을 <보기>에서 고른 것은?

> 갑: 사람은 모두 남에게 차마 하지 못하는 마음[不忍人之心]이 있다. 또한 사람의 마음에는 모두 똑같이 소중하게 여기는 것이 있으니 그것은 이(理)와 의(義)이다.
>
> 을: 사람의 마음에 생생하게 활동하는 이치는 능히 밝게 깨달을 수 있으며 만사에 두루 통할 수 있다. 이에 측은히 여길 수 있고, 사양할 수 있으니 못하는 바가 없다. 이것이 이른바 양지(良知)이며 인(仁)이다.

┤ 보기 ├
- ㄱ. 갑: 본성 실현을 위해 후천적 노력은 필요 없다.
- ㄴ. 을: 자기 자신이 도덕적 앎과 행위의 주체이다.
- ㄷ. 을: 도덕 행위의 기준은 마음 밖에서 찾아야 한다.
- ㄹ. 갑, 을: 인간은 선천적인 도덕 판단 능력을 갖추고 있다.

① ㄱ, ㄴ ② ㄱ, ㄷ ③ ㄴ, ㄷ
④ ㄴ, ㄹ ⑤ ㄷ, ㄹ

| 교육청 기출 |

02 조선 시대 사상가 갑, 을의 입장에 대한 옳은 설명을 <보기>에서 고른 것은?

> 갑: 성(性)은 심(心)이며 생동하는 이치[理]이다. 그 이치 속에는 밝게 깨닫는 능력이 있어 스스로 두루 통하여 어두운 것이 없다. 이것이 본래부터 고유한 덕으로서 곧 양지(良知)이다.
>
> 을: 성(性)은 사람 마음의 기호(嗜好)를 말한다. 이는 채소가 거름을 좋아하고 연꽃이 물을 좋아하는 것과 같은 것으로 사람이 세상에 태어날 때 하늘이 부여한 것이다.

┤ 보기 ├
- ㄱ. 갑은 도덕적 실천이 마음의 이치와 무관하다고 본다.
- ㄴ. 을은 인간이 선(善)을 좋아하는 기호를 타고난다고 본다.
- ㄷ. 갑은 을과 달리 인간에게는 도덕적 주체성이 있다고 본다.
- ㄹ. 갑, 을은 모두 노력을 통해 누구나 성인이 될 수 있다고 본다.

① ㄱ, ㄴ ② ㄱ, ㄷ ③ ㄴ, ㄷ
④ ㄴ, ㄹ ⑤ ㄷ, ㄹ

| 수능 기출 |

03 갑, 을은 근대 한국 사상가들이다. 갑의 입장에서 을의 입장에 대해 제기할 수 있는 비판으로 가장 적절한 것은?

> 갑: 우리의 도(道)는 유불선과 비슷하지만 실은 그 어느 것과도 같지 않은 무극대도(無極大道)이다. 이제 커다란 개벽(開闢)의 운이 회복되었으니, 우리 도의 덕을 천하에 펼쳐 백성을 구제하는 것은 한울[天]이 명하신 바이다.
>
> 을: 우리의 도를 밝혀 백성을 교화하고 선왕(先王)과 성현의 가르침을 세워 나라를 다스리며 오상(五常)과 사단(四端)의 마음을 확충해 나가기만 하면, 지금 우리에게 닥친 환란을 막을 수 있다.

① 유교적 신분 질서의 개혁이 이루어져야 함을 간과한다.
② 개벽에 대비하여 모든 규범을 제거해야 함을 간과한다.
③ 서양 사상이나 종교를 철저하게 배척해야 함을 간과한다.
④ 대도 실현을 위해 사회 변화에 무관심해야 함을 간과한다.
⑤ 유교의 인륜 도덕이 사회 운영의 기본 원리임을 간과한다.

| 평가원 기출 |

04 (가)를 주장한 사상가의 입장에서 볼 때, (나)의 ㉠에 들어갈 진술로 가장 적절한 것은?

(가)	• 천지만물은 모두 한울님을 모시고 있다[侍天主]. 새의 울음소리 역시 시천주 소리이다. • 개벽(開闢)의 운이 회복되었으니, 우리 도(道)의 덕을 세상에 펼쳐 백성을 구제하는 것은 한울이 명하신 바이다.
(나)	제자: 새로운 개벽의 시대에 우리는 무엇을 해야 합니까? 스승: ㉠

① 일원상(一圓相)을 신앙의 대상으로 삼고 일상에서 수행하라.
② 남녀를 차별 없이 존중하고 미물(微物)도 함부로 대하지 말라.
③ 모든 규범을 버리고 자연을 따르면서 사람을 하늘처럼 섬겨라.
④ 전통적인 가치관에서 벗어나 천주교의 교리를 신봉하고 지켜라.
⑤ 유교적 도덕과 신분 질서를 따르면서 서양의 과학 기술을 배우라.

| 평가원 기출 |
05 근대 한국 사상가 갑, 을, 병의 입장으로 옳은 것은?

> 갑: 서양인은 도무지 한울님을 위하는 단서가 없고 자기 몸만을 위하여 기도할 따름이다. 그들의 도(道)는 허무에 가깝고 학(學)은 한울님을 위한 것이 아니니, 어찌 우리와 다름이 없겠는가.
>
> 을: 서양의 설(說)은 비록 천만 가지 단서가 있더라도, 임금을 임금으로 여기지 않는 것을 근본으로 하고 재물을 교역하고 남녀가 교제하는 것을 방도로 하니, 짐승의 길이로다.
>
> 병: 서양인은 형이하(形而下)에 밝아 그 기(器)가 천하에 대적할 자가 없고, 동양인은 형이상(形而上)에 밝아 그 도가 천하에 우뚝하니, 이 둘은 병행하여 서로 어긋남이 없도다.

① 갑: 시천주(侍天主) 사상을 토대로 내세에서 후천 개벽을 이뤄야 한다.

② 을: 성리학적 질서의 한계를 극복하여 만민 평등을 실현해야 한다.

③ 병: 유교적 가치에서 벗어나 이용후생(利用厚生)을 추구해야 한다.

④ 갑, 을: 외세의 침략에 맞서 나라를 바로 세우고 백성을 평안케 해야 한다.

⑤ 을, 병: 전통적 정치 체제를 혁파하고 서구식 정부를 수립해야 한다.

| 평가원 응용 |
06 근대 한국 사상인 (가), (나)의 공통 입장으로 옳은 것만을 〈보기〉에서 고른 것은?

> (가) 선천은 상극에 지배되어 원한이 쌓이고 맺혀 천지가 상도(常道)를 잃어 참혹해졌다. 이에 만고의 원한을 풀어 후천의 선경(仙境)을 세우고자 한다.
>
> (나) 공자의 인의예지를 다시 밝힌 것이 수심정기(守心正氣)이다. 정성껏 제사를 지내고 주문(呪文)을 외우며 한울님을 모시고 성실히 살아야 한다.

┌─ 보기 ┐
ㄱ. 우리가 사는 현실에서 이상 세계를 실현할 수 있다.
ㄴ. 봉건 신분제에서 벗어나 만민 평등을 추구해야 한다.
ㄷ. 도학을 발달시켜 영(靈)과 육(肉)을 온전히 해야 한다.
ㄹ. 신앙과 수행을 위해 사회 변화에 초연한 자세를 취해야 한다.
└────┘

① ㄱ, ㄴ ② ㄱ, ㄷ ③ ㄴ, ㄷ
④ ㄴ, ㄹ ⑤ ㄷ, ㄹ

| 평가원 응용 |
07 한국 사상가 갑, 중국 사상가 을의 입장에 대한 옳은 설명만을 〈보기〉에서 있는 대로 고른 것은?

> 갑: 앎과 행함을 둘로 갈라서는 안 된다. 스스로 능히 아는 것이 양지(良知)이며, 양지가 곧 양능(良能)이다. 양지의 학문은 마음과 이치를 하나로 하며 앎과 행함을 합치시킨다.
>
> 을: 앎을 극진히 하는 것과 행함에 힘쓰는 것 중 어느 한쪽에 치우쳐서 공부해서는 안 된다. 굳이 선후(先後)를 따지면 앎이 먼저이고 경중(輕重)을 따지면 행함이 더 중요하다.

┌─ 보기 ┐
ㄱ. 갑은 행하지 않는 앎은 앎이라 할 수 없다고 본다.
ㄴ. 갑은 앎을 밖이 아닌 마음 안에서 구해야 한다고 본다.
ㄷ. 을은 앎과 행함의 일치를 도덕적인 모습이라고 본다.
ㄹ. 갑, 을은 모두 앎과 행함은 합일되어 함께 간다고 본다.
└────┘

① ㄱ, ㄴ ② ㄱ, ㄹ ③ ㄷ, ㄹ
④ ㄱ, ㄴ, ㄷ ⑤ ㄴ, ㄷ, ㄹ

| 교육청 기출 |
08 근대 한국 사상가 갑, 을, 병에 대한 설명으로 옳지 <u>않은</u> 것은?

> 갑: 한울님은 사람에게 의지하고 사람은 먹는 데 의지하니, 한울님인 사람이 천지의 결실인 밥을 먹는 것은 곧 한울님이 한울님을 먹는 것입니다. 밥이 곧 하늘입니다.
>
> 을: 이웃이 정을 담아 주는 음식이 맛없다고 내색하면 원한을 쌓게 됩니다. 원한은 풀고[解冤] 은혜는 갚아야 하는 법, 반 그릇의 밥을 얻어먹더라도 잊어서는 안 됩니다.
>
> 병: 길가의 한 그루 소나무가 아름답다고 자기 집에 옮겨 심을 필요가 없으니, 만물은 모두 하나의 원(圓) 안에 있는 것이기 때문입니다. 이 원이 곧 우주입니다.

① 갑은 천인합일의 관점에서 자연 애호와 만민 평등을 강조하였다.

② 을은 무속 신앙 및 유교, 불교, 도교까지 아우르는 사상을 제시하였다.

③ 병은 물질 개벽 시대를 이끌어갈 동양의 정신 개벽을 추구하였다.

④ 갑은 을, 병과 달리 현세보다 내세의 지상낙원 실현을 역설하였다.

⑤ 갑, 을, 병은 민족의 주체성 회복과 여성의 지위 향상을 주장하였다.

O1. 사상의 연원 ~ 인의 윤리

① 동양과 한국 윤리 사상의 연원
- **동양 윤리 사상의 특징**: 모든 존재의 상호 연관성을 중시하고, 도덕적 수양을 중시함
- **한국 윤리 사상의 특징**: 인간을 존중하고 존엄하게 여기며, 사상들 간의 화합과 조화를 추구함

② 도덕의 성립 근거

공자	• 인(仁): 사랑의 정신이자 인간을 인간답게 해 주는 덕 • 정명(正名): 군주는 군주답고 신하는 신하답고 부모는 부모답고 자식은 자식다워야 함
맹자	• 성선설(性善說): 불인인지심(不忍人之心), 사단(四端) • 수양론: 호연지기(浩然之氣), 구방심(求放心), 과욕(寡欲) • 정치사상: 왕도 정치(王道政治), 역성혁명(易姓革命), 항산(恒産)과 항심(恒心)
순자	• 성악설(性惡說): 화성기위(化性起僞), 예(禮)의 강조 • 정치사상: 예를 통해 사회와 국가를 다스려야 함

③ 도덕 법칙의 탐구 방법

주희	• 성즉리(性卽理): 사람의 본성은 곧 이와 일치함 • 격물치지(格物致知): 도덕 법칙이 내재된 사물의 이치를 탐구해 앎을 이루어 나감
왕수인	• 심즉리(心卽理): 마음이 곧 이치임 • 치양지(致良知): 자기 마음의 양지를 자각하고 실천해야 함

O2. 도덕적 심성

① 도덕 감정

이황	• 이기호발설(理氣互發說): 이(理)와 기(氣)는 각각 발할 수 있음 • 사단(四端)과 칠정(七情): 사단과 칠정은 원천이 각기 다르므로 엄격하게 구분해야 함
이이	• 기발이승일도설(氣發理乘一途說): 사단과 칠정 모두 기(氣)가 발하고 이(理)가 탄 것 • 사단(四端)과 칠정(七情): 칠정은 사단을 포함하는 것이며 사단은 칠정의 선한 측면임

② 도덕 본성

정약용	• 성기호설(性嗜好說): 성(性)은 마음이 어떤 것을 좋아하거나 싫어하는 경향성임 • 덕의 후천설: 인의예지의 덕은 일상적인 행위 속에서 실현하면서 형성됨

O3. 자비의 윤리

① 깨달음

초기 불교	• 사성제(四聖諦): 고성제(苦聖諦), 집성제(集聖諦), 멸성제(滅聖諦), 도성제(道聖諦) • 삼법인(三法印): 제행무상(諸行無常), 제법무아(諸法無我), 일체개고(一切皆苦), 열반적정(涅槃寂靜)
대승 불교	• 중관(中觀) 사상: 유에 집착하는 관점과 무에 집착하는 관점의 양극단을 벗어나야 함 • 유식(唯識) 사상: 객관적 현상은 없고 오직 그것을 경험하는 마음만 있음

② 깨달음의 길

교종	경전의 가르침을 중시하며 점진적인 수행인 점수(漸修)를 통해 깨달음을 얻을 수 있다고 봄
선종	경전이나 수행 체계보다 본성의 자각을 중시하고, 점진적 수행 없이도 자신의 본성을 보면 즉각적으로 깨달음에 이를 수 있다고 봄

04. 분쟁과 화합

① 한국 불교의 전통

원효	• 일심(一心) 사상: 본래의 마음인 진여(眞如)와 현실의 마음인 생멸(生滅)은 별개의 것이 아님 • 화쟁(和諍) 사상: 부처의 가르침 간에는 모순이 없고, 종파 사이의 다툼을 화해시키고자 함 • 무애행(無碍行): 보통 사람도 염불을 하면 극락에 갈 수 있음
의천	• 교관겸수(敎觀兼修): 교(敎)의 수행 방법과 관(觀)의 수행 방법을 균형 있게 강조함 • 내외겸전(內外兼全): 선종의 마음 수양과 교종의 교리 공부를 함께 행해야 함
지눌	• 돈오점수(頓悟漸修): 한순간에 깨달은 후 마음속에 쌓인 나쁜 습관을 점진적으로 제거해야 함 • 정혜쌍수(定慧雙修): 선정과 지혜를 함께 닦아야 함

② 한국 불교의 특징

• **조화 전통:** 다양한 경전과 종파 사이의 조화와 일치를 추구함

• **실천 전통:** 대중의 구제를 지향함

• **호국 불교:** 나라의 위기를 불교의 힘으로 극복하고자 함

05. 무위자연의 윤리

① 도가 사상의 전개

노자	• 도(道): 우주 만물의 근원이나 변화 법칙으로, 사유나 감정을 가지고 무엇을 조작하지 않음 • 무위자연(無爲自然): 인위를 행하지 않고 자연을 따르는 것
장자	• 제물(齊物): 도의 관점에서 만물을 평등하게 인식하는 것 • 소요유(逍遙遊): 도를 깨달아 시비에 얽매이지 않는 정신적 자유의 경지 • 수양법: 좌망(坐忘)과 심재(心齋)

② 도가 사상의 영향

• **도교의 전개:** 황로학파, 태평도, 오두미교, 현학

• **도교의 윤리관과 생명관:** 인간의 도덕적 선악이 귀신에게 감시되어 화복으로 나타난다고 보고, 생명을 중시해 불사와 신선을 추구함

06. 한국과 동양 윤리 사상의 의의

① 한국 전통 윤리 사상의 근대적 지향성

실학	사회와 삶의 실제 문제를 해결하고자 하는 학문으로 경세치용, 이용후생, 실사구시의 특징을 지님
강화학파	왕수인의 주장을 바탕으로 독자적인 사상을 수립하였고, 인간을 도덕적 주체로 여김
위정척사	유교를 지키고 서양 문물과 천주교를 물리쳐야 한다는 주장
개화사상	급진적 개화론과 온건적 개화론(동도서기론)으로 나뉨
신흥 종교	동학, 증산교, 원불교

② 동양의 이상적 인간상과 시민

유교의 군자	이익을 추구하는 것을 넘어서 올바른 의리를 실천하는 데 힘씀
불교의 보살	위로는 깨달음의 지혜를 구하고 아래로는 중생을 교화하고 구제함
도가의 이상적 인간상	인위적으로 행동하지 않고 자연스럽게 사는 무위의 삶을 지향함

III

서양 윤리 사상

이 단원의 핵심 포인트

중단원	핵심 포인트	학습일
01 사상의 연원	• 고대 그리스 사상과 헤브라이즘의 특징 • 소피스트의 특징 • 소크라테스의 윤리 사상	월 일 ~ 월 일
02 덕	• 플라톤의 윤리 사상 • 아리스토텔레스의 윤리 사상	월 일 ~ 월 일
03 행복 추구의 방법	• 에피쿠로스학파의 쾌락주의 윤리 사상 • 스토아학파의 금욕주의 윤리 사상	월 일 ~ 월 일
04 참된 신앙	• 그리스도교의 기원과 전개 • 아우구스티누스의 윤리 사상 • 아퀴나스의 윤리 사상 • 종교 개혁	월 일 ~ 월 일
05 도덕의 기초	• 데카르트와 스피노자의 사상 • 베이컨의 사상 • 홉스의 사상	월 일 ~ 월 일
06 옳고 그름의 기준	• 칸트의 윤리 사상 • 벤담의 양적 공리주의 • 밀의 질적 공리주의	월 일 ~ 월 일
07 현대의 윤리적 삶	• 실존주의의 대표적 사상가들 • 실존주의의 의의 • 실용주의의 대표적 사상가들 • 실용주의의 의의와 한계	월 일 ~ 월 일

01 사상의 연원

1 고대 그리스 사상과 헤브라이즘 자료01

1. 고대 그리스 사상의 특징과 영향

(1) **특징**

자연 철학자들은 세계의 기원과 자연의 변화를 이성적이고 논리적인 방식으로 설명하고자 노력하였다.

① 신화적 세계관의 탈피 인간의 경험과 이성, 욕망과 감정을 바탕으로 세계를 탐구하고 설명함

② 수사학❶의 발달 시민이 정치에 직접 참여함 ➡ 선(善)과 옳음에 대한 대화와 토론을 중시함

(2) **영향**

① 인간의 이성, 선한 삶, 행복 등의 탐구에 영향을 줌

② 윤리의 보편성 및 다양성을 둘러싸고 수많은 논쟁이 펼쳐짐

2. 헤브라이즘(Hebraism)

(1) **특징** ── 유대교와 그리스도교의 사상과 문화 및 전통을 일컫는 말이다.

① 신본주의❷에 바탕을 둔 윤리 사상을 제시함

② 보편적인 윤리적 행동 지침이 신의 명령이자 인간 삶의 규율로서 제시됨

③ 인간은 자신의 힘만으로는 구원과 행복에 이를 수 없다고 봄

(2) **영향** ── 살인과 절도 금지, 부모에 대한 공경 등

① 신과 인간의 관계에 따른 인간 삶의 본질, 원리 등에 대한 탐구가 주요 과제로 다루어짐

② 인간 존재의 존엄성과 근거, 인간이 따라야 할 절대적 규칙 등에 대한 탐구가 이루어짐

2 규범의 다양성과 보편 도덕

1. 윤리적 상대주의와 소피스트❸

(1) **윤리적 상대주의와 윤리적 회의주의** ── 소피스트들의 윤리적 상대주의는 당시 민주정에서 큰 호응을 얻었다.

① 윤리적 상대주의 인간의 모든 판단은 상대적일 뿐, 절대적이고 보편적인 것은 없다는 주장

② 윤리적 회의주의❹ 보편적이고 절대적인 존재와 진리, 그에 대한 객관적 인식을 부정함 ➡ 윤리적 허무주의에 빠질 수 있음 ── 회의주의적 관점의 대표적 소피스트로 고르기아스가 있다.

(2) **소피스트의 특징**

① 개인과 지역, 국가와 시대마다 윤리가 다를 수 있다는 관점을 지님

② 인간의 감각적 경험을 지식과 도덕 판단의 근원으로 봄

③ 부와 명예 등의 세속적 가치를 중시함 ➡ 변론술(수사술)을 가르침

④ **대표적 사상가**

프로타고라스 자료02	• "인간이 만물의 척도이다." • 각 개인의 지각(경험)만을 진위 판단의 기준으로 봄 • 법과 관습, 윤리적 원칙은 사회나 시대마다 다르며 절대적이고 보편적인 것은 없다고 봄 ➡ 윤리적 상대주의
고르기아스	• "아무것도 없다. 만약 있다고 해도 알 수가 없다. 알 수 있다고 해도 다른 사람에게 분명하게 말할 수 없다." • 절대적 존재와 진리, 그에 대한 객관적 인식을 부정함 ➡ 윤리적 회의주의, 허무주의
트라시마코스 자료03	• "정의는 곧 강자의 이익이다." • 다양한 의견이 경쟁할 때, 승리를 거둔 강자의 명령이 사회의 법이 되고 정의가 되며, 사람들의 합의도 강압 때문에 무시될 수 있음

❶ **수사학**
법정과 의회에서 상대를 설득하고 논쟁에서 이기는 방법을 연구하는 학문

❷ **신본주의**
태초에 창조신이 있어 모든 만물을 다 만들었고, 지금 일어나는 모든 일이 신의 뜻이라고 해석하는 태도

고득점을 위한 셀파 Tip 비교

| 고대 그리스 사상과 헤브라이즘 |

고대 그리스 사상	인간의 이성, 경험 등을 바탕으로 세계를 탐구함
헤브라이즘	신에 대한 믿음, 인간과 신의 관계를 강조함

❸ **소피스트**
'지혜로운 것을 아는 사람'을 뜻하나, 이익을 위하여 변론술을 악용한 사람도 있어 나중에는 궤변가를 뜻하기도 하였다.

❹ **윤리적 회의주의의 문제점**
윤리적 회의주의를 따르면 윤리적 문제에 관해 무엇이 옳고 참된 것인지를 판단하거나 공동체의 합의를 이끌어 내려는 노력이 의미 없어진다.

고득점을 위한 셀파 Tip 비교

| 윤리적 상대주의와 회의주의 |

윤리적 상대주의	행위의 옳고 그름은 사회나 개인에 따라 다양하다는 입장
윤리적 회의주의	타당한 도덕 원리가 있다는 것 자체를 부인하는 입장

자료 01 고대 그리스 사상과 헤브라이즘의 차이점

헤브라이즘에서는 세상이 신에 의해 창조되었다고 설명한다. 창조주인 신이 세상을 창조하였으며, 세상 만물은 모두 신의 피조물이라는 것이다. 그리고 세상의 모든 변화는 신의 뜻에 따른 것이라고 설명한다. 반면, 고대 그리스의 자연 철학에서는 신에 대한 언급 없이 세상의 기원을 설명하려고 노력한다. 예를 들어 기원전 6세기에 활동한 철학자 탈레스는 세상 만물의 구성 요소를 탐구하는 데 힘을 기울였다. 이 과정에서 그는 다양한 사물 간에는 차이점이 존재하지만, 그것들 모두에는 어떤 근본적인 유사점이 존재한다는 생각, 즉 다자(the Many)는 일자(the One)와 연관되어 있다는 생각을 제시하였다. 모든 물질적 실재의 근저에는 몇 개의 단일 요소, 즉 그 자체의 행동이나 변화의 원칙을 내포하는 어떤 재료가 존재한다는 것이다. 그는 그 일자가 물[水]이라고 결론 내린다.

자료 분석 | 고대 그리스 사상은 세상 만물이 어떤 요소들에 의해 생겨나고 변한다고 보는 **이성 중심의 사상**이다. 반면, 헤브라이즘은 신이 세상을 창조했으며 세상 만물은 신의 뜻에 따라 변한다고 보는 **신 중심의 사상**이다.

자료 02 프로타고라스의 윤리적 상대주의

프로타고라스는 인간이 모든 것의 척도라고 말하였는데, 이것이 의미한 바는 단순하고도 분명하게 각자에게 나타난 것이 또한 그에게는 사실상 그렇게 존재한다는 점이다. 그렇다면 이로부터 동일한 것이 존재하는 동시에 존재하지 않을 수도 있으며 나쁜 동시에 좋을 수도 있고, 또 다른 모든 동일한 것들에 대해서도 정반대되는 주장이 제기될 수 있다.

– 아리스토텔레스, 「형이상학」 –

자료 분석 | 프로타고라스는 인간이 모든 것의 척도라고 말하며 사람마다 진리를 판단하는 기준이 다르다고 주장한다. 프로타고라스와 같이 도덕 판단의 기준을 상대적인 것으로 보면, 도덕적 평가를 내리기 어렵고, 동일한 도덕 문제에 대해 옳으면서 옳지 않다고 판단하는 모순적 상황이 발생할 수 있다.

자료 03 트라시마코스의 정의관

법률의 제정에 있어 각 정권은 자기 이익을 목적으로 합니다. 법 제정을 마친 다음에는 권력자들에게 이익이 될 뿐인 법을 통치받는 사람들에게 정의로운 것인 듯 공표합니다. 이를 위반하는 자들은 정당하지 못한 일을 한 자들로 취급하고 처벌합니다. …… 그러니 정의란 실은 더 강한 자 및 통치자의 이익이고, 복종하고 섬겨야 하는 사람들의 입장에서는 해로운 것입니다.

– 플라톤, 「국가」 –

자료 분석 | 고대 그리스의 소피스트인 트라시마코스의 주장이다. 그는 통치자와 같은 강자들은 오직 자신의 이익을 추구하기 위하여 법률과 같은 것들을 제정하기 때문에 정의는 강자의 이익을 위한 것에 불과하다는 정의관을 제시하였다. 트라시마코스와 같은 윤리적 상대주의에서는 누가 공동체의 권력을 획득하여 지도자나 강자가 되느냐에 따라 법이나 정의가 달라지고, 어떤 법이나 윤리적 원칙도 보편적 타당성과 절대적 정당성을 주장할 수 없다.

1 고대 그리스 사상은 신화적 세계관에서 탈피해 인간의 경험, 이성 등을 바탕으로 세계를 탐구하고 설명한다.

(O , X)

2 헤브라이즘의 주요한 특징은 유일무이한 절대자로서의 신에 대한 믿음이다.

(O , X)

3 헤브라이즘은 이성과 경험을 중시하는 인본주의적 성격이 강하였다.

(O , X)

4 프로타고라스는 인간은 모든 것의 척도라고 주장하였다.

(O , X)

5 트라시마코스는 정의는 강자의 이익을 위한 것에 불과하다는 정의관을 제시하였다.

(O , X)

6 트라시마코스는 보편타당한 절대적 진리와 도덕규범이 존재한다는 윤리적 보편주의를 주장하였다.

(O , X)

7 소피스트들은 인간의 감각적 경험을 지식과 도덕의 근원으로 보았다.

(O , X)

8 윤리적 상대주의를 지나치게 강조하면 윤리적 보편주의에 빠질 위험이 있다.

(O , X)

9 윤리적 상대주의를 주장한 소피스트는 고대 그리스 사람들로부터 아무런 호응을 얻지 못하였다.

(O , X)

정답 1 ○ 2 ○ 3 × 4 ○ 5 ○
6 × 7 ○ 8 × 9 ×

2. 윤리적 보편주의와 소크라테스

(1) 윤리적 보편주의

① 보편타당한 윤리가 존재한다고 여김 자료04

② 인간의 이성을 통해 보편적 윤리를 파악할 수 있다고 여김

(2) 소크라테스의 윤리 사상

① 덕[5]

- 시대나 상황에 따라 달라지지 않는 보편적인 것
- 덕을 실천하려면 덕이 무엇인지 정확하게 아는 참된 지식이 필요함

② 참된 지식 추구

- 비도덕적 행위의 원인은 무지(無知)임
- 자신이 무지(無知)하다는 사실에 대해 자각하고 참된 지식을 추구해야 함

③ 주지주의(主知主義)[6]

└─ 소크라테스에게서는 의지의 나약함 문제가 발생하지 않는다. 선악에 대한 지식은 행위의 동기를 유발하기에 충분하기 때문이다.

지행합일설 (知行合一說)	덕이 무엇인지 아는 사람은 반드시 덕을 실천하게 되어 있음 ➡ 덕에 따르는 것이 좋다는 것을 아는 사람은 그에 반하는 행위를 하지 않음 자료05
지덕복 합일설[7] (知德福合一說)	덕에 대한 앎을 가진 사람은 덕이 있는 사람이 되고, 결과적으로 행복한 삶을 살 수 있게 됨 ➡ 앎과 덕과 행복은 필연적 관계임

④ 문답법(산파술) 참된 앎에 다가서는 방법으로, 상대가 제시하는 의견에 논리적이고 이성적인 물음을 계속 제기함 자료06

⑤ 성찰하는 삶 자기 자신을 끊임없이 검토하지 않고 영혼을 돌보지 않는 삶은 살 가치가 없다고 주장함

(3) 소크라테스 윤리 사상의 의의와 영향

① 의의 보편적 가치의 존재를 강조하고, 지식과 도덕, 성찰하는 자세의 중요성을 인식하게 함

② 영향 이성주의, 보편주의, 절대주의 윤리 사상의 연원이 됨

3. 윤리적 상대주의와 보편주의 비교

(1) 윤리적 상대주의와 보편주의

구분	윤리적 상대주의	윤리적 보편주의
대표적 사상가	소피스트	소크라테스
진리 인식	윤리는 시대나 사회에 따라 다르고 상대적이라고 주장함	모든 시대와 사회에 보편적으로 타당한 윤리 규범이 있다고 주장함 예 살인을 하면 안 된다.
의의	• 포용적 태도로서 의미를 지니며 민주주의 발전에도 이바지할 수 있음 • 서로 다른 사회의 상이한 도덕규범을 이해하고 관용하는 데 도움을 줌	• 규범과 관습의 차이를 넘어 윤리적 합의점을 찾아낼 수 있는 기반을 제공함 • 다원화된 사회에서 발생할 수 있는 가치관의 혼란을 극복하는 데 도움이 됨
한계	• 옳음의 보편적인 기준을 인정하지 않아 가치관의 혼란을 가져올 수 있음 • 도덕적 합의를 어렵게 만드는 윤리적 회의주의에 빠질 수 있음	• 특정 가치를 절대적인 것으로 내세우며 가치 일원주의나 전체주의로 나아가면 자율적인 삶을 훼손할 수 있음 • 개인이나 사회가 처한 특수한 상황이나 맥락을 고려하지 못할 수 있음

(2) 특수성이나 다양성을 인정하면서도 윤리적 보편주의를 따를 수 있음 ➡ 윤리적 상대주의의 장점을 인정하고 보편적 도덕 원리를 확립해야 함

---

[5] 덕(德, virtue)
특정 기능이나 역할에서 나타나는 탁월성을 덕, 즉 아레테(aretē)라고 한다. 이 말은 인간은 물론 동물, 사물에 대해서도 쓴다.

[6] 주지주의(主知主義)
삶과 행동에서 앎을 중요시하는 태도이다. 알면 행하며, 행하지 못하는 이유는 알지 못하기 때문이라는 지행합일설(知行合一說)과 통하고, 덕에 대한 앎이 곧 선과 행복을 보장한다는 지덕복 합일설(知德福合一說)로 이어진다.

[7] 지덕복 합일설(知德福合一說)
참된 앎을 통해 덕을 쌓아갈 때, 비로소 행복에 이를 수 있다는 주장으로, 소크라테스, 플라톤, 아리스토텔레스 모두 주장한 것이라고 볼 수 있다.

자료 04 인간 척도론에 대한 소크라테스의 논박

각자가 지각을 통해 판단하는 것이 옳고, 다른 사람이 지각한 바를 더 잘 관별하는 것도 아니요, 다른 사람의 판단이 옳은지 그른지를 검토하는 데 있어서 당사자보다 더 권위가 있는 것도 아니라면, 도대체 어떻게 프로타고라스가 다른 사람들의 교사가 되어 엄청난 보수를 받는 것이 정당하다고 할 수 있겠는가? 각자 스스로가 자신의 지혜의 척도인데 어떻게 우리가 프로타고라스보다 더 무지한 것이며, 왜 그에게 배워야 하는가? 각자의 느낌과 판단이 옳은데도 상대방의 느낌이나 판단을 검토하고 논박하려 든다는 것은 쓸데없는 허튼소리가 되지 않겠는가?

– 플라톤, 「테아이테토스」 –

자료 분석 | 소피스트인 프로타고라스는 사람들에게 절대적인 진리는 없고 각 개인은 자신이 속한 사회의 법률과 관습을 따라야 한다고 가르쳤다. 이에 대해 소크라테스는 상대주의자인 프로타고라스가 어떻게 자신이 교사로 불리는 것을 정당화할 수 있는지 의문을 제기한다. 프로타고라스의 주장처럼 진리가 상대적이라면 프로타고라스가 다른 사람보다 현명하다는 말은 성립하지 않기 때문이다.

자료 05 소크라테스의 지행합일설

가장 좋은 것을 알고 있고, 또 그것을 할 수 있는데도, 그것을 하려고 하지 않고 오히려 다른 것을 하려는 사람이 많습니다. 그리고 도대체 그런 이유가 무엇이냐고 물어보면 모두 즐거움이나 괴로움에 못 이겨서 그렇다고 합니다. 즐거움에 져서 어떤 좋은 일을 하지 않고 어떤 나쁜 일을 한다고 하지만, 사실은 즐거움에 진 것이 아닙니다. …… 다른 행동이 지금 자신의 행동보다 더 좋고, 또 자신이 그것을 할 수 있다는 것을 알면서도 원래의 행동을 하는 사람은 아무도 없을 것입니다. 자기 자신에게 지는 것은 무지와 다르지 않고, 자기 자신을 이기는 것은 지혜입니다.

– 플라톤, 「프로타고라스」 –

자료 분석 | 소크라테스에 따르면 용기가 무엇인지를 알아야 용기 있게 행동할 수 있고, 절제가 무엇인지 알아야 절제 있는 행동을 할 수 있다. 또한 사람은 자신에게 나쁜 것을 피하고 좋은 것을 선택하기 때문에 덕이 좋다는 것만 알면 실천할 수 있다. 따라서 덕 있는 삶을 살려면 덕에 대한 보편적이고 참된 지식을 알아야 한다.

자료 06 소크라테스의 문답법(산파술)

아버지를 불경죄로 고발하려는 에우티프론에게 소크라테스는 "경건함이란 무엇인가?"라고 묻는다. 이 물음에 대해 에우티프론은 여러 대답을 차례로 내놓지만, 소크라테스는 각각의 대답이 지니는 한계를 지적하면서 더욱 확실한 정의를 요구한다. 에우티프론이 더는 대답하지 못하고 혼란에 빠지자, 소크라테스는 그에게 이렇게 말한다. "만일 자네가 경건함이 무엇인지 정확히 알지 못한다면, 자네는 결코 감히 나이 든 아버지를 고발해서는 안 될 것일세."

자료 분석 | 소크라테스는 인간의 이성을 바탕으로 참된 앎을 추구할 수 있다고 보았다. 따라서 소크라테스는 산모가 아이를 낳는 것을 돕는 산파처럼, 상대가 제시하는 의견에 논리적이고 이성적인 물음을 계속 제기하는 문답법(산파술)을 사용하여 참된 앎에 다가서고자 하였다.

---

1 소크라테스에 따르면 도덕 판단은 주관적인 것으로서 판단 기준이 사람마다 다르다.

(O , X)

2 소크라테스는 소피스트들의 윤리적 상대주의를 비판하였다.

(O , X)

3 소크라테스는 현실 삶에서의 세속적 성공을 강조하였다.

(O , X)

4 소크라테스는 보편타당한 진리와 윤리가 존재하며 감각적 경험을 통해 이를 파악할 수 있다고 보았다.

(O , X)

5 소크라테스는 자신의 영혼에 관해 스스로 숙고하지 않는 삶은 가치가 없다고 보았다.

(O , X)

6 소크라테스는 상대가 제시하는 의견에 논리적이고 이성적인 물음을 제기하는 문답법(산파술)을 사용하여 참된 앎에 다가서고자 하였다.

(O , X)

7 소크라테스는 행복한 삶을 살기 위해서는 덕이 필요하다고 보았다.

(O , X)

8 소크라테스는 비도덕적인 행동의 원인을 무지(無知)에서 찾았다.

(O , X)

9 소크라테스는 덕이 무엇인지 진정으로 아는 사람일지라도 앎을 실천으로 옮기지 못할 수도 있다고 보았다.

(O , X)

정답 1 ×   2 ○   3 ×   4 ×   5 ○
　　　　6 ○   7 ○   8 ○   9 ×

1 고대 그리스 사상과 헤브라이즘

고대 그리스 사상	특징	• (❶) 세계관을 탈피하여 인간의 이성과 경험, 욕망과 감정 등을 바탕으로 세계를 탐구하고 설명함 • (❷)이 발달하여 선과 옳음에 대한 대화와 토론을 중시함
	영향	• 인간의 이성, 선한 삶, 행복 등의 탐구에 영향을 줌 • 윤리의 보편성과 다양성과 관련한 논쟁이 펼쳐짐
헤브라 이즘	특징	• (❸)에 바탕을 둔 윤리 사상 • 보편적인 윤리적 행동 지침이 신의 명령이자 인간 삶의 규율로서 제시됨
	영향	• 신과 인간의 관계에 관련된 탐구가 주요 과제로 다루어짐 • 인간 존재의 존엄성과 근거, 절대적 규칙 등에 대한 탐구가 이루어짐

2 규범의 다양성과 보편 도덕

윤리적 상대주의	인간의 모든 판단은 (❹)적일 뿐 절대적이고 보편적인 것은 없다는 주장
소피스트	• 개인과 지역, 국가와 시대마다 윤리가 다를 수 있음 • 인간의 감각적 경험이 지식과 도덕 판단의 근원임 • 프로타고라스: "인간이 만물의 척도이다." • (❺): "아무것도 없다. 만약 있다고 해도 알 수가 없다. 알 수 있다고 해도 다른 사람에게 분명하게 말할 수 없다." • 트라시마코스: "정의는 곧 강자의 이익이다."
윤리적 보편주의	보편타당한 윤리가 존재하며 (❻)을 통해 파악할 수 있다는 주장
소크라테스	• 덕: 시대나 상황에 따라 달라지지 않는 보편적인 것으로, 덕을 실천하기 위해서는 참된 지식이 필요함 • 자신이 (❼)하다는 사실에 대한 자각이 필요함 • 지행합일설: 덕이 무엇인지 아는 사람은 반드시 덕을 실천하게 되어 있음 • 지덕복 합일설: 덕에 대한 앎을 가진 사람은 덕이 있는 사람이 되어 행복한 삶을 살 수 있음 • (❽): 상대가 제시하는 의견에 논리적이고 이성적인 물음을 계속 제기함 • 자기 자신을 끊임없이 (❾)하지 않고 영혼을 돌보지 않는 삶은 살 가치가 없음

정답 ❶ 신화적 ❷ 수사학 ❸ 신본주의 ❹ 상대적 ❺ 고르기아스 ❻ 이성 ❼ 무지 ❽ 문답법(산파술) ❾ 검토

01 밑줄 친 '자연 철학'의 특징으로 적절하지 <u>않은</u> 것은?

> 고대 그리스 철학은 처음에는 만물의 본질을 탐구하는 데에서 시작되었던 것으로 보인다. 탐구의 영역은 우주의 원소부터, 천문학·기상학·생물학·의학 등 많은 영역을 아우르는 것이었다. 이렇게 고대 그리스 철학에서 자연을 연구하였던 철학의 한 부문을 일컬어 <u>자연 철학</u>이라고 칭한다.

① 자연을 초자연적인 힘으로 설명하였다.
② 서양의 합리적 세계관에 영향을 주었다.
③ 서양 철학과 자연 과학의 형성에 영향을 주었다.
④ 세계의 기원과 자연의 변화를 이성적으로 설명하였다.
⑤ 자연의 다양한 현상을 보편적 원리에 의해 설명하고자 하였다.

02 ㉠, ㉡에 대한 옳은 설명을 〈보기〉에서 고른 것은?

> 서양 윤리 사상의 큰 뿌리는 ㉠ 고대 그리스의 윤리 사상과 ㉡ 헤브라이즘의 윤리 사상이다. 전자는 이성과 경험을 바탕으로 바람직한 삶이 무엇인지 탐구했고, 인간 중심 윤리 사상의 전통을 확립하였다. 후자는 신에 대한 믿음과 사랑을 중심으로 하는 윤리 사상의 전통을 확립하였다.

┤ 보기 ├
ㄱ. ㉠은 이성적인 판단과 합리적인 사고, 논변을 중시하였다.
ㄴ. ㉠은 인본주의적 세계관보다 신화적 세계관을 강조하였다.
ㄷ. ㉡은 유일무이하고 절대적인 신에 대한 믿음을 중시하였다.
ㄹ. ㉡은 유일신을 신봉하였지만, 구세주의 도래는 부정하였다.

① ㄱ, ㄴ   ② ㄱ, ㄷ   ③ ㄴ, ㄷ
④ ㄴ, ㄹ   ⑤ ㄷ, ㄹ

03 다음 사상가의 주장을 통해 유추할 수 있는 고대 그리스 윤리 사상의 특징으로 가장 적절한 것은?

> 재물, 명성, 명예는 최대한 많이 가지려고 마음을 쓰면서, 어떻게 사는 것이 잘 사는 것인지, 진리가 무엇인지, 그리고 자신의 영혼을 훌륭하게 하는 데는 마음을 쓰지도 않고 생각도 하지 않는 것이 부끄럽지 않은가?

① 신에 대한 믿음과 사랑을 중시하였다.
② 삶의 문제를 신탁과 예언에 의존하였다.
③ 물, 불, 흙, 공기 등과 같은 요소로 인간과 자연을 설명하였다.
④ 합리적 논의와 이성적 판단보다는 인간의 욕망과 감정을 중시하였다.
⑤ 인간이 추구해야 할 훌륭하고 행복한 삶은 어떤 것인지 숙고하고 논쟁하였다.

04 다음은 '서양 윤리 사상의 두 원천'을 주제로 수업 시간에 학생들이 나눈 대화이다. 갑~무 중 옳지 <u>않은</u> 설명을 한 학생은?

> 갑: 고대 그리스 윤리 사상은 이성적이고 합리적인 사고와 논변을 중시했어.
> 을: 인간의 경험, 이성 등을 바탕으로 하는 고대 그리스 사상은 인본주의적 성격을 띠지.
> 병: 헤브라이즘 역시 인간을 윤리의 궁극적 근거로 삼는 인간 중심의 윤리 사상을 전개했어.
> 정: 헤브라이즘은 유대교에서 시작되어 그리스도교로 발전하였지.
> 무: 예수는 유대교의 전통을 계승하면서도 민족을 초월하는 사랑의 보편성을 강조했어.

① 갑 ② 을 ③ 병 ④ 정 ⑤ 무

05 다음 서양 사상가의 입장으로 옳은 것은?

> 아무것도 존재하지 않는다. 비록 존재한다고 하더라도 우리는 그것을 인식할 수 없다. 비록 인식한다고 하더라도 우리는 그것을 전달할 수 없다.

① 절대적 진리를 추구해야 한다.
② 상대적인 진리관에서 벗어나야 한다.
③ 바람직한 삶의 태도는 사람마다 다를 수 있다.
④ 누구나 따를 수 있는 보편적 진리가 존재한다.
⑤ 인간 소외를 극복하기 위해 주체적 결단을 해야 한다.

06 다음 서양 사상가의 입장으로 옳은 것은?

> 실재를 판단하는 것은, 즉 어떤 것이 존재하며 다른 것이 존재하지 않는다는 판단을 내리는 것은 각 개인이다. 그리고 이 개인이 존재함과 존재하지 않음에 대한 척도, 즉 기준이나 표준이다. 따라서 개인적인 경험과 신념은 그것을 결정하는 기준이 된다. 자신의 경험이나 신념과는 전혀 무관하게 어떤 것이 존재함과 존재하지 않음을 결정할 수 있는 방법을 알고 있는 사람은 아무도 없다.

① 이성을 통해 보편적 진리를 탐구해야 한다.
② 사회가 아니라 자연을 탐구의 대상으로 삼아야 한다.
③ 공동체의 법과 관습, 윤리적 원칙은 모두 상대적이다.
④ 객관적 지식을 얻기 위해 경험을 원천으로 삼아야 한다.
⑤ 유용한 지식보다는 지식 자체를 위한 지식이 더 중요하다.

07 다음과 같은 입장이 지닐 수 있는 문제점을 〈보기〉에서 고른 것은?

> • 인간은 모든 것의 척도이다. 존재하는 것에 대해서는 그것이 존재한다는 것의 척도이며, 존재하지 않는 것에 대해서는 그것이 존재하지 않는다는 것의 척도이다.
> • 각각의 정체(政體)는 자기의 이익을 위해 법을 제정한다. 법을 제정하고 나면 그들은 자기들에게 이익이 되는 것이 피치자에게 '정의롭다'고 선언하고, 법을 어긴 자를 처벌한다. 그러므로 수립된 정체의 이익이 곧 정의이다.

┤ 보기 ├
ㄱ. 현실 삶에서 유용성의 가치를 도외시할 수 있다.
ㄴ. 개인의 자유를 침해하고 사회를 획일화할 수 있다.
ㄷ. 도덕적 합의를 어렵게 만드는 윤리적 회의주의에 빠질 위험이 있다.
ㄹ. 옳음의 보편적인 기준을 인정하지 않음으로써 가치관의 혼란을 가져올 수 있다.

① ㄱ, ㄴ   ② ㄱ, ㄷ   ③ ㄴ, ㄷ
④ ㄴ, ㄹ   ⑤ ㄷ, ㄹ

08 다음 서양 사상가가 긍정의 대답을 할 질문으로 가장 적절한 것은?

> 아무도 자발적으로 악한 행위를 하지 않는다. 아름다운 것과 좋은 것을 아는 사람은 결코 그 반대의 것을 택하지 않을 것이다. 그리고 아름다운 것과 좋은 것에 대하여 무지하면 그것을 추구한다고 하더라도 실패하게 될 것이다.

① 악행은 의지의 나약함에서 나오는 것인가?
② 선악의 가치 판단은 유용성에서 나오는가?
③ 절대적 진리는 이성을 통해 추구되어야 하는가?
④ 덕은 좋은 행동의 실천과 습관화를 통해 형성되는가?
⑤ 감각적 경험을 추구하면 진정한 행복에 도달할 수 있는가?

09 다음 사상가가 강조한 삶의 자세로 가장 적절한 것은?

> 앎이란 단순한 지식이 아니라 영혼의 수련을 통해서 얻어진 깨달음이다. 사람들은 이 앎을 통해 덕을 행하게 되고 궁극적으로 행복을 얻을 수 있다.

① 자신의 무지를 깨닫고 도덕적인 삶을 살아야 한다.
② 욕구 충족을 통해서 육체적 쾌락을 추구해야 한다.
③ 불안과 고통이 없는 지속적인 쾌락을 추구해야 한다.
④ 악한 행위를 하지 않기 위해서는 실천 의지를 길러야 한다.
⑤ 이성을 통해 참된 지식을 발견해 참된 쾌락에 이르러야 한다.

★10 다음 서양 사상가의 입장에만 모두 '✓'를 표시한 학생은?

> 덕이 영혼 속에 있는 것들 가운데 하나이고 필연적으로 유익하다면 그것은 지식이어야 하네. 왜냐하면 영혼에 관련된 모든 것들은 그 자체로는 유익하지도 유해하지도 않지만 지식이 더해지느냐 무지가 더해지느냐에 따라 유익하게도 유해하게도 되기 때문이네.

입장＼학생	갑	을	병	정	무
지식은 덕의 필요충분조건이다.	✓	✓	✓	✓	
올바른 삶을 살려면 이성적 숙고가 필요하다.		✓	✓		✓
자신의 영혼을 돌보지 않는 삶은 살 가치가 없다.	✓	✓	✓		✓
도덕적인 덕은 지속적인 실천과 습관화를 통해 형성되는 것이다.			✓	✓	✓

① 갑   ② 을   ③ 병   ④ 정   ⑤ 무

11 (가)의 고대 서양 사상가 갑, 을의 입장을 (나) 그림으로 표현할 때 A~C에 해당하는 적절한 내용만을 〈보기〉에서 있는 대로 고른 것은?

(가)	갑: 인간의 감각적 경험과 유용성이 모든 사물의 판단 기준이므로 인간은 만물의 척도이며, 인간은 윤리적 행위의 주체이다. 그러나 인간의 능력으로는 절대적 진리를 파악할 수 없다. 을: 무엇이 올바른지 아는 사람은 그것을 행하며, 그릇된 행위는 선악이 무엇인지 모르는 무지에서 비롯된다. 선악을 분별할 수 있는 지식을 가지면 바람직한 생활을 할 수 있다.
(나)	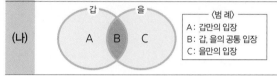

〈범례〉
A: 갑만의 입장
B: 갑, 을의 공통 입장
C: 을만의 입장

┌ 보기 ┐
ㄱ. A: 인간의 모든 판단은 상대적이다.
ㄴ. B: 윤리 원칙에 절대적이고 보편적인 것은 없다.
ㄷ. B: 모든 가치는 유용성에 비추어 판단해야 한다.
ㄹ. C: 인간이 추구해야 할 보편적 윤리가 존재한다.

① ㄱ, ㄴ   ② ㄱ, ㄹ   ③ ㄷ, ㄹ
④ ㄱ, ㄴ, ㄹ   ⑤ ㄱ, ㄷ, ㄹ

12 갑의 입장에서 을을 비판한 내용으로 가장 적절한 것은?

갑: 영혼이 몸을 이용하여 감각을 통해 탐구하는 것은 수시로 변하지. 그래서 영혼은 마치 술에 취한 듯, 헤매고 혼란스러워진다네. 하지만 영혼이 감각에서 벗어나 그 자체로 탐구하면 순수하고, 항상 그대로 있고, 불사하는 것을 붙잡게 되기 때문에 헤매지 않게 되지.
을: 인간이 만물의 척도이다. "있는 것에 대해서는 있다."라고 하는 것에 대한 척도이고, "있지 않은 것에 대해서는 있지 않다."라고 하는 것에 대한 척도이다.

① 도덕규범이 다양하다는 점을 간과한다.
② 비도덕적 행위는 개선 가능함을 간과한다.
③ 현실의 문제들을 해결하는 것이 중요함을 간과한다.
④ 인간 삶의 문제에 대한 상대적 관점이 중요함을 간과한다.
⑤ 인간의 이성을 통해 보편적 윤리를 파악할 수 있음을 간과한다.

13 갑이 을에게 제기할 수 있는 비판으로 가장 적절한 것은?

갑: 진리는 상대적인 것이다. 인간은 존재하는 모든 것들에 있어 판단의 기준이기 때문이다.
을: 진리는 객관적이고 보편적인 것이다. 우리는 무지의 자각에서 출발하여 감각이 아니라 사유를 통해 진리를 직접 파악해야 한다.

① 인간의 이성을 통해 진리를 파악해야 함을 간과한다.
② 자연보다 인간과 사회에 대한 지식이 중요함을 간과한다.
③ 도덕적 삶을 살기 위해 선에 대한 앎이 필요함을 간과한다.
④ 진리는 개인의 경험에 따라 변화할 수 있는 것임을 간과한다.
⑤ 무엇이 선한지 안다면 선을 행하게 될 수 있다는 점을 간과한다.

14 갑은 긍정, 을은 부정의 대답을 할 질문으로 가장 적절한 것은?

갑: 지혜롭다는 사람을 만나 대화를 나누면서 이런 생각이 들었습니다. '이 사람보다는 내가 더 지혜롭군. 왜냐하면 우리 둘 다 아름답고 훌륭한 것을 전혀 알지 못하는 것 같은데, 이 사람은 자기가 알지 못하면서도 안다고 생각하는 반면, 나는 알지 못하는 것을 알지 못한다고 생각하기 때문이지.'
을: 법률의 제정에 있어 각 정권은 자기 이익을 목적으로 합니다. 법 제정을 마친 다음에는 권력자들에게 이익이 될 뿐인 법을 통치받는 사람들에게 정의로운 것인 듯 공표합니다. 이를 위반하는 자들은 정당하지 못한 일을 한 자들로 취급하고 처벌합니다.

① 승리를 거둔 강자의 명령이 사회의 정의가 되는가?
② 옳고 그름에 대해서 보편적인 판단을 내릴 수 없는가?
③ 덕은 상황이나 시대에 따라 달라지지 않는 보편적인 것인가?
④ 진리에 대해 알 수 있다고 해도 다른 사람에게 전할 수 없는가?
⑤ 다른 사람을 설득해 자신의 관점을 인정받는 것이 최선의 삶인가?

15 다음 입장의 한계를 서술하시오.

> 인간의 감각적 경험과 유용성이 모든 사물의 판단 기준이므로 인간은 만물의 척도이며, 인간은 윤리적 행위의 주체이다. 그러나 인간의 능력으로는 절대적 진리를 파악할 수 없다.

....

....

....

16 다음 사상가의 윤리에 대한 입장을 쓰고, 그 한계를 서술하시오.

> 덕이 무엇인지 아는 사람은 반드시 덕을 실천하게 되어 있다. 알면서도 악을 행한다는 것은 있을 수 없으며 선을 모르므로 악을 행하는 것이다. 도둑은 도둑질이 나쁜 행위인지 모르며, 다른 사람의 물건을 훔침으로써 자신이 행복할 거라고 생각하기 때문에 도둑질을 한다. 만일 도둑질이 나쁘다는 것을 알고, 도둑질을 해서 자신이 행복할 수 없음을 안다면, 그는 결코 도둑질을 하지 않을 것이다.

....

....

17 소크라테스의 입장에서 다음 상황의 갑에게 할 수 있는 충고를 서술하시오.

> 갑은 반 친구 몇 명이 복도를 걸어가던 을에게 시비를 걸고 욕을 하는 장면을 목격하였다. 갑은 다른 학생들과 마찬가지로 그 모습을 지켜보기만 하였다.

....

....

....

18 다음과 관련된 소크라테스의 진리 탐구 방법에 관해 서술하시오.

> 에우티프론에게 소크라테스는 "경건함이란 무엇인가?"라고 묻는다. 이 물음에 대해 에우티프론은 여러 대답을 차례로 내놓지만, 소크라테스는 각각의 대답이 지니는 한계를 지적하면서 더욱 확실한 정의를 요구한다. 에우티프론이 더는 대답하지 못하고 혼란에 빠지자, 소크라테스는 그에게 이렇게 말한다. "만일 자네가 경건함이 무엇인지를 정확히 알지 못한다면, 자네는 결코 감히 나이 든 아버지를 고발해서는 안 될 것일세."

....

....

| 교육청 기출 |

01 고대 서양 사상가 갑, 을의 입장으로 옳은 것은?

갑: 올바름은 더 강한 자의 편익이지만, 올바르지 못함은 자기 자신을 위한 편익이다. 올바른 사람은 자신이 아닌 강한 자에게 편익이 되는 것을 행하지만, 올바르지 못한 사람은 자기 자신에게 편익이 되는 것을 행한다. 따라서 완벽하게 올바르지 못함이 완벽한 올바름보다 더 이득이 된다.

을: 올바름은 영혼의 훌륭한 상태이지만, 올바르지 못함은 영혼의 나쁜 상태이다. 영혼이 훌륭한 사람은 모든 일을 지혜롭고 유능하게 해낼 수 있지만, 영혼이 나쁜 사람은 아무것도 어우러져서 해낼 수 없다. 따라서 영혼의 훌륭한 상태인 올바름은 나쁜 상태인 올바르지 못함보다 더 이득이 된다.

① 갑: 올바름은 현실적 이익에 얽매이지 않는 보편적인 것이다.
② 갑: 강자가 자신의 몫을 약자를 위해 나누는 것이 올바름이다.
③ 을: 올바르지 못함은 전적으로 의지의 나약함에서 비롯된다.
④ 을: 참된 앎을 지닌 유덕한 사람은 행복한 삶에 이를 수 있다.
⑤ 갑, 을: 도덕 판단은 주관적인 것으로서 그 기준이 사람마다 다르다.

| 교육청 기출 |

02 고대 서양 사상가 갑, 을의 입장만을 〈보기〉에서 고른 것은?

갑: 인간은 모든 것을 판단하는 기준이다. 각각의 것은 내게는 내게 나타나는 대로이고, 당신에게는 당신에게 나타나는 대로이다.

을: 인간은 자신의 무지를 깨닫고, 의미가 보편적으로 규정된 말을 사용하고 이성을 발휘함으로써 존재하는 것들의 진리를 탐구할 수 있다.

┤ 보기 ├
ㄱ. 갑: 개개인의 서로 다른 가치 판단은 존중되어야 한다.
ㄴ. 을: 지혜의 덕을 갖춘다고 해서 행복해지는 것은 아니다.
ㄷ. 을: 도덕적으로 악한 행위를 하는 것은 무지의 결과이다.
ㄹ. 갑, 을: 보편적이고 절대적인 진리는 존재하지 않는다.

① ㄱ, ㄴ   ② ㄱ, ㄷ   ③ ㄴ, ㄷ
④ ㄴ, ㄹ   ⑤ ㄷ, ㄹ

| 교육청 기출 |

03 다음은 고대 서양 사상가 갑, 을의 가상 대화이다. 갑, 을의 입장으로 옳은 것만을 〈보기〉에서 있는 대로 고른 것은?

갑: 정의란 더 강한 자 및 통치자의 이익이지만, 복종하고 섬기는 자의 경우에는 자신에게 해(害)가 되는 것이며 부정의는 그와 반대된다.

을: 정의는 덕의 한 종류로 보아야 합니다. 정의에 대한 참된 지식이 있어야 그것이 덕인지, 그것을 지닌 사람이 행복한지 알 수 있습니다.

┤ 보기 ├
ㄱ. 갑: 개인의 세속적 부와 권력으로 행복을 성취할 수 있다.
ㄴ. 을: 무지를 자각해야 보편적인 진리를 인식할 수 있다.
ㄷ. 을: 선에 대한 참된 앎을 갖추어야 좋은 삶을 영위할 수 있다.
ㄹ. 갑, 을: 감각에 의한 경험은 도덕적 판단의 기준이 될 수 없다.

① ㄱ, ㄷ   ② ㄴ, ㄹ   ③ ㄷ, ㄹ
④ ㄱ, ㄴ, ㄷ   ⑤ ㄱ, ㄴ, ㄹ

| 교육청 기출 |

04 고대 서양 사상가 갑, 을의 입장만을 〈보기〉에서 고른 것은?

갑: 인간은 있는 것에 대해서는 있다고 하는 척도이고, 있지 않은 것에 대해서는 있지 않다고 하는 척도이다. 인간은 모든 것의 척도이다.

을: 인간은 자신의 무지를 깨닫고 영혼을 수련함으로써 보편적 진리를 알 수 있다. 검토되지 않은 삶은 살아갈 가치가 없으며, 덕은 곧 지식이다.

┤ 보기 ├
ㄱ. 갑: 개개인의 상이한 가치 판단은 인정되어야 한다.
ㄴ. 을: 인간의 모든 악행은 의지의 나약함에서 비롯된다.
ㄷ. 을: 덕을 갖춘 사람은 그 자체로 행복을 누릴 수 있다.
ㄹ. 갑, 을: 참된 앎을 위해 이성보다 경험이 중시되어야 한다.

① ㄱ, ㄴ   ② ㄱ, ㄷ   ③ ㄴ, ㄷ
④ ㄴ, ㄹ   ⑤ ㄷ, ㄹ

| 교육청 응용 |

05 고대 서양 사상가 갑, 을의 입장에 대한 옳은 설명만을 〈보기〉에서 있는 대로 고른 것은?

> 갑: 정의는 강한 자의 이익 이외에 다른 것이 아니다. 그것은 다스림을 받는 자 자신에게는 해가 되고 남에게는 좋은 것, 즉 통치자에게 이익이 되는 것이다. 따라서 부정의를 지혜인 덕의 한 종류로 간주해야 한다.
> 을: 정의는 강한 자가 다스림을 받는 자의 이익을 생각하는 것이다. 그것은 통치자의 이익이 아니라 남에게 좋은 것, 즉 복종하는 자에게 이익이 되는 것이다. 따라서 정의를 지혜인 덕의 한 종류로 간주해야 한다.

┤ 보기 ├
> ㄱ. 갑은 현실에서 약자에게 유익한 것을 부정의로 본다.
> ㄴ. 을은 정의의 덕이 지혜를 본질로 해 드러난다고 본다.
> ㄷ. 을은 덕이 있는 삶을 선의 탁월성이 실현된 상태라고 본다.
> ㄹ. 갑, 을은 절대적이고 보편적인 진리를 추구해야 한다고 본다.

① ㄱ, ㄹ   ② ㄴ, ㄷ   ③ ㄷ, ㄹ
④ ㄱ, ㄴ, ㄷ   ⑤ ㄱ, ㄴ, ㄹ

| 평가원 기출 |

06 고대 서양 사상가 갑, 을의 입장으로 옳은 것은?

> 갑: 사람에게는 지식 이외의 다른 어떤 것도 가르쳐질 수 없다. 덕이 일종의 지식이라면 그것은 가르쳐질 수 있다는 것이 명백하다. 덕은 지식이며 행복이다.
> 을: 아무것도 존재하지 않는다. 만일에 어떤 것이 존재한다 할지라도 우리는 그것을 알 수 없다. 설령 어떤 것을 알 수 있다고 할지라도 그것을 다른 사람에게 전달할 수 없다.

① 갑: 보편적인 진리를 추구하기 위해 자신의 무지를 자각해야 한다.
② 갑: 올바른 지식과 덕을 갖춘 사람이라도 행복하지 않을 수 있다.
③ 을: 부단한 진리 탐구를 통해 객관적 존재의 본질을 파악할 수 있다.
④ 을: 선에 대한 기준은 인식할 수 없지만 궁극적인 선은 존재한다.
⑤ 갑, 을: 감각적 경험을 행위의 선악을 판단하는 근거로 삼아야 한다.

| 수능 기출 |

07 다음은 고대 서양 사상가 갑, 을의 가상 대화이다. 갑, 을의 입장을 〈보기〉에서 고른 것은?

> 갑: 자신이 느낀 것들은 각기 그 자신만이 판단할 수 있고 이러한 판단은 모두 옳은 것입니다. 왜냐하면 인간이 만물의 척도이기 때문입니다.
> 을: 각자 스스로가 지혜의 척도라면 무지한 사람은 없을 것입니다. 무지의 자각과 영혼의 수련을 통해 보편적인 진리를 깨달아야 합니다.

┤ 보기 ├
> ㄱ. 갑: 각자의 가치 기준에 따라 사물의 가치를 평가해야 한다.
> ㄴ. 을: 덕은 지식이며 덕을 갖춘 사람만이 행복할 수 있다.
> ㄷ. 을: 선을 알면서도 그릇된 행위를 자발적으로 할 수 있다.
> ㄹ. 갑, 을: 이성보다 사회의 관습에 따라 도덕 판단을 해야 한다.

① ㄱ, ㄴ   ② ㄱ, ㄷ   ③ ㄴ, ㄷ
④ ㄴ, ㄹ   ⑤ ㄷ, ㄹ

| 교육청 기출 |

08 다음은 고대 서양 사상가 갑, 을의 가상 대화이다. 갑이 을에게 제기할 수 있는 비판으로 가장 적절한 것은?

> 갑: 인간은 자신의 무지를 자각하고 영혼을 수련함으로써 보편적 진리를 깨달아야 합니다.
> 을: 아닙니다. 인간은 만물의 척도이기 때문에 각자가 자각한 것이 각자에게 진리임을 깨달아야 합니다.

① 세속적 가치가 유덕한 삶의 필수 조건임을 모르고 있다.
② 진리는 상대적인 것이 아니라 절대적인 것임을 모르고 있다.
③ 인간과 사회를 학문 탐구의 주제로 삼아야 함을 모르고 있다.
④ 유용성을 기준으로 사물의 가치를 평가해야 함을 모르고 있다.
⑤ 진리 판단의 근거를 감각적 경험에서 찾아야 함을 모르고 있다.

| 교육청 기출 |
09 다음 사상가가 강조하는 삶의 태도로 가장 적절한 것은?

> 여러분, 재물의 명성을 쌓는 일에만 마음을 쓰고 영혼을 돌보지 않는 것을 부끄러워해야 합니다. 영혼을 잘 돌보아 덕을 발휘하기 위해서는 알지 못하는 것을 안다고 생각하는 무지(無知)를 스스로 깨닫고 참된 앎을 추구하는 것이 중요합니다. 왜냐하면 영혼과 관련된 모든 것들은 참된 앎을 동반하는지 아니면 무지를 동반하는지에 따라서 유익하게도 해롭게도 되기 때문입니다.

① 무지를 자각하고 영혼의 수련에 힘써야 한다.
② 다수가 선호하는 삶의 방식을 고수해야 한다.
③ 사회적 성공과 출세를 위해 지식을 쌓아야 한다.
④ 올바른 삶보다 자연의 본질 탐구에 집중해야 한다.
⑤ 참된 앎을 얻기 위해 이성보다 경험을 중시해야 한다.

| 교육청 기출 |
10 고대 서양 사상가 갑의 입장에서 〈문제 상황〉 속 A에게 제시할 수 있는 조언으로 가장 적절한 것은?

> 갑: 덕이 영혼 속에 있는 것들 가운데 하나이고 필연적으로 유익하다면, 그것은 앎이어야 한다. 왜냐하면 영혼에 관련된 모든 것들은 그 자체로는 유익하지도 유해하지도 않지만, 앎이 더해지느냐 무지가 더해지느냐에 따라 유익하게도 유해하게도 되기 때문이다.
>
> 〈문제 상황〉
> 고등학생 A는 최근 TV 방송을 보다가 자연재해로 피해를 입은 사람들을 돕기 위한 모금 활동 소식을 들었다. A는 '나는 곤경에 처한 사람을 도와주어야 한다는 것을 잘 알아.'라고 생각하면서도 기부를 할지 망설이고 있다.

① 남을 돕는 것은 보편적 규범이 될 수 없음을 알아야 합니다.
② 남을 돕는 것의 참된 의미가 무엇인지 정확히 알아야 합니다.
③ 남을 돕는 행위는 명예를 얻기 위한 수단임을 알아야 합니다.
④ 곤경에 처한 사람을 돕고자 하는 실천 의지를 길러야 합니다.
⑤ 곤경에 처한 사람을 돕는 것은 나의 행복과 무관함을 알아야 합니다.

| 교육청 응용 |
11 다음은 고대 서양 사상가 갑, 을의 가상 대화이다. 을이 갑에게 제기할 수 있는 비판으로 가장 적절한 것은?

> 갑: 진리란 존재하지 않습니다. 비록 존재한다고 해도 우리는 그것을 알 수 없습니다. 우리가 그것을 알 수 있다고 해도 다른 사람에게 전할 수 없습니다.
> 을: 아닙니다. 인간은 무지를 자각하고 영혼을 수련함으로써 진리를 알 수 있습니다. 또한 대화를 통해 다른 사람이 진리를 찾을 수 있도록 도울 수 있습니다.

① 유덕한 삶이 인간의 행복과 무관하다는 것을 모르고 있다.
② 개인의 주관적 신념이 옳고 그름의 척도임을 모르고 있다.
③ 감각적 경험을 진리 탐구의 근거로 삼아야 함을 모르고 있다.
④ 사회적 유용성이 도덕 판단의 기준이 되어야 함을 모르고 있다.
⑤ 이성을 통해 파악할 수 있는 절대적 진리가 있음을 모르고 있다.

| 교육청 응용 |
12 갑, 을은 고대 서양 사상가들이다. 갑이 을에게 제기할 수 있는 비판으로 가장 적절한 것은?

> 갑: 인간은 만물의 척도이다. 존재하는 것에 대해서는 그것이 존재한다는 것의 척도이며, 존재하지 않는 것에 대해서는 그것이 존재하지 않는다는 것의 척도이다.
> 을: 덕은 곧 지식이다. 무엇이 선인지를 아는 사람은 그 지식으로 인하여 선을 행할 것이다. 선을 알면서도 악을 행하는 경우는 있을 수 없다. 무지하기에 악행을 저지르는 것이다.

① 영혼을 수련하여 불변의 진리를 얻어야 함을 간과한다.
② 이성을 지식과 도덕의 근원으로 보아야 함을 간과한다.
③ 도덕은 절대적인 것이 아니라 상대적인 것임을 간과한다.
④ 세속적 성공보다 도덕적 성찰을 중시해야 함을 간과한다.
⑤ 모든 사람이 따라야 할 보편적인 규범이 존재함을 간과한다.

02 덕

1 영혼의 정의와 행복

★ 1. 플라톤 세계관의 특징

(1) **소크라테스의 사상 계승** 참된 행복을 추구하기 위해 보편적인 덕을 강조함

(2) **이데아❶의 의미와 특징**

① 의미 존재의 참모습이자 모든 감각적인 개별 사물에 공통되는 보편적이고 절대적인 본질

② 특징 ┌─ 예 현상 세계에는 수많은 '사과'가 있지만, 그것들을 사과라고 부를 수 있게 해 주는 사과의 참모습인 사과의 이데아는 하나이다.

• 각각의 사물에는 그것들의 이데아가 있고, 최고의 이데아는 좋음[善]의 이데아임

• 이데아에 대한 지식은 오직 이성을 통해서만 얻을 수 있음

(3) **현상 세계와 이데아 세계의 특징**

① 현상 세계 끊임없이 생성·소멸하며 변화하는 불완전한 세계로, 감각을 통해 지식을 얻을 수 있음 ➡ 가시계(可視界)

② 이데아 세계 영원불변한 세계로, 이성으로만 파악 가능하고 감각은 이데아를 파악하는 데 방해가 됨 ➡ 가지계(可知界)

③ 동굴의 비유 [자료 01] ┌─ 태양이 생명을 부여하여 만물이 존재할 수 있듯이, 좋음(선)의 이데아는 모든 이데아들에게 본질을 부여하여 각각이 이데아일 수 있게 한다.

동굴 안	감각과 욕망이 지배하는 곳 ➡ 현상 세계
동굴 밖	이성이 지배하는 곳, 참된 세계 ➡ 이데아의 세계
태양	모든 존재의 궁극적 원인인 좋음[善]의 이데아 ➡ 각각의 이데아를 이데아이게 하는 최고의 이데아
철학자	동굴 밖으로 나가 태양이 비추는 세상을 본 사람 ➡ 철학자는 무엇을 실천해야 하는지에 대한 올바른 판단을 내릴 수 있음

2. 플라톤 윤리 사상에서 정의와 행복의 관계

(1) **정의로운 인간과 국가의 모습**

정의로운 인간 [자료 02]	• 영혼을 이성, 기개, 욕망❷으로 나누고 각 부분에 맞추어 지혜, 용기, 절제❸의 덕을 제시함 • 영혼이 조화를 이루며 지혜, 용기, 절제, 정의의 사주덕을 실현할 때 행복한 삶을 살아갈 수 있음
정의로운 국가 [자료 03]	• 철학자, 군인, 생산자❹가 각자의 탁월성을 실현하여 조화를 이루어야 함 • 이성이 발달한 사람은 지혜가 뛰어나 철학자(통치자)가 되고, 기개가 발달한 사람은 용기를 발휘해 군인(방위자)이 되며, 욕망이 왕성한 사람은 절제❺의 덕을 발휘하여 생산자가 됨 ┌─ 특히 절제는 모든 계급에 요구되는 것이라고 주장하였다. • 지혜로운 철학자가 통치하는 철인(哲人) 정치가 실현된 이상 사회를 강조함

(2) **행복한 삶을 이루기 위한 방법**

① 참된 지혜를 갖추면 덕이 있는 올바른 삶을 살며 참된 행복을 누릴 수 있음

② 인간의 영혼 각 부분이 자기의 할 일을 하면서 조화를 이루고, 국가 구성원이 맡은 일에 최선을 다하고 조화를 이룰 때 개인과 국가 모두 행복한 삶으로 나아갈 수 있음

3. 플라톤 윤리 사상의 의의와 한계

(1) **의의** 이성을 통한 욕망의 조절을 강조함 ➡ 서양 윤리 사상 전체에 영향을 미침

(2) **한계** 플라톤이 주장한 철인 정치는 독재와 전체주의를 옹호하고 민주주의를 폄하하는 데 악용될 수 있음

---

❶ **이데아(Idea)**

원래 '본다'라는 동사에서 나왔고 눈으로 볼 수 있는 생김새, 모양, 모습을 뜻하는 말이었다. 플라톤은 이 말을 눈으로 확인하고 수시로 변하는 감각적 모습이 아니라, 이성을 파악하고 영원히 변하지 않는 참모습을 가리키는 데 사용한다.

고득점을 위한 셀파 Tip / 개념

| 이데아 세계와 현상 세계 비교 |

이데아 세계	현상 세계
불변성	가변성
보편적	상대적
완전성	불완전성
무한성	유한성
실재	그림자
가지계	가시계
원형	모형

❷ **이성, 기개, 욕망**

이성은 배우고 헤아리는 부분, 기개는 격정을 느끼는 부분, 욕망은 육체적 만족이나 쾌락과 관련된 것을 탐하는 부분을 말한다.

❸ **지혜, 용기, 절제**

• 지혜: 전체를 위해 무엇이 유익한 것인지 아는 덕
• 용기: 이성이 지시하는 대로 두려워할 것과 두려워하지 않을 것을 끝까지 보전하는 덕
• 절제: 지배하는 부분과 지배받는 부분 사이에 반목하지 않는 덕

❹ **철학자, 군인, 생산자**

통치자인 철학자는 국가를 다스리고, 수호자 계급인 군인과 관리들은 국가를 방위하고 사회 질서를 유지해야 한다. 생산자 계급은 국가의 물질적 수요를 충당해야 한다.

❺ **절제의 덕**

절제는 감각적 쾌락과 욕망을 적절히 조절하는 것을 의미할 뿐만 아니라 자신의 지위를 알고 보다 훌륭한 사람의 이성에 이끌려 통치받는 것을 의미한다.

 셀파 **자료** 탐구

자료 01 플라톤의 동굴의 비유

지하 동굴에는 어릴 적부터 팔과 다리, 목이 묶여 동굴 입구를 등진 채 살아가는 사람들이 있다. 이들은 이곳에 머무르면서 막힌 동굴의 앞쪽만을 보도록 묶여 있고, 이들의 뒤쪽 멀리에서는 불이 타오르고 있다. 이 불과 묶인 사람들 사이에는 높은 담장이 있다. 그리고 그 담장 너머에서는 사람들이 인물상, 동물상 등을 담 위로 들고 지나다닌다. 동굴 안의 묶인 사람들은 불빛 때문에 동굴 벽에 만들어지는 그림자들만 볼 수 있을 뿐이다. 만약 그들 중 하나가 풀려나서 불빛을 쳐다본다면, 그 순간 눈이 아파 큰 고통을 느낄 것이다. 하지만 이내 그의 눈은 불빛에 적응할 것이고, 그리하여 동굴을 탈출한다면 그는 동굴 밖의 환한 세상을 보게 될 것이다. 동굴 밖의 세상을 본 그는 다시 동굴로 돌아와 사람들을 동굴 밖으로 인도하려 할 것이다.　– 플라톤, 「국가」 –

자료 분석 | 플라톤의 동굴의 비유에서 동굴 속은 현상 세계이고, 동굴 바깥은 이데아 세계이다. 동굴 속의 죄수들은 그림자를 참된 존재로 믿고 사는 현실 세계의 사람들이고, 동굴 바깥의 사물들은 여러 가지 이데아들이며, 태양은 좋음(선)의 이데아를 상징한다. 플라톤에 따르면 좋음의 이데아는 인식되는 것들의 인식됨이 가능하게 되고 그것들이 존재하게 되며 본질을 갖게 되는 근거이다.

자료 02 인간 영혼의 이상적인 상태

우리 인간의 영혼은 마차에 비유될 수 있습니다. 마차를 끄는 두 마리의 말이 있는데, 한 마리는 말을 잘 듣는 좋은 말이고 다른 말은 채찍을 들어야 말을 듣는 좋지 않은 말입니다. 실제로 마차를 끄는 것은 이 두 마리의 말이죠. …… 그러나 말이 마음대로 날뛰면 마차는 위험에 빠지기 때문에 마차가 가야 할 방향은 마부가 결정해야 합니다.　– 플라톤, 「파이드로스」 –

자료 분석 | 플라톤은 인간의 영혼을 두 마리 말이 끄는 마차에 비유한다. 제시된 비유에서 말을 잘 듣는 말은 인간 영혼의 기개로, 채찍을 들어야 말을 듣는 말은 욕망으로, 마부는 이성으로 볼 수 있다. 인간 영혼도 마찬가지로 이성적인 부분이 욕망과 기개를 잘 다스려야 하고, 욕망과 기개가 이성의 지시를 받아 절제할 때, 조화를 이루며 정의로워진다.

자료 03 플라톤의 철인 정치

실무나 학식 등 모든 면에서 가장 훌륭하였던 사람으로 하여금 고개를 들어 영혼의 눈으로 모든 것에 빛을 주는 좋음[善] 자체를 보게 해야 합니다. 그것을 본으로 삼아 그들로 하여금 번갈아 가며 나라와 개인과 자신을 다스리도록 만들어야 합니다. 그들은 여생의 대부분을 철학으로 소일하지만, 차례가 오면 나랏일로 수고하며 저마다 나라를 위해 통치자가 되어야 합니다. 그리고 다른 사람을 교육하여 자신을 대신할 사람을 남긴 다음, 축복받은 자들의 섬으로 가서 살게 해야 합니다. 내가 말한 것은 남자뿐만 아니라 여자에게도 해당합니다. 여자라도 충분한 자질을 지니고 태어났다면 그도 철학자와 통치자가 될 수 있습니다.　– 플라톤, 「국가」 –

자료 분석 | 플라톤은 지혜의 덕을 갖춘 철학자가 통치하거나 현재의 통치자들이 철학을 해야 이상 국가가 실현된다고 주장하면서 철학과 정치권력의 결합을 역설하였다. 이때 플라톤은 철학자가 국가 구성원의 행복을 위해 희생하고 봉사하는 통치자가 되어야 한다고 본다. 그러나 그 과정에서 권력이나 부, 명예 등과 같은 대가를 바라서는 안 된다고 강조한다.

---

1 플라톤은 영혼의 세 부분이 각자의 고유한 역할을 수행하여 조화를 이룰 때 정의가 실현된다고 보았다.

(○ , ×)

2 플라톤은 이상적인 국가의 모습으로 모든 사람이 정치에 참여하는 것을 꼽았다.

(○ , ×)

3 플라톤은 인간의 감각을 통해서 참된 진리를 인식할 수 있다고 보았다.

(○ , ×)

4 플라톤에 따르면 왕은 다수의 의견에 따라 국가를 통치해야 한다.

(○ , ×)

5 플라톤에 따르면 국가는 철학자, 군인, 생산자 계층으로 구성된다.

(○ , ×)

6 플라톤은 좋음(선)의 이데아를 인식한 철학자가 통치할 때 정의로운 국가가 실현된다고 보았다.

(○ , ×)

7 플라톤은 현상을 초월한 세계에서 참다운 존재를 찾았다.

(○ , ×)

8 플라톤에 따르면 이데아 세계는 오직 감각에 의해서만 파악된다.

(○ , ×)

9 플라톤에 따르면 최고의 이데아는 좋음(선)의 이데아이다.

(○ , ×)

정답 1 ○　2 ×　3 ×　4 ×　5 ○
6 ○　7 ○　8 ×　9 ○

2 이론과 실천의 탁월성과 행복

1. 아리스토텔레스 세계관의 특징

(1) 현실적인 윤리학

① 플라톤의 이원론적 세계관에 의문을 제기함 ➡ 좋음[善]은 이데아의 세계가 아닌 현실 세계에 존재한다고 주장함 자료 04

② 윤리적 문제를 다루는 학문은 구체적인 삶의 현실에서 실천의 원리와 방안을 찾으므로 경험, 상식, 통념이 중요하다고 봄

(2) 목적론적 세계관⑥

① 세상 모든 것에는 목적이 있고, 인간의 모든 행위에도 목적이 있음

② 인간은 궁극적으로 좋은 것을 목적으로 함 ➡ 궁극적 목적은 행복(eudaimonia⑦)임

2. 아리스토텔레스 윤리 사상에서 행복과 덕의 관계

(1) 행복 자료 05

① 인간의 고유한 덕을 따르며 살아야 참된 행복에 이를 수 있음

② 이성에 따라 품성적 덕과 지성적 덕을 조화롭게 발휘하면 참된 행복에 이를 수 있음

(2) 덕

— 인간의 고유한 기능인 이성이 탁월하게 발휘되는 상태이다.

구분	품성적 덕	지성적 덕
의미	영혼의 감각과 욕구의 기능이 이성에 귀를 기울이고 명령을 따를 때 얻을 수 있는 덕	영혼의 순수하게 이성적인 기능이 탁월하게 작용할 때 얻을 수 있는 덕
덕목	용기, 절제, 친절 등	철학적 지혜, 실천적 지혜, 논리적 추론 등
특징	• 반복적 훈련과 습관을 통해 생김 • 실천적 지혜에 따른 유덕한 행위가 습관화될 때 쌓임 • 중용: 과도함과 부족함 사이의 '적절한' 상태 • 악덕에는 중용이 성립되지 않음 • 중용은 산술적인 중간 상태가 아님 자료 06	• 교육과 탐구를 통해 얻을 수 있음 • 실천적 지혜⑧는 각 상황에서 어떤 행동이 중용의 상태인지 알려 줌 • 실천적 지혜는 품성적 덕의 형성에 직접적인 영향을 끼침

— 질투, 절도 등이 악덕에 속한다.

3. 플라톤과 아리스토텔레스의 윤리 사상 비교

구분	플라톤	아리스토텔레스
차이점	• 참된 진리가 이데아 세계에 있다고 봄 • 데카르트, 칸트 등 이성을 중시하는 사상가에게 영향을 끼침	• 참된 진리가 현실 세계에 존재한다고 봄 • 근대 경험주의와 현대 덕 윤리 등에 영향을 끼침
공통점	• 덕 있는 삶을 살 때 행복할 수 있다고 봄 • 이성을 강조하고, 이성이 욕망을 적절히 통제해야 덕 있는 사람이 될 수 있다고 봄	

4. 덕 윤리⑨가 서양 윤리 사상에 미친 영향

(1) 현실적인 윤리 사상 제시
플라톤 사상의 이상주의적 한계를 넘어 현실적인 윤리 사상을 대안으로 제시함

(2) 현대 덕 윤리

① 개인의 행위를 그 자체로 평가하지 않고 공동체의 구체적 맥락 안에서 행위를 평가함

② 공동체가 합의하고 공유하는 덕을 개인의 행동을 판단하는 기준, 공동선을 실현하는 윤리적 방편으로 삼음

---

⑥ **목적론적 세계관**
아리스토텔레스는 자연 일반이 어떤 목적을 추구한다고 생각한다. 그는 심지어 무생물의 영역도 나름대로 자연적 목적을 추구하는 대상들로 구성되어 있다고 본다.

⑦ **에우다이모니아(eudaimonia)**
오늘날 행복과 번영을 의미하는 그리스어로, '잘 살고 잘 행동하는 것'을 모두 포함하는 말이다.

⑧ **실천적 지혜**
선택과 숙고가 필요한 구체적 상황 속에서 어떻게 하는 것이 좋은지 나쁜지를 판단하고, 좋은 의견을 구성하는 지성적 덕이다. 품성적 덕의 형성에 직접적인 영향을 미쳐 인간의 감정과 행위를 변화시킬 수 있다는 특성이 있다.

고득점을 위한 셀파 Tip 개념

| 중용의 상태 |

부족함	중용	과도함
인색	후함	낭비
둔감	절제	방종
퉁명스러움	친애	아첨
무모함	용기	비겁함
순진함	슬기로움	교활함

⑨ **덕 윤리 사상**
덕 윤리는 덕이라고 부르는 개인의 내적 특성 혹은 성품이 도덕적으로 가장 중요하다고 주장하는 이론이다.

셀파 자료 탐구

기출 선택지 O, ✕로 정리하기

자료 04 이데아론에 대한 아리스토텔레스의 비판

'인간 자체(이데아)'에 있어서나 '인간'에 있어서나 하나의 동일한 설명, 즉 인간에 대한 설명이 적용되는 한, 그들이 '무엇 자체'를 가지고 도대체 무엇을 의미하는지에 대해 의문을 제기할 수도 있을 것이다. 왜냐하면 '인간 자체'나 '인간' 모두 인간인 한에 있어서는 아무 차이가 없을 것이기 때문이다. 만약 그렇다고 한다면 '좋음 자체'나 '좋음' 역시 좋음인 한에서 아무 차이가 없을 것이다.

– 아리스토텔레스, 「니코마코스 윤리학」 –

자료 분석 | 아리스토텔레스는 '좋음 자체', 즉 보편적인 '좋음의 이데아'가 현실 세계와 떨어진 이데아의 세계에 존재한다는 주장을 받아들이지 않았다. 좋음이란 변화하는 상황과 사람의 관점에 따라 다양하게 해석될 수 있다고 보았기 때문이다. 따라서 아리스토텔레스는 좋음(선)의 이데아가 존재한다는 것에 의문을 제기하고, 좋음은 이데아 세계가 아닌 현실 세계에 존재한다고 주장하였다.

자료 05 행복과 이성

행복은 모든 것 가운데 가장 바람직한 것이요, 이러한 선(善)들 중 최고의 선이다. 따라서 행복은 궁극적이고 자족적이며, 모든 행동의 목적이라고 할 수 있다. 무엇이 행복인지를 알려면 인간의 기능에 대해서 생각해 보아야 한다. 인간만이 지닌 특별한 기능은 정신의 이성적 활동 능력이다. 인간의 기능을 훌륭하게 수행하는 것은 바로 이성적 활동을 잘 수행하는 것이다. 어떠한 활동이 잘 수행되는 것은 그것에 알맞은 덕을 가지고 수행될 때이다. 그러므로 행복이란 덕과 일치하는 정신의 활동이라고 할 수 있다.

– 아리스토텔레스, 「니코마코스 윤리학」 –

자료 분석 | 아리스토텔레스는 행복을 최고선으로 제시하면서 인간만이 지닌 특별한 기능을 가장 탁월하게 발휘하는 것이 바로 최고선이자 행복이라고 주장한다. 이때 아리스토텔레스가 제시하는 인간만이 지니는 기능이 바로 이성이다. 따라서 인간에게 있어서는 이성을 잘 발휘하는 것이야말로 행복에 이르는 길이다.

자료 06 아리스토텔레스의 중용

우리와 관련된 중용은 모든 사람에게 하나가 아니고 동일하지도 않다. 예를 들어 10은 많고 2는 적다면, 사물과 관련된 중용으로 6을 취한다. 그러나 우리와 관련된 중용은 이런 식으로 취해서는 안 된다. 어떤 이에게 10근의 음식물은 먹기에 많고 2근의 음식물은 적다고 해서, 운동을 지도하는 자가 모든 사람에게 6근의 음식물을 먹으라고 지시하지는 않을 것이기 때문이다. 왜냐하면 6근의 음식물은 노련한 레슬링 선수에게는 적겠지만 운동을 막 시작한 초보자에게는 많을 것이기 때문이다.

– 아리스토텔레스, 「니코마코스 윤리학」 –

자료 분석 | 아리스토텔레스는 중용을 산술적인 중간으로 오해해서는 안 된다고 말한다. 그의 설명에 따르면 같은 행동이라도 상황에 따라, 사람에 따라 그 행동의 적절성 여부는 달라질 수 있다. 그러므로 정해진 행동 규칙을 단순히 따르는 방식으로는 중용에 다가설 수 없으며, 각 상황에 따라 적절한 행동이 무엇인지 고려해야 한다. 이는 중용을 취하기 위해서는 이성적 도움, 즉 실천 지혜가 필요함을 암시하는 것이기도 하다.

1 아리스토텔레스는 현실에서는 참다운 존재를 찾을 수 없다고 보았다.
(O , ✕)

2 아리스토텔레스는 진리를 얻으려면 현상이나 감각에 의존하지 말아야 한다고 보았다.
(O , ✕)

3 아리스토텔레스는 인간 행위의 최종적인 목적을 행복이라고 보았다.
(O , ✕)

4 아리스토텔레스에 따르면 덕은 이성을 탁월하게 발휘하는 것을 의미한다.
(O , ✕)

5 아리스토텔레스에 따르면 품성적 덕은 영혼의 비이성적인 부분이 욕구를 따를 때 갖출 수 있다.
(O , ✕)

6 아리스토텔레스에 따르면 중용이란 지나침과 모자람의 중간 상태를 의미한다.
(O , ✕)

7 아리스토텔레스는 중용을 산술적인 평균이나 중간이라고 보았다.
(O , ✕)

8 아리스토텔레스에 따르면 중용을 취하기 위해서는 실천적 지혜의 도움이 필요하다.
(O , ✕)

9 아리스토텔레스에 따르면 악덕에 대해서는 중용이 성립할 수 없다.
(O , ✕)

정답 1 ✕ 2 ✕ 3 O 4 O 5 ✕
6 O 7 ✕ 8 O 9 O

1 영혼의 정의와 행복

플라톤 세계관의 특징	이데아	• 모든 감각적인 개별 사물에 공통되는 보편적이고 절대적인 본질 • 각각의 사물에는 이데아가 있고, 최고의 이데아는 (**❶**)의 이데아임 • 이데아에 대한 지식은 이성을 통해서만 얻을 수 있음
	세계 구분	• 현상 세계: 불완전한 세계로, 끊임없이 생성·소멸하며 변화함 • (**❷**) 세계: 영원불변한 세계로, 이성으로만 파악 가능함
	동굴의 비유	• 동굴 안은 감각과 욕망이 지배하는 곳으로, 현상 세계를 비유함 • 동굴 밖은 (**❸**)이 지배하는 참된 세계로, 이데아의 세계를 비유함
정의와 행복의 관계	정의로운 인간	• (**❹**)을 이성, 기개, 욕망으로 나누고 지혜, 용기, 절제의 덕을 제시함 • 영혼이 전체적인 조화를 이루면 정의의 덕이 실현됨
	정의로운 국가	• (**❺**), 군인, 생산자가 각자의 탁월성을 실현하여 조화를 이루어야 함 • 철인 정치가 실현된 이상 사회
	행복한 삶	참된 지혜를 갖추면 덕이 있는 올바른 삶을 살며 참된 행복을 누릴 수 있음

2 이론과 실천의 탁월성과 행복

아리스토텔레스 세계관의 특징	현실적인 윤리학	• 선은 현실 세계에 존재한다고 주장함 • 경험, 상식, 통념 등이 중요함
	목적론적 세계관	• 세상 모든 것에는 (**❻**)이 있고, 인간의 모든 행위에도 목적이 있음 • 인간은 궁극적으로 좋은 것을 목적으로 함 → 궁극적인 목적은 (**❼**)
행복과 덕의 관계	행복	• 인간의 고유한 덕을 따르며 살아야 참된 행복에 이를 수 있음 • 품성적 덕과 지성적 덕을 조화롭게 발휘하면 참된 행복에 이를 수 있음
	덕	• 인간의 고유한 기능인 이성이 탁월하게 발휘되는 상태 • 품성적 덕: 영혼의 감각과 욕구의 기능이 이성의 명령을 따를 때 얻을 수 있는 덕 → 반복적 훈련과 (**❽**)을 통해 생김 • (**❾**) 덕: 영혼의 순수하게 이성적인 기능이 탁월하게 작용할 때 얻을 수 있는 덕 → 교육과 탐구를 통해 얻을 수 있음

정답 ❶ 좋음(선) ❷ 이데아 ❸ 이성 ❹ 영혼 ❺ 철학자 ❻ 목적 ❼ 행복 ❽ 습관 ❾ 지성적

01 다음 고대 서양 윤리 사상가의 입장으로 옳은 것은?

> 현실적인 세계는 개별적인 것의 세계이고 이상적 존재의 세계는 이데아의 세계이다. 현실적 세계에서 존재하는 덕은 덕의 구체적인 예에 불과하다.

① 개별 인간이 모두 가치 판단의 기준이다.
② 참된 진리는 감각적 경험을 통해 얻어지는 것이다.
③ 참된 앎을 인식하기 위해서는 실천 의지가 필요하다.
④ 모든 진리는 상대적이며, 보편적인 윤리는 존재하지 않는다.
⑤ 이상적 인간이 되기 위해서는 이성을 통해 욕망을 잘 조절해야 한다.

02 다음 고대 서양 사상가의 입장으로 옳은 것을 〈보기〉에서 고른 것은?

> 철학자들이 나라의 왕이 되거나 현재 왕이나 다스리는 자가 참된 지혜를 사랑하지 않는 한, 모든 나라나 인류에게 나쁜 것들이 완전히 사라지는 일은 없다.

┤ 보기 ├
ㄱ. 가치 판단의 근거는 감각적인 쾌락이다.
ㄴ. 감각적 경험으로 이데아의 세계를 인식할 수 있다.
ㄷ. 철인이 다스릴 때 이상적인 국가가 실현될 수 있다.
ㄹ. 이데아를 이데아이게 하는 궁극적 원인은 좋음의 이데아이다.

① ㄱ, ㄴ　　② ㄱ, ㄷ　　③ ㄴ, ㄷ
④ ㄴ, ㄹ　　⑤ ㄷ, ㄹ

03 다음은 플라톤의 영혼·덕·이상 국가를 도식화한 것이다. ㉠ ~㉤에 대한 설명으로 적절하지 <u>않은</u> 것은?

영혼	덕	이상 국가
이성	㉡	철학자
㉠	용기	㉣
욕망	㉢	㉤

① ㉠과 욕망은 이성을 잘 따라야 한다.
② ㉡을 갖춘 통치자는 선의 이데아를 인식할 수 있다.
③ ㉢은 생산을 담당하는 구성원이 갖추어야 할 덕이다.
④ ㉣은 용기의 덕을 발휘해 나라를 통치하는 사람이다.
⑤ ㉤은 성실하고 열정적으로 생산에 종사하는 사람이다.

04 밑줄 친 '훌륭한 나라'에 대한 설명으로 옳은 것은?

> 훌륭한 나라에서는 올바름만이 아니라, 지혜와 용기 그리고 절제도 찾아볼 수 있다. 실제 한 나라가 올바른 것은 그 안에 있는 세 부류가 저마다 '제 일을 함'에 의해서이다.

① 직업 선택의 자유가 보장되는 사회이다.
② 지혜로운 철학자가 국가를 다스리는 사회이다.
③ 각자의 능력과 업적에 따라 재화를 분배하는 사회이다.
④ 모든 인간이 태어나면서부터 자유롭고 평등한 사회이다.
⑤ 사회 구성원 모두가 합의하여 정책을 결정하는 사회이다.

05 ㉠에 대한 설명으로 옳지 <u>않은</u> 것은?

> • [㉠] 때문에 올바른 것이 유익하게 된다. 다른 것을 아무리 많이 알아도 이를 알지 못하면, 아무런 쓸모도 없게 될 것이다.
> • 이 전체 비유에서 '동굴에서 벗어나 위로 오르는 것', 그리고 '높은 곳에 있는 것을 구경하는 것'을 '영혼이 이성으로 알 수 있는 영역을 향해 올라가는 것'이라고 한다면, 내 의도에 딱 맞는 것일세. 인식할 수 있는 영역에서 최종적으로 각고의 노력 끝에 보게 되는 것이 바로 [㉠](이)라네. 이것이 옳고 아름다운 모든 것의 원인이지.

① 모든 존재의 궁극적 원인이다.
② 만물을 비추는 태양에 비유된다.
③ 현실 세계에서는 인식 불가능하다.
④ 오직 이성을 통해서만 파악할 수 있다.
⑤ 끊임없이 생성하고 소멸하며 변화한다.

06 다음 서양 사상가가 긍정의 대답을 할 질문으로 가장 적절한 것은?

> 신은 여러분들을 만들면서 능히 통치할 수 있는 사람들에게는 금을 섞었는데 이들이 가장 존경받는 것은 바로 이 때문입니다. 또한 신은 수호자들에게는 은을 섞었고 농부나 다른 장인들에게는 철과 청동을 섞었습니다. 대부분의 경우에 여러분은 자신과 닮은 자손을 낳게 됩니다. 하지만 모두는 서로 관련되어 있으므로 때로는 금의 부모로부터 은의 자식이 태어나기도 하고, 또 그와는 반대의 경우도 일어납니다. 그리고 다른 모든 계급의 사람들도 서로 다른 계층으로부터 태어나기도 합니다.

① 세상의 모든 것에는 목적이 존재하는가?
② 참된 지식은 절대적이고 보편적인 것인가?
③ 국가를 통치하는 자에게는 오직 지혜의 덕만이 필요한가?
④ 이 세상은 개별적인 실체들로 이루어진 하나의 세계인가?
⑤ 노력의 결과에 따라 계층 간 역할 교환의 기회가 보장되어야 하는가?

07 다음 고대 서양 사상가의 입장으로 옳은 것을 〈보기〉에서 고른 것은?

> 사물에게 있어서 목적은 그것이 무엇을 산출하는지 또는 자신을 넘어선 그 이상의 어떤 것을 획득하는 데 도움이 되는지에 따라 가치가 규정된다. 이처럼 인간의 행위에도 목적이 있으며, 최종적인 목적으로서의 최고선이 존재하는 것이다.

┤ 보기 ├
ㄱ. 인간의 의도적 행위만이 목적이 있다.
ㄴ. 좋음은 이데아의 세계에만 존재하는 것이다.
ㄷ. 인간의 궁극적인 목적이자 최고선은 행복이다.
ㄹ. 개별적인 실체들로 이루어진 하나의 세계만이 존재한다.

① ㄱ, ㄴ ② ㄱ, ㄷ ③ ㄴ, ㄷ
④ ㄴ, ㄹ ⑤ ㄷ, ㄹ

★08 다음 고대 서양 사상가의 입장으로 옳은 것은?

> 어떤 사람이 무슨 일에서나 뒷걸음치며 두려워하고 자신의 설 자리를 확고하게 지키지 않는다면 그는 비겁한 자가 될 것이다. 반면에 아무것도 두려워하지 않으며 모든 것과 정면으로 대결하려는 사람은 무모한 자가 될 것이다. 따라서 용기는 과도함과 부족함에 의해서 파괴되며 중용에 의해서 유지된다.

① 모든 행위와 감정에는 중용이 존재한다.
② 품성적 덕과 지성적 덕은 상호 무관한 것이다.
③ 윤리적 행동을 위해서는 실천 의지가 중요하다.
④ 무엇이 옳고 그른지를 제대로 알면 그대로 행할 수 있다.
⑤ 인간의 궁극적 목적은 정신적이고 지속적인 쾌락을 누리는 것이다.

★09 다음을 통해 알 수 있는 중용의 특징으로 가장 적절한 것은?

> 10은 많고 2는 적다면, 사물과 관련된 중용으로 6을 취한다. 그러나 우리와 관련된 중용은 이런 식으로 취해서는 안 된다. 어떤 이에게 10근의 음식물은 먹기에 많고 2근의 음식물은 적다고 해서, 운동을 지도하는 자가 모든 사람에게 6근의 음식물을 먹으라고 지시하지는 않을 것이기 때문이다. 왜냐하면 6근의 음식물은 노련한 레슬링 선수에게는 적겠지만 운동을 막 시작한 초보자에게는 많을 것이기 때문이다.

① 산술적인 중간 상태와 다르다.
② 철학적 지혜의 영향을 받는다.
③ 악덕(惡德)에 대해서는 성립할 수 없다.
④ 모든 상황에 보편적으로 적용되는 덕이다.
⑤ 교육과 탐구를 통해 이성을 고양하면 얻을 수 있다.

10 (가)의 고대 서양 사상가 구분한 덕의 종류를 (나) 도식으로 나타낼 때, ㉠과 ㉡에 대한 설명으로 적절하지 않은 것은?

(가)	인간의 행위들이 추구하는 목적들은 점점 상위의 목적으로 올라가다 보면 궁극적인 목적에 이른다. 이 목적은 최고선이다. 그렇다면 최고선은 무엇일까? 그것은 행복이다. 행복은 덕에 따른 영혼의 활동이다.

	덕	종류
(나)	㉠	철학적 지혜, 실천적 지혜, 논리적 추론 등
	㉡	용기, 절제, 친절 등

① ㉠은 교육과 탐구를 통해 길러진다.
② ㉡이 무엇인지 알기만 하면 덕을 탁월하게 수행할 수 있다.
③ ㉡은 인간의 감정이나 행위가 중용을 따르는 품성 상태를 뜻한다.
④ ㉡을 형성하기 위해서는 꾸준한 실천을 통해 중용을 습관화해야 한다.
⑤ ㉠과 ㉡을 이성에 따라 조화롭게 발휘하면 인간은 참된 행복에 이를 수 있다.

11 (가)의 고대 서양 사상가 입장에서 〈사례〉 속 K에게 해 줄 수 있는 조언으로 가장 적절한 것은?

> (가) 한 마리의 제비가 왔다고 봄이 온 것이 아닌 것처럼 한 번의 실천으로 덕 있는 사람이 되는 것이 아니다.
> 〈사례〉
> K는 게임을 좋아한다. 매일 친구와 함께 게임 세계에 접속하는데, 게임에만 빠지다 보니 성적이 조금씩 떨어지고 있다. K는 게임하는 것이 너무 즐겁지만 성적을 위해 게임을 조절하고 싶다.

① 보편적 도덕규범에 따라 게임을 줄이려는 행동을 단번에 시행하세요.
② 이성적 판단에 따라 게임을 줄이려는 행동을 지속적으로 습관화하세요.
③ 욕구 충족에 따른 쾌락을 극대화하기 위해 친구와 함께 게임에 참가하세요.
④ 최대 다수에게 최대의 이익을 산출하기 위해 친구와 함께 게임에 참가하세요.
⑤ 참된 지식을 알면 시행할 수 있으므로 왜 게임을 그만두어야 하는지 깨달으세요.

12 다음 현대 덕 윤리 사상가에 대한 설명으로 옳은 것은?

> 나는 내 가족, 내 도시, 내 나라의 과거에서 다양한 빚, 유산, 적절한 기대와 의무를 물려받는다. 이는 내 삶에서 도덕의 출발점이다. 또한 내 삶에 도덕적 특수성을 부여하는 것이다.

① 공동체의 도덕적 전통과 관습을 경시한다.
② 도덕 원리를 따르는 행위 중심의 윤리를 강조한다.
③ 도덕 판단을 내리는 행위자의 욕구나 감정을 경시한다.
④ 감정보다 도덕적 의무를 도덕적 행위의 동기로 인정한다.
⑤ 공동체가 합의한 덕을 기준으로 개인의 행동을 판단할 것을 강조한다.

13 다음 가상 편지를 쓴 고대 서양 사상가가 강조하는 삶의 태도로 가장 적절한 것은?

> ○○에게
> 나는 인간의 모든 행위가 목적으로 하는 '선'을 바로 행복이라고 생각하네. 행복은 궁극적이고 자족적이며 모든 것 가운데 가장 바람직한 것이기에 나는 그것을 최고의 선이라고 칭하네. 우리는 무엇이 행복인지를 알려면 인간의 기능에 대해서 먼저 생각해 보아야 한다네. 인간만이 지닌 특별한 기능은 바로 정신의 이성적 활동 능력이네. 어떠한 활동이 잘 수행되기 위해서는 그것에 알맞은 덕을 갖춰야 한다는 걸 자네도 잘 알지 않는가. 따라서 나는 행복을 덕과 일치하는 정신의 활동이라고 생각한다네.

① 인간의 고유한 기능인 이성을 탁월하게 발휘해야 한다.
② 자연적 본능에 따라 쾌락을 추구하고 고통을 회피해야 한다.
③ 편안한 삶을 위해 도덕적인 삶보다 세속적인 성공을 추구해야 한다.
④ 지혜를 따르는 삶을 살기 위해 행복에 대한 욕구를 모두 제거해야 한다.
⑤ 지식의 상대성을 깨달아 절대적인 진리에 대한 집착에서 벗어나야 한다.

14 고대 서양 사상가 갑, 을의 입장으로 옳은 것은?

> 갑: 영혼의 기능은 이성, 기개, 욕구의 세 부분으로 나누어진다. 국가의 통치자들이 지혜를 필요로 하듯이 개인의 영혼 중 이성적 부분도 지혜를 필요로 한다.
> 을: 덕은 지성적 덕과 품성적 덕으로 구별된다. 지성적 덕이 주로 교육을 통해 성장하는 것이라면, 품성적 덕은 습관의 결과로 생겨난다.

① 갑: 왕은 다수의 의견에 따라 국가를 통치해야 한다.
② 갑: 좋음의 이데아는 현상 세계의 선한 것들을 모방한 것이다.
③ 을: 선(善)과 진리는 현실 세계가 아닌 이데아의 세계에 존재한다.
④ 을: 옳지 않다는 것을 알면서도 의지의 나약함 때문에 옳지 않은 일을 행할 수 있다.
⑤ 갑, 을: 감각적 경험이 참된 지식의 근원이다.

15 갑의 입장에서 을을 비판한 내용으로 가장 적절한 것은?

> 갑: 좋다고 말할 때는, 신과 지성이 좋다고 말할 때처럼 어떤 이유 혹은 어떤 면에서 좋다고 말하기도 하고, 덕이 좋다고 말할 때처럼 성질이 좋다고 말하기도 하고, 적당량이 좋다고 말할 때처럼 양에서도 좋다고 말하고, 무엇에 유용하다고 말할 때처럼 관계에서도 좋다고 말하고, 시간과 장소, 그 밖에 다른 점에서도 좋다고 말한다. 그러므로 좋음이 어떤 공통적이고 단일한 보편자로 존재하지 않을 것이라는 점은 분명하다.
>
> 을: 꽃의 모습은 다양하지만, 우리가 꽃이라고 말할 수 있기 위해서는 영원히 변하지 않는 꽃의 실재를 전제해야만 하는 것과 마찬가지로, 시시각각으로 변하는 감각 세계와는 근본적으로 다른 본질적 세계가 존재한다.

① 덕은 사회적 합의의 산물임을 간과하고 있다.

② 이성을 통해 욕망을 조절해야 한다는 것을 간과하고 있다.

③ 모든 존재의 궁극적 원인은 좋음의 이데아라는 것을 간과하고 있다.

④ 좋음은 이데아 세계가 아닌 현실 세계에 존재한다는 것을 간과하고 있다.

⑤ 보편적인 좋음이 이 세상과 떨어진 초월적인 영역에 있다는 사실을 간과하고 있다.

16 갑, 을 모두 긍정의 대답을 할 질문으로 가장 적절한 것은?

> 갑: 두려움과 대담함에 관련해서는 용기가 중용이다. 두려움이 전혀 없는 사람도 지나친 사람이고, 무모한 사람도 대담함이 지나친 사람이다. 지나치게 두려워하며 대담함이 모자란 사람은 비겁한 사람이다.
>
> 을: 우리는 개인의 영혼 안에도 국가와 같이 세 부분이 있다는 것을 안다. 한 개인이 지혜롭다고 하는 이유는 각 부분을 위해서도 전체를 위해서도 무엇이 유익한지 알고 지시를 내리는 부분 때문이다.

① 지식의 획득과 선행의 실천은 분리될 수 있는가?

② 사물의 본질은 현실 세계에서 파악될 수 있는가?

③ 올바른 삶을 사는 인간은 지혜를 갖추고 있는가?

④ 앎을 갖춘 사람은 항상 감정에 휘둘리지 않는가?

⑤ 옳고 그름은 주관적인 믿음에 따라서 결정되는가?

17 (가)의 고대 서양 사상가 갑, 을의 입장을 (나) 그림으로 표현할 때, A~C에 해당하는 적절한 진술만을 〈보기〉에서 있는 대로 고른 것은?

| (가) | 갑: 정의로운 일들을 행함으로써 정의로운 사람이 되며, 절제 있는 일들을 행함으로써 절제 있는 사람이 되고, 용감한 일들을 행함으로써 용감한 사람이 된다. |
| | 을: 이성, 기개, 욕망이라는 영혼의 세 부분 모두가 다른 부분의 역할에 간섭하지 않고 각자의 일을 충실히 수행하여 전체적으로 음계의 세 음정처럼 조화를 이루면 정의로운 인간이 되는 것이다. |

(나)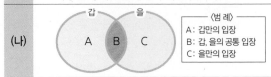

> 〈범례〉
> A: 갑만의 입장
> B: 갑, 을의 공통 입장
> C: 을만의 입장

┤ 보기 ├

ㄱ. A: 덕의 실천에는 의지가 중요하다.

ㄴ. B: 참된 진리는 경험 가능한 세계에 존재한다.

ㄷ. B: 덕 있는 삶을 살 때 행복한 삶을 살 수 있다.

ㄹ. C: 욕망은 이성의 적절한 통제를 받아야 한다.

① ㄱ, ㄷ   ② ㄴ, ㄷ   ③ ㄴ, ㄹ

④ ㄱ, ㄴ, ㄹ   ⑤ ㄱ, ㄷ, ㄹ

18 갑은 긍정, 을은 부정의 대답을 할 질문으로 가장 적절한 것은?

> 갑: 동굴 안에 묶인 사람들은 불빛 때문에 동굴 벽에 만들어지는 그림자들만 볼 수 있을 뿐이다. 만약 그들 중 하나가 풀려나서 불빛을 쳐다본다면, 그 순간 눈이 아파 큰 고통을 느낄 것이다.
>
> 을: 인간 자체나 인간 모두 인간인 한에 있어서는 아무 차이가 없을 것이다. 만약 그렇다고 한다면 좋음 자체나 좋음 역시 좋음인 한에서 아무 차이가 없을 것이다.

① 덕은 지적인 덕과 품성적 덕으로 구분할 수 있는가?

② 중용은 산술적으로 정확히 중간인 상태를 이르는가?

③ 이성이 욕망을 통제해야 덕 있는 삶을 살 수 있는가?

④ 참된 진리는 이데아 세계가 아닌 현실 세계에 있는가?

⑤ 참된 진리를 알기만 하면 도덕적 행위를 실행할 수 있는가?

19 ⊙~ⓒ에 들어갈 알맞은 말을 쓰시오.

> 인간적인 좋음은 탁월성에 따른 영혼의 활동을 통해 얻어지는 것이다. 인간은 ⊙ 을/를 탁월하게 발휘하는 덕 있는 삶을 통해 행복에 이를 수 있다. 이를 구체적으로 설명하기 위해 인간의 영혼을 이성적인 부분과 비이성적인 부분으로 나눌 수 있는데, 이에 따라 덕도 지적인 덕과 품성적인 덕으로 구별할 수 있다. 지적인 덕이 주로 ⓒ 을/를 통해 성장하는 것이라면, 품성적인 덕은 ⓒ 의 결과로 생겨난다.

21 ⊙와 관련하여 이성의 도움이 필요한 까닭을 서술하시오.

> 우리와 관련된 ⊙ 은/는 모든 사람에게 하나가 아니고 동일하지도 않다. 예를 들어 10은 많고 2는 적다면, 사물과 관련된 ⊙ (으)로 6을 취한다. 그러나 우리와 관련된 ⊙ 은/는 이런 식으로 취해서는 안 된다. 어떤 이에게 10근의 음식물은 먹기에 많고 2근의 음식물은 적다고 해서, 운동을 지도하는 자가 모든 사람에게 6근의 음식물을 먹으라고 지시하지는 않을 것이기 때문이다. 왜냐하면 6근의 음식물은 노련한 레슬링 선수에게는 적겠지만 운동을 막 시작한 초보자에게는 많을 것이기 때문이다.

20 다음 글에서 목격자들이 제노비스를 적극적으로 도와주지 않은 이유가 무엇일지 아리스토텔레스의 입장에서 서술하시오.

> 1964년 캐서린 제노비스라는 한 젊은 여성이 늦은 밤 그녀의 집 근처에서 무참히 살해되는 사건이 발생했다. 사건이 진행되는 약 35분 동안 그녀의 이웃들은 자신들의 침실에서 창문을 통해 그 광경을 지켜보았다. 하지만 아무도 경찰에 전화를 걸지 않았으며, 제노비스를 도우러 가지 않은 것은 물론, 범죄자를 향해 소리를 지른 사람조차 없었다.

22 다음 글을 읽고 아리스토텔레스 덕 윤리의 특징을 서술하시오.

> 우리가 바라는 것은 용감함이 무엇인지를 아는 것이 아니라 용감한 사람이 되는 것이며, 정의가 무엇인지를 아는 것이 아니라 정의로운 사람이 되는 것이다. 마치 건강함이 무엇인지를 인식하기보다는 오히려 건강하기를 바라고, 좋은 체력이 무엇인지를 인식하기보다는 오히려 좋은 체력을 가지기를 바라는 것과 같다.

| 교육청 기출 |

01 (가)의 고대 서양 사상가 갑, 을의 입장을 (나) 그림으로 표현할 때, A~C에 들어갈 적절한 진술만을 〈보기〉에서 고른 것은?

(가)	갑: 생성되는 것이 아니면서 생성하는 것 그 자체인 것은 선의 이데아뿐이다. 그 생성되는 것이 본질을 갖게 되는 것도 선의 이데아에 의해서이다. 을: 생성되는 모든 것은 오직 하나의 원리, 즉 목적을 향해 움직인다. 인간의 행위 역시 목적이 있는데, 그 궁극적인 목적은 모든 것 가운데 최고선인 행복이다.

(나)	갑 을 ⓐ A ⓑ B ⓒ C	〈범례〉 A: 갑만의 입장 B: 갑, 을의 공통 입장 C: 을만의 입장

┤ 보기 ├

ㄱ. A: 감각을 통해 사물 각각의 본질을 파악할 수 있다.

ㄴ. B: 부도덕한 행위는 모두 선에 대한 무지에서 비롯된다.

ㄷ. B: 이성에 따라 욕구를 절제할 때 유덕한 사람이 될 수 있다.

ㄹ. C: 좋음(善) 자체는 현실 세계를 초월해서 존재할 수 없다.

① ㄱ, ㄴ   ② ㄱ, ㄷ   ③ ㄴ, ㄷ

④ ㄴ, ㄹ   ⑤ ㄷ, ㄹ

| 교육청 응용 |

02 고대 서양 사상가 갑, 을의 입장에 대한 옳은 설명만을 〈보기〉에서 있는 대로 고른 것은?

갑: 덕이 영혼 속에 있는 것들 가운데 하나이고 필연적으로 유익하다면 그것은 지식이어야 한다. 영혼에 관련된 것들은 지식이 더해지느냐 무지가 더해지느냐에 따라 유익하게도 유해하게도 되기 때문이다.

을: 덕에는 지성적인 덕과 품성적인 덕이라는 두 종류가 있다. 지성적인 덕은 대체로 교육에 따라 생기고 발전하고, 품성적인 덕은 습관의 결과로 생긴다.

┤ 보기 ├

ㄱ. 갑: 덕을 갖추면 행복한 삶을 살 수 있다.

ㄴ. 을: 덕이 무엇인지 알면서 악덕을 행할 수 없다.

ㄷ. 을: 덕 있는 삶을 위해서는 이성의 역할이 필요하다.

ㄹ. 갑, 을: 덕은 후천적으로 얻어지는 것이 아니라 타고나는 것이다.

① ㄱ, ㄴ   ② ㄱ, ㄷ   ③ ㄴ, ㄹ

④ ㄱ, ㄷ, ㄹ   ⑤ ㄴ, ㄷ, ㄹ

| 교육청 응용 |

03 다음을 주장한 고대 서양 사상가의 입장에만 모두 '✓'를 표시한 학생은?

정의로운 인간이 되려면 영혼의 세 부분 모두가 다른 부분의 역할에 간섭하지 않고 각각 자기 일을 수행하여 전체적으로 음계의 세 음정처럼 어우러져야 한다. 한 국가가 정의롭게 되려면 성향이 다른 세 계층의 사람들 모두가 다른 계층의 일에 간섭하지 않고 자기 일을 충실히 수행해야 하며, 지혜, 용기, 절제가 조화를 이루어야 한다.

입장＼학생	갑	을	병	정	무
정의로운 국가에서는 모든 계층의 사람들이 절제의 덕을 지닌다.	✓			✓	✓
정의로운 국가에서는 선의 이데아를 인식한 철학자가 통치한다.	✓	✓		✓	
정의로운 국가는 계층 간의 자유로운 역할 교환을 통해 실현된다.		✓	✓		✓
정의로운 인간이 되려면 영혼의 각 부분이 조화를 이루어야 한다.			✓	✓	✓

① 갑   ② 을   ③ 병   ④ 정   ⑤ 무

| 교육청 기출 |

04 고대 서양 사상가 갑, 을의 입장으로 옳지 않은 것은?

갑: 덕은 곧 지식이다. 사람은 자발적으로 나쁜 행위를 하지 않으며, 나쁜 행위를 하는 것은 무지의 결과이다. 어떤 것도 덕 있는 사람에게 해를 입힐 수 없다.

을: 덕은 지성적 덕과 품성적 덕으로 나누어진다. 의지가 나약한 사람은 자신이 하는 행위가 나쁘다는 것을 알면서도 감정 때문에 그 행위를 할 수 있다.

① 갑: 덕을 갖추려면 덕이 무엇인지 반드시 알아야 한다.

② 갑: 선을 알면서도 악을 고의로 행하는 것은 불가능하다.

③ 을: 선에 대한 무지는 악행을 야기하는 원인이 될 수 있다.

④ 을: 품성적 덕은 지성적 덕 없이도 습관으로 형성될 수 있다.

⑤ 갑, 을: 덕을 필수적으로 갖추어야 행복한 삶을 누릴 수 있다.

05 다음을 주장한 고대 서양 사상가의 입장만을 〈보기〉에서 고른 것은?

> 개인의 영혼 안에도 국가 안에 있는 것과 똑같은 종류의 것이 있으며, 그 수도 똑같다. 또한 개인이 정의롭게 되는 것도 국가가 정의롭게 되는 것과 똑같은 방식에 의해서이다. 국가가 정의롭게 되는 것은 국가 안에 있는 세 계층, 즉 통치자, 방위자, 생산자가 저마다 제 할 일을 함에 의해서이다.

┤ 보기 ├
- ㄱ. 용기의 덕을 갖춘 사람은 어떤 것도 두려워하지 않는다.
- ㄴ. 절제의 덕을 모든 계층의 사람들이 갖추고 화합해야 한다.
- ㄷ. 정의의 덕을 갖춘 사람은 영혼의 세 부분이 조화를 이룬다.
- ㄹ. 지혜의 덕을 갖춘 통치자 계층에게만 사유 재산이 허용된다.

① ㄱ, ㄴ   ② ㄱ, ㄷ   ③ ㄴ, ㄷ
④ ㄴ, ㄹ   ⑤ ㄷ, ㄹ

06 고대 서양 사상가 갑, 을의 입장으로 옳은 것은?

> 갑: 선의 이데아에 근거를 둔 절제와 정의는 아름답지만 얻기 힘든 것이다. 반면, 무절제와 불의는 달콤하고 얻기 쉽지만 수치스러운 것이다.
> 을: 덕에 따르는 정신의 활동을 행복이라고 한다. 행복은 완전하고 자족적인 것이며, 인간 본성에 따라 나오는 선을 추구하는 것이다.

① 갑: 감각 능력을 키우면 영원불변한 세계를 파악할 수 있다.
② 갑: 이데아는 현실 세계에 있는 모든 사물 안에 존재하는 것이다.
③ 을: 지성적 덕과 달리 품성적 덕 중에는 선천적인 것도 있다.
④ 을: 실천적 지혜는 구체적 상황에서 중용을 알려 주는 품성적 덕이다.
⑤ 갑, 을: 올바른 통치를 위해서는 통치에 대한 지혜가 필요하다.

07 고대 서양 사상가 갑, 을의 입장으로 옳지 <u>않은</u> 것은?

> 갑: 정의의 덕은 영혼의 건강함, 아름다움, 좋은 상태이며 부정의는 영혼의 질병, 추함, 허약함이다. 영혼의 세 부분이 서로 지배하고 지배받는 관계를 각각의 성향에 따라 확립함으로써 정의가 생긴다.
> 을: 품성적 덕은 감정이나 행위와 관련된다. 감정과 행위에서 지나침과 모자람은 잘못을 범하지만 중간이 되는 것은 칭찬을 받고 올곧게 된다. 품성적 덕은 중간을 겨냥하기 때문에 일종의 중용이다.

① 갑: 정의의 덕을 갖춘 사람은 결코 불행해질 수 없다.
② 갑: 절제는 영혼의 이성, 기개, 욕구에 공통으로 요구된다.
③ 을: 의지가 나약한 사람은 선을 알아도 행하지 못할 수 있다.
④ 을: 실천적 지혜를 통해 모든 행위에서 중용을 찾을 수 있다.
⑤ 갑, 을: 참된 행복에 이르려면 이성을 탁월하게 발휘해야 한다.

08 다음 사상가가 지지할 주장으로 옳은 것은?

> 인간 행위의 최종 목적인 행복은 여러 가지 좋은 것들로 구성됩니다. 여기서 '좋음'의 의미를 생각해 봅시다. '좋음'은 여러 가지 것들에 대해 말해질 수 있습니다. '덕이 좋다'라고 말할 때처럼 덕에 대해 말하기도 하고, '적당량이 좋다'라고 말할 때처럼 양에 대해 말하기도 하고, '때가 좋다'라고 말할 때처럼 시점에 대해 말하기도 합니다. 여기서 보듯 좋음이 어떤 공통적이고 단일한 보편자로 존재하지 않을 것이라는 점은 분명합니다.

① 좋은 것들로부터 분리된 좋음 자체는 존재하지 않는다.
② 좋음과 나쁨에 대한 객관적 판단 기준은 존재하지 않는다.
③ 모든 좋음의 존재 근거가 되는 궁극적인 하나의 좋음이 있다.
④ 인간 행위가 목적으로 삼는 좋음들의 가치는 모두 동등하다.
⑤ 인간이 공통적으로 추구하는 최고의 좋음은 존재하지 않는다.

09 | 평가원 기출 | 고대 서양 사상가 갑, 을, 병의 입장에 대한 설명으로 옳은 것은?

> 갑: 존재하는 모든 것들에 대한 판단 기준은 인간이다. 인간은, 그렇다는 것에 대해서는 그렇다는, 그렇지 않다는 것에 대해서는 그렇지 않다는 판단의 기준이다.
>
> 을: 존재하는 것에 대해 보편적 정의를 내려 무지를 자각하고 본질을 알아야 한다. 경건한 것이 경건하기 때문에 신들의 사랑을 받는 것이지, 그 반대는 아닌 것처럼 말이다.
>
> 병: 존재하는 것은 모두 각자의 좋음을 추구한다. 인간에게 있어 좋음은 탁월성에 따르는 영혼의 활동이고, 여러 탁월성 중에서 최상의 탁월성을 따르는 영혼의 활동이 행복이다.

① 갑은 보편적 진리는 이성이 아니라 경험으로 알 수 있다고 본다.

② 을은 모든 악한 행위는 고의가 아니라 무지에서만 생긴다고 본다.

③ 병은 실천적 지혜로써 질투에 대한 중용을 찾을 수 있다고 본다.

④ 갑은 을과 달리 절대적 진리는 존재하지만 인식할 수 없다고 본다.

⑤ 병은 을과 달리 덕을 행하기 위해서는 지식만으로 충분하다고 본다.

10 | 교육청 응용 | 갑, 을의 옳은 입장만을 〈보기〉에서 있는 대로 고른 것은?

> 갑: 영혼의 이성적인 부분은 순수하게 이성적인 부분과 이성에 영향을 받을 수 있는 부분으로 나눌 수 있다. 탁월함은 지성적 덕과 품성적 덕으로 구분된다.
>
> 을: 영혼의 이성적인 부분은 이데아 세계에 존재하는 실재에 대한 앎을 인식한다. 이성이 탁월함은 지혜, 기개의 탁월함은 용기, 욕구의 탁월함은 절제이다.

┤ 보기 ├
ㄱ. 갑: 중용은 덕과 악덕들 사이의 산술적 중간이다.
ㄴ. 갑: 품성적 덕을 갖추기 위해 실천적 지혜가 필요하다.
ㄷ. 을: 정의는 영혼의 세 부분에 해당하는 덕이 조화된 상태이다.
ㄹ. 갑, 을: 용기가 무엇인지 알면서도 실천하지 않는 경우는 없다.

① ㄱ, ㄹ ② ㄴ, ㄷ ③ ㄴ, ㄹ
④ ㄱ, ㄴ, ㄷ ⑤ ㄱ, ㄷ, ㄹ

11 | 교육청 기출 | 고대 서양 사상가 갑, 을 중 적어도 한 사람이 부정의 대답을 할 질문만을 〈보기〉에서 있는 대로 고른 것은?

> 갑: 영혼의 세 부분인 이성, 기개, 욕구가 자기의 일을 잘 수행하고 조화를 이룰 때 정의로운 사람이 된다. 정의로운 사람은 영혼이 건강한 사람이고 행복한 사람이다.
>
> 을: 영혼은 이성적 부분과 비이성적 부분으로 나뉜다. 지성적 덕은 전자와 관련되고 품성적 덕은 후자와 관련되며, 덕에 따르는 영혼의 활동이 곧 행복이다.

┤ 보기 ├
ㄱ. 정의의 완전한 원형은 현실 세계에 존재하는가?
ㄴ. 이성을 탁월하게 발휘해야 행복에 이를 수 있는가?
ㄷ. 부도덕한 행위는 모두 선에 대한 무지에서 나오는가?
ㄹ. 품성적 덕은 지성적 덕이 없어도 습관으로 형성되는가?

① ㄱ, ㄹ ② ㄴ, ㄷ ③ ㄴ, ㄹ
④ ㄱ, ㄴ, ㄷ ⑤ ㄱ, ㄷ, ㄹ

12 | 수능 기출 | 고대 서양 사상가 갑, 을의 입장에 대한 설명으로 옳은 것은?

> 갑: 한 나라가 용기 있는 것은 이 나라의 한 계층에 의해서이다. 이 계층은 두려워할 것들에 대한 의견을 보전하는 능력을 갖고 있다. 용기는 법에 의한 교육을 통해 두려워할 것과 두려워하지 않을 것에 대한 의견을 끝까지 보전하는 것이다.
>
> 을: 무슨 일이든 두려워하며 어떤 자리도 지켜 내지 못하는 사람은 비겁하며, 반대로 무슨 일이든 두려워하지 않으면서 모든 일에 뛰어드는 사람은 무모하다. 용기라는 덕은 지나침과 모자람에 의해 파괴되고 중용에 의해 보존된다.

① 갑은 전체를 위한 유익함이 무엇인지 아는 것을 용기라고 본다.

② 갑은 덕을 갖추지 않고도 행복해질 수 있는 길이 있다고 본다.

③ 을은 용기 있는 사람이 되려면 반드시 실천적 지혜가 필요하다고 본다.

④ 을은 어떤 대상에 대해서도 두려워하지 않는 것을 용기라고 본다.

⑤ 갑, 을은 앎이 의지의 나약함 때문에 실천되지 않는 경우는 없다고 본다.

| 평가원 기출 |

13 (가)의 고대 서양 사상가 갑, 을의 입장을 (나) 그림으로 탐구할 때, A~C에 들어갈 적절한 질문만을 〈보기〉에서 있는 대로 고른 것은?

(가)	갑: 영혼의 세 부분인 이성, 기개, 욕구가 전체적으로 조화된 상태가 정의이며, 어떤 부분이 전체에 어긋나는 것은 부정의이다. 을: 영혼의 감정이나 욕구와 관련된 덕은 옳은 것에 미치지 못하거나 넘어서는 것을 피하고 그 중간을 택해 반복적으로 실천함으로써 함양된다.
(나)	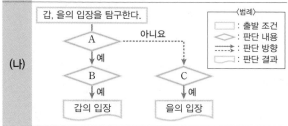

┌─ 보기 ─
ㄱ. A: 선의 본질을 인식할 수 있는 사람이 현실에 존재할 수 있는가?
ㄴ. A: 용기의 덕을 갖춘 사람은 어떤 상황에서도 두려움을 느끼지 않고 행동하는가?
ㄷ. B: 이성이 욕구를 지배하며 나타나는 덕은 모든 사람에게 필요한가?
ㄹ. C: 어떤 경우에도 중용 상태에 이를 수 없는 행동이 있는가?
└─

① ㄱ, ㄴ   ② ㄴ, ㄷ   ③ ㄷ, ㄹ
④ ㄱ, ㄴ, ㄹ   ⑤ ㄱ, ㄷ, ㄹ

| 평가원 응용 |

14 다음 서양 고대 사상가의 주장으로 가장 적절한 것은?

두려워하는 일이나 화를 내는 일은 너무 많이 할 수도 있고 너무 적게 할 수도 있지만, 둘 다 좋은 것은 아닙니다. 그러나 마땅히 그래야 할 때, 마땅히 그래야 할 일에 대해, 마땅히 그래야 할 사람들에 대해, 마땅히 그래야 할 목적을 위해, 또 마땅히 그래야 할 방식으로 그렇게 하는 것이 중용입니다.

① 중용은 나쁜 감정이 적절히 완화된 품성적 덕이다.
② 중용은 절대 분노하지 않도록 하는 품성적 덕이다.
③ 중용은 실천적 지혜 이전에 갖추는 품성적 덕이다.
④ 중용은 실천을 통해서만 습관화되는 품성적 덕이다.
⑤ 중용은 영혼에서 감정과 욕구를 맡은 부분이 계발된 품성적 덕이다.

| 평가원 응용 |

15 (가)의 고대 서양 사상가 갑, 을, 병의 입장에서 서로에게 제기할 수 있는 비판으로 옳지 않은 것은?

갑: 존재하는 것은 없다. 설사 있다 할지라도 그것을 알 수 없다. 알 수 있다 할지라도 그것을 다른 사람에게 전달할 수 없다.
을: 선(善)에 대한 지식은 무지의 자각과 영혼의 수련을 통해 얻을 수 있다. 인간은 이를 행함으로써 선한 삶을 살 수 있다.
병: 비록 선을 알고 있다 하여도 인간이 악한 행동을 저지르는 이유는 덕 있는 행위를 습관화하지 않았기 때문이다.

① 갑이 을에게: 객관적이고 보편적인 지식은 없음을 간과한다.
② 을이 갑에게: 선악을 판단하는 절대적 기준이 존재함을 간과한다.
③ 을이 병에게: 덕의 실천은 참된 앎만으로 가능하다는 것을 간과한다.
④ 병이 갑에게: 선은 현실 세계에서 실현될 수 없다는 것을 간과한다.
⑤ 병이 을에게: 의지박약 때문에 선을 알고도 행하지 못할 가능성을 간과한다.

| 교육청 응용 |

16 갑이 을에게 제기할 수 있는 반론으로 가장 적절한 것은?

갑: 정의를 행해야만 정의로운 사람이 될 수 있다. 그러기 위해서 행위자는 우선 알아야 하고, 합리적 선택에 따라 행하되 그 자체 때문에 선택해야 하며, 마지막으로 결코 흔들리지 않는 상태에서 행해야 한다. 합리적 선택과 결부된 품성 상태인 탁월성은 우리와의 관계에서 성립하는 중용에 의존한다.
을: 정의는 강한 자가 다스림을 받는 자의 이익을 생각하는 것이다. 그것은 통치자의 이익이 아니라 남에게 좋은 것, 즉 복종하는 자에게 이익이 되는 것이다. 따라서 정의를 지혜인 덕의 한 종류로 간주해야 한다.

① 인간은 이성을 본성으로 지니고 있음을 간과한다.
② 영혼에 도움이 되는 선을 추구해야 함을 간과한다.
③ 무엇이 나쁜지 알면 행하지 않을 것임을 간과한다.
④ 모든 종류의 덕에 실천적 지혜가 있음을 간과한다.
⑤ 덕과 악덕이 자발적 행위에 의한 습관의 결과임을 간과한다.

03 행복 추구의 방법

1 쾌락 추구와 평정심

1. 헬레니즘 시대의 특징

(1) 시대적 상황

① 거대한 제국이 출현하면서 도시 국가가 해체되고 사람들이 제국의 신민으로 살아가게 됨

② 소속감이 약해지면서 개인주의가 등장하였고, 제국의 일원으로서 동질성을 강조하는 세계 시민주의가 등장함

③ 정복 전쟁과 정치적 혼란이 계속되면서 사람들이 안정되고 평온한 삶을 갈망함

(2) 사상적 경향

① 행복에 이를 수 있는 방법을 주요 탐구 주제로 삼음

② 평온한 삶으로서의 행복을 추구하는 데 관심을 둠

③ 쾌락을 중시하는 에피쿠로스학파와 금욕을 중시하는 스토아학파가 등장함

★ 2. 에피쿠로스학파❶의 쾌락주의 윤리 사상

(1) 특징

① 쾌락 중시 쾌락은 <u>행복한 삶을 이루는 시작이자 끝</u>이며, 다른 모든 가치를 평가할 수 있는 최고선임
  └ 에피쿠로스학파는 쾌락을 추구하고 고통을 제거하면 행복하게 살 수 있다고 본다.

② 소극적 쾌락주의 쾌락을 적극 추구하기보다는 고통과 불안이 없는 상태를 추구함 [자료 01]

③ 정신적 쾌락 추구 몸에 고통이 없고 마음에 불안이 없는 평온한 상태인 평정심(平靜心), 아타락시아(ataraxia)를 추구함 ➡ 아타락시아는 감각적이고 순간적인 쾌락이 아닌 정신적이고 지속적인 쾌락임

④ 쾌락의 역설 무분별하게 욕구를 충족하거나 사치스러운 향락과 같은 쾌락에 탐닉하는 것은 <u>쾌락의 역설❷</u>을 초래할 수 있다고 봄

(2) 참된 쾌락에 이르는 방법

① 이성을 통해 고통과 불안의 원인을 파악해야 함 [자료 02]

② 필수적이지 않은 헛된 욕구를 자제하고, <u>자연적이고 필수적인 욕구를 최소한으로 충족하는 소박한 생활</u>을 해야 함 [자료 03]
  └ 필수적이지 않은 욕구는 충족하지 못하여도 고통이 일어나지 않는다. 오히려 그러한 욕구를 충족하려는 노력이 고통을 초래할 수 있다.

③ 공적인 삶에서 벗어나 가까운 친구와 함께 은둔 생활을 하며 우정을 나누고 <u>정의❸</u>롭게 살아갈 것을 강조함
  └ 우정은 서로 지적인 즐거움을 나누며 행복하게 살기 위해 중요하고, 정의는 인간관계에서 서로 피해를 주지도 받지도 않기 위해 필요하다.

④ 죽음은 모든 감각의 상실을 의미하므로 우리에게 아무것도 아니고, <u>신❹</u>은 인간에게 호의나 악의를 품지 않음 ➡ 죽음, 운명, 신에 대한 잘못된 믿음을 제거해 두려움에서 벗어나야 함

3. 에피쿠로스학파 윤리 사상의 한계와 영향

(1) 한계

① 공적인 삶을 벗어난 은둔 생활을 강조한다는 점에서 지나치게 개인주의적인 측면을 지님

② 쾌락이 좋은 것이기는 하지만 우리가 추구해야 할 궁극적인 목적이나 최고선과 동일시될 수 있는지에 대한 의문이 제기됨

(2) 영향

① 경험을 중시한 점이 근대 경험론으로 이어짐

② 쾌락을 행복으로 보는 관점이 공리주의에 영향을 줌

---

❶ 에피쿠로스

헬레니즘 시대의 철학자인 에피쿠로스는 검소하고, 소박하며 금욕적인 삶을 살았다. '정원'이라는 학원을 열어 제자들을 가르치기도 하였는데, 그의 학원은 여자와 노예에게도 개방된 곳이었을 뿐만 아니라, 각자가 재량껏 돈을 내고 공부하면서 함께 우정을 키우고 마음의 평정심을 추구하는 곳이었다고 전해진다.

❷ 쾌락의 역설

쾌락을 추구하다 보면 원래 목표로 삼았던 쾌락을 얻기보다 오히려 고통을 겪게 되기 쉽다는 것이다. 즉 무분별한 욕구의 충족이나 사치, 향락 등으로부터 주어지는 쾌락은 더 높은 강도의 쾌락을 탐닉하도록 부추겨 결국 더 많은 고통을 낳는다.

❸ 에피쿠로스의 정의(正義)

에피쿠로스에게 정의란 사람들이 서로를 해치지 않고 해침을 당하지 않도록 지켜 주려는 상호 이득을 위한 협정이다.

❹ 에피쿠로스와 신

에피쿠로스는 신은 정념이나 편애가 없는 완전한 존재이기 때문에 인간사에 간섭하지 않는다고 보았다. 따라서 에피쿠로스는 신에 대한 두려움을 가질 이유도 없고, 신에게 복을 빌 이유도 없다고 하였다.

고득점을 위한 셀파 Tip 개념

| 아타락시아에 이르는 방법 |

• 자연적이고 필수적인 욕구를 최소한으로 충족함
• 명예욕, 재물욕과 같은 비자연적이고 필수적이지 않은 욕구를 멀리함
• 검소한 식사를 하며 건강을 유지함
• 편안함을 추구하는 삶이 아닌 절제하는 삶이 필요함

셀파 자료 탐구

기출 선택지 ○, ×로 정리하기

자료 01 에피쿠로스학파의 소극적 쾌락주의

우리가 "쾌락이 목적이다."라고 할 때의 쾌락은 방탕한 사람의 쾌락이나 육체적인 쾌락이 아니다. 내가 말하는 쾌락은 몸의 고통과 마음의 불안으로부터의 자유이다. 왜냐하면 넘칠 만큼의 음식이나 맛있는 생선 요리와 같이 풍성하게 차려진 식탁에 있는 것들이 쾌락적인 삶을 만들어 주는 것은 아니기 때문이다. 오히려 모든 욕구와 회피의 근거를 파악하고 영혼을 회오리바람처럼 뒤흔드는 광기를 몰아내는 명료한 사고만이 쾌락적인 삶을 만들어 준다.   – 에피쿠로스, 「쾌락」 –

자료 분석 | 에피쿠로스학파가 추구하는 쾌락은 무분별한 욕구 충족에서 오는 쾌락이 아니고, 사치스러운 향락에서 오는 쾌락도 아니다. 이런 쾌락은 순간적이고, 고통을 남길 수 있으므로 억제되어야 한다. 이와 같은 쾌락에 탐닉하는 것은 결과적으로 쾌락으로부터 멀어지는 쾌락의 역설을 초래한다. 따라서 에피쿠로스학파는 적극적인 욕망의 충족에 따른 쾌락보다는 고통의 부재로서의 쾌락을 추구하는데, 이런 점에서 그들의 쾌락주의를 소극적 쾌락주의라고 할 수 있다.

자료 02 에피쿠로스학파의 쾌락과 덕

플라톤은 영혼의 각 부분이 제 기능을 잘 발휘하여 조화를 이룰 때 행복에 이를 수 있다고 보았다. 하지만 에피쿠로스는 절제, 용기, 지혜, 정의와 같은 덕목들은 쾌락을 얻기 위한 도구적 가치를 지닐 뿐이고, 오로지 쾌락만이 본래적 가치를 지닌다고 하였다. 그래서 에피쿠로스는 "도덕적인 덕은 쾌락을 제공할 때 비로소 가치를 지닌다. 쾌락을 주지 못한다면, 그것을 과감히 버려야 한다."라고 말하였다. 그리고 그는 쾌락과 덕의 관계를 다음과 같이 설명하였다. "모든 탁월함은 사려 깊음에서 생겨난다. 사려 깊음은 우리에게 사려 깊고 아름답고 정의롭게 살지 않고서 즐겁게 사는 것은 불가능하며, 반대로 즐겁게 살지 않고서 사려 깊고 아름답고 정의롭게 사는 것도 불가능하다는 것을 가르친다."

자료 분석 | 에피쿠로스에 따르면 진정한 쾌락을 추구하기 위해서는 이성과 이성의 덕인 지혜가 필요하다. 이성이나 지혜는 그 자체로 쾌락은 아니지만, 진정한 쾌락에 이르는 수단이 된다. 그래서 그는 마음의 불안에서 벗어나고, 육체의 고통을 없애는 데 지혜가 필요하다고 주장하였다.

자료 03 에피쿠로스의 욕망 구분

욕망 중 어떤 것은 자연적인 동시에 필수적이며, 다른 것은 자연적이기는 하지만 필수적이지 않고, 또 다른 것은 자연적이지도 않고 필수적이지도 않으며, 다만 헛된 생각에 의해 생겨난다. …… 욕망 중 그것이 충족되지 않더라도 우리를 고통으로 이끌지 않는 욕망은 필수적이지 않다.   – 에피쿠로스, 「쾌락」 –

자료 분석 | 에피쿠로스는 인간의 욕망을 세 가지로 구분하였다. 첫째는 배고프면 먹고 싶고, 갈증 나면 마시고 싶어 하는 자연적이고 필수적인 욕망이다. 둘째는 성적(性的) 욕구와 같이 자연적이지만 필수적이지 않은 욕망, 셋째는 화려한 옷이나 사회적 명성에 대한 욕망과 같이 자연적이지도 않고 필수적이지도 않은 욕망이다. 에피쿠로스는 이 중에서 필수적이지 않은 욕망들은 충족되지 않아도 고통을 발생시키지 않으며, 오히려 충족할수록 고통을 발생시킨다고 주장하였다.

1 에피쿠로스학파는 모든 인간에게 공통된 선은 쾌락이라고 주장하였다.
(○ , ×)

2 에피쿠로스학파에게 평온한 삶이란 몸의 고통과 마음의 불안이 소멸한 상태가 지속되어 정신적 쾌락을 누리는 삶이다.
(○ , ×)

3 에피쿠로스학파는 최고선을 달성하기 위해 적극적으로 욕구를 충족해야 한다고 주장하였다.
(○ , ×)

4 에피쿠로스학파는 마음의 불안에서 벗어나고, 육체의 고통을 없애는 데 이성이 필요하다고 보았다.
(○ , ×)

5 에피쿠로스학파는 평온한 마음을 누리려면 욕망을 분별하고 절제해야 한다고 보았다.
(○ , ×)

6 에피쿠로스학파는 자연적이고 필수적인 욕망의 충족을 인정하였다.
(○ , ×)

7 에피쿠로스학파는 필수적이지 않은 욕망들은 충족되지 않아도 고통을 발생시키지 않는다고 보았다.
(○ , ×)

8 에피쿠로스학파는 공동선의 실현을 위한 사회적 의무를 강조하였다.
(○ , ×)

9 에피쿠로스학파는 평정심에 이르기 위해 공적인 삶을 멀리할 것을 강조하였다.
(○ , ×)

정답   1 ○   2 ○   3 ×   4 ○   5 ○
      6 ○   7 ○   8 ×   9 ○

❷ 금욕과 부동심

1. 스토아학파❺ 윤리 사상의 특징

(1) 스토아학파 세계관의 특징

① 인생의 목적은 행복이고, 행복이란 자연에 따라 살아가는 삶이라고 봄

② 세계를 이성적인 전체로 파악하고, 자연 또는 신과 동일시함

③ 자연의 모든 일은 이미 신에 의해 운명지어져 있으며 필연적으로 발생한다고 봄

(2) 정념(감정, pathos)과 부동심

┌─ 욕망, 공포, 쾌감, 슬픔 등과 같은 비자연적인 정념은
└─ 판단을 흐리게 한다고 보았다.

① 정념 이성에 복종하지 않는 과도한 충동이자, 비이성적이고 부자연스러운 영혼 안의 움직임 ➡ 이성적 판단을 방해하고 잘못된 행동을 하게 만드는 원인임❻

② 부동심 정념에서 벗어난 상태인 부동심(不動心), 아파테이아(apatheia)❼에 이르도록 노력해야 함 ➡ 금욕주의

(3) 개인과 공동체의 관계

① 전체가 먼저 있고 개체는 전체의 부분임 ➡ 개인은 세계 전체의 한 부분으로서 존재함

② 공동체가 온전할 때 개인의 삶도 온전함 ➡ 개인이 공동체, 인류, 우주를 위해 살아가야 한다는 점을 강조함

(4) 부동심에 이르는 방법

① 이성(logos)❽에 따르는 삶 자연의 필연적 질서와 법칙에 순응하는 삶이자 신의 섭리와 예정에 따르는 삶을 살아야 함

② 운명에 순응하는 삶 자연 안에서 일어나는 모든 일은 신에 의해 운명지어진 것임 ➡ 외부의 일은 필연적으로 발생하지만, 내면의 동기나 의지는 우리가 조절할 수 있음 [자료 04] [자료 05]

③ 자연법❾에 따르는 삶 자연법의 구체적 내용으로 가족, 친구, 동료 시민, 인류 전체에 대한 사랑을 제시함 ➡ 이성을 가진 모든 인간은 평등하다는 세계 시민주의 사상이 전제됨

┌─ 스토아학파는 인간에게 행위 결과와 무관하게 해야만
└─ 하는 행위가 있고, 그것이 의무라고 하였다.

┌─ 우리가 바꿀 수 있는 것은 단지 생각, 충동, 욕구 감정 등
└─ 마음과 관련된 것뿐이다.

2. 스토아학파 윤리 사상의 한계와 영향

(1) 한계

① 정념에서 벗어나 이성에 따르는 삶을 강조함 ➡ 인간의 삶을 아름답고 풍요롭게 해 주는 감정의 가치를 정당하게 평가하지 못함

② 자연의 전개가 필연적이라는 세계관과 인간 내면의 자유를 인정한 관점이 양립하기 어렵다는 비판이 있음

(2) 영향

① 의무 자체를 위해 행위 함 ➡ 칸트에게 영향을 줌

② 정념의 지배에서 벗어날 것을 강조함 ➡ 스피노자에게 영향을 줌

③ 세계 시민주의 ➡ 로마의 만민법에 영향을 줌

④ 자연법사상 ➡ 중세 및 근대의 자연법사상에 영향을 줌

3. 에피쿠로스학파와 스토아학파 비교 [자료 06]

구분	에피쿠로스학파	스토아학파
차이점	• 아타락시아, 평정심을 강조함 • 자연적이고 필수적인 욕구만을 추구하며 소박하게 살아가는 삶을 추구함 • 은둔자적 경향, 공공의 삶을 회피하는 경향이 있음	• 아파테이아, 부동심을 강조함 • 정념에서 벗어나 이성과 자연법에 따라 살아가는 삶을 추구함 • 세계 시민으로서의 사회적 의무 강조, 사회에서의 역할 수행 강조
공통점	욕망의 절제를 통해 평온한 삶을 살 것을 주장함	

❺ 스토아학파
헬레니즘 시대에 제논이 창시한 학파이다. 스토아는 '주랑(긴 복도)'을 가리키는데, 스토아학파라는 이름은 여러 색의 페인트가 칠해진 주랑(stoa poikile)에서 제논이 강의하기 시작한 것에서 유래한다.

❻ 스토아학파의 정념
스토아학파는 모든 정념을 부정하는 것은 아니다. 그들은 자신의 건강을 돌보거나 부모를 사랑하는 마음과 같이 비교적 자연스러운 정념은 인정할 수 있다고 본다. 다만 어떤 정념이든 초연하게 대하는 태도를 유지해야 한다고 강조한다.

❼ 아파테이아(apatheia, 부동심)
'파토스(pathos)'가 '부재한(a)' 상태, 즉 정념에서 벗어난 상태로, 어떠한 외부적 상황에서도 흔들리지 않는 정신의 의연함과 평온함을 의미한다. 비이성적인 쾌락, 두려움, 욕구 등과 같은 정념을 겪지 않는 순수하게 이성적인 마음의 상태이다.

❽ 이성(logos)
로고스(logos)는 이성, 언어, 논의, 언표, 계산, 비례, 척도, 이법, 이유, 근거 등 복잡하고 다양한 의미를 가진 그리스어이다. 스토아학파가 주장하는 이성(logos)은 만물의 본질이자 만물의 생성과 변화를 이끌어 가는 힘으로 신, 자연 등으로 표현되기도 한다.

❾ 자연법
우주를 지배하는 이성의 명령이자 자연법칙을 의미한다.

자료 04 운명을 대하는 바람직한 태도

너는 작가의 의지에 의해서 결정된 그러한 인물인 연극에서의 배우라는 것을 기억하라. 만일 그가 짧기를 바란다면 그 연극은 짧고, 만일 길기를 바란다면 그 연극은 길다. 만일 그가 너에게 거지의 역할을 하기를 원한다면, 이 역할조차도 또한 능숙하게 연기해야 한다는 것을 기억하라. 만일 그가 절름발이를, 공직 관리를, 평범한 사람의 역할을 하기를 원한다고 해도 이와 마찬가지 이다. 너에게 주어진 그 역할을 잘 연기하는 것, 이것이 해야만 하는 너의 일이다.

– 에픽테토스, 「엥케이리디온」 –

자료 분석 | 스토아학파는 우리에게 일어나는 모든 일을 운명으로 받아들여야 한다고 본다. 자연에서 일어나는 모든 일은 신적 이성에 의해 이미 결정된 것으로서 바꿀 수 없고, 또한 최선의 것이기 때문이다. 따라서 우리는 운명에 순응하고 운명을 사랑하는 태도를 지녀야 한다.

자료 05 우리의 의지로 할 수 있는 것과 없는 것

세상에는 우리의 의지대로 할 수 있는 것들이 있고, 그렇지 않은 것들이 있다. 앞의 것은 믿음 이나 충동, 욕구를 가지는 일처럼 모든 상황에서 우리의 의지대로 할 수 있는 것들이다. 반면에 뒤의 것은 육체나 소유물, 평판, 지위와 같이 우리의 행위가 아닌 것들이다. 예를 들어, 육체의 고통과 즐거움, 부나 평판, 지위 등의 획득과 상실은 나의 고유한 행위가 아닌 외부의 힘에 좌우된 다. 우리의 의지대로 할 수 있는 것들은 본래 자유로우므로 방해받지 않는다. 하지만 우리의 의지 대로 할 수 없는 것들은 다른 것에 예속되어 자유롭지 않다. – 에픽테토스, 「엥케이리디온」 –

자료 분석 | 스토아학파는 이성의 명령에 따라 자연의 필연성을 기꺼이 받아들이는 것이 덕의 본질이라고 하였다. 그리고 모든 것이 순리대로 되었음을 이성으로 통찰하고 운명에 따를 때 우리는 마음의 안정과 행복에 이를 수 있다고 하였다. 그래서 우리의 의지대로 바꿀 수 있는 일과 그럴 수 없는 일을 분별 하고, 우리가 바꿀 수 있는 일에 집중할 때 행복과 자유를 얻을 수 있다고 강조한다.

자료 06 에피쿠로스학파와 스토아학파의 삶의 태도

(가) 우리는 자족(自足)을 큰 선이라고 생각한다. 그러나 이것은 항상 적은 것을 향유하기 위해서 가 아니다. 우리가 비록 많은 것을 갖지 않더라도 '가장 적은 양을 필요로 하는 사람이 가장 큰 기쁨을 느낀다.', '자연적인 것은 얻기 쉽지만 허황된 것은 얻기가 어렵다.'라고 생각하며 적은 것들에 만족하기 위해서이다. – 에피쿠로스, 「쾌락」 –

(나) 몸에 관련된 것들은 겨우 필요한 만큼만 취해야 한다. 예를 들어 음식, 옷, 집 등이 그러한 것 들이다. 사치스러운 모든 것과는 단절해야 한다. 쾌락에 휩쓸리지 않도록 경계해야 한다. 우 리가 쾌락을 멀리하였을 때 자신이 얼마나 기뻐할지, 그리고 자신을 얼마나 칭찬할지를 생 각해야 한다. – 에픽테토스, 「엥케이리디온」 –

자료 분석 | (가)는 에피쿠로스학파, (나)는 스토아학파의 글이다. 에피쿠로스는 최소한의 욕구 충족을 추구하였 고, 번잡한 세상 일에서 벗어나 조용한 은둔의 삶을 살았으며, 검소한 식사와 일상생활을 추구하였 다. 스토아학파는 정념을 제거해야 한다고 주장한다. 하지만 모든 정념을 부정하는 것이 아니라 자 신의 건강을 돌보거나 부모를 사랑하는 마음과 같이 자연스러운 정념은 인정한다.

1 스토아학파는 자연의 질서에 따르는 삶 을 강조하였다. (○ , ×)

2 스토아학파는 필연성에서 벗어나려는 개 인의 주체적 결단을 강조하였다. (○ , ×)

3 스토아학파에 따르면 우주를 지배하는 이성의 명령이자 자연법칙이 자연법이다. (○ , ×)

4 스토아학파에 따르면 모든 일은 인과 법 칙에 따라 필연적으로 일어난다. (○ , ×)

5 스토아학파는 행복을 위해 공적인 삶에 서 벗어나야 한다고 본다. (○ , ×)

6 스토아학파는 모든 인간은 이성을 가지 고 있다는 점에서 평등하다고 보았다. (○ , ×)

7 스토아학파의 부동심(아파테이아)은 육체 적·정신적 고통이 제거됨으로써 얻은 평온 함을 말한다. (○ , ×)

8 스토아학파는 정념이 평온한 삶을 깨뜨리 는 원인이 된다고 보았다. (○ , ×)

9 스토아학파는 정념이 없는 상태인 아타락 시아에 도달하는 것을 목표로 삼았다. (○ , ×)

정답 1○ 2× 3○ 4○ 5×
6○ 7× 8○ 9×

1 쾌락 추구와 평정심

에피쿠로스 학파의 쾌락주의	• 쾌락: 행복한 삶을 이루는 시작이자 끝이며, 다른 모든 가치를 평가하는 최고선 • 소극적 쾌락주의: 적극적인 욕망의 충족에 따른 쾌락이 아니라 (❶)과 불안을 제거함으로써 주어지는 쾌락을 추구함 • 감각적이고 순간적인 쾌락이 아닌 정신적이고 (❷)인 쾌락을 추구함
이상적 상태	평정심(平靜心), 아타락시아(ataraxia): 몸에 고통이 없고 마음에 불안이 없는 (❸)한 상태
참된 쾌락에 이르는 방법	• 필수적이지 않은 헛된 욕구를 자제하고, 자연적이고 필수적인 욕구를 최소한으로 충족해야 함 • 공적인 삶에서 벗어나 (❹)적 생활 속에서 친구와 우정을 나누며 살아야 함 • 신, 운명, 죽음 등에 대한 잘못된 믿음을 제거하여 (❺)에서 벗어나야 함
한계	• 은둔 생활을 강조한다는 점에서 지나치게 개인주의적인 측면을 지님 • 쾌락이 좋은 것이기는 하지만 우리가 추구해야 할 궁극적인 목적이나 최고선과 동일시될 수 있는지에 대해 의문이 제기됨
영향	근대 경험론, 공리주의 등에 영향을 줌

2 금욕과 부동심

스토아 학파의 세계관	• 인생의 목적은 곧 행복이며 행복은 (❻)에 따라 살아가는 삶이라고 봄 • 세계와 이성적인 전체, 자연, 신을 동일시함 • 자연의 모든 일은 이미 신에 의해 운명지어져 있으며 필연적으로 발생함
이상적 상태	부동심(不動心), 아파테이아(apatheia): 어떤 상황에서도 동요하지 않는 정신 상태, (❼)에서 벗어난 상태
부동심에 이르는 방법	• 이성(logos)에 따르는 삶: 자연의 (❽)적 질서와 법칙에 순응하고 따르는 삶을 살아야 함 • (❾)에 순응하는 삶: 자연 안에서 일어나는 모든 일은 신에 의해 운명지어짐 → 외부의 일은 바꿀 수 없지만, 내면의 의지나 동기는 조절할 수 있음 • 자연법에 따르는 삶: 가족, 친구, 동료 시민, 인류 전체에 대한 사랑을 내용으로 함
한계	• 정념에서 벗어나 이성에 따르는 삶을 강조하여 감정의 가치를 정당하게 평가하지 못함 • 자연의 전개가 필연적이라는 세계관과 인간 내면의 자유를 인정한 관점이 양립하기 어려움
영향	칸트, 스피노자, 로마의 만민법, 중세 및 근대의 자연법사상에 영향을 줌

정답 ❶ 고통 ❷ 지속적 ❸ 평온 ❹ 은둔 ❺ 두려움 ❻ 자연 ❼ 정념 ❽ 필연 ❾ 운명

---

01 다음 서양 사상가가 강조한 삶의 자세로 적절한 것을 〈보기〉에서 고른 것은?

> 욕구들 가운데 어떤 것은 자연적이고 필수적이며, 어떤 것은 자연적이지만 필수적이지 않고, 어떤 것은 자연적이지도 필수적이지도 않고 단지 공허한 망상에서 파생된 것이다.

| 보기 |

ㄱ. 자연적이고 필수적인 욕구를 추구해야 한다.
ㄴ. 이성을 가진 모든 인간을 평등하게 대해야 한다.
ㄷ. 감각적인 쾌락이 아니라 정신적인 쾌락을 추구해야 한다.
ㄹ. 행복에 도달하기 위해 은둔적 삶에서 벗어나 공적인 삶을 살아야 한다.

① ㄱ, ㄴ   ② ㄱ, ㄷ   ③ ㄴ, ㄷ
④ ㄴ, ㄹ   ⑤ ㄷ, ㄹ

02 다음 서양 사상가의 입장으로 가장 적절한 것은?

> 쾌락은 축복받은 삶의 시작과 끝이다. 또한 쾌락은 우리 인간의 최초의, 공통적인 선이다. 쾌락은 우리의 모든 선택과 혐오가 시작되는 출발점이다.

① 자연적이고 필수적인 욕구를 최대한 충족해야 한다.
② 모든 쾌락의 제거를 통해 진정한 행복을 얻어야 한다.
③ 자연의 법칙을 파악하기 위해 보편적 이성을 따라야 한다.
④ 공동체에 대한 헌신을 윤리적 이상으로 삼고 실천해야 한다.
⑤ 쾌락은 다른 모든 가치를 평가하는 최고선임을 알아야 한다.

03 다음 사상가가 부정의 대답을 할 질문으로 가장 적절한 것은?

> 우리가 쾌락의 부재로 인해 고통을 느낄 때에는 쾌락을 필요로 하지만, 고통을 느끼지 않는다면 더 이상 쾌락을 필요로 하지 않는다. 이런 이유 때문에 우리는 쾌락이 행복한 인생의 시작이자 끝이라고 말한다.

① 감각적 쾌락보다 정신적 쾌락 추구가 더 바람직한가?
② 행복을 위해 공적인 일에 참여하는 것을 멀리해야 하는가?
③ 어떤 상황에서도 동요하지 않는 부동심에 도달해야 하는가?
④ 필수적이지 않은 욕구를 자제하고 필수적인 욕구를 추구해야 하는가?
⑤ 쾌락은 어떤 행위를 추구하거나 기피해야 할지를 판단하는 기준인가?

04 (가)의 서양 사상가의 입장에서 (나)의 밑줄 친 '쾌락 기계'를 평가한 내용으로 가장 적절한 것은?

(가)	빵과 물은 배고프고 갈증을 느끼는 사람에게 가장 큰 쾌락을 제공한다. 그러므로 사치스럽지 않고 단순한 음식에 길들여지는 것은 우리에게 완전한 건강을 주며, 우리가 생활하면서 꼭 필요한 것들에 주저하지 않게 해 준다. 또한 나중에 우리가 사치스러운 것들과 마주쳤을 때 우리를 강하게 만든다.
(나)	쾌락 기계 속에서 살아갈 가능성을 생각해 보라. 우리는 순수하고 지속적인 쾌락을 발견하기 위한 목적으로 사람들이 그 속으로 들어가게 되는 복잡한 기계를 하나 발명했다. 이 기계에는 사람의 대뇌 피질 영역과 뇌의 다른 부분에 전류를 보내는 전극이 부착되어 있는데, 그것이 매우 강력한 쾌감을 만들어 낸다. 사람들이 그 기계 속으로 들어갈 때, 그들은 이런 환상적인 느낌을 경험한다.

① 쾌락 기계를 통해 정념으로부터 해방된 상태에 도달할 수 있다.
② 쾌락 기계의 작동 원리는 자연의 필연적 질서와 법칙에 어긋난다.
③ 쾌락 기계 속으로 들어가면 고통이 제거됨으로써 평정심을 얻을 수 있다.
④ 쾌락 기계가 주는 쾌락은 감각적이고 육체적인 쾌락이므로 진정한 쾌락이 아니다.
⑤ 쾌락 기계는 자연적이고 필수적인 욕망을 충족시켜 주는 훌륭한 도구가 될 수 있다.

05 그림은 어느 학생이 작성한 노트 필기의 일부이다. ㉠~㉤ 중 옳지 **않은** 것은?

> [학습 주제] 에피쿠로스학파의 기본 입장
> 1. 진정한 쾌락
> • 쾌락은 모든 가치를 평가하는 최고선이며, 행복한 삶의 시작이자 끝임 ········· ㉠
> • 감각적이고 순간적인 쾌락이 아닌 정신적이고 지속적인 쾌락을 추구함 ········· ㉡
> • 최고선인 쾌락을 극대화하기 위해 적극적으로 욕망을 충족할 것을 강조함 ········· ㉢
> 2. 평정심에 이르는 방법
> • 자연적이고 필수적인 욕망을 최소한으로 충족하는 소박한 삶을 살아야 함 ········· ㉣
> • 공적인 삶에서 벗어나 은둔적 생활 속에서 친구와 우정을 나누며 살아야 함 ········· ㉤

① ㉠　　② ㉡　　③ ㉢　　④ ㉣　　⑤ ㉤

06 다음 사상가의 ㉠에 대한 입장으로 적절하지 **않은** 것은?

> • 아름다움과 ㉠ 은/는 우리에게 쾌락을 제공할 때 가치를 지닌다. 이들이 쾌락을 주지 못한다면, 우리는 그것들을 버려야 한다.
> • 사려 깊고, 아름다우며, 정의롭게 살지 않으면서 즐겁게 살 수는 없다. 반대로 즐겁게 살지 않으면서 사려 깊고, 아름다우며, 정의롭게 살 수는 없다. ㉠ 은/는 본성적으로 즐거운 삶과 연결되어 있으며, 즐거운 삶은 ㉠ 와/과 떨어질 수 없다. 즐거움은 행복한 인생의 시작이자 끝이다.

① 이성의 덕인 지혜를 의미한다.
② 그 자체로 본래적 가치를 지닌다.
③ 진정한 쾌락에 이르는 데 필요한 수단이다.
④ 인간을 불안과 고통으로부터 벗어나게 해 준다.
⑤ 선택하거나 회피해야 할 쾌락과 고통을 심사숙고하여 결정하는 역할을 한다.

07 다음 일화의 주인공과 관련된 설명으로 가장 적절한 것은?

> 하루는 주인이 몹시 화가 나서 노예의 팔을 비틀기 시작하였다. 주인은 오랫동안 계속해서 그의 팔을 비틀었지만 그는 아무런 반응도 보이지 않다가 마침내 평온하게 "주인님, 그렇게 계속 하신다면 저의 팔이 부러질 것입니다."라고 말하였다. 그러나 이 말은 주인의 화를 더욱 돋우게 되었고, 결국 주인은 실제로 노예의 팔을 부러뜨려 버렸다. 그 순간에도 그는 평온함을 잃지 않고 "제가 그렇게 될 것이라 말씀드리지 않았습니까?"라고 말하였다.

① 정념에 예속된 삶을 윤리적으로 바람직한 삶으로 보았다.

② 몸의 고통과 마음의 불안이 모두 소멸한 상태를 추구하였다.

③ 질적으로 수준 높은 쾌락을 추구하여 마음의 평정을 얻고자 하였다.

④ 공적으로 맺은 인간관계가 고통과 불안을 일으킬 수 있다고 보았다.

⑤ 있는 그대로의 자연을 인식하고 의지를 그에게 일치시키기 위한 수련을 강조하였다.

08 다음 사상가의 입장에만 모두 '✓'를 표시한 학생은?

> 까마귀가 깍깍대며 상서롭지 않게 울 때, 당신은 그 울음소리에 사로잡히지 않도록 하라. 사람들을 심란하게 하는 것은 사건들 자체가 아니라, 사건들에 대한 그릇된 판단이다. 그릇된 판단은 정념을 일으켜 평온함〔apatheia〕을 깨뜨릴 것이다.

입장 \ 학생	갑	을	병	정	무
모든 정념을 제거하기 위해 이성적으로 사고해야 한다.	✓			✓	✓
자연의 질서를 따름으로써 참된 자유를 실현해야 한다.	✓	✓	✓		
죽음의 공포는 최고의 정신적 쾌락을 누릴 때 극복된다.				✓	✓
주어진 운명을 개척하여 마음의 평온함을 유지해야 한다.				✓	✓

① 갑 ② 을 ③ 병 ④ 정 ⑤ 무

09 다음 서양 사상가가 강조한 삶의 태도로 적절한 것을 〈보기〉에서 모두 고른 것은?

> 고통스럽더라도 이 세상에서 일어나는 모든 일을 받아들여야 한다. 이러한 일들은 우주의 건강과 번영, 지복(至福)으로 이끌어 주는 것이기 때문이다. 우주는 전체를 위해 필요한 경우가 아니면, 어떤 사람에게도 그러한 일들을 일으키지 않는다.

┤ 보기 ├

ㄱ. 이성의 힘으로 욕망과 감정에 초연한다.

ㄴ. 각자의 본분과 의무를 충실히 수행한다.

ㄷ. 쾌락의 적극적 추구보다는 고통의 원인을 제거한다.

ㄹ. 행복에 도달하기 위해 필연적인 자연법칙을 극복해야 한다.

① ㄱ, ㄴ   ② ㄱ, ㄷ   ③ ㄴ, ㄷ

④ ㄴ, ㄹ   ⑤ ㄷ, ㄹ

10 다음 사상가가 지지할 입장으로 적절하지 않은 것은?

> 여러분은 작가의 의지에 의해서 결정된 그러한 인물인 연극에서의 배우라는 것을 기억하십시오. 만일 그가 짧기를 바란다면 그 연극은 짧고, 만일 길기를 바란다면 그 연극은 길 것입니다. 만일 그가 당신에게 거지의 역할을 하기를 원한다면, 이 역할조차도 또한 능숙하게 연기해야 한다는 것을 기억하십시오. 만일 그가 절름발이를, 공직 관리를, 평범한 사람의 역할을 하기를 원한다고 해도 이와 마찬가지입니다. 여러분에게 주어진 그 역할을 잘 연기하는 것, 이것이 해야만 하는 여러분의 일입니다.

① 자연에 따르는 삶은 곧 덕 있는 삶이다.

② 이성은 신과 우주와 인간의 공통된 본성이다.

③ 신의 섭리를 따름으로써 참된 행복을 누릴 수 있다.

④ 이성을 통해 신의 존재를 논리적으로 증명해야 한다.

⑤ 외부의 상황에 초연하고 이성의 명령을 따르는 삶의 태도를 지녀야 한다.

11 다음 서양 사상가의 입장으로 옳은 것은?

> 세상에서 일어나는 일들이 네가 바라는 대로 일어나기를 요구하지 말고, 오히려 일어나는 일들이 실제로 일어나는 대로 일어나기를 원하라. 그러면 모든 것이 잘되어 갈 것이다.

① 의지로 바꿀 수 있는 것과 없는 것을 구분해야 한다.
② 이성적 관조를 통해 자연법칙에서 벗어나야 한다.
③ 이성적 자각을 통해 스스로 운명을 개척해야 한다.
④ 실천적 지혜로 자신의 주변 상황을 제어해야 한다.
⑤ 육체적 쾌락을 억제하고 정신적 쾌락을 추구해야 한다.

★12 (가)의 서양 사상가 갑, 을의 입장을 (나) 그림으로 탐구하고자 할 때, A~C에 들어갈 적절한 질문만을 〈보기〉에서 있는 대로 고른 것은?

(가)	갑: 우주의 본성은 질서 정연한 세계를 창조하고자 한다. 우리 주변에서 이루어지는 모든 일은 필연적 법칙에 따라 일어나는 이성적 현상이다. 이를 기억하면 여러 상황에 처했을 때, 보다 침착하게 대처하여 평온함을 유지할 수 있다. 을: 우리가 "쾌락이 목적이다."라고 할 때, 여기서 쾌락은 우리를 잘 모르는 자들이 생각했던 것처럼 방탕한 자들의 쾌락이나 육체적 쾌락을 의미하는 것이 아니다. 내가 말하는 쾌락은 몸의 고통이나 마음의 혼란으로부터의 자유이다.
(나)	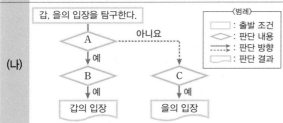

┤ 보기 ├
ㄱ. A: 모든 정념을 제거해 부동심에 도달해야 하는가?
ㄴ. B: 정념에 동요되지 않는 정신 상태를 추구해야 하는가?
ㄷ. C: 참된 쾌락을 얻기 위해서는 공적인 삶을 피해야 하는가?
ㄹ. C: 쾌락은 선이므로 가능한 많은 욕구를 충족해야 하는가?

① ㄱ, ㄹ　　　② ㄴ, ㄷ　　　③ ㄷ, ㄹ
④ ㄱ, ㄴ, ㄹ　　⑤ ㄴ, ㄷ, ㄹ

13 서양 사상가 갑, 을의 입장에 대한 옳은 설명만을 〈보기〉에서 있는 대로 고른 것은?

> 갑: 쾌락에 휩쓸리지 않도록 하라. 쾌락을 즐기고 나서 후회할 때와 멀리하고 나서 누릴 만족을 비교하여 경계한다면 어떤 정념의 자극에도 동요하지 않는 정신 상태를 가질 것이다.
>
> 을: 쾌락은 몸의 고통이나 마음의 혼란으로부터의 자유이므로 행복한 인생의 시작이자 끝이다. 그러나 가장 적은 양의 필요를 가진 사람이 가장 큰 기쁨을 느낄 것이다.

┤ 보기 ├
ㄱ. 갑은 자기 운명을 적극적으로 개척해야 한다고 본다.
ㄴ. 을은 자연적이고 필수적인 욕망의 충족을 인정한다.
ㄷ. 갑은 평온한 삶을 위해 부동심을, 을은 평정심을 강조한다.
ㄹ. 갑, 을은 모두 행복을 위해 공적인 삶에서 벗어나야 한다고 본다.

① ㄱ, ㄴ　　　　② ㄱ, ㄹ　　　　③ ㄴ, ㄷ
④ ㄱ, ㄷ, ㄹ　　　⑤ ㄴ, ㄷ, ㄹ

14 갑의 입장에서 을에게 제기할 비판으로 가장 적절한 것은?

> 갑: 사물에 대해 의견을 내고, 의욕을 느끼며, 그것을 갈망하거나 기피하는 것과 같은 의지적 활동은 우리 뜻대로 할 수 있다. 그러나 육체·재산·평판·권력 등 우리 자신의 행위가 아닌 것은 우리 뜻대로 할 수 없다.
>
> 을: 욕망 중 어떤 것은 자연적인 동시에 필수적이며, 다른 것은 자연적이기는 하지만 필수적이지 않고, 또 다른 것은 자연적이지도 않고 필수적이지도 않으며, 다만 헛된 생각에 의해 생겨난다.

① 평온하고 행복한 삶이 최종 목적임을 간과한다.
② 개인은 공동선 실현을 위해 노력해야 함을 간과한다.
③ 은둔 생활을 하며 우정을 나누고 살아야 함을 간과한다.
④ 모든 정념을 제거해야 행복에 이를 수 있음을 간과한다.
⑤ 참된 쾌락을 위해 고통과 불안의 원인을 알아야 함을 간과한다.

서답형 문제

15 갑, 을이 추구하는 이상적 상태를 비교해 서술하시오.

> 갑: 쾌락은 몸의 고통이나 마음의 혼란으로부터의 자유, 육체에 고통이 없고, 마음에 불안이 없는 평온함이므로 행복한 인생의 시작이자 끝이다. 그러나 가장 적은 양의 필요를 가진 사람이 가장 큰 기쁨을 느낄 것이다.
>
> 을: 쾌락에 휩쓸리지 않도록 하라. 쾌락을 즐기고 나서 후회할 때와 멀리하고 나서 누릴 만족을 비교하여 경계한다면 어떤 정념의 자극에도 동요하지 않는 정신 상태를 가질 것이다.

16 ㉠에 들어갈 말에 관해 서술하시오.

> 에피쿠로스학파가 추구하는 쾌락은 무분별한 욕구 충족에서 오는 쾌락이 아니며 사치스러운 향락에서 오는 쾌락도 아니다. 이런 쾌락은 순간적일 뿐이며 오히려 쾌락으로부터 멀어지고 고통이 증가하는 ㉠ 을/를 초래할 수 있기 때문이다.

17 갑, 을 사상의 공통점을 서술하시오.

> 갑: 세상에서 일어나는 일들이 네가 바라는 대로 일어나기를 요구하지 말고, 오히려 일어나는 일들이 실제로 일어나는 대로 일어나기를 원해라. 그러면 모든 것이 잘되어 갈 것이다.
>
> 을: 빵과 물은 배고프고 갈증을 느끼는 사람에게 가장 큰 쾌락을 제공한다. 그러므로 사치스럽지 않고 단순한 음식에 길들여지는 것은 우리에게 완전한 건강을 주며, 우리가 생활하면서 꼭 필요한 것들에 주저하지 않게 해 준다. 또한 나중에 우리가 사치스러운 것들과 마주쳤을 때 우리를 강하게 만든다.

18 다음을 읽고 에피쿠로스학파가 추구하는 쾌락에 관해 서술하시오.

> 인간의 욕구 중에서 가장 강한 욕구는 육체의 고통과 정신의 불안에서 해방되고자 하는 욕구이다. 고통과 불안을 없애는 것이 중요한 이유는 그것만으로도 쾌락에 도달할 수 있기 때문이다. 이와 같은 쾌락주의는 이후에 공리주의, 특히 밀의 질적 공리주의로 이어졌다.

| 딱풀 p. 33

| 교육청 기출 |

01 (가)의 고대 서양 사상가 갑, 을의 입장을 (나) 그림으로 탐구할 때, A~C에 들어갈 옳은 질문만을 〈보기〉에서 있는 대로 고른 것은?

(가)	갑: 우리에게 일어나는 모든 일은 아무것도 나쁘지 않다. 우연처럼 보이는 일도 신의 섭리, 즉 자연의 이법[logos]을 따른 것으로 선하다. 당신은 이것을 원칙으로 삼아 자신의 삶에 만족하도록 하라. 을: 우리 삶의 모든 선택과 회피의 유일한 기준은 쾌락이다. 그런데 우리가 쾌락의 부재로 인해 고통을 느낄 때에는 쾌락을 필요로 하지만, 고통을 느끼지 않는다면 더 이상 쾌락을 필요로 하지 않는다.
(나)	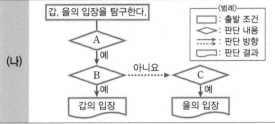

┤ 보기 ├

ㄱ. A: 행복에 이르기 위해 이성적 사고가 필요한가?

ㄴ. B: 세계 시민으로서 공적인 삶에 참여해야 하는가?

ㄷ. B: 마음의 평온함을 위해 모든 감정을 제거해야 하는가?

ㄹ. C: 자연적이고 필수적인 욕구만을 최소한으로 충족해야 하는가?

① ㄱ, ㄹ   ② ㄴ, ㄷ   ③ ㄷ, ㄹ

④ ㄱ, ㄴ, ㄹ   ⑤ ㄱ, ㄷ, ㄹ

| 교육청 응용 |

02 고대 서양 사상가 갑, 을의 입장으로 옳은 것은?

> 갑: 행복의 시작이자 끝은 쾌락이다. 쾌락은 먹고 마시며 흥청거리는 데 있는 것이 아니라, 헛된 믿음을 없애며 냉철하게 사고하는 데 있다.
>
> 을: 행복해지기 위해서는 세상에서 일어나는 일들이 자신이 바라는 대로 일어나기를 원하지 말고 오히려 일어나는 일들이 실제로 일어나는 대로 일어나기를 바라야 한다.

① 갑: 쾌락은 이성적 숙고의 대상이 될 수 없다.

② 갑: 쾌락은 선이며 모든 행위를 평가하는 기준이다.

③ 을: 외부의 상황을 내면의 의지로 변화시켜야 한다.

④ 을: 이성을 따르면 운명과 필연에서 벗어날 수 있다.

⑤ 갑, 을: 사회 전체를 위한 공적 활동에 헌신해야 한다.

| 수능 기출 |

03 고대 서양 사상가 갑, 을의 입장으로 옳은 것은?

> 갑: 본성과 운명에 따라 할 일을 정해야 욕구의 횡포로부터 벗어나고 덕을 따를 수 있다. 일을 하기 전에 먼저 일의 본성과 자신의 본성을 검토해야 한다.
>
> 을: 본성에 심어진 일차적 선은 쾌락이다. 그런데 쾌락이라고 다 선택하는 것도, 고통이라고 다 피하는 것도 아니다. 이 중 무엇이 득과 실이 되는지를 측정, 비교해서 판단해야 한다.

① 갑: 부동심을 유지하기 위해 공적 활동에 참여하지 말아야 한다.

② 갑: 불굴의 의지로 자신에게 주어진 상황과 여건을 변화시켜야 한다.

③ 을: 쾌락을 누리려면 사려 깊고 고상하며 정의롭게 살아야 한다.

④ 을: 모든 고통이 제거되면 욕망과 쾌락도 사라짐을 깨달아야 한다.

⑤ 갑, 을: 마땅히 해야 할 일은 결과에 대한 고려 없이 수행해야 한다.

| 교육청 기출 |

04 고대 서양 사상가 갑, 을의 입장에 대한 설명으로 옳은 것은?

> 갑: 덕은 본성적으로 즐거운 삶과 연결된다. 덕이 쾌락을 주지 못하면 그 덕을 버려야 한다. 우리의 행동을 결정할 힘은 우리 안에 있다. 사려 깊은 사람은 우리 힘에 의해 생겨나는 일이 다른 주체를 가지지 않는다는 것을 안다.
>
> 을: 덕의 바탕은 욕구를 이성에 순종하게 하는 것인데, 이성은 신과 인간, 세계에 공통된 것이다. 지혜란 각 사물의 원인과 결과를 인식하는 덕이며, 절제란 욕구할 것과 기피할 것을 이성이 판정한 바를 고수하는 덕이다.

① 갑은 인간은 주어진 운명에 순응하며 살아야 한다고 본다.

② 갑은 사려 깊은 사람은 즐겁게 사는 것이 불가능하다고 본다.

③ 을은 이성에 따른 삶과 자연에 따른 삶이 상이하다고 본다.

④ 을은 덕을 갖춘 사람은 신의 예정에서 벗어날 수 있다고 본다.

⑤ 갑, 을은 평온한 삶을 위해 자연의 원리를 알아야 한다고 본다.

| 교육청 기출 |
05 고대 서양 사상가 갑, 을의 입장으로 옳은 것은?

> 갑: 사려 깊고 고상하며 정의롭게 살지 않고서는 즐겁게 사는 것이 불가능하며, 반대로 즐겁게 살지 않고서는 사려 깊고 고상하며 정의롭게 사는 것이 불가능하다. 덕은 본성적으로 즐거운 삶과 연결되어 있으며 우리에게 쾌락을 줄 때 가치를 지닌다.
> 을: 우주에서 일어나는 일들을 이해하지 못하는 사람은 우주 속의 이방인이다. 그는 이성의 세계로부터 추방당한 자이고, 마음의 눈이 감겨 있는 자이다. 자신의 운명에 불만을 품고 모두에게 공통된 자연의 섭리에 대한 반항심으로 자신을 고립시키는 자는 우주의 종기이다.

① 갑: 덕(德)은 그 자체로 선(善)의 가치를 지니고 있다.
② 갑: 참된 쾌락은 모든 자연적 욕구의 충족으로 가능하다.
③ 을: 진정한 자유는 자연의 필연적 질서에서 벗어나는 것이다.
④ 을: 덕이 있는 삶은 공적인 삶을 회피하고 소박하게 사는 것이다.
⑤ 갑, 을: 진정한 행복을 위해 이성적 숙고의 태도가 필요하다.

| 평가원 응용 |
06 고대 서양 사상가 갑, 을의 입장으로 옳은 것만을 〈보기〉에서 고른 것은?

> 갑: 인간 본성은 고통의 부재인 쾌락에 의해 구원되는 반면, 고통에 의해 파괴된다. 쾌락은 행복의 시작이자 끝이다.
> 을: 인간 본성에 따라 자유인이 되기를 바라라. 부자나 권력자가 되기를 바라지 말라. 이성을 통해 부동심의 상태에 도달해야 한다.

┤ 보기 ├
ㄱ. 갑: 고통과 마음의 불안이 없는 상태를 지향해야 한다.
ㄴ. 갑: 공동선을 위해 사회에 적극적으로 이바지해야 한다.
ㄷ. 을: 평온한 삶을 위해 욕망의 지배에서 벗어나야 한다.
ㄹ. 갑, 을: 정신적 쾌락보다 감각적 쾌락을 추구해야 한다.

① ㄱ, ㄴ   ② ㄱ, ㄷ   ③ ㄴ, ㄷ
④ ㄴ, ㄹ   ⑤ ㄷ, ㄹ

| 교육청 기출 |
07 고대 서양 사상가 갑, 을의 입장으로 가장 적절한 것은?

> 갑: 덕은 지식과 분리될 수 없다. 덕이 무엇인지 아는 사람은 비도덕적인 행위를 할 수 없다. 왜냐하면 덕을 아는 사람은 비도덕적인 행위가 자신에게 해롭다는 것을 잘 알기에 자발적으로 자신에게 해로운 행위를 하지 않을 것이기 때문이다.
> 을: 덕은 사려 깊음에서 생겨난다. 사려 깊고 고상하며 정의롭게 살지 않고서 즐겁게 사는 것은 불가능하므로 덕은 본성적으로 즐거운 삶과 연결되어 있다. 즐거운 삶이란, 몸에는 고통이 없고 마음에는 불안이 없는 평정심을 유지하는 것이다.

① 갑: 모든 덕은 참된 앎에서, 악은 무지에서 비롯된다.
② 갑: 도덕 판단의 기준은 개인의 경험에 따라 달라진다.
③ 을: 참된 쾌락을 누리려면 모든 욕망을 충족해야 한다.
④ 을: 은둔하며 사는 삶보다 공적인 삶을 추구해야 한다.
⑤ 갑, 을: 행복한 삶과 유덕한 삶을 별개의 것으로 보아야 한다.

| 교육청 응용 |
08 고대 서양 사상가 갑, 고대 중국 사상가 을의 입장만을 〈보기〉에서 고른 것은?

> 갑: 까마귀가 깍깍대며 상서롭지 않게 울 때, 당신은 그 울음소리에 사로잡히지 않도록 하라. 사람들을 심란하게 하는 것은 사건들 자체가 아니라, 사건들에 대한 그릇된 판단이다. 그릇된 판단은 정념을 일으켜 평온함[apatheia]을 깨뜨릴 것이다.
> 을: 까마귀는 날마다 먹칠을 하지 않아도 검고, 백조는 날마다 목욕을 하지 않아도 희다. 검고 흰 본바탕은 좋고 나쁨을 따질 것이 못 된다. 참된 사람[眞人]은 이것과 저것의 상대적 대립을 넘어서서, 아무 것에도 얽매이지 않고 자유롭게 노닌다.

┤ 보기 ├
ㄱ. 갑: 모든 정념을 제거해야 이상적 상태에 도달한다.
ㄴ. 갑: 운명을 개척해 마음의 평온함을 유지해야 한다.
ㄷ. 을: 편견을 극복하여 만물을 차별 없이 봐야 한다.
ㄹ. 갑, 을: 자연의 질서를 따름으로써 참된 자유를 실현해야 한다.

① ㄱ, ㄴ   ② ㄱ, ㄷ   ③ ㄴ, ㄷ
④ ㄴ, ㄹ   ⑤ ㄷ, ㄹ

| 교육청 기출 |

09 (가)의 고대 서양 사상가 갑, 을의 입장을 (나) 그림으로 탐구할 때, A~C에 해당하는 적절한 질문만을 〈보기〉에서 있는 대로 고른 것은?

(가)	갑: 인간의 모든 선택과 회피의 기준은 쾌락이며, 모든 선의 판단 기준도 쾌락이다. 참된 쾌락은 심신의 고통으로부터의 자유이다. 을: 인간에게 자신의 본성이 견뎌낼 수 없는 일은 결코 일어나지 않는다. 신과 인간에게 공통된 이성을 따를 때에는 두려워할 것이 없다.

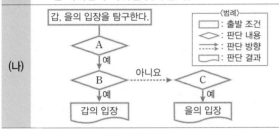

(나) 갑, 을의 입장을 탐구한다. → A(예) → B(예) → 갑의 입장 / B(아니요) → C(예) → 을의 입장

〈범례〉
▢ : 출발 조건
◇ : 판단 내용
----▶ : 판단 방향
▱ : 판단 결과

┤ 보기 ├
ㄱ. A: 인류 행복 증진을 위해 공적 의무를 다해야 하는가?
ㄴ. A: 마음의 평안에 이르려면 욕구를 절제해야 하는가?
ㄷ. B: 덕이 쾌락을 주지 못한다면 덕을 버려야 하는가?
ㄹ. C: 이성에 따라 자신의 운명을 개척해야 하는가?

① ㄱ, ㄴ ② ㄱ, ㄹ ③ ㄴ, ㄷ
④ ㄱ, ㄷ, ㄹ ⑤ ㄴ, ㄷ, ㄹ

| 교육청 응용 |

10 다음 사상가가 강조하는 삶의 태도로 가장 적절한 것은?

이들도 나와 똑같은 신성(神性)을 부여받았으므로 본성상 나의 형제이다. 서로 간의 반목은 자연의 섭리에 어긋난다. …… 우연처럼 보이는 일도 자연의 섭리로부터 발생한 것이다. 어려움이 닥쳐와도 불평하지 말고 신들에게 감사하라.

① 부동심에서 벗어나 평온하게 살기 위해 이성을 발휘한다.
② 유일신의 계율에 따라 인류를 동료 시민으로서 존중한다.
③ 자연의 필연적 법칙을 인식하고 스스로 욕구를 조절한다.
④ 모든 정념에 순응하여 무지를 자각하고 진리를 탐구한다.
⑤ 공동체에 대한 의무보다 개인의 행복 추구를 우선시한다.

| 수능 응용 |

11 고대 서양 사상가 갑, 을의 입장으로 옳은 것만을 〈보기〉에서 있는 대로 고른 것은?

갑: 사려 깊고, 아름다우며, 정의롭게 살지 않으면서 즐겁게 살 수는 없다. 덕은 본성적으로 즐거운 삶과 연결되어 있으며, 즐거운 삶은 덕과 떨어질 수 없다. 즐거움은 행복한 인생의 시작이자 끝이다.
을: 어떤 것이 지금보다 더 좋고, 그것을 할 수 있다는 것을 안다면 즐거움에 굴복하는 행동은 하지 않을 것이다. 자기 자신에게 굴복하는 것이 무지이고, 자기 자신을 이기는 것이 지혜이다.

┤ 보기 ├
ㄱ. 갑: 불필요한 욕구를 추구하면 불안이 생길 수 있다.
ㄴ. 을: 지혜를 갖추어도 고의로 악을 행하는 사람이 있다.
ㄷ. 을: 앎이 없어도 지나친 욕구에 대해 절제의 덕을 지닐 수 있다.
ㄹ. 갑, 을: 행복을 위해 즐거움에 대한 이성적 숙고가 필요하다.

① ㄱ, ㄹ ② ㄴ, ㄷ ③ ㄴ, ㄹ
④ ㄱ, ㄴ, ㄷ ⑤ ㄱ, ㄷ, ㄹ

| 교육청 응용 |

12 갑이 을에게 제기할 수 있는 비판으로 가장 적절한 것은?

갑: 아름다움과 탁월성은 우리에게 쾌락을 제공할 때만 가치를 지닌다. 이들이 쾌락을 주지 못한다면 우리는 그것들을 버려야 한다. 쾌락은 행복한 삶의 시작이자 끝이다.
을: 아름다움 자체는 아름다운 것들의 원형이다. 다른 모든 아름다운 것들이 생겨나고 소멸해도 아름다움 자체는 어떤 변화도 겪지 않고 늘 그대로이다.

① 철학자만이 최고의 행복을 성취할 수 있음을 간과한다.
② 개인 간의 정의는 최고선인 쾌락을 얻기 위한 것임을 간과한다.
③ 현실에서의 좋음보다 초월적인 좋음을 추구해야 함을 간과한다.
④ 쾌락은 지나침이나 모자람과 관계없이 그 자체로 악임을 간과한다.
⑤ 지혜·용기·절제의 조화를 이룬 사람은 불행할 수 없다는 점을 간과한다.

04 참된 신앙

1 그리스도교와 사랑의 윤리

1. 그리스도교의 기원과 전개

(1) 그리스도교의 기원

① 이스라엘의 민족 종교인 유대교❶에 뿌리를 두고 있음

② 선민사상과 율법주의❷를 비판한 예수의 가르침을 기초로 함

(2) 예수의 가르침 자료 **01**

사랑의 윤리	• 그리스도의 사랑: 인류에 대한 신의 무조건적, 일방적, 절대적인 사랑 • 인류는 신의 절대적인 사랑을 받았으므로 이웃에 대한 차별 없는 사랑을 실천해야 함
보편 윤리	• "무엇이든지 남에게 대접받고자 하는 대로 너희도 남을 대접하라."라는 보편 윤리로서의 황금률❸을 강조함 • 율법적 의무보다 보편적이고 도덕적인 의무로서의 이웃 사랑을 강조함

(3) 그리스도교의 전개

① 그리스도교가 헬레니즘 문화권으로 전파되는 과정에서 이성 중심의 그리스 사상과 만나 교리를 체계화함 ➡ 그리스도교가 세계 종교로 발전하게 됨

② 중세 초기에 아우구스티누스가 교리를 체계화하였고, 중세 후기에 아퀴나스가 그리스도교의 교리를 철학적으로 논증함

2. 교부 철학과 아우구스티누스의 사랑의 윤리

┌ 교회의 아버지라는 뜻으로, 신앙과 교회 생활에 중대한 영향을 끼친 사람들을 말한다.

(1) 교부 철학 중세 초기에 그리스도교 교리의 체계화에 공헌한 교부(敎父)들의 사상

(2) 아우구스티누스 윤리 사상의 특징

① 플라톤 사상의 영향 자료 **02**

• 플라톤의 이데아론을 수용해 완전하고 영원한 천상의 나라와 불완전하고 유한한 지상의 나라를 구분함

• 신을 영원하고 완전한 존재이며 이데아와 같이 인간이 추구해야 할 최고선으로 봄

• 플라톤이 강조한 사주덕(절제, 용기, 지혜, 정의)을 모두 신에 대한 사랑의 다른 표현으로 해석함 ➡ 믿음, 소망, 사랑이라는 종교적 덕 중 최고의 덕은 사랑임

• 신을 실존적으로 만나야 할 인격적 존재로 보았고, 참된 행복은 신의 은총을 받아야 가능하다고 본다는 점에서 플라톤 사상과 차이가 있음

② 신에 대한 사랑 강조 자료 **03**

• 신은 최고선이며, 신을 사랑하는 사람만이 선을 실현하며 참된 행복에 이르게 됨 ➡ 사랑을 행복 실현을 위한 필수 조건으로 봄

• 신에 대한 사랑을 기반으로 하지 않는 행위는 결코 옳은 행위가 될 수 없음

③ 인간의 이성과 의지의 한계 인정

• 인간은 원죄❹와 같은 타락한 본성을 지니고 있음 ➡ 선한 의지를 완전하게 지닐 수 없음

• 인간의 노력만으로는 신과 이웃을 온전히 사랑할 수 없고, 오직 신의 은총에 의해서만 원죄로부터 구원이 가능하다고 봄

④ 악의 원인 규정

• 악은 선에 반대되는 실체가 아니라 선의 결여, 결핍임

• 악은 신의 창조물이 아니라 인간 행위의 결과임

---

❶ **유대교**
유일신인 여호와가 세계 만물을 창조하고 다스리며 최후의 심판을 한다고 믿는 종교

❷ **율법주의**
유대교의 특징으로, 율법의 엄격한 준수를 강조하는 사조이다. 예수는 이러한 율법의 준수도 중요하지만, 보편적인 사랑이 더 중요함을 강조하였다.

❸ **황금률**
사랑의 윤리를 실천하는 근본 원리로, 자기가 사랑받고 싶으면 먼저 남을 사랑하고, 용서받고 싶으면 먼저 남을 용서하고, 비난받거나 심판받고 싶지 않으면 먼저 남을 비난하거나 심판하지 않아야 한다는 원리이다.

❹ **원죄(原罪)**
성서에 등장하는 최초의 인간인 아담이 신의 명령을 따르지 않고 선악을 구분하는 열매를 먹으면서 발생하였다는 죄이다. 그리스도교에서는 모든 인간이 태어날 때부터 원죄를 가졌다고 본다.

고득점을 위한 셀파 Tip 개념

| 아우구스티누스의 사랑의 윤리 |
• 플라톤 사상의 영향을 받음
• 신을 사랑하는 사람만이 참된 행복을 실현할 수 있다고 봄
• 인간의 이성과 의지의 한계를 인정함

 **셀파 자료 탐구**

자료 01 그리스도교에서 강조하는 가르침

어느 날, 유대교의 율법학자가 예수를 찾아왔다. 율법학자는 예수에게 율법에서 "네 마음과 목숨을 다 바쳐 신과 이웃을 사랑하라."라고 하는데, 여기에서 말하는 이웃이 누구냐고 물었다. 예수는 강도를 만난 사람 곁을 지나가던 세 사람 이야기를 해 주었다. 먼저 유대교의 제사장이, 그 다음에는 레위인이 지나갔다. 제사장과 레위인은 당시 사람들에게 존경받던 이들이었다. 그러나 그들은 쓰러져 있던 사람을 피해 갔다. 마지막으로 유대인이 무시하던 사마리아인이 강도를 만난 사람의 곁을 지나갔다. 그는 모든 일을 제쳐 두고 그 사람을 치료하고 끝까지 돌보아 주었다. 예수가 물었다. "이 세 사람 가운데 누가 강도를 만난 사람의 이웃이라고 생각합니까?" 율법학자는 "사마리아인입니다."라고 대답하였다. 그러자 예수는 "가서 똑같이 하십시오."라고 말하였다.

－「신약 성서」, 「누가복음」－

자료 분석 | 예수는 유대교의 전통 율법을 존중하면서도 형식적으로 규율을 준수하는 것은 옳지 않다고 비판한다. 그는 인간이 본성을 회복하고 신에게 가까이 가려면 율법보다는 사랑과 믿음이 더 중요하다고 강조한다. 예수에 따르면 인간이 신을 사랑하면서 다른 사람을 사랑하고 용서하면 신의 나라에서 행복을 누릴 수 있다.

자료 02 플라톤의 사주덕과 아우구스티누스 사상

절제는 신을 위해 자신을 온전하게 지키는 사랑이며, 용기는 모든 것을 신을 위해 쉽게 인내하는 사랑이며, 정의는 오직 신만을 섬기며 이것 때문에 인간에게 복속된 다른 모든 것을 잘 다스리는 사랑이며, 지혜는 신계 도움이 되는 것과 방해가 될 수 있는 것을 잘 분간하는 사랑이다.

－ 아우구스티누스, 「가톨릭교회의 관습과 마니교도의 관습」－

자료 분석 | 아우구스티누스는 플라톤의 사주덕을 신과의 관계에서 새롭게 해석한다. 아우구스티누스에 따르면 인간이 덕을 구현하고 행복해지려면 계시를 통해 신의 은총을 받아야만 한다. 신은 이성을 통해 인식할 수 있는 대상을 초월한 존재이며, 실존을 통해 만나야 하는 인격적 존재이기 때문이다.

자료 03 아우구스티누스가 주장하는 신에 대한 사랑

행복이 더는 선할 수 없는, 가장 선한 것으로 구성된다면 우리는 이를 최고선이라고 부르는데, 최고선에 도달하지 못한 사람을 어떻게 행복하다고 말할 수 있는가? 우리가 지닌 모든 선한 것들의 완전함, 그리고 우리의 완전한 선은 바로 신이다. 이제 우리는 무엇을 얼마나 사랑해야 하는지 들었다. 우리는 반드시 이것을 추구해야만 할 것이며, 이것에 맞추어 우리의 모든 계획을 세워 나가야 한다.

－ 아우구스티누스, 「마니교와 도나투스파에 대한 반박」－

자료 분석 | 아우구스티누스에 따르면 신을 사랑하는 사람은 악에 빠지지 않고 선을 실현하며 참된 행복에 이를 수 있다. 그러나 인간의 노력만으로는 신을 온전히 사랑할 수 없고, 오직 신의 은총에 기대어야만 원죄로부터 구원이 가능하다고 보았다.

1 아우구스티누스는 이성보다 신앙이 우위에 있다는 것을 깨달아야 한다고 주장하였다. (O , ✕)

2 아우구스티누스는 인간이 구원받기 위해 반드시 신의 은총이 필요하다고 보았다. (O , ✕)

3 아우구스티누스는 신을 선과 악을 포함하여 모든 것을 창조한 인격적 존재라고 본다. (O , ✕)

4 아우구스티누스는 악은 선의 결여이며 신이 만들어 낸 것이라고 보았다. (O , ✕)

5 아우구스티누스는 플라톤의 사상을 수용해 그리스도교의 관점에서 새롭게 해석하였다. (O , ✕)

6 아우구스티누스는 완전하고 영원한 지상의 나라를 추구하였다. (O , ✕)

7 아우구스티누스는 인간이 자신의 능력과 의지만으로 최고 행복에 도달할 수 있다고 보았다. (O , ✕)

8 아우구스티누스는 플라톤의 사주덕은 최고의 덕인 사랑의 다른 형태라고 하였다. (O , ✕)

9 아우구스티누스는 인간이 신을 이성적으로 인식함으로써 완전한 행복에 이를 수 있다고 보았다. (O , ✕)

정답 1 O 2 O 3 ✕ 4 ✕ 5 O
6 ✕ 7 ✕ 8 O 9 ✕

2 그리스도교와 자연법 윤리

⭐ **1. 스콜라 철학과 아퀴나스의 자연법 윤리**

(1) 스콜라⑤ 철학 중세 후기에 그리스도교의 교리를 철학적으로 논증하고 설명하려고 한 사상

(2) 아퀴나스 윤리 사상의 특징

① 아리스토텔레스 사상의 영향
- 아리스토텔레스의 사상을 이용해 그리스도교의 <u>교리와 신의 존재를 이성적, 철학적으로 논증</u>하고자 함 ➡ 인간의 궁극적 목적은 행복이며, 행복은 덕에 의해 실현됨
- 덕을 자연적 덕과 종교적 덕으로 구분함 ➡ 자연적 덕(지성적 덕, 품성적 덕)은 현세에서의 행복을 위한 것이고, 종교적 덕은 <u>신에게로 인도해 주는 덕</u>임 ┌ 아퀴나스는 종교적 덕을 통해 내세에서 진정한 행복을 누릴 수 있다고 보았다.
- 최고의 행복은 이성적 활동을 통해 <u>지성적 덕과 품성적 덕을 형성</u>하고 믿음, 소망, 사랑이라는 종교적 덕을 실천해 신과 하나가 될 때 누릴 수 있음
  - 지성적 덕: 영혼의 이성적 기능이 탁월하게 작용할 때 얻을 수 있음
  - 품성적 덕: 인간의 감정이나 행위가 중용을 따르는 품성 상태

② 이성을 통한 신의 존재 증명 [자료 **04**]
- 이성을 통해 신의 존재를 철학적으로 증명하려고 노력함
- 신앙의 영역과 이성의 영역을 구분하면서도 <u>신앙과 이성이 상호 보완적인 역할</u>을 하며 조화를 이룬다고 봄
  └ 아퀴나스는 자연에 대한 경험적이고 이성적인 탐구가 성경과 신앙에 어긋나지 않는다고 생각하였다.
- 신앙과 이성 모두 신으로부터 주어진 것이며, 결국 하나의 진리인 신에게로 귀결됨

③ 자연법
- 세계는 신에 의해 창조되었고 신의 영원한 법칙인 영원법⑥에 의해 다스려진다고 봄 [자료 **05**]
- 자연법⑦은 인간의 이성에 의해 인식된 영원법의 일부이며, 이성을 지닌 인간이라면 누구나 동의할 수밖에 없고 언제 어디서나 지켜야 하는 도덕 법칙임
- 자연법의 제1원리: "선을 행하고 악을 피하라."
- 인간은 <u>이성에 의해 인식된 자연적 성향을 성찰</u>하고 실현함으로써 신이 원하는 바를 깨닫고 행복에 이를 수 있음
  └ 아퀴나스는 인간이 동물적 존재로서 자기 생명과 종족을 보존하려고 하는 자연적 경향성을 가지는 동시에 이성적 존재로서 지식을 추구하고 사회적 삶을 살려고 하는 자연적 경향성을 가진다고 본다.
- 실정법은 자연법에 기초해야 함 ➡ 실정법이 자연법을 위반할 경우 정당성을 상실함

2. 종교 개혁과 그리스도교 윤리의 현대적 의의

(1) 종교 개혁

① 전개 과정 루터가 부패한 교회의 행태를 비판하면서 촉발되었고, 이후 칼뱅이 예정설을 주장하며 기존 교회의 권위를 부정함

② 루터와 칼뱅의 사상

루터	• 면죄부 판매의 부당성을 지적하는 95개조의 반박문을 발표함 [자료 **06**] • 구원은 교회의 예배 의식이 아닌 오직 신앙에 의해 가능함 • 그리스도교의 진리는 교회나 교황이 아니라 성서에 있음 • 모든 신앙인은 성직자이자 사제로서 신과 직접 대화할 수 있음
칼뱅	• 예정설: 인간의 구원은 신에 의해 예정되어 있고, 신에게 미리 선택받은 사람만 구원받을 수 있음 • 직업 소명설: 직업은 신이 각 개인에게 내린 소명으로, 근면하고 성실하게 일하여 직업에서 성공하는 것이 신에게 선택받았다는 증거임

(2) 그리스도교의 현대적 의의

① 사랑에 기초한 윤리를 통해 주변 사람들과 사회적 약자에 대한 관심을 이끌어 냄

② 자연법사상을 제시해 성별, 빈부, 인종 등의 차이를 넘어 모든 사람의 인권을 보장하고 향상하는 데 기여함

---

⑤ 스콜라
스콜라(schola)는 '학교'라는 의미로, 'school'의 어원이다. 스콜라 철학은 중세의 수도원에 소속된 학교에서 이성을 통해 그리스도교 교리를 정당화하고자 했던 일련의 철학 체계를 말한다.

⑥ 영원법
신의 섭리로서, 신의 예지와 의지로 창조되고 정립된 영원불멸하는 존재의 질서에 관한 법이다. 인간의 자연적 성향에 반영되어 있다.

⑦ 자연법
인간의 이성에 의해 인식된 영원법이다. 영원법에 참여할 수 있는 능력이자 선악을 구별할 수 있는 이성을 통해 파악되는 도덕 법칙이다.

고득점을 위한 셀파 Tip 개념

| 아퀴나스의 자연법 윤리 |
- 아리스토텔레스 사상의 영향을 받음
- 이성과 신앙의 조화를 추구함
- 자연적 덕을 형성하고 종교적 덕을 실천해야 참된 행복을 누릴 수 있음
- 자연법은 인간의 이성에 의해 인식된 영원법
- 이성에 의해 파악된 자연적 성향을 따르는 것이 도덕적 의무

셀파 자료 탐구

자료 04 아퀴나스의 신 존재 증명

신의 존재를 증명하기 위한 첫째 방식은 운동에 의한 증명이다. 이 세계 속에서 어떤 것들이 움직여진다는 것은 확실하며 감각적으로도 확인되는 바이다. 그런데 움직이는 모든 것은 다른 것에 의해 움직여진다. 그러므로 어떤 것이 그것에 의해 움직여진다면, 또한 그것은 다른 것에 의해 움직여져야 하며 움직이게 하는 저것은 또 다른 것에 의해 움직여져야 한다. 그런데 이렇게 무한히 소급해 갈 수는 없다. 그러므로 우리는 다른 것한테도 움직여지지 않는 최초의 제1원동자(原動者)에 필연적으로 도달하게 된다. 그리고 모든 이는 이런 존재를 신으로 이해한다.

– 아퀴나스, 『신학 대전』 –

자료 분석 | 아퀴나스는 움직이는 것은 운동의 최초의 원인, 곧 그 어떤 것으로부터도 비롯되지 않은 제1운동 원인이 있어야 하는데, 그것이 바로 신이라고 주장하였다. 이러한 아퀴나스의 신 존재에 대한 이성적 논증은 신앙과 이성이 서로 모순되지 않으며 상호 보완적임을 보여 준다.

자료 05 아퀴나스의 영원법

세계가 신의 섭리에 의해 지배된다는 사실을 받아들인다면, 우주의 모든 공동체가 신의 마음에 의해 지배된다는 점은 자명하다. 신의 마음은 시간상의 것이 아니라 영원한 개념이므로 이로부터 생겨난 법 또한 영원하다고 할 수 있다. 자신의 지혜를 통해 신은 우주 모든 것의 창조자가 되고 각각의 모든 피조물에서 발견되는 모든 행위와 개념의 지배자가 된다. 따라서 우주의 창조 원리로서 신의 지혜는 행위, 모범, 관념을 의미하기도 하고, 모든 것이 자신의 목적을 향해 움직이게 하는 법칙을 의미하기도 한다. 따라서 영원한 법칙은 모든 것의 운동과 행위를 지배하는 것으로서 신의 지혜의 실례 이외의 다른 어떤 것이 아니다.   – 아퀴나스, 『신학 대전』 –

자료 분석 | 아퀴나스는 모든 우주 만물에 신의 뜻이 깃들어 있고, 그것은 신이 인간에게 부여한 이성을 통해 파악할 수 있다고 보았다. 신의 명령인 영원법을 인간의 이성을 통해 파악한 것이 자연법이고, 그것에 근거해 인간이 제정한 것이 실정법이다. 영원한 법칙에서 생겨난 규칙들은 자기 보존, 종족 보존, 신에 대한 진리 파악, 사회적 삶 향유 등과 같은 자연적 성향과 일치한다. 그리고 이러한 성향에 따르는 것이 선이다.

자료 06 루터, 「95개조 반박문」

제5조 교황은 그 직권 또는 교회법의 위세로 부과된 형벌 이외의 어떤 벌이든지 용서할 힘이나 뜻을 지니지 못한다.

제21조 교황의 이름으로 된 면죄부를 사면 죄의 형벌을 면죄받게 되고 구원에 이를 수 있다고 가르치는 것은 잘못이다.

제36조 진심으로 자신의 죄를 뉘우치고 회개하는 사람은 면죄부 없이도 형벌과 죄책에서 완전하게 사함을 받는다.

자료 분석 | 루터는 인간의 구원을 위해서는 교회의 예배 의식보다 개인의 신앙이 더 중요하다고 주장하였고, 모든 신앙인은 누구나 신과 직접 대화할 수 있다고 하였다. 또한 그리스도교의 진리를 전하는 최고의 권위는 교회가 아니라 성서에 있다고 보았다.

기출 선택지 ○, ×로 정리하기

1 아퀴나스에 따르면 자연법은 영원법에 의해 다스려진다.

(○ , ×)

2 아퀴나스는 인간이 스스로 성취한 덕을 통해 최고 행복에 도달할 수 있다고 한다.

(○ , ×)

3 아퀴나스는 "선을 행하고 악을 피하라."를 자연법의 제1원리로 삼는다.

(○ , ×)

4 아퀴나스에 따르면 이성과 신앙은 모순 없이 양립 가능하다.

(○ , ×)

5 아퀴나스는 인간의 이성적 성찰을 통해 종교적 덕의 성취가 완성된다고 본다.

(○ , ×)

6 아퀴나스는 신의 의지인 영원법이 불변하기 때문에 인간의 실정법도 불변한다고 주장하였다.

(○ , ×)

7 아퀴나스는 종교적 덕의 실천을 통해 행복을 누릴 수 있다고 보았다.

(○ , ×)

8 아퀴나스는 완전한 행복을 달성하기 위해 신의 은총이 필요하다고 보았다.

(○ , ×)

9 루터는 누구나 성서와 기도를 통해 신과 대화할 수 있다고 본다.

(○ , ×)

정답 1 ○ 2 × 3 ○ 4 ○ 5 ×
6 × 7 ○ 8 ○ 9 ○

1 그리스도교와 사랑의 윤리

그리스도교	사랑의 윤리	인류는 신의 무조건적이고 절대적인 사랑을 받았으므로 이웃에 대한 차별 없는 사랑을 실천해야 함
	보편 윤리	(❶): "무엇이든지 남에게 대접받고자 하는 대로 너희도 남을 대접하라."
아우구스티누스	(❷) 사상의 영향	• 천상의 나라와 지상의 나라를 구분함 • 신은 이데아와 같이 인간이 추구해야 할 최고선임
	신에 대한 사랑 강조	신은 최고선이며, 신을 사랑하는 사람만이 참된 (❸)에 이를 수 있음
	인간의 이성과 의지의 한계 인정	인간은 자유 의지를 남용해 원죄를 지니고 태어남
	악의 원인 규정	악은 선에 반대되는 것이 아니라 (❹)임

2 그리스도교와 자연법 윤리

아퀴나스	아리스토텔레스 사상의 영향	• 자연적 덕은 현세에서의 행복을 위한 것이고 종교적 덕은 신에게로 인도해 주는 덕임 • 최고의 행복은 이성적 활동을 통해 덕을 지성적 덕과 품성적 덕을 형성하고 (❺)을 실천해야 누릴 수 있음
	이성을 통한 신의 존재 증명	• 이성을 통해 신의 존재를 철학적으로 증명하고자 함 • 신앙과 이성은 상호 보완적인 역할을 함
	자연법	• (❻): 신의 영원한 법칙 • (❼): 인간의 이성에 의해 인식된 영원법의 일부 • 자연법의 제1원리: "선을 행하고 악을 피하라."
종교 개혁	루터	• (❽) 반박문을 발표함 • 구원은 신앙에 의해 가능하고, 그리스도교의 진리는 성서에 있으며, 모든 신앙인은 신과 직접 대화가 가능함
	칼뱅	• 인간의 구원은 신에 의해 예정됨 • (❾)은 신이 개인에게 내린 소명임

탄탄 내신 문제

01 ⊙과 관련된 설명으로 옳지 않은 것은?

> 서양의 세계관과 가치관 형성에 중요한 역할을 한 그리스도교의 뿌리에는 [⊙]이/가 있다. 이 종교는 유일신인 여호와가 세계 만물을 창조하고 다스리며 최후의 심판을 한다고 믿는다.

① 신의 명령과 은총을 강조하고 신본주의적 성격을 띤다.
② 인간을 신의 모습을 따라 창조된 특별한 존재라고 본다.
③ 특정 민족이 신의 선택을 받았다는 선민의식을 지니고 있다.
④ 인간에게는 율법보다 사랑과 믿음이 더 중요하다고 강조한다.
⑤ 신이 십계명을 내려 인간의 행동을 올바른 방향으로 인도한다고 본다.

02 다음 종교의 전개 과정에 대한 설명으로 옳은 것은?

> • "너희는 원수를 사랑하며, 너희를 박해하는 자를 위하여 기도하라."
> • "무엇이든지 남에게 대접받고자 하는 대로 너희도 남을 대접하라."

① 초창기부터 통일된 교리를 갖추며 범민족적 종교로 성장하였다.
② 다신교가 지배적이던 헬레니즘 문화권에서 쉽게 유일신 사상을 정립하였다.
③ 고대 그리스 사상을 수용하여 교리를 체계화하면서 세계 종교로 발전하였다.
④ 형식적 율법의 준수가 가장 중요하다는 예수의 가르침을 중심으로 퍼져 나갔다.
⑤ 유대인만이 신에게 선택받았고 율법을 지킬 때 구원받는다는 믿음을 강조하였다.

03 다음 사상가가 긍정의 대답을 할 질문으로 가장 적절한 것은?

절제는 신을 위해 스스로를 건전하게 지키고 타락하지 않도록 하는 사랑이다. 그리고 용기는 신을 위해서라면 모든 것을 기꺼이 감수하는 사랑을 말한다. 정의의 덕이란 신만을 섬기고, 그렇게 함으로써 다른 모든 사람을 잘 다스리는 사랑이다. 그리고 지혜는 신을 향하여 나아가는 길에 도움이 되는 것과 방해가 되는 것을 잘 식별하는 사랑이다.

① 이성이나 철학은 신앙에 아무 도움을 주지 못하는가?
② 신에 대한 이성적 관조를 통해 최고의 행복에 도달할 수 있는가?
③ 인간은 신이 부여한 자유 의지만으로 참된 행복에 이를 수 있는가?
④ 지상의 나라는 자기만을 사랑하는 불완전한 사람들로 이루어진 나라인가?
⑤ 신은 존재하는 유일한 실체로서 필연적 질서와 인과 법칙에 따라 움직이는 기계인가?

05 다음 중세 서양 사상가의 주장이다. '악(惡)'에 대한 이 사상가의 입장으로 옳은 것은?

인간의 행복은 신에 대한 완전한 인식, 신의 향유, 그리고 신과의 합일 안에서만 가능하다. 이러한 행복을 위해서는 반드시 신의 은총이 필요하다. 우리는 신의 은총을 통해 지상의 나라에서 벗어나 신의 나라로 갈 수 있다.

① 선에 반대되는 실체로 신의 창조물이다.
② 자유 의지를 남용한 인간 행위의 결과로 선의 결여이다.
③ 인간의 타고난 본성을 교화하지 않음으로써 강화되는 성질이다.
④ 자연의 질서에 거스르며 인위적인 제도를 만듦으로써 생겨나는 것이다.
⑤ 인간의 노력과 신에 대한 믿음만으로 원죄라는 악으로부터 구원받을 수 있다.

04 다음 중세 서양 사상가의 입장으로 옳은 것은?

피조물에 대한 사랑이 아니라 창조주에 대한 사랑이어야 왜곡된 사랑이 아니고 바른 사랑이다. 피조물 그 자체 때문에 사랑하는 것은 왜곡된 사랑이다. 이러한 왜곡된 사랑으로 인해 피조물은 그것을 사용 혹은 향유하는 사람들을 돕기보다는 부패시켜 버린다.

① 교회의 권위보다 개인적 신앙의 자유가 중요하다.
② 신앙인은 성직자이자 사제로서 신과 직접 대화할 수 있다.
③ 확실한 명제를 시작으로 이성적 추론을 통해 진리를 연역해야 한다.
④ 신은 이성적 인식을 넘어서 실존적으로 만나야 하는 인격적 존재이다.
⑤ 최고의 행복을 위해 가장 중요한 것은 신에 대한 온전한 지식과 관조이다.

06 다음 중세 서양 사상가의 사상적 의의로 가장 적절한 것은?

두 가지 사랑이 두 나라를 건설했다. 지상의 나라는 인간의 자기 사랑에 의해 창조되었고, 천상의 나라는 신의 사랑에 의해 창조되었다. 전자에서 인간은 남에게 영광받기를 원하지만, 후자에서 인간은 신을 최고의 영광으로 여긴다.

① 그리스도교 사상이 현세에서의 삶을 중시하는 특색을 띠게 되었다.
② 플라톤의 사상을 수용하면서도 인간의 이성과 의지의 한계를 밝혔다.
③ 아리스토텔레스의 철학을 중심으로 신앙과 이성을 조화시키고자 하였다.
④ 보편적인 도덕적 의무로서 이웃에 대한 사랑을 중시하는 계기가 되었다.
⑤ 인간이 신의 형상을 따라 창조되었으므로 신을 닮기 위해 노력할 것을 처음으로 강조하였다.

07 중세 서양 사상가 갑이 고대 서양 사상가 을에게 제시할 수 있는 견해로 가장 적절한 것은?

> 갑: 세속의 나라는 신의 멸시에까지 이르는 자기애를 통해서, 천상의 나라는 신을 사랑하고 자신조차도 경멸하는 것을 통해서 생겨난다.
> 을: 아름다움 자체는 아름다운 것들의 원형이다. 다른 모든 아름다운 것들이 생겨나고 소멸해도 아름다움 자체는 어떤 변화도 겪지 않고 늘 그대로이다.

① 지혜, 정의는 최고의 덕인 사랑의 다른 형태임을 간과한다.
② 참된 실재는 오직 이성을 통해서만 인식할 수 있음을 간과한다.
③ 이성과 관조를 통해 논리적으로 신을 증명할 수 있음을 간과한다.
④ 최상의 행복은 지성적 덕과 품성적 덕의 조화로 완성됨을 간과한다.
⑤ 인간은 반복적인 이성적 선택을 통해 완전한 행복에 이를 수 있음을 간과한다.

08 다음 사상가가 주장하는 행복에 대한 설명으로 옳은 것은?

> 신은 최고 존재이며, 무(無)에서 창조한 것들에게 존재를 주었다. 그런데 두 가지 사랑이 두 나라를 건설했다. 지상의 나라는 인간의 자기 사랑에 의해 만들어졌다. 인간은 신을 사랑하고 자신을 멸시할 때, 천상의 나라에 이를 수 있다.

① 믿음이 아닌 신에 대한 이성적 인식을 통해서만 행복에 이를 수 있다.
② 신이 각 개인에게 내린 소명으로서의 직업에 충실한 삶이 곧 행복이다.
③ 최고선인 신을 사랑하는 사람만이 선을 실현하며 참된 행복에 이르게 된다.
④ 신의 은총이 아니라 자유 의지에 바탕을 둔 개인의 신앙이 참된 행복의 필수 조건이다.
⑤ 신에 대한 사랑이 없더라도 옳은 행동을 습관적으로 반복하여 덕을 쌓으면 행복에 이를 수 있다.

★09 중세 서양 사상가 갑이 고대 서양 사상가 을에게 할 수 있는 비판으로 가장 적절한 것은?

> 갑: 모든 것들은 완성을 향한 욕구를 지니고 있으며 이들을 움직이게 하는 최종 목적은 결국 자기 자신의 완전한 선이며 자신을 충족시키는 선이라고 할 수 있다. 우리의 궁극 목적은 창조되지 않은 선, 곧 신이다.
> 을: 영혼의 감정이나 욕구와 관련된 덕은 옳은 것에 미치지 못하거나 넘어서는 것을 피하고 그 중간을 택해 반복적으로 실천함으로써 함양된다.

① 신은 이데아처럼 인간이 추구해야 할 최고선이라는 점을 모르고 있다.
② 교회보다 성서와 믿음이 더 중요하고 우위에 있는 것임을 모르고 있다.
③ 인간의 궁극적인 목적은 행복이며 행복은 덕에 의해 실현됨을 모르고 있다.
④ 최고의 행복에 이르기 위해서는 인간을 신에게 인도해 주는 종교적 덕이 필요함을 모르고 있다.
⑤ 악(惡)은 신의 창조물이 아니라 인간 행위의 결과로서 선의 결여 또는 결핍이라는 점을 모르고 있다.

10 다음 중세 서양 사상가의 입장으로 옳은 것은?

> 인간이 추구하는 완전한 행복을 위해서는 인간의 이성 능력을 넘어서는 어떤 것이 계시를 통해서 알려질 필요가 있다. 그리고 자연적 덕과 함께 세 가지의 신학적 덕인 믿음, 소망, 사랑도 필요하다.

① 신은 만물을 창조하고 주재하는 인격적인 존재이다.
② 최고의 행복은 이데아에 대한 이성적 관조를 통해 실현된다.
③ 어떤 행위가 도덕적 의무와 일치하기만 하면 도덕적 가치를 지닌다.
④ 신에 대해 이성적 이해를 시도하는 것은 참된 신앙이라고 할 수 없다.
⑤ 윤리적 단계를 넘어 종교적 단계에 이를 때 참된 실존을 회복할 수 있다.

11 다음 중세 서양 사상가의 입장에서 부정의 대답을 할 질문으로 가장 적절한 것은?

> 인간에게는 모든 다른 실체들과 공유하는 성향, 즉 자신의 존재를 유지하고자 하는 자연적 성향과 몇몇 동물들과 공유하는 성향, 즉 종(種)적인 것에 대한 자연적 성향이 내재해 있다. 그리고 이성이라는 자연적 본성을 따르며 신에 관한 진리를 인식하고자 하고 사회적 공동체에서 삶을 살고자 하는 인간에게 고유한 자연적 성향이 있다.

① 자연법이 영원법에 기초하듯 실정법은 자연법에 기초해야 하는가?
② 자기 보존과 종족 보존의 경향성은 인간의 고유한 자연적 성향인가?
③ 인간은 이성을 통해 자연적 성향을 인식하고 신의 뜻을 깨달을 수 있는가?
④ 영원법은 모든 사물의 본성뿐 아니라 인간의 자연적 성향에 반영되어 있는가?
⑤ 자연법은 이성을 지닌 인간이 동의하고 따라야 하는 보편적인 도덕 법칙인가?

12 다음 중세 서양 사상가의 입장으로 옳은 것을 〈보기〉에서 고른 것은?

> 우리는 인식을 갖지 못하는 자연적 물체들이 목적을 향해 작용하는 것을 본다. 그런데 인식을 갖지 못하는 것들은, 인식하며 깨닫는 어떤 존재에 의해 인도되지 않으면 목적을 지향할 수 없다. 그러므로 모든 자연적 물체들이 목적을 향하도록 질서를 만들어 주는 어떤 지성적 존재가 있다. 이런 존재를 우리는 신(神)이라 부른다.

┤ 보기 ├
ㄱ. 이성적 인식을 통해 필연성을 극복해야 한다.
ㄴ. 이성에 의해 파악된 자연적 성향을 실현하면 행복에 이를 수 있다.
ㄷ. 유일한 실체인 신을 인식할 때 생겨나는 정신적 만족만을 추구해야 한다.
ㄹ. 최고의 행복은 신과 하나가 되는 것으로 신의 은총을 통해 내세에서 가능하다.

① ㄱ, ㄴ ② ㄱ, ㄷ ③ ㄴ, ㄷ
④ ㄴ, ㄹ ⑤ ㄷ, ㄹ

13 다음 그리스도교 사상가의 입장으로 옳은 것은?

> 교황의 이름으로 된 면벌부를 사게 되면 죄의 형벌을 면하고 구원에 이를 수 있다고 인간에게 가르치는 것은 잘못이다. 인간은 완전한 회개를 통해 사면과 신의 은총을 충분히 누릴 권리를 갖고 있다.

① 우주 만물의 원인인 신은 자연과 동일한 존재이다.
② 그리스도교의 진리는 교회나 교황에 있는 것이 아니라 성서에 있다.
③ 자격을 인정받은 사제를 통해서만 신과 인격적으로 만나는 것이 가능하다.
④ 개인 중심의 신앙을 반성하고 성직자의 인도를 따르는 신앙생활을 해야 한다.
⑤ 자연의 질서를 인식하고 세상의 모든 일을 일어난 그대로 수용하는 자세가 중요하다.

14 다음 중세 서양 사상가가 부정의 대답을 할 질문으로 가장 적절한 것은?

> 신은 우리 모든 사람이 모든 행동에서 각각 자기의 소명(召命)에 관심을 둘 것을 요구하신다. 우매하고 경솔한 우리가 만사를 혼란에 빠뜨리지 않도록 하기 위해서, 신은 각 사람에게 그 독특한 생활 양식에 따라 의무를 지정하셨다. 그리고 아무도 자기의 한계를 경솔히 벗어나지 않도록, 그 다양한 생활들을 소명이라고 부르셨다.

① 인간의 구원은 신에 의해 미리 정해져 있는가?
② 직업은 지상에서 이웃 사랑과 신의 영광을 실현하는 수단인가?
③ 우리 삶에서 가장 유익한 것은 이성을 가능한 완전하게 하는 것인가?
④ 절대적 권위를 가진 신에게 미리 선택받은 사람만이 구원받을 수 있는가?
⑤ 근면하고 성실하게 일하여 직업에서 성공하는 것이 신에게 선택받은 증거가 될 수 있는가?

15 다음 중세 서양 사상가의 사상적 특징을 서술하시오.

> 절제는 신을 위해 자신을 온전하게 지키는 사랑이며, 용기는 모든 것을 신을 위해 쉽게 인내하는 사랑이며, 정의는 오직 신만을 섬기며 이것 때문에 인간에게 복속된 다른 모든 것을 잘 다스리는 사랑이며, 지혜는 신께 도움이 되는 것과 방해가 될 수 있는 것을 잘 분간하는 사랑이다.

16 다음 중세 서양 사상가의 입장에서 '악(惡)'이 무엇인지 서술하시오.

> 역사는 지상의 나라와 천상의 나라라는 두 힘이 끊임없이 싸우는 과정이다. 탐욕과 야심이 지배하는 지상의 나라는 국가에서 볼 수 있고, 아름다운 신의 나라는 교회에서 볼 수 있다. 영원한 진리는 신에게서 비롯되며, 인간은 신이라는 존재를 통하여 그리고 그를 믿음으로써 구원에 이르게 된다.

17 다음 중세 서양 사상가의 입장에서 참된 행복에 이르기 위해 필요한 조건들을 서술하시오.

> 인간의 구원을 위해, 인간의 이성으로 탐구되는 철학의 여러 분과 외에 신의 계시에 따라 성립되는 어떤 가르침이 있을 필요가 있었다. 무엇보다도 먼저 인간은 이성의 파악을 넘어서는 어떤 목적, 즉 신을 지향하도록 정해져 있기 때문이다. 따라서 인간의 구원을 위해 인간의 이성을 초월하는 것들이 신의 계시를 통해 인간에게 알려질 필요가 있었다.

18 ㉠이 무엇인지 쓰고, ㉠과 영원법의 관계를 서술하시오.

> 아퀴나스에 따르면 ㉠ 은/는 자기 생명을 보전하려는 욕구, 종족을 지속시키려는 욕구, 신·인간·세상을 알고자 하는 욕구, 타인의 인정을 받으려는 욕구 등과 같은 인간의 본성에 바탕을 둔다. 또한 이것은 인간의 이성으로 인식할 수 있고, 모든 인간에게 보편적으로 적용할 수 있다.

01 다음을 주장한 중세 서양 사상가의 입장만을 〈보기〉에서 있는 대로 고른 것은?

> 이성은 인간의 자연적 경향성에 맞는 것을 선으로 파악하고 추구해야 할 것으로 본다. 또한 인간의 자연적 경향성에 반대되는 것을 악으로 파악하고 피해야 할 것으로 본다. 이성이 파악한 선과 악은 자연법의 명령과 관련되는데, 자연법의 첫 번째 명령은 '선을 추구하고 악을 피하라.'이다.

┌ 보기 ┐
ㄱ. 자연법은 인간이 사회 속에서 살아갈 것을 명령한다.
ㄴ. 자연법은 인간이 자신의 생명을 보존할 것을 명령한다.
ㄷ. 인간에게는 동물과의 공통된 본성에 따른 선도 존재한다.
ㄹ. 인간은 자연 자체인 신과 하나가 될 때 행복을 누리게 된다.

① ㄱ, ㄴ   ② ㄴ, ㄹ   ③ ㄷ, ㄹ
④ ㄱ, ㄴ, ㄷ   ⑤ ㄱ, ㄷ, ㄹ

02 고대 서양 사상가 갑, 중세 서양 사상가 을의 입장으로 옳은 것은?

> 갑: 인간의 행위들이 추구하는 목적들은 점점 상위의 목적으로 올라가다 보면 궁극적인 목적에 이른다. 이 목적은 최고선이다. 그렇다면 최고선은 무엇일까? 그것은 행복이다. 행복은 덕에 따른 영혼의 활동이다.
>
> 을: 인간은 자신의 자연적 원리에 의해, 인간의 범위 안에 있는 행복을 향해 전진한다. 그런데 완전한 행복은 인간적 본성의 범위를 넘어선다. 그러므로 다른 원리가 신에 의해 인간에게 추가되어야 하고, 이 원리를 신학적 덕이라 한다.

① 갑: 행복이란 자연적 경향성에 대한 만족을 의미한다.
② 갑: 덕은 건강과 명예처럼 행복을 위한 수단일 뿐이다.
③ 을: 완전한 행복에 도달하게 되면 삶의 목적이 실현된다.
④ 을: 인간은 스스로 성취한 덕에 의해 최고 행복에 도달할 수 있다.
⑤ 갑, 을: 덕은 지식과 일치하고 지식으로서의 덕은 행복과 일치한다.

03 중세 서양 사상가 갑, 을의 입장으로 옳은 것은?

> 갑: 인간은 자신의 자연적 능력의 한계를 초월하는 영원한 지복(至福)이라는 목적을 향해 질서지어져 있다. 그런만큼 자연법이나 인간법을 초월하여 신에 의하여 주어진 법에 따라서도 자신의 목적으로 향해질 필요가 있다.
>
> 을: 신은 이성적 인식을 넘어서 실존적으로 만나야 할 인격적 존재이며, 우리의 영혼에 내재하는 진리의 근원이다. 인간 정신의 신의 빛으로 실천적 진리를 알 수 있다.

① 갑: 자연법은 영원법에 근원을 두고 있다.
② 갑: 자유 의지가 없는 인간은 신의 뜻에 따라야 한다.
③ 을: 신은 악을 포함해 만물을 창조한 인격적 존재이다.
④ 을: 신에 대한 사랑을 통해 현세에서 완전한 행복이 실현된다.
⑤ 갑, 을: 신의 존재는 오직 계시를 통해서만 증명될 수 있다.

04 갑, 을은 중세 서양 사상가들이고, 병은 현대 서양 사상가이다. 갑, 을, 병의 입장으로 옳은 것은?

> 갑: 신을 믿는 자는 처음에는 신의 권위를 따르지만, 나중에는 신의 은총과 사랑으로 진리의 빛을 관조할 수 있게 된다.
>
> 을: 인간은 감각에서 출발하여 본성적으로 주어진 이성을 통해 모든 것의 원인으로서의 신을 인식할 수 있다.
>
> 병: 절망은 죽음에 이르는 병이다. 이 병은 육체적인 죽음으로 끝나지 않는다. 절망은 신앙을 통해서만 극복될 수 있다.

① 갑: 전능한 신은 선의 결핍인 악의 최종적인 존재 근거이다.
② 을: 도덕적 문제에서는 신의 명령보다 이성의 명령이 우선한다.
③ 병: 절대자에게 의존하지 않고 주체적 결단으로 절망을 극복해야 한다.
④ 갑, 을: 참된 행복을 위해 신앙뿐 아니라 신의 은총도 필요하다.
⑤ 을, 병: 이성적 추론과 실존적 자각으로 신의 존재를 알 수 있다.

| 교육청 기출 |

05 중세 서양 사상가 갑, 을의 입장에 대한 설명으로 옳은 것은?

> 갑: 두 개의 사랑에 의해서 두 개의 국가가 형성된다. 지상의 국가는 인간으로부터 영광을 찾으며 천상의 국가는 신으로부터 영광을 찾는다. 전자는 자신을 사랑하고 심지어 신을 경멸함으로써, 후자는 신을 사랑하고 심지어 자신조차도 경멸함으로써 형성된다.
> 을: 신은 존재하는 모든 사물과 법칙의 원인이자 처음이다. 진리에 대한 모든 앎은 제1원리들을 부여한 신에 의해서 주어졌다. 따라서 모든 법칙이 올바른 이성으로부터 통찰된 것이라면 그것은 신의 영원법으로부터 나온 것이다.

① 갑은 악을 선의 결핍이 아니라 실체로 존재하는 것이라고 본다.
② 갑은 신을 종교적 체험을 통한 실존적 만남의 대상이라고 본다.
③ 을은 실정법이 신의 영원법과는 무관하게 제정된다고 본다.
④ 을은 종교적 덕의 성취는 인간의 이성적 통찰로 완성된다고 본다.
⑤ 갑, 을은 신의 의지로부터 자유로울 때 지복(至福)이 가능하다고 본다.

| 교육청 응용 |

06 다음 가상 편지를 쓴 중세 서양 사상가가 강조하는 삶의 태도로 가장 적절한 것은?

> 오늘은 '자유 의지'에 대한 저의 견해를 말씀드리고자 합니다. 신은 선한 세상을 창조하셨고, 피조물인 인간에게 자유 의지를 선물하셨습니다. 그러나 인간은 자유 의지를 통해 선을 행하기는커녕 오히려 신으로부터 등을 돌립니다. 여전히 많은 인간이 세상의 부와 명예를 추구하며, 신을 사랑하지 않고 이웃도 사랑하지 않습니다. 이제 우리는 신께서 자유 의지를 주신 의미를 깊이 새기면서, 신의 은총 속에서 참된 행복을 추구해야 합니다.

① 자유 의지를 남용하지 않고 선을 실천해야 한다.
② 자신의 능력만으로 완전한 행복에 도달해야 한다.
③ 각자가 중시하는 가치를 최고선으로 추구해야 한다.
④ 지식이 덕과 동일함을 깨닫고 지식을 획득해야 한다.
⑤ 자신이 자율적으로 입법한 보편적 도덕 법칙만을 실천해야 한다.

| 교육청 기출 |

07 다음을 주장한 중세 서양 사상가의 입장만을 〈보기〉에서 있는 대로 고른 것은?

> 인간은 모든 사물과 공유하는 본성에 따라 자신의 존재를 보존하려는 경향성을 가진다. 또한 동물과 공유하는 본성에 따라 남녀의 결합과 자녀 양육에 대한 경향성을 가진다. 그리고 인간에게 고유한 이성이라는 본성에 따라 신에 관한 진리를 알고자 하며, 사회에서 살고자 하는 경향성을 가진다.

┤ 보기 ├
ㄱ. 인간의 본성에는 창조주의 영원법이 반영되어 있다.
ㄴ. 인간은 이성이 아니라 신의 계시로 자연법을 알게 된다.
ㄷ. 인간과 자연은 신적 이성을 공통된 본성으로 가지고 있다.
ㄹ. 인간은 자신의 자연적 경향성을 따라야 할 의무를 지닌다.

① ㄱ, ㄷ   ② ㄱ, ㄹ   ③ ㄴ, ㄹ
④ ㄱ, ㄴ, ㄷ   ⑤ ㄴ, ㄷ, ㄹ

| 평가원 기출 |

08 그리스도교 사상가 갑, 을의 입장에 대한 옳은 설명만을 〈보기〉에서 고른 것은?

> 갑: 인간에게 믿음, 소망, 사랑이 있는데, 그 중 사랑이 가장 위대하다. 왜냐하면 누구든 신의 나라에 도달할 때 믿음과 소망은 줄어들 수 있지만, 사랑만은 더 크고 강하게 영속하기 때문이다.
> 을: 인간은 면죄부가 아니라 신의 은혜로 그리스도가 있는 천국에 이를 것이다. 신에게 순종할수록 죄의 세력이 약해지지만, 신에게 거역할수록 죄의 세력은 강해진다.

┤ 보기 ├
ㄱ. 갑은 악을 신이 창조하여 실재하는 것이라고 본다.
ㄴ. 갑은 믿음, 소망, 사랑을 종교적 덕이 아니라고 본다.
ㄷ. 을은 누구나 성서와 기도를 통해 신과 대화할 수 있다고 본다.
ㄹ. 갑, 을은 구원이 은총과 믿음을 통해서 이루어진다고 본다.

① ㄱ, ㄴ   ② ㄱ, ㄷ   ③ ㄴ, ㄷ
④ ㄴ, ㄹ   ⑤ ㄷ, ㄹ

| 교육청 기출 |

09 중세 서양 사상가 갑, 을의 입장만을 〈보기〉에서 고른 것은?

> 갑: 신은 변함없는 선으로 영원하고 불멸하다. 신은 세상을 천상의 국가와 지상의 국가로 나누었고, 인간 삶의 모든 역사는 천상의 국가의 승리로 귀결된다.
> 을: 신의 존재는 논증될 수 있고, 초월적 진리는 계시와 신앙을 통해 알려진다. 신의 존재는 운동에 의한 증명, 원인에 의한 증명 등으로 증명될 수 있다.

─ 보기 ─
ㄱ. 갑: 인간은 지상의 국가에서 자유 의지를 지닐 수 없다.
ㄴ. 갑: 신은 선과 악을 포함한 만물을 창조한 유일한 존재이다.
ㄷ. 을: 신의 계시는 이성적으로 이해되지 않더라도 따라야 한다.
ㄹ. 갑, 을: 인간의 완전한 행복 실현을 위해 신의 은총이 필요하다.

① ㄱ, ㄴ ② ㄱ, ㄷ ③ ㄴ, ㄷ
④ ㄴ, ㄹ ⑤ ㄷ, ㄹ

| 평가원 응용 |

10 그리스도교 사상가 갑, 을의 입장으로 옳은 것은?

> 갑: 세속의 나라는 신의 멸시에까지 이르는 자기애를 통해서, 천상의 나라는 신을 사랑하고 자신조차도 경멸하는 것을 통해서 생겨난다. 전자는 인간으로부터 영광을 찾고 후자는 신으로부터 영광을 찾는다.
> 을: 모든 것들은 완성을 향한 욕구를 지니고 있으며 이들을 움직이게 하는 최종 목적은 결국 자기 자신의 완전한 선이며 자신을 충족시키는 선이라고 할 수 있다. 우리의 궁극 목적은 창조되지 않은 선, 곧 신이다.

① 갑: 악은 선의 결여이며 자유 의지 남용에서 비롯된 실체이다.
② 갑: 신앙은 이성보다 우위에 있고 이성의 기능 수행에 기여한다.
③ 을: 최상의 행복은 지성적 덕과 품성적 덕의 조화로 완성된다.
④ 을: 이성을 통해 신 존재를 논리적으로 증명하는 것은 불가능하다.
⑤ 갑, 을: 인간은 이성적 선택을 거듭함으로써 지복(至福)에 이른다.

| 수능 기출 |

11 고대 서양 사상가 갑, 중세 서양 사상가 을의 입장에 대한 설명으로 옳은 것은?

> 갑: 신이 하는 일에는 신의 섭리가 담겨 있다. 우연처럼 보이는 일도 신의 섭리, 즉 자연의 인과 관계와 무관하지 않다. 자연에 의해 일어나는 모든 것은 선하다. 당신은 이것을 원칙으로 삼아 자신의 삶에 만족하도록 하라.
> 을: 신은 최고 존재이며, 무(無)에서 창조한 것들에게 존재를 주었다. 그런데 두 가지 사랑이 두 나라를 건설했다. 지상의 나라는 인간의 자기 사랑에 의해 만들어졌다. 인간은 신을 사랑하고 자신을 멸시할 때, 천상의 나라에 이를 수 있다.

① 갑은 필연성에서 벗어날 때 정신적 자유에 이를 수 있다고 본다.
② 갑은 인간이 영혼 속의 정념을 따르면 선한 삶을 살 수 있다고 본다.
③ 을은 인간이 신보다 자기 자신을 따름으로써 죄를 짓는다고 본다.
④ 을은 믿음이 아닌 신에 대한 이성적 인식으로 지복이 가능하다고 본다.
⑤ 갑, 을: 인간이 오직 신의 은총을 통해 신과 합일할 수 있다고 본다.

| 평가원 응용 |

12 중세 서양 사상가 갑, 을의 입장으로 가장 적절한 것은?

> 갑: 악은 인간이 신을 떠나 지극히 비천한 것을 향한 것이다. 지상의 나라에 속한 사람들이 완전한 행복을 얻으려면 신의 은총을 통해 천상의 나라에 속해야 한다.
> 을: 신은 그 본성의 탁월성으로 말미암아 만물 위에 있으며, 모든 것을 있게 한 원인으로서 존재한다. 신앙과 이성은 모두 신으로부터 나온 것이므로 서로 대립하지 않으며 우리는 믿기 위해 이해한다.

① 갑: 모든 사람에게는 구원이 예정되어 있다.
② 갑: 신은 선악을 포함한 만물의 창조주이다.
③ 을: 신의 영원법에 따라 자연법을 제정해야 한다.
④ 을: 철학적 진리와 계시된 진리는 모순 없이 양립할 수 있다.
⑤ 갑, 을: 지복은 종교적 덕을 통해 현세에서 실현될 수 있다.

05 도덕의 기초

1 도덕적인 삶과 이성

1. 서양 근대 사상의 등장 배경과 특징

(1) 등장 배경

르네상스	개성 존중, 현실 중시, 합리적 사고와 경험 중시 등의 사고방식이 확산됨
종교 개혁	가톨릭의 권위주의적 전통에서 벗어나 개인의 신앙의 자유를 중시하는 분위기가 형성됨
자연 과학의 발달	기존의 형이상학적이거나 신학적인 세계관을 대체하는 과학적 세계관을 제공함

(2) 특징

① 중세의 신 중심적 사고에서 벗어나 인간 중심적 사고를 강조함

② 이성주의와 경험주의

구분	이성주의	경험주의
지식의 근원	이성: 도덕적 판단과 행동의 근거가 이성에 있다고 봄	감각적 경험: 도덕적 삶의 근거를 인간의 경험과 감정에서 찾음
진리 탐구 방법	• 연역법❶: 자명한 원리로부터 논리적 추론을 통해 개별적 이치를 알아냄 • 한계: 경험적 검증을 경시해 사변적 추론이 될 수 있음	• 귀납법❷: 관찰이나 실험을 통해 개별 사실로부터 일반적 원리를 찾아냄 • 한계: 성급한 일반화의 오류❸에 빠질 수 있음
대표 사상가	데카르트, 스피노자 등	베이컨, 흄 등

2. 데카르트와 스피노자의 사상

(1) 데카르트 사상의 특징

① 감각적 경험 비판 감각적 경험을 통해 얻은 지식은 주관적이고 단편적이기 때문에 명백한 진리가 될 수 없음 ➡ 이성적 추론을 통해 얻은 지식만이 확실하고 참됨

② 방법적 회의 확실한 지식을 연역해 내기 위해 절대로 의심할 수 없는 명제를 출발점으로 삼아 의심할 수 있는 모든 것을 의심해 보는 방법 [자료 01]

③ 철학의 제1원리 "나는 생각한다. 그러므로 나는 존재한다." ➡ 모든 것을 의심할 수 있지만 의심하고 있는 나의 존재는 의심할 수 없음

(2) 스피노자 사상의 특징

① 범신론❹적 사고 [자료 02] ── 스피노자는 자연 만물의 궁극적 원인을 신으로 보았다.
  • 신은 세계 자체이자 자연이며, 인간은 자연의 일부로서 자연법칙에 따라 살아감
  • 자연은 존재하는 유일한 실체(實體, substance)이고, 인간을 포함한 자연의 개별 사물은 하나의 실체가 보여 주는 여러 가지 모습인 양태(樣態)임

② 필연론적 세계관 ─── 자유는 정념의 예속에서 벗어나 자연의 필연성을 따르는 것
  • 우주는 수학적 질서에 따라 움직이는 하나의 거대한 기계이며, 세계의 모든 일은 원인과 결과로 필연적으로 연결됨 ➡ 필연성에서 벗어나 자유 의지를 가지는 것은 불가능함
  • 모든 정서는 자연의 인과 법칙에 따라 발생함 ➡ 인간은 이 법칙을 모르기 때문에 정념이 생김

③ 행복론 [자료 03]
  • 이성을 통해 필연성을 인식하고 수동적 감정인 정념❺을 올바르게 조절할 것을 강조함
  • 최고의 행복은 이성을 온전히 사용하여 만물의 궁극적 원인과 사물들의 필연적인 인과 관계를 명확하게 파악하고 인식함(이성적 관조)으로써 도달하게 되는 마음의 안정과 평화

---

❶ 연역법

이성에 기초한 자명한 원리로부터 추론을 통해 개별적 지식을 얻어 내는 방법으로, 삼단 논법이 대표적이다.

삼단 논법	
대전제	모든 사람은 죽는다.
소전제	소크라테스는 사람이다.
결론	소크라테스는 죽는다.

❷ 귀납법

개별적 사실들에 대한 경험과 관찰로부터 일반적인 원리나 법칙을 찾아내는 탐구 방법

귀납법	
관찰 1	갑은 죽는다.
관찰 2	을은 죽는다.
관찰 3	병은 죽는다.
결론	모든 사람은 죽는다.

❸ 성급한 일반화의 오류

몇 가지 사례나 경험만을 가지고 그 전체 또는 전체의 속성을 섣불리 단정 짓거나 판단하는 데에서 생기는 오류

❹ 범신론

자연과 신이 동일하여 모든 자연이 곧 신이며, 신이 자연이라고 생각하는 철학적 관점

❺ 정념

이성에 복종하지 않는 충동 또는 비이성적이고 부자연스러운 영혼 안의 움직임으로, 우리의 이성적 판단을 방해하여 잘못된 행동을 하도록 이끌기도 한다.

고득점을 위한 셀파 Tip 비교

| 이성주의 |

데카르트	스피노자
• 이성적 추론을 통한 지식만 참된 지식 • 방법적 회의 • "나는 생각한다. 그러므로 나는 존재한다."	• 신은 자연, 세계, 유일한 실체 • 모든 것은 필연적 인과 관계 • 자연의 개별 사물은 양태

셀파 자료 탐구

자료 01 데카르트의 방법적 회의와 철학의 제1원리

나는 이제부터 진리 탐구를 위해 조금이라도 의심의 여지가 있다고 생각되는 것을 모두 버림으로써 전혀 의심할 수 없는 어떤 것이 내 생각 속에 남아 있을 수 있는지를 보기로 했다. 나는 우리의 감각이 때때로 우리를 속이기 때문에, 감각이 우리 마음속에 그려 주는 모습 그대로 실제 세계에 있는 것은 아무것도 없다고 가정하였다. …… 그러나 이 모든 것이 거짓이라고 내가 생각하고 있는 바로 그 순간에도, 그렇게 의심하기 위해서는 의심하고 있는 나 자신은 있어야 한다는 것을 깨달았다. "나는 생각한다. 그러므로 나는 존재한다."라는 진리는 아주 확고부동하기 때문에, …… 나는 주저 없이 이것을 내가 찾고 있던 철학의 제1원리로 받아들일 수 있다고 판단하였다.

– 데카르트, 「방법 서설」 –

자료 분석 | 데카르트는 자신의 철학을 세울 확실한 토대를 마련하기 위해 조금이라도 의심스러운 것은 모두 의심해 보았다. 일단 이렇게 모든 것을 의심해 본 결과, '의심하고 있는 나'의 존재는 의심할 수 없는 자명한 진리라는 결론에 도달했다. 이처럼 데카르트가 진리를 얻기 위해 의심한 것을 '방법적 회의'라 한다. 이는 모든 것이 거짓이고 진리는 없다고 말하는 회의주의와는 구분된다.

자료 02 스피노자의 신

데카르트는 신이라는 무한 실체와 정신과 물체라는 두 개의 유한 실체를 설정하였지만, 스피노자는 오직 하나의 실체만을 인정한다. 그는 실체는 '그 자체로 존재하며 자기 자신에 의해서 생각되는 것, 다시 말해 자신의 개념을 형성하기 위해 다른 것의 개념을 필요로 하지 않는 것'으로 정의하고, 일련의 논의 과정을 거쳐 "신 이외에 어떤 실체도 있을 수 없고 생각될 수도 없다."라고 주장한다. 양태란 '실체의 변용(變容) 혹은 다른 것 안에 있고 그 다른 것에 의해 또한 생각되는 것'으로 정의된다. 실체는 그 자체로 존재하고 다른 것을 필요로 하지 않는다. 하지만 양태는 존재하기 위해 다른 것, 즉 실체를 필요로 한다. 스피노자에게 존재하는 것은 실체와 '신적 본성의 필연성으로부터 무한히 많은 방식으로' 따라 나오는 양태뿐이다. 그래서 세계 안에 있는 모든 개별 사물은 실체의 변용인 양태이다. 인간 역시 양태에 속한다.

자료 분석 | 스피노자는 신을 자연 바깥에 존재하는 초월적 존재가 아니라 자연 그 자체이며, 필연적 인과 관계에 따라 움직이는 실체라고 보았다. 그리고 인간을 포함한 자연의 개별 사물은 그 실체가 보여 주는 여러 가지 모습, 즉 양태라고 하였다.

자료 03 스피노자의 참된 마음의 평화

무지한 자는 외부의 원인들 때문에 이리저리 동요하고 결코 정신의 참된 만족을 누리지 못하며 자기 자신과 신과 사물을 의식하지 못하는 것처럼 산다. 그리고 외부의 존재로부터 받는 작용을 멈추는 순간 즉시 존재하기를 멈추게 된다. 이에 반해 현명한 자는 정신이 거의 동요하지 않고 자신과 신과 사물을 영원의 필연성에 따라 인식한다. 그리고 그는 존재하는 것을 멈추지 않고 언제나 정신의 참다운 만족을 누린다.

– 스피노자, 「에티카」 –

자료 분석 | 스피노자에 따르면 세계에서 일어나는 모든 일은 인과적인 법칙의 지배를 받아 필연적으로 발생한다. 따라서 자연의 일부인 인간은 이러한 자연의 필연적 질서에 대해 이성적으로 통찰하고 그에 순응함으로써 진정한 자유를 얻을 수 있다. 이를 통해 마음의 안정과 평화, 우주와의 참된 조화를 발견할 수 있고, 이에 따라 얻어지는 고요한 행복이 인간에게 가능한 최고의 선이다.

---

1 데카르트는 경험과 감정을 적극적으로 강조한다.

(O , X)

2 데카르트는 사유하는 나의 존재에 대한 의심에서 벗어날 수 없다고 본다.

(O , X)

3 데카르트는 방법적 회의를 통해 의심할 수 없는 철학의 제1원리를 찾아냈다.

(O , X)

4 스피노자는 유일하고 절대적인 실체인 신을 자연이 아니라고 본다.

(O , X)

5 스피노자에 따르면 신의 양태인 자연에는 다수의 실체가 존재한다.

(O , X)

6 스피노자는 신을 세계이자 자연 그 자체라고 보았다.

(O , X)

7 스피노자는 모든 감정이 필연적 인과 질서에 따라 생긴다고 본다.

(O , X)

8 스피노자는 인간이 자유 의지를 발휘하여 신적 질서에 순응해야 한다고 보았다.

(O , X)

9 스피노자에 따르면 인간은 신을 인식함으로써 자연의 필연성을 초월할 수 있다.

(O , X)

정답 1× 2× 3○ 4× 5×
6○ 7○ 8× 9×

2 도덕적인 삶과 감정

1. 베이컨의 사상

(1) 특징

① 경험을 통한 진리 탐구 강조 자연 과학의 실험 정신에 근거하여 관찰과 경험을 통해 얻은 지식만이 참된 지식이라고 봄 ➡ 실험과 지성을 중시하는 귀납법을 제시함 (자료 **04**)

② 과학적 지식의 유용성 강조 자연 과학적 지식을 참된 지식으로 보고, 이러한 지식을 통해 자연을 지배하고 인간의 생활 방식을 개선할 수 있다고 믿음 ➡ "아는 것이 힘이다."

(2) 우상의 타파

① 자연에 대한 참된 과학적 인식을 방해하는 인간의 선입견과 편견을 우상(偶像)⁶에 비유하고, 이를 제거하고 자연을 있는 그대로 관찰할 것을 강조함

② 네 가지 우상

종족의 우상	모든 것을 인간의 관점에서 보는 편견, 인간이라는 종족 그 자체에 뿌리를 박고 있는 편견 예 새가 슬프게 운다.
동굴의 우상	개인의 특수한 경험, 기질, 교육, 환경 등에서 비롯된 편견 예 내가 보건대, 내가 살고 있는 도시가 제일 덥다.
시장의 우상	언어에 대한 잘못된 인식이나 그릇된 사용, 소문에서 비롯된 편견 예 '인어', '유니콘'이라는 말이 있는 것을 보면 인어나 유니콘은 이 세상에 존재한다.
극장의 우상	전통이나 학설, 권위 등에 대한 무비판적 수용에서 비롯된 편견 예 유명한 학자 ○○○의 주장에 의문을 제기해서는 안 된다.

2. 흄의 사상

(1) 특징

① 감정 중시 (자료 **05**)

> 흄은 이성은 참이나 거짓을 밝히거나 사물의 원인과 결과를 따질 수 있을 뿐 어떤 의욕도 불러일으키지 않는다고 보았다.

- 도덕적 판단과 행위의 주요 원인은 이성이 아니라 감정임
- 감정은 도덕적 실천의 직접적 동기가 될 수 있지만 이성은 그렇지 못함
- 이성은 감정이 원하는 바를 실현하는 방법이나 절차를 알려주는 역할을 함

② 시인(是認)과 부인(否認)의 감정 제시

- 도덕적 선악은 이성적으로 판단하는 것이 아니라, 어떤 사람의 행위나 품성을 바라볼 때 느끼는 시인의 감정이나 부인의 감정을 표현한 것
- 시인의 즐거운 감정을 느끼게 하는 것이 선, 부인의 불쾌한 감정을 느끼게 하는 것이 악임
- 사회 전체의 이익이나 행복에 긍정적인 영향을 끼치는 행동은 시인의 감정을 불러일으킴

③ 공감 능력 중시 (자료 **06**)

- 도덕성의 기초인 시인과 부인의 감정은 개인의 주관적 감정이 아니라, 사람들이 보편적으로 느끼는 사회적 감정임
- 도덕적 감정이 보편성을 지닐 수 있는 까닭은 공감 능력 덕분임
- 도덕적 삶을 살기 위해서는 공감을 통해 사람들에게 쾌감을 불러일으키는 행동을 실천해야 함

(2) 영향

① 절대적 지식의 존재를 부정하고 관찰과 실험을 중시함 ➡ 실용주의 윤리 사상에 영향을 줌

② 사회의 행복에 유용한 행위를 강조함 ➡ 공리주의⁷의 사상적 뿌리가 됨

---

⑥ 우상(偶像)
맹목적인 인기를 끌거나, 숭배되는 대상을 비유적으로 이르는 말이다.

⑦ 공리주의
공리주의에서는 인간은 고통을 피하고 쾌락을 추구하는 존재이며, 따라서 인간 행위의 목적은 고통을 회피하고 쾌락을 추구하는 것이라고 본다. 이에 근거하여 쾌락은 선이고 고통은 악이라는 윤리관을 바탕으로, 최대 다수의 최대 행복의 원리, 유용성의 원리 등으로 불리는 공리의 원리를 도덕적 판단의 기준으로 삼는다.

고득점을 위한 셀파 Tip | 비교

| 베이컨과 흄 |

베이컨	흄
• 귀납법 제시 • 과학 지식의 유용성 강조 • 우상 타파 강조	• 도덕적 실천의 직접적 동기는 감정 • 선악은 시인이나 부인의 감정 • 공감 능력 중시

자료 04 베이컨의 참된 귀납법

인간의 지성을 고질적으로 사로잡고 있는 우상과 그릇된 관념들은 인간의 정신을 혼미하게 할 뿐만 아니라, 우리가 얻을 수 있는 진리조차도 얻을 수 없게 만든다. 그러므로 인간이 모든 가능한 수단을 동원해 용의주도하게 그러한 우상들로부터 자신을 지키지 않는 한, 학문을 혁신하려고 해도 곤경에 빠지고 말 것이다. …… 그러한 우상들을 찾아내는 것만 해도 대단히 유익한 일이다. 소피스트의 궤변을 연구하면 논리학 공부에 도움이 되는 것처럼, 우상에 대한 올바른 연구 역시 자연에 대한 해석에 도움이 된다. 이러한 우상들을 몰아낼 수 있는 유일한 대책은 참된 귀납법으로 개념과 공리를 형성하는 것이다.

– 베이컨, 『신기관』 –

자료 분석 | 베이컨은 귀납법을 통해 올바른 지식을 얻음으로써 인간이 자연을 지배해야 한다고 여겼지만, 당시 사람들의 선입견과 편견이 너무 커서 바로 학문에 적용하기가 어려웠다. 베이컨은 선입견과 편견을 뿌리 뽑을 목적으로 종족, 동굴, 시장, 극장의 우상이라는 네 가지 우상을 말하고 이것을 파괴하고 참된 귀납법을 통해 참된 진리를 건설해야 한다고 주장하였다.

자료 05 흄의 감정 중시

도덕이 행동과 감정에 영향을 미치기 때문에, 결과적으로 도덕은 이성에서 유래될 수 없다. 우리가 이미 입증했듯이 이성은 홀로 그와 같은 영향력을 전혀 가질 수 없기 때문이다. 도덕은 어떤 행동을 일으키거나 억제한다. 바로 이런 점에서 이성은 전혀 힘이 없다. 따라서 도덕성의 규칙은 결코 우리 이성의 산물이 아니다. …… 도덕성은 판단된다기보다는 느껴진다는 것이 더욱 적절하다.

– 흄, 『인간 본성에 관한 논고』 –

자료 분석 | 흄은 도덕적 판단과 행위의 주요 원인은 이성이 아니라 감정이라고 보았다. 흄에 따르면 선악은 이성적으로 구별되는 것이 아니라, 어떤 사람의 행위나 품성을 바라볼 때 느끼는 시인(是認)이나 부인(否認)의 감정을 표현한 것이다.

자료 06 공감의 과정

내가 어떤 사람의 목소리와 몸짓에서 어떤 감정의 결과를 볼 때 나의 마음은 즉시 이런 결과로부터 이것의 원인으로 나아가 그 감정에 관한 생생한 관념을 형성하는데, 이것은 곧바로 감정 자체로 전환된다. 이와 마찬가지 방식으로, 내가 감정의 원인을 지각할 때 나의 마음은 그 결과로 나아가 그 결과와 비슷한 감정을 느끼게 된다. 예를 들어 내가 어떤 끔찍한 수술실에 있다면 수술이 시작되기 전이라도 도구를 준비하고 붕대를 정리하며 철제 기구를 가열하는 일과 환자와 보조원의 불안과 걱정의 모습은 나의 마음에 큰 영향을 미칠 것이며, 강한 가엾음과 공포의 감정을 일으킬 것이다. …… 결국 타인이 느끼는 감정의 원인과 결과에 대한 우리의 관념이 공감을 일으키는 것이다.

– 흄, 『인간 본성에 관한 논고』 –

자료 분석 | 흄은 도덕적인 감정이 모든 인류에게 공통된다고 보았다. 대부분의 사람은 다른 사람의 행복과 불행을 함께 느낄 수 있는 공감 능력이 있는데, 이것이 도덕성의 기초이다. 즉 공감 능력으로 인해 사회적으로 유익한 것에 대해 사회적 시인의 감정을 갖는 것이다.

1 베이컨은 자연 과학의 실험 정신에 근거하여 관찰과 경험을 통해 얻은 지식을 참된 지식으로 본다.　(O , X)

2 베이컨은 감각적 경험은 객관적 지식의 토대가 될 수 없다고 본다.　(O , X)

3 베이컨의 극장의 우상이란 인간의 관점에서 바라보는 편견을 말한다.　(O , X)

4 흄은 이성을 따라야 도덕의 원리를 발견할 수 있다고 주장한다.　(O , X)

5 흄은 도덕 판단에서 가장 중요한 것이 감정이라고 본다.　(O , X)

6 흄은 도덕성의 기초인 시인과 부인이 개인의 주관적 감정이라고 주장한다.　(O , X)

7 흄은 시인을 느끼게 하는 것은 선, 부인을 느끼게 하는 것은 악이라고 한다.　(O , X)

8 흄은 이성이 도덕적 실천의 직접적 동기가 된다고 주장한다.　(O , X)

9 흄의 사상은 공리주의에 영향을 끼쳤다.　(O , X)

정답　1 O　2 X　3 X　4 X　5 O
6 X　7 O　8 X　9 O

개념 완성

1 도덕적인 삶과 이성

데카르트	감각적 경험 비판	• 감각적 경험을 통해 얻은 지식은 주관적임 • (❶)적 추론을 통해 얻은 지식이 참된 지식임
	방법적 회의	절대로 의심할 수 없는 명제를 출발점으로 삼아 모든 것을 의심하는 방법
스피노자	범신론적 사고	• 신은 세계이자 (❷) 자체이며, 인간은 자연의 일부임 • 자연은 존재하는 유일한 실체이고, 개별 사물은 하나의 실체가 보여 주는 양태임
	필연론적 세계관	• 우주는 수학적 질서에 따라 움직이는 기계임 • 필연성에서 벗어나 (❸)를 가지는 것은 불가능함 • 모든 정서는 자연의 인과 법칙에 따라 발생함
	행복론	• 이성을 통해 필연성을 인식하고 수동적 감정인 (❹)을 조절해야 함 • 행복은 이성을 사용하여 필연적인 인과 관계를 인식함으로써 도달하게 됨

2 도덕적인 삶과 감정

베이컨	경험 강조	관찰과 (❺)을 통해 얻은 지식이 참된 지식임
	과학적 지식	과학적 지식을 통해 자연을 지배하고 인간의 생활을 개선할 수 있음
	우상 타파	• 종족의 우상: 인간의 관점에서 보는 편견 • (❻)의 우상: 개인의 특수한 경험에서 비롯된 편견 • 시장의 우상: 언어에 대한 잘못된 인식에서 비롯된 편견 • 극장의 우상: 전통이나 권위 등에 대한 무비판적 수용에서 비롯된 편견
흄	감정 중시	• 이성과 달리 (❼)은 도덕적 실천의 직접적 동기가 될 수 있음 • 이성은 감정이 원하는 바를 알려줌
	시인과 부인의 감정	• 선악은 어떤 사람의 행위나 품성을 바라볼 때 느끼는 (❽)의 감정이나 부인의 감정임 • 시인을 느끼게 하는 것은 선, 부인을 느끼게 하는 것은 악임
	(❾) 능력	• 시인과 부인의 감정은 사람들이 보편적으로 느끼는 사회적 감정임 • 도덕적 삶을 살기 위해서는 사람들에게 쾌감을 불러일으키는 행동을 실천해야 함

정답 ❶ 이성 ❷ 자연 ❸ 자유 의지 ❹ 정념 ❺ 경험 ❻ 동굴 ❼ 감정 ❽ 시인 ❾ 공감

01 ㉠에 들어갈 내용으로 가장 적절한 것은?

> 서양 사상은 르네상스와 종교 개혁, 자연 과학의 발달을 통해 중세에서 근대로 전환되었다. 근대에는 중세의 신 중심적인 사고에서 벗어나 _____㉠_____

① 인간의 합리적 사고와 경험을 경시하였다.
② 신앙과 이성, 신학과 철학의 결합을 추구하였다.
③ 진리 파악이나 도덕적 행동의 근거를 인간에게서 찾았다.
④ 원죄를 가진 인간의 이성과 감정을 불완전한 것으로 여겼다.
⑤ 자신을 경멸하고 신을 사랑하는 사람들로 이루어진 천상의 나라를 이룩하였다.

02 밑줄 친 '연역적 방법'에 대한 설명으로 옳은 것은?

> 근대에는 지식을 찾기 위한 토대와 방법을 탐색하였는데, 지식과 사유의 토대가 인간의 이성에 있다고 보는 입장을 합리론이라고 한다. 합리론은 연역적 방법을 강조하였다.

① 성급한 일반화의 오류에 빠질 위험이 있다.
② 확실한 원리로부터 이성적 추론을 통해 지식을 얻어낸다.
③ 경험적 검증을 지나치게 강조하여 사변적 추론이 될 수 있다.
④ 도덕의 원천인 경험과 감정을 통해 일반화된 도덕 원리를 정립한다.
⑤ 관찰과 실험을 통해 여러 개별 사례를 관통하는 일반적 원리를 발견한다.

03 다음 근대 서양 사상가의 입장으로 옳은 것은?

> 모든 것이 거짓이라고 생각하고 있는 동안에도 이렇게 생각하는 나는 반드시 어떤 것이어야 한다는 것을 알게 되었다. "나는 생각한다. 그러므로 나는 존재한다."라는 이 진리는 아주 확실한 것이기 때문에, 나는 이것을 내가 찾고 있던 철학의 제1원리로 기꺼이 받아들일 수 있다고 판단했다.

① 경험은 지식을 탐구하는 데 중요한 역할을 한다.
② 이성적 추론을 통해 얻은 지식만이 확실하고 참되다.
③ 타인의 불행에 대한 공감 능력은 도덕성의 기초가 될 수 있다.
④ 옳은 일을 반복적으로 실천함으로써 도덕적 진리에 도달할 수 있다.
⑤ 이웃을 조건 없이 사랑함으로써 신의 은총을 통해 참된 행복에 도달할 수 있다.

04 다음 근대 서양 사상가가 긍정의 대답을 할 질문으로 가장 적절한 것은?

> 인간은 유일한 실체인 신의 유한한 양태이다. 우리가 추구해야 할 최고의 덕은 모든 것의 내재적 원인인 신을 인식하는 것이다. 최고의 덕을 갖춘 사람은 어떤 영원한 필연성에 의해 자신과 신과 사물을 파악하며, 항상 마음의 평화를 누린다.

① 신은 자연 바깥에 존재하는 초월적 창조자인가?
② 인격신이 부여한 계율을 철저히 따르는 삶이 올바른 삶인가?
③ 신이 부여한 자유 의지를 통해 삶의 필연성을 극복해 나가야 하는가?
④ 자연에서 일어나는 모든 일은 원인과 결과의 관계로 연결되어 있는가?
⑤ 모든 감정과 욕망을 버리고 초월자인 신의 명령에 복종하는 것이 도덕적 삶인가?

05 (가)의 근대 서양 사상가 갑, 을의 입장을 (나) 그림으로 표현할 때, A~C에 해당하는 진술로 적절한 것은?

(가)	갑: 이성을 완전하게 한다는 것은 신과 신의 본성 그리고 신의 본성의 필연성으로부터 생기는 활동을 파악하는 것이다. 이렇게 할 때 우리는 지복을 누릴 수 있다. 을: 인간은 선입견 때문에 진리를 인식하는 데 어려움을 겪고 있다. 선입견에서 벗어나 진리를 파악하려면 먼저 의심할 수 있는 모든 것을 의심하여 인식의 제1원리를 찾아야 한다.
(나)	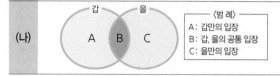

① A: 관찰과 실험을 통해 참된 진리에 도달할 수 있다.
② A: 신은 이성적 인식을 넘어 실존적으로 만나야 하는 인격적 존재이다.
③ B: 자연 만물의 궁극적인 원인인 신의 필연성을 인식해야 한다.
④ B: 지식과 사유의 원천인 이성에서 도덕적 판단과 행위의 근거를 찾아야 한다.
⑤ C: 경험과 감정을 통해 일반화된 도덕 원리를 정립할 수 있다.

06 다음은 근대 서양 사상가와의 가상 인터뷰이다. ㉠에 들어갈 내용으로 가장 적절한 것은?

> 질문자: 참된 지식을 얻을 수 있는 방법은 무엇입니까?
> 사상가: 이성적 추론을 통해 철학의 제1원리로부터 일반적 진리를 연역해 내는 것입니다.
> 질문자: 그러면 우리가 철학의 제1원리를 어떻게 알 수 있습니까?
> 사상가: [㉠] 을/를 통해 알 수 있습니다.

① 사람들이 공통으로 느끼는 사회적 감정
② 실험과 관찰 등 감각적 경험을 통한 검증
③ 자연에 대한 이성적 관조를 통한 마음의 평화
④ 의심할 수 있는 모든 것을 의심해 보는 방법적 회의
⑤ 모든 사물의 궁극적 원인인 신의 필연적 인과 질서에 대한 파악

07 다음 근대 서양 사상가의 입장으로 옳은 것은?

> 완전한 행복은 신에 대한 사랑에서 찾을 수 있다. 이 사랑이 현존하는 것으로 표상되는 한에서의 신에 대한 사랑이 아니라, 신을 영원하다고 인식하는 한에서의 신에 대한 사랑이다. 신과 사물을 영원한 필연성에 의해 인식해야 한다.

① 인간과 사물은 유일한 실체로서 이 세상에 존재한다.
② 신의 은총을 통해 내세에서 참된 행복에 이를 수 있다.
③ 완전한 행복은 의지의 자유를 지닌 신을 사랑함으로써 얻어진다.
④ 인간은 신에 대한 지적인 사랑을 통해 정념의 예속에서 벗어날 수 있다.
⑤ 인간은 자유 의지를 발휘하여 자연의 필연성의 예속에서 벗어나야 한다.

★08 근대 서양 사상가 갑이 중세 서양 사상가 을에게 할 수 있는 비판으로 가장 적절한 것은?

> 갑: 신은 곧 자연이며, 자연은 필연적 질서에 따라 움직이는 하나의 실체이다. 인간이 우주의 인과 질서를 인식할 수 있다면, 최고의 행복을 누릴 것이다.
> 을: 신의 존재는 이성적으로 논증될 수 있다. 인간의 완전한 행복은 신의 은총에 의해서만 가능하며, 우리는 종교적 덕을 실천해야 한다.

① 행복을 위해서는 자연적 덕 이외에 종교적 덕이 필요함을 간과한다.
② 진정한 행복은 내세에 신과 하나됨을 통해 도달할 수 있음을 간과한다.
③ 악은 신의 창조물이 아니라 인간이 자유 의지를 남용한 결과임을 간과한다.
④ 신은 인식의 대상이 아니라 실존을 통해 만나야 할 인격적 존재임을 간과한다.
⑤ 신은 자연 바깥에 존재하는 초월적 창조자가 아니라 자연 그 자체임을 간과한다.

09 다음 근대 서양 사상가의 입장으로 옳은 것은?

> 인간의 지성을 고질적으로 사로잡고 있는 우상은 인간의 정신을 혼미하게 하고 진리를 얻을 수 없게 한다. 인간의 우상들로부터 자신을 지켜야 학문을 혁신할 수 있다.

① 인간의 사유와 지식의 원천은 경험과 관찰이다.
② 의심할 수 없는 확고부동한 지식을 발견해야 한다.
③ 슬픔, 불안 등과 같은 정념은 이성으로 통제해야 한다.
④ 구체적이고 확고한 지식 체계를 형성하기 위해 이성은 불필요하다.
⑤ 명석판명한 지식을 확립하기 위해서 불확실한 모든 것을 의심해 보아야 한다.

10 다음 근대 서양 사상가의 ㉠에 대한 견해로 옳은 것은?

> ㉠ 우상(偶像)은 인간의 정신을 혼미하게 하여, 우리가 얻을 수 있는 진리를 얻지 못하게 한다. 이러한 우상을 몰아낼 수 있는 유일한 방법은 참된 귀납법으로 개념과 공리(公理)를 형성하는 것이다.

① 시장의 우상은 잘못된 언어와 소문에서 비롯된 편견이다.
② 동굴의 우상은 자연을 인간의 관점에서 바라보는 편견이다.
③ 동굴의 우상은 전통이나 권위에 대한 맹신에서 오는 편견이다.
④ 종족의 우상은 과학으로 인식해야 할 대상을 신앙으로 인식하는 편견이다.
⑤ 극장의 우상은 개인의 특수한 기질이나 경험, 환경 등에서 비롯된 편견이다.

11 다음 근대 서양 사상가의 입장으로 옳은 것은?

> 우리가 감정과 이성의 싸움을 이야기할 때, 우리는 엄밀하게 그리고 철학적으로 말하지 못하고 있다. 이성은 감정의 노예이고 또한 그래야만 한다. 이성은 감정에 봉사하는 것 말고 다른 어떤 임무도 요구할 수 없다.

① 실제적 원인과 결과 사이의 결합을 이성으로 파악할 수 있다.
② 이성은 도덕적 실천에 있어서 아무런 역할도 담당하지 못한다.
③ 참이나 거짓을 밝히는 이성은 도덕 행위를 직접 유발하는 동기이다.
④ 도덕적 선악은 도덕적 판단 대상인 사람의 행위나 품성 자체에 달려 있다.
⑤ 인간 도덕성의 기초는 사회적으로 유용한 것에 대한 시인(是認)의 감정이다.

12 다음 근대 서양 사상가가 부정의 대답을 할 질문으로 가장 적절한 것은?

> 내가 어떤 사람의 목소리와 몸짓에서 어떤 감정의 결과를 볼 때 나의 마음은 즉시 이런 결과로부터 이것의 원인으로 나아가 그 감정에 관한 생생한 관념을 형성하는데, 이것은 곧바로 감정 자체로 전환된다. 이와 마찬가지 방식으로, 내가 감정의 원인을 지각할 때 나의 마음은 그 결과로 나아가 그 결과와 비슷한 감정을 느끼게 된다.

① 도덕적 선악은 이성으로 구별하는 지적 판단의 대상인가?
② 이성은 의지를 지도함에 있어서 감정에 반대할 수 없는가?
③ 공감이란 편협하고 개인적인 관점을 극복하도록 해 주는 자연적 성향인가?
④ 시인(是認)을 느끼게 하는 것은 선, 부인(否認)을 느끼게 하는 것은 악인가?
⑤ 도덕적 감정이 개인의 주관성을 넘어 보편성을 지닐 수 있는 것은 공감 덕분인가?

13 그림은 서술형 평가 문제와 학생 답안이다. 학생 답안의 ㉠~㉤ 중 옳지 **않은** 것은?

> 〈서술형 평가〉
>
> ◎ **문제** 다음 근대 서양 사상가의 입장에서 '도덕적 선악'에 대해 서술하시오.
>
> > 적의 훌륭한 품성은 우리에게 해롭지만 우리의 존경을 받을 수 있다. 인간의 품성이 도덕적 선 또는 악이라 불리는 느낌을 일으키는 경우는 그 품성이 우리의 개별적 이익에 관계 없이 일반적으로 고려될 때뿐이다.
>
> ◎ **학생 답안**
>
> 이 사상가는 ㉠ 도덕적 선악은 이성적으로 구별되는 것이 아니라, ㉡ 어떤 사람의 행위나 품성을 바라볼 때 느끼는 시인의 감정이나 부인의 감정을 표현한 것이라고 하였다. 즉 ㉢ 도덕적 올바름과 악함은 느껴진다기보다는 오히려 판단된다고 하였다. 따라서 ㉣ 감정은 도덕적 실천의 직접적 동기가 될 수 있다고 하였다. 그리고 ㉤ 이러한 감정은 개인의 주관적 감정이 아니라 사회적 감정이어야 한다고 하였다.

① ㉠　　② ㉡　　③ ㉢　　④ ㉣　　⑤ ㉤

14 근대 서양에서 나타난 (가), (나)의 사상적 흐름이 미친 영향으로 가장 적절한 것은?

> (가) 이성에 기초한 자명한 원리로부터 추론을 통해 지식을 얻을 수 있다.
> (나) 관찰과 실험을 통해 여러 개별 사례를 관통하는 일반적 원리를 발견하여 지식을 얻을 수 있다.

① (가)는 실용주의 윤리 사상의 형성에 영향을 주었다.
② (가)는 사회적 행복에 유용한 행위를 중시하고 공감을 강조하였다.
③ (나)는 공리주의 윤리 사상의 사상적 뿌리가 되었다.
④ (나)는 보편적 도덕 법칙을 수립하려는 칸트 윤리 사상에 큰 영향을 주었다.
⑤ (가), (나) 모두 이성에 대한 탐구를 최우선의 과제로 삼아 서양 윤리 사상의 근본을 이루었다.

15 다음에서 설명하는 진리 탐구 방법의 한계를 서술하시오.

> 일반적인 원리로부터 논리적 추론을 통해 개별적인 이치를 알아내는 방법이다.

16 밑줄 친 부분에 해당하는 방법이 무엇인지 쓰고, 이를 통해 얻어 낸 제1원리를 서술하시오.

> 데카르트는 확실한 지식을 연역해 내기 위해서는 절대로 의심할 수 없는 명제를 그 출발점으로 삼아야 한다고 보았다. 그래서 이러한 명제를 찾기 위해 의심할 수 있는 모든 것을 의심해 보았다.

17 다음 근대 서양 사상가가 주장한 네 가지 우상에 관해 서술하시오.

> 꿀벌은 중용을 취한다. 즉 들에 핀 꽃에서 재료를 구해다가 자신의 힘으로 변화시켜 소화한다. 참된 학문의 임무는 이와 비슷하다. 참된 학문은 경험이나 실험을 통해 얻은 재료를 지성의 힘으로 변화시켜 소화해야 하는 것이다.

18 ㉠에 들어갈 알맞은 말을 쓰고, 그 의미를 서술하시오.

> 내가 어떤 사람의 목소리와 몸짓에서 어떤 감정의 결과를 볼 때 나의 마음은 즉시 이런 결과로부터 이것의 원인으로 나아가 그 감정에 관한 생생한 관념을 형성하는데, 이것은 곧바로 감정 자체로 전환된다. 이와 마찬가지 방식으로, 내가 감정의 원인을 지각할 때 나의 마음은 그 결과로 나아가 그 결과와 비슷한 감정을 느끼게 된다. 예를 들어 내가 어떤 끔찍한 수술실에 있다면 수술이 시작되기 전이라도 도구를 준비하고 붕대를 정리하며 철제 기구를 가열하는 일과 환자와 보조원의 불안과 걱정의 모습은 나의 마음에 큰 영향을 미칠 것이며, 강한 가엾음과 공포의 감정을 일으킬 것이다. …… 결국 타인이 느끼는 감정의 원인과 결과에 대한 우리의 관념이 ㉠ 을/를 일으키는 것이다.

| 평가원 기출 |

01 (가)를 주장한 근대 서양 사상가의 입장에서 볼 때, (나)의 ㉠에 들어갈 진술로 가장 적절한 것은?

(가)	우리가 파악하는 것은 모두 신의 능력 안에 있는 것이고 필연적으로 존재한다. 인간은 신 안에 있고 신 없이는 존재할 수도 생각될 수도 없는 존재이다. 인간은 신의 본성이 일정하고 결정적인 방식으로 표현되는 양태이다.
(나)	제자: 자유로운 인간은 어떤 존재입니까? 스승: [　　　㉠　　　] 존재라네.

① 모든 것이 결정되어 있음을 이성적으로 관조하는

② 인격신이 인간에게 부여한 의무를 충실히 이행하는

③ 이성을 통해 모든 감정을 제거하고 영원한 행복을 찾는

④ 자연의 필연적인 인과 법칙으로 결정된 삶에서 벗어나는

⑤ 자기 보존의 욕망을 단념함으로써 덕 있는 삶을 추구하는

| 수능 응용 |

02 가상 대담을 하는 사상가의 입장에서 볼 때, ㉠을 추구하는 자세로 가장 적절한 것은?

> 질문자: 선생님께서 보시기에 인간과 신은 어떤 관계를 맺고 있습니까?
> 사상가: 인간은 유일한 실체인 신의 본성이 어떤 일정한 방식으로 표현된 하나의 양태입니다.
> 질문자: 그렇다면 신의 양태인 인간이 가장 힘써야 할 일은 무엇입니까?
> 사상가: 자신의 이성을 가능한 한 완전하게 하는 것입니다. 오로지 이것에 ㉠ 인간의 지복(至福)이 존재하기 때문입니다.

① 이성의 인도에 따라 자기를 보존하고 신을 지적으로 사랑한다.

② 신 또는 자연의 속성을 파악하여 세계의 필연성에서 벗어난다.

③ 감정과 욕망을 절제하면서 인격신이 부여한 계율을 준수한다.

④ 이성을 통해 만물의 궁극적이고 초월적 원인인 신을 인식한다.

⑤ 자유 의지의 남용으로 생긴 악을 극복하기 위해 신에게 귀의한다.

| 평가원 기출 |

03 갑, 을은 근대 서양 사상가들이고, 병은 고대 서양 사상가이다. 갑, 을, 병의 입장으로 옳은 것은?

> 갑: "나는 생각한다. 그러므로 나는 존재한다." 이 진리는 아주 확고부동하기 때문에, 나는 이것을 내가 찾고 있던 철학의 제1원리로 받아들일 수 있다고 판단한다.
> 을: 우리가 자연에 관한 지식을 얻는 데 방해가 되는 네 가지 편견이 있다. 그것은 종족의 우상, 동굴의 우상, 시장의 우상, 극장의 우상이다.
> 병: 인간은 모든 것의 척도이다. 존재하는 것에 대해서는 그것이 존재한다는 그리고 존재하지 않는 것에 대해서는 그것이 존재하지 않는다는 척도이다.

① 갑: 철학의 제1원리는 방법적 회의의 출발점이다.

② 을: 유용한 지식보다는 지식 자체를 위한 지식이 더 중요하다.

③ 병: 사회가 아니라 자연을 탐구의 대상으로 삼아야 한다.

④ 갑, 을: 진리를 탐구하는 데 있어서 이성의 역할이 필요하다.

⑤ 을, 병: 객관적 지식을 얻기 위해 경험을 원천으로 삼아야 한다.

| 평가원 기출 |

04 다음을 주장한 근대 서양 사상가의 입장으로 옳은 것은?

> 어떤 살인 행위를 모든 면에서 검토하고 당신이 악덕이라고 부를 수 있는 사실을 발견할 수 있는지 보라. 이때 당신은 어떤 정념, 동기, 의욕, 생각만을 발견할 뿐, 다른 사실은 없다. 당신이 그 대상을 고찰하는 동안, 그 악덕은 당신을 피해 달아난다. 당신이 고찰의 방향을 자신의 마음으로 돌려서, 자신 안에서 일어나는 그 행위에 대한 부인(否認)의 감정을 발견할 때까지는 당신은 그것을 결코 발견할 수 없다.

① 덕은 모든 관찰자마다 다르게 느껴진다.

② 덕은 경험될 수 있고 이성으로도 발견될 수 있다.

③ 덕의 식별은 이성에, 덕의 실천은 감정에 의존한다.

④ 덕은 성품에 관한 특성이 아니라 사물에 내재하는 속성이다.

⑤ 덕은 특별한 종류의 쾌락이 느껴진다는 점에서 악덕과 구별된다.

| 교육청 기출 |

05 근대 서양 사상가 갑, 을의 입장에 대한 옳은 설명만을 〈보기〉에서 있는 대로 고른 것은?

> 갑: 이성은 도덕적 선악을 구별할 수 없으며, 이성 혼자서는 어떠한 행동이나 감정도 억제하거나 산출할 수 없다. 이성은 감정의 노예이고 또한 노예이어야만 한다.
>
> 을: 이성의 최고선은 신, 즉 자연을 인식하는 것이다. 이성이 명석판명하게 인식할 수 없는 감정은 없으며, 이성은 감정을 인식함으로써 감정을 억제할 수 있다.

┤ 보기 ├
- ㄱ. 갑은 감정에 의한 선악의 구별은 보편적일 수 있다고 본다.
- ㄴ. 을은 모든 감정이 필연적 인과 질서에 따라 생긴다고 본다.
- ㄷ. 을은 갑과 달리 어떠한 감정도 도덕적 행위에 기여할 수 없다고 본다.
- ㄹ. 갑, 을은 자기 보존의 욕망은 이성과 대립한다고 본다.

① ㄱ, ㄴ ② ㄱ, ㄹ ③ ㄷ, ㄹ
④ ㄱ, ㄴ, ㄷ ⑤ ㄴ, ㄷ, ㄹ

| 평가원 기출 |

06 고대 서양 사상가 갑, 근대 서양 사상가 을의 입장으로 옳은 것은?

> 갑: 선의 이데아를 아는 것이 최고의 지식이다. 선의 이데아 때문에 올바른 것이 유익하게 된다. 다른 것을 아무리 많이 알아도 이를 알지 못하면, 아무런 쓸모도 없게 될 것이다.
>
> 을: 이성을 사용하면서 발명과 발견을 중시하지 않아 학문의 발전이 없었다. 형식 논리학의 경우, 새로운 지식을 만들어 내지 않고 기존 지식을 맹신함으로써 우상에 빠졌다.

① 갑: 참된 지식은 이성으로 파악되는 절대적이고 보편적인 것이다.
② 갑: 국가를 통치하는 자에게는 오직 지혜의 덕만이 필요하다.
③ 을: 새로운 지식은 귀납 논리가 아니라 연역 논리로 얻어진다.
④ 을: 인간은 진보와 과학 발전에 대한 열망 때문에 우상에 빠진다.
⑤ 갑, 을: 관찰과 실험만이 편견과 무지에서 벗어날 수 있게 한다.

| 교육청 기출 |

07 중세 서양 사상가 갑, 근대 서양 사상가 을의 입장으로 가장 적절한 것은?

> 갑: 인간이 자연적 성향을 갖는 것은 자연법에 귀속된다. 인간이 이성에 따라 행위하려는 것은 올바르다. 선은 행하고 증진해야 하며, 악은 피해야 한다. 이것이 자연법의 첫 번째 계율이다.
>
> 을: 현명한 인간은 영혼이 흔들리지 않고, 신의 본성의 영원한 필연성에 의해 자신과 사물을 인식하며 참된 마음의 평화를 누린다. 신은 모든 것의 내재된 원인이지 초월적 원인이 아니다.

① 갑: 인간이 제정한 자연법은 영원법에 기초해야 한다.
② 갑: 인간은 자연적 성향을 극복해야 영원법에 참여할 수 있다.
③ 을: 인간은 자유 의지를 발휘하여 신적 질서에 순응해야 한다.
④ 을: 인간은 신을 인식함으로써 자연의 필연성을 초월할 수 있다.
⑤ 갑, 을: 인간은 이성적 인식을 통해 신의 섭리를 파악할 수 있다.

| 평가원 응용 |

08 (가)의 갑, 을의 입장을 (나) 그림으로 표현할 때, A~C에 해당하는 적절한 진술만을 〈보기〉에서 고른 것은?

(가)	갑: 인간의 지성을 사로잡고 있는 우상(偶像)과 그릇된 관념들은 정신을 혼미하게 하고, 진리도 얻을 수 없게 만든다. 이러한 우상들로부터 자신을 지키지 않으면 곤경에 빠지고 말 것이다. 을: 누구라도 이성을 완전히 사용하기 전에는 많은 선입견으로 인해 진리 인식에서 멀어져 있다. 이러한 선입견에서 벗어나는 유일한 방법은 불확실하다고 여겨지는 모든 사물의 본성을 의심해 보는 것이다.
(나)	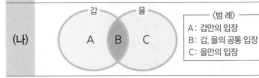

〈범례〉
A: 갑만의 입장
B: 갑, 을의 공통 입장
C: 을만의 입장

┤ 보기 ├
- ㄱ. A: 연역적 방법으로 새로운 지식을 획득해야 한다.
- ㄴ. B: 진리 탐구 과정에서 이성이 수행하는 역할이 있다.
- ㄷ. B: 경험은 지식의 근원이므로 실험을 중시해야 한다.
- ㄹ. C: 방법적 회의를 거쳐야 철학의 제1원리가 도출된다.

① ㄱ, ㄴ ② ㄱ, ㄷ ③ ㄴ, ㄷ
④ ㄴ, ㄹ ⑤ ㄷ, ㄹ

| 교육청 기출 |
09 근대 서양 사상가 갑, 을의 입장으로 옳지 <u>않은</u> 것은?

> 갑: 덕과 악덕은 그것들이 일으키는 인상이나 감정에 의해 구분된다. 이성 혼자서는 의지적 행위의 동기가 될 수 없으며, 이성은 행위를 선택할 때 감정에 대립할 수 없다.
>
> 을: 덕을 따르는 것은 이성에 따라 행위하고 자기 존재를 보존하는 것이다. 정신의 최고의 덕은 신, 즉 자연을 인식하는 것이며, 이로써 우리는 신을 지적으로 사랑하게 된다.

① 갑: 도덕적 행위를 유발하는 직접적인 동기는 감정이다.
② 갑: 도덕적 선과 악은 객관적으로 실재하는 것이 아니다.
③ 을: 모든 감정들의 발생은 필연적 질서에 따라 이루어진다.
④ 을: 유일한 실체인 신은 자연의 인과 법칙을 벗어날 수 있다.
⑤ 갑, 을: 이성과 감정은 모두 도덕적 행위에 도움을 줄 수 있다.

| 교육청 응용 |
10 그림은 서술형 평가 문제와 학생 답안이다. 학생 답안의 ⊙~⑩ 중 옳지 <u>않은</u> 것은?

> **〈서술형 평가〉**
>
> ◎ **문제** 갑, 을의 입장을 비교하여 서술하시오.
>
> > 갑: 인간의 지성을 좀먹고 있는 우상(偶像)은 진리를 향해 나아갈 인간 정신의 돌파구를 봉쇄한다.
> > 을: 인간의 감각은 때로는 인간을 기만하므로 의심할 수 있는 모든 것을 의심해야 한다.
>
> ◎ **학생 답안**
>
> 갑은 ⊙ 인간이 지닌 선입견과 편견을 타파해야 한다고 보았으며, ⓛ 학문 탐구의 방법으로 객관적인 관찰과 실험을 강조하였다. 이에 비해 을은 ⓒ 철학의 제1원리는 자명한 진리가 아니라고 보았으며, ② 학문 탐구의 방법으로 연역적 추론을 강조하였다. 한편 갑, 을은 모두 ⑩ 올바른 진리를 파악하기 위해 이성의 역할이 필요하다고 보았다.

① ⊙   ② ⓛ   ③ ⓒ   ④ ②   ⑤ ⑩

| 교육청 응용 |
11 다음을 주장한 근대 서양 사상가의 입장으로 옳은 것은?

> 신 이외에 그 자체로 존재할 수 있거나 자기 자신을 통해서만 이해될 수 있는 실체는 없다. 실체는 그 자체로 존재하고 자신을 통해서만 이해되는 것이다. 반면, 양태는 실체 없이 존재할 수도 이해될 수도 없다. 양태는 오직 신의 본성의 필연성에 의해 신 안에서만 존재할 수 있고, 신을 통해서만 이해될 수 있다.

① 초월적 원인인 신은 신앙의 대상이다.
② 자유는 필연에 대한 이해를 통해 실현된다.
③ 인간은 도덕규범을 지킴으로써 실체로 변화한다.
④ 신은 자연의 인과 법칙에 얽매이지 않는 존재이다.
⑤ 참된 행복은 이성에 따라 욕구를 제거해 완성된다.

| 수능 기출 |
12 (가)의 근대 서양 사상가 갑, 을의 입장을 (나) 그림으로 탐구하고자 할 때, A~C에 들어갈 옳은 질문만을 〈보기〉에서 있는대로 고른 것은?

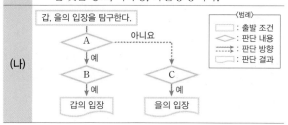

(가)	갑: 공감은 인간 본성의 가장 강력한 원리이다. 또한 공감은 다른 많은 덕을 유발하며, 이 덕들은 인간의 행복을 위한 경향 때문에 우리의 승인을 얻는다. 을: 공리의 원리란 어떤 행위가 이해 당사자들의 행복을 증가시키면 승인하고 감소시키면 부인하는 원리이다. 쾌락과 고통의 가치를 측정할 때 고려해야 할 것은 강도, 지속성, 확실성 등이다.

> 〈범례〉
> ☐ : 출발 조건
> ◇ : 판단 내용
> ┄┄▶ : 판단 방향
> ▭ : 판단 결과

〈보기〉
ㄱ. A: 개인의 행복 증진에 기여하는 행위는 선할 수 있는가?
ㄴ. A: 도덕은 공감의 원리에 따른 승인과 부인의 감정에 기초해야 하는가?
ㄷ. B: 덕과 부덕은 이성이 아니라 도덕감에 의해 구별되는가?
ㄹ. C: 행위의 도덕성은 보편적 도덕 원리에 의해 결정되는가?

① ㄱ, ㄴ   ② ㄱ, ㄷ   ③ ㄷ, ㄹ
④ ㄱ, ㄴ, ㄹ   ⑤ ㄴ, ㄷ, ㄹ

06 옳고 그름의 기준

1 의무론과 칸트주의

1. 의무론의 의미와 특징

(1) 의미 언제 어디에서나 인간이 지켜야 할 행위의 원칙에 주목하는 윤리 이론

(2) 특징

① 행위의 옳고 그름을 결과가 아니라 행위의 동기에 따라 판단해야 한다고 봄 ➡ 좋은 결과의 산출이라는 목적이 수단을 정당화할 수 없음 ┌ 의무론에 따르면 의무에 따른 행위라면 좋지 않은 결과를 낳더라도 그 행위는 도덕적으로 옳다.

② 옳고 그름의 기준은 시대와 장소를 초월하여 보편적인 것임

③ 행위의 가치가 본래 정해져 있다고 봄
　　└ 예 진실을 말하는 행위는 본래 옳고, 거짓말을 하는 행위는 본래 그르다.

2. 칸트의 윤리 사상

(1) 특징

① 선의지 자료 01

- 의무의 근거인 도덕 법칙을 따르려는 의지
- 선의지는 어떤 행위를 오로지 그것이 옳다는 이유 때문에 실천하려는 의지로, 그 자체로 선함

② 도덕 법칙 ┌ 도덕 법칙은 개인의 주관적 경험이나 자기 행복의 원리에 의해 수립되어서는 안 된다.

- 인간이라면 누구나 반드시 지키고 따라야 할 보편적, 필연적, 선험적인 실천 법칙
- 실천 이성①이 자율적으로 수립한 자유의 법칙으로, 정언 명령의 형식으로 제시됨

③ 정언 명령의 정식 자료 02

첫 번째 정식	"네 의지의 준칙(격률)②이 언제나 동시에 보편적 입법의 원리가 될 수 있도록 행위 하라."
두 번째 정식	"너 자신과 다른 모든 사람의 인격을 결코 단순히 수단으로만 대하지 말고 언제나 동시에 목적으로 대우하도록 행위 하라." ➡ 인격은 수단적 가치를 지닌 사물과 달리 절대적 가치를 지님

④ 도덕적 행위 ┌ 동정심을 바탕으로 도움을 주는 행위는 동정심이 들지 않으면 도움을 주지 않을 수 있기 때문에 도덕적이라고 볼 수 없다.

도덕적 가치가 없는 행위	자기 이익이나 행복 추구, 동정심과 같은 자연적 경향성③에 따랐으나 우연히 의무에 일치하는 행위
도덕적 행위	선의지의 지배를 받는 행위, 실천 이성의 명령을 따르는 행위, 의무 의식이 동기가 된 행위, 도덕 법칙에 대한 자발적 존중에서 비롯된 행위 등 의무이기 때문에 행한 행위

(2) 의의와 한계

① 의의 도덕의 중요성을 강조하고, 오늘날에도 적용될 수 있는 도덕적 지침을 제공함

② 한계 형식적이고 추상적이어서 실제 삶에 필요한 구체적인 규칙을 제공해 줄 수 없고, 행위의 결과와 행복을 도외시함

3. 현대 칸트주의

(1) 로스의 조건부 의무 자료 03

① 칸트의 의무론 계승하면서 의무론의 한계인 도덕적 의무 간의 상충 문제를 해결하고자 함

② 조건부 의무 직관적으로 알 수 있는 옳고 명백한 의무로, 조건부 의무 사이에 갈등이 일어나는 상황이 발생하면 예외가 인정됨 ➡ 도덕 원칙도 직관과 상식에 따라 유보가 가능함
　　└ 예를 들어 친구와 약속을 지키러 가던 중 생명이 위독한 사람을 만났을 때, 죽어가는 사람에 대한 응급조치를 먼저 한 뒤 친구와의 약속을 이행할 수 있다.

(2) 현대 칸트주의의 의의

① 칸트의 의무주의를 계승하면서도 현실에 적합한 형태로 발전시킴

② 인권 사상과 자유주의 발전의 이론적 토대를 제공함

---

① 실천 이성

마땅히 해야 할 바를 생각하고 그것을 스스로의 의지로 결단하는 능력으로, 인간은 이러한 실천 이성의 명령을 따를 수 있기 때문에 자율적 존재이고, 이는 인간 존엄성의 근거가 된다.

② 준칙

준거할 기준이 되는 법칙이나 규칙으로, 개인의 주관적 행위 원리를 의미한다. 칸트는 한 사람이 선택한 준칙을 다른 사람들이 보편으로 받아들일 수 있을 때 이 준칙이 도덕 법칙이 될 수 있다고 하였다.

③ 경향성

자신의 이익을 추구하려는 욕구나 동정심과 같이 인간이 자연스럽게 갖는 감정

고득점을 위한 셀파 Tip 개념

| 칸트의 윤리 사상 |

- 선의지: 어떤 행위가 옳다는 이유로 행위를 선택하는 의지
- 도덕 법칙: 정언 명령의 형식
- 행위의 동기를 근거로 행위의 도덕성 판단함

셀파 자료 탐구

자료 01 칸트의 선의지

이 세계에서 또는 이 세계 밖에서까지라도 아무런 제한 없이 선하다고 생각될 수 있는 것은 선의지뿐이다. 지성, 기지, 판단력 같은 정신적 재능들 또는 용기, 결단성, 초지일관성 같은 기질상의 성질은 의심할 여지 없이 많은 의도에서 선하고 바람직하다. 그러나 이러한 천부적 재능이나 기질조차 그것을 사용하는 의지가 선하지 않다면, 극도로 악하고 해가 될 수도 있다.

– 칸트, 「윤리 형이상학 정초」 –

자료 분석 | 칸트에 따르면 행위의 결과는 수많은 변수와 우연에 따라 달라지기 때문에 도덕의 근거가 될 수 없다. 칸트는 옳고 그름이란 행위의 결과와 상관없이 오직 행위자가 책임질 수 있는 의지로 결정된다고 보기 때문에 선의지를 강조한다. 여기서 선의지란 행위를 오로지 그것이 옳다는 이유로 실천하려는 의지로, 그 자체로 선한 것이다.

자료 02 준칙의 보편화 가능성

"거짓 약속이 의무에 맞는가?"라는 물음에 아주 간략하면서도 오류 없이 답하고자 나는 스스로 이렇게 물어본다. 나의 준칙이 보편적 법칙으로 타당해야 한다는 것에 정말로 만족할 수 있는가? 이러한 물음을 던져 보면, 거짓말하는 것을 보편적 법칙으로 의욕할 수 없다는 것을 깨닫게 된다.

– 칸트, 「윤리 형이상학 정초」 –

자료 분석 | 칸트에 따르면 도덕 법칙으로서 정언 명령의 핵심은 준칙의 보편화 가능성이다. 칸트는 어떤 준칙이 모두에게 똑같이 적용될 수 있는 보편타당성을 지니지 못한다면 그 준칙은 각 개인의 주관적 행위 규칙에 불과하다고 본다.

자료 03 로스의 조건부 의무

로스는 조건부 의무(prima facie duties)와 실제적 의무(actual duties)를 구분한다. 조건부(prima facie)라는 말은 라틴어로 '얼핏 보기에'라는 의미이다. 로스가 말하고자 하는 바는 약속 이행의 의무, 보은의 의무, 선행의 의무 등은 모두 하나의 의무가 다른 의무와 갈등하기 전까지 우리를 잠정적으로 구속한다는 것이다. 만약 갈등하는 경우가 발생하면, 더 약한 의무는 사라지고 더 강한 의무가 우리의 실제적 의무로 드러나게 된다. 그러므로 비록 조건부 의무는 실제적 의무가 아닐지라도, 상황에 따라서는 실제적 의무가 될 수도 있는 것이다. 예를 들어 우리가 약속을 했다면, 우리는 약속을 지킬 의무가 하나의 도덕적 고려 사항이 되는 상황에 우리 자신을 놓게 된다. 그리고 그것은 추정적인 구속력을 가지게 된다. 만약 어떤 갈등하는 조건부 의무도 관련되어 있지 않다면 그때 약속을 지키라는 의무는 자동적으로 실제적 의무가 된다. …… 비록 어떤 의무들이 다른 의무들보다 더 중요한 것이 분명한 경우가 있다고 하더라도 직관은 각각의 상황이 지닌 진상에 따라 결정해야 하는 것이다.

– 포이만·피저, 「윤리학」 –

자료 분석 | 로스에 따르면 어떤 조건부 의무가 다른 조건부 의무와 충돌하지 않는다면 실제적 의무가 될 수 있다. 그러나 만약 두 가지 조건부 의무 사이에 갈등이 발생한다면, 직관에 따라 더 우선하는 의무가 실제적 의무로 드러나게 되고 다른 의무는 유보된다.

---

1 칸트는 모든 준칙은 보편성과 필연성을 갖는다고 주장하였다.
(O , X)

2 칸트에 따르면 인간은 의무를 이행함으로써 자연적 경향성의 지배로부터 벗어날 수 있다.
(O , X)

3 칸트는 보편화 가능한 행위 준칙은 도덕 법칙에 위배되지 않는다고 보았다.
(O , X)

4 칸트는 선의지는 그 자체로 선한 것이라고 보았다.
(O , X)

5 칸트는 자연적 경향성에 따르더라도 의무에 일치한 행위는 옳다고 보았다.
(O , X)

6 칸트는 동정심에 바탕을 둔 행위를 도덕적 행위라고 보았다.
(O , X)

7 칸트에 따르면 실천 이성에 따르는 행위는 옳은 행위이다.
(O , X)

8 칸트는 실천 이성의 명령을 무조건적이고 보편적인 것으로 본다.
(O , X)

9 로스는 유일한 도덕 원리인 정언 명령을 따르는 행위는 의무 간 상충이 일어나지 않는다고 보았다.
(O , X)

정답 1 X 2 O 3 O 4 O 5 X
6 X 7 O 8 O 9 X

2 결과론과 공리주의

1. 결과론의 의미와 특징

(1) **의미** 행위의 동기가 아니라 행위의 결과에 주목하는 윤리 이론

(2) **특징**

① 행위로 드러난 결과가 좋다면 동기와 상관없이 그 행위는 도덕적으로 옳다고 봄

② 좋은 결과를 산출하는 데 도움이 되는 수단은 도덕적으로 정당화될 수 있다고 봄

③ 행위의 도덕성을 평가할 때 행위자의 동기나 행위 자체의 도덕적 성질을 고려하지 않는다고 비판받기도 함

2. 고전적 공리주의

(1) 벤담의 양적 공리주의

① 쾌락 강조 [자료 04]

- 고통을 피하고 쾌락을 추구하는 것이 인간 행위의 목적임
- 행위의 옳고 그름을 판단하는 기준은 행위의 결과인 쾌락(행복)과 고통의 양임

② 공리의 원리 최대 다수의 최대 행복을 추구하는 공리의 원리[4]를 도덕과 입법의 원리로 제시함 ➡ 개인적 차원의 행복주의를 사회적 차원으로 확대함
└─ 벤담은 공동체 이익은 그것을 구성하는 구성원의 이익의 총합이라고 보았다.

③ 양적 공리주의

- 모든 쾌락에는 질적인 차이는 없고 양적인 차이만 있음
- 쾌락과 고통을 계산할 수 있는 기준[5]을 제시함

(2) 밀의 질적 공리주의

① 벤담의 입장 계승 벤담과 마찬가지로 '최대 다수의 최대 행복'의 공리를 강조함

② 질적 공리주의 [자료 05]
└─ 밀은 질적으로 높은 수준의 쾌락은 소량이더라도 질적으로 낮은 다량의 쾌락보다 우월하다고 주장한다.

- 쾌락에는 양적인 차이뿐만 아니라 질적인 차이도 있다고 봄[6]
- 합리적인 인간이라면 누구나 쾌락의 질적 차이를 분별하고 질이 높은 고상한 쾌락을 추구할 것이라고 봄
  └─ 밀은 "만족한 돼지보다 불만족한 인간이 되는 편이 낫고, 만족한 바보보다는 불만족한 소크라테스가 되는 편이 낫다."라고 주장한다.
- 어떤 쾌락이 더 바람직한지를 판단할 때는 정신적 쾌락과 감각적 쾌락을 모두 경험한 사람의 선택을 존중해야 함
- 타인에게 피해를 주지 않는 한 개인의 자유를 최대한 보장하는 자유 민주주의가 공리의 원리 실현에 가장 적합하다고 봄

(3) 고전적 공리주의의 의의와 한계

의의	• 공리의 원리를 도덕과 입법에 적용하여 개인적 쾌락을 넘어 사회적 쾌락을 추구함 • 도덕 판단에서 공평성을 강조하여 평등의 원리와 민주주의 원리의 발전에 이바지함
한계	• 행위의 결과를 도덕의 기준으로 삼으므로 내면적 동기의 중요성을 간과함 • 최대 다수의 최대 행복을 위해 개인의 권리를 침해하는 것을 정당화할 수 있음

3. 현대 공리주의

규칙 공리주의 [자료 06]	• 공리의 원리를 행위의 규칙에 적용함 • 행위의 옳고 그름은 최대의 행복을 산출하는 규칙과의 일치 여부로 결정함 • 공리의 원리에 따라 채택된 규칙은 도덕적 상식, 직관과 일치할 가능성이 큼
선호 공리주의	• 쾌락보다 더 포괄적인 선호를 통해 행복을 설명함 • 행위의 영향을 받는 당사자들의 선호를 최대한 만족시키는 행위가 옳은 행위임 • 싱어는 쾌락과 고통을 느낄 수 있는 모든 개체의 이익을 평등하게 고려해야 한다고 봄

└─ 직접적인 쾌락의 증가가 아니라 자신이 진정으로 바라는 선호를 실현하는 것이 더 좋은 결과를 산출한다고 봄

---

④ 공리의 원리

'유용성의 원리' 또는 '최대 다수의 최대 행복의 원리'로도 불린다. 벤담은 다수의 행복보다 최대의 행복을 더 중요하게 여겼다. 따라서 행동의 영향을 받는 모든 사람의 이익을 고려하여 그 이익이 극대화되도록 행동하는 것이 옳다고 보았다.

⑤ 쾌락 계산의 기준

강도, 지속성, 확실성, 신속성(근접성), 다산성(생산성), 순수성, 범위

⑥ 밀의 쾌락 구분

- 높은 수준의 쾌락: 지성, 상상력, 도덕적 정서 등을 통한 쾌락
- 낮은 수준의 쾌락: 먹는 것, 성(性), 휴식 등을 통한 쾌락

고득점을 위한 셀파 Tip 비교

| 벤담과 밀의 공리주의 |

벤담	밀
양적 공리주의: 행위의 옳고 그름을 판단하는 기준은 오직 쾌락과 고통의 양	질적 공리주의: 쾌락에는 양적인 차이뿐만 아니라 질적인 차이도 있음

자료 04 벤담이 말하는 인간의 행위 기준

자연은 인류를 고통과 쾌락이라는 두 군주(주인)에게 지배받도록 만들었다. 우리가 무엇을 할까 결정하는 일은 물론이요, 무엇을 행해야 할까 짚어 내는 일은 오로지 이 두 주인을 위한 것이다. 한편으로는 옳음과 그름의 기준이, 또 한편으로는 원인과 결과의 사슬이 두 주인의 왕좌에 고정되어 있다. 이들은 우리가 행하는 모든 행위에서, 우리가 말하는 모든 말에서, 그리고 우리가 생각하는 모든 사고에서 우리를 지배한다.   – 벤담, 『도덕과 입법의 원리 서설』 –

자료 분석 | 벤담은 최대 다수의 최대 행복의 원리를 도덕뿐만 아니라 입법의 원리로 삼아야 한다고 주장한다. 쾌락은 선이고 고통은 악이기 때문이다. 따라서 동기의 순수성보다는 결과의 유용성을 도덕 판단의 기준으로 삼는다. 그리고 쾌락은 질적으로는 차이가 없고 양에서만 차이가 있기 때문에, 강도, 지속성, 확실성 등의 기준을 통해 측정할 수 있다고 본다.

자료 05 밀의 쾌락의 질적 차이

공리의 원리는 다음과 같은 사실, 즉 어떤 종류의 쾌락은 다른 쾌락보다 훨씬 더 바람직하고, 한층 더 가치 있다는 점을 인정한다. 다른 모든 것을 평가할 때는 양과 마찬가지로 질도 고려하는 것이 보통인데, 유독 쾌락을 평가할 때만 반드시 양에 의존하라는 것은 불합리하지 않은가   – 밀, 『공리주의』 –

자료 분석 | 밀은 쾌락을 질적인 차이에 따라 높은 수준의 쾌락과 낮은 수준의 쾌락으로 나누었다. 높은 수준의 쾌락은 지성, 감정과 상상력, 도덕적 감정과 같은 높은 수준의 능력을 활용해서 얻는 쾌락을 뜻한다. 반면에 낮은 수준의 쾌락은 그와 같은 능력 없이도 얻는 쾌락을 의미한다. 높은 수준의 쾌락은 양과 무관하게 낮은 수준의 쾌락보다 더 가치 있으며, 존엄한 인간에게 적합하다.

자료 06 규칙 공리주의의 한계

규칙 공리주의는 우선 "거짓말하지 말라.", "해악을 끼치지 말라."와 같이 공리를 극대화하는 규칙들을 내세울 것이다. 그리고 규칙 공리주의는 이 규칙들이 갈등을 일으킬 경우, "진실을 말하는 것보다 중대한 해악을 야기하지 않는 것이 더 중요하다."와 같은 규칙을 내세울 것이다. 그러나 규칙 공리주의는 구체적인 상황에서 어떤 규칙을 따르는 것이 더 큰 유용성을 산출할지가 불분명할 경우, "당신의 최선의 판단에 비추어 공리를 극대화하는 행위라고 생각되는 것을 행하라."라는 행위 공리주의의 원리를 내세울 것이다. 이처럼 규칙 공리주의는 규칙이 충돌하는 상황에서 결국 행위 공리주의로 환원될 수밖에 없다는 비판에 직면한다.   – 포이만·피저, 『윤리학』 –

자료 분석 | 규칙 공리주의는 과거 경험에서 유용성이 이미 입증된 규칙에 의존하므로 좋은 결과를 산출할 확률이 높고, 개별 행위의 결과를 계산하는 것보다 효율적이며, 대부분 도덕적 상식과 일치한다. 하지만 공리의 원리를 행위가 아닌 규칙에 적용하므로 구체적인 상황에서 좋지 않은 결과를 산출할 수 있고, 규칙이 서로 갈등하는 상황에서 분명한 기준을 제시하지 못한다는 한계가 있다.

1 벤담은 사려 깊고 고상한 행위가 도덕적인 이유는 쾌락을 주기 때문이라고 본다. (○ , ×)

2 벤담은 의지의 선함과 무관한 도덕적 행위가 있을 수 있다고 본다. (○ , ×)

3 벤담에 따르면 행위의 도덕성을 판단할 수 있는 객관적 원리가 있다. (○ , ×)

4 벤담에 따르면 쾌락은 선이고 고통은 악이다. (○ , ×)

5 밀은 개인의 쾌락은 배제하고 사회 전체의 쾌락을 추구해야 한다고 주장한다. (○ , ×)

6 밀에 따르면 행복을 위한 육체적 쾌락 추구는 도덕적으로 허용될 수 없다. (○ , ×)

7 밀에 따르면 질적으로 바람직한 쾌락과 그렇지 않은 쾌락은 구분이 없다. (○ , ×)

8 밀은 존엄한 인간에게 낮은 수준의 쾌락보다 높은 수준의 쾌락이 적합하다고 본다. (○ , ×)

9 밀은 지성, 상상력, 도덕적 정서 등을 통한 쾌락을 높은 수준의 쾌락이라고 본다. (○ , ×)

정답	1 ○	2 ○	3 ○	4 ○	5 ×
	6 ×	7 ×	8 ○	9 ○	

1 의무론과 칸트주의

의무론	의미	인간이 지켜야 할 행위에 주목하는 윤리 이론
	특징	• 행위의 (❶)에 따라 옳고 그름을 판단해야 함 • 옳고 그름의 기준은 시대와 장소를 초월해 보편적인 것
칸트	특징	• (❷): 어떤 행위가 옳다는 이유 때문에 행위를 선택하는 의지 • 도덕 법칙: 인간이라면 누구나 반드시 지키고 따라야 할 실천 법칙 • (❸)의 두 가지 정식을 제시함 • 도덕적 행위는 도덕적 (❹)에서 비롯되어야 함
	의의와 한계	• 의의: 도덕의 중요성을 강조함 • 한계: 실제 삶에 필요한 구체적인 규칙을 제공해 줄 수 없음
로스	조건부 의무	직관적으로 알 수 있는 옳고 명백한 의무로, (❺) 의무 사이에 갈등이 일어나면 예외가 인정됨
	의의	칸트의 의무주의를 계승하면서도 현실에 적합한 형태로 발전시킴

2 결과론과 공리주의

결과론	의미	행위의 동기가 아니라 행위 결과에 주목하는 윤리 이론
	특징	• (❻)가 좋다면 동기와 상관없이 그 행위는 도덕적으로 옳음 • 결과는 수단을 도덕적으로 정당화함
벤담		• 행위의 옳고 그름을 판단하는 기준은 행위의 결과인 (❼)과 고통의 양 • 최대 다수의 최대 행복을 추구하는 공리의 원리를 제시함 • 모든 쾌락에는 양적인 차이만 있음 • 쾌락과 고통의 계산의 기준을 제시함
밀		• 쾌락에는 양적인 차이뿐만 아니라 (❽)인 차이도 있음 • 합리적인 인간이라면 쾌락의 질적 차이를 분별하고 질이 높은 고상한 쾌락을 추구할 것임 • 개인의 자유를 최대한 보장하는 자유 민주주의가 공리의 원리 실현에 적합함
현대 공리주의	규칙 공리주의	행위의 옳고 그름은 최대의 행복을 산출하는 (❾)과의 일치 여부로 결정함
	선호 공리주의	행위의 영향을 받는 당사자들의 선호를 최대한 만족시키는 행위가 옳은 행위임

정답 ❶ 동기 ❷ 선의지 ❸ 정언 명령 ❹ 의무 ❺ 조건부 ❻ 결과 ❼ 쾌락(행복) ❽ 질적
❾ 규칙

01 다음 근대 윤리 이론의 특징으로 가장 적절한 것은?

> 인간이 지켜야 할 도덕 법칙이나 의무가 존재한다. 따라서 이 도덕 법칙이나 의무를 따르는 행위는 옳지만, 위반하는 행위는 그르다.

① 행위 자체는 본질적 가치를 지니지 않는다고 본다.
② 행위로 드러난 결과가 좋다면 동기와 무관하게 옳다고 본다.
③ 행위는 좋은 결과를 얻기 위한 수단으로서의 가치를 지닌다고 본다.
④ 옳고 그름의 기준은 시대와 장소를 초월한 보편적인 것이라고 본다.
⑤ 도덕의 목적은 이해 당사자들의 행복을 고르게 증진하는 것이라고 본다.

02 갑, 을은 근대 서양 사상가들이다. 갑의 입장에서 을에게 제기할 수 있는 비판으로 가장 적절한 것은?

> 갑: 이성은 의지의 준칙을 보편 법칙으로 수립하는 것으로서, 자신의 모든 행위뿐만 아니라 타자와도 관계한다. 이성이 이러한 역할을 하는 것은 장래 이익 때문이 아니다. 그것은 자신이 세운 법칙 이외의 어떤 것에도 복종하지 않는 이성적 존재자가 가지는 존엄성 때문이다.
> 을: 사회 전체의 행복에 기여하는 모든 것은 그 자체로 우리의 시인(是認)을 얻는다. 공감이 아니라면 우리는 사회를 위한 포괄적인 관심을 전혀 갖지 못한다. 어떤 성질이나 성격을 칭찬하는 이유는 그것이 사회 전체의 행복을 증진하기 때문이다.

① 이성은 도덕적 행위의 직접적 동기가 될 수 없음을 간과하고 있다.
② 이성은 도덕적 판단과 실천에 어떠한 영향도 줄 수 없음을 간과하고 있다.
③ 행위의 결과에 대한 고려보다 시인과 부인의 감정이 중요함을 간과하고 있다.
④ 타인에 대한 공감 능력과 무관하게 인간이 따라야 할 도덕 법칙이 있음을 간과하고 있다.
⑤ 행위의 결과가 도덕적 옳고 그름을 판단하는 유일한 근거가 될 수 있음을 간과하고 있다.

03 다음 근대 서양 사상가의 입장으로 옳은 것은?

> 순전히 도덕적 존재자로서 자기 자신에 대한 최대의 훼손은 진실성에 대항하는 것, 즉 거짓말이다. 거짓말의 원인은 한낱 경솔일 수도 있고, 선량함일 수도 있으며, 심지어는 거짓말을 통해 실제로 선한 목적이 의도될 수 있다. 그럼에도 목적을 좇는 이러한 방식은 그 형식만으로도 인간의 자기 자신의 인격에 대한 범죄이고, 자기 자신의 눈에 인간을 경멸스럽게 만드는 천박한 짓이다.

① 도덕의 최종적 목적은 최대 다수의 행복이다.
② 행위의 선악은 행위의 결과에 의해 결정된다.
③ 인간의 자연적 경향성은 도덕의 근거가 된다.
④ 실천 이성의 자율적 명령을 반드시 따라야 한다.
⑤ 동정심에 따른 도덕적 행동은 가치 있는 행위이다.

04 (가)의 근대 서양 사상가 입장에서 〈사례〉 속 K에게 해 줄 수 있는 조언으로 가장 적절한 것은?

> (가) 선의지는 그것이 실현하거나 성취한 것 때문에, 또는 이미 주어진 어떤 목적을 달성하는 데 쓸모가 있기 때문에 선한 것이 아니라 오로지 의욕한다는 이유로, 즉 그렇게 하려고 마음먹는다는 그 자체로 선한 것이다.
>
> 〈사례〉
> 과학자 K는 자신의 연구 결과로 많은 이익을 얻을 수 있지만, 환경에 치명적인 피해를 끼칠 수 있다는 사실을 알고 연구를 계속해야 할지 고민하고 있다.

① 인간이 가진 본능적 욕구에 따라 행위를 선택하세요.
② 직관적으로 더 중요하다고 판단되는 행위를 선택하세요.
③ 무조건적 명령인 도덕 법칙에 어긋나지 않는 행위를 선택하세요.
④ 선의지에 따라 최대 다수의 행복한 삶의 추구에 기여하는 행위를 선택하세요.
⑤ 개별 행위의 공리보다 도덕 규칙의 공리를 계산하여 보다 유용한 행위를 선택하세요.

05 다음 근대 서양 사상가가 강조하는 삶의 태도로 가장 적절한 것은?

> 내가 그것을 거듭 또 오랫동안 생각하면 생각할수록 더욱 새롭고 더욱 높아지는 감탄과 외경으로 나의 마음을 가득 채우는 것이 두 가지 있다. 그것은 내 위에 있는 별이 빛나는 하늘과 내 마음속에 있는 도덕 법칙이다.

① 개인들의 집합체인 사회의 선이 증가하도록 유용성에 따라 행동한다.
② 질적으로 높고 낮은 쾌락을 두루 경험해 본 사람들의 판단을 존중한다.
③ 쾌락의 양뿐만 아니라 질적인 차이도 고려하여 고상한 쾌락을 추구한다.
④ 경향성의 유혹이 있더라도 선의지에 따라 의무를 따르는 삶을 살아간다.
⑤ 사물을 포함한 세상의 모든 존재를 언제나 목적으로 대우하고자 노력한다.

06 다음 현대 서양 사상가의 입장으로 옳은 것은?

> 도덕 원리는 그 자체 이외의 어떤 증거도 필요 없이 자명하다. 구체적 상황에서 어떤 행위가 일견 옳다고 하더라도 더 중요한 다른 관점에서 그 행위를 보류해야 하는 경우가 있다. 특정한 상황에서 가장 옳은 행위 수행만이 실제적 의무가 된다.

① 행위의 옳고 그름은 좋은 결과의 산출 여부로 결정된다.
② 동정심에 의한 행위도 의무와 일치한다면 도덕적 가치가 있다.
③ 도덕 법칙은 인간과 동물이 경향성을 충족하는 과정에서 따르는 법칙이다.
④ 문제 상황에서 실제적 의무는 보편화 가능성이 아닌 직관에 의해 결정된다.
⑤ 언제 어디에서나 절대적인 구속력을 갖는 자명한 도덕 원칙을 따라야 한다.

07 다음 근대 서양 사상가가 긍정의 대답을 할 질문으로 가장 적절한 것은?

> 인간은 분명 신성하지 않으나, 그의 인격 속의 인간성은 그에게 신성한 것이 아닐 수 없다. 우리는 우리가 선택하고 힘을 행사할 수 있는 피조물들을 모두 수단으로만 사용할 수 있다. 오직 인간만이 목적 그 자체이다. 그의 자유가 가지는 자율성 때문에 그는 신성한 도덕 법칙의 주체가 된다.

① 도덕적 가치는 객관적으로 실재하지 않는가?
② 도덕의 근본적인 목적은 행복의 실현에 있는가?
③ 도덕적 행위와 행복의 추구는 양립할 수 없는가?
④ 타고난 자연적 경향성에 따른 행위가 도덕적인가?
⑤ 도덕적 감정은 도덕의 진정한 근거가 될 수 없는가?

08 (가)의 근대 서양 사상가 갑과 현대 서양 사상가 을의 입장을 (나) 그림으로 표현할 때, A~C에 해당하는 진술로 적절한 것은?

(가)	갑: 선한 의지라는 개념을 명백하게 하기 위해 우리는 의무라는 개념을 다루어야 한다. 의무란 법칙에 대한 존경심 때문에 어떤 행위를 하지 않을 수 없는 것을 가리킨다. 의지를 결정할 수 있는 것은 객관적으로는 법칙뿐이고 주관적으로는 나의 모든 경향성을 포기하더라도 그 법칙을 따르겠다는 준칙뿐이다. 을: 어떤 조건부 의무가 다른 조건부 의무와 충돌하지 않는다면 실제적 의무가 될 수 있다. 그러나 만약 두 가지 조건부 의무 사이에 갈등이 발생한다면, 그 중 더 우선하는 의무는 실제적 의무로 드러나게 되고 다른 의무는 유보된다.

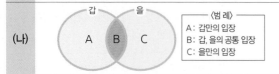

① A: 행위의 도덕적 가치는 결과에 따라 달라진다.
② A: 인간은 자율적 존재로서 실천 이성의 명령에 따를 수 있다.
③ B: 쾌락을 계산할 때 질적인 차이를 고려해야 한다.
④ B: 단일한 최고의 도덕 법칙이나 도덕 원리를 따라야 한다.
⑤ C: 조건부 의무가 상호 갈등할 때 직관에 따라 실제적 의무가 결정된다.

09 다음 근대 서양 사상가의 입장으로 옳은 것은?

> 쾌락과 고통이라는 두 군주는 행동과 말과 생각의 모든 것에서 우리를 지배한다. 쾌락과 고통은 강도, 지속성, 확실성, 근접성 등의 기준에 따라 측정할 수 있다.

① 사회적 이익은 개개인 이익의 총합을 넘어선다.
② 쾌락과 고통을 선악 판단의 기준으로 중시해야 한다.
③ 쾌락의 양을 늘려 나가는 것은 인간 행위의 목적이 아니다.
④ 좋은 결과를 낳는 행위보다 선의지를 따르는 행위가 옳다.
⑤ 유일한 도덕 원리인 정언 명령을 따르는 행위를 선택해야 한다.

10 (가)의 근대 서양 사상가 갑, 을의 입장을 (나) 그림으로 표현할 때, A~C에 해당하는 진술로 적절한 것은?

(가)	갑: 공리의 원리란 행복을 증진하거나 감소하느냐에 따라 각각의 모든 행위를 승인하거나 부인하는 원리를 뜻한다. 내가 말하는 모든 행위란, 개인의 사적인 모든 행위뿐만 아니라 정부의 모든 정책에 대한 것이기도 하다. 을: 만족한 돼지가 되기보다는 불만족한 인간이 되는 편이 낫다. 만족한 바보이기보다는 불만족한 소크라테스가 되는 편이 낫다. 바보나 돼지가 이러한 주장과 다르게 생각한다면, 그것은 이들이 한쪽 측면만 알고 있기 때문이다. 이들과 비교 대상이 되는 인간이나 소크라테스는 양쪽 측면 모두를 잘 알고 있다.

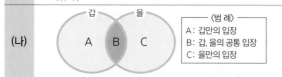

① A: 동기보다 행위의 결과가 도덕의 기준이다.
② A: 매번 행위의 결과를 예측하는 것은 불가능하다.
③ B: 행복을 달성하기 위해 선의지의 명령을 따라야 한다.
④ C: 모든 존재는 질적으로 고상한 쾌락이 무엇인지 알 수 있다.
⑤ C: 쾌락의 양만을 중시할 것이 아니라 질적인 차이도 고려해야 한다.

11 다음 근대 윤리 이론의 특징에 대한 설명으로 옳지 <u>않은</u> 것은?

> 어떤 행위의 옳고 그름이 그 행위를 수행함으로써 발생하는 결과에 의존하며, 올바른 행위란 최선의 결과를 가져오는 행위라고 주장하는 이론이다.

① 행위의 동기가 아니라 행위의 결과에 주목한다.
② 행위의 선악을 결정하는 좋은 결과의 기준을 대체로 행복으로 제시한다.
③ 좋은 결과의 산출에 도움이 되는 수단은 도덕적으로 정당화될 수 있다고 본다.
④ 행위의 도덕성을 평가할 때 행위자의 동기나 행위 자체의 도덕성을 우선적으로 고려한다.
⑤ 최선의 결과를 가져오는 행위는 상황에 따라 다르므로 행위의 가치는 결정되어 있지 않다고 본다.

12 다음 근대 서양 사상가 갑, 을이 모두 긍정의 대답을 할 질문으로 가장 적절한 것은?

> 갑: 무릇 의무로부터 비롯된 행위는 경향성의 영향 및 그와 함께 의지의 일체 대상을 전적으로 격리해야만 한다. 그러므로 의지에 대해 그것을 결정할 수 있는 것은 객관적으로는 법칙, 주관적으로는 실천 법칙에 대한 순수한 존경 외에 남는 것은 없다.
> 을: 두 가지 쾌락에 대해 똑같이 잘 알고, 그 둘을 똑같이 즐길 수 있는 사람들이, 자신의 더 높은 능력이 동원되어야 하는 특정 삶의 방식을 더 선호한다는 것은 부인할 수 없다. 짐승이 누리는 쾌락을 즐기게 해 준다고 해서 하급 동물이 되겠다는 사람은 없을 것이다.

① 인간은 보편적 도덕 원리에 따라 행위 해야 하는가?
② 개인의 선호보다 공동체의 전통을 중시해야 하는가?
③ 도덕적 행위를 위해서는 자연적 감정과 동기가 모두 중요한가?
④ 도덕성을 판단할 때 행위의 결과보다 동기를 중시해야 하는가?
⑤ 사회 전체 쾌락의 극대화를 도덕적 행위의 목표로 삼아야 하는가?

13 다음 근대 서양 사상가의 입장으로 옳은 것은?

> 우정에서 자신을 신뢰하는 친구를 배신하는 것은 보다 강한 의무를 준수하기 위한 동기였더라도 옳지 않은 행동이다. 바람직한 궁극 목적은 자신의 선을 고려하든 타인의 선을 고려하든 양과 질에서 풍부한 쾌락을 느끼는 것이다.

① 상황의 특수성은 올바른 도덕 판단을 위해 제외되어야 한다.
② 의무는 도덕 법칙에 대한 존경심에서 비롯되는 필연적인 것이다.
③ 도덕은 행복이나 다른 무엇을 실현하기 위한 수단이 아니라 그 자체로 목적이다.
④ 수많은 변수와 우연에 의해 좌우되는 행위의 결과는 도덕 판단의 기준이 될 수 없다.
⑤ 질적으로 고상한 쾌락과 저급한 쾌락을 모두 경험한 사람이라면 질적으로 고상한 쾌락을 선택한다.

14 그림은 서술형 평가 문제와 학생 답안이다. 학생 답안의 ㉠~㉤ 중 옳지 <u>않은</u> 것은?

> **〈서술형 평가〉**
> ◎ **문제** 갑, 을의 입장을 비교하여 설명하시오.
>
> > 갑: 도덕 판단의 기준은 쾌락과 고통이라는 두 군주에게 달려 있다. 쾌락 추구와 고통 회피가 입법의 주된 목적이어야 하며, 쾌락과 고통의 양은 계산될 수 있다.
> > 을: 행복은 양과 질 모두의 관점에서 가능한 한 고통을 피하고 쾌락을 향유하는 것이다. 행복 증진에 기여하는 정도에 비례하여 옳고 그름이 결정된다.
>
> ◎ **학생 답안**
> ㉠ 갑은 옳고 그름의 기준으로 공리의 원리를 제시하였다. ㉡ 갑이 말하는 유용성은 쾌락이나 행복을 가져오고 고통을 막는 것이다. 을은 갑의 사상을 계승하면서 이론을 발전시켰다. ㉢ 을은 갑과 달리 행복이 도덕의 궁극적 목표가 될 수 없다고 보았다. ㉣ 을은 쾌락에 질적인 차이가 있다고 보고, ㉤ 쾌락을 계산할 때 양뿐만 아니라 질적인 차이도 고려해야 한다고 주장하였다.

① ㉠　　② ㉡　　③ ㉢　　④ ㉣　　⑤ ㉤

15 (가)의 근대 서양 사상가 갑과 현대 서양 사상가 을의 입장을 (나) 그림으로 탐구하고자 할 때, A~C에 들어갈 질문으로 적절한 것은?

(가)	갑: 어떤 행위에 대해 한쪽에서는 쾌락의 총량을, 다른 쪽에서는 고통의 총량을 합산해 보라. 만약 차감한 것이 쾌락 쪽에 기운다면 행위의 좋은 경향을 제시하는 것이 될 것이다. 모든 쾌락은 즐거운 것이며, 하나의 종류밖에 없다. 을: 쾌고 감수 능력을 지닌 동물을 합리적 이유 없이 차별하는 것은 종 차별주의로 비난받을 것이다. 종 차별주의자들은 자신이 속한 종의 이익이 다른 종의 더욱 커다란 이익에 비해 중요하다고 생각한다.
(나)	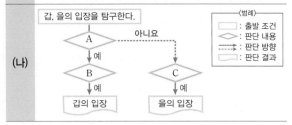

① A: 최대의 공리를 산출하는 규칙과의 일치 여부에 따라 행위의 선악이 결정되는가?

② A: 행위의 영향을 받는 당사자들의 선호를 최대한 만족시키는 행위가 옳은 행위인가?

③ B: 합리적인 인간이라면 누구나 쾌락의 질적 차이를 분별하고 질이 높은 쾌락을 추구할 것인가?

④ C: 쾌락과 고통을 느낄 수 있는 모든 개체의 이익을 평등하게 고려해야 하는가?

⑤ C: 행위의 도덕성을 판단하기 위해 공리의 원리를 개별 행위가 아닌 규칙에 적용해야 하는가?

16 현대 서양 사상 (가)의 입장에서 근대 서양 사상 (나)에 제기할 수 있는 비판으로 가장 적절한 것은?

> (가) 공리의 원리를 개별 행위가 아닌 행위의 규칙에 적용해야 한다.
> (나) 공리의 원리를 개별 행위에 직접 적용하여 더 많은 공리를 산출하는 행위를 옳은 행위로 보아야 한다.

① 쾌락을 한정적 개념으로만 이해한다.

② 모든 개별 행위의 공리를 계산하기 어렵다.

③ 규칙이 충돌할 때 대안을 제시하지 못한다.

④ 지적인 것을 지나치게 강조한 엘리트주의이다.

⑤ 도덕적 행위를 일으키는 인간의 감정을 경시한다.

17 다음을 주장한 사상가의 입장에만 모두 '✔'를 표시한 학생은?

> 자연은 인류를 고통과 쾌락이라는 두 주인에게서 지배받도록 만들었다. 우리가 무엇을 할까 결정하는 일은 물론이요, 무엇을 행해야 할까 짚어 내는 일은 오로지 이 두 주인을 위한 것이다. 따라서 옳음과 그름의 기준이 두 주인의 왕좌에 고정되어 있다.

입장＼학생	갑	을	병	정	무
인간의 행복 증진이 도덕의 목적이다.	✔		✔	✔	
모든 쾌락은 단지 양에서만 차이가 난다.		✔	✔		✔
최대 행복을 가져오는 도덕 원리를 따라야 한다.	✔		✔	✔	✔
질적으로 높은 수준의 쾌락이 다른 쾌락보다 우월하다.		✔			✔

① 갑　　② 을　　③ 병　　④ 정　　⑤ 무

18 갑은 긍정, 을은 부정의 대답을 할 질문으로 가장 적절한 것은?

> 갑: 다른 것을 평가할 때는 양뿐만 아니라 질도 고려하면서, 쾌락을 평가할 때는 오직 양만 따져야 한다고 여기는 것은 불합리합니다.
> 을: 모든 사람은 하나로 계산되어야지 누구도 하나 이상으로 계산되어서는 안 됩니다. 공동체는 개별 인간의 총합에 불과합니다. 따라서 공동체의 이익이란 그것을 구성하는 구성원의 이익의 총합입니다.

① 모든 쾌락은 단지 쾌락의 양에서 차이가 날 뿐인가?

② 행위의 도덕성을 파악할 때 행위의 결과를 중심으로 평가해야 하는가?

③ 어떤 쾌락이 더 우월하고 바람직한지를 판단할 때 질적 차이를 고려해야 하는가?

④ 개별 행위의 결과를 따지기보다는 도덕 규칙을 세우고 그 규칙에 따라야 하는가?

⑤ 어떤 행위가 옳고 그른지는 관련 당사자의 선호와 일치하는 정도에 따라 평가해야 하는가?

19 ㉠에 들어갈 알맞은 말을 쓰고, 그 내용에 관해 서술하시오.

> 이 세상 안과 이 세상 밖에서도 무제한적으로 선하다고 할 수 있는 것은 오직 ㉠ 뿐이다. ㉠ 은/는 그것이 실현하거나 성취한 것 때문에, 또는 이미 주어진 어떤 목적을 달성하는 데 쓸모가 있기 때문에 선한 것이 아니라 오로지 의욕한다는 이유로 선한 것이다.

20 다음 근대 서양 사상가의 입장에서 도덕 법칙이 ㉠의 형식으로 나타나야 하는 이유를 서술하시오.

> 인간은 이성과 경향성을 함께 지닌 이중적 존재이므로 의욕과 도덕 법칙이 필연적으로 일치하지는 않는다. 따라서 인간에게 도덕 법칙은 의무이자 명령으로 다가올 수밖에 없다. 그런데 도덕 법칙은 명령 중에서 어떤 다른 목적과 관계없는 무조건적인 명령, 즉 ㉠ 의 형태로 제시된다.

21 다음 근대 서양 사상가가 제시한 쾌락 계산의 기준을 두 가지 이상 서술하시오.

> 모든 사람은 하나로 계산되어야지 누구도 하나 이상으로 계산되어서는 안 됩니다. 공동체는 개별 인간의 총합에 불과합니다. 따라서 공동체의 이익이란 그것을 구성하는 구성원의 이익의 총합입니다.

22 근대 서양 사상가 갑과 을의 입장을 비교해 설명하시오.

> 갑: 자연은 인류를 고통과 쾌락이라는 두 주인에게서 지배받도록 만들었다. 우리가 무엇을 할까 결정하는 일은 물론이요, 무엇을 행해야 할까 짚어내는 일은 오로지 이 두 주인을 위한 것이다. 따라서 옳음과 그름의 기준이 두 주인의 왕좌에 고정되어 있다.
>
> 을: 만족한 돼지가 되기보다는 불만족한 인간이 되는 편이 낫다. 만족한 바보이기보다는 불만족한 소크라테스가 되는 편이 낫다. 바보나 돼지가 이러한 주장과 다르게 생각한다면, 그것은 이들이 한쪽 측면만 알고 있기 때문이다. 이들과 비교 대상이 되는 인간이나 소크라테스는 양쪽 측면 모두를 잘 알고 있다.

01 | 교육청 기출 |
(가)의 근대 서양 사상가 갑, 을의 입장을 (나) 그림으로 표현할 때, A~C에 해당하는 진술로 옳은 것은?

(가)	갑: 인간 행위의 유일한 목적은 행복이기에 행복의 증진 여부가 행위의 도덕성을 판단하는 기준이 된다. 행복은 쾌락을, 그리고 고통의 부재를 뜻하며, 양과 질 모두의 측면에서 추구된다. 을: 인간은 자신의 행복에 대한 강력한 경향성을 가지고 있다. 그러나 자신의 행복을 증진하는 행위가 경향성이 아니라 의무에서 비롯될 때 그 행위는 도덕적 가치를 갖는다.
(나)	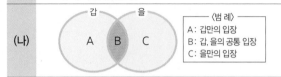〈범례〉 A: 갑만의 입장 B: 갑, 을의 공통 입장 C: 을만의 입장

① A: 질적으로 높은 쾌락일수록 쾌락의 양은 항상 증가한다.
② A: 행위의 도덕성 판단은 동기와 결과 모두에 근거해야 한다.
③ B: 행위자의 행복을 낳지 않는 도덕적 행위가 있을 수 있다.
④ B: 행복을 추구하는 경향성은 도덕 원리의 근거가 될 수 없다.
⑤ C: 의무에서 비롯된 행위는 자율에 의한 행위로 볼 수 없다.

02 | 교육청 응용 |
갑, 을의 입장으로 옳은 것을 〈보기〉에서 고른 것은?

갑: 사람의 행위나 성품이 그것을 바라보는 사람들에게 시인(是認)의 감정을 일으키면 선한 것으로, 부인(否認)의 감정을 일으키면 악한 것으로 간주된다.
을: 사람의 행위가 가져다주는 쾌락과 고통은 측정될 수 있다. 한쪽에서는 쾌락의 가치의 총량을, 다른 쪽에서는 고통의 가치의 총량을 합산해 보라.

| 보기 |
ㄱ. 갑: 행위의 옳음은 선의지에 의해 결정된다.
ㄴ. 갑: 사회 행복에 기여하는 행위는 공감을 불러일으킨다.
ㄷ. 을: 사회 전체의 행복을 증진하는 삶이 최선의 삶이다.
ㄹ. 갑, 을: 이성만이 도덕적 실천의 직접적인 동기이다.

① ㄱ, ㄹ ② ㄴ, ㄷ ③ ㄴ, ㄹ
④ ㄱ, ㄴ, ㄷ ⑤ ㄱ, ㄷ, ㄹ

03 | 교육청 응용 |
다음 근대 서양 사상가의 입장으로 가장 적절한 것은?

이성의 참다운 사명은, 가령 다른 의도에서 수단으로서가 아니라, 그 자체로 선한 의지를 낳는 것이어야만 한다. 이 세계에서 또는 이 세계 밖에서까지라도 아무런 제한 없이 선하다고 생각될 수 있는 것은 오로지 선의지뿐이다.

① 의무에 맞는 모든 행위는 선의지에 의한 행위이다.
② 행위의 옳음은 행위를 낳는 의지에 의해 결정된다.
③ 결단성과 같은 기질상의 성질은 그 자체로 선하다.
④ 경향성에서 비롯된 행위는 도덕적 행위로 인정된다.
⑤ 선의지를 동기로 삼지 않은 행위도 도덕적 가치를 지닌다.

04 | 교육청 응용 |
(가)의 서양 사상가 갑, 을의 입장을 (나) 그림으로 탐구할 때, A~C에 들어갈 옳은 질문만을 〈보기〉에서 있는 대로 고른 것은?

(가)	갑: 공리성의 원리란 행복을 증가시키거나 감소시키는 경향에 따라 모든 행위를 승인하거나 부인하는 것을 뜻한다. 이 원리는 오직 측정 가능한 쾌락의 양만을 계산하여 사적인 행위뿐만 아니라 정부의 모든 정책에 적용된다. 을: "거짓 약속이 보편적 법칙으로 타당해야 한다는 것에 정말로 만족할 수 있는가?"라고 스스로 질문해 보면, 거짓 약속을 보편적 법칙으로 의욕할 수 없다는 것을 깨닫게 된다. 따라서 내 의지의 준칙은 언제나 동시에 보편적 법칙이 되어야 한다.
(나)	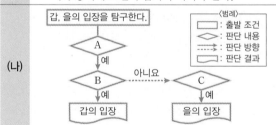〈범례〉 □: 출발 조건 ◇: 판단 내용 ┄▷: 판단 방향 →: 판단 결과

| 보기 |
ㄱ. A: 도덕적 행위는 보편적 기준에 근거해야 하는가?
ㄴ. B: 행위의 도덕성은 유용성에 따라 판단해야 하는가?
ㄷ. C: 행위 결과가 의무에 일치하기만 하면 도덕적인가?
ㄹ. C: 행복을 추구하는 삶과 도덕적인 삶은 양립이 가능한가?

① ㄱ, ㄷ ② ㄴ, ㄹ ③ ㄷ, ㄹ
④ ㄱ, ㄴ, ㄷ ⑤ ㄱ, ㄴ, ㄹ

| 수능 기출 |

05 (가)의 근대 서양 사상가 갑, 을의 입장을 (나) 그림으로 표현할 때, A~C에 해당하는 적절한 진술만을 〈보기〉에서 있는 대로 고른 것은?

(가)	갑: 의무가 서로 충돌할 때 공리의 원리는 우리에게 무엇을 따라야 할지 알려 준다. 우리는 공리의 원리를 통해 더 바람직하고 가치 있는 쾌락을 선택할 수 있다. 을: 의무는 법칙에 대한 존경심에서 비롯한 행위의 필연성이다. 우리는 행위가 일으킬 결과에 대해서 경향성을 가질 수는 있지만, 존경심을 가질 수는 없다.
(나)	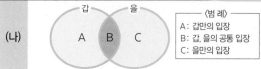

보기

ㄱ. A: 의무를 동기로 삼지 않는 행위도 도덕적 가치를 지닐 수 있다.
ㄴ. B: 도덕 원리의 의미에는 인간의 평등함이 내포되어 있다.
ㄷ. C: 무조건적인 명령에 따른 의무로 인해 자율성이 침해된다.
ㄹ. C: 행위자의 품성을 고려하지 않고도 행위의 도덕성을 판단할 수 있다.

① ㄱ, ㄴ　　　② ㄱ, ㄷ　　　③ ㄷ, ㄹ
④ ㄱ, ㄴ, ㄹ　　　⑤ ㄴ, ㄷ, ㄹ

| 평가원 응용 |

06 갑은 고대 서양 사상가, 을은 근대 서양 사상가이다. 갑이 을에게 제기할 수 있는 반론으로 가장 적절한 것은?

갑: 쾌락은 축복받은 삶의 시작점이자 목적이다. 고통의 완전한 결핍은 최고의 쾌락이며, 쾌락의 한계이다. 최고의 쾌락은 평정심으로서 모든 고통으로부터 해방된 상태이다.
을: 쾌락과 고통이라는 두 군주는 행동과 말과 생각의 모든 것에서 우리를 지배한다. 쾌락과 고통은 강도, 지속성, 확실성, 근접성 등의 기준에 따라 측정할 수 있다.

① 인간은 고통을 싫어한다는 사실을 모르고 있다.
② 쾌락의 총합이 사회 전체의 쾌락임을 모르고 있다.
③ 쾌락은 행위의 원인과 결과라는 것을 모르고 있다.
④ 쾌락은 정도에 따라 측정할 수 있음을 모르고 있다.
⑤ 쾌락의 양을 늘리는 것이 인간 행위의 목적이 아님을 모르고 있다.

| 평가원 응용 |

07 근대 서양 사상가 갑, 을의 입장으로 옳은 것은?

갑: 악덕이 그 안에 있다고 생각되는 대상을 고찰하는 동안에는 결코 악덕을 발견하지 못한다. 고찰의 방향을 내 마음에로 전환하고, 부인(否認)의 감정을 발견한 후에야 악덕을 발견하게 된다.
을: 실천 이성은 경향성의 속삭임에 매수되지 않고 자기 자신에 의해 강제되면서, 행위 할 때마다 의지의 준칙을 순수한 의지에 묶는다.

① 갑: 공감은 자연적 성향이므로 도덕성의 기초가 될 수 없다.
② 갑: 덕과 악덕은 인간의 마음 바깥에 존재하는 객관적 실재이다.
③ 을: 행복을 추구하라는 의무에 일치하는 도덕적 행위만이 정당하다.
④ 을: 실천 이성을 따를 때 인간은 자신을 도덕 법칙의 예외로 삼지 않는다.
⑤ 갑, 을: 도덕적 판단에 있어 이성과 감정은 동등한 지위를 갖는다.

| 교육청 기출 |

08 (가)의 근대 서양 사상가 갑, 을의 입장을 (나)의 그림으로 표현할 때, A~C에 해당하는 옳은 진술만을 〈보기〉에서 있는 대로 고른 것은?

(가)	갑: 고통의 부재와 쾌락은 우리가 추구해야 할 유일한 목적이다. 우리는 양과 질 모두의 측면에서 최대한 고통을 피하고 최대한 쾌락을 누려야 한다. 을: 이성의 참된 사명은 그 자체로 선한 의지인 선의지를 낳는 것이다. 선의지는 최고선이고 우리가 행복을 바랄 수 있는 자격 조건이다.
(나)	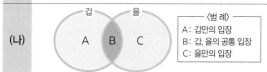

보기

ㄱ. A: 행위의 도덕성을 판단하는 기준은 동기와 결과이다.
ㄴ. B: 보편적 도덕 원리로 행위의 선악을 판단할 수 있다.
ㄷ. B: 도덕적 행위는 행위자 자신의 행복과 무관할 수 있다.
ㄹ. C: 실천 이성은 언제나 행복에 대한 모든 요구의 포기를 요청한다.

① ㄱ, ㄷ　　　② ㄱ, ㄹ　　　③ ㄴ, ㄷ
④ ㄱ, ㄴ, ㄹ　　　⑤ ㄴ, ㄷ, ㄹ

| 평가원 기출 |

09 근대 서양 사상가 갑, 을의 입장으로 옳은 것만을 〈보기〉에서 있는 대로 고른 것은?

> 갑: 의지의 자율은 모든 도덕 법칙들과 그에 따르는 의무들의 유일한 원리이다. 이에 반해 자의(恣意)의 모든 타율은 전혀 책무를 정초하지 못할 뿐만 아니라, 오히려 책무 및 의지의 도덕성 원리에 맞서 있다.
>
> 을: 어떤 두 가지 쾌락을 모두 경험해 본 사람들 전체 또는 대다수가 도덕적 의무와 관계없이 그중 어떤 하나를 뚜렷이 선호한다면 그것은 더욱 바람직한 쾌락일 것이다.

| 보기 |

> ㄱ. 갑: 경향성이 아니라 의무로부터 선행을 실천해야 한다.
> ㄴ. 을: 행위의 도덕성은 행위의 결과가 아니라 의지에 근거한다.
> ㄷ. 을: 판단 능력이 있는 사람들은 더 바람직한 쾌락을 선호한다.
> ㄹ. 갑, 을: 누구나 따라야 할 보편적인 도덕 원리가 존재한다.

① ㄱ, ㄷ ② ㄴ, ㄷ ③ ㄴ, ㄹ
④ ㄱ, ㄴ, ㄹ ⑤ ㄱ, ㄷ, ㄹ

| 평가원 응용 |

10 현대 윤리 사상 (가)의 입장에서 〈사례〉 속 K에게 해 줄 수 있는 조언으로 가장 적절한 것은?

> (가) 조건부 의무는 다른 의무와 갈등하지 않으면 실제적 의무가 된다. 다른 의무와 갈등하면 우선시되는 의무가 실제적 의무가 되고 나머지는 유보된다.
>
> 〈사례〉
> 친구를 만나러 약속 장소로 가던 K는 길가에 쓰러진 사람을 보았다. K는 계속 길을 가야 할지 그 사람을 도와야 할지 고민하고 있다.

① 무조건적 명령인 정언 명령을 따르는 행위를 선택하세요.
② 현재의 상황에서 직관적으로 더 중요시되는 행위를 선택하세요.
③ 좋은 결과를 낳는 행위보다 선의지를 따르는 행위를 선택하세요.
④ 도덕 규칙의 공리보다 개별 행위의 공리를 계산해 행위를 선택하세요.
⑤ 최대 행복의 원리에 부합하는 도덕 규칙에 따르는 행위를 선택하세요.

| 평가원 응용 |

11 근대 서양 사상가 갑이 을에게 제기할 수 있는 비판으로 가장 적절한 것은?

> 갑: 쾌락과 고통의 양을 계산하여 비교하라. 저울이 쾌락 쪽으로 기울면 그 행위의 좋은 경향을 말해 줄 것이고, 고통 쪽으로 기울면 그 반대의 경향을 말해 줄 것이다.
>
> 을: 쾌락에 몰두한 사람이라도 '향락을 위해 자연적 재능을 방치해도 된다.'는 준칙이 법칙이 되길 바라지는 않는다. 우리는 보편적 법칙에 맞는 행위의 준칙을 따라야 한다.

① 쾌락의 질적 차이를 고려해야 함을 부정한다.
② 쾌락의 추구가 행위 준칙이 될 수 있음을 부정한다.
③ 행위는 결과보다 수단이 중요하다는 점을 간과한다.
④ 도덕은 그 자체가 목적이 아니라 행복을 위한 방법임을 간과한다.
⑤ 도덕의 원리는 모든 인간을 평등하게 고려하는 것임을 간과한다.

| 평가원 기출 |

12 근대 서양 사상가 갑, 을의 입장으로 옳은 것만을 〈보기〉에서 고른 것은?

> 갑: 최대 다수의 최대 행복이 도덕과 입법의 기본 원리이다. 이러한 원리는 이성과 법의 손길로 더없이 행복한 구조를 세우려는 목적을 지닌 체계의 토대가 된다.
>
> 을: 행복의 원리가 준칙들을 제공할 수는 있지만, 결코 의지의 법칙들로 쓰일 준칙들을 제공할 수는 없다. 행위의 도덕성은 오직 보편적 도덕 법칙에 의해서만 확보될 수 있다.

| 보기 |

> ㄱ. 갑: 도덕은 행복한 삶을 실현하기 위한 수단이 될 수 없다.
> ㄴ. 을: 도덕의 목적은 모든 이성적 존재들의 행복 증진이다.
> ㄷ. 을: 의무가 문제일 때는 자신의 행복을 고려하지 말아야 한다.
> ㄹ. 갑, 을: 보편적 도덕 원리를 따라야 도덕적 행위가 된다.

① ㄱ, ㄴ ② ㄱ, ㄷ ③ ㄴ, ㄷ
④ ㄴ, ㄹ ⑤ ㄷ, ㄹ

| 딱풀 p. 43

13 | 교육청 기출 |

(가)의 근대 서양 사상가 갑, 을의 입장을 (나) 그림으로 표현할 때, A~C에 해당하는 진술로 옳은 것은?

(가)	갑: 윤리는 이해 당사자의 입장에서 최대량의 행복을 산출할 수 있도록 행위를 지도하는 기술이다. 행복의 양은 일곱 가지 기준으로 계산될 수 있다. 을: 윤리의 최상의 원리는 의지의 자율이다. 의지가 자기의 준칙에 의해 스스로를 동시에 보편적 법칙을 수립하는 것으로 간주하도록 행위해야 한다.
(나)	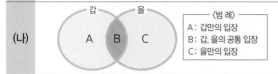 〈범 례〉 A: 갑만의 입장 B: 갑, 을의 공통 입장 C: 을만의 입장

① A: 정신적 쾌락과 감각적 쾌락은 질적인 차이가 있다.

② A: 의지의 선함과 무관한 도덕적 행위가 있을 수 있다.

③ B: 쾌락을 추구하는 경향성은 도덕의 기반이 될 수 있다.

④ C: 행위의 도덕성을 평가하는 보편적인 도덕 원리가 있다.

⑤ C: 자신의 준칙을 따르는 사람은 비도덕적 행위를 할 수 없다.

14 | 평가원 응용 |

다음은 근대 서양 사상가 갑, 을에 대한 평가를 정리한 노트이다. 갑, 을의 입장으로 가장 적절한 것은?

- 갑은 대다수 사람들의 행복을 최대화하는 것이 옳은 행위라고 주장한다. 하지만 갑의 주장은 정의롭지 못한 행위나 개인의 권리를 침해하는 행위도 옳은 행위가 되는 부적절한 경우를 발생시킨다.
- 을은 정언 명령으로 표현되는 도덕 법칙을 모든 사람이 준수해야 한다고 주장한다. 하지만 을의 주장은 형식에 치우쳐, 의무가 상충할 때 이를 해결할 실질적 지침을 제공하는 데 한계가 있다는 비판을 받는다.

① 갑: 인간의 행위가 쾌락에 좌우되는 것은 아니다.

② 갑: 행위의 옳음은 동기를 고려해야 판단 가능하다.

③ 을: 의무에 맞는 행위가 곧 도덕적 행위이다.

④ 을: 보편화 가능한 행위 준칙은 도덕 법칙에 위배되지 않는다.

⑤ 갑, 을: 자신의 행복 증진은 보편적 도덕 원리 수립의 근거이다.

15 | 교육청 응용 |

(가)의 근대 서양 사상가 갑, 을의 입장을 (나) 그림으로 표현할 때, A~C에 해당하는 적절한 진술만을 〈보기〉에서 있는 대로 고른 것은?

(가)	갑: 행위의 도덕성은 행위 결과에 대한 애정에서 결정되지 않고, 도덕 법칙에 대한 존경심에서 비롯된 행위의 필연성에서 결정된다. 자기 행복의 원리는 도덕의 숭고함을 없애므로 혐오스럽다. 을: 행위의 도덕성은 행위의 동기와 무관하다. 의무감이 아닌 다른 동기에서 나온 행위라도 결과가 좋다면 그 행위는 옳다. 삶의 궁극적 목적인 양과 질의 차원에서 행복을 최대한 누리는 것이다.
(나)	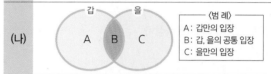 〈범 례〉 A: 갑만의 입장 B: 갑, 을의 공통 입장 C: 을만의 입장

⌐ 보기 ¬
ㄱ. A: 사회의 이익을 증진하는 사익 희생은 인정된다.
ㄴ. B: 도덕적인 삶과 행복한 삶은 서로 양립할 수 있다.
ㄷ. B: 인간이 따라야 할 보편적 도덕 원리가 존재한다.
ㄹ. C: 쾌락을 추구하는 인간의 경향성이 도덕의 기반이다.

① ㄱ, ㄴ　　② ㄱ, ㄷ　　③ ㄷ, ㄹ
④ ㄱ, ㄴ, ㄹ　　⑤ ㄴ, ㄷ, ㄹ

16 | 수능 응용 |

다음 사상가가 강조하는 삶의 태도로 가장 적절한 것은?

생각하면 할수록 더욱 큰 감탄과 존경으로 내 마음을 채워 주는 두 가지가 있습니다. 하나는 내 위에서 반짝이는 별을 보여 주는 하늘이며 다른 하나는 내 안에 있는 도덕 법칙입니다. 도덕 법칙은 동물성으로부터, 더 나아가 모든 감성계의 지배로부터 벗어나 있는 삶을 나에게 드러내 줍니다. 이러한 도덕 법칙은 유한한 이성적 존재자의 의지에게는 의무 법칙입니다.

① 인위적인 규범에서 벗어나 자연법칙을 따르기 위해 힘쓴다.

② 자연적 경향성이 아니라 자율 도덕 법칙에 따라서 행동한다.

③ 행복에 대한 관심을 모두 버리고 신이 부여한 계율을 따른다.

④ 세상 모든 생명체를 언제나 목적으로 대우하려고 노력한다.

⑤ 의무 의식이 아니라 자연적 감정을 행동의 기반으로 삼는다.

07 현대의 윤리적 삶

1 주체적 결단과 실존

1. 실존주의의 의미와 실존주의의 등장 배경

(1) **의미** 지금 여기에 있는 그대로의 인간의 모습을 강조하는 사상으로, 개인의 자유와 책임, 주체성 등을 중시함

(2) **등장 배경**

① 근대 이성주의는 객관적이고 보편적 지식만을 강조해 개인이 겪는 삶의 문제를 경시하였고, 이성의 도구적 기능만을 강조하였기 때문에 인간 소외와 같은 사회적 문제가 나타남

② 두 차례의 세계 대전이 발생하면서 사람들에게 심각한 불안과 이성에 대한 불신을 초래함

★ 2. 실존주의의 대표적 사상가

(1) **키르케고르**

① 죽음에 이르는 병❶을 극복해야 함 ➡ 신 앞에 선 단독자로서 생각하고 행동해야 참된 실존을 회복할 수 있음

② 실존적 상황에서는 오직 주체성만이 답을 줄 수 있고, 진리는 주관적인 것임 ➡ 주체성이 곧 진리임

③ 참된 실존의 과정은 심미적 단계(감각적 쾌락 추구) ➡ 윤리적 단계(보편적 윤리 규범 추구) ➡ 종교적 단계(신에게의 귀의)로 이루어짐❷ (자료 01)

(2) **야스퍼스**

① 한계 상황❸은 이성이나 과학의 힘으로는 해결이 불가능함 (자료 02)

② 인간이 자신의 유한성을 자각함 ➡ 스스로의 결단을 통해 초월자의 존재를 수용하고 참된 실존을 회복할 수 있음
　　　　　　　└─ 야스퍼스는 다른 사람과의 연대를 통해 자신뿐만 아니라 다른 사람의 실존적 삶을 위해서도 노력해야 한다고 주장하였다.

(3) **하이데거**

① 인간을 지금, 여기에 있는 현실적인 인간 존재인 현존재❹로 규정함

② 현존재는 이 세계 속에 던져진 존재로서 자신이 죽음에 이르는 존재임을 알고 늘 불안과 염려 속에서 살아감

③ 인간이 죽음에 대한 자각과 불안을 통해 삶의 유한성과 일회성을 깨닫게 될 때 자신의 진정한 실존에 대해 성찰하게 됨

(4) **사르트르**

① 인간의 본질이나 목적을 정해 줄 신은 존재하지 않음

② "실존은 본질에 앞선다." ➡ 인간은 사물과 달리 그 본질이 미리 결정되어 있지 않음 (자료 03)

③ 인간은 목적 없이 이 세계에 내던져진 존재로서 자신의 결단을 통해 자기 자신의 모습을 만들어 가야 함 ➡ 인간은 자유로운 선택과 그 결과에 책임을 져야 하는 주체임

3. 실존주의의 현대적 의의와 한계

(1) **의의**

① 획일화되어 가는 현대인의 삶을 반성하게 하고, 주체적인 삶을 살아가는 데 도움을 줌

② 인간 존엄성 회복에 기여하고, 상호 존중과 연대의 의미를 일깨워 줌

(2) **한계**

① 인간의 개별성을 지나치게 강조하여 보편적 도덕규범을 경시할 우려가 있음

② 개인의 주관적 판단을 도덕의 기준으로 삼는 주관주의로 귀결될 가능성이 있음

---

❶ **죽음에 이르는 병**
선택의 상황에서 인간이 불안을 느낄 때, 주체적 결정을 회피하면서 빠지게 되는 절망

❷ **키르케고르의 실존의 단계**
· 심미적 단계: 향락적 삶 속에서 허망함을 느끼고 결국 절망하게 됨
· 윤리적 단계: 윤리 규범을 어기고 죄를 지을 가능성을 벗어나지 못하는 자신의 유한성을 자각하면서 다시 절망에 빠지게 됨
· 종교적 단계: 신의 사랑에 의해 불안과 절망에서 벗어나 참된 실존을 회복하게 됨

❸ **야스퍼스의 한계 상황**
죽음, 고통, 전쟁 등 인간이 어떠한 수단을 동원해도 해결할 수 없는 상황

❹ **하이데거의 현존재**
지금 우리가 처해 있는 그대로의 모습을 말한다. 하이데거는 이 세계에 던져진 지금의 모습을 늘 불안과 염려 속에 놓여 있으면서 죽음을 향해 가고 있는 모습으로 간주한다. 따라서 현존재란 죽음이라는 두려움과 불안 속에 놓여 있는 현재 우리의 모습이라고 할 수 있다.

고득점을 위한 셀파 Tip 개념

| 실존주의 사상의 특징 |

개성 존중	인간의 개성을 긍정적으로 보고 개성을 강조함
주체성 강조	인간은 자신을 주체적으로 만들어 가야 한다고 봄
인간 존엄성 중시	구체적이고 개별적인 자신의 선택과 결단을 강조함

셀파 자료 탐구

기출 선택지 ○, ×로 정리하기

자료 01 키르케고르의 실존의 단계

실존에는 심미적 단계, 윤리적 단계, 종교적 단계가 있습니다. 심미적 단계에서 인간은 쾌락을 즐기지만 허전함을 느끼고 절망에 이르게 됩니다. 윤리적 단계에서 인간은 보편적인 윤리 규범에 따라 살아가지만 자신의 유한성을 자각하고 또 다시 절망하게 됩니다. 종교적 단계에 이르러서야 인간은 신 앞에 선 단독자로서 주체적 결단을 내림으로써 참된 실존에 이르게 됩니다.

자료 분석 | 키르케고르는 실존을 3단계로 제시한다. 심미적 단계에서는 미적 쾌락에 만족하는 행동을 선택한다. 그러나 관능적 만족만을 추구하다 보면 인격의 동요를 겪게 된다. 그래서 윤리적 단계로 나아가 선하게 살고자 노력한다. 그러나 아무리 윤리적으로 살아간다 해도 죽음을 의식하는 순간 인간은 불안에 휩싸인다. 따라서 죽음의 불안 앞에서 절망하지 않고 무한한 존재인 신 앞에 다가서는 결단을 내림으로써 종교적 단계에 이르게 되는데, 이때 참된 자기에 도달할 수 있다.

자료 02 야스퍼스의 한계 상황

나는 투쟁이나 고통 없이는 살아갈 수 없다는 사실, 나는 죽지 않으면 안 된다는 사실, 이러한 사실을 나는 한계 상황이라고 한다. 한계 상황은 내가 더 이상 앞으로 나아가지 못하고 좌절하는 하나의 벽과 같은 것이다. 그것은 우리가 변경할 수 있는 것이 아니다. 그것은 다른 어떤 것으로부터 설명되거나 연역되지 않고도 나에게 명백하게 나타난다. 죽음에 대해 아무것도 모르는 동물에게 한계 상황은 있을 수 없다. 또한 죽음을 피하기 위해 애쓰는 것 이외에 아무것도 하지 않는 인간에게 죽음은 아직 한계 상황이 아니다. 객관적 사실로서의 죽음은 그것만으로는 아직 한계 상황이 아니다.

– 야스퍼스, 「철학II」 –

자료 분석 | 야스퍼스에 따르면 인간은 상황을 주어져 있는 것으로 받아들이기 쉽지만, 사실 인간은 언제든지 상황을 변화시킬 수 있다. 상황은 객관적 조건으로만 정립되는 것이 아니라 주관적인 의미 부여를 통해서 변화될 수 있기 때문이다. 그는 인간은 한계 상황을 직시하고 주체적 결단을 함으로써 참된 실존에 이를 수 있고, 초월자에 대한 경험도 할 수 있다고 본다.

자료 03 사르트르의 실존과 본질

한 자루의 종이칼과 같은 사물은 그것을 만드는 제작자가 설정한 목적에 따라 만들어진 것이며, 한정된 쓰임새를 가진 것이다. 그러므로 종이칼과 같은 사물의 본질은 제작자의 구상에 따라 이미 결정되어 있다. 그러나 인간은 이런 사물과 달리 미리 결정된 보편 개념으로서의 인간성이라는 본질을 지니고 이 세계에 존재하는 것이 아니다. 인간은 먼저 존재하고 스스로 만들어 가는 것 이외에 아무것도 아니다.

– 사르트르, 「실존주의는 휴머니즘이다」 –

자료 분석 | 사르트르는 인간의 본질은 존재하지 않는다고 본다. 그 본질을 생각하는 신이 존재하지 않기 때문이다. 사르트르에 의하면 인간은 이 세상에 내던져진 존재로, 먼저 실존한 후에 자기 자신의 모습을 만들어 간다. 이러한 의미에서 실존은 본질에 우선한다.

1 키르케고르는 인간은 실존의 과정에서 윤리적 단계에 이르더라도 결국 절망에 빠진다고 본다.　　　(○ , ×)

2 키르케고르는 인간은 주체적 결단보다 합리적 사유를 통해 자아를 확립해야 한다고 본다.　　　(○ , ×)

3 키르케고르는 모든 생각과 행동을 신에게 내맡기는 결단을 해야 한다고 본다.　　　(○ , ×)

4 야스퍼스는 초월자와 단절해야 인간이 한계 상황을 극복할 수 있다고 본다.　　　(○ , ×)

5 야스퍼스는 타자와 연대하여 실존을 회복할 것을 주장하였다.　　　(○ , ×)

6 하이데거는 불안은 진정한 자신을 발견할 수 있는 계기가 된다고 본다.　　　(○ , ×)

7 하이데거는 인간은 죽음에 대한 자각을 통해 자신의 참된 실존을 깨달을 수 있다고 본다.　　　(○ , ×)

8 사르트르는 인간은 신앙 없이 참된 실존을 회복할 수 있다고 본다.　　　(○ , ×)

9 사르트르는 인간은 삶의 객관적 목적 실현을 위해 실존을 회복해야 한다고 본다.　　　(○ , ×)

정답　1 ○　2 ×　3 ○　4 ×　5 ○
　　　　6 ○　7 ○　8 ○　9 ×

2 실용주의와 문제 해결의 유용성

1. 실용주의⑤의 등장 배경과 특징

(1) 등장 배경

① 19세기 말 산업화와 도시화로 다양한 사회 문제와 갈등이 발생함

② 선악의 절대적인 기준을 강조하는 기존 사상에는 한계가 있다고 봄 ➡ 경험론을 계승하고 진화론의 영향을 받음

(2) 특징

① 옳고 그름의 절대적 기준을 강조하지 않고 실생활에 유용한 지식을 강조함

② 인간이 살아가는 환경이 변하면 지식과 도덕도 발전해야 한다고 봄

2. 실용주의의 대표적 사상가

(1) 퍼스⑥

① 어떤 것이 옳으려면 반드시 쓸모가 있어야 함

② 과학적 탐구 방법을 거쳐 얻는 지식의 중요성을 강조함

(2) 제임스 [자료 04]

① 현금 가치⑦ 개념을 통해 지식과 신념의 유용성을 강조함 ┌─ 문학이나 철학처럼 실용성과 무관해 보이는 학문도 사람들이 의미 있는 삶을 사는 데 기여하므로 현금 가치를 지닌다.

② 지식은 문제를 해결하는 데 기여함으로써 우리의 삶을 향상하는 역할을 할 때 가치를 지님

③ 지식이나 신념이라고 여기는 것도 실생활에 유용하지 않으면 참된 가치가 없음

(3) 듀이

① 도구주의

- 지식은 그 자체가 목적이 아니라 문제 상황을 해결하기 위한 수단으로 형성됨 ➡ 실천을 위해 유용할 때만 의미가 있음
- 지식, 이론, 학문 등은 인간이 처한 환경에 적응하기 위한 수단, 즉 도구임

② 지성적 탐구

- 문제 상황을 해결해 가는 지성적인 과정을 통해 사회가 개선되고 진보함
- 창조적 지성을 갖춘 민주적 시민을 양성하는 것이 교육의 역할임

③ 도덕의 성장과 변화 [자료 05] [자료 06] ┌─ 듀이는 지성적인 방식의 문제 해결을 보장하는 정치 제도로서 민주주의를 강조하였다.

- 도덕이나 윤리는 고정된 것이 아니라 시대와 상황에 따라 변화하고 성장함 ➡ 고정적이고 절대적인 가치의 존재를 부정함
- 옳은 선택은 각자에게 당면한 도덕적 갈등 상황의 해결에 도움을 주는 판단임 ➡ 절대적인 도덕 법칙에 근거를 둔 판단이 아니라 지성적인 선택에 의거한 판단을 중시함
- 도덕적 인간은 지성을 최대한 발휘하여 각 상황에서 나 자신과 사회를 개선하고 성장·발전시킬 수 있는 윤리적 판단과 행위를 하는 사람임

3. 실용주의의 현대적 의의와 한계

(1) 의의

① 변화하는 상황에 대처하는 지성적 탐구를 강조해 다양한 사회 문제 해결에 기여함

② 가치의 다양성과 인간의 오류 가능성을 인정함으로써 사회적 갈등을 해결하고 현대 민주주의 사회가 정착하는 데 도움을 줌

(2) 한계

① 보편적인 도덕규범의 존재를 부정함으로써 윤리적 상대주의에 빠질 수 있음

② 실용성을 강조하므로 지식의 본래적 가치의 존재를 간과할 수 있음

⑤ **실용주의**
실용주의(pragmatism)는 그리스어 프라그마(pragma)에서 유래한 것으로, 프라그마는 행동, 행위, 실천의 뜻을 담고 있다.

⑥ **퍼스의 실용주의**
실용주의라는 말을 처음 사용한 미국의 퍼스는 진리는 실천적 성격을 지녀야 한다는 기준을 제시하였다. 예를 들어 "다이아몬드가 단단하다."라고 말하려면 칠판이나 유리에 대고 직접 긁어 보아야 한다는 것이다. 이처럼 퍼스는 관찰과 과학적인 실험을 거친 후에 얻는 결과를 강조하였다.

⑦ **현금 가치**
마치 현금처럼 우리가 실생활에서 사용할 수 있는 유용성을 지닌 가치

기출 선택지 O, X로 정리하기

자료 04 제임스의 실용주의

진리의 소유는 그 자체가 목표이기는커녕 다른 필수적인 만족을 위한 예비 수단일 뿐이다. 만일 내가 숲에서 길을 잃고 굶주리다가 소가 다니는 길처럼 보이는 것을 발견한다면, 가장 중요한 것은 내가 그 길 끝에 있는 집을 생각해야 한다는 것이다. 왜냐하면 내가 그렇게 해서 그 길을 따라간다면 살아날 수 있기 때문이다. 여기서 내 생각이 참인 이유는 그 대상인 집이 유용하기 때문이다. 따라서 참된 관념의 가치는 일차적으로 그 대상이 우리에게 실질적으로 중요하다는 데에서 나온다.　　　　　　　　　　　　　　　　　　　　　　　　－ 제임스, 『실용주의』 －

자료 분석 | 실용주의를 널리 확산시킨 제임스는 지식과 신념이 그 자체로서 가치를 갖는 것이 아니라 우리가 삶에서 직면하게 되는 문제를 해결해 줄 수 있는 유용성을 가질 때 의미가 있다고 보았다. 제임스는 마치 현금처럼 우리가 실생활에서 사용할 수 있는 유용한 가치를 중시하였다. 현금 가치를 지닌 지식이란 삶의 문제를 해결해 주거나 실생활을 편리하게 만들어 주는 지식을 말한다.

자료 05 듀이가 주장하는 도덕의 목적

정적인 성과나 결과보다는 성장, 개선, 진보의 과정이 의미 있는 것이다. 목적은 더 이상 도달해야 할 종착점이나 한계가 아니다. 그것은 현존하는 상황을 변화시키는 능동적인 과정이다. 최종적인 목표로서의 완성이 아니라, 완성시키고, 성숙해지고, 다듬어 가는 부단한 과정이 삶에서의 목표이다. 건강, 부, 학식과 마찬가지로 정직, 근면, 절제, 정의 또한 획득해야 할 고정된 목표를 표현하는 선이 아니다. 유일한 도덕적 목적은 성장 그 자체이다.　　　－ 듀이, 『철학의 재구성』 －

자료 분석 | 듀이는 지식인의 모델로서 창조적 지성을 제안하였다. 이는 여러 가능성을 탐구하면서 미래를 전망하고 창조하는 지성을 일컬으며, 틀에 박힌 추상적 이론이나 과거를 답습하는 것이 아닌, 지성의 힘으로 새로운 대안을 찾는 것을 말한다. 듀이는 도덕이나 윤리도 시대나 상황에 따라 변화하고 성장하므로 우리는 우리의 지성을 최대한 발휘하여 각 상황에서 자신의 삶을 개선하거나 사회를 진보시킬 수 있는 도덕 판단과 행위를 실천해야 한다고 주장한다.

자료 06 듀이가 생각한 도덕과 사회 환경의 관계

우리는 전쟁의 종식이나 산업에서의 정의(正義), 그리고 평등한 기회의 보장을 원할 수 있다. 하지만 아무리 '선의지'나 '황금률'을 설파하고, 사랑과 평등의 감정을 퍼뜨린다고 해도, 그 결과를 얻지는 못할 것이다. 문제는 (우리 환경의) 객관적인 조건이나 제도가 변해야 한다는 것이다. 우리는 단순히 사람들의 마음에만 손대는 데서 그치는 것이 아니라 환경에도 손을 대야 한다. 만약 그렇지 않으면, 사막에서 꽃이 필 수 있고, 정글에서 자동차가 달릴 수 있다고 생각하는 것과 같다. 이 두 가지는 오직 사막이나 정글을 변화시킴으로써, 어떤 기적도 없이 이루어질 수 있다.　　　　　　　　　　　　　　　　　－ 듀이, 『인간의 본성과 행위』－

자료 분석 | 듀이는 도덕이 우리가 살고 있는 사회 환경과 긴밀한 관계를 맺고 있다고 보았다. 따라서 듀이는 사회 환경에 맞추어 객관적인 조건이나 제도를 바꾸는 것이 실질적인 삶에서 도덕적으로 중요한 문제라고 여겼다.

1 제임스는 좋은 결과를 가져오는 신념은 옳은 것이라고 본다.
(O , X)

2 제임스는 확고부동하고 절대적인 진리를 추구해야 한다고 본다.
(O , X)

3 제임스는 경험과 관찰에 의해 실용성이 증명된 진리가 참된 진리라고 본다.
(O , X)

4 듀이는 상황에 따라 지식의 타당성이 가변적일 수 있다고 본다.
(O , X)

5 듀이는 사회 전통과 관습에 근거한 도덕 규범만을 따라야 한다고 본다.
(O , X)

6 듀이는 현재 상황의 개선보다 고정불변한 가치 추구에 힘써야 한다고 본다.
(O , X)

7 듀이는 진리는 인간의 삶과 무관하게 보편성을 지님을 깨달아야 한다고 본다.
(O , X)

8 듀이는 문제 해결에 도움이 될 때 지식은 비로소 가치를 지닌다고 본다.
(O , X)

9 듀이는 지식이 삶에서 부딪히는 문제 상황을 해결하기 위한 도구라고 본다.
(O , X)

정답　1 O　2 ×　3 O　4 O　5 ×
　　　6 ×　7 ×　8 O　9 O

07. 현대의 윤리적 삶 **179**

1 주체적 결단과 실존

실존주의	• 의미: 지금 여기에 있는 인간을 강조하는 사상 • 등장 배경: 근대 (❶　　　　)의 문제점인 개인 삶의 경시, 인간 소외와 같은 사회적 문제를 해결하고자 등장함
키르케고르	• 신 앞에 선 (❷　　　　)로서 생각하고 행동해야 참된 실존을 회복할 수 있음 • 실존적 상황에서 주체성만이 답을 줄 수 있음 • 참된 실존의 과정: 심미적 단계 → 윤리적 단계 → (❸　　　) 단계
야스퍼스	• (❹　　　　)은 이성과 과학의 힘으로는 해결이 불가능함 • 자신의 유한성을 자각함으로써 참된 실존을 회복할 수 있음
하이데거	• (❺　　　　)는 이 세계 속에 던져진 존재로서 자신이 죽음에 이르는 존재임을 알고 늘 불안과 염려 속에 살아감 • (❻　　　)에 대한 자각과 불안을 통해 자신의 진정한 실존에 대해 성찰하게 됨
사르트르	• "(❼　　　)은 본질에 앞선다." • 인간은 먼저 실존한 후에 자기 자신의 모습과 본질을 스스로 만들어 가야 함

2 실용주의와 문제 해결의 유용성

실용주의	• 등장 배경: 산업화와 도시화로 다양한 사회 문제와 갈등이 발생함 • 특징: 실생활에 유용한 지식을 강조함
퍼스	• 어떤 것이 옳으려면 반드시 쓸모가 있어야 함 • 과학적 탐구 방법의 중요성을 강조함
제임스	• (❽　　　) 개념을 통해 지식과 신념의 유용성을 강조함 • 지식은 문제 해결에 기여하여 우리 삶을 향상할 때 가치를 지님 • 지식이나 신념은 실생활에 유용하지 않으면 참된 가치가 없음
듀이	• 지식은 인간이 처한 환경에 적응하기 위한 수단으로, 실천을 위해 유용할 때만 의미가 있음 • 문제 상황을 해결해 가는 (❾　　　) 과정을 통해 사회가 개선되고 진보함 • 도덕이나 윤리는 시대와 상황에 따라 변화하고 성장함 • 도덕적 인간은 지성을 최대한 발휘하여 자신과 사회를 개선하고 발전시킬 수 있는 윤리적 판단과 행위를 하는 존재임

정답 ❶ 이성주의 ❷ 단독자 ❸ 종교적 ❹ 한계 상황 ❺ 현존재 ❻ 죽음 ❼ 실존 ❽ 현금 가치 ❾ 지성적

01 ㉠ 사상에 대한 설명으로 가장 적절한 것은?

> 보편적인 도덕 법칙이나 도덕 원리를 추구하였던 근대 윤리학은 인간 존엄성과 다수의 행복을 추구하라는 처방을 제시하였지만, 구체적인 해결책을 제시하지 못하는 한계를 드러냈다. 이러한 배경에서 근대 윤리학에 대한 반성과 함께 한계를 극복하고자 하는 노력이 나타났다. 이러한 노력의 일환으로 객관성과 보편성 대신 구체적이고 개별적인 상황에 직면하여 선택하고 결단해야 하는 개인을 강조하는 　㉠　이/가 등장하게 되었다.

① 개인의 주체적인 삶과 개별성을 존중한다.
② 지식의 실천적 유용성을 최고 가치로 삼는다.
③ 이성을 통한 절대적 진리의 발견을 신뢰한다.
④ 선의지에 근거한 인간의 도덕적 의무를 강조한다.
⑤ 불변하는 보편적 도덕 법칙을 준수해야 한다고 본다.

02 그림은 어느 학생의 노트 필기의 일부이다. ㉠~㉢ 중 옳지 <u>않은</u> 것은?

> [학습 주제] 실존주의 윤리 사상
> 1. 특징
> • 인간의 실존 문제를 중시함
> • 개별 인간의 선택과 결단을 강조함 ·············· ㉠
> 2. 대표 사상가
> • 키르케고르: '신 앞에 선 단독자'를 주장함 ········ ㉡
> • 야스퍼스: '한계 상황'을 이성의 힘으로 극복할 것을 강조함 ····································· ㉢
> • 사르트르: "실존은 본질에 앞선다."라고 주장하면서 신은 없다고 주장함 ··························· ㉣
> • 하이데거: 인간은 죽음에 대한 자각을 통해 참된 실존을 회복할 수 있음을 강조함 ··············· ㉤

① ㉠　　② ㉡　　③ ㉢　　④ ㉣　　⑤ ㉤

03 다음 사상가가 부정의 대답을 할 질문으로 가장 적절한 것은?

> "인간은 스스로 만들어 가는 것 이외에는 아무것도 아니다." 이것이 실존주의의 제1원칙이다. 사람들은 이것을 주체성이라고 부른다. 이것이 인간을 돌이나 탁자보다 더 존엄한 것으로 만든다.

① 인간의 실존은 본질에 앞서는 것인가?
② 인간은 목적 없이 세계에 내던져진 존재인가?
③ 인간은 자신의 운명을 스스로 창조해야 하는가?
④ 인간은 자신의 실존에 대해 책임지는 존재인가?
⑤ 인간은 이성을 완벽히 사용하여 필연을 인식해야 하는가?

04 ㉠에 들어갈 말로 가장 적절한 것은?

> 실존이란 항상 '이것이냐 저것이냐'를 선택해야 하는 구체적 상황에 처한 개인이다. 이러한 선택의 상황에서 인간은 늘 불안을 느끼며 그 결과 선택의 결정을 회피하면서 빠지게 되는 절망을 　㉠　이라고 일컫는다. 스스로 신을 믿고 따르리라 결단할 때, 비로소 불안과 절망을 극복할 수 있다.

① 한계 상황
② 신에 대한 믿음
③ 죽음에 이르는 병
④ 내던져진 존재로서의 불안
⑤ 인간의 유한성에 대한 인식

05 다음 사상가의 입장으로 옳은 것을 〈보기〉에서 고른 것은?

> 인간이란 '지금 여기에 구체적으로 있는 인간' 즉 '현존재'이다. 인간은 '지금'이라는 시간과 '여기'라는 장소에 한정되어 있으므로 근본적으로 불안과 염려를 가지고 있을 수밖에 없는 존재이다. 하지만 인간은 유한한 삶을 인식하고 죽음에 대한 위기감을 느끼기 때문에 진정한 자신을 발견할 수 있다.

┤ 보기 ├
ㄱ. 인간은 주체적인 삶의 태도를 가져야 한다.
ㄴ. 인간의 실존보다 보편적 도덕 법칙을 중시해야 한다.
ㄷ. 던져진 존재인 인간은 삶의 유한성을 자각할 수 있다.
ㄹ. 죽음을 미리 체험하면 실존에 도달하는 것은 불가능하다.

① ㄱ, ㄴ　　　② ㄱ, ㄷ　　　③ ㄴ, ㄷ
④ ㄴ, ㄹ　　　⑤ ㄷ, ㄹ

06 다음 사상가가 지지하는 입장으로 가장 적절한 것은?

> 인간은 이성에 의한 객관성과 보편성을 통해 해결할 수 없는 상황이 있음을 인식하고 이를 직시함으로써 참된 자기 실존을 이해할 수 있고, 신에 대한 경험도 하게 됩니다.

① 죽음은 인간이 극복할 수 있는 상황이다.
② 신에 대한 경험은 실존 회복에 방해가 된다.
③ 인간은 끊임없이 한계 상황을 회피해야 한다.
④ 한계 상황은 이성의 힘으로는 해결할 수 없다.
⑤ 인간은 고도의 훈련을 통해 고통을 극복해야 한다.

07 갑, 을 사상가의 입장으로 옳은 것은?

> 갑: 사물은 본질이 실존에 앞선다. 하지만 인간은 사물과 달리 실존 그 자체가 본질에 앞선다. 인간은 실존, 즉 살고 있는 그 몸 자체가 먼저 존재해야 '인간'이라는 관념이 존재할 수 있다.
>
> 을: 인간은 절망이라는 죽음에 이르는 병에 직면하고 있다. 인간은 미적 단계에서 윤리적 단계로, 윤리적 단계에서 다시 신 앞에 홀로 서는 종교적 단계로 도약해야 절망을 극복할 수 있다.

① 갑: 신 앞에서 선 자신을 발견하여 절망에서 벗어나야 한다.

② 갑: 무조건적인 충동을 억제하기 위해 선한 의지를 따라야 한다.

③ 을: 주관적인 진리를 극복하기 위해 이성에 따라 살아야 한다.

④ 을: 인간은 신앙을 통해 주체적인 자신의 참모습을 자각해야 한다.

⑤ 갑, 을: 자유로운 선택과 결단이 아닌 보편적인 도덕 원리를 따르는 삶을 살아야 한다.

08 다음 사상가의 입장으로 옳은 것을 〈보기〉에서 고른 것은?

> 인간의 실존은 피할 수 없는 투쟁, 고통, 죽음, 죄에 대한 책임과 같은 한계 상황에서 발견된다. 인간은 그 상황에서 좌절을 통해 자신을 넘어서는 존재 자체로 나아갈 때 참된 실존에 도달한다.

┤ 보기 ├

ㄱ. 타자와 연대하여 실존을 회복할 수 있다.

ㄴ. 합리적 사유를 통해 객관적 실존을 찾아야 한다.

ㄷ. 자유로운 결단으로 참된 자아를 회복할 수 있다.

ㄹ. 한계 상황을 극복하기 위해 초월자와 단절해야 한다.

① ㄱ, ㄴ   ② ㄱ, ㄷ   ③ ㄴ, ㄷ
④ ㄴ, ㄹ   ⑤ ㄷ, ㄹ

09 현대 서양 사상가 갑이 근대 서양 사상가 을에게 제기할 수 있는 비판으로 가장 적절한 것은?

> 갑: 인간은 죽음을 향해 자각적으로 미리 달려가 봄으로써 극적으로 고독해지며, 그 과정에서 세속적 가치에 대한 집착으로부터 벗어나 나 자신의 충만하고 고귀한 존재인 진정한 '자기'에 직면하게 된다.
>
> 을: 인간은 신에 대한 이성적 인식을 통해 진정한 자유인이 될 수 있다. 왜냐하면 모든 것은 신의 본성의 필연성으로부터 생겨나며 또한 자연의 영원한 법칙에 따라 생겨나기 때문이다.

① 인간은 합리적 사유보다 주체적 결단을 통해 실존을 확립하는 존재임을 간과하고 있다.

② 인간은 인격신에 귀의함으로써 보편적인 본질을 회복해야 하는 존재임을 간과하고 있다.

③ 인간은 자연의 필연적인 질서를 인식하고 운명에 순응해야 하는 존재임을 간과하고 있다.

④ 인간은 삶의 객관적인 목적을 실현하기 위해 실존을 회복해야 하는 존재임을 간과하고 있다.

⑤ 인간은 현존재의 본질을 회복하기 위해 죽음에 대한 불안을 회피해야 하는 존재임을 간과하고 있다.

10 다음 현대 서양 사상가가 긍정의 대답을 할 질문을 〈보기〉에서 고른 것은?

> 인간은 '이것이냐 저것이냐'를 선택해야 하는 상황에서 죽음에 이르는 병에 빠진다. 인간은 이를 극복하기 위해 스스로 신을 믿고 따를 것을 결단해야 한다.

┤ 보기 ├

ㄱ. 인간은 신 앞에 선 단독자가 되어야 하는가?

ㄴ. 인간은 이성을 통해 자아를 확립해야만 하는가?

ㄷ. 인간은 실존 과정의 윤리적 단계에서 절망에 빠질 수 있는가?

ㄹ. 인간은 정해진 본질을 따르기만 하면 절망을 극복할 수 있는가?

① ㄱ, ㄴ   ② ㄱ, ㄷ   ③ ㄴ, ㄷ
④ ㄴ, ㄹ   ⑤ ㄷ, ㄹ

11 다음 사상가의 입장으로 옳은 것은?

> 성장 그 자체만이 도덕의 유일한 목적이다. 어떠한 개인이나 집단도 그들이 어떤 방향으로 나아가고 있느냐에 따라 판단되어야 한다. 악한 사람이란 그가 지금까지 아무리 선했다고 하더라도 현재 타락하기 시작하고 점점 덜 선해지기 시작하는 사람이다. 선한 사람이란 그가 지금까지 아무리 도덕적으로 무가치했다고 하더라도 현재 더 선해지기 시작하는 사람이다.

① 절대적인 최고선을 추구해야 한다.
② 지식은 문제 해결을 위한 도구일 뿐이다.
③ 지식 그 자체를 목적으로 추구해야 한다.
④ 가치는 상대적이거나 다양한 것일 수 없다.
⑤ 지식은 문제 상황을 해결하는 수단이 될 수 없다.

13 현대 서양 사상가 갑, 근대 서양 사상가 을의 공통적인 입장으로 가장 적절한 것은?

> 갑: 진리란 탐구에 의해 확인된 신념이나 지식에 불과하다. 인간의 사고나 관념은 더 나은 사회를 만들기 위한 도구이며 이것이 환경과 조화를 이룰 때 진리가 된다.
> 을: 인간은 자연의 사용자로서 자연의 질서를 고찰한 것만큼 무엇인가를 할 수 있다. 자연에 대한 더 나은 해석은 오직 사례에 의해 적절하고 타당한 실험에 의해 얻을 수 있다.

① 지식이 인간을 위한 수단으로 취급되어서는 안 된다.
② 인간은 논리적 추론을 통해서만 진리를 획득할 수 있다.
③ 선악은 인간의 현실을 초월해 존재하는 보편적 가치이다.
④ 자연 과학적 탐구를 통해 인간의 삶의 질을 향상시킬 수 있다.
⑤ 인간은 동물과 달리 절대 불변하는 도덕적 가치를 추구해야 한다.

12 다음 사상가의 입장으로 옳은 것을 〈보기〉에서 고른 것은?

> 진리를 소유한다는 것은 중요한 다른 만족을 취하기 위한 수단이다. 어떤 신념이 참이라고 한다면 실천적 경험에 있어 그 신념의 현금 가치(cash value)가 무엇인지 물을 수 있어야 한다. 형이상학적 용어나 개념도 마찬가지로 현금 가치를 지녀야 한다.

┤ 보기 ├
ㄱ. 지식은 인간 삶을 위한 도구에 불과하다.
ㄴ. 어떤 행위의 가치는 행위의 동기에서 비롯된다.
ㄷ. 삶의 문제 해결에 유용한 지식을 추구해야 한다.
ㄹ. 시공을 초월한 고정불변의 가치를 추구해야 한다.

① ㄱ, ㄴ   ② ㄱ, ㄷ   ③ ㄴ, ㄷ
④ ㄴ, ㄹ   ⑤ ㄷ, ㄹ

14 다음 현대 서양 사상가가 긍정의 대답을 할 질문을 〈보기〉에서 고른 것은?

> 목적은 도달해야 할 종착점이 아니라 현재 상황을 변화시키는 능동적인 과정이다. 정직, 근면, 절제, 정의도 고정된 목적으로 삼아야 할 선(善)들은 아니다. 그것은 경험의 질적인 변화의 방향이다.

┤ 보기 ├
ㄱ. 지식은 실용을 지니고 있어야 하는가?
ㄴ. 도덕은 그 자체로 내재적 가치를 지니는가?
ㄷ. 진리는 경험과 관찰을 통해 획득될 수 있는가?
ㄹ. 고정불변의 도덕 법칙만을 진리로 보아야 하는가?

① ㄱ, ㄴ   ② ㄱ, ㄷ   ③ ㄴ, ㄷ
④ ㄴ, ㄹ   ⑤ ㄷ, ㄹ

15 다음은 실존주의 사상가의 주장이다. ㉠~㉢이 무엇인지 쓰고, 이 사상가의 실존 회복 방법에 대해 서술하시오.

> ㉠ 단계에서는 미적 쾌락에 만족하는 행동을 선택하지만 관능적 만족만을 추구하다 보면 무책임과 방종으로 인격의 동요를 겪게 된다. 이에 책임이나 진실을 의식하는 ㉡ 단계로 나아가 선하게 살고자 노력한다. 그러나 아무리 윤리적으로 살아간다 해도 언젠가는 죽음에 이르게 되며, 죽음을 의식하는 순간 인간은 불안에 휩싸인다. 따라서 죽음의 불안 앞에서 절망하지 않고 무한한 존재인 신 앞에 다가서는 결단을 내림으로써 ㉢ 에 이르게 되는데 이때 참된 자기에 도달할 수 있다.

16 다음 사상가의 입장에서 밑줄 친 '한계 상황'의 예시를 쓰고, 참된 실존을 회복하는 방법을 서술하시오.

> 나는 투쟁이나 고통 없이는 살아갈 수 없다는 사실, 나는 죽지 않으면 안 된다는 사실, 이러한 사실을 나는 한계 상황이라고 한다. 한계 상황은 내가 더 이상 앞으로 나아가지 못하고 좌절하는 하나의 벽과 같은 것이다.

17 다음 사상가가 '실존은 본질에 앞선다'라고 주장한 의미를 서술하시오.

> 인간은 정의될 수 없다. 왜냐하면 인간은 처음에 아무것도 아닌 존재이기 때문이다. 나중에야 비로소 그는 무엇이 될 수 있으며, 그 스스로 되고자 하는 존재를 만들어 가게 될 것이다. 이처럼 인간의 본성이란 본래부터 있는 것이 아니다. 왜냐하면 그것을 구상할 신이 없기 때문이다.

18 다음 사상가의 도덕에 대한 관점을 서술하시오.

> 정적인 성과나 결과보다는 성장, 개선, 진보의 과정이 의미 있는 것이다. 목적은 더 이상 도달해야 할 종착점이나 한계가 아니다. 그것은 현존하는 상황을 변화시키는 능동적인 과정이다. 최종적인 목표로서의 완성이 아니라, 완성시키고, 성숙해지고, 다듬어 가는 부단한 과정이 삶에서의 목표이다. 건강, 부, 학식과 마찬가지로 정직, 근면, 절제, 정의 또한 획득해야 할 고정된 목표를 표현하는 선이 아니다. 유일한 도덕적 목적은 성장 그 자체이다.

| 평가원 응용 |

01 현대 서양 사상가 갑, 을의 입장으로 옳은 것은?

> 갑: 많은 사람이 인생의 기쁨이나 걱정에 마음을 빼앗겨 헛된 나날을 보내고 있다. 그러나 이들은 신 앞에 선 단독자로서 주체적 결단을 내려야 한다.
> 을: 죽음을 향해 자각적으로 미리 달려가 봄으로써 현존재는 극적으로 고독해지며, 그 과정에서 세속적 가치에 대한 집착에서 벗어나 나 자신의 충만하고 고귀한 존재, 즉 진정한 '자기'에 직면하게 된다.

① 갑: 신이 곧 자연임을 자각할 때, 참된 실존에 이르게 된다.
② 갑: 인간은 윤리적 실존 단계에 이르더라도 결국 절망에 빠진다.
③ 을: 현존재의 본질 회복을 위해 죽음에 대한 불안을 회피해야 한다.
④ 을: 일상적이고 공통적인 삶의 방식을 통해 본래적 실존이 회복된다.
⑤ 갑, 을: 인간은 실존적 상황 속에서 객관적인 진리를 추구해야 한다.

| 수능 기출 |

02 갑, 을은 서양 사상가들이다. 갑이 을에게 제기할 수 있는 비판으로 가장 적절한 것은?

> 갑: 인간의 본질을 구상하는 신은 존재하지 않는다. 인간은 스스로가 구상하는 무엇이며 스스로가 원하는 무엇일 뿐이다. 세계 속에 던져진 인간은 스스로 선택하며 자신이 하는 모든 것에 책임을 져야 한다.
> 을: 인간의 진정한 행복은 신 또는 자연에 대한 지적인 사랑으로부터 생겨난다. 신에 대한 인간의 지적 사랑은 신이 자기 자신을 사랑하는 무한한 사랑의 일부이다. 인간에 대한 신의 사랑과 신에 대한 인간의 지적 사랑은 똑같다.

① 인간은 신적 본성의 필연성에 의해 존재함을 모르고 있다.
② 인간은 자유 의지에 따라 행동할 수 있음을 모르고 있다.
③ 보편적 법칙에 대한 순응이 실존 회복의 근거임을 모르고 있다.
④ 행복을 누리려면 이성을 통해 감정을 순화해야 함을 모르고 있다.
⑤ 신은 만물의 초월적 원인이 아니라 내재적 원인임을 모르고 있다.

| 평가원 응용 |

03 현대 서양 사상가 갑, 을의 입장으로 옳은 것은?

> 갑: 인간은 실존하게 된 이후에 스스로에 대해 구상하고 바라는 대로 있게 된다. 이것이 실존주의의 제1원리이다.
> 을: 절망은 죽음에 이르는 병이다. 절망에 의한 죽음은 언제나 자기를 삶 가운데로 옮겨 놓는다. 절망한 사람은 죽을 수가 없다.

① 갑: 인간은 자신이 선택한 주체적 삶에 대해 책임감을 가져야 한다.
② 갑: 인간은 삶의 객관적 목적 실현을 위해 실존을 회복해야 한다.
③ 을: 실존의 최고 단계에서 보편적 윤리 규범만을 따라야 한다.
④ 을: 인간은 주체적 결단보다 합리적 사유를 통해 자아를 확립해야 한다.
⑤ 갑, 을: 자신의 실존을 깨닫기 위해서는 신의 존재를 거부해야 한다.

| 평가원 응용 |

04 (가)의 현대 서양 사상가 갑, 을의 입장을 (나) 그림으로 탐구하고자 할 때, A~C에 들어갈 옳은 질문만을 〈보기〉에서 고른 것은?

> (가)
> 갑: 인간은 자유롭도록 선고받았다. 인간은 스스로를 창조한 것이 아니기 때문에 자유롭도록 선고받은 것이요, 세상에 내던져진 이상 자신이 행하는 모든 것에 대해서 책임이 있기 때문에 자유로운 것이다.
> 을: 인간 실존에는 심미적 단계, 윤리적 단계, 종교적 단계가 있다. 종교적 실존에서 인간은 초월적 신과의 만남을 통해 신 앞에 선 단독자로서 자신의 삶을 책임지는 존재가 된다.

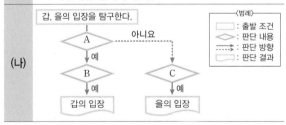

(나)

| 보기 |

ㄱ. A: 보편적 진리가 실존 문제를 해결해 주는가?
ㄴ. B: 주체적 결단을 통한 선택에 책임을 져야 하는가?
ㄷ. C: 윤리적 실존 단계에서 절망을 극복할 수 있는가?
ㄹ. C: 선택을 피할 수 없는 상황에서 절망에 빠지는가?

① ㄱ, ㄴ   ② ㄱ, ㄷ   ③ ㄴ, ㄷ
④ ㄴ, ㄹ   ⑤ ㄷ, ㄹ

| 교육청 기출 |

05 현대 서양 사상가 갑, 을, 병의 입장으로 옳지 <u>않은</u> 것은?

> 갑: 인간은 항상 '이것이냐, 저것이냐'를 선택해야 하는 상황에 놓여 있다. 이러한 상황에서 개인은 주체적인 결단을 회피하면서 죽음에 이르는 병, 즉 절망에 빠지게 된다.
>
> 을: 인간은 다른 존재와 달리 자신의 존재에 관심을 가지고 그 존재 방식을 스스로 결정한다. 이런 이유로 나는 인간을 세계 내에 있는 구체적인 존재, 즉 '현존재'라고 부른다.
>
> 병: 인간은 사물과 달리 미리 결정된 본질을 지니고 이 세계에 존재하는 것이 아니다. 인간은 먼저 존재하고 스스로 만들어가는 것 이외에 아무것도 아니다.

① 갑: 단독자에게 진리는 객관적이거나 합리적인 것이 아니다.

② 을: 인간만이 자신의 존재 의미에 대해 물을 수 있는 존재이다.

③ 병: 인간은 선택의 자유를 갖지만 자유 자체는 선택할 수 없다.

④ 갑, 병: 신을 믿고 따르기로 결정함으로써 실존의 회복이 가능하다.

⑤ 갑, 을, 병: 불안이라는 감정은 실존적 이해의 중요한 계기이다.

| 교육청 응용 |

06 다음 가상 대화에서 선생님이 강조하는 삶의 태도로 가장 적절한 것은?

> 학　생: 선생님, 스스로 도덕규범을 지키면 불안으로 인한 절망을 극복할 수 있나요?
>
> 선생님: 아닙니다. 윤리적 실존 단계에서는 다시 절망하게 됩니다.
>
> 학　생: 어떻게 해야 절망에서 벗어날 수 있을까요?
>
> 선생님: 종교적 실존의 단계로 도약하여 참된 자신을 회복해야 합니다.

① 합리성을 바탕으로 보편적 선을 추구해야 한다.

② 개인의 주체성을 부정하고 계율을 지켜야 한다.

③ 객관적인 본질을 파악하여 고통을 제거해야 한다.

④ 불안을 일으키는 선택을 회피하고 도덕규범에 따라야 한다.

⑤ 신 앞에 홀로 서서 신에게 귀의할 것을 스스로 결단해야 한다.

| 교육청 기출 |

07 현대 서양 사상가 갑이 〈문제 상황〉의 K에게 제시할 수 있는 조언으로 가장 적절한 것은?

> 갑: 이것이냐 저것이냐를 선택해야 하는 상황에 놓여 있는 인간은 늘 불안을 느낀다. 이런 상황에서 선택의 결정을 회피할 경우 절망에 빠지게 된다. 이 절망에서 벗어나려면 종교적 실존으로의 도약이 필요하다.
>
> 〈문제 상황〉
>
> K는 최근 존경하고 사랑하는 아버지를 여의었다. K는 삶의 지표로 삼았던 아버지와의 갑작스런 이별을 겪으면서 깊은 슬픔과 불안에 사로잡혀 삶에 대한 회의를 느끼고 있다.

① 슬픔을 잊을 수 있도록 감각적 즐거움을 추구하라.

② 모든 생각과 행동을 신에게 내맡기겠다고 결단하라.

③ 무엇에도 의지하지 말고 스스로 나아갈 길을 찾아라.

④ 인간의 필연성을 이성적으로 인식하고 고통을 견뎌라.

⑤ 신과 삶에 대한 객관적 진리를 찾기 위해서 노력하라.

| 교육청 기출 |

08 다음 가상 편지를 쓴 현대 서양 사상가의 입장으로 가장 적절한 것은?

> ○○에게
>
> 인간의 실존과 불안에 대해 고민하는 자네의 편지를 잘 읽어 보았네. 내 생각에 인간이란 자유로운 결단을 통해 실존에 이르기 위한 세 단계를 거친다네. 이는 심미적, 윤리적, 종교적 단계로 인간은 이러한 과정을 거쳐 신 앞에 단독자로 서게 된다네. 이로써 단독자는 모든 죄가 전적으로 자신의 오만한 행위로부터 비롯되었다는 것을 인정하고 뉘우치게 된다네.

① 인간의 보편적 본질을 확립하여 한계 상황을 해결해야 한다.

② 신에 의지하려는 주체적 결단을 통해 절망을 극복해야 한다.

③ 실존적 상황에서 합리적 이성만으로 주체성을 확립해야 한다.

④ 종교적 단계를 극복함으로써 윤리적 실존 단계에 도달해야 한다.

⑤ 개별성에서 벗어나 대중과 연대하여 실존적 불안을 극복해야 한다.

| 수능 응용 |
09 다음 사상가가 지지할 주장으로 옳지 <u>않은</u> 것은?

> 많은 사람들은 학문의 탐구를 통해 오류가 없는 지식을 찾을 수 있다고 믿었습니다. 그러나 이제는 지식에 대한 그러한 믿음을 바꾸어야 합니다. 아름다움과 종교 등에 관한 사변적 지식은 도구적 목적과 다른 길을 가고 있습니다. 사변적 지식은 도구적 목적과 관련될 때에만 일상의 일부가 되며, 우리의 삶 깊은 곳까지 실질적인 영향을 줄 수 있습니다. 이처럼 과학도 진리 그 자체를 위한 학문이 아니라 사회적 목적에 유용한 것이 되어야 합니다. 일상과 무관하게 진리 그 자체를 목적으로 삼는 사변적 학문과 과학은 사회에 무책임한 학자들에게 위안을 줄 뿐입니다.

① 과학적 지식과 도덕적 지식은 삶을 개선할 때 가치를 지닌다.
② 과학적인 검증으로 확실하고 절대적인 진리를 발견해야 한다.
③ 지식은 환경 적응 능력을 향상하기 위한 도구가 되어야 한다.
④ 문제 상황을 해결하는 데 유용한 이론과 지식을 중시해야 한다.
⑤ 학문적인 탐구는 사회의 진보나 성장을 위한 수단이 되어야 한다.

| 교육청 기출 |
10 다음을 주장한 서양 사상가의 입장으로 옳은 것은?

> 개인이나 집단은 그들이 어떤 고정된 결과에 접근하느냐 못하느냐가 아니라, 어떤 방향으로 나아가고 있느냐에 따라 그 가치가 판단되어야 한다. 예를 들어, 건강의 경우 절대적이고 고정된 목적으로서의 건강이 선이 아니라 건강의 증진이 선이다. 성장 그 자체만이 유일한 도덕적 목적이다.

① 도덕은 다른 무엇의 수단이 아니라 그 자체가 목적이다.
② 문제 해결에 도움이 될 때 지식은 비로소 가치를 지닌다.
③ 도덕적 성장을 위해서는 절대적 도덕 법칙을 따라야 한다.
④ 모든 학문의 궁극 목적은 불변의 진리를 발견하는 것이다.
⑤ 도덕적 규범은 상황과 무관하게 보편타당성을 지녀야 한다.

| 수능 응용 |
11 근대 서양 사상가 갑, 현대 서양 사상가 을의 입장으로 옳은 것만을 〈보기〉에서 고른 것은?

> 갑: 우상(偶像)은 인간의 정신을 혼미하게 하며, 우리가 얻을 수 있는 진리를 얻지 못하게 한다. 이러한 우상을 몰아낼 수 있는 유일한 방법은 참된 귀납법으로 개념과 공리(公理)를 형성하는 것이다.
> 을: 절대적 진리는 존재하지 않으며, 지식은 문제 해결의 도구이다. 과학과 신기술은 가치 있는 새로운 자원을 주는 강력한 도구이다. 이러한 도구를 인간의 목적을 위해 사용할 수 있게 해 줄 효과적인 도덕의 재구성이 필요하다.

| 보기 |
ㄱ. 갑: 우상 타파를 위한 최선의 방법은 삼단 논법이다.
ㄴ. 을: 실험과 지성적 탐구를 통해 진리를 추구해야 한다.
ㄷ. 을: 지식의 유용성보다 자명한 지식의 발견을 중시해야 한다.
ㄹ. 갑, 을: 자연 과학적 방법을 통해 인간의 삶을 개선할 수 있다.

① ㄱ, ㄷ   ② ㄱ, ㄷ   ③ ㄴ, ㄷ
④ ㄴ, ㄹ   ⑤ ㄷ, ㄹ

| 수능 응용 |
12 사상가 갑, 을의 입장에 대한 설명으로 옳지 <u>않은</u> 것은?

> 갑: 진리는 개인의 결단에 달려 있는 것이다. 개체로서 개별자인 나 자신이 보편적인 것보다 높은 데 있고 그러한 개별자 내가 절대자인 신과 절대적 관계에 있다는 역설적 진리를 깨달아야 한다.
> 을: 도로의 유용성이 노상 강도의 이익에 의해 측정될 수는 없다. 그 가치는 도로로서의 효율성과 그 실제 기능 여부에 의해 측정된다. 진리를 측정하는 척도로서의 유용성도 마찬가지이다.

① 갑은 신을 따르는 것이 불안과 절망을 극복하는 길이라고 본다.
② 갑은 실존의 문제는 오직 주체적 결단을 통해 해결된다고 본다.
③ 을은 진리를 고정된 것이 아니라 변화하고 발전하는 것으로 본다.
④ 을은 지식을 얻기 위해서는 관찰과 실험이 모두 중요하다고 본다.
⑤ 갑, 을은 경험적 탐구로 보편적 도덕 기준을 발견해야 한다고 본다.

01. 사상의 연원

① 고대 그리스 사상과 헤브라이즘

- 고대 그리스 사상의 특징: 신화적 세계관을 탈피해 인간의 경험과 이성을 중시함
- 헤브라이즘의 특징: 신을 중심으로 하는 윤리 사상을 제시함

② 규범의 다양성과 보편 도덕

윤리적 상대주의	인간의 모든 판단은 상대적일 뿐 절대적이고 보편적인 것은 없다는 주장
소피스트	인간의 감각적 경험을 지식과 도덕 판단의 근원으로 봄
윤리적 보편주의	보편타당한 윤리가 존재하며, 인간의 이성을 통해 보편적 윤리를 파악할 수 있다는 주장
소크라테스	덕은 보편적인 것이고, 덕이 무엇인지 아는 사람은 덕을 실천하게 되어 있음

02. 덕

① 영혼의 정의와 행복

플라톤의 주장

이데아	존재의 참모습이자 모든 감각적인 개별 사물에 공통되는 보편적이고 절대적인 본질
정의로운 인간과 국가	• 정의로운 인간: 영혼이 조화를 이루며 지혜, 용기, 절제, 정의의 사주덕을 실현하는 사람 • 정의로운 국가: 철학자, 군인, 생산자가 조화를 이루고, 철학자가 통치하는 사회

② 이론과 실천의 탁월성과 행복

행복	• 모든 것에는 목적이 있고, 인간의 궁극적인 목적은 행복임 • 품성적 덕과 지성적 덕을 조화롭게 발휘하면 참된 행복에 이를 수 있음
덕	• 품성적 덕: 영혼의 감각과 욕구의 기능이 이성의 명령에 따를 때 얻을 수 있는 덕 • 지성적 덕: 영혼의 순수하게 이성적인 기능이 탁월하게 작용할 때 얻을 수 있는 덕

아리스토텔레스의 주장

03. 행복 추구의 방법

① 쾌락 추구와 평정심

에피쿠로스학파의 주장

평정심	감각적이고 순간적인 쾌락이 아닌 정신적이고 지속적인 쾌락
참된 쾌락에 이르는 방법	• 필수적이지 않은 욕구를 자제하고, 필수적인 욕구를 최소한으로 충족함 • 공적인 삶에서 벗어나 은둔 생활을 함

② 금욕과 부동심

부동심	정념에서 벗어나 어떠한 외부적 상황에서도 흔들리지 않는 정신의 평온함
부동심에 이르는 방법	• 자연의 필연적 질서와 법칙에 순응해야 함 • 자연의 모든 일은 신에 의해 운명지어진 것임

스토아학파의 주장

04. 참된 신앙

① 그리스도교와 사랑의 윤리

그리스도교	선민사상과 율법주의를 비판한 예수의 가르침을 기초로 함
아우구스티누스	• 플라톤의 사상을 수용해 독자적으로 해석함 • 신에 대한 사랑을 강조함

② 그리스도교와 자연법 윤리

아퀴나스	• 아리스토텔레스 사상의 영향을 받음 • 이성을 통해 신의 존재를 증명함
종교 개혁	루터는 부패한 교회의 행태를 비판하였고, 칼뱅이 예정설을 주장함

05. 도덕의 기초

① 도덕적인 삶과 이성
→ 이성주의: 도덕적 판단과 행동의 근거가 이성에 있다고 보았고, 연역법을 중시함

스피노자	• 자연은 존재하는 유일한 실체이고, 인간을 포함한 개별 사물은 여러 가지 모습의 양태임 • 이성을 통해 자연의 필연성을 인식하고 수동적 감정인 정념을 올바르게 조절해야 함

② 도덕적인 삶과 감정
→ 경험주의: 도덕적 삶의 근거를 인간의 경험과 감정에서 찾았고, 귀납법을 중시함

흄	• 도덕적 판단과 행위의 주요 원인은 이성이 아니라 감정임 • 도덕적 선악은 이성으로 판단하는 것이 아니라 시인·부인의 감정을 표현한 것

06. 옳고 그름의 기준

① 의무론과 칸트주의

의무론	언제 어디에서나 인간이 지켜야 할 행위의 원칙에 주목하는 윤리 이론
칸트	• 선의지: 어떤 행위를 오로지 그것이 옳다는 이유 때문에 실천하려는 의지 • 도덕 법칙: 인간이라면 누구나 반드시 지키고 따라야 할 보편적 법칙 • 자연적 경향성에 따랐으나 우연히 의무에 일치하는 행위는 도덕적 가치가 없고, 선의지에 따른 행위만이 도덕적 가치가 있음

② 결과론과 공리주의

결과론	행위의 동기가 아니라 행위의 결과에 주목하는 윤리 이론
벤담	• 최대 다수의 최대 행복을 추구하는 공리의 원리를 도덕과 입법의 원리로 제시함 • 모든 쾌락에는 양적인 차이만 있다는 양적 공리주의를 주장함
밀	쾌락에는 양적인 차이뿐만 아니라 질적인 차이가 있다는 질적 공리주의를 주장함

07. 현대의 윤리적 삶

① 주체적 결단과 실존
→ 실존주의: 지금 여기에 있는 그대로의 인간의 모습을 강조하는 사상

키르케고르	신 앞에 선 단독자로서 생각하고 행동하면서 참된 실존을 회복할 수 있음
야스퍼스	한계 상황을 자각하고 참된 실존을 회복해야 함
하이데거	죽음에 대한 자각과 불안을 통해 진정한 실존에 대해 성찰해야 함
사르트르	인간은 사물과 달리 본질이 결정되어 있지 않기 때문에 실존은 본질에 앞섬

② 실용주의와 문제 해결의 유용성

퍼스	과학적 탐구 방법을 거쳐 얻는 지식이 중요함
제임스	현금처럼 실생활에서 사용할 수 있는 유용성을 지닌 가치가 중요함
듀이	• 지식은 문제 상황을 해결하기 위한 수단으로 형성됨 • 도덕이나 윤리는 고정된 것이 아니라 시대와 상황에 따라 변화하고 성장함

IV

사회사상

이 단원의 핵심 포인트

중단원	핵심 포인트	학습일
01 사회사상과 이상 사회 ~ 국가	• 동서양의 이상 사회론 • 국가의 기원과 본질에 대한 동서양의 관점 • 국가의 역할과 정당성에 대한 동서양의 사상	월 일 ~ 월 일
02 시민	• 자유와 권리에 대한 자유주의와 공화주의의 관점 • 공동체와 공동선에 대한 자유주의와 공화주의의 관점 • 시민적 덕성에 대한 자유주의와 공화주의의 관점	월 일 ~ 월 일
03 민주주의	• 민주주의의 의미와 기원 • 민주주의 발전에 기여한 사상가 • 대의 민주주의, 참여 민주주의, 심의 민주주의 • 시민 불복종	월 일 ~ 월 일
04 자본주의	• 애덤 스미스의 고전적 자본주의 • 케인스의 수정 자본주의 • 하이에크의 신자유주의 • 자본주의에 대한 대안적 시도	월 일 ~ 월 일
05 평화	• 동서양의 평화 사상 • 세계 시민주의 • 지구적 협력과 해외 원조에 대한 입장	월 일 ~ 월 일

01 사회사상과 이상 사회 ~ 국가

1 인간의 삶과 사회사상의 지향

1. 사회사상의 의미와 기능
(1) **의미** 인간의 사회적 삶에서 나타나는 현상에 대한 체계적인 사유와 해석
└ 사회사상은 탐구 대상인 사회의 변화에 따라 끊임없이 변화한다.
(2) **기능**
① 사회 현상을 설명하고 이해하는 이론적 틀을 제공함
② 사회 현상을 평가하는 규범적 기준을 제시함
③ 사회를 변화시키는 실천 지침을 제공함

2. 이상 사회의 의미와 기능
(1) **의미** 사람들이 공동으로 추구하는 목표와 이상이 실현된 사회
(2) **기능**
① 현실을 개혁하고 비판하는 데 필요한 기준과 목표를 제시함
② 더 나은 사회를 만들고자 하는 신념과 실천 의지를 부여함

2 동서양의 이상 사회론의 현대적 의의

1. 동양의 이상 사회론

공자 자료 **01**	• 대동 사회(大同社會)를 지향함 • 성인(聖人)이 다스리며 현명하고 유능한 사람이 등용되는 신분적 차별이 없는 사회 • 모든 사람이 가족과 같은 친밀한 관계를 맺고 조화롭게 어울려 살아감 • 사회적 재화가 고르게 분배되고 사회적 약자가 보호되는 사회로, 사람들이 재물을 자기 이익만을 위해 사용하지 않음 • 인(仁)❶의 정신이 모든 사람에게 확대된 도덕적 사회
노자 자료 **02**	• 소국과민(小國寡民) 사회를 지향함 • 영토가 작고 백성의 수가 적음 • 인간의 자유로운 삶을 제약하는 인위적 규범을 거부하고 문명의 이기(利器)에 무관심함 • 분별적 지식과 욕심이 없는 구성원들이 자연스러운 본성에 따라 소박하고 평화롭게 살아감

2. 서양의 이상 사회론

플라톤	• 정의로운 국가를 지향함 • 국가를 구성하는 세 부류인 통치자, 군인, 생산자가 각자의 역할을 잘 수행하여 전체적으로 조화를 이루는 사회 • 좋음(선)의 이데아❷에 대한 지식을 갖춘 철학자가 통치자가 되어 다스리는 사회
모어 자료 **03**	• 유토피아❸를 지향함 • 계급과 신분이 철폐되고, 생산과 소유의 완전한 평등이 실현된 사회 • 경제적으로 풍요롭고, 도덕적으로 타락하지 않은 사회
베이컨	• 뉴 아틀란티스를 지향함 • 과학 기술이 발달하여 인간 생활이 풍요로워지고 복지가 증진되는 사회
마르크스	• 공산 사회를 지향함 • 사유 재산과 계급이 소멸하고 생산력이 고도로 발전되어 경제적으로 안정된 사회 • 자신의 능력에 따라 일하고 필요에 따라 분배받는 평등한 사회
롤스	• 질서 정연한 사회를 지향함 • 구성원의 기본적 자유와 권리를 보장하면서 사회적 약자와 소수자의 기회를 보장하는 사회

❶ 인(仁)
유교에서는 사랑의 정신이자 사회적 존재로 완성된 인격체의 인간다움을 인(仁)이라고 한다. 인은 효제(孝悌)와 충서(忠恕) 등을 통해 표현되는 도덕적 마음이다.

❷ 이데아
사물의 완전하고 이상적인 원형을 이르는 말이다. 플라톤은 각각의 사물에는 그것들의 이데아가 있으며, 최고의 이데아는 좋음(선)의 이데아라고 주장한다.

❸ 유토피아
유토피아는 그리스어로 '없는 곳'이라는 의미로, 현실에는 존재하지 않는 이상향을 의미한다.

고득점을 위한 셀파 Tip 비교

| 동서양의 이상 사회 |

공자	인이 실현되는 대동 사회
노자	인위적 분별에서 벗어나는 소국과민 사회
플라톤	지식을 갖춘 철학자가 다스리는 정의로운 국가
모어	생산과 소유의 평등이 실현된 유토피아
베이컨	과학 기술의 발달로 생활이 풍요로워진 뉴 아틀란티스
마르크스	사유 재산과 계급이 소멸한 공산 사회
롤스	공공의 정의관에 의해 규제되는 질서 정연한 사회

자료 01 공자의 대동 사회

큰 도가 행해진 세상에서는 천하가 모두의 것이 된다. 현명하고 유능한 사람을 뽑아 나라를 다스리게 하면 신의가 존중되고 화목이 두터워진다. 그러므로 사람들은 자기 부모만 부모로 여기지 않고, 자기 자식만 자식으로 여기지 않는다. 노인은 안락하게 여생을 마칠 수 있고, 장년에게는 일할 자리가 있다. 어린이는 안전하게 자랄 수 있고, 배우자를 잃은 사람, 부모가 없는 아이, 자식이 없는 노인, 병든 사람도 모두 보살핌을 받을 수 있다. …… 재화가 헛되이 땅에 버려지는 것을 싫어하지만 그렇다고 그것을 결코 자기 것으로 숨겨 두지 않으며, 스스로 일하는 것을 싫어하지 않지만, 또한 자기 자신만을 위하여 일하지 않는다. 그래서 음모를 꾸미는 일이 생기지 않고, 훔치거나 해치는 일도 일어나지 않는다. 그러므로 집마다 문이 있어도 잠그지 않는다. 이를 대동이라고 한다.　　　　　　　　　　　　　　　　　　　　　－「예기」－

자료 분석 | 공자는 모든 사람이 조화롭게 어울려 살아가는 대동 사회를 제시한다. 대동 사회는 이상적인 성인이 나라를 다스리고, 모든 사람이 서로를 위하여 가족 같은 관계를 맺으며, 자기의 이익만을 위하여 재물을 사용하지 않는 사회이다.

자료 02 노자의 소국과민 사회

나라를 작게 하고 백성의 수를 적게 하라. 그리하여 백성으로 하여금 많은 도구가 있어도 사용할 필요가 없게 만들고, 죽음을 중요하게 여겨 먼 곳으로 이사를 다니지도 않게 하라. 그러면 비록 배와 수레 같은 교통수단이 있어도 탈 필요가 없고, 갑옷과 무기가 있어도 사용할 필요가 없게 된다. 사람들이 문자가 아닌 노끈을 묶어 의사소통하게 하라.　　　－ 노자, 「도덕경」 －

자료 분석 | 노자는 백성이 작은 공동체를 이루어 소박하지만 자연스러운 삶을 살아가는 소국과민 사회를 주장한다. 소국과민 사회는 작은 영토에 적은 수의 백성으로 구성되며, 예와 같이 인간의 자유로운 삶을 제약하는 인위적인 것을 거부하는 사회이다.

자료 03 모어의 유토피아

초승달 모양의 섬 유토피아에는 같은 말과 비슷한 풍습, 시설, 법률을 가진 54개의 마을이 있다. 그곳의 시민들에게는 빈곤도 없고 사치나 낭비도 없다. 이 섬의 성인들은 남녀를 가리지 않고 생산적 노동에 종사한다. 노동은 매일 6시간으로 제한되고, 8시간 잠자고 남은 시간은 정신적 오락이나 연구에 사용된다. 집집마다 열쇠를 채우거나 빗장을 거는 일이 절대로 없다. 왜냐하면 집 안에 들어간들 어느 개인의 소유란 없기 때문이다. 그리고 그곳의 시민들은 10년마다 제비를 뽑아 집을 교환한다.　　　　　　　　　　　　　　　－ 모어, 「유토피아」 －

자료 분석 | 모어의 유토피아는 경제적으로 풍요롭고 소유와 생산에서 완전한 평등을 이루며 도덕적으로 타락하지 않은 사회이다. 유토피아에서는 사유 재산을 인정하지 않기 때문에 사람들이 남은 생산물에 욕망을 가질 필요가 없다. 따라서 필요 이상의 노동을 하지 않고 남는 시간 동안 정신적 자유와 문화생활을 누리며 진정한 행복을 누린다.

1 공자는 현명하고 유능한 사람이 나라를 다스려야 한다고 본다.　　　　　　(O , X)

2 공자는 관직은 세습에 의해 획득되고 유지되어야만 하는 것이라고 본다.　　　(O , X)

3 공자의 이상 사회는 인(仁)의 정신이 모든 사람에게 확대된 사회이다.　　　(O , X)

4 노자는 인위에서 벗어나 소박하게 살아야 한다고 본다.　　　　　　(O , X)

5 노자는 인과 예를 실현하는 것이 자연에 순응하는 것이라고 본다.　　　　(O , X)

6 노자는 규모가 작은 정치 공동체를 지향해야 한다고 본다.　　　　　　(O , X)

7 모어의 유토피아는 소유와 생산에서 완전한 평등을 이룬 사회이다.　　　　(O , X)

8 모어는 과학 기술이 발전하면 자연스럽게 유토피아에 도달할 수 있다고 본다.　(O , X)

9 모어의 유토피아에서 최고의 통치자는 철학자이다.　　　　　　　(O , X)

정답　1 O　2 X　3 O　4 O　5 X
　　　6 O　7 O　8 X　9 X

3. 이상 사회론의 현대적 의의

의의	• 공평한 경제 제도에 바탕을 둔 분배 정의 실현의 중요성을 일깨워 줌 • 관용적이고 다원적인 사회를 실현하는 데 도움을 줌
한계	• 이상 사회에 대한 과도한 신념 때문에 독선적인 태도에 빠질 수 있음 • 현실의 여건을 고려하지 않은 맹목적인 열정으로 과격한 행동을 할 수 있음

❹ 민본주의
백성이 국가의 근본이 된다는 입장으로, 유교에서 강조하는 국가관의 바탕이다.

3 국가의 기원과 본질에 대한 관점

1. 유교의 관점 [자료 04]
(1) **국가** 가족의 질서가 확장된 공동체
(2) **국가의 본질**

> 유교의 국가는 늙은 홀아비와 홀어미, 고아와 의지할 곳이 없는 사람 등 어려움에 부닥친 백성의 복지를 책임지고자 한다.

① 민본주의❹ 사상을 강조함 ➡ 백성들의 도덕적인 삶을 위한 도덕 공동체
② 효제(孝悌)와 같은 가족 윤리를 토대로 인의(仁義)가 실현되는 공동체

2. 아리스토텔레스의 관점 [자료 05]
(1) **국가** 인간의 사회적, 정치적 본성에 따라 자연스럽게 형성된 공동체
(2) **국가의 본질**
① 최고선인 행복의 실현을 추구하는 도덕 공동체
② 개인의 자아실현과 도덕적 능력의 계발을 가능하게 하는 최상의 공동체

❺ 공화주의
공화주의는 '공공의 것'을 뜻하는 라틴어 '레스 푸블리카(res publica)'에서 기원하였다.

3. 공화주의❺의 관점
(1) **국가** 공동선에 합의하고 이를 구현하려는 시민이 모인 공동체
(2) **국가의 본질**

> 공화주의에서는 시민들이 공공의 일에 관심을 가지고 정치에 참여할 때 국가가 유지될 수 있다고 본다.

① 국가는 시민의 자유를 지켜 내기 위한 수단임
② 국가는 특정 개인의 소유물이 아니라 공공의 것임

4. 사회 계약론의 관점
(1) **국가** 시민이 자신의 생명, 안전, 자유 등을 보장받고자 계약에 참여하여 만든 공동체
(2) **국가의 본질** 자유롭고 평등하게 태어난 인간이 자신의 생명, 자유, 재산을 지키려고 만들어 낸 수단
(3) **사회 계약론에 대한 입장**

구분	홉스	로크	루소
자연 상태	만인에 대한 만인의 투쟁 상태	비교적 평화로운 상태	자유롭고 평등한 상태
사회 계약의 목적	평화 유지를 통한 개인의 생명 보존	개인의 생명권뿐만 아니라 재산권, 사유권 등을 보장	사유 재산의 발생에 따른 불평등을 바로잡고 자유를 회복
국가의 성격	개인의 생명, 안전, 자유를 보장하기 위해 만든 인위적 조직체		

❻ 마르크스의 국가에 대한 관점
국가를 지배 계급의 이익 증진을 위한 수단으로 인식한 마르크스는 공산주의 사회가 완성되면 계급 갈등이 없어지고 국가가 소멸한다고 보았다. 그는 국가 소멸 이후 각자의 자유로운 발전이 만인의 자유로운 발전을 위한 조건이 되는 연합체가 국가를 대체할 것이라고 주장하였다.

5. 마르크스의 관점 [자료 06]
(1) **국가** 소수의 지배 계급이 다수의 피지배 계급을 억압하고 착취하기 위한 수단
(2) **국가의 본질** 자본가 계급이 노동자 계급을 지배하고 착취하는 모순을 노동자 계급이 깨닫지 못하도록 이념으로 정당화하는 도구❻

고득점을 위한 셀파 Tip 비교

국가에 대한 입장	
유교	가족의 질서가 확장된 공동체
아리스토텔레스	인간의 사회적, 정치적 본성에 의해 형성된 공동체
공화주의	공동선에 합의하고 이를 구현하려는 시민들의 공동체
사회 계약론	시민이 자신의 생명, 안전, 자유를 보장받고자 계약에 참여하여 만든 공동체
마르크스	지배 계급이 피지배 계급을 억압, 착취하기 위한 수단

자료 04 공자의 정치관

어떤 사람이 공자에게 물었다. "선생님은 왜 정치에 참여하지 않습니까?" 선생님께서 말씀하셨다. "『서경(書經)』에서 '효도하라. 오직 효도하라. 형제간에 우애하여 (이러한 기풍이) 정치에까지 이르게 하라.'라고 하였다. 이것도 정치에 참여하는 것이니, 어찌 벼슬자리에 앉아야만 정치하는 것이겠는가."
 – 「논어」 –

자료 분석 | 유교는 가족 윤리가 국가를 다스리는 토대가 된다고 생각하였다. 유교에서는 부모를 섬기는 도리와 나라를 다스리는 원리가 근본이 다르지 않다고 보았고, 국가 안에서 백성들이 도덕적인 삶을 살 수 있도록 해 주는 것이 군주의 역할이라고 강조하였다.

자료 05 아리스토텔레스의 국가관

모든 국가는 분명 일종의 공동체이며, 모든 공동체는 어떤 선을 실현하기 위해 구성된다. 이렇듯 모든 공동체가 어떤 선을 추구하는 것이라면, 모든 공동체 중에서도 으뜸가며 다른 공동체를 모두 포괄하는 공동체야말로 분명 으뜸가는 선을 가장 훌륭하게 추구할 것이다. 이것이 이른바 국가 또는 국가 공동체이다.
 – 아리스토텔레스, 「정치학」 –

자료 분석 | 아리스토텔레스는 국가는 인간의 본성에서 비롯되는 자연스러운 것이라고 보았다. 아리스토텔레스에 따르면 국가는 최고선을 목표로 하며 인간의 자아실현과 도덕적 능력 계발의 토대가 된다. 또한 국가는 완전하고 자족적인 공동체이며 인간이라면 누구나 국가를 통해 삶을 영위해야 삶의 궁극적 목적인 행복을 실현할 수 있다.

자료 06 마르크스의 국가관

지금까지 존재한 모든 사회의 역사는 계급 투쟁의 역사이다. …… 현대 대의제 국가에서는 마침내 부르주아(자본가 계급)가 배타적인 정치적 지배권을 쟁취했다. 현대 국가의 집행부는 부르주아 전체의 공동 업무를 관장하는 위원회에 불과하다.
 – 마르크스·엥겔스, 「공산당 선언」 –

자료 분석 | 마르크스는 자본주의 사회에서는 노동자가 자본가에게 억압당하고 착취당할 수밖에 없다고 주장하면서 자본주의 사회를 비판하였다. 그는 공산 사회를 이상 사회로 제시하면서 자본주의 사회의 사유 재산 제도를 철폐하고 생산 수단을 공유화하여 경제적 착취와 억압이 사라진 평등 사회를 실현할 것을 강조하였다.

1 유교는 부모를 섬기는 도리와 나라를 다스리는 원리가 다르지 않다고 본다.
(O , X)

2 아리스토텔레스는 국가는 개인의 생명과 재산을 보존하기 위한 수단적 공동체라고 본다.
(O , X)

3 아리스토텔레스는 국가가 인간의 정치적 본성에 따라 형성되었다고 본다.
(O , X)

4 아리스토텔레스는 국가 안에서 개인의 궁극적 목적이 실현된다고 본다.
(O , X)

5 아리스토텔레스는 국가는 개인의 덕성 함양에 중립적이어야 한다고 본다.
(O , X)

6 마르크스는 자본주의 사회에서는 노동자가 억압당할 수밖에 없다고 본다.
(O , X)

7 마르크스는 사회 계약을 통해 만인이 평등한 사회가 실현된다고 본다.
(O , X)

8 마르크스는 이상 사회에서는 노동자 계급이 생산 수단을 독점해야 한다고 본다.
(O , X)

9 마르크스는 국가는 혁명에 의해 필연적으로 소멸될 권력 기구라고 본다.
(O , X)

정답 1 O 2 X 3 O 4 O 5 X
6 O 7 X 8 X 9 O

4 국가의 역할과 정당성에 대한 동서양 사상

1. 국가의 역할과 정당성

(1) 유교

① 국가의 역할 민본주의를 바탕으로 위민(爲民)을 실현해야 함

② 국가의 정당성 확보 방안

- 백성들이 도덕적인 삶을 살 수 있도록 경제적 안정❼을 이루어야 함 〔자료 **07**〕
- 방위력을 길러 백성의 생명과 재산을 보호해야 함

(2) 아리스토텔레스

① 국가의 역할 시민이 행복한 삶을 살 수 있도록 이끄는 것

② 국가의 정당성 확보 방안

- 시민이 정치에 참여할 수 있도록 제도를 마련해야 함
- 시민이 영혼의 탁월성을 발휘해 행복한 삶을 실현할 수 있도록 해야 함

(3) 공화주의

① 국가의 역할 시민의 예속되지 않을 자유를 보장하고 공동선의 실현을 위해 시민적 덕성❽을 기를 수 있도록 돕는 것

② 국가의 정당성 확보 방안

- 시민들이 공적 의사 결정에 참여할 수 있는 제도를 마련해야 함
- 소수가 국가 권력을 독점하여 사적 이익을 추구하지 못하도록 해야 함

(4) 사회 계약론

구분	홉스 〔자료 **08**〕	로크 〔자료 **09**〕
국가의 역할	사회 질서와 평화를 유지하는 것	개인의 생명, 자유, 재산 등을 보장하는 것
국가의 정당성 확보 방안	• 국가가 개인의 안전을 보장할 때 정당성이 확보됨 • 개인은 자연권을 절대 군주에게 모두 양도하여 정치적 저항이 불가능함 ➡ 개인이 신체와 생명을 부당하게 위협당하면 개별적 반발은 가능함	• 국가가 역할을 제대로 수행할 때 정당성이 확보됨 • 개인은 자신의 모든 권리를 국가에 양도한 것이 아님 ➡ 정부가 개인의 권리를 침해하거나 공동선을 해칠 경우 정치적 저항권을 행사할 수 있음

(5) 마르크스

① 국가의 역할 자본주의 국가는 자본가 계급만을 보호하고, 노동자를 착취하는 것을 방임함

② 국가의 정당성 확보 방안 국가는 그 자체로 정당성을 지니지 못하므로 역사 발전 단계에 따라 소멸할 것임

2. 현대 국가의 역할

(1) 국민의 생명, 재산, 자유 등의 보장

① 외적의 침입과 국내외 범죄, 테러로부터 국민의 안전과 생명을 보호해야 함

② 국민의 안전과 생명을 보호하는 일은 국가의 기본적 역할임

(2) 국민 복지와 행복 실현

① 경제적 불평등을 해소해야 함

② 국민의 인간다운 삶과 자아실현에 기여해야 함

(3) 국민의 도덕성과 시민성 함양

① 국민의 도덕성과 시민성을 함양하여 국가 발전에 도움을 주도록 해야 함

② 좋은 시민성을 지닌 사람들이 많을수록 공적 영역에 대한 관심과 책임이 늘어남

❼ 맹자가 추구하는 경제적 안정

맹자는 "백성은 항산이 있어야 항심이 있을 수 있다."라고 하여 백성의 안정을 강조하면서 경제적 안정이 백성들의 도덕적 마음의 토대가 된다고 보았다.

❽ 공화주의의 시민적 덕성

공적인 일에 대한 관심과 지식, 공동체의 구성원으로서 가지는 소속감 등을 이른다.

고득점을 위한 셀파 Tip 개념

| 국가의 역할에 대한 다양한 입장 |

유교	일정한 생업 보장을 통해 도덕적 삶을 살게 해야 함
아리스토텔레스	시민이 행복을 실현할 수 있도록 이끌어 주어야 함
공화주의	공동선을 실현해야 함
사회 계약론	개인의 자유, 권리 등을 보장해야 함
마르크스	국가는 계급적 착취의 수단에 불과함

자료 07 유교에서 보는 국가의 역할

현명한 군주는 백성들의 생업을 마련해 주는데, 반드시 위로는 부모를 섬기기에 충분하게 하고 아래로는 처자를 먹여 살릴 만하게 하여, 풍년에는 언제나 배부르고 흉년에는 죽음을 면하게 한다. 그렇게 한 후에 백성들을 선(善)한 데로 유도하므로 백성들이 따르기 쉽다.

– 맹자, 「맹자」 –

자료 분석 | 유교에서는 군주가 복지를 실현하고, 백성들의 도덕성 함양에 힘쓸 것을 강조한다. 만약 군주가 이러한 역할을 하지 못한다면 군주의 통치 권력은 정당성을 잃게 된다. 맹자는 백성들이 신뢰하지 못하는 군주는 내쫓을 수 있다고 본다.

자료 08 국가에 관한 홉스의 입장

국가란 하나의 인격(person)으로서, 다수의 인간이 상호 계약에 의해 스스로가 그 인격이 하는 행위의 본인이 된다. 국가의 목적은 그 인격이 공동의 평화와 방어에 필요하다고 생각할 때 다수의 모든 힘과 수단을 적절히 이용할 수 있도록 하는 데 있다. 그리고 이 인격을 담당한 자를 주권자라 칭하며, 주권을 가지고 있다고 말한다. 그리고 그 이외의 모든 인간을 그의 국민이라 부른다.

– 홉스, 「리바이어던」 –

자료 분석 | 홉스에 따르면 인간은 전쟁 상황과 같은 자연 상태에서 공포에 떨며 살다가 자신들의 생명을 지키기 위해 사회 계약을 통해 국가를 수립하였다. 그리고 자발적으로 국민이 되었다. 따라서 홉스는 국민에게 주권을 위임받은 국가는 외적 침입, 권리 침해 방지 등 계약의 목적을 실행해야 한다고 보았다.

자료 09 로크의 명시적 동의와 묵시적 동의

모든 사람은 본래 자유로우며 그 자신의 동의를 제외한 그 어떤 것도 그를 지상의 권력에 복종시킬 수 없다. 보통 동의는 명시적 동의와 묵시적 동의로 구분되는데 명시적 동의가 어떤 사람을 그 사회의 완전한 구성원이자 그 정부의 신민으로 만든다는 점은 의심할 여지가 없다. 한편 어떤 정부의 영토 일부분을 소유하거나 향유하는 사람은 묵시적 동의를 한 셈이며, 적어도 그러한 향유를 지속하는 동안, 그 정부하에 있는 사람들과 같은 정도로 그 정부의 법률에 복종할 의무를 진다고 보아야 한다.

– 로크, 「통치론」 –

자료 분석 | 로크는 시민이 자발적으로 국가의 명령에 복종하기로 약속하는 것에서 정치적 의무가 비롯된다고 보았다. 그는 시민이 국가의 권위에 동의한다는 전제하에서만 국가는 명령을 내릴 수 있다고 보았으며, 명시적 동의뿐만 아니라 묵시적 동의를 통해서도 정부에 복종할 의무를 진다고 주장하였다.

기출 선택지 O, X로 정리하기

1 유교에서는 군주가 백성들의 도덕성 함양에 힘쓸 것을 강조한다.

(O , X)

2 유교의 입장에서 군주는 어떠한 경우에도 교체될 수 없다.

(O , X)

3 유교에서는 백성들의 경제적 안정이 이루어져야 도덕성을 기를 수 있다고 본다.

(O , X)

4 홉스는 사회 질서와 평화를 유지하는 것이 국가의 역할이라고 본다.

(O , X)

5 홉스는 인간의 이타적 본성에 의해 국가가 형성되었다고 본다.

(O , X)

6 홉스는 인간이 사회 계약을 통해 만인의 투쟁 상태에서 벗어났다고 본다.

(O , X)

7 로크는 묵시적 동의로도 개인에게 정치적 의무가 발생할 수 있다고 본다.

(O , X)

8 로크는 개인이 사회 계약을 통해 모든 자연권을 국가에 양도했다고 본다.

(O , X)

9 로크는 주권은 국민에게 있으므로 정치적 저항권을 행사할 수 있다고 본다.

(O , X)

정답 1 O   2 X   3 O   4 O   5 X
6 O   7 O   8 X   9 O

1 인간의 삶과 사회사상의 지향

사회 사상	• 사회적 삶에서 나타나는 현상에 대한 체계적 사유 • 사회 현상을 설명하고, 규범적 기준을 제공함
이상 사회	• 사람들이 공동으로 추구하는 이상이 실현된 사회 • 더 나은 사회를 만들고자 하는 기준과 목표를 제시함

2 동서양의 이상 사회론의 현대적 의의

공자	• 대동 사회 → 모든 사람이 (❶)과 같은 관계를 이루어 조화롭게 사는 사회 • 인(仁)의 정신이 모든 사람에게 확대된 도덕 공동체
노자	• (❷) 사회 → 영토가 작고 백성의 수가 적음 • 분별적 지식과 욕심이 없는 소박한 삶을 지향함
플라톤	• 통치자, 군인, 생산자가 각자의 역할을 수행하는 정 의로운 국가 • (❸)가 통치자가 되어 다스려야 함
모어	• 유토피아를 지향함 • 생산과 소유의 완전한 평등이 실현된 사회
베이컨	• 뉴 아틀란티스를 지향함 • 과학 기술이 발달한 풍요로운 사회
마르크스	• 사유 재산과 계급이 소멸된 공산 사회 • 능력에 따라 일하고 (❹)에 따라 분배받음
롤스	공공의 정의관에 의해 규제되는 사회

3 국가의 기원과 본질에 대한 관점

유교	국가는 가족의 질서가 확장된 공동체
(❺)	국가는 인간의 사회적 본성에 따라 형성된 공동체
공화주의	국가는 (❻)에 합의하고 이를 구현하려는 시민이 모인 공동체
사회 계약론	국가는 시민이 (❼)에 참여하여 만든 공동체
마르크스	국가는 지배 계급이 피지배 계급을 통제할 목적으로 만든 수단

4 국가의 역할과 정당성에 대한 동서양 사상

유교	(❽)를 바탕으로 위민을 실현해야 함
아리스토 텔레스	시민을 행복한 삶으로 이끌어야 함
공화주의	시민의 자유를 보장하고 공동선의 실현을 도와야 함
사회 계약론	사회 질서와 평화를 유지하고, 개인의 생명, 자유, 재산 등을 보장해야 함
(❾)	국가는 그 자체로 정당성이 없으며 역사 발전 단계 에 따라 소멸할 것임

정답 ❶ 가족 ❷ 소국과민 ❸ 철학자 ❹ 필요 ❺ 아리스토텔레스 ❻ 공동선 ❼ 계약
❽ 민본주의 ❾ 마르크스

01 그림은 한 학생의 필기 내용이다. ㉠에 들어갈 내용으로 적절하지 <u>않은</u> 것은?

> [학습 주제] 사회사상의 의미와 특징
> 1. 사회사상의 형성: 바람직한 사회에 살기를 소망하는
>   과정에서 사회사상이 형성됨
> 2. 사회사상의 의미: 바람직한 사회 모습과 그것을 구현
>   하는 방법에 대한 체계적인 생각
> 3. 사회사상의 특징: _____㉠_____

① 바람직한 사회로의 변혁을 지향함
② 현실 문제를 개선하는 방법을 포함함
③ 사회 현상에 대한 분석과 설명을 시도함
④ 시대나 상황에 흔들리지 않고 절대 불변함
⑤ 사회의 모습에 대한 가치와 신념을 담고 있음

02 다음 사상가가 강조하는 이상 사회의 모습으로 가장 적절한 것은?

> 큰 도가 행해진 세상에서는 천하가 모두의 것이 된다.
> 현명하고 유능한 사람을 뽑아 나라를 다스리게 하면 신
> 의가 존중되고 화목이 두터워진다. 그러므로 사람들은
> 자기 부모만 부모로 여기지 않고, 자기 자식만 자식으로
> 여기지 않는다. 노인은 안락하게 여생을 마칠 수 있고,
> 장년에게는 일할 자리가 있다. 어린이는 안전하게 자랄
> 수 있고, 배우자를 잃은 사람, 부모가 없는 아이, 자식이
> 없는 노인, 병든 사람도 모두 보살핌을 받을 수 있다.
> …… 그러므로 집마다 문이 있어도 잠그지 않는다. 이를
> 대동이라고 한다.

① 모든 생산 수단이 공유된 사회이다.
② 계급이 사라진 절대 평등의 사회이다.
③ 인격신의 명령을 소명으로 받드는 사회이다.
④ 인(仁)이 모든 사람에게 확대된 도덕 사회이다.
⑤ 부국강병을 위해 최고의 군사력을 갖춘 사회이다.

03 다음 사상가가 긍정의 대답을 할 질문으로 가장 적절한 것은?

> 나라를 작게 하고 백성의 수를 적게 하라. 그리하여 백성으로 하여금 많은 도구가 있어도 사용할 필요가 없게 만들고, 죽음을 중요하게 여겨 먼 곳으로 이사를 다니지도 않게 하라. 그러면 비록 배와 수레 같은 교통수단이 있어도 탈 필요가 없고, 갑옷과 무기가 있어도 사용할 필요가 없게 된다. 사람들이 문자가 아닌 노끈을 묶어 의사소통하게 하라.

① 옳고 그름에 대한 분별 의식을 가져야 하는가?
② 사회 구성원들이 소박한 삶을 지향해야 하는가?
③ 경제적 평등 실현을 위해 제도가 확대되어야 하는가?
④ 과학 기술을 발전시켜 이상 사회를 실현해야 하는가?
⑤ 능력에 따라 일하고 필요에 따라 분배받는 사회를 실현해야 하는가?

04 ㉠에 대한 설명으로 옳은 것은?

> 초승달 모양의 섬 [㉠]에는 같은 말과 비슷한 풍습, 시설, 법률을 가진 54개의 마을이 있다. 그곳의 시민들에게는 빈곤도 없고 사치나 낭비도 없다. 이 섬의 성인들은 남녀를 가리지 않고 생산적 노동에 종사한다. 노동은 매일 6시간으로 제한되고, 8시간 잠자고 남은 시간은 정신적 오락이나 연구에 사용된다. 집집마다 열쇠를 채우거나 빗장을 거는 일이 절대로 없다. 왜냐하면 집 안에 들어간들 어느 개인의 소유란 없기 때문이다. 그리고 그곳의 시민들은 10년마다 제비를 뽑아 집을 교환한다.

① 도덕적으로 타락하기 쉬운 사회이다.
② 경제적으로는 풍요롭지 않은 사회이다.
③ 생산과 소유의 평등이 실현된 사회이다.
④ 개인의 사적 소유를 강조하는 사회이다.
⑤ 복지를 위한 국가 정책이 확립된 사회이다.

05 다음 사상가의 입장으로 옳은 것을 〈보기〉에서 고른 것은?

> 정의는 각자가 자기의 성향에 가장 맞는 국가와 관련된 일 한 가지에 종사하며 타인에게 참견하지 않는 것이다. 이렇게 해야 지혜, 용기, 절제가 국가 안에 생기고 이것들이 잘 보전될 수 있기 때문이다.

보기
ㄱ. 모든 사람이 생산 활동에 참여해야 한다.
ㄴ. 시민은 독재자의 정치 활동을 감시해야 한다.
ㄷ. 선의 이데아를 인식한 자가 통치자가 되어야 한다.
ㄹ. 각 계층의 사람이 자신의 역할에 해당하는 덕을 발휘해야 한다.

① ㄱ, ㄴ   ② ㄱ, ㄷ   ③ ㄴ, ㄷ
④ ㄴ, ㄹ   ⑤ ㄷ, ㄹ

06 다음 이상 사회를 제시한 사상가의 입장으로 옳은 것은?

> 우리가 만든 물을 마시면 건강이 증진되고 생명이 연장됩니다. 우리는 유성의 체계와 운동을 모방한 거대한 건물도 만들었습니다. 여기에서 눈, 비, 우박 등을 인공적으로 내리게 하며, 천둥과 번개를 만들 수도 있습니다. …… 한 번 먹고 나면 오랫동안 먹지 않아도 살 수 있는 고기, 빵, 음료수도 개발하였습니다.

① 자연에 순응하며 소박하게 살아야 한다.
② 인위 문명을 멀리하는 삶을 추구해야 한다.
③ 생산 수단이 국유화된 이상 사회를 지향해야 한다.
④ 계급과 신분이 소멸된 평등 사회를 실현해야 한다.
⑤ 과학 기술을 발달시켜 물질적 풍요를 이루어야 한다.

07 다음 고대 서양 사상가에 대한 설명으로 옳은 것은?

> 모든 국가는 분명 일종의 공동체이며, 모든 공동체는 어떤 선을 실현하기 위해 구성된다. 이렇듯 모든 공동체가 어떤 선을 추구하는 것이라면, 모든 공동체 중에서도 으뜸가며 다른 공동체를 모두 포괄하는 공동체야말로 분명 으뜸가는 선을 가장 훌륭하게 추구할 것이다. 이것이 이른바 국가 또는 국가 공동체이다.

① 국가를 공동체 중에서 최고의 공동체로 본다.
② 국가를 지배 계급의 권력 유지 수단으로 본다.
③ 국가를 시민들의 계약에 의한 산물이라고 본다.
④ 국가를 권력자들의 이익을 위한 수단이라고 본다.
⑤ 국가를 궁극적으로 소멸되어야 할 대상이라고 본다.

08 다음 사상가의 입장으로 옳은 것을 〈보기〉에서 고른 것은?

> 공산 사회에서는 노동 분업에 예속된 개인의 노예 상태가 사라지고, 노동이 생활을 위한 수단일 뿐만 아니라 삶의 기본적 욕구가 된다. 생산력 또한 인간의 전면적 발전과 함께 증가되고 집단적 부가 풍요로워진다. 각자는 능력에 따라 일하고 자신의 필요에 따라 분배받는다.

┤ 보기 ├
ㄱ. 분업을 활성화하여 노동 생산성을 향상시켜야 한다.
ㄴ. 생산 수단을 공유하여 노동자에 대한 경제적 착취를 없애야 한다.
ㄷ. 모든 사람은 육체노동에서 벗어나 정신노동에만 종사해야 한다.
ㄹ. 생산력이 고도로 발전하여 경제력이 안정된 사회를 지향해야 한다.

① ㄱ, ㄴ   ② ㄱ, ㄷ   ③ ㄴ, ㄷ
④ ㄴ, ㄹ   ⑤ ㄷ, ㄹ

09 사상가 갑, 을의 입장으로 옳지 <u>않은</u> 것은?

> 갑: 인간은 자연 상태의 비참한 상황으로부터 빠져나오기 위해 계약을 맺어 모두의 권력과 힘을 모아 국가를 구성하였다.
> 을: 인간은 평화로운 자연 상태에서 재산권을 보호하기 위해 자신들의 대표자에게 권리를 위임하여 국가를 구성하였다.

① 갑: 국가 이전의 자연 상태는 만인의 투쟁 상태이다.
② 갑: 국가는 인간의 자기 보존 욕구를 존중해야 한다.
③ 을: 국가는 개인의 자유와 권리를 보호해야 한다.
④ 을: 국가의 권력 행사는 어떤 경우에도 제한될 수 없다.
⑤ 갑, 을: 국가는 사회 계약을 통해 형성되었다.

10 다음 사상가의 입장으로 옳은 것을 〈보기〉에서 고른 것은?

> 공화국은 인민의 것이다. 그러나 인민은 아무렇게나 모인 한 무리의 사람을 뜻하는 것이 아니라 정의와 공동의 이익을 인정하고 동의한 사람의 모임이다.

┤ 보기 ├
ㄱ. 국가는 정치적 본성에 의해 생겨난 인간 간의 결합이다.
ㄴ. 국가는 피지배 계급을 억압하고 착취하기 위한 수단이다.
ㄷ. 국가는 시민들이 공공의 일에 관심을 가질 때 유지될 수 있다.
ㄹ. 국가는 공동선을 지향하는 시민들이 자발적으로 참여하여 만든 공동체이다.

① ㄱ, ㄴ   ② ㄱ, ㄷ   ③ ㄴ, ㄷ
④ ㄴ, ㄹ   ⑤ ㄷ, ㄹ

11 다음 사상가가 부정의 대답을 할 질문으로 가장 적절한 것은?

> 군주가 차마 어찌하지 못하는 마음으로 천하를 다스린다면 정치는 손바닥을 뒤집듯 쉬울 것이다. 군주가 인의(仁義)를 저버리고 다스린다면 그는 이미 군주가 아니다.

① 백성의 뜻에 어긋나는 군주는 교체될 수 있는가?
② 군주는 백성들에게 도덕적 모범을 보여야 하는가?
③ 군주는 백성이 선한 본성을 유지하도록 해야 하는가?
④ 군주는 백성의 뜻에 따라 선거를 통해 선출되어야 하는가?
⑤ 백성의 생업이 보장되어야 백성의 도덕심이 유지될 수 있는가?

12 다음 사상가의 입장으로 옳은 것을 〈보기〉에서 고른 것은?

> 모든 사람은 본래 자유로우며 그 자신의 동의를 제외한 그 어떤 것도 그를 지상의 권력에 복종시킬 수 없다. 보통 동의는 명시적 동의와 묵시적 동의로 구분되는데 명시적 동의가 어떤 사람을 그 사회의 완전한 구성원이자 그 정부의 신민으로 만든다는 점은 의심할 여지가 없다. 한편 어떤 정부의 영토 일부분을 소유하거나 향유하는 사람은 묵시적 동의를 한 셈이며, 적어도 그러한 향유를 지속하는 동안, 그 정부하에 있는 사람들과 같은 정도로 그 정부의 법률에 복종할 의무를 진다고 보아야 한다.

┤ 보기 ├
ㄱ. 국가가 정당성을 잃을 경우 저항권을 행사할 수 있다.
ㄴ. 국가는 인간의 본성에 따라 자연적으로 발생한 것이다.
ㄷ. 국가 권력은 구성원들의 계약에 의해 신탁된 권력이다.
ㄹ. 국가는 개인을 위한 수단이 아니라 그 자체가 목적이다.

① ㄱ, ㄴ ② ㄱ, ㄷ ③ ㄴ, ㄷ
④ ㄴ, ㄹ ⑤ ㄷ, ㄹ

13 고대 서양 사상가 갑이 현대 서양 사상가 을에게 제기할 수 있는 비판으로 가장 적절한 것은?

> 갑: 국가는 자연의 산물이며, 인간은 본성적으로 국가 공동체를 구성하는 동물이다. 따라서 국가가 없는 자는 인간 이하거나 인간 이상이다.
> 을: 프롤레타리아는 개인들은 국가와 직접적으로 대립하고 있다는 사실을 발견하게 된다. 프롤레타리아는 자신의 인격을 실현하기 위해 국가를 타도해야 한다.

① 국가는 지배 계급의 권력 유지 수단에 불과함을 간과하고 있다.
② 국가는 개인의 행복 실현을 위한 토대가 될 수 없음을 간과하고 있다.
③ 국가는 도덕적·정치적으로 중립성을 지녀야 한다는 점을 간과하고 있다.
④ 국가는 모든 구성원의 재산과 이익을 보호하지 않는다는 것을 간과하고 있다.
⑤ 국가는 선을 추구하는 공동체로 인간의 본성에 의해 자연적으로 발생된 것임을 간과하고 있다.

14 다음 사상가의 입장으로 옳은 것을 〈보기〉에서 고른 것은?

> 국가가 계급 지배의 착취 도구에 불과하다면, 국가에 대한 귀속감이나 국가에 헌신하고 봉사하려는 애국심은, 적어도 프롤레타리아에게는 헛된 관념에 지나지 않는다.

┤ 보기 ├
ㄱ. 국가는 공동의 이익을 구현해야 한다.
ㄴ. 국가는 시민의 정치적 연대에 의해 발생하였다.
ㄷ. 국가는 역사 발전 단계에 따라 필연적으로 소멸한다.
ㄹ. 국가는 억압과 착취를 위한 계급 지배의 도구일 뿐이다.

① ㄱ, ㄴ ② ㄱ, ㄷ ③ ㄴ, ㄷ
④ ㄴ, ㄹ ⑤ ㄷ, ㄹ

15 다음 사상가가 주장한 이상 사회가 무엇인지 쓰고, 그 특징을 서술하시오.

> 통치자가 작위하지 않으면 백성은 저절로 순화되고, 통치자가 조용함을 좋아하면 백성은 저절로 바르게 된다. 통치자가 일을 벌이지 않으면 백성은 저절로 부유해지고 통치자가 욕심을 없애면 백성은 저절로 질박해진다.

16 다음 사상가가 제시한 정의로운 사회의 특징을 서술하시오.

> 정의의 두 원칙은 다음과 같다. 우선 모든 사람은 동등한 기본적 자유를 최대한 누려야 한다. 사회적·경제적 불평등은 다음 두 가지 조건이 충족될 때 허용된다. 먼저, 그 불평등이 최소 수혜자에게 최대의 이익을 보장해야 하며, 불평등의 계기가 되는 직책이나 지위는 공정한 기회 균등의 원칙에 따라 모든 사람에게 개방되어야 한다.

17 다음 사상가의 국가의 기원에 대한 입장을 서술하시오.

> 공통의 권력이 없는 상태에서 사는 한, 인간은 누구나 전쟁 상태에 놓이게 된다. 이러한 전쟁은 '만인의 만인에 대한 투쟁'이라고 할 수 있다. 만인에 대한 만인의 투쟁 상태에서는 그 어떤 것도 부당한 것이 될 수 없다. 그곳에는 옳고 그름의 관념, 정의와 불의라는 관념이 존재하지 않기 때문이다. 공통의 권력이 없는 곳에는 법률도 존재하지 않으며, 법률이 존재하지 않는 곳에는 불의도 존재하지 않는다.

18 다음 사상가가 제시한 이상 사회의 특징을 서술하시오.

> 대규모 공업과 세계 시장이 형성된 이래 부르주아 계급은 근대적 대의제 국가에서 독점적인 정치 지배를 쟁취하였다. 근대적 국가 권력은 부르주아 계급 전체의 공통된 사업을 관장하는 위원회에 지나지 않는다.

| 수능 기출 |

01 사회사상가 갑, 고대 서양 사상가 을의 입장으로 옳지 <u>않은</u> 것은?

> 갑: 유토피아에서는 사람들이 자기 일에 열중하고 사치하지 않으며 건전한 방법으로 여가를 즐긴다. 물자가 풍족하고 모든 것이 평등하게 분배되기 때문에 가난한 사람이 없다.
>
> 을: 올바른 국가에서는 세 계층의 사람들이 각기 자기들의 일을 잘 수행하여 조화를 이룬다. 그리고 오랜 교육과 훈련을 거쳐 좋음의 이데아를 인식한 철학자가 국가를 다스린다.

① 갑: 이상 사회의 사람들은 노동 시간 이외의 여가를 향유한다.

② 갑: 이상 사회의 사람들은 경제적으로 풍요롭지만 검소한 삶을 산다.

③ 을: 이상 사회에서는 좋음의 이데아가 국가 통치의 준거가 된다.

④ 을: 이상 사회의 각 계층은 각자의 덕을 발휘하여 조화를 이룬다.

⑤ 갑, 을: 이상 사회의 모든 구성원은 노동에 따른 사유 재산을 보장받는다.

| 교육청 응용 |

02 고대 서양 사상가 갑, 현대 서양 사상가 을의 입장에 대한 설명으로 옳은 것은?

> 갑: 정의로운 국가는 통치자, 방위자, 생산자가 저마다 자신의 맡은 일을 함으로써 성립된다. 국가 내의 세 계층이 남의 일을 하거나 넘보는 일이 없으며, 음계의 세 음정처럼 각 계층이 자신의 일을 잘 조절하고 화목함으로써 전체적으로 조화를 이룬다.
>
> 을: 질서 정연한 사회는 전체의 복지를 증진시킨다는 명목으로 시민적 자유를 침해하지 않으면서도 공공적 정의관에 의해 효율적으로 규제된다. 이러한 사회는 모두가 동일한 정의의 원칙을 받아들이고 있으며 사회의 기본 제도는 일반적으로 이러한 원칙을 충족하고 있다.

① 갑: 모든 계층에 절제의 덕이 필요하다고 본다.

② 갑: 민주정을 이상적 국가의 통치 방식이라고 본다.

③ 을: 기본적 자유의 차등적 분배가 가능하다고 본다.

④ 을: 정의로운 사회는 경제적 불평등이 없다고 본다.

⑤ 갑, 을: 계층 간 역할 교환에 대한 기회가 보장되어야 한다고 본다.

| 평가원 응용 |

03 (가)의 사회사상가 갑, 을의 입장을 (나) 그림으로 탐구하고자 할 때, A~C에 들어갈 옳은 질문만을 〈보기〉에서 있는 대로 고른 것은?

<table>
<tr><td>(가)</td><td>갑: 유토피아에서는 필요한 것을 아무런 문제 없이 얻는다. 사람들은 10년마다 제비를 뽑아 집을 교환한다.
을: 프롤레타리아 혁명을 통해 이룩된 공산 사회에서는 모든 구성원의 욕구가 충족될 만큼 생산물이 산출될 것이다.</td></tr>
<tr><td>(나)</td><td>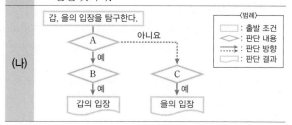</td></tr>
</table>

〈범례〉
⬜ : 출발 조건
◇ : 판단 내용
┄➔ : 판단 방향
▭ : 판단 결과

| 보기 |

ㄱ. A: 사유 재산 제도를 엄격히 시행해야 하는가?

ㄴ. B: 이상 사회는 노동과 지적 활동이 보장되는가?

ㄷ. C: 이상 사회는 계급이 사라지고 자아실현이 가능한가?

ㄹ. C: 능력에 따라 일하고 필요에 따라 분배받아야 하는가?

① ㄱ, ㄴ ② ㄱ, ㄹ ③ ㄷ, ㄹ

④ ㄱ, ㄴ, ㄷ ⑤ ㄴ, ㄷ, ㄹ

| 평가원 응용 |

04 사회사상가 갑, 을의 입장으로 옳은 것만을 〈보기〉에서 있는 대로 고른 것은?

> 갑: 유토피아는 누구나 모든 것을 평등하게 나누어 가지며 풍족하게 살아가므로 빈민이 없는 사회이다. 이 사회에서는 덕 있는 사람이 보상을 받으면서 정신적 자유를 누린다.
>
> 을: 질서 정연한 사회는 구성원의 선을 증진하면서도 공공의 정의관에 의해 효율적으로 규제되는 사회이다. 이 사회에서는 기본적 자유의 평등 원칙과 차등의 원칙이 적용된다.

| 보기 |

ㄱ. 갑: 재산의 사적 소유는 다수의 빈민을 발생시킨다.

ㄴ. 갑: 이상 사회는 풍족한 재화와 도덕성이 공존한다.

ㄷ. 을: 경제적 불평등은 어떤 경우에도 정당화될 수 없다.

ㄹ. 갑, 을: 모든 재화는 균등하게 분배되어야 한다.

① ㄱ, ㄴ ② ㄱ, ㄷ ③ ㄷ, ㄹ

④ ㄱ, ㄴ, ㄹ ⑤ ㄴ, ㄷ, ㄹ

05 | 평가원 응용 |

갑, 을은 중국 고대 사상가이다. 갑이 을에게 제기할 수 있는 비판으로 가장 적절한 것은?

> 갑: 가장 훌륭한 지도자는 사람들에게 그 존재 정도만 알려져 있다. 그다음은 사람들이 가까이하고 칭찬하며, 그다음은 사람들이 두려워한다. 성인(聖人)은 무위(無爲)하지만 다스리지 못하는 것이 없다.
>
> 을: 가장 훌륭한 도(道)가 행해지면 천하는 모두의 것이 된다. 현명한 사람을 지도자로 뽑고 유능한 자에게 관직을 주며 신의와 화목을 가르친다. 홀아비와 과부, 고아와 홀로 남은 노인이 모두 보살핌을 받는다.

① 민본 정치를 실현해야 함을 간과한다.
② 군주는 교체될 수 있다는 점을 간과한다.
③ 예(禮)와 같은 인위를 거부해야 함을 간과한다.
④ 가족 윤리가 국가를 다스리는 토대임을 간과한다.
⑤ 백성의 경제적 안정을 우선시해야 함을 간과한다.

06 | 교육청 기출 |

이상 사회에 대한 갑, 을 사상가들의 입장으로 옳지 않은 것은?

> 갑: 정의로운 나라에서는 철학자가 '좋음 자체'를 본보기로 삼아 나라를 다스린다. 또한 구성원들 각자가 자신의 직분을 충실하게 수행하여 나라 전체가 조화롭게 된다.
>
> 을: 유토피아에서는 시민들이 남녀 구별 없이 하루 여섯 시간만 노동하며 여덟 시간을 잔다. 일하거나 먹거나 잠을 자지 않는 나머지 시간은 주로 지적인 활동에 사용된다.

① 갑: 계층 간의 역할 교환을 해악으로 간주하는 사회이다.
② 갑: 구성원들 각자가 자신의 탁월성을 발휘하는 사회이다.
③ 을: 물질적으로 풍요롭고 정신적 가치를 중시하는 사회이다.
④ 을: 어떤 시민도 필요 이상의 재화를 요구하지 않는 사회이다.
⑤ 갑, 을: 생산에 참여한 사람만이 사유 재산을 갖는 사회이다.

07 | 교육청 기출 |

다음 가상 대화의 선생님은 근대 서양 사상가이다. 선생님이 추구하는 이상 사회에 대한 설명으로 가장 적절한 것은?

> 학   생: 선생님, 자본주의 사회에서 노동자의 생활 수준이 열악해지는 이유는 무엇인가요?
>
> 선생님: 자본주의 생산 양식 속에서 자본가가 노동자를 착취하기 때문입니다.
>
> 학   생: 노동자가 자본가에게 착취되지 않으려면 어떻게 해야 하나요?
>
> 선생님: 노동자들이 단결하여 능력에 따라 일하고 필요에 따라 분배받는 사회를 실현해야 합니다.

① 사유 재산권이 보장되는 자유로운 경쟁 사회이다.
② 국가의 적극적 역할로 노동 소외가 극복된 사회이다.
③ 생산 수단의 공유를 통해 계급이 사라진 평등한 사회이다.
④ 폭력 혁명이 아닌 의회 활동으로 실현되는 민주 사회이다.
⑤ 노동자와 자본가의 분업으로 생산력이 고도로 발전된 사회이다.

08 | 수능 기출 |

다음 고대 서양 사상가의 입장에 대한 설명으로 가장 적절한 것은?

> 국가는 자연적으로 존재하는 공동체들의 완성이다. 자신의 본성상 국가의 구성원이 될 수 없거나 이미 자족해서 그럴 필요가 없는 존재는 보잘것없는 존재이거나 인간 이상의 존재이다. 인간만이 서로 도와줄 필요가 없는 경우에도 국가를 이루길 원한다. 국가가 존재하는 목적은 단지 물질적 필요의 충족만은 아니다. 그것만이 국가의 목적이라면 노예나 짐승의 국가도 존재할 수 있다.

① 국가는 구성원의 덕성 함양에 중립적이어야 한다고 본다.
② 국가 안에서만 개인의 궁극적인 목적이 실현된다고 본다.
③ 국가와 구성원 간 합의로 정치적 의무가 소멸된다고 본다.
④ 국가는 개인들의 선택으로 구성되는 명목에 불과하다고 본다.
⑤ 국가 구성원으로서의 훌륭한 삶과 개인의 좋은 삶은 무관하다고 본다.

09 | 교육청 기출 | 고대 서양 사상가 갑, 근대 서양 사상가 을, 병의 입장으로 옳은 것은?

> 갑: 국가는 단순히 삶을 위해 자연적으로 형성되었지만 더 나아가 훌륭한 삶을 위해 존재한다. 이로 미루어 볼 때 국가는 자연의 산물이며, 인간은 본성적으로 국가 공동체를 형성하는 동물임이 틀림없다.
> 을: 만인에 대한 만인의 투쟁 상태로부터 벗어나기 위하여 국가를 수립하는 유일한 방법은 그들 모두의 권력과 힘을 하나의 인물 또는 한 집단의 인간들에게 부여하여 단일 의사로 만드는 것이다. 이것이 저 위대한 리바이어던이다.
> 병: 입법권은 일정한 목적을 위해서만 작동할 수 있는 신탁된 권력이다. 만일 입법부가 그들에게 맡겨진 신탁에 반해서 행동하는 것이 드러날 때 시민은 입법부를 폐지하거나 변경할 수 있다.

① 갑: 국가는 개인의 생명과 재산을 보존하기 위한 수단적 공동체이다.
② 을: 이성은 자연 상태의 공포로부터 평화를 수립하도록 명령한다.
③ 을: 자연 상태의 혼란은 자연권의 적극적인 행사로 극복 가능하다.
④ 병: 사회 계약은 자연권 모두를 국가에 양도하는 것을 의미한다.
⑤ 을, 병: 주권은 국민에게 있으므로 국가 권력은 제한될 수 있다.

10 | 교육청 응용 | 다음 고대 서양 사상가의 입장에 대한 설명으로 옳은 것은?

> 자연의 산물들 중 하나인 국가는 최고선을 목표로 하는 공동체이다. 구성원 모두가 최선의 행동을 할 수 있고, 삶의 궁극적 목적을 실현할 수 있게 해 주는 것이 가장 좋은 통치 형태이다. 개인으로나 국가의 구성원으로나 최선의 생활이란 덕이 있는 생활이다.

① 국가에 대한 의무는 사회 계약에서 비롯된다고 본다.
② 개인과 국가는 선의 실현을 목표로 추구한다고 본다.
③ 국가는 인간이 자신의 이익을 위해 만든 것으로 본다.
④ 개인은 국가에 저항하는 권리를 행사할 수 있다고 본다.
⑤ 국가는 공동선을 실현하려는 시민이 모인 공동체라고 본다.

11 | 평가원 응용 | 서양 사상가 갑, 을의 입장으로 옳은 것은?

> 갑: 모든 사람을 떨게 만드는 공통의 권력이 없는 상태에서는 그 어떤 것도 불의하지 않다. 폭력과 배신이 난무하는 이런 상태에서 벗어나려면 공통의 권력을 수립해야 한다.
> 을: 프롤레타리아는 부르주아와의 투쟁에서 필연적으로 계급으로서 결합하여 혁명에 의해 지배 계급이 되고, 지배 계급으로서 낡은 생산 관계와 함께 계급 대립 및 계급 자체의 존재 조건을 폐지한다.

① 갑: 만인의 계약을 통해 만인의 투쟁 상태에서 벗어나야 한다.
② 갑: 자연 상태의 인간은 자연법만으로 안전을 보장받을 수 있다.
③ 을: 이상 사회에서는 노동자 계급이 생산 수단을 독점하게 된다.
④ 을: 모든 계급의 연대는 노동자 계급의 해방을 위한 필수 조건이다.
⑤ 갑, 을: 국가는 폭력 혁명에 의해 필연적으로 소멸될 권력 기구이다.

12 | 평가원 응용 | 갑은 고대, 을은 근대 사회사상가이다. 갑, 을의 입장에 대한 설명으로 옳은 것은?

> 갑: 인간은 자연스럽게 가족과 마을을 형성하고, 마지막으로 도달하게 되는 것이 바로 국가이다. 인간은 본성적으로 국가에 속하도록 되어 있다. 국가에 속하지 않은 자는 동물이거나 아니면 신일 것이다.
> 을: 인간이 국가의 구속을 받게 되는 유일한 길은 공동 사회 구성에 동의하는 것이다. 그럼으로써 다수의 결정에 구속되어야 한다는 의무를 짊어지게 된다. 그러나 국가가 시민의 재산을 보호하지 못할 경우 시민은 동의를 철회할 수 있다.

① 갑은 가족이 국가보다 완전한 공동체라고 본다.
② 갑은 정치적 의무를 개인의 자발적 선택에서 비롯된 것으로 본다.
③ 을은 국가 권력은 분할되거나 다른 사람에게 위임될 수 없다고 본다.
④ 을은 묵시적 동의로도 개인에게 정치적 의무가 발생할 수 있다고 본다.
⑤ 갑, 을은 정치적 의무를 인간이 가지는 자연적 의무의 하나로 본다.

02 시민

1 시민의 자유와 권리의 근거

1. 시민❶의 자유와 권리에 대한 자유주의의 시각

(1) 자연권

① 의미 인간이 태어날 때 하늘로부터 부여받은 <u>천부 인권</u>

└ 인위적인 제도나 법 이전에 인간이 태어
나면서 하늘로부터 부여받은 권리

② 홉스와 로크의 자연권 사상

홉스	자연 상태에서 인간에게 가장 중요한 것은 생명 보존임 ➡ 각 개인은 자신의 생명을 지키기 위해서 어떠한 행위도 할 수 있는 '만물에 대한 생득적 권리'를 가지고 있음
로크	인간은 자신의 생명과 자유에 대한 자연권뿐만 아니라 정당한 노동을 통해 획득한 재산을 침해받지 않을 자연권도 가지고 있음

(2) 자유주의

① 의미 자연권 사상을 바탕으로 개인의 자유를 무엇보다 중시하는 사상

② 특징

자유관 자료 01	• 불간섭으로서의 자유: 외부의 간섭을 받지 않고 하고 싶은 일을 선택하고 실행할 수 있는 자유 • 다른 시민의 자유와 권리를 침해하지 않는 한 공권력의 간섭을 받지 않음
자유와 권리	• 개인의 권리와 정치적 의무가 충돌할 경우 개인의 권리를 우선시함 • 불가피하게 개인의 권리를 제약하거나 의무를 부과할 경우 시민들의 자발적 동의❷를 얻어야 함 • 정치 참여를 시민의 의무로서 강조하지는 않으나 자유에 대한 부당한 규제를 없애고 더 나은 환경이 필요하다는 점은 인정함

2. 시민의 자유와 권리에 대한 공화주의의 시각

(1) 공화주의

① 의미 인간의 상호 의존성을 중시하며 시민을 개체적 존재가 아닌 사회적 존재로 보는 사상

② 특징

자유관	• 비지배로서의 자유: 권력자의 자의적 지배가 없는 상태 자료 02 자료 03 • 다른 사람의 간섭이 없는 상태가 아니라 다른 사람의 지배에 예속되지 않는 상태❸를 의미함
자유와 권리	• 권리는 공동체의 법과 제도에 의해 주어짐 ➡ 법에 의한 지배가 개인의 자유와 권리를 증진함 • 시민에게만 인정되고 국가의 번영에 해를 끼치지 않는 한도에서 허용되는 제한적인 것 • 자의적 지배를 받지 않고 공동선을 실현하기 위해 정치 참여가 필수적임

(2) 공화주의의 두 흐름

시민적 공화주의	• 아리스토텔레스의 영향을 받은 아테네 전통의 공화주의 • 정치 참여는 시민의 책무이자 자유를 행사하는 것으로 그 자체가 목적임 • 개인의 권리나 이익보다 시민의 정치적 의무를 더 우선시함 • 시민적 공화주의는 공동체주의라고 부르기도 함 ┘ 정치적 의무는 개인이 선택하거나 거부할 수 없다.
신로마 공화주의	• 마키아벨리의 영향을 받은 로마 전통의 공화주의 • 정치 참여는 그 자체로 목적이 아니라 외세와 폭정으로부터 시민의 자유를 지키기 위한 수단임 • 공화국의 법은 시민의 참여 속에서 공동의 결정으로 만들어짐 ➡ 법은 시민의 자유를 보장하는 수단임 • 자유의 근거는 시민들 스스로가 심의하고 제정한 헌법임

❶ 시민
법에 보장된 일정한 권리와 의무를 지닌 자유롭고 평등한 사람으로, 정치에 참여할 수 있는 권한과 자격을 가진 사회의 구성원이다.

❷ 명시적 동의와 묵시적 동의
로크는 의무를 명시적 의무와 묵시적 의무로 구분하고, 어떤 나라에 거주한다는 사실 그 자체로 묵시적 동의가 성립하므로 의무가 발생할 수 있다고 보았다. 하지만 동시에 모든 의무는 동의에 기초해야 한다고 주장하였다.

❸ 간섭과 지배의 차이
노예에게 간섭하지 않는 착한 주인이 있다고 했을 때, 노예는 간섭을 받지 않고 있으므로 불간섭으로서의 자유의 관점에서는 자유롭다고 할 수 있다. 그러나 비지배로서의 자유의 관점에서 보면 노예는 주인의 지배하에 있으므로 자유롭지 않다. 비지배로서의 자유는 사적인 지배의 가능성 자체를 벗어나는 것이다.

셀파 자료 탐구

자료 01   벌린의 소극적 자유

내 활동에 어느 누구도 간섭하지 않는 상태를 자유롭다고 일컫는다. 이러한 의미에서 자유란 그저 한 사람이 타인에게 방해받지 않고 행동할 수 있는 영역을 의미한다. …… 그리고 타인 때문에 그 영역이 일정한 한도 이상으로 축소될 때 나는 강제당하거나 혹은 노예 상태에 처한 것이다.

– 벌린, 「자유의 두 개념」 –

자료 분석ㅣ 벌린은 자유를 소극적 자유와 적극적 자유로 구분하였다. 소극적 자유는 외부로부터의 속박이 없는 상태를 의미한다. 적극적 자유란 자신의 의지에 따라 스스로가 원하는 삶을 능동적으로 실현할 수 있는 자유를 말한다. 벌린은 적극적 자유가 국가의 개입을 정당화하여 개인의 자유와 권리를 침해할 여지가 있다고 보았기 때문에 적극적 자유가 아닌 소극적 자유를 주장한다.

1 자유주의에서는 자유를 불간섭으로서의 자유로 본다.

(O , ×)

2 공화주의에서는 법의 지배 때문에 공화국 시민들의 자유가 위축된다고 본다.

(O , ×)

3 벌린은 소극적 자유가 아닌 적극적 자유를 진정한 자유로 보았다.

(O , ×)

4 공화주의에서는 권력자의 자의적 지배가 없는 상태를 추구한다.

(O , ×)

자료 02   비지배로서의 자유

공화적 자유, 즉 비지배(non-domination)로서의 자유는 자의적 통치나 폭정으로부터 시민들을 보호한다는 의미와 시민들이 공적이고 정치적인 삶에 적극적으로 참여한다는 의미를 조합한 것이다. 공화주의 사상가들은 이러한 자유의 개념을 도덕적 규범이나 헌법 구조와 관련하여 토론해 왔다. 공화주의의 도덕적 관심은 투철한 공공 정신과 명예, 그리고 애국심을 포함하는 시민적 덕성에 관한 믿음을 반영한다. 공화주의는 공적 영역을 개인적 성취를 위한 토대로 재설정하고자 노력하며 정치의 사유화와 시장화에 저항한다.   – 헤이우드, 「정치 이론」 –

자료 분석ㅣ 비지배로서의 자유의 핵심은 다른 사람의 자의적 지배에서 벗어나는 것이다. 즉, 간섭의 부재에서 그치는 것이 아니라 다른 사람에게 종속되지 않는 상태를 추구한다. 공화주의자들에 따르면 이러한 자유는 공공의 법으로써 가능하다. 공공의 법은 공화국 시민의 참여로 만들어진 법이며, 시민의 자유를 제한하지 않고 자유를 보장하는 수단이다.

5 공화주의에서 추구하는 자유는 비지배로서의 자유이다.

(O , ×)

6 공화주의에서는 자유를 보장하기 위해 법으로 인간의 행위를 제한할 필요가 없다고 한다.

(O , ×)

7 자유주의에서는 개인의 자유는 어떤 경우에도 제한될 수 없다고 본다.

(O , ×)

8 마키아벨리는 평민이 비지배로서의 자유를 잘 보호할 수 있다고 본다.

(O , ×)

자료 03   비지배로서의 자유는 누가 보호해야 하는가?

어떤 사물이든 그것을 차지하려는 마음이 가장 적은 자에게 맡겨야 한다고 말하고 싶다. 의심의 여지 없이 귀족과 귀족이 아닌 자의 목적을 검토해 보면, 전자에게는 지배하려는 강한 갈망이 있고, 후자에게는 단지 지배당하지 않으려는 갈망, 다시 말해 귀족보다 지배권을 장악할 전망이 적으므로 자유 속에서 살고자 하는 강한 열망이 있다는 점을 발견할 것이다. 그러므로 평민이 자유를 보호하는 직책을 담당하면 그들은 스스로 그것을 독점할 수 없기 때문에 타인이 그것을 독점하지 않도록 훨씬 잘 지킬 것이다.   – 마키아벨리, 「로마사 논고」 –

자료 분석ㅣ 공화주의는 자유주의와 마찬가지로 자유를 중시한다. 하지만 공화주의에서 말하는 자유는 권력자의 자의적 지배가 없는 상태이다. 공화주의에 따르면 공동체 전체에 지배적 영향력을 행사하는 개인이나 집단이 없어야 한다. 이런 의미에서 공화주의자인 마키아벨리는 지배당하지 않으려는 갈망이 있는 평민이 비지배로서의 자유를 잘 보호할 수 있다고 본다.

9 자유주의와 공화주의 모두 정치 참여는 강제성을 지녀야 한다고 본다.

(O , ×)

정답 1 ○ 2 × 3 × 4 ○ 5 ○
6 × 7 × 8 ○ 9 ×

2 공동체와 공동선 및 시민적 덕성

1. 공동체와 공동선④에 대한 자유주의와 공화주의의 입장 자료04

	자유주의	공화주의
강조점	삶을 스스로 계획하고 결정하는 자율적 존재로서의 인간을 강조함	시민으로서 이행해야 할 의무와 공동체적 삶의 중요성을 강조함
공동체	정치 공동체는 개인의 자유와 권리를 보장하기 위해 존재함	정치 공동체 없이는 개인적 자유와 권리의 실현이 불가능함
공동선	• 공동체는 개인의 자유와 권리를 보장하기 위한 수단이므로 사익이 공익보다 우선함 • 공동선을 위해 사익 추구를 제한하거나 포기하는 것은 옳지 않음 • 공동선은 개인이 추구하는 개인선의 총합임 • 자신의 이익을 소중히 여기는 만큼 타인의 이익에도 관심을 가지는 시민은 공동선에도 관심을 가짐	• 공동체는 공동선을 받아들인 개인으로 구성되므로 공동선은 모두에게 이로운 것임 • 시민에게는 공동의 일에 참여하고 공동체에 헌신할 의무가 있음 • 공동선은 개인이 추구하는 개인선의 총합을 넘어섬 • 공동선을 중요시한다고 해서 개인의 선을 자의적으로 침해하지 않음

2. 시민적 덕성에 대한 자유주의와 공화주의의 입장

(1) 자유주의

시민적 덕성	자유주의는 자유로운 시민이 국가로부터 더 많은 자유를 보장받는 일에 관심을 둠 ➡ 자신의 권리를 주장하는 것, 타인의 권리를 인정하는 관용 등을 시민적 덕성으로 제시함
법치	법치의 목적: 국가로부터 개인의 사생활과 자유를 보호해야 함
관용	• 관용은 다른 사람의 견해나 행동에 동의하지 않음에도 이를 허용하는 적극적 태도를 포함함 • 관용의 역설⑤을 경계하고 타인의 인권과 자유, 민주주의적 가치 등을 침해하는 행위에 대해서는 불관용해야 함

(2) 공화주의

시민적 덕성	덕 있는 시민이 모여서 모두를 이롭게 하는 국가를 이루고자 함 ➡ 공동선에 관심을 두고 이를 실현하는 데 적극적으로 참여할 것을 시민적 덕성으로 강조함
법치	• 법치의 목적: 권력의 타락을 방지해야 함 • 법치는 비지배 자유의 보장을 위한 것으로 개인의 자유와 권리를 침해하는 것이 아니라 증진함 • 법은 시민의 참여 속에서 공동의 결정으로 제정됨 ➡ 자신이 만든 법에 자발적으로 복종함
관용	• 관용은 공적 공간에서 토론할 때 시민들에게 요구되는 덕목임 • 관용은 서로의 차이를 단순히 묵인하거나 허용하는 것을 넘어 타인의 자율성과 구성원 간의 평등을 존중하는 적극적인 시민 의식임

(3) 애국심에 대한 관점

자유주의	• 애국심은 자유·평등·정의·복지 등을 규정한 헌법 정신에 합치하는 나라 사랑(헌법 애국주의)임 • 애국심은 개인의 양심 문제 ➡ 애국심에 대한 과도한 강조는 개인의 애국을 방해하고 개인의 권리를 침해할 우려가 있음
공화주의 자료05	• 애국심은 시민의 자유를 지켜 주는 정치 공동체와 동료 시민들을 향한 대승적⑥ 사랑(카리타스)임 • 애국심은 자연적 감정이 아니라 시민의 공적인 일에 참여할 때 생기는 열정⑦임
민족주의	• 어떤 집단에 기꺼이 다른 사람과 함께 구속되어 자발적으로 공동의 목표를 추구하고자 하는 의지 • 바람직한 애국심은 배타적 사랑이 아니라 집단 내의 구성원을 끌어안는 포용적 사랑임

---

④ **개인선과 공동선**
개인선은 각 개인에게 좋거나 훌륭한 것이고, 공동선은 개인을 포함해 모두에게 좋거나 훌륭한 것이다. 자유주의와 공화주의 모두 개인선과 공동선이 공존할 수 있다고 보았다.

고득점을 위한 셀파 Tip 비교

자유주의와 공화주의의 법치의 목적	
자유주의	개인의 사생활·자유에 대한 국가의 과도한 간섭과 침해를 막기 위한 것
공화주의	권력을 이용한 특정 세력의 자의적 지배를 막기 위한 것

⑤ **관용의 역설**
관용을 무제한으로 허용한 결과 인권이 침해되고 사회 질서가 무너지는 현상

⑥ **대승적**
사사로운 이익이나 작은 일에 얽매이지 않고 전체적인 관점에서 판단하고 행동하는 것

⑦ **공화주의적 애국심**
공화주의적 애국심은 정치 공동체의 자유를 수호하여 시민의 자유를 확보한다는 점에서 태어난 나라와 민족을 강조하는 민족주의적 애국심과 다르다. 또한 특정 공화국에 대한 애정과 충성을 뜻한다는 점에서 정치 공동체의 문화, 역사, 전통 등과 무관한 인류 공통의 보편적 가치를 강조하는 자유주의의 헌법 애국주의와도 차이가 있다.

자료 04 개인선과 공동선을 바라보는 두 가지 관점

(가) 개별적 삶을 살아가는 개별적 개인 외에 그 어떤 사회적, 정치적 실체도 없다. 자기 자신의 목적을 추구할 자유는 재산과 자원 축적의 권리와 결합해 있다. 모든 이에 공통된 단일한 유토피아는 없으며, 각자가 자기만의 유토피아를 추구할 수 있는 하나의 틀로서 최소 국가만이 도덕적으로 정당하다. 국가가 개인의 삶에 적게 간섭할수록 좋은 것이며, 어떤 이상이나 특정한 유토피아를 말하는 국가는 정당한 한계를 벗어난다. － 노직, 「아나키, 국가, 유토피아」 －

(나) 자유주의에 따르면, 우리는 개인의 권리를 존중해야 하지만 그들의 선을 증진할 필요는 없다. 자유주의자들은 자유와 정치 참여는 서로 부수적인 관계에 불과하며 일치할 필요도 없고 연결되지도 않는다고 본다. 그러나 국가는 개인의 삶의 문제에 결코 중립적일 수 없다. 우리의 본성은 정치적 존재라는 데 있으며, 자유의 실현은 오직 공동선을 숙고하고, 국가의 공공 생활에 참여하는 우리 역량을 발휘하는 데서만 가능하다. － 샌델, 「공동체주의와 공공성」 －

자료 분석 | (가)는 노직, (나)는 샌델의 글이다. 노직은 자유 지상주의 관점의 사상가로, 개인을 제외한 다른 것들은 도덕적으로 고려할 만한 실체가 없다고 한다. 그러므로 개인선의 추구가 가장 중요하고, 국가는 개인이 선을 추구하는 것을 보조하는 역할을 해야 한다고 본다. 샌델은 공동체주의자로, 국가는 개인의 삶과 선에 대해 간섭할 수 있고, 개인은 공동선의 실현에 책임을 다해야 한다고 강조한다.

자료 05 공화주의의 애국심

공화국은 기억과 기념이 무척이나 필요하다. 기억은 시민적 덕성을 키우는 강력한 수단이다. 우리는 독재에 대해 항거한 역사나 자유를 향해 투쟁한 역사를 기념함으로써, 우리가 모두 함께 고통받았던 역사의 한 페이지를 회고함으로써, 이러한 이야기를 듣는 모든 이들에게 자신들도 그러한 업적을 만들어야 한다는 도덕적 의무감을 가슴 깊이 일깨울 수 있다. …… 우리에게 필요한 것은 조국과 조상의 위대함에 대해 비겁한 거짓말로 잔뜩 치장한 유치찬란한 국민적 자부심이 아니다. 우리는 우리나라 역사의 이야기들 속에서 비록 짧았고 군사적으로 패배하여 사라졌던 것이라도 그런 자유의 소중한 경험들을 다시 발견해 낼 필요가 있다. 이러한 경험들을 기억함으로써 우리는 자랑스러운 역사를 물려받았다는 느낌과 함께 우리나라를 진정한 시민 공동체로 만들어야겠다는 어떤 도덕적 의무감을 부여받게 되는 것이다. － 비롤리, 「공화주의」 －

자료 분석 | 자유주의에서는 자유, 평등, 정의와 같은 일반적이고 보편적인 정치적 원리, 헌법 원리에 대한 사랑을 애국심이라고 본다. 반면에 공화주의에서는 보편적인 원리가 아니라 구체적으로 존재하는 조국에 대한 사랑이 애국심이라고 말한다. 여기서 조국이란 민족이나 땅을 의미하는 것이 아니라 시민의 자유를 보장하는 공화정의 질서와 동료 시민을 의미한다. 이처럼 공화주의는 자유주의와 달리 구체적 대상에 대한 사랑을 애국심이라고 주장한다.

개념 완성

1 시민의 자유와 권리의 근거

자유 주의	• (❶)으로서의 자유: 외부의 간섭을 받지 않고 스스로 하고 싶은 일을 선택하고 실행할 수 있는 자유 • 다른 시민의 자유와 권리를 침해하지 않는 한 공권력의 간섭을 받지 않음 • 개인의 권리와 정치적 의무 중 (❷)의 권리를 우선시함 • 개인의 권리를 제약하거나 의무를 부과할 경우 시민들의 자발적 동의를 얻어야 함
공화 주의	• (❸)로서의 자유: 권력자의 자의적 지배가 없는 상태 • 자유는 다른 사람의 간섭이 없는 상태가 아니라 다른 사람의 지배에 예속되지 않는 상태임 • 권리는 (❹)의 법과 제도에 의해 주어짐 • 자유와 권리는 국가의 번영에 해를 끼치지 않는 한도에서 허용되는 제한적인 것 • 자의적 지배를 받지 않고 공동선을 실현하기 위해 (❺) 참여가 필수적임

2 공동체와 공동선 및 시민적 덕성

공동체와 공동선	자유 주의	• (❻)이 공익보다 우선함 • 공동선을 위해 사익 추구를 제한하거나 포기하는 것은 옳지 않음 • 공동선은 개인이 추구하는 개인선의 총합임
	공화 주의	• 공동선은 모두에게 이로운 것임 • 시민에게는 공동의 일에 참여하고 공동체에 헌신할 의무가 있음 • (❼)은 개인이 추구하는 개인선의 총합을 넘어섬
시민적 덕성	자유 주의	• 법치의 목적: 국가로부터 개인의 사생활과 자유 보호 • 관용: 다른 사람의 견해나 행동에 동의하지 않음에도 이를 허용하는 적극적 태도를 포함함 • (❽)을 경계하고 타인의 인권과 자유, 민주주의적 가치에 대한 침해 행위에 대해서는 불관용해야 함
	공화 주의	• 법치의 목적: (❾)의 타락 방지 • 법치는 비지배 자유의 보장을 위한 것으로 개인의 자유와 권리를 침해하는 것이 아니라 증진함 • 관용: 공적 공간에서 토론할 때 시민들에게 요구되는 덕목 • 관용은 서로의 차이를 단순히 묵인하거나 허용하는 것 이상의 적극적인 시민 의식

정답 ❶ 불간섭 ❷ 개인 ❸ 비지배 ❹ 공동체 ❺ 정치 ❻ 사익 ❼ 공동선 ❽ 관용의 역설 ❾ 권력

탄탄 내신 문제

01 다음 사상가가 긍정의 대답을 할 질문으로 가장 적절한 것은?

> 내 활동에 어느 누구도 간섭하지 않는 상태를 자유롭다고 일컫는다. 이러한 의미에서 자유란 그저 한 사람이 다른 사람에게 방해받지 않고 행동할 수 있는 영역을 의미한다.

① 소극적 자유보다 적극적 자유가 우선하는가?
② 사상, 양심, 신체, 표현의 자유를 지지하는가?
③ 공동체가 추구하는 덕이나 가치에 가장 큰 비중을 두어야 하는가?
④ 공동체의 목적을 넘어선 활동에 대해서는 관용을 제한해야 하는가?
⑤ 개체적 존재로서의 시민보다 사회적 존재로서의 시민이 더 강조되어야 하는가?

02 다음 사상의 입장으로 옳은 것은?

> 공화적 자유, 즉 비지배(non-domination)로서의 자유는 자의적 통치나 폭정으로부터 시민들을 보호한다는 의미와 시민들이 공적이고 정치적인 삶에 적극적으로 참여한다는 의미를 조합한 것이다. 공화주의 사상가들은 이러한 자유의 개념을 도덕적 규범이나 헌법 구조와 관련하여 토론해 왔다. 공화주의의 도덕적 관심은 투철한 공공 정신과 명예, 그리고 애국심을 포함하는 시민적 덕성에 관한 믿음을 반영한다. 공화주의는 공적 영역을 개인적 성취를 위한 토대로 재설정하고자 노력하며 정치의 사유화와 시장화에 저항한다.

① 법의 간섭은 최소한으로만 이루어져야 한다.
② 자유는 권력자의 자의적 지배가 없는 상태이다.
③ 국가는 어떤 경우에도 개인의 자유를 제한하면 안 된다.
④ 시민의 자유와 권리는 태어날 때부터 가진 천부 인권이다.
⑤ 자유는 외부의 간섭을 받지 않고 하고 싶은 일을 하는 상태일 뿐이다.

03 (가)의 서양 사상가 갑, 을의 입장을 (나)의 그림으로 표현할 때, A~C에 해당하는 적절한 진술만을 〈보기〉에서 있는 대로 고른 것은?

(가)	갑: 사회에 있어서 인간의 자유란 사람들의 동의를 통해 국내에 확립된 입법권 이외의 어떤 권력에도 종속되지 않는다. 또한 입법부가 자기에게 부여된 신탁에 따라 제정하는 것 이외의 어떤 의지의 지배나 법의 구속에도 종속되지 않는다. 을: 공화국을 외세, 폭군, 부패로부터 보호하기 위해서는 법률만이 아니라 개인의 이익이 공공선의 일부라는 것을 시민들에게 이해시키는 지혜, 관대한 정신, 공적 삶에 참여하려는 정당한 욕구, 억압자에게 저항하려는 의지가 요구된다.

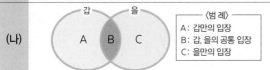

(나)

〈범례〉
A: 갑만의 입장
B: 갑, 을의 공통 입장
C: 을만의 입장

┤ 보기 ├

ㄱ. A: 개인들은 특정한 역사적·문화적 맥락으로부터 독립적인 존재이다.
ㄴ. B: 자유의 본질은 외부로부터의 간섭의 부재이다.
ㄷ. B: 국가는 자연 상태의 개인들이 자연권 보호를 위해 만든 조직이다.
ㄹ. C: 권리가 법과 관습에 의해 뒷받침되지 않으면 권리로서 작동할 수 없다.

① ㄱ, ㄷ 　　② ㄱ, ㄹ 　　③ ㄴ, ㄷ
④ ㄱ, ㄴ, ㄹ 　　⑤ ㄴ, ㄷ, ㄹ

04 ㉠에 대한 설명으로 옳은 것은?

　　과거 절대 군주가 다스린 국가에서 신민은 군주의 소유물로서 자유와 존엄성을 인정받을 수 없었다. 반면 근대 이후 자유주의가 등장하고 [㉠] 사상이 확립되면서 모든 사람에게 시민의 자유와 권리를 보장해야 한다는 의식이 확산되었다. 이 권리는 모든 사람이 태어날 때부터 똑같이 지니고 있는 권리이다.

① 신로마 공화주의 사상의 바탕이 되었다.
② 법에 의한 지배를 정당화하는 근거이다.
③ 공동체주의에서 가장 중시하는 시민적 덕성이다.
④ 근대 사회 계약론자에 의해 계승되고 발전되었다.
⑤ 정치 참여를 필수적 의무로 여기게 하는 바탕이다.

05 다음 사상에 대한 옳은 설명을 〈보기〉에서 있는 대로 고른 것은?

　　그 이름값을 하는 유일한 자유는, 우리가 타인들로부터 그들의 노력을 방해하려고 하지 않는 한, 우리 자신의 이익을 우리 나름의 방식으로 추구할 자유이다. …… 어떤 종류의 행동이든 정당한 이유 없이 다른 사람에게 해를 끼치는 것은 강압적인 통제를 받을 수 있으며, 사안이 심각하다면 반드시 통제해야 한다. 나아가 필요하다면 사회 전체가 적극적으로 간섭해야 한다.

┤ 보기 ├

ㄱ. 개인들이 모여 국가를 형성한다고 본다.
ㄴ. 공동선의 실현보다 개인선의 실현이 우선한다고 본다.
ㄷ. 개인의 자유와 권리는 국가에 의해 주어지는 것이라고 본다.
ㄹ. 공동체에 대한 의무보다 개별 시민의 자유와 권리가 우선한다고 본다.

① ㄱ, ㄴ 　　② ㄱ, ㄹ 　　③ ㄴ, ㄷ
④ ㄱ, ㄴ, ㄹ 　　⑤ ㄴ, ㄷ, ㄹ

06 ㉠에 들어갈 진술로 가장 적절한 것은?

　　아무 제약 없는 관용은 관용의 소멸을 불러온다. 불관용의 습격에서 관용적인 사회를 방어할 준비가 되어 있지 않다면, 관용적인 사회와 관용 정신 그 자체가 파괴당하고 말 것이다. 이러한 문제가 발생하지 않도록 하려면 　　　　㉠　　　　

① 다른 사람의 견해나 행동에 무관심해야 한다.
② 다른 사람의 말에 대해 판단을 중지해야 한다.
③ 인간의 오류 가능성을 인정하고 타인의 견해를 무조건 받아들여야 한다.
④ 차이는 인정하되 보편적 가치에 어긋나는 행위는 관용하지 말아야 한다.
⑤ 다양한 의견이 존재할 수 있다는 것을 인정하고 그대로 받아들여야 한다.

[07~08] 다음 글을 읽고 물음에 답하시오.

> (가) 자유란 타인에게 방해받지 않고 행동할 수 있는 상태를 의미한다. 어떤 목표를 추구할 때 외부의 의도적인 강제로 인해 그것을 달성하지 못했을 경우 자유가 없다고 할 수 있다.
>
> (나) 자유란 사적인 형태의 예속이 없는 상태이다. 다시 말해 자유는 권력의 자의적 의지에 종속되어 있지 않은 것이다.

07 (가), (나) 사상의 입장에 대한 설명으로 옳지 <u>않은</u> 것은?

① (가)는 천부 인권 사상을 바탕으로 한다.

② (가)는 불간섭으로서의 자유를 주장한다.

③ (나)는 비지배로서의 자유를 주장한다.

④ (나)는 법이 자유를 제한하지만 공공의 질서를 위해 필요하다고 본다.

⑤ (가)와 (나)는 모두 개인선과 공동선이 조화를 이룰 수 있다고 본다.

08 (나) 사상의 입장에서 (가) 사상에게 제기할 수 있는 비판으로 적절한 것을 〈보기〉에서 고른 것은?

┤ 보기 ├

ㄱ. 자유는 어떠한 경우에도 제한될 수 없음을 모르고 있다.

ㄴ. 공동체가 개인에 간섭해서는 안 된다는 점을 모르고 있다.

ㄷ. 자유는 공적인 일에 참여함으로써 실현될 수 있다는 것을 모르고 있다.

ㄹ. 권리란 천부적인 것이 아니라 법과 제도에 의해 인정된 것이라는 점을 모르고 있다.

① ㄱ, ㄴ   ② ㄱ, ㄷ   ③ ㄴ, ㄷ

④ ㄴ, ㄹ   ⑤ ㄷ, ㄹ

09 (가)의 입장에 비해 (나)의 입장이 갖는 상대적인 특징을 그림의 ㉠~㉤ 중에서 고른 것은?

> (가) 나는 법적으로 특정한 나라의 시민일 수 있다. 그러나 만약 내가 시민으로서 책임을 떠맡기로 명시적으로나 암묵적으로 선택하지 않는다면 사람들은 나에게 나의 나라가 행한 것에 대해 책임을 물을 수 없다.
>
> (나) 나는 공적인 일에 관심을 가지고 참여하며, 공동체에 필요한 기여와 헌신을 의무로 여기는 시민이다. 우리에게 주어진 자유와 권리는 국가의 번영에 해를 끼치지 않는 한도 내에서만 허용되는 제한된 것이다.

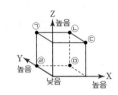

- X: 공동체가 개인의 정체성 형성에 영향을 주는 정도
- Y: 개인과 공동체를 상호 유기적 관계로 여기는 정도
- Z: 공동선 실현을 위해 개인의 헌신을 요구하는 정도

① ㉠   ② ㉡   ③ ㉢   ④ ㉣   ⑤ ㉤

10 다음 사상에 대한 옳은 설명을 〈보기〉에서 고른 것은?

> 개인의 정체성은 자신이 선택하는 것이라기보다 공동체적 관계와 가치에 뿌리를 둔다. 소속되어 있는 공동체에 의해 우리가 규정된다면, 우리는 스스로를 이해하기 위해서 공동체의 성격을 정확하게 파악해야 한다.

┤ 보기 ├

ㄱ. 자아 형성에 있어 공동체의 역사와 전통을 중시한다.

ㄴ. 공동선을 실현하기 위해 개인의 책임 의식을 강조한다.

ㄷ. 공동체를 개인의 자율성을 발휘하는 수단으로 이해한다.

ㄹ. 공동체를 개인의 권리 보장을 위한 계약의 산물로 간주한다.

① ㄱ, ㄴ   ② ㄱ, ㄷ   ③ ㄴ, ㄷ

④ ㄴ, ㄹ   ⑤ ㄷ, ㄹ

11 (가), (나) 사회사상에 대한 설명으로 옳지 <u>않은</u> 것은?

> (가) 사회는 시민들이 사회 전체를 걱정하고 공동선에 헌신하는 태도를 키울 방법을 찾아야 한다. 사회는 좋은 삶에 관한 지극히 사적인 견해를 배격하고 시민의 미덕을 키울 길을 찾아야 한다.
>
> (나) 타인에게 해를 끼치는 것을 막기 위한 경우를 제외하고 문명사회의 구성원의 자유를 침해하는 그 어떤 권력의 행사도 정당화될 수 없다.

① (가)는 사회적 존재로서의 시민적 덕성을 강조한다.
② (가)는 공동체에 대한 개인의 책임 의식을 중시한다.
③ (나)는 자유와 개성의 신장을 행복의 요소로 본다.
④ (나)는 개인의 권리 보장을 공동체의 목표로 본다.
⑤ (나)는 (가)보다 개인과 공동체의 유기적 관계를 중시한다.

12 (가), (나) 사상의 관점에 대한 설명으로 옳지 <u>않은</u> 것은?

> (가) 개인의 권리는 신성불가침한 것이기에 전체의 선을 위해 희생될 수 없다. 좋은 사회는 개별 시민들의 자유와 권리를 잘 보호해 주는 사회이다.
>
> (나) 개인의 삶은 공동체의 목적 달성을 위한 자신의 역할을 배제한 채 생각될 수 없다. 좋은 사회는 서로를 공동체의 구성원으로 인정하고 배려하는 사회이다.

① (가)는 개인이 선택한 가치와 목표의 성취를 지향한다.
② (나)는 공동체가 설정한 이상과 목적의 달성을 지향한다.
③ (가)는 개인의 자율성을 (나)는 공동체의 공동선을 강조한다.
④ (가)는 (나)보다 시민의 연대성과 문화적 전통을 더 중시한다.
⑤ (가)는 개인을 독립된 존재로 (나)는 개인을 소속된 존재로 파악한다.

13 다음에서 주장하는 애국심에 대한 설명으로 옳은 것은?

> 우리에게 필요한 것은 조국과 조상의 위대함에 대해 비겁한 거짓말로 잔뜩 치장한 유치찬란한 국민적 자부심이 아니다. 우리는 우리나라 역사의 이야기들 속에서 비록 짧았고 군사적으로 패배하여 사라졌던 것이라도 그런 자유의 소중한 경험들을 다시 발견해 낼 필요가 있다. 이러한 경험들을 기억함으로써 우리는 자랑스러운 역사를 물려받았다는 느낌과 함께 우리나라를 진정한 시민 공동체로 만들어야겠다는 어떤 도덕적 의무감을 부여받게 되는 것이다.

① 애국심은 곧 헌법 정신에 따르는 것이다.
② 애국심은 주종적 지배 관계를 지향해야 한다.
③ 애국심의 대상은 시민이 태어난 장소에 기반한다.
④ 애국심은 공화국에 대한 자발적 헌신과 사랑이다.
⑤ 애국심은 혈연·지연에 기초한 애착을 바탕으로 한다.

14 그림은 서술형 평가 문제와 학생 답안이다. 학생 답안의 ㉠~㉤ 중 옳지 <u>않은</u> 것은?

> **〈서술형 평가〉**
> ◎ **문제** 애국심을 바라보는 다양한 관점을 서술하시오.
> ◎ **학생 답안**
> ㉠ 자유주의적 애국심은 인권을 보장하는 헌법을 존중하는 태도에 있다. ㉡ 자유주의에서는 애국을 과도하게 강조하는 것은 개인의 애국을 방해할 수 있을 뿐만 아니라 개인의 권리를 침해할 우려가 있다고 본다. 반면에 ㉢ 공화주의적 애국심은 정치 공동체와 동료 시민들을 향한 대승적 사랑을 의미한다. 또한 ㉣ 공화주의 애국심은 '자유와 정의가 확립된 조국을 대하는 인위적 열정'을 말한다. 이와 같은 ㉤ 공화주의에서 애국의 대상인 조국은 시민이 태어난 땅과 같은 구체적 장소를 의미한다.

① ㉠   ② ㉡   ③ ㉢   ④ ㉣   ⑤ ㉤

15 ⊙, ⓒ에 들어갈 알맞은 말을 쓰시오.

> 자유주의에서는 시민의 자유가 모든 권리의 바탕
> 이 된다. 이때 시민의 자유는 외부의 간섭을 받지 않
> 고 스스로 하고 싶은 일을 선택하여 실행할 수 있는
> 자유로, [⊙](이)라고 부른다. 공화주의
> 에서는 자의적 권력 또는 지배와 그 가능성의 부재
> 를 자유라고 본다. 공화주의에서 주장하는 자유를
> [ⓒ](이)라고 부른다.

16 ⊙, ⓒ에 들어갈 말을 쓰고, 정치 참여에 대한 입장 차이를 서술하시오.

> 공화주의는 크게 두 가지 관점으로 분류할 수 있
> 다. 아리스토텔레스의 영향을 받은 아테네 전통의
> [⊙]와/과 키케로의 영향을 받은 로마 전
> 통의 [ⓒ](이)다.

17 ⊙, ⓒ에서 지향하는 법치의 목적을 비교해 서술하시오.

> ⊙ 자유주의에서는 타인의 자유와 권리를 침해하
> 거나 시민 자신이 자유를 포기하거나 유보할 때에
> 한하여 법률과 규칙에 의해서만 자유를 제한할 수
> 있다. 이때 국가가 법률에 의하지 않고서는 자유를
> 제한할 수 없다. ⓒ 공화주의에서는 타인에게 지배
> 받지 않는 자유를 누리려면 특정한 개인이나 집단의
> 뜻이 아니라 모두의 뜻에 의한 지배가 실현되어야
> 한다. 따라서 공화주의에서는 전체의 의견을 모아서
> 탄생한 법률에 모두가 따라야 한다고 본다.

18 다음 입장에서 말하는 애국심이란 무엇인지 쓰시오.

> 인간은 어떤 외적인 기준의 강요로 공동체에 속하
> 는 것이 아니라 자신의 의지에 따라 어딘가에 귀속
> 될 수 있다. 인간은 인종의 노예도, 언어의 노예도,
> 종교의 노예도, 강물의 흐름의 노예도, 산맥의 방향
> 의 노예도 아니다. 인간의 건전한 정신과 뜨거운 심
> 장이 민족이라고 부르는 도덕적 양심을 창출한다.
> 이 도덕적 양심이 공동체를 위해서 바친 희생을 바
> 탕으로 자신의 힘을 증명할 때 민족은 정당하게 존
> 재할 권리가 있다.

| 평가원 기출 |

01 사회사상가 갑, 을의 입장으로 옳은 것만을 〈보기〉에서 있는 대로 고른 것은?

> 갑: 자유는 시민적 자유 내지 사회적 자유를 의미한다. 국가는 선에 대해 중립적이어야 하며, 타인에게 미치는 위해를 방지하기 위한 경우에만 권력이 개인의 자유에 간섭할 수 있다.
> 을: 자유는 자의적 지배 권력의 부재를 의미한다. 자유를 누리기 위해서는 법치 국가가 되어야 하며, 이 국가와 동료 시민에 대한 자발적이고 대승적인 사랑이 진정한 애국이다.

┤ 보기 ├

ㄱ. 갑: 타인에게 해를 주지 않는다면 개인의 자유를 보장해야 한다.
ㄴ. 을: 시민의 정치 참여는 자유를 지키는 필수 요소이다.
ㄷ. 을: 자신이 소속된 민족에 대한 무조건적 사랑이 애국이다.
ㄹ. 갑, 을: 자유를 실현하려면 국가의 어떤 간섭도 배제해야 한다.

① ㄱ, ㄴ   ② ㄱ, ㄷ   ③ ㄴ, ㄹ
④ ㄱ, ㄷ, ㄹ   ⑤ ㄴ, ㄷ, ㄹ

| 평가원 기출 |

02 사회사상가 갑, 을의 입장으로 옳은 것은?

> 갑: 자유의 핵심은 개인의 선택이나 활동에 대한 간섭이 부재한 상태입니다. 우리에게는 아무도 마음대로 간섭할 수 없는 자신만의 영역이 필요합니다.
> 을: 자유의 핵심은 자의적인 지배 권력이 부재한 상태입니다. 예를 들어 선한 주인에 의해 간섭받지 않는 노예라 할지라도 그는 진정으로 자유로운 것이 아닙니다.

① 갑: 불간섭의 영역이 확대될수록 개인의 자유의 영역은 축소된다.
② 갑: '~로부터의 자유'가 아니라 '~를 향한 자유'가 진정한 자유이다.
③ 을: 법은 타인의 자의적인 지배로부터 개인의 자유를 보호한다.
④ 을: 자의적 지배가 없는 정당한 간섭보다 어떤 간섭도 없는 지배가 낫다.
⑤ 갑, 을: 모든 간섭이 사라져야 진정한 자유를 향유할 수 있다.

| 수능 응용 |

03 (가)의 사상가 갑, 을의 입장을 (나) 그림으로 탐구하고자 할 때, A~C에 들어갈 옳은 질문만을 〈보기〉에서 고른 것은?

> (가)
> 갑: 자유란 사적인 형태의 예속이 없는 상태이다. 다시 말해 자유는 권력의 자의적 의지에 종속되어 있지 않은 것이다.
> 을: 자유란 타인에게 방해받지 않고 행동할 수 있는 상태를 의미한다. 어떤 목표를 추구할 때 외부의 의도적인 강제로 인해 그것을 달성하지 못했을 경우 자유가 없다고 할 수 있다.

> (나)

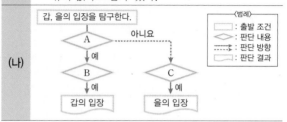

┤ 보기 ├

ㄱ. A: 자유를 실현하려면 권력의 자의적 지배에 의한 간섭을 배제해야 하는가?
ㄴ. B: 법의 지배는 공화국 시민들의 자유를 위축하는가?
ㄷ. C: 적극적 자유가 아닌 소극적 자유를 진정한 자유로 보아야 하는가?
ㄹ. C: 국가가 시민에게 좋은 삶을 위한 덕목 실천을 강요하는 것은 부당한가?

① ㄱ, ㄴ   ② ㄱ, ㄹ   ③ ㄴ, ㄷ
④ ㄴ, ㄹ   ⑤ ㄷ, ㄹ

| 평가원 응용 |

04 사회사상 (가), (나)의 입장으로 적절하지 <u>않은</u> 것은?

> (가) 국가는 개인의 삶을 국가가 의도하는 방향으로 인도하기 위해 특정한 가치관이나 입장을 지지해서는 안 된다. 국가는 개인의 자율적인 삶을 보장하고 그것을 실현 가능하게 해 주는 수단이다.
> (나) 공동의 목표를 배제한 정치 제도는 정당화될 수 없으며, 공동의 삶을 살아가는 시민으로서의 역할이 배제된 우리 자신도 생각할 수 없다. 우리는 그 공동체의 목표에 밀접하게 결합되어 있다.

① (가): 국가는 가치의 다양성을 보장해야 한다.
② (가): 개인의 삶에 대한 결정권은 공동체에 있다.
③ (나): 정치 참여는 그 자체가 목적이다.
④ (나): 공동체가 부여한 역할의 수행은 중요하다.
⑤ (나): 인간은 국가 안에서만 도덕적 존재로 살아갈 수 있다.

05 | 평가원 응용 |
사회사상가 갑, 을의 입장으로 옳은 것만을 〈보기〉에서 고른 것은?

> 갑: 나의 활동이 누구의 간섭도 받지 않는 만큼 나는 자유롭다. 타인의 방해를 받지 않는 영역이 일정한 한계를 넘어서 축소될 때, 나는 강제받고 있거나 노예가 되었다고 할 수 있다.
>
> 을: 자유는 시민과 노예 간의 대조를 통해 표현된다. 노예와는 달리 자유의 조건은 타인의 자의적 권력에 종속되지 않는 사람, 즉 타인에 의해 지배받지 않는 사람의 지위로 설명된다.

┤ 보기 ├
- ㄱ. 갑: 국가는 개인의 소극적 자유를 보장해야 한다.
- ㄴ. 을: 시민권은 자연적으로 주어진 천부 인권이다.
- ㄷ. 을: 타인의 자의적인 지배가 없는 사회가 필요하다.
- ㄹ. 갑, 을: 자유를 보장하기 위해 법으로 행위를 제한할 필요가 없다.

① ㄱ, ㄴ ② ㄱ, ㄷ ③ ㄴ, ㄷ
④ ㄴ, ㄹ ⑤ ㄷ, ㄹ

06 | 교육청 응용 |
갑, 을의 입장으로 옳은 것만을 〈보기〉에서 고른 것은?

> 갑: 자유롭다는 것은 어느 누구도 내 활동에 간섭하지 않는다는 것을 뜻한다. 정치적 자유는 단지 한 사람이 타인의 방해를 받지 않고 행동할 수 있다는 것을 의미한다.
>
> 을: 자유는 다른 개인이나 기관들로부터 간섭을 받지 않는 것으로 그치는 것이 아니라, 그들에 의한 사적인 형태의 주종적 지배 자체가 존재하지 않는 상태를 의미한다.

┤ 보기 ├
- ㄱ. 갑: 타인에게 해를 끼친 사람의 자유를 제한해야 한다.
- ㄴ. 을: 권력자의 자의적 지배가 없는 사회를 지향해야 한다.
- ㄷ. 을: 정치 참여는 시민의 의무가 아니라 개인의 선택이다.
- ㄹ. 갑, 을: 공적인 법에 의한 간섭은 시민적 자유를 침해한다.

① ㄱ, ㄴ ② ㄱ, ㄷ ③ ㄴ, ㄷ
④ ㄴ, ㄹ ⑤ ㄷ, ㄹ

07 | 평가원 응용 |
다음 사회사상가가 지지할 입장만을 〈보기〉에서 있는 대로 고른 것은?

> 정치적 자유주의는 개인의 자유로운 사고와 행동을 보장하는 사회를 추구한다. 이 사회는 포괄적인 종교적·철학적·도덕적 교의가 지배하는 공동체와 구별되며, 정의에 대한 합리적 견해가 구성원의 자발적 합의를 통해 수용되는 질서 정연한 사회이다.

┤ 보기 ├
- ㄱ. 국가는 단일한 신념 체계로 통합되어야 한다.
- ㄴ. 국가는 개인의 자유가 침해될 때 개입해야 한다.
- ㄷ. 국가는 개인의 정체성을 형성하게 하는 구성적 공동체이다.
- ㄹ. 국가는 공적 의사 결정에서 구성원의 동등한 권리를 보장해야 한다.

① ㄱ, ㄴ ② ㄱ, ㄷ ③ ㄴ, ㄹ
④ ㄱ, ㄷ, ㄹ ⑤ ㄴ, ㄷ, ㄹ

08 | 교육청 응용 |
사회사상가 갑, 을의 입장에 대한 옳은 설명만을 〈보기〉에서 있는 대로 고른 것은?

> 갑: 개인이 사회에 책임져야 할 유일한 부분은 타인과 관련된 경우뿐이다. 자신에게만 관련된 경우 그 사람의 독립성은 절대적으로 중요하다. 개인은 타인이나 국가에 의해 침범당할 수 없는 주권자이다.
>
> 을: 시민적 덕성은 공화국의 토대이다. 공화국은 공동선에 의지할 수 있어야 한다. 훌륭한 시민은 공화국에 대한 봉사와 사생활의 조화를 이룬다.

┤ 보기 ├
- ㄱ. 갑은 개인의 자유는 어떤 경우에도 제한될 수 없다고 본다.
- ㄴ. 을은 애국심을 시민이 지녀야 할 덕성이자 책무라고 본다.
- ㄷ. 을은 갑과 달리 공동선과 개인선이 양립할 수 있다고 본다.
- ㄹ. 갑, 을은 권력자의 자의적 지배를 방지해야 한다고 본다.

① ㄱ, ㄷ ② ㄱ, ㄹ ③ ㄴ, ㄹ
④ ㄱ, ㄴ, ㄷ ⑤ ㄴ, ㄷ, ㄹ

| 교육청 기출 |
09 (가), (나)는 사회사상이다. (가)에 비해 (나)의 입장에서 강조할 내용으로 가장 적절한 것은?

> (가) 개인의 자유와 권리는 자연권에 근거한다. 공동체가 개인의 삶에 간섭하거나 자유를 무분별하게 제한하는 것은 바람직하지 않다. 개인은 외부의 부당한 압력이나 방해가 없는 소극적 자유를 누려야 한다.
>
> (나) 개인의 자유와 권리는 자연적으로 주어지는 것이 아니라 정치 공동체의 법과 제도를 통해 만들어지는 것이다. 개인은 공화국 안에서 타인의 자의적 지배를 받지 않는 자유를 누려야 한다.

① 개인은 시민적 유대를 바탕으로 공익 구현에 헌신해야 한다.

② 개인의 자유와 권리는 어떤 경우에도 제한되어서는 안 된다.

③ 개인선은 공동선보다 우선하며 개인선의 총합이 공동선이다.

④ 국가는 개인에게 공동체의 생활 방식을 강제해서는 안 된다.

⑤ 국가는 개인의 생명과 재산을 보호하는 수단일 뿐이다.

| 교육청 기출 |
10 (가), (나) 사상의 입장에 대한 설명으로 가장 적절한 것은?

> (가) 공동체는 개인의 자유와 권리를 보장하기 위한 수단이다. 사익보다 중요한 공익이란 없고, 공동선은 개인의 자유와 권리를 보장하는 것이다. 따라서 공익을 위해 사익을 제한하거나 포기하도록 하는 것은 옳지 않다.
>
> (나) 공동체는 공동선을 자기 삶의 이념으로 받아들인 개인으로 구성된 것이다. 공동선은 비지배로서의 자유를 누리는 시민 모두에게 이로운 것이며 개인의 선은 시민이 공동체에 대한 헌신의 의무를 다할 때 증진된다.

① (가)는 시민을 개체적 존재라기보다 사회적 존재로 본다.

② (나)는 정치 참여를 통해 시민적 책무를 다해야 한다고 본다.

③ (가)는 (나)와 달리 공동선을 위한 개인의 헌신을 강조한다.

④ (나)는 (가)와 달리 시민의 권리는 자연적으로 부여된다고 본다.

⑤ (가), (나)는 개인선과 공동선의 양립이 가능하지 않다고 본다.

| 교육청 응용 |
11 다음 사상가가 지지할 입장을 〈보기〉에서 고른 것은?

> 한 개인의 삶의 역사는 항상 공동체의 장구한 역사에 편입되어 있으며 개인은 전통의 담지자로서 공동체로부터 다양한 부채와 유산, 기대와 책무들을 물려받습니다. 이것들은 개인의 삶에 주어진 바이고 그의 도덕적 출발점을 구성합니다. 개인은 자신의 도덕적 정체성을 가족, 이웃, 도시, 국가 등과 같은 공동체 속에서 그리고 공동체 구성원으로서의 자격을 통해 발견하게 됩니다.

┤ 보기 ├
ㄱ. 개인이 추구해야 할 목적은 공동체의 목적과 무관하다.

ㄴ. 개인은 공동체의 선, 관행, 전통과 분리된 독립적 존재이다.

ㄷ. 개인의 정체성은 공동체 속에서 사회적 역할을 통해 형성된다.

ㄹ. 개인의 도덕성은 사회적·역사적 맥락 속에서 평가되어야 한다.

① ㄱ, ㄴ   ② ㄱ, ㄷ   ③ ㄴ, ㄷ

④ ㄴ, ㄹ   ⑤ ㄷ, ㄹ

| 수능 기출 |
12 (가), (나)는 사회사상이다. (가) 사상에 비해 (나) 사상이 갖는 상대적 특징을 그림의 ㉠~㉤ 중에서 고른 것은?

> (가) 자유는 가치를 스스로 선택하는 능력에 달려 있다. 개인은 불가침의 권리를 지니므로 공동선을 위한다는 명목으로 누구도 타인을 강제할 수 없다. 도덕과 정치를 결합하려는 시도는 강제되지 않을 개인의 권리를 침해하므로 부당하다.
>
> (나) 자유는 '함께하는 자치'에 달려 있다. 자치를 공유하는 것은 공동선에 대해 동료 시민들과 숙고하는 것을 의미하며, 자치를 공유하기 위해서는 시민들이 바람직한 품성을 습득해야 한다. 자치에 필수적인 품성을 길러 내는 것이 정치이다.

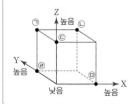

• X: 개인들의 가치관에 대한 국가의 중립을 강조하는 정도
• Y: 개인적 선이 공동체를 토대로 형성됨을 강조하는 정도
• Z: 개인들의 정치 참여 의무와 유대 의식을 강조하는 정도

① ㉠   ② ㉡   ③ ㉢   ④ ㉣   ⑤ ㉤

03 민주주의

1 근대 민주주의의 지향과 자유 민주주의

1. 민주주의의 사상적 기원과 근본 원리

(1) 민주주의의 의미

① 어원 그리스어로 민중을 뜻하는 데모스(demos)와 지배를 뜻하는 크라토스(kratos)가 합쳐진 말로, 민중에 의한 지배를 가리킴

② 의미 국민이 주권자로서 권력을 가지고 스스로 권력을 행사하는 정치 제도

(2) 민주주의의 기원

① 고대 그리스 아테네에서 처음으로 등장함 자료01

② 아테네의 민주주의는 20세 이상의 시민❶으로 구성된 민회에서 국가 주요 사항을 토론하고 결정하는 직접 민주주의의 형태였음
└ 아테네에서는 원칙적으로 시민이 정치적 권리를 누리는 데 사회적 지위나 재산의 차이가 장애가 되지 않았다.

③ 당시에는 민주주의가 위험한 정치 체제라는 비판❷이 있었음

(3) 민주주의의 근본 원리와 기본 원칙

① 근본 원리 지배하는 자와 지배받는 자가 같은 국민 주권의 원리

② 기본 원칙

- 모든 국민이 정치에 참여할 권한과 기회를 동등하게 가져야 함 ➡ 모든 국민은 직접 또는 대표자를 통해 법률과 정책에 관한 정치권력을 행사할 수 있어야 함
- 국민이 권력의 구성과 집행을 통제할 수 있어야 함 ➡ 통치 권력이 주어진 권한을 넘어서면 국민이 바로잡을 수 있어야 함

2. 근대 자유 민주주의의 발전

(1) 사회 계약 사상❸의 영향 사회 계약 사상은 국민 주권의 원리를 바탕으로 국가가 성립된다고 보아 근대 민주주의를 확립하는 기초가 됨

(2) 민주주의 발전에 기여한 사상가

로크 자료02	• 인간은 누구나 자연법상의 권리를 누릴 자격을 가지고 태어남 • 국가가 개인의 생명, 자유, 재산을 지키지 못할 때 국민은 저항권을 행사할 수 있음 • 정치 공동체의 권력 남용을 막기 위해 권력 분립(입법권과 집행권)과 법치주의를 주장함 • 행정권에 대한 입법권의 우위를 주장함
루소 자료03	• 인간의 본성은 선하고, 자연 상태에서 자유와 평등을 누리며 살아가지만 사유 재산이 생기면서 불평등한 상황에 처하게 됨 • 개인이 정치 공동체의 구성원이 되면서 자연 상태에서 누리던 자유를 포기하고 국가를 통해 시민적 자유❹의 형태로 누리게 됨 • 국가는 각 개인의 사적 이익을 초월하여 공공의 이익을 추구하는 일반 의지❺에 근거하여 운영되어야 함
밀	• 개인의 자유를 최대한 보장하는 정부가 좋은 정부임 • 사회나 국가가 개인을 통제할 수 있는 경우를 막고자 함 • 대중은 합리적인 성찰 능력이 결여되어 공적인 일을 맡기기 어려우므로 대의제가 바람직하다고 봄

(2) 근대 자유 민주주의의 지향점

① 국민 주권을 제도화하는 정치 체제를 구현하고자 함

② 평등한 시민의 자유권, 참정권, 사회권 등을 보장하고자 함

③ 인간의 존엄, 자유, 평등을 지향하며 이를 보장하기 위한 정치 원리와 제도를 강조함

❶ 아테네의 시민
자유민 성인 남성을 의미하며 여자와 노예, 외국인은 제외되었다.

❷ 당시 민주주의에 대한 비판
당시 플라톤은 대중이 정치에 필요한 자질과 전문적인 지식이 없으므로 정치적으로 합당한 판단을 내리기가 어렵고 지도자의 선동에 휩쓸리기 쉽다고 보았다.

❸ 사회 계약 사상
국가 권력의 정당성은 주권을 가진 시민의 동의에 의해 발생한다는 이론으로, 국가는 자유롭고 평등한 개인이 자신의 자유와 권리를 보장하기 위해 맺은 계약의 산물이라고 본다.

❹ 시민적 자유
루소가 말하는 자연적 자유는 자연 상태에서 자연인이 누리는 자유를 말하며, 시민적 자유는 사회 상태에서 시민이 누리는 자유를 말한다.

❺ 일반 의지
각 개인의 사적 이익을 초월하여 오로지 공공의 이익만을 지향하는 보편적인 의지를 뜻한다.

자료 01 페리클레스의 장례식 연설

우리의 정치 체제는 민주주의라고 불립니다. 왜냐하면 권력이 소수의 손에 있는 것이 아니라 전체 국민의 손에 있기 때문입니다. 사적인 분쟁을 수습해야 하는 문제가 있을 때 모든 사람은 법 앞에 평등합니다. 국가에 기여할 수 있는 능력을 가지고 있는 한 어느 누구도 빈곤하다는 이유로 정치적으로 무시되지 않습니다. …… 아테네에서 각 개인은 자신의 일뿐만 아니라 국가의 일에도 관심을 가집니다. 자신의 일에만 대체로 전념하는 사람들도 정치 일반에 대하여 아주 잘 알고 있습니다. 우리 아테네인들은 정책에 대한 결정을 스스로 내리거나 적절한 토의에 회부합니다.

– 투키디데스, 『펠로폰네소스 전쟁사』 –

자료 분석 | 고대 그리스 민주주의의 기본 이념은 페리클레스의 추도사에 잘 나타난다. 그는 정치에 참여할 수 있는 시민이 되는 것이야말로 아테네 시민이 누릴 수 있는 최고의 가치라고 여겼다. 페리클레스는 민주주의의 특징을 모든 아테네 시민이 아테네 정치 공동체의 운영에 참여할 수 있다는 점에서 찾고, 민주적 의사 결정에 이르는 방법으로 시민들 사이의 대화와 토론을 강조하였다.

자료 02 권력에 대한 로크의 견해

정부가 가진 모든 권력은 오직 사회의 선을 위한 것이므로 자의적이고 제멋대로 행사되어서는 안 되며, 확립되고 선포된 법률에 따라 행사되어야 한다. 왜냐하면 한편으로는 국민이 그들의 의무를 알 수 있고 법률의 한도 내에서 안심할 수 있기 때문이며, 다른 한편으로는 통치자가 적절한 한계 내에서 처신하면서 권력의 유혹에 빠져 권력을 함부로 행사하는 일이 없도록 방지할 수 있기 때문이다.

– 로크, 『통치론』 –

자료 분석 | 로크는 입법권을 최고의 권력으로 보고, 권력을 독점하였을 때 발생할 수 있는 문제를 방지하고자 하였다. 그는 인간에게는 권력을 장악하고 싶어 하는 경향이 있기 때문에 법률을 제정하는 권력을 가진 사람이 법률을 집행하는 권력까지도 가지려 한다고 보았다. 그래서 법을 제정하는 입법권과 제정된 법을 집행하는 집행권을 분리해야 한다고 주장한다.

자료 03 루소의 일반 의지와 시민적 자유

"공동의 힘을 다해 각자의 몸과 재산을 지켜 보호해 주고, 저마다가 모든 사람과 결합하면서도 자기 자신에게만 복종해 전과 다름없이 자유롭도록 해 주는 그러한 형식을 찾아낼 것." 사회 계약이 그 해답을 주는 근본 문제란 이런 것이다. …… 우리는 각자 자기 몸과 모든 힘을 공동의 것으로서 일반 의지의 지도 아래 둔다. …… 이는 인간이 자유로워지도록 (일반 의지에 의해) 강요당할 것 말고는 다른 것을 뜻하지 않는다. 왜냐하면 그것이야말로 각 시민을 조국에 바침으로써 그를 모든 개인적 종속으로부터 보호해 주는 조건이기 때문이다. – 루소, 『사회 계약론』 –

자료 분석 | 루소의 일반 의지는 공공의 이익에 기초한 의지로, 자신의 이익을 추구하는 의지인 특수 의지와 그 특수 의지를 합한 전체 의지와 다르다. 루소는 일반 의지에 따라 국가를 운영할 때 사람들이 시민적 자유를 누릴 수 있을 것이라고 본다.

기출 선택지 O, ×로 정리하기

1 페리클레스는 민주적 의사 결정에 이르는 방법으로 대화와 토론을 강조하였다.
(O , ×)

2 로크는 입법권과 집행권 중에 집행권이 더 큰 권력이라고 보았다.
(O , ×)

3 로크는 인간에게는 권력을 장악하고 싶어하는 경향이 있다고 보았다.
(O , ×)

4 로크는 국가를 인간 본성에 따라 자연적으로 발생한 공동체라고 파악하였다.
(O , ×)

5 로크는 입법권과 집행권을 분리해야 한다고 보았다.
(O , ×)

6 루소는 일반 의지보다 특수 의지를 더 중시하였다.
(O , ×)

7 루소는 일반 의지에 따라 국가를 운영할 때 사람들이 시민적 자유를 누릴 수 있을 것이라고 본다.
(O , ×)

8 루소는 사유 재산 제도가 인간 불평등의 원인이라고 한다.
(O , ×)

9 루소의 일반 의지는 공공의 이익에 기초한 의지이다.
(O , ×)

정답 1 ○ 2 × 3 ○ 4 × 5 ○
6 × 7 ○ 8 ○ 9 ○

2 도덕적 자율성과 책임 및 시민의 소통과 유대

1. 현대 민주주의의 규범적 특징

(1) 대의 민주주의 — 현대 사회는 규모가 크고 복잡해 모든 시민이 정치적 의사 결정에 참여하기 어렵다.
그래서 대부분의 국가에서 대의 민주주의를 실시한다.

의미	선거로 선출된 대표가 시민의 의사를 반영하여 정치 활동을 하는 민주주의 형태
특징	• 근대 이후 민주주의의 기본적 형태로 자리 잡음 • 선출된 대표의 통치 능력과 국민의 뜻을 대표하는 능력에 따라 민주주의의 수준이 달라짐
한계 자료 04	• 대표의 실패: 대표자가 다수의 의사를 온전히 대표하기 어려움 • 엘리트 민주주의[6]의 성격이 있어서 시민이 정치적으로 소외되고 냉소주의에 빠질 수 있음

(2) 참여 민주주의

의미	대표자 선출, 정부의 정책 결정에의 참여 등 공적 영역에 시민이 적극적으로 참여할 것을 강조하는 민주주의
특징	• 국민에 의한 지배라는 민주주의의 이상을 실현할 수 있음 • 정치 과정에 소수의 의견을 전달할 수 있음
한계	• 참여자가 자신이나 집단의 이익만을 추구하는 경우 민주주의 실현이 어려움 • 시민 각자의 사회적·경제적 여건에 따라 참여의 정도가 다를 수 있음

(3) 심의 민주주의 자료 05

의미	공론의 장에서 시민이 사회적 쟁점을 깊이 있게 토론하고 심의하는 과정을 중시하는 민주주의
특징	• 시민들이 공적 심의와 정책 결정 과정에 참여함으로써 소통과 신뢰에 기반한 정책을 만들 수 있음 • 정책 결정 과정에서 소통이 활성화되어 시민들 사이의 유대가 강화될 수 있음
한계	심의 과정에서 참여한 시민의 합리적 의사소통이 결여되면 결과의 정당성과 적절성에 문제가 생길 수 있음

2. 민주 시민의 자세와 시민 불복종

(1) 바람직한 민주 시민의 자세 — 민주주의가 성공하려면 제도가 잘 갖추어져야 하지만
사회 구성원의 자질과 자세도 중요하다.

① 도덕적 자율성과 책임성을 바탕으로 정치에 적극적으로 참여해야 함

② 다른 사람과 더불어 살아가는 존재라는 것을 자각하고 소통하며 사회 현안의 해법을 찾고자 노력해야 함

(2) 시민 불복종

① 의미 부정의한 법이나 정책을 변화시킬 목적으로 의도적으로 법을 위반하는 행위

② 시민 불복종에 대한 입장

소로	• 불복종의 근거: 개인의 양심 • 법에 대한 존경심보다 정의에 대한 존경심이 우선이라고 봄 • 시민 불복종의 정당화 요건으로 최후의 수단, 처벌 감수, 비폭력성을 요구하지 않음
롤스[7] 자료 06	• 불복종의 근거: 시민 다수의 정의관 • 시민 불복종은 법에 대한 충실성의 한계 내에서 이루어져야 함 • 법률이나 명령이 평등한 자유의 원칙이나 공정한 기회 균등의 원칙을 현저히 위반한 경우 행할 수 있음
하버마스[8] 자료 06	• 불복종의 근거: 합리적 의사소통을 통해 합의한 원칙 또는 헌법에 어긋나는 경우 • 합법성이 정당성을 보장할 수 없음 • 전체적으로 건전한 법치 국가에서 시민 불복종이 행해져야 함 • 비폭력적으로 행해져야 하고 처벌을 감수해야 함

[6] **엘리트 민주주의**
의사 결정 능력을 가진 능숙하고 창의적인 엘리트를 선출하고, 그의 중심적 역할을 강조하는 민주주의의 유형이다. 일반 시민들은 정치적 사안을 파악하기 위한 정보가 부족하거나 관심이 없어 조작당하기 쉬우므로, 투표를 통해 선출된 지배 엘리트에게 통치를 맡겨야 한다고 본다.

[7] **롤스의 시민 불복종 정당화 조건**
행위 목적의 정당성(공익성), 비폭력성, 최후의 수단, 처벌 감수, 공개성

[8] **하버마스의 시민 불복종 정당화 조건**
• 건전한 법치 국가에서 행해져야 한다.
• 헌법을 정당화하는 원칙에 근거해야 한다.
• 비폭력적인 방법으로 이루어져야 한다.
• 자신의 행위에 대한 법적인 결과를 책임져야 한다.

자료 04 슘페터의 엘리트 민주주의

민주주의란 국민의 표를 얻는 데 성공한 결과로서, 모든 문제에 대한 결정권을 특정 개인들에게 부여하는 방식을 통해 정치적(입법적·행정적) 결정에 도달하려는 제도적 장치이다. …… '국민'과 '지배'라는 용어의 분명한 의미가 무엇이건 간에, 민주주의는 국민이 실제로 지배하는 것을 의미하지 않으며 또한 의미할 수도 없다. 민주주의는 다만 국민이, 그들을 지배할 예정인 사람들을 승인하거나 부인할 기회를 가지고 있음을 의미할 따름이다.

– 슘페터, 『자본주의, 사회주의, 민주주의』 –

자료 분석 | 슘페터는 엘리트 민주주의를 주장한 학자이다. 엘리트 민주주의는 인민에 의한 지배보다 정치가에 의한 지배의 성격이 강하다. 엘리트 민주주의에서는 시민은 비합리적 편견을 가지거나 충동에 빠지기 쉽다고 보기 때문에 시민의 역할은 지도자를 선출하는 투표에 한정된다.

자료 05 롤스가 설명하는 심의 민주주의

심의 민주주의를 규정하는 것은 심의 개념 자체이다. 시민이 정치적 문제들을 심의할 때, 그들은 의견을 교환하고 자신들이 지지하는 근거들을 토론한다. 이들은 자신들의 정치적 의견이 다른 시민들과 토론하면서 수정될 수 있음을 가정한다. …… 이 지점에서 공적 이성(public reason)은 아주 결정적이다.

– 롤스, 『만민법』 –

자료 분석 | 심의 민주주의는 다양한 이해관계와 정치적 견해를 지닌 시민, 공직자, 여러 분야의 전문가가 모여 민주적인 심의를 진행함으로써 사회 문제를 해결할 수 있다고 본다. 민주적인 심의를 위해서는 권력이나 부와 무관하게 모든 사람이 심의 과정에서 동등한 기회와 지위를 누려야 하고, 토론과 숙고를 통해 자신의 선호를 수정할 수 있어야 한다.

자료 06 롤스와 하버마스의 시민 불복종

(가) 시민 불복종은 법의 바깥 경계선에 있는 것이기는 하지만 법에 대한 충실성의 한계 내에서의 불복종을 나타낸다. 법에 대한 충실성은 그 행위의 공공적이고 비폭력적인 성격과 그 행위의 법적인 결과를 받아들이겠다는 의지에 의해 표현된다.

(나) 시민 불복종은 그 자체로서 합법화될 수는 없지만, 사람들은 민주적 법치 국가의 정당성을 수호하기 위해 위험을 무릅쓰고 시민 불복종을 행합니다. 그런데 검사나 판사가 시민 불복종의 가치를 존중하지 않고 이들을 범죄자로 보고 통상적인 처벌을 내린다면 권위주의적 합법주의에 빠지고 맙니다.

자료 분석 | (가)는 롤스, (나)는 하버마스이다. 롤스는 시민 불복종은 다수의 정의감에 호소할 목적으로 정치 질서의 바탕에 깔린 공적 정의관에 의해 행해져야 한다고 주장한다. 하버마스는 시민 불복종을 시민들이 합리적인 의사소통을 통해 합의한 원칙에 어긋나는 법이나 정책에 대한 저항으로 정의하였다. 이는 시민 불복종을 공공의 정의관에 어긋나는 것에 대한 저항으로 정의한 롤스와 차이가 있다.

1 대의 민주주의는 대표를 견제하기 위해 시민의 심의를 강화해야 한다고 보는 입장이다.

(○ , ×)

2 대의 민주주의는 심의 민주주의보다 정책 결정에 시민 참여가 확대되어야 한다고 본다.

(○ , ×)

3 심의 민주주의는 개인의 고정된 선호가 변화하지 않도록 심의를 진행하는 것을 강조한다.

(○ , ×)

4 심의 민주주의는 정책 결정에서 정당성보다 신속성이 중요하다고 본다.

(○ , ×)

5 심의 민주주의에서는 개인적 관점의 한계를 넘어 의사 결정의 질을 높여야 한다고 본다.

(○ , ×)

6 롤스는 민주적 정부의 법도 부정의하면 시민 불복종의 대상이 될 수 있다고 본다.

(○ , ×)

7 롤스는 시민 불복종을 도덕적으로는 옳지 못하다고 보아 반대하였다.

(○ , ×)

8 하버마스는 시민 불복종은 합리적인 의사소통을 통해 합의한 원칙에 어긋나는 법에 대한 저항이라고 본다.

(○ , ×)

9 하버마스는 오류의 소지가 있는 법이나 정책은 의사소통의 과정에서 바로잡아야 한다고 본다.

(○ , ×)

정답 1 × 2 × 3 × 4 × 5 ○
6 ○ 7 × 8 ○ 9 ○

1 근대 민주주의의 지향과 자유 민주주의

민주주의의 근본 원리와 원칙		• 의미: 국민이 (❶)로서 권력을 가지고 스스로 권력을 행사하는 정치 제도 • 근본 원리: 지배하는 자와 지배받는 자가 같은 국민 주권의 원리 • 기본 원칙: 정치에 참여할 권한과 기회가 동등하고, 국민이 권력의 구성과 집행을 통제할 수 있어야 함
민주주의 발전에 기여한 사상가	로크	• 인간은 (❷)상 권리를 누릴 자격을 가지고 태어남 • (❸)과 집행권의 권력 분립과 법치주의를 주장함
	루소	• 자연 상태에서 누리던 자유를 국가를 통해 (❹)의 형태로 누리게 됨 • 국가는 공공의 이익을 추구하는 (❺)에 근거하여 운영되어야 함
	밀	개인의 자유를 최대한 보장하는 정부가 좋은 정부임

2 도덕적 자율성과 책임 및 시민의 소통과 유대

대의 민주주의		• 선거로 선출된 대표가 시민의 의사를 반영하여 정치 활동하는 민주주의 • 선출된 대표의 통치 능력과 국민의 뜻을 대표하는 능력에 따라 민주주의의 수준이 달라짐 • (❻)의 성격이 있어서 시민이 정치에 소외되고 냉소주의에 빠질 수 있음
참여 민주주의		• 공적 영역에 시민이 적극적으로 참여할 것을 강조하는 민주주의 • 국민에 의한 지배라는 민주주의의 이상을 실현할 수 있고, 정치 과정에 소수의 의견을 전달할 수 있음 • 참여자가 자신이나 집단의 이익만을 추구하는 경우 민주주의 실현이 어려움
심의 민주주의		• (❼)의 장에서 시민이 토론하고 심의하는 과정을 중시하는 민주주의 • 시민들이 공적 심의와 정책 결정 과정에 참여함으로써 소통과 신뢰에 기반한 정책을 만들 수 있음 • 심의 과정에서 합리적 의사소통이 결여되면 결과의 정당성과 적절성에 문제가 생길 수 있음
시민 불복종	소로	• 불복종의 근거: 개인의 양심 • 법보다 정의에 대한 존경심이 우선임
	롤스	• 불복종의 근거: 시민 다수의 (❽) • 시민 불복종은 법의 바깥에서 법에 대한 충실성의 한계 내에서 이루어짐
	하버마스	• 불복종의 근거: 합리적 (❾)을 통해 합의한 원칙 또는 헌법에 어긋나는 경우 • 합법성이 정당성을 보장할 수 없음

정답 ❶ 주권자 ❷ 자연법 ❸ 입법권 ❹ 시민적 자유 ❺ 일반 의지 ❻ 엘리트 민주주의
❼ 공론 ❽ 정의관 ❾ 의사소통

[01~02] 다음은 고대 그리스 정치가의 연설문이다. 다음을 읽고 물음에 답하시오.

> 우리의 정치 체제는 ⊙ (이)라고 불립니다. 왜냐하면 권력이 소수의 손에 있는 것이 아니라 전체 국민의 손에 있기 때문입니다. 사적인 분쟁을 수습해야 하는 문제가 있을 때 모든 사람은 법 앞에 평등합니다. 국가에 기여할 수 있는 능력을 가지고 있는 한 어느 누구도 빈곤하다는 이유로 정치적으로 무시되지 않습니다.

01 ⊙에 대한 설명으로 옳은 것은?

① 재산에 따라 시민의 권리에 차등을 두었다.
② 시민의 대상으로 여자와 외국인을 포함하였다.
③ 시민들이 정치가를 뽑는 대의 민주주의 형태이다.
④ 민회에서 국가 주요 사항을 직접 토론하고 결정하였다.
⑤ 보편적 평등을 기반으로 한다는 점에서 오늘날의 민주주의와 차이가 없다.

02 다음의 관점에서 ⊙에 대해 제기할 수 있는 비판으로 가장 적절한 것은?

> 국가의 통치는 지혜로운 자에 의해 이루어져야 한다. 인간은 제각기 타고난 능력이 있으며 지혜는 일부 사람들에게만 주어진 능력이다. 일반 시민들은 사익을 추구하며 나약하고 어리석기 때문에 국가를 이끌어 갈 능력이 없다.

① 국민이 스스로 권력을 행사해야 함을 모르고 있다.
② 국민이 권력의 구성과 집행을 통제해야 함을 모르고 있다.
③ 대중은 지도자의 선동에 쉽게 휩쓸릴 수 있음을 모르고 있다.
④ 정치 문제를 토의하고 숙고하는 것에 본질적 가치가 있음을 모르고 있다.
⑤ 정치적 권리를 누리는 데 있어서 재산에 따른 차이를 두어야 함을 모르고 있다.

딱풀 p.54

03 ㉠, ㉡에 대한 설명으로 옳지 <u>않은</u> 것은?

> 고대 그리스에서 처음으로 등장한 민주주의는 근대에 이르러 ㉠ 와/과 ㉡ 을/를 바탕으로 발전하였다. ㉠ 에 따르면, 국가 권력의 정당성은 주권을 가진 개인의 동의에서 발생한다. ㉡ 은/는 개인의 자유와 권리를 중요하게 여기는 사상이다. 근대 민주주의는 ㉡ 와/과 결합하여 자유 민주주의로 발전하였다.

① ㉠은 국가의 주권이 특정한 소수에게 있다고 본다.
② ㉠은 절대 왕정 시대의 전제 정치를 개선하고자 하였다.
③ ㉡은 개인의 자유와 권리를 가장 중요한 가치로 여긴다.
④ ㉡은 정부의 주된 역할이 개인의 기본권과 자유를 보장하는 데 있다고 본다.
⑤ ㉠, ㉡은 국민 주권, 자유, 평등에 관한 이론적 근거를 제시하였다.

04 다음 사상가에 대한 설명으로 옳은 것은?

> 정부가 가진 모든 권력은 오직 사회의 선을 위한 것이므로 자의적이고 제멋대로 행사되어서는 안 되며, 확립되고 선포된 법률에 따라 행사되어야 한다. 왜냐하면 한편으로는 국민이 그들의 의무를 알 수 있고 법률의 한도 내에서 안심할 수 있기 때문이며, 다른 한편으로는 통치자가 적절한 한계 내에서 처신하면서 권력의 유혹에 빠져 권력을 함부로 행사하는 일이 없도록 방지할 수 있기 때문이다.

① 국가는 일반 의지에 근거하여 운영되어야 한다고 주장한다.
② 자유로운 성인 남성만이 민주주의에 참여할 수 있다고 주장한다.
③ 국가가 제 역할을 하지 못하더라도 저항권을 행사할 수 없다고 주장한다.
④ 입법권을 최고의 권력으로 보고 입법권과 집행권을 분리해야 한다고 주장한다.
⑤ 다수인 대중은 지적 수준이 높지 않으므로 대의제를 실행해야 한다고 주장한다.

05 다음 근대 서양 사상가의 입장으로 옳지 <u>않은</u> 것은?

> 인간은 이 세상에 태어나면서 다른 모든 인간과 마찬가지로 평등하게 완전한 자유를 소유한다. 그리고 자연법이 정해 주는 일체의 권리와 특권을 아무런 제한도 받지 않고 누릴 수 있는 자격을 가진다.

① 법을 집행하는 집행권은 입법권에 우선한다.
② 국민 주권의 원리를 바탕으로 국가가 성립된다.
③ 국가가 제 역할을 하지 못할 경우 저항권을 행사할 수 있다.
④ 자연 상태에서는 생명, 자유, 재산에 대한 권리가 확실히 보장될 수 없다.
⑤ 계약을 통해 형성된 정치 공동체는 견제와 균형의 원리에 입각하여 운영되어야 한다.

06 다음 서양 사상가의 입장으로 옳은 것을 〈보기〉에서 고른 것은?

> "공동의 힘을 다해 각자의 몸과 재산을 지켜 보호해 주고, 저마다가 모든 사람과 결합하면서도 자기 자신에게만 복종해 전과 다름없이 자유롭도록 해 주는 그러한 형식을 찾아낼 것." 사회 계약이 그 해답을 주는 근본 문제란 이런 것이다. …… 우리는 각자 자기 몸과 모든 힘을 공동의 것으로서 일반 의지의 지도 아래 둔다.

┤ 보기 ├
ㄱ. 사유 재산의 발생으로 인해 경제적 풍요를 누릴 수 있게 되었다.
ㄴ. 개인은 입법자가 되는 계약을 통해서 시민적 자유를 누릴 수 있다.
ㄷ. 사회 계약을 통해 자연 상태에서 누리던 자연적 자유를 회복해야 한다.
ㄹ. 일반 의지는 각 개인의 사적 이익을 초월하여 공공의 이익을 지향하는 의지이다.

① ㄱ, ㄴ   ② ㄱ, ㄷ   ③ ㄴ, ㄷ
④ ㄴ, ㄹ   ⑤ ㄷ, ㄹ

07 다음 사상가의 입장에서 긍정의 대답을 할 질문으로 가장 적절한 것은?

> 누구도 다른 사람을 지배할 천부적 권력을 가지고 있지 않다. 지배권은 폭력만으로 만들어지지 않고 계약이 필요하다. 계약 뒤 계약자의 개인 인격은 사라지고 공동 자아가 생겨난다. 이렇게 하여 구성원들은 자발적으로 일반 의지의 지배하에 들어가는 것이다.

① 주권은 타인에 의해 대표될 수 있는가?
② 일반 의지는 법을 제정하는 기초가 되는가?
③ 자연 상태는 힘이 지배하는 무질서의 상태인가?
④ 자연적 자유가 상실되었다면 그것을 회복하려 해야 하는가?
⑤ 대중은 전문적 식견이 부족하므로 대표자를 통해 민주 정치를 실시해야 하는가?

★08 다음 사상가의 민주주의에 대한 관점으로 가장 적절한 것은?

> 다른 사람의 행동의 자유를 침해할 수 있는 경우는 자기 보호를 위해 필요할 때뿐이다. 다른 사람에게 해를 끼치는 것을 막으려는 목적이라면 당사자의 의지에 반해 권력이 사용되는 것도 정당하다. 이 유일한 경우를 제외하고는 문명사회에서 구성원의 자유를 침해하는 그 어떤 권력의 행사도 정당화될 수 없다.

① 시민은 재산을 가진 남성만으로 규정해야 한다.
② 시민이 공적 영역의 정치 행위에 참여하는 민주주의를 지향해야 한다.
③ 시민은 합리적인 성찰 능력이 결여되어 있으므로 대의제가 바람직하다.
④ 시민은 공론의 장에서 사회적 쟁점을 깊이 있게 토론하고 심의해야 한다.
⑤ 시민의 자유를 발견하기 위해 스스로가 입법자가 되는 계약을 거쳐야 한다.

09 다음에서 지적하는 대의 민주주의의 한계로 가장 적절한 것은?

> 주권은 양도될 수 없다는 것과 같은 이유에서 대변될 수도 없다. …… 대의원은 국민의 대표자도 아니며, 그렇게 될 수도 없다. …… 영국 국민은 자유롭다고 생각한다. 그러나 그들은 크게 착각하고 있다. 그들이 자유로운 것은 오직 의회의 대의원을 선출할 때뿐이며, 일단 선출이 끝나면 그들은 노예가 되고 존재하지 않게 된다.

① 토론과 숙고를 통해 자신의 선호를 수정할 수 없다.
② 시민 각자가 처한 여건에 따라 정치에 대한 관심에 차이가 있다.
③ 심의에 참여한 시민의 합리적 의사소통이 결여되어 있을 수 있다.
④ 정치에 참여하는 시민이 자기가 속한 집단의 이익만을 추구할 수 있다.
⑤ 국민을 대표하는 대표자가 시민과의 약속을 지키는 데 태만할 수 있다.

10 다음 민주주의 형태가 지니는 한계를 〈보기〉에서 고른 것은?

> 의사 결정 능력을 가진 능숙하고 창의적인 엘리트를 선출하고, 그의 중심적 역할을 강조하는 민주주의의 유형이다. 일반 시민들은 정치적 사안을 파악하기 위한 정보가 부족하거나 관심이 없어 조작당하기 쉬우므로, 투표를 통해 선출된 지배 엘리트에게 통치를 맡겨야 한다고 본다.

보기

ㄱ. 시민의 정치 참여 욕구를 제한할 수 있다.
ㄴ. 국민의 의사가 정책 결정에 반영되지 않을 수 있다.
ㄷ. 공적 토론과 심의를 강조하여 시민들의 정치적 피로감이 높아질 수 있다.
ㄹ. 모든 영역에서 시민의 참여를 강조하여 정책 결정의 효율성이 떨어질 수 있다.

① ㄱ, ㄴ　　　② ㄱ, ㄷ　　　③ ㄴ, ㄷ
④ ㄴ, ㄹ　　　⑤ ㄷ, ㄹ

11 시민 불복종에 대한 갑, 을의 입장으로 옳은 것은?

> 갑: 다수에게 순응하기보다 그들에게 온 힘을 다해 맞설 때 소수는 거역할 수 없는 힘을 갖게 된다. 양심이 아니라 다수가 옳고 그름을 결정하는 정부는 정의에 입각한 정부라고 할 수 없다.
> 을: 시민 불복종은 법에 대한 충실성의 한계 내에서 법에 대한 불복종을 표현하는 것이다. 법에 대한 충실성은 양심적이고 진지하며 다수의 정의감에 호소하는 불복종의 의도를 보여 준다.

① 갑: 최후의 수단으로 활용해야 한다.
② 갑: 법의 한계 내에서 실행해야 한다.
③ 을: 체제의 합법성을 거부하는 행위이다.
④ 을: 처벌받을 경우 그것에 대해서도 불복종해야 한다.
⑤ 갑, 을: 신중하고 양심적인 신념의 표현이어야 한다.

12 다음 사상가가 긍정의 대답을 할 질문으로 가장 적절한 것은?

> 시민 불복종을 정당화함에 있어서 우리는 어떤 개인적인 도덕 원칙이나 혹은 종교적 교설이 우리의 주장에 일치하고 이를 지지해 준다고 해서 그것에 의거해서는 안 된다. 그 대신 우리는 정치적인 질서의 바탕에 깔린 공공적인 정의관에 따르게 된다. 이러한 정의관의 기본 원칙을 오래도록 끈질기고 의도적으로 위반하는 것, 특히 기본적인 평등한 자유의 침해는 굴종 아니면 반항을 일으키게 된다.

① 부정의한 정책에 대해 즉각 불복종해야 하는가?
② 모든 종류의 시민 불복종은 정당화될 수 있는가?
③ 시민 불복종은 개인의 양심에 어긋나는 법이나 정책을 대상으로 해야 하는가?
④ 의사소통 합리성과 같은 형식적 도덕 원칙에 따라 시민 불복종을 합리화해야 하는가?
⑤ 시민 불복종은 체제의 합법성을 인정하고 받아들이는 시민에 의해 이루어져야 하는가?

13 다음 사상가의 입장으로 옳은 것을 〈보기〉에서 고른 것은?

> 법은 이상적 대화 상황을 전제하는 의사소통적 권력의 형태이며 완성된 구조물이 아니다. 대의제를 통한 자기 수정이 불가능할 경우 시민 불복종의 권리를 가진다.

┤ 보기 ├
ㄱ. 합법성이 정당성을 보장하지는 못한다.
ㄴ. 합법적인 규정은 헌법 원칙에 어긋날 수 없다.
ㄷ. 시민 불복종의 기준은 합리적인 의사소통으로 합의한 원칙이다.
ㄹ. 실질적인 도덕 원칙이 있어야만 시민 불복종이 정당화될 수 있다.

① ㄱ, ㄴ   ② ㄱ, ㄷ   ③ ㄴ, ㄷ
④ ㄴ, ㄹ   ⑤ ㄷ, ㄹ

★14 (가)의 서양 사상가 갑, 을의 입장을 (나)의 그림으로 표현할 때, A~C에 해당하는 적절한 진술만을 〈보기〉에서 있는 대로 고른 것은?

(가)	갑: 시민 불복종은 정당성과 합법성 사이에 위치해야만 하고, 민주적 법치 국가가 헌법 원칙들과 더불어 실정법적으로 구체화된 자신의 모든 현상들 위에 서 있다는 사실을 암시해 주는 기호로 작용해야 한다. 을: 시민들의 부정의한 법에 대한 불복종은 공유된 정의관에 의해 정당화된다. 이러한 불복종은 거의 정의로운 국가에서 체제의 합법성을 인정하는 시민들에 의해서만 생긴다.
(나)	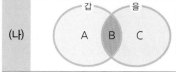 〈범례〉 A: 갑만의 입장 B: 갑, 을의 공통 입장 C: 을만의 입장

┤ 보기 ├
ㄱ. A: 헌법 원칙에 어긋날 경우 시민 불복종을 할 수 있다.
ㄴ. B: 시민 불복종은 체제를 수호하는 합법적인 행위이다.
ㄷ. B: 시민 불복종은 다수의 정의감에 호소할 의도가 있어야 한다.
ㄹ. C: 시민 불복종은 평등한 자유의 원칙을 위배한 법에 대해서만 행사할 수 있다.

① ㄱ, ㄴ   ② ㄱ, ㄷ   ③ ㄴ, ㄹ
④ ㄱ, ㄷ, ㄹ   ⑤ ㄴ, ㄷ, ㄹ

15 오늘날의 관점에서 다음 고대 그리스 민주주의에 대해 제기할 수 있는 비판을 서술하시오.

> 우리의 체제는 권력이 소수가 아닌 다수에게 있으므로 민주 정치라고 불립니다. 논쟁 또는 갈등 상황에서 모든 사람은 법 앞에 평등하며, 누구도 가난 때문에 불이익당하지 않습니다. 또한 모든 인간은 자신의 능력에 따라 기회와 자격을 가질 수 있습니다.

16 밑줄 친 ㉠의 의미를 설명하시오.

> 대의 민주주의란 시민들이 투표를 통해 대표자를 선출하고, 선출된 대표자가 그들의 의사를 전달하고 실현하는 민주주의의 한 형태이다. 이는 근대 이후 민주주의의 기본적인 형태로 자리 잡았다. 하지만 대의 민주주의에서는 ㉠ 대표의 실패라는 문제가 나타나기도 한다.

17 시민 불복종에 대한 갑과 을 견해의 공통점과 차이점을 서술하시오.

> 갑: '평등한 자유의 원칙', '공정한 기회 균등의 원칙'과 같은 정의의 원칙들에 어긋나는 법이나 정책에 대해서는 저항할 수 있다.
> 을: 모든 정치·사회적 권력의 원천은 시민들의 의사소통에 의해 합의된 결론에 의해서만 정당성을 획득할 수 있다.

18 다음 사상가가 제시한 시민 불복종의 정당화 조건을 서술하시오.

> 어느 정도 정의로운 민주 체제에서는 시민들이 그들의 정치적 문제를 처리하고 헌법을 해석하는 기준이 되는 공공의 정의관이 있다고 생각합니다. 이러한 정의관의 기본 원칙을 오래도록 끈질기게 의도적으로 위반하는 것, 특히 기본적인 평등한 자유의 침해는 굴종 아니면 반항을 일으킵니다.

| 평가원 응용 |

01 사회사상가 갑, 을의 입장으로 옳은 것만을 〈보기〉에서 있는 대로 고른 것은?

> 갑: 정치적 의사 결정과 제도의 정당성은 단순 다수결 절차를 통해 확보될 수 없다. 그 정당성은 시민들이 상호 간의 대화와 논증을 통해 자신의 선호를 바꿀 수 있어야 확보된다.
>
> 을: 선출된 의원들은 유권자를 수동적으로 대리하는 데 그치지 않고, 재량권을 갖고 능동적으로 국가를 대표한다. 민주주의는 정치 엘리트들의 권력에 대한 경쟁일 뿐이며, 시민의 역할은 선거에서 대표를 택하는 일에 머무른다.

┤ 보기 ├

> ㄱ. 갑: 대화 참가자들의 주장에 이의 제기가 가능하다.
> ㄴ. 갑: 모든 정책 결정 과정에 시민이 직접 참여해야 한다.
> ㄷ. 을: 민주주의는 실제로 인민의 지배가 아니라 정치인의 지배이다.
> ㄹ. 갑, 을: 시민은 항상 합리적으로 정치적 의사 결정을 하는 존재다.

① ㄱ, ㄴ   ② ㄱ, ㄷ   ③ ㄴ, ㄹ
④ ㄱ, ㄷ, ㄹ   ⑤ ㄴ, ㄷ, ㄹ

| 평가원 응용 |

02 사회사상가 갑, 을의 입장으로 옳은 것은?

> 갑: 사람들은 자연적인 권력을 사회에 위임하며, 사회는 일정한 사람의 수중에 입법권을 위임한다. 사람들은 입법자가 제정한 법에 의해 지배를 받겠다고 신탁을 하는 것이다.
>
> 을: 사람들은 의회의 대의원을 선출할 때만 주인이고 일단 선출이 끝나면 그들은 다시 노예가 된다. 일반 의지는 대표될 수 없으며, 국민이 직접 인정하지 않는 법은 무효이다.

① 갑: 입법권은 자연법에 부합하지 않아도 된다.
② 갑: 법률을 제정하는 사람이 법률을 집행해야 한다.
③ 을: 주권을 가진 사람이 입법권을 가져야 한다.
④ 을: 일반 의지의 대행자인 통치자는 법에 자유롭다.
⑤ 갑, 을: 국민은 자신이 선택한 대표자를 통해 주권을 행사해야 한다.

| 평가원 응용 |

03 근대 서양 사상가 을의 입장에서 갑에게 제기할 수 있는 비판으로 가장 적절한 것은?

> 갑: 공통 권력이 존재하지 않으면 만인의 만인에 대한 전쟁 상태에 놓이게 된다. 각자는 자연 상태에서 가지고 있는 사적 폭력을 포기하고 평화 규약에 합의하게 된다.
>
> 을: 인간은 자유인으로 태어났지만 곳곳에서 사슬에 매여 있다. 우리 각자는 신체와 힘을 모두 일반 의지에 맡긴 후 다시 각자를 전체의 불가분의 부분으로 받아들인다.

① 주권은 양도될 수 없고 분할될 수도 없음을 간과한다.
② 소유권은 사회 계약을 통해 획득된 산물임을 간과한다.
③ 자연 상태는 부정의가 난무하는 전쟁 상태임을 간과한다.
④ 국가가 개인의 자유와 소유물을 잘 보전해야 함을 간과한다.
⑤ 자연 상태는 평화롭다는 점에서 사회 상태와 구분됨을 간과한다.

| 평가원 응용 |

04 근대 서양 사상가 갑, 을의 입장으로 옳은 것은?

> 갑: 자연 상태의 인간들은 서로 믿지 못하기 때문에 자기 보존을 위해 상대를 먼저 제압하고자 합니다. 자신들을 위협하는 공통 권력이 없이 살아가는 한 그들은 전쟁 상태에 처하게 됩니다. 이런 전쟁 상태를 방지하기 위해 계약을 맺으면서 국가가 발생합니다.
>
> 을: 자연 상태에서 인간은 비교적 자유롭고 평등합니다. 하지만 자연 상태에는 법에 따라 다툼을 해결할 공평한 재판관이 없으므로 재산의 향유가 불확실합니다. 개인들은 각자의 소유를 더 잘 보존하고자 계약을 맺습니다.

① 갑: 평화와 안전은 자연법만 있으면 보장된다.
② 갑: 자연 상태의 인간은 이성을 지니지 못한다.
③ 을: 자연권은 국가 성립 후에도 소멸되지 않는다.
④ 을: 어떤 경우에도 입법부의 권력에 저항할 수 없다.
⑤ 갑, 을: 재산권의 효과적인 보장을 위해 절대 권력이 필요하다.

05 사회사상가 갑, 을의 입장에 대한 설명으로 옳은 것은?

> 갑: 인간은 자연 상태의 평화로움과 온갖 특권에도 불구하고 상호 간 다툼을 해결할 법률과 공평한 재판관 및 집행 권력의 부재라는 열악한 상황에 처하게 된다. 이로부터 정치 사회뿐 아니라 입법권과 행정권의 기원을 찾을 수 있다.
>
> 을: 사회 계약으로 해결해야 할 과제는 두 가지이다. 첫째, 일반 의지의 힘으로 구성원의 신체와 재산을 보호해야 한다. 둘째, 각 개인은 전체와 결합되지만, 자신에게만 복종하고 이전과 마찬가지로 자유로울 수 있어야 한다.

① 갑은 국가 권력 분립이 가능하지도 정당하지도 않다고 본다.

② 갑은 자연 상태의 인간은 침해받아서는 안 될 권리를 지닌다고 본다.

③ 을은 시민의 주권은 계약으로만 정부에 양도될 수 있다고 본다.

④ 을은 사유 재산제가 성립되면서 경제적 불평등이 해소된다고 본다.

⑤ 갑, 을은 시민의 동의 없이도 정치적 복종 의무가 정당화된다고 본다.

06 사상가 갑이 을에게 제기할 수 있는 비판으로 적절한 것은?

> 갑: 자연 상태는 평화 상태에서 점차 불평등한 예속 상태로 이행한다. 사람들은 시민적 자유의 보장을 위해 자신을 일반 의지에 양도하고 국가의 구속을 받아들인다.
>
> 을: 자연 상태는 만인의 만인에 대한 전쟁 상태이다. 사람들은 전쟁 상태에서 벗어나 평화를 추구하라는 자연법에 따라 국가의 구속을 받아들인다.

① 자기 보존 욕구가 계약에 영향을 미침을 부정한다.

② 권력 분할보다 집중이 재산권을 보장하는 최선책임을 부정한다.

③ 입법권은 국민이 선출한 대표자에게 위임될 수 있음을 간과한다.

④ 계약 이후에는 국가만 시민에 대한 형벌권을 소유함을 간과한다.

⑤ 법률에 복종하는 시민이 법률의 제정자가 되어야 함을 간과한다.

07 서양 사상가 갑, 을의 입장으로 옳은 것을 〈보기〉에서 고른 것은?

> 갑: 국가의 단일한 최고 권력인 입법부는 사회에서 인민의 생명, 자유, 재산을 보존하는 업무를 수행한다. 행정권이 이러한 입법부의 업무를 무력에 의해서 방해할 때 인민은 그것을 무력에 의해서 제거할 권리뿐만 아니라 예방할 권리도 가진다.
>
> 을: 우리 각자는 신체와 모든 힘을 공동의 것으로 삼아 일반 의지의 최고 지도 아래에 둔다. 다수의 사람들이 결합하여 스스로 일체를 형성한다고 생각하는 한, 그들은 '공동의 보전'과 '일반적 복지'에 대한 관심이라는 단 하나의 의지만을 갖는다.

┤ 보기 ├

ㄱ. 갑: 자연 상태에서는 분쟁을 해결해 줄 재판관이 없다.

ㄴ. 을: 사유 재산 제도는 인간 불평등의 원인이다.

ㄷ. 을: 이상적인 국가는 절대 군주제가 시행되는 국가이다.

ㄹ. 갑, 을: 사회 계약이 체결된 후에는 저항권이 상실된다.

① ㄱ, ㄴ   ② ㄱ, ㄷ   ③ ㄴ, ㄷ
④ ㄴ, ㄹ   ⑤ ㄷ, ㄹ

08 갑, 을은 사회사상가들이다. 을의 입장에서 갑에게 제기할 수 있는 반론으로 가장 적절한 것은?

> 갑: 모든 사람을 하나의 인격으로 통일한 것이 국가인 만큼, 이론적으로 주권자의 행위는 곧 신민 자신의 행위이다. 한번 계약을 맺으면 파기할 수 없다.
>
> 을: 누구나 자유롭고 평등한 자연 상태에서는 사람들 사이의 분쟁을 판정할 공평한 재판관이 없다. 이 문제의 해결을 위해 사람들의 동의로 정부가 구성된다.

① 구성원의 안전 보장이 사회 계약 체결의 결과임을 모르고 있다.

② 사회 계약이 구성원의 만장일치로 결정되어야 함을 모르고 있다.

③ 사회 계약의 안정성은 국가 권력의 강제력에 비례함을 모르고 있다.

④ 자기 보존 욕구의 실현이 사회 계약 합의를 위한 토대임을 간과한다.

⑤ 계약을 위반한 정치권력에 대한 적극적 저항이 정당함을 간과한다.

| 수능 기출 |

09 근대 서양 사상가 갑, 을의 입장으로 가장 적절한 것은?

> 갑: 입법권은 개인의 소유권을 보장하기 위해 위임된 권력이다. 절대 군주가 모든 권력을 독점하는 것보다 입법권과 행정권으로 국가 권력을 분할하는 것이 낫다.
>
> 을: 입법권은 주권의 파생물에 불과한 것이므로 이 권력을 주권의 일부분으로 보아서는 안 된다. 또한 주권은 일반 의지의 행사이므로 결코 양도될 수도 없다.

① 갑: 인간의 소유권은 절대 군주에 의해서도 침해되어서는 안 된다.

② 갑: 시민은 계약의 목적을 위반한 입법부에 저항할 수 없다.

③ 을: 통치자는 일반 의지를 대행하므로 법의 지배로부터 자유롭다.

④ 을: 주권은 시민이 선출한 대의원을 통하여 대표되어야 한다.

⑤ 갑, 을: 사회 계약 이후에 국가는 계약 위반자에 대한 처벌권이 없다.

| 평가원 응용 |

10 근대 서양 사상가 갑, 을의 입장을 〈보기〉에서 고른 것은?

> 갑: 자연 상태에서 인간은 자유롭고 평등하지만 사유 재산의 발생과 더불어 불평등과 예속의 상태에 놓이게 된다. 그러한 상태에서 벗어나기 위해서 각자는 신체와 모든 힘을 공동의 것으로 삼아 일반 의지의 최고 지도하에 두어야 한다.
>
> 을: 자연 상태에서 인간은 평등한 자유의 주체로서 각자 자연권을 향유하며 자기 보존을 위해 경쟁한다. 그러한 경쟁은 만인의 만인에 대한 전쟁 상태를 초래하기 때문에 사람들은 전쟁 상태에서 벗어나기 위해 국가에 자신들의 권리를 양도해야 한다.

┌─ 보기 ┐

ㄱ. 갑: 주권은 동의하에 군주에게 양도되어야 한다.

ㄴ. 갑: 일반 의지에 대한 복종은 자신에 대한 복종이다.

ㄷ. 을: 자연 상태에서 자기 보존을 위한 폭력은 부정의한 것이다.

ㄹ. 갑, 을: 정치권력의 정당성은 사회 구성원의 동의에 기초한다.

① ㄱ, ㄴ   ② ㄱ, ㄷ   ③ ㄴ, ㄷ

④ ㄴ, ㄹ   ⑤ ㄷ, ㄹ

| 평가원 기출 |

11 서양 사상가 갑, 을의 입장으로 옳은 것은?

> 갑: 사회 계약은 각자 자신의 재산을 공동체에 전적으로 양도하여 일반 의지의 지도하에 둘 것을 명령한다. 공동체는 개인의 재산을 박탈하는 것이 아니라 정당한 소유를 약속하고 재산 소유자를 공공 재산의 위탁을 받은 사람으로 인정한다.
>
> 을: 자본주의 사회에서 자본은 자립적이고 인격적인 반면 사람은 비자립적이고 비인격적이다. 이러한 사회에서 노동자는 자본을 증식시키기 위한 존재로 전락한다. 자본이 구성원의 공동 재산으로 변하면 재산의 계급적 성격이 상실된다.

① 갑: 일반 의지에 복종하는 행위는 개인의 소유권을 침해한다.

② 갑: 주권은 양도될 수 없지만 특정인에 의해 대표되어야 한다.

③ 을: 경쟁을 통한 자본의 축적은 계급 간의 갈등을 약화시킨다.

④ 을: 자본주의 사회에서 노동은 인간을 자본의 예속에서 해방시킨다.

⑤ 갑, 을: 인간의 경제적 불평등은 사유 재산의 발생에서 비롯된다.

| 수능 응용 |

12 다음 사상가가 지지할 주장으로 가장 적절한 것은?

> 민주적 의사 결정에서는 경쟁적 이해관계의 타협이나 거래가 아니라 다양하고 풍부한 토의 과정을 통해 시민의 동의를 얻을 수 있는 합의가 중요합니다. …… 시민들 간의 대화, 협의, 합의의 과정에서 전개되는 정치적 행위는 가장 적극적인 형태의 정치 참여이며, 투표 행위와는 대조적으로 공적인 성격이 강합니다.

① 신속한 의사 결정을 위해 시민의 참여를 최대한 배제해야 한다.

② 투표로 선출된 대표에 의해서만 정책이 심의되고 결정되어야 한다.

③ 정책 심의의 효율성을 위해 의사 표현의 기회에 제한을 두어야 한다.

④ 시민들 간의 토론과 소통을 통해 정책 결정의 공공성을 강화해야 한다.

⑤ 사적인 이익을 표출할 수 있는 투표로 시민의 정치 참여를 높여야 한다.

04 자본주의

1 자본주의의 규범적 특징과 기여

1. 자본주의의 규범적 특징과 전개 과정

(1) **의미** 사유 재산 제도에 바탕을 두고, 합리적으로 이윤을 추구할 수 있도록 자유로운 경제 활동을 보장하는 자유 시장 경제 체제

(2) **등장 배경**

① 근대 초기 지리상의 발견과 국가 간 교역의 확대로 상업이 발달함 ➡ 시장에서 자유로운 교환을 중심으로 하는 자본주의가 형성됨

② 자유주의 사상이 발전함 ➡ 개인의 자유와 권리, 특히 사적 소유권이 강조됨

③ 부르주아가 등장함 ➡ 부르주아는 상공업에 종사하면서 이익과 권리를 자유롭게 추구함

④ 종교 개혁과 프로테스탄티즘의 등장❶ ➡ 근면, 검소, 성실을 강조하며 합리적인 이윤 추구를 긍정함

(3) **자본주의의 규범적 특징**

① 자유로운 이윤 추구와 사유 재산 보장을 중시함

② 자유로운 경쟁이 보장되는 시장 경제를 중시함 ➡ 자유로운 경쟁을 통해 경제적 효율성과 이익이 최대화될 수 있다고 봄

★(4) 자본주의의 전개 과정

고전적 자본주의 자료 01	• 대표적 사상가: 애덤 스미스 • 개인의 경제적 자율성을 최대한 보장해 개인이 시장에서 자신의 이익을 자유롭게 추구할 때 사회 전체의 부가 증가함 • 보이지 않는 손❷에 의해 자원이 자율적으로 조정될 수 있음 • 시장에 대한 국가의 개입을 최소화해야 함 • 한계: 시장에서 자원이 효율적으로 분배되지 못함 ➡ 시장 실패
수정 자본주의 자료 02	• 대표적 사상가: 케인스 • 정부가 적극적으로 시장에 개입해 불황을 극복하고 복지를 확대해야 함 • 정부의 역할을 확대한 큰 국가, 적극적 국가를 강조함 • 한계: 정부의 거대화로 인한 비효율성, 정부 관료의 무능과 부정부패 등의 문제가 나타남 ➡ 정부 실패
신자유주의 자료 03	• 대표적 사상가: 하이에크 • 정부의 시장 개입을 반대하고, 시장의 자율성과 경제적 효율성을 강조함 • 공기업 민영화, 복지 정책 감축, 노동 시장 유연화❸ 등을 주장함 • 한계: 고전적 자본주의에서 나타난 빈부 격차와 시장 실패 현상이 나타날 가능성이 있음

2. 자본주의의 윤리적 기여

(1) **물질적 풍요** 사적 이윤 추구, 분업의 원리 등이 국가 전체의 생산성 향상에 기여함

(2) **개인의 자유와 권리 신장** 개인의 자유로운 경제 활동과 사적 소유권을 보호하고 증진함으로써 개인의 자유와 권리를 신장함

(3) **개인의 자율성과 창의성 증대**

• 개인이 경제 활동에서 자율적으로 판단하고 선택하는 주체가 됨

• 더 많은 이윤을 얻기 위해 경쟁하는 과정에서 창의성이 증대됨

(4) **민주주의 발전** 자유로운 경쟁을 강조함으로써 민주주의의 정당 제도나 선거 제도가 발전하는 데 영향을 미침

---

❶ **프로테스탄티즘과 자본주의 발전**
종교 개혁으로 등장한 프로테스탄티즘은 금욕주의적 직업 윤리를 강조하여 자본주의 정신의 바탕이 되었고, 신의 소명인 직업 활동을 열심히 한 대가로 얻는 부의 축적을 긍정하였다.

❷ **보이지 않는 손**
시장이 자연스럽게 개인의 이익과 사회의 이익을 일치시키는 기능을 수행함을 이르는 말

❸ **노동 시장 유연화**
경기 상승이나 침체 등 노동 수요의 변화를 가져오는 외부 환경 변화에 대응하여 인적 자원이 신속하고도 효율적으로 배분 또는 재배분되는 노동 시장의 능력을 말한다.

자료 01 애덤 스미스의 고전적 자본주의

사실 개인은 공공의 이익을 증진하려고 의도하지도 않으며, 자신이 얼마나 그것에 기여하는지도 알지 못한다. 개인은 오직 자신의 노동 생산물이 최대의 가치를 갖도록 함으로써 자신의 이익만을 추구할 뿐이다. 그런데 그는 이렇게 함으로써 '보이지 않는 손'에 이끌려 그가 전혀 의도하지 않은 목적을 달성하게 된다. 개인은 자기 자신의 이익을 추구함으로써 흔히 그 자신이 진실로 사회의 이익을 증진하려고 의도하는 경우보다 더욱 효과적으로 그것을 증진한다. 개인의 자본을 국내 산업의 어느 분야에 투자하면 좋은지, 그리고 어느 산업 분야의 생산물이 가장 큰 가치를 가지는지에 관해서는 각 개인이 자신의 지역 상황에 근거하여 어떠한 정치가나 입법자보다 훨씬 더 잘 판단할 수 있다는 것은 명백하다. 개인에게 그의 자본을 어떻게 사용하라고 지시하려는 정치가는 불필요한 수고를 할 뿐만 아니라 권력을 멋대로 휘두르려는 것이다.

– 스미스, 「국부론」 –

자료 분석 | 애덤 스미스는 고전적 자본주의의 이론적 기초를 세운 사람이다. 그는 각 개인의 경제적 자율성을 최대한 보장하기 위해 보이지 않는 손의 역할을 강조하였고, 국가의 간섭을 최대한 배제해야 한다는 자유방임주의를 도덕적으로 정당화하였다.

자료 02 케인스의 수정 자본주의

만약 재무부가 낡은 병들에 지폐를 가득 채우고 그 병들을 폐광에 적당한 깊이로 묻은 뒤 탄갱을 지표면에 이르기까지 도시의 쓰레기로 덮은 다음에 자유방임주의적인 원칙에 따라 개인 기업으로 하여금 그 지폐를 다시 파내는 일을 하게 한다면 더 이상 실업은 존재하지 않을 것이고, 그 파급 효과로 인하여 공동체의 실질 소득은 물론이고 자본도 훨씬 더 늘어날 것이다. 사실 주택 등을 짓는 것이 더 합리적이겠지만, 그렇게 하는 데 정치적이거나 현실적인 어려움이 있다면 차라리 위와 같이 하는 것이 아무것도 하지 않는 것보다는 나을 것이다.

– 케인스, 「고용, 이자 및 화폐의 일반 이론」 –

자료 분석 | 케인스는 경기 침체와 실업의 원인이 기업의 투자 감소와 국민의 소비 감소 때문이라고 보았다. 따라서 정부가 다양한 공공 정책을 펼쳐 투자와 소비를 진작시키면 경제가 다시 활성화된다고 주장하였다. 케인스는 정부가 공공 정책을 펼치면 기업 투자의 불확실성에서 비롯한 문제도 완화할 수 있고 국민이 기본적인 실제 구매력을 잃지 않도록 유효 수요도 창출할 수 있다고 본다.

자료 03 하이에크의 신자유주의

경쟁은 알려진 방법 중 가장 효율적일 뿐만 아니라 권력의 강제적이고 자의적인 간섭 없이도 우리의 행위가 조정될 수 있는 유일한 방법이기 때문에 우월한 방법이라고 할 수 있다. 경쟁은 의식적인 사회적 통제를 필요로 하지 않는다. 어떤 일이 그 일과 연관된 불리한 점과 위험 요소를 상쇄하고도 남을 만큼 전망이 있는지 아닌지를 결정하는 것은 각자에게 달려 있다.

– 하이에크, 「노예의 길」 –

자료 분석 | 하이에크는 경기 변동에 대처하는 데 필요한 모든 것을 알고 있는 관료는 존재하지 않으므로 정부의 정책으로 실업이나 경기 침체 문제를 해결하는 것은 어렵다고 보았다. 그는 국가는 경제 계획을 통해 시장을 통제할 수 없으며, 국가는 단지 자유 경쟁이 최대한 효율적으로 작동할 수 있도록 해야 한다고 주장하였다.

1 애덤 스미스는 자유 경쟁 체제가 국부 증진에 기여함을 강조한다.

(O , X)

2 애덤 스미스는 시장 경제 질서의 자기 교정 능력에 한계가 있다고 주장한다.

(O , X)

3 케인스는 개인의 자유와 사유 재산 및 시장 경제를 인정해야 한다고 본다.

(O , X)

4 케인스는 정부가 다양한 공공 정책을 펼쳐서 투자와 소비를 진작시켜야 한다고 본다.

(O , X)

5 케인스는 재화의 사적인 소유와 이윤 추구 활동에 동의한다.

(O , X)

6 하이에크는 국가가 기업의 자유로운 이윤 추구를 막는 법적 규제를 강화해야 한다고 본다.

(O , X)

7 하이에크는 시장 경쟁 체제의 보호와 교정을 위해 국가가 적극적으로 나서야 한다고 본다.

(O , X)

8 하이에크는 완전 고용을 위한 정부의 개입이 시장의 비효율성을 초래하지 않는다고 본다.

(O , X)

9 하이에크는 정부의 개입이 경기 침체와 실업 문제를 해결할 수 없다고 본다.

(O , X)

정답 1 O   2 X   3 O   4 O   5 O
6 X   7 X   8 X   9 O

2 자본주의에 대한 비판과 대안

1. 자본주의에 대한 비판적 시각

(1) 빈부 격차 심화

① 자유 경쟁을 강조하여 노동의 기회나 소득의 분배에서 불평등을 심화시킴

② 경제적 불평등에 따라 사회 양극화가 심화되고 계층 간 갈등으로 이어져 사회 구성원들 간의 통합이 어려워짐

(2) 물질 만능주의

① 물질을 중시하는 현상이 심화되어 인간의 존엄성과 같은 정신적 가치보다 물질 자체가 목적이 되는 가치 전도 현상④이 발생함

② 인간다움의 보존보다는 어떤 방식으로든 이윤을 창출하면 된다는 천민 자본주의⑤가 될 수 있음

(3) 인간 소외 현상 자료 04

① 이윤의 극대화를 추구하는 자본주의 사회에서는 상품을 인간보다 중요하게 여기고 인간을 상품을 생산하는 기계나 부속품으로 여기는 현상이 나타날 수 있음

② 마르크스는 자본주의 사회에서는 상품과 자본, 기계가 중심이 되어 생산 활동이 이루어지고 인간이 이 과정에 종속되어 주체성과 자율성을 상실하게 된다고 봄

2. 자본주의에 대한 대안적 시도

(1) 롤스의 정의론

① 정의론을 바탕으로 국가가 시장에 개입하는 것을 도덕적으로 정당화함

② 자연적이고 사회적인 조건의 우연성이 개인의 자유 실현과 삶의 전망에 미칠 영향을 최소화하는 사회를 주장함

(2) 사회주의

마르크스 사회주의 자료 05	• 빈부 격차, 인간 소외 등의 문제는 생산 수단의 사적 소유 때문에 발생함 • 프롤레타리아⑥ 혁명을 통해 자본주의를 무너뜨리고 생산 수단을 공유화하여 경제적 평등을 실현해야 함 • 사유 재산·계급·국가가 소멸하고 모두가 평등하게 살아가는 공산 사회를 실현해야 함 • 자본가가 생산물을 착취하지 않고 노동자에게 분배하면 경제적 불평등이 해소되고 누구나 자기실현을 하며 살 수 있음
민주 사회주의 자료 06	• 의회를 통한 점진적 개혁으로 사회주의를 실현해야 함 • 사회 보장 제도의 확대를 주장하여 서구 복지 자본주의의 발전에 기여함 • 사익보다 공익을 우선해야 함

3. 바람직한 자본주의 사회의 실현을 위한 노력

(1) 개인적 차원

① 물질적 욕망만을 추구하는 자세에서 벗어나 정신적이고 인간적인 가치를 추구해야 함

② 공정한 경쟁을 통해 합리적으로 이윤을 추구해야 함

(2) 사회적 차원

① 공동체 의식을 바탕으로 상생과 나눔의 문화를 확립해야 함

② 경제적 불평등을 완화하고 인간다운 삶을 보장할 수 있는 제도를 만들어야 함

(3) 국제적 차원

① 세계 시민 의식을 바탕으로 국제 정의 실현을 위해 노력해야 함

② 국가 간 빈부 격차를 완화하려는 노력이 필요함

④ **가치 전도 현상**
인간의 존엄성과 같은 보편적·정신적 가치보다 물질적 가치를 중요하게 여기는 현상

⑤ **천민 자본주의**
돈에 집착한 나머지 공정성을 상실하고 독점, 투기, 정경 유착 등을 추구하는 타락한 자본주의

⑥ **프롤레타리아**
부르주아와 달리 생산 수단을 소유하지 못해 노동력을 제공하며 살아가는 빈곤한 노동자 계급

자료 04 　공장제 수공업의 노동 소외

공장제 수공업은 이전에는 독립적이었던 노동자를 자본의 지휘와 규율에 복종시킬 뿐만 아니라 노동자 자신들 사이에 등급적 계층을 만들어 낸다. 단순 협업은 개개인들의 노동 방식을 대체로 변경시키지 않지만, 공장제 수공업은 그것을 철저히 변혁시키며 개별 노동력을 완전히 장악한다. 공장제 수공업은 노동자의 모든 생산적인 능력과 소질을 억압하면서 특수한 기능만을 촉진함으로써 노동자를 소외시킨다.

– 마르크스, 「자본론」 –

자료 분석 | 마르크스는 인간 소외 현상이 자본주의적 생산 방식에서 비롯된다고 보았다. 자본주의에서 노동자는 노동의 전 과정을 통제하지 못하고 전체 과정의 부분에서 자신에게 주어진 일을 기계적으로 해야 한다. 노동자는 이렇게 생산된 노동 생산물을 자신의 생산물이라고 여기지 못한다. 이를 노동 생산물로부터의 소외라고 한다.

자료 05 　마르크스의 공산당 선언

봉건 사회가 몰락함으로써 생겨난 현대 부르주아 사회에서도 계급적 모순이 폐지되지 못하였다. 사회 전체가 두 적대 진영으로, 즉 서로 대립하는 두 계급인 부르주아와 프롤레타리아로 더욱더 분열되고 있다. 우리의 과업은 부르주아적 소유의 폐지를 선포하는 것이다.

– 마르크스, 「공산당 선언」 –

자료 분석 | 마르크스는 자본주의의 근본적인 문제점이 생산 수단의 사적인 소유와 자유 시장 경제에 있다고 보고, 프롤레타리아에 의한 생산 수단의 공유와 계획 경제를 주장하였다. 그리고 이러한 경제 구조를 바탕으로 사유 재산·계급·국가가 소멸하고, 모두가 평등하게 살아가는 공산 사회를 실현하고자 하였다.

자료 06 　프랑크푸르트 선언

• 인간의 기본적인 필요는 생산 성과 분배에 가장 먼저 고려되어야 한다. 하지만 개인이 자기의 능력에 따라 일할 의욕을 빼앗겨서는 안 된다. 사회주의자는 노력에 따라 보수를 받을 개인의 권리를 자명한 것으로 받아들인다.
• 사회주의적 계획화는 모든 생산 수단의 공유화를 전제하지 않는다. 그것은 중요한 부문, 예컨대 농업, 수공업, 소매업, 중소기업 등에서의 사적 소유와 양립할 수 있다.

– 「프랑크푸르트 선언」 –

자료 분석 | 서구 사회주의자들은 1951년 「프랑크푸르트 선언」을 통해 민주 사회주의의 방향을 제시하였다. 이들은 마르크스주의의 급진적 폭력 혁명론을 비판하고 민주주의적인 방법으로 사회주의의 이상을 추구할 것을 강조한다.

개념 완성

1 자본주의의 규범적 특징과 기여

특징	• 의미: 사유 재산 제도에 바탕을 두고, 자유로운 경제 활동을 보장하는 자유 시장 경제 체제 • 자유로운 이윤 추구와 사유 재산 보장을 중시함 • 자유로운 경쟁이 보장되는 (**①**)를 중시함 • 자유로운 경제 활동을 통해 경제적 효율성과 이익이 최대화될 수 있다고 봄

전개 과정	고전적 자본주의	• 대표적 사상가: 애덤 스미스 • 개인이 시장에서 자신의 이익을 자유롭게 추구할 때 사회 전체의 부가 증가함 • (**②**)에 의한 자원의 자율적 조정을 강조함 • 시장에 대한 국가의 개입을 최소화해야 한다고 주장함
	수정 자본주의	• 대표적 사상가: (**③**) • (**④**)가 적극적으로 시장에 개입해 불황을 극복하고 복지를 확대해야 함 • 정부의 역할을 확대한 큰 국가, 적극적 국가를 강조함
	신자유주의	• 대표적 사상가: 하이에크 • 정부의 시장 개입을 반대하고, (**⑤**)의 자율성과 경제적 효율성을 강조함 • 공기업 민영화, 복지 정책 감축, 노동 시장 유연화 등을 주장함

윤리적 기여	• 물질적 풍요 • 개인의 자유와 권리 신장 • 개인의 자율성과 창의성 증대 • 민주주의 발전

2 자본주의에 대한 비판과 대안

비판적 시각	• 빈부 격차 심화: 자유 경쟁을 강조하여 노동의 기회나 소득의 분배에서 불평등을 심화시킴 • (**⑥**) 만능주의: 물질을 중시하는 현상이 심화되어 정신적 가치보다 물질 자체가 목적이 되는 현상 • 인간 (**⑦**) 현상: 상품을 인간보다 중요하게 여기고 인간을 기계나 부속품으로 여기는 현상

대안적 시도	롤스	정의론을 바탕으로 국가가 시장에 개입하는 것을 도덕적으로 정당화함
	마르크스 사회주의	• 프롤레타리아 혁명을 통해 자본주의를 무너뜨리고 경제적 평등을 실현해야 함 • 모두가 평등하게 살아가는 (**⑧**)를 실현해야 함
	민주 사회주의	• (**⑨**)를 통한 점진적 개혁으로 사회주의를 실현해야 함 • 사익보다 공익을 우선해야 함

정답 ❶ 시장 경제 ❷ 보이지 않는 손 ❸ 케인스 ❹ 정부 ❺ 시장 ❻ 물질 ❼ 소외 ❽ 공산 사회 ❾ 의회

01 그림은 한 학생의 필기 내용이다. ㉠에 들어갈 내용으로 가장 적절한 것은?

> [학습 주제] 자본주의의 등장 배경
> • 근대 초기 지리상의 발견으로 상업이 발달함 ➡ 시장에서 자본주의가 형성됨
> • 자유주의 사상이 발전함 ➡ 개인의 자유와 권리, 특히 사적 소유권이 강조됨
> • 부르주아가 등장함 ➡ 부르주아는 상공업에 종사하면서 이익과 권리를 자유롭게 추구함
> • ㉠ ➡ 근면, 검소, 성실을 강조하며 합리적인 이윤 추구를 긍정함

① 프랑크푸르트 선언 발표
② 애덤 스미스의 시장 실패
③ 수정 자본주의의 정부 실패
④ 마르크스의 공산당 선언 발표
⑤ 종교 개혁과 프로테스탄티즘의 등장

02 다음 사상이 자본주의 발전에 끼친 영향으로 옳은 것을 〈보기〉에서 고른 것은?

> 현세적인 프로테스탄트의 금욕은 전력을 다해 재산을 낭비하는 향락에 반대해 왔고 소비, 특히 사치재 소비를 봉쇄해 버렸다. 반면에 이 금욕은 재화 획득을 전통주의적인 윤리의 장애에서 해방하는 심리적 결과를 낳았으며, 이익 추구를 합법화했을 뿐만 아니라 직접 신의 뜻이라고 간주함으로써 이익 추구에 대한 질곡을 뚫고 나왔다.

보기
ㄱ. 부의 축적을 종교적으로 긍정하였다.
ㄴ. 세속적인 직업에는 귀천이 있음을 알게 했다.
ㄷ. 직업 활동을 통해 신의 영광을 현실에서 실현시킬 수 있다고 하였다.
ㄹ. 시장 경제에 대한 정부의 개입을 정당화하여 국가의 부를 증진시켰다.

① ㄱ, ㄴ   ② ㄱ, ㄷ   ③ ㄴ, ㄷ
④ ㄴ, ㄹ   ⑤ ㄷ, ㄹ

03 다음 사상가의 입장으로 옳은 것은?

> 사실 개인은 공공의 이익을 증진하려고 의도하지도 않으며, 자신이 얼마나 그것에 기여하는지도 알지 못한다. 개인은 오직 자신의 노동 생산물이 최대의 가치를 갖도록 함으로써 자신의 이익만을 추구할 뿐이다. 그런데 그는 이렇게 함으로써 '보이지 않는 손'에 이끌려 그가 전혀 의도하지 않은 목적을 달성하게 된다. 개인은 자기 자신의 이익을 추구함으로써 흔히 그 자신이 진실로 사회의 이익을 증진하려고 의도하는 경우보다 더욱 효과적으로 그것을 증진한다.

① 사익보다 공익이 우선시되어야 한다.
② 생산 수단의 사적 소유를 없애야 한다.
③ 정부가 기업을 위해 공공 정책을 펼쳐야 한다.
④ 개인의 경제적 자율성을 최대한 보장해야 한다.
⑤ 정부가 개입하여 자본주의의 문제를 해결해야 한다.

04 ㉠에 들어갈 진술로 가장 적절한 것은?

> 스미스는 각 개인의 경제적 자율성을 최대한 보장하여 개개인이 시장에서 자신의 이익을 자유롭게 추구할 수 있을 때 사회 전체의 부도 증가한다고 본다. 또한 보이지 않는 손의 역할을 통해 자원이 효율적으로 분배된다고 보아, [㉠   ]고 주장한다.

① 사익보다 공익을 우선해야 한다
② 노동자는 노동 과정에서 주체가 될 수 없다
③ 정부가 민간 부문의 유효 수요를 확대해야 한다
④ 시장에 대한 국가의 간섭을 최대한 배제해야 한다
⑤ 생산 수단을 공유하여 경제적 평등을 실현해야 한다

05 다음은 자본주의의 전개 과정을 표로 나타낸 것이다. ㉠, ㉡에 대한 설명으로 옳은 것은?

고전적 자본주의

↓ 문제점: (㉠)

수정 자본주의

↓ 문제점: (㉡)

신자유주의

① ㉠의 예로 정부 관료의 무능과 부패가 있다.
② ㉠은 정부의 개입이 시장 경제의 효율성을 떨어뜨리는 현상을 의미한다.
③ ㉡의 예로 불완전 경쟁, 공공재 문제 등이 있다.
④ ㉡은 시장에서 공정한 소득 분배가 이루어지지 않는 현상을 의미한다.
⑤ 신자유주의에서는 다시 ㉠과 같은 문제가 발생할 수 있다.

06 다음 사상가의 주장으로 옳은 것을 〈보기〉에서 고른 것은?

> 이를테면 국가가 빈 병을 지폐로 가득 채운 후 어느 폐광에다 묻고서 기업들이 마음대로 지폐가 든 병들을 파 가도록 한다고 가정해 보자. 기업들은 그 병들을 파내기에 혈안이 될 것이므로 실업이 발생할 이유가 없어지며 굴착 장비 등이 날개 달린 듯 팔리고 생산과 소비가 늘어날 것이다.

┤ 보기 ├
ㄱ. 공기업을 민영화하고 노동 시장을 유연화해야 한다.
ㄴ. 국가의 개입은 항상 시장 경제의 효율성을 저해한다.
ㄷ. 공황과 실업은 기업의 투자 감소와 국민의 소비 저하로부터 발생한다.
ㄹ. 정부가 공공 정책을 펼치면 기업 투자의 불확실성에서 비롯한 문제를 완화할 수 있다.

① ㄱ, ㄴ
② ㄱ, ㄷ
③ ㄴ, ㄷ
④ ㄴ, ㄹ
⑤ ㄷ, ㄹ

[07~08] 다음 글을 읽고 물음에 답하시오.

> 모든 개인이 국내 산업의 발달을 최대화하는 쪽으로 자기 자본을 투입하므로 국내 산업 생산은 최고에 이르게 된다. 각 개인이 공공의 이익을 증진할 의도를 가질 필요도 없고, 자신이 공공의 이익을 어느 정도 향상하는지 알 필요도 없다.

07 윗글의 사상가의 입장으로 옳은 것은?

① 개인의 이기심과 세속적 욕망은 부도덕하다.
② 사익의 추구는 공익의 증대로 이어지지 않는다.
③ 이윤을 극대화하기 위해서는 이타적이어야 한다.
④ 효율적인 자원의 배분을 위해 정부의 개입이 필요하다.
⑤ 국가는 국방과 치안 유지 등 최소한의 역할을 해야 한다.

08 다음 사상가가 윗글의 사상가에게 제기할 비판으로 가장 적절한 것은?

> 노동하는 인간이 노동 수단, 즉 생활 원천을 독점한 자에게 경제적으로 예속되어 있는 것은 모든 형태의 예속, 모든 사회적 빈곤과 도덕적 타락 및 정치적 종속의 주된 원인이다. 따라서 노동자 계급의 경제적 해방이야말로 중요한 궁극적 목적이며, 모든 정치 운동은 하나의 수단으로서 이 목적 아래에 놓여야 한다.

① 자본주의가 인간 소외 현상을 가중시킨다는 점을 간과한다.
② 점진적인 개혁을 통해 이상 사회에 다가갈 수 있다는 점을 간과한다.
③ 노동자와 자본가의 협업을 통해 사회를 개선해야 한다는 점을 간과한다.
④ 민주주의적인 방법을 통해 새로운 사회를 건설해야 한다는 점을 간과한다.
⑤ 모든 생산 수단을 공유화 하지 않고 중요한 부문의 사적 소유를 인정해야 한다는 점을 간과한다.

09 밑줄 친 '경제 체제'가 인간의 삶에 기여한 부분으로 적절한 것만을 〈보기〉에서 있는 대로 고른 것은?

> 오늘날 대다수 국가는 이 경제 체제를 채택하고 있다. 이 체제는 사유 재산 제도에 바탕을 두고, 합리적으로 이윤을 추구할 수 있도록 자유로운 경제 활동을 보장하는 자유 시장 경제 체제이다.

┤ 보기 ├
ㄱ. 개인의 자유와 권리를 신장하는 데 기여하였다.
ㄴ. 생산의 효율성을 높여 물질적인 풍요에 기여하였다.
ㄷ. 인간을 생산을 위한 도구로 인식하는 문화를 개선하는 데 기여하였다.
ㄹ. 이윤을 추구하는 과정에서 개인의 창의성과 진취성을 증진하는 데 기여하였다.

① ㄱ, ㄴ   ② ㄱ, ㄷ   ③ ㄴ, ㄹ
④ ㄱ, ㄴ, ㄹ   ⑤ ㄴ, ㄷ, ㄹ

10 (가), (나) 현상을 바르게 짝지은 것은?

> (가) 인간의 존엄성과 같은 보편적·정신적 가치보다 물질적 가치를 중요하게 여기는 현상
> (나) 이윤 극대화만을 추구한 나머지 상품을 인간보다 중요하게 여기고 인간을 상품을 만드는 기계나 부속품처럼 취급하는 현상

	(가)	(나)
①	빈부 격차	천민 자본주의
②	빈부 격차	인간 소외
③	천민 자본주의	가치 전도 현상
④	가치 전도 현상	인간 소외
⑤	가치 전도 현상	천민 자본주의

11 다음 사상이 긍정의 대답을 할 질문으로 가장 적절한 것은?

> 인간의 기본적인 필요는 생산성과 분배에 가장 먼저 고려되어야 한다. 하지만 개인이 자기 능력에 따라 일할 의욕을 빼앗겨서는 안 된다. 사회주의자는 노력에 따라 보수를 받을 개인의 권리를 자명한 것으로 받아들인다.

① 공공의 이익보다 사적 이윤이 우선하는가?
② 급진적인 폭력 혁명론은 비판받아야 하는가?
③ 사회주의적 계획 경제는 사적 소유와 양립 불가능한가?
④ 사회주의는 민주주의 자유의 가치와 양립 불가능한가?
⑤ 의회를 통한 점진적 개혁으로는 사회주의 달성이 어려운가?

12 (가)의 서양 사상가 갑, 을의 입장을 (나)의 그림으로 표현할 때, A~C에 해당하는 적절한 진술만을 〈보기〉에서 있는 대로 고른 것은?

(가)	갑: 생산 수단을 소유한 소수가 다수의 임금 노동자를 착취하는 사회를 전복하는 것이 공산주의의 목표이다. 을: 생산 수단을 소유한 소수에게 의존하고 있는 상태로부터 사람들을 해방하는 것이 사회주의의 목표이다. 공산주의는 개인의 자유를 위협하고 있다.
(나)	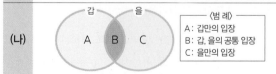 〈범례〉 A: 갑만의 입장 B: 갑, 을의 공통 입장 C: 을만의 입장

┤ 보기 ├
ㄱ. A: 계획 경제의 틀 아래 산술적으로 균등한 분배를 해야 한다.
ㄴ. B: 공공 이익의 증진을 위해 일체의 사적 소유를 배제해야 한다.
ㄷ. B: 자신의 노동으로부터 인간이 소외되지 않는 사회를 실현해야 한다.
ㄹ. C: 의회를 통한 점진적 개혁으로 사회주의를 실현해야 한다.

① ㄱ, ㄴ   ② ㄱ, ㄷ   ③ ㄴ, ㄷ
④ ㄴ, ㄹ   ⑤ ㄷ, ㄹ

13 다음 사상가가 긍정의 대답을 할 질문으로 가장 적절한 것은?

> 민주주의적 평등 체제에서 불평등이 정당화되는 조건은 그 불평등에 의해 최소 수혜자들의 이익이 증가하는 경우이다.

① 절차의 평등이 아닌 결과의 평등이 실현되어야 하는가?
② 천부적 재능은 최소 수혜자를 위해서만 사용되어야 하는가?
③ 사회적 약자에 대한 지원은 개인의 자유에 맡겨야 하는가?
④ 우연적 차이에 의한 영향을 줄이려는 국가의 노력은 정당한가?
⑤ 사회적 약자의 복지 향상을 위해 기본적 자유를 침해할 수 있는가?

14 갑, 을 사상가에 대한 설명으로 옳지 않은 것은?

> 갑: 봉건 사회가 몰락함으로써 생겨난 현대 부르주아 사회에서도 계급적 모순이 폐지되지 못하였다. 사회 전체가 두 적대 진영으로, 즉 서로 대립하는 두 계급인 부르주아와 프롤레타리아로 더욱더 분열되고 있다. 우리의 과업은 부르주아적 소유의 폐지를 선포하는 것이다.
> 을: 모든 사회적 가치들은 이것들 전부 또는 일부의 불평등한 분배가 최소 수혜자를 포함한 모든 사람에게 이익이 되지 않는 한, 평등하게 분배되어야 한다.

① 갑: 인간 소외 현상은 자본주의적 생산 방식에서 비롯된다.
② 갑: 자본주의의 근본적인 문제점은 생산 수단의 사적인 소유이다.
③ 을: 국가가 시장에 개입하는 것은 도덕적으로 정당화될 수 있다.
④ 을: 사회적 조건의 우연성이 개인의 자유 실현에 미칠 영향을 최소화해야 한다.
⑤ 갑, 을: 프롤레타리아 혁명을 통해 자본주의의 문제점을 개선해야 한다.

15 다음 사상가의 시장에 대한 관점을 서술하시오.

> 우리가 저녁 식사를 기대할 수 있는 건 푸줏간 주인, 양조장 주인, 빵집 주인의 자비심 덕분이 아니라, 그들이 자기 이익을 챙기려는 생각 덕분이다. …… 각 개인은 보이지 않는 손에 의하여 인도되어 자기가 전혀 의도하지 않았던 목적을 촉진하게 된다. …… 그는 자신의 이익을 추구함으로써 오히려 더 효과적으로 사회의 이익을 촉진한다.

16 갑의 입장에서 을에 대한 비판을 서술하시오.

> 갑: 경쟁은 의식적인 사회적 통제를 필요로 하지 않는다. 어떤 일이 그 일과 연관된 불리한 점과 위험 요소를 상쇄하고도 남을 만큼 전망이 있는지 아닌지를 결정하는 것은 각자에게 달려 있다.
>
> 을: 폐광 속에 돈을 집어넣고 그것을 메워 버리는 정부 정책은 어떤가? 우선 돈을 묻는 작업을 하는 데 일자리가 생기고, 그다음에는 돈을 파내는 데 일자리가 생긴다.

17 ㉠에 대한 마르크스의 입장을 서술하시오.

> | ㉠ | 은/는 이윤의 극대화만을 추구한 나머지 상품을 인간보다 중요하게 여기고 인간을 상품을 만드는 기계나 부속품처럼 취급하는 현상으로 나타난다.

18 (가), (나) 사상의 차이점을 서술하시오.

> (가) 공산주의자의 당면 목적은 프롤레타리아를 하나의 계급으로 형성시키고, 부르주아 지배를 타도하여 프롤레타리아가 정치권력을 장악하도록 하는 데 있다.
>
> (나) 사회주의는 완전 고용, 생산성 향상, 사회 보장 등을 추구한다. 국가는 근로 대중의 이익을 위해 생산을 계획하고 주요 부문에 대한 사적 소유를 허용해야 한다.

| 평가원 응용 |

01 사회사상가 갑, 을의 입장으로 옳은 것만을 〈보기〉에서 있는 대로 고른 것은?

> 갑: 정부의 경제에 대한 개입을 철회하고 자본의 자유로운 국제적 이동을 보장해야 한다. 시장의 자생적 질서를 꽃피울 수 있다면 장기적으로 경제 전반의 체질이 개선되어 성장 잠재력이 커질 수 있다.
>
> 을: 정부는 조세 체계와 이자율의 결정에 주요한 영향력을 행사해야 한다. 불황이나 실업과 같은 문제를 해결하려면 정부의 역할이 필요하며, 특히 정부는 완전 고용을 위해 투자의 사회화를 실현해야 한다.

> **⊣ 보기 ├**
> ㄱ. 갑: 정부는 자유로운 경쟁을 보장해야 한다.
> ㄴ. 을: 정부는 시장의 조절 기능을 신뢰해야 한다.
> ㄷ. 을: 불황을 극복하려면 재정 지출을 확대해야 한다.
> ㄹ. 갑, 을: 시장에서의 자유로운 이윤 추구는 인정되어야 한다.

① ㄱ, ㄷ   ② ㄴ, ㄷ   ③ ㄴ, ㄹ
④ ㄱ, ㄴ, ㄹ   ⑤ ㄱ, ㄷ, ㄹ

| 수능 기출 |

02 갑, 을은 사회사상가들이다. 갑의 입장에 비해 을의 입장이 갖는 상대적 특징을 그림의 ㉠~㉤ 중에서 고른 것은?

> 갑: 국가는 완전 고용을 실현하고 유효 수요를 창출하기 위해 노력해야 한다. 국가가 해야 할 일은 생산 수단의 소유가 아니라 공공 투자 확대를 통해 자원을 배분하는 것이다.
>
> 을: 국가는 시장에서 자유로운 경쟁이 최대한 효율적으로 작동할 수 있는 조건을 창출하는 데 힘써야 한다. 정부가 시장 개입을 통해 시장 실패를 해결하려는 것은 치명적 자만이다.

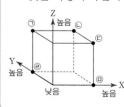

· X: 시장의 자생적 질서를 신뢰하는 정도
· Y: 실업 문제 해결을 위한 공공 지출의 확대를 강조하는 정도
· Z: 정부의 규모 및 역할의 축소를 강조하는 정도

① ㉠   ② ㉡   ③ ㉢   ④ ㉣   ⑤ ㉤

| 평가원 응용 |

03 갑이 을에게 제기할 수 있는 비판으로 가장 적절한 것은?

> 갑: 시장에서 유효 수요의 부족으로 인해 발생하는 문제가 자연적으로 해결될 것이라고 믿는 것은 비현실적인 낙관일 뿐이다.
>
> 을: 시장에서 개개인이 자기 이익을 추구하는 행위는 '보이지 않는 손'에 이끌려 자연적으로 사회에도 이득이 된다.

① 생산 수단에 대한 사적인 소유를 허용해야 함을 간과한다.
② 정부 실패의 해결을 위해 국가 정책을 축소해야 함을 간과한다.
③ 시장에서 개인의 경제 활동의 자유를 인정해야 함을 간과한다.
④ 완전 고용 실현을 위한 정부의 투자 정책이 필요함을 간과한다.
⑤ 정부 규모가 비대해지면 자원 분배의 효율성이 저하됨을 간과한다.

| 평가원 기출 |

04 사회사상가 갑, 을의 입장으로 가장 적절한 것은?

> 갑: 자유방임적 경제 질서의 결함을 해결하기 위해 정부는 조세 정책과 이자율 조정으로 소비에 영향력을 행사하고 투자 계획을 통해 유효 수요를 창출해야 한다. 투자의 포괄적 사회화, 즉 공적 투자의 창출이 완전 고용에 가까운 상태를 확보하는 유일한 수단이다.
>
> 을: 더 많은 자유를 가져다준다는 사회주의의 약속은 실제로는 자유가 아니라 노예 상태로 가는 지름길이다. 경쟁 사회의 사유 재산제를 기반으로 한 자유 기업 시스템이야말로 부자뿐 아니라 가난한 사람에게도 가장 중요한 자유 보장 방법이다.

① 갑: 정부는 사유 재산제 철폐를 통해 실업 문제를 해결해야 한다.
② 갑: 정부는 시장 실패를 해결하기 위한 정책을 시행해야 한다.
③ 을: 정부 규모를 확대하여 개인의 경제적 자유를 증진해야 한다.
④ 을: 정부는 수요와 공급의 균형을 위해 계획 경제를 도입해야 한다.
⑤ 갑, 을: 정부는 재화의 재분배를 위해 시장의 자생적 질서에 개입해야 한다.

05 | 교육청 응용 |

사회사상가 갑은 긍정, 을은 부정의 대답을 할 질문으로 옳은 것은?

> 갑: 실업 문제와 소득 분배의 불평등을 해소하기 위해 정부는 조세 체계와 이자율 조정을 통해 시장에 개입해야 합니다. 이러한 포괄적인 투자의 사회화를 통해 소비 성향에 주요한 영향력을 행사하여 완전 고용에 가까운 상태를 달성해야 합니다.
>
> 을: 실업 문제 해소가 우리 시대의 심각한 문제 가운데 하나인 것은 맞습니다. 하지만 실업 문제를 해소하기 위해 정부의 지출에 크게 의존하거나 시장을 대체하는 특별한 종류의 계획을 추진한다면 시장은 '노예의 길'로 들어설 것입니다.

① 실업 문제 해결을 위해 공공사업을 추진해야 하는가?
② 전면적 계획 경제를 도입해 재화를 분배해야 하는가?
③ 정부 실패를 유효 수요 창출을 통해 해결해야 하는가?
④ 정부 개입을 축소하고 시장 질서를 존중해야 하는가?
⑤ 소득 분배 해결을 위해 사회주의를 도입해야 하는가?

06 | 수능 기출 |

사회사상 (가), (나)의 입장으로 옳은 것만을 〈보기〉에서 고른 것은?

> (가) 완전 고용은 우리의 자본주의가 추구해야 할 목표이다. 투자의 사회화는 완전 고용에 근접하는 효율적 수단이므로, 정부는 유효 수요 창출을 위한 투자 계획을 수립해야 한다.
>
> (나) 완전 고용은 우리의 사회주의가 추구해야 할 목표이다. 생산의 계획화는 완전 고용을 달성하기 위한 수단이지만, 이 계획은 모든 생산 수단의 공유화를 전제하지는 않는다.

| 보기 |

ㄱ. (가): 유효 수요의 과잉이 실업을 초래하는 근본적인 원인이다.
ㄴ. (나): 공공의 이익 증진이 사적인 이윤 추구보다 중요하다.
ㄷ. (나): 계획 경제는 사회 구성원의 자유를 지속적으로 침해한다.
ㄹ. (가), (나): 시장의 문제점을 해결하기 위한 정부 개입이 필요하다.

① ㄱ, ㄴ ② ㄱ, ㄷ ③ ㄴ, ㄷ
④ ㄴ, ㄹ ⑤ ㄷ, ㄹ

07 | 평가원 기출 |

다음은 사회사상가 갑, 을의 가상 대화이다. 갑, 을의 입장으로 가장 적절한 것은?

> 갑: 우리에게 필요한 것은 완전 고용을 성취하는 것입니다. 세상은 자유방임적 질서에서 비롯된 대량 실업을 더 이상 감내하지 않을 것입니다. 나는 올바른 분석을 통해 효율과 자유를 보존하되 그 병폐를 치유하는 것이 가능하다고 믿습니다.
>
> 을: 우리는 자유 경쟁의 힘을 최대한 활용해야 합니다. 경쟁은 권력의 자의적 간섭 없이도 우리의 행위들을 스스로 조정할 수 있는 유일한 방법이기 때문입니다. 다만 시장에서 자유 경쟁이 유익하게 작동하려면 세심하게 배려된 최소한의 법적 틀이 필요합니다.

① 갑: 시장의 자연적 조화 기능으로만 대량 실업을 해소해야 한다.
② 갑: 효율성을 저해하는 병폐 치유를 위해 국가 기능을 축소해야 한다.
③ 을: 기업의 자유로운 이윤 추구를 막는 법적 규제를 강화해야 한다.
④ 을: 공유제와 계획 경제의 법적 틀을 점진적으로 확대해야 한다.
⑤ 갑, 을: 개인의 자유와 사유 재산 및 시장 경제를 인정해야 한다.

08 | 평가원 응용 |

갑이 을에게 제기할 수 있는 비판으로 가장 적절한 것은?

> 갑: 국가가 소비 성향에 대해 적극적인 영향력을 행사하지 않으면 실업은 증가된다. 유효 수요를 창출시키는 정부의 정책은 완전 고용에 기여하고 실질 소득을 증가시킨다.
>
> 을: 국가가 시장 질서를 부정하면 인간은 노예의 길로 가게 된다. 시장에서의 경쟁을 통한 자생적 질서는 위대한 창조와 성장을 실현시킨다.

① 사적 소유를 인정해야 함을 무시한다.
② 사익과 공익을 일치시켜야 함을 무시한다.
③ 국가는 자유 경쟁의 원리를 실현해야 함을 간과한다.
④ 경제적 불평등은 의회를 통해 해소되는 것임을 간과한다.
⑤ 시장 실패의 극복을 위한 정부 개입의 필요성을 무시한다.

딱풀 p. 60

09 사회사상가 갑, 을의 입장을 〈보기〉에서 고른 것은?

> 갑: 사람들이 사회의 이익을 위해 일한다고 말하는 것은 가식일 뿐이다. 사람들이 추구하는 것은 자신의 이익이지 사회의 이익이 아니다. 자신의 이익을 추구하는 행위는 보이지 않는 손에 의해 사회의 이익을 증진한다.
> 을: 사람들이 각자의 이익 추구가 자연적으로 사회의 이익을 증진한다고 말하는 것은 순진한 낙관일 뿐이다. 이러한 낙관은 유효 수요의 부족으로 인한 경기 침체가 시장의 기능만으로는 해결될 수 없음을 간과한 것이다.

┤ 보기 ├
ㄱ. 갑: 국가의 부를 증진하는 원동력은 개인의 이타심에 있다.
ㄴ. 갑: 정부는 경제적 불평등 완화를 위해 복지 정책을 확대해야 한다.
ㄷ. 을: 경기 침체기에는 정부의 재정 지출 확대로 고용을 촉진해야 한다.
ㄹ. 갑, 을: 시장에서 공정한 경쟁에 의한 사익 추구를 허용해야 한다.

① ㄱ, ㄴ ② ㄱ, ㄷ ③ ㄴ, ㄷ
④ ㄴ, ㄹ ⑤ ㄷ, ㄹ

10 갑, 을의 입장만을 〈보기〉에서 있는 대로 고른 것은?

> 갑: 정부는 조세 정책과 이자율 조정을 통해 시장에 개입하고, 적극적인 투자 계획을 통해 유효 수요를 창출함으로써 경제를 활성화해야 한다.
> 을: 경제적 통제는 우리의 모든 목적을 달성하기 위한 수단을 통제한다. 경제 계획은 자유 시장 경제 질서를 억압하고 우리를 노예의 길로 이끈다.

┤ 보기 ├
ㄱ. 갑: 사회주의 계획 경제로 완전 고용을 실현해야 한다.
ㄴ. 갑: 정부는 실업자 구제를 위해 사업을 추진해야 한다.
ㄷ. 을: 자본주의에서는 자유로운 경쟁이 보장되어야 한다.
ㄹ. 갑, 을: 경제 법칙을 따르는 시장 원리를 인정해야 한다.

① ㄱ, ㄷ ② ㄱ, ㄹ ③ ㄴ, ㄹ
④ ㄱ, ㄴ, ㄷ ⑤ ㄴ, ㄷ, ㄹ

11 (가), (나)는 사회사상이다. (가) 사상에 비해 (나) 사상이 갖는 상대적 특징을 그림의 ㉠~㉤ 중에서 고른 것은?

> (가) 자본주의에서 노동은 기계 장치의 확대와 분업으로 자립성을 상실했다. 이에 우리는 계급 투쟁을 통해 낡은 생산 관계를 폭력적으로 청산할 것을 촉구한다.
> (나) 우리는 노동 착취를 반대하고 빈부 격차를 축소하여 진정한 사회주의를 건설하고자 한다. 권위주의 체제를 동반하고 있는 공산주의 국가는 진정한 사회주의를 실현할 수 없다. 사회주의의 최고 형태는 민주주의이다.

• X: 사유 재산의 폐지를 강조하는 정도
• Y: 의회 활동을 통한 점진적 개혁을 강조하는 정도
• Z: 국가 및 계급 소멸의 역사적 필연성을 강조하는 정도

① ㉠ ② ㉡ ③ ㉢ ④ ㉣ ⑤ ㉤

12 (가), (나) 사회사상의 입장에 대한 설명으로 가장 적절한 것은?

> (가) 사회주의는 개인의 자유를 확대하기 위해 노력하고 있다. 국가는 계획 경제의 틀 속에서 사적 소유자가 권력을 남용하지 않고 생산 증진에 기여하도록 인도해야 한다.
> (나) 사회주의는 개인의 자유를 약속하지만 실제로는 새로운 형태의 노예제에 불과하다. 국가는 계획보다는 자유로운 경쟁을 장려하고 작은 정부로 회귀해야 한다.

① (가)는 공유 재산과 사유 재산의 양립이 불가능함을 강조한다.
② (가)는 모든 재화의 분배 기준으로 능력에 따른 분배를 지향한다.
③ (나)는 복지 정책에 소요될 재원 마련을 위한 증세 정책을 지지한다.
④ (나)는 규제 완화 정책이 민간의 자율적 능력을 침해함을 강조한다.
⑤ (가), (나)는 시장 내의 경쟁이 공정할 필요가 있음을 인정한다.

05 평화

1 동서양의 다양한 평화 사상

1. 평화의 의미
(1) **일반적 의미** 전쟁이나 분쟁, 갈등이 없는 상태

(2) **갈퉁의 평화론**

소극적 평화	범죄, 테러, 전쟁과 같은 직접적 폭력이 없는 상태
적극적 평화	구조적 폭력❶, 문화적 폭력❷ 등 간접적 폭력까지 사라져 인간다운 삶을 누릴 수 있는 상태

└ 갈퉁의 적극적 평화는 평화의 개념을 국가 안보 차원에서 인간 안보 차원으로 확장한다.

2. 동양의 평화 사상
(1) **유교**

갈등의 원인	인간의 도덕적 타락
평화 실현 방안	• 개인이 도덕성을 회복하여 인과 의를 실현하고 통치자가 덕치와 인정(仁政)을 펼쳐야 함 • 통치자의 수양을 강조함 ➡ 수기이안인❸과 수신제가 치국평천하를 제시함 [자료 01]

(2) **묵가**

갈등의 원인	나와 남, 내 나라와 남의 나라를 구별하는 차별 의식
평화 실현 방안	• 겸애교리(兼愛交利): 서로 차별 없이 사랑하고 이익을 나누어야 함 • 비공(非攻): 침략 전쟁을 반대함 [자료 02]

└ 묵자는 방어 전쟁을 부정하지는 않았다.

(3) **도가**

갈등의 원인	인간의 그릇된 인식과 가치관, 인위적인 사회 제도
평화 실현 방안	• 소박하고 순수한 덕에 따라 개인과 사회, 자연이 조화를 이루고 살아가야 함 • 무위의 다스림이 이루어지며 나라의 규모가 작고 백성이 자급자족해야 함 [자료 03]

(4) **불교**

갈등의 원인	삼독(탐욕, 성냄, 어리석음)
평화 실현 방안	• 개인의 도덕적 수양을 통해 삼독을 제거해야 함 • 연기를 자각하여 모든 존재가 서로 의존 관계에 있음을 깨닫고 자비를 실천해야 함

3. 서양의 평화 사상
(1) **에라스뮈스**

갈등의 원인	탐욕과 야망
평화 실현 방안	• 전쟁은 인간을 희생시킬 뿐만 아니라 사회 질서를 혼란하게 하므로 피해야 함 • 전쟁을 피하는 방법으로 학자, 성직자 등이 분쟁 당사자의 화해를 돕는 중재 제도를 제안함 • 정전론❹은 선보다 악을 초래하므로 부당함

(2) **생피에르**

갈등의 원인	인간 이기심의 대립
평화 실현 방안	• 종교나 도덕성에 호소하기보다는 인간의 이기심과 합리적 이성에 따를 것을 주장함 • 공리적 관점을 바탕으로 군주들의 연합을 만들면 항구적인 평화를 실현할 수 있다고 봄

---

❶ 구조적 폭력
사회 제도나 관습 또는 의식이 폭력을 용인하거나 정당화하는 형태의 폭력

❷ 문화적 폭력
종교, 사상, 언어, 예술, 과학 등의 문화적 영역이 직접적 폭력이나 구조적 폭력을 정당화하는 데 이용되는 것

❸ 수기이안인(修己以安人)
공자의 정치에 대한 기본 사상으로, 자신을 수양하고 덕행을 베풀어 모든 사람의 삶을 안정되고 평온하게 해 주어야 한다는 의미이다.

❹ 정전론(정의 전쟁론)
적법한 권위를 지닌 군주에 의해 정당한 이유와 전쟁 수행자의 정당한 의도가 있다면 전쟁은 정당화될 수 있다는 입장이다. 중세의 아우구스티누스나 아퀴나스와 같은 신학자들이 정전론을 주장하였다.

자료 01 수신제가 치국평천하

자신이 수양된 이후에 집안이 잘 다스려지고, 집안이 잘 다스려진 이후에 나라가 잘 다스려지고, 나라가 잘 다스려진 이후에 천하가 평화롭게 된다.　　　　　　　　　　　　　　– 「대학」 –

자료 분석 | 유교에서는 윤리적 실천 단계를 자신으로부터 시작하여 가정, 사회, 국가로 확대한다. 이처럼 유교에서는 개인의 도덕적 수양을 바탕으로 화평한 세계를 이루고자 하였다. 이러한 유교적 이상은 도덕성을 바탕으로 한 대동 사회에 잘 나타나 있다. 대동 사회는 도덕성을 기반으로 모든 사람이 함께 조화롭게 어울려 사는 평화로운 사회이다.

자료 02 묵자의 전쟁 반대

전쟁이란 국가와 백성에게 이롭지 않다. 전쟁으로 말미암아 국가는 제 본분을 잃고, 백성은 생업을 잃는다. 천하 민중이 전쟁을 반대하고 화목하여 단결함으로써 생산에 힘쓰고, 이로써 생산이 증대되면 백성에게 얼마나 이로울 것인가.　　　　　　　　　　　– 묵자, 「묵자」 –

자료 분석 | 묵자가 침략 전쟁을 반대한 까닭은 다른 나라를 해치고 자기 나라를 이롭게 하려는 태도는 의롭지 못하다고 보았기 때문이다. 또한 전쟁은 침략당하는 나라와 침략하는 나라 모두에게 정치적 혼란과 경제적 손실을 일으킨다. 나아가 전쟁은 무수한 인명 피해가 발생하며 한 국가가 쇠망할 수도 있기 때문에 묵자는 침략 전쟁을 반대하였다.

자료 03 노자가 추구하는 이상적인 사회

제 고장의 음식을 달게 먹고, 제 고장의 옷을 아름답게 여기고, 제 고장의 집에서 편안해하고, 제 고장의 풍속을 즐긴다. 이웃한 나라가 서로 바라보이고 개 짖고 닭 우는 소리가 서로 들리더라도 백성은 늙어 죽을 때까지 서로 오가지 않는다.　　　　　　　　– 노자, 「도덕경」 –

자료 분석 | 도가에 따르면, 무위의 다스림이 이루어지며 나라의 규모가 작고 백성이 자급자족할 때 평화를 이룰 수 있다. 그 안에서는 모두가 만족하며 생활하기 때문에 주변국과 무역이나 교류조차 할 필요가 없으며 서로를 침략하지 않고 평화롭게 살아간다.

기출 선택지 O, ×로 정리하기

1 갈퉁은 간접적 폭력까지 사라진 상태를 추구해야 한다고 본다
(O , ×)

2 갈퉁은 어떠한 수단을 사용해서라도 평화를 달성해야 한다고 한다.
(O , ×)

3 유교는 갈등의 원인을 인간의 도덕적 타락으로 파악한다.
(O , ×)

4 유교는 통치자가 자신을 먼저 다스릴 것을 강조한다.
(O , ×)

5 묵자는 자신과 남을 차별 없이 대우해야 한다고 주장한다.
(O , ×)

6 묵자는 자국을 이롭게 하는 침략 전쟁은 최소한으로 허용해야 한다고 주장한다.
(O , ×)

7 묵자는 침략 전쟁은 의롭지 않기 때문에 해서는 안 된다고 본다.
(O , ×)

8 노자가 추구하는 이상 사회는 나라의 규모가 작고 백성이 자급자족하며 평화를 이루고 사는 사회이다.
(O , ×)

9 에라스뮈스는 중세 신학자들이 주장한 정의 전쟁론을 긍정한다.
(O , ×)

정답 1 O　2 ×　3 O　4 O　5 O
6 ×　7 O　8 O　9 ×

(3) 현실주의와 이상주의

구분	현실주의	이상주의
대표 사상가	마키아벨리, 홉스	칸트
입장	• 평화는 경쟁 국가와 대등한 힘을 보유하거나 동맹을 통해 세력 균형을 맞춘 상태임 • 국가보다 상위의 권위를 가지는 국제기구나 국제법은 존재하지 않고, 존재하더라도 실효적인 권위가 없음	• 평화는 국제적 갈등을 이성에 근거한 보편적 도덕 원리에 따라 해결해 나갈 때 실현할 수 있음 자료 04 • 국제기구나 국제법 등을 통해 잘못된 제도를 바로잡고, 국제 연맹을 결성해야 함
한계	안보 딜레마⑤가 발생하고 국가의 비윤리적 행위를 합리화할 수 있음	인간의 본성과 국가적 대립에 대해 지나치게 낙관적임

2 세계 시민주의와 세계 시민 윤리의 구상

1. 세계 시민주의

의미	인류 전체를 단일한 세계의 시민으로 보는 관점
특징	• 전 지구적인 문제의 해결과 발전에 관심을 가짐 • 인류의 다양성을 인정하고 관용을 베풀 것을 강조함 • 갈등을 평화롭게 해결하기 위해 노력할 것을 주장함

2. 세계 시민주의 사상가

애피아	• 세계 시민주의를 지지하면서도 국가나 민족의 정체성을 부정하지 않음 • 민주 국가에서 애국심을 지니고 살아가면서도 국경을 초월하여 다른 사람과 연대할 수 있음
누스바움	• 국가에 대한 소속감보다 보편적 인간애를 더 중시해야 함 • 어느 나라에서 태어났는가는 도덕적으로 임의적인 요소이므로 모든 인간은 정의와 선에 대한 합리적 추론 능력을 함양해야 함

3. 지구적 협력과 해외 원조에 대한 입장

롤스 자료 05	• 국제주의적 관점⑥: 국가라는 틀을 유지한 채 민족 간, 국가 간 협력과 연대를 지향함 • 원조의 목적: 불리한 여건으로 고통받는 사회를 질서 정연한 사회가 되도록 돕는 것 ➡ 질서 정연한 사회가 된 이후에는 더 이상의 원조가 요구되지 않음 • 인류의 복지 수준을 향상시키는 것이 아니라 빈곤의 원인이 되는 잘못된 사회 구조를 개선하여 사회 정의를 실현하는 것이 원조라고 봄 • 정의론의 차등의 원칙을 국제적 분배 정의에는 적용하지 않는다는 비판을 받음
싱어 자료 06	• 세계 시민주의적 관점: 국적을 초월하여 전 지구적 차원의 원조를 강조함 • 공리주의적 관점: 인류의 고통을 줄이고 복지를 향상해야 함 • 이익 평등 고려의 원칙⑦에 따라 도움이 필요한 사람과 나의 물리적 거리를 넘어서, 고통을 느낄 수 있는 모든 존재를 도와야 함 • 굶주림과 죽음을 방치하는 것은 인류 전체의 고통을 증가시키는 것임
노직	• 자유 지상주의 입장: 정당한 절차를 통해 취득한 재산에 대해 개인은 배타적 소유권을 지니고 있으며, 처분권 또한 개인의 자유로운 선택에 달려 있음 • 개인이 자발적으로 자신의 부를 빈곤으로 고통받는 사람들을 위해 사용할 수는 있지만, 해외 원조나 기부를 실천해야 할 윤리적 의무는 없음 ┌ 노직에 따르면 해외 원조를 하지 않는다고 해서 도덕적으로 비난받아야 할 이유는 없다. • 원조를 자율적 선택의 문제로 보기 때문에 빈곤 문제 해결에 한계가 있다는 비판을 받음

⑤ 안보 딜레마
자국의 안보를 증진하기 위해 군사력을 증강하지만, 이에 따라 다른 국가 역시 군사력을 증강하는 상황을 의미한다. 이와 같은 군비 경쟁의 결과 어느 국가도 군비 경쟁 시작 전보다 안전하지 못한 결과에 이를 수 있다.

⑥ 국제주의
국가나 민족 등을 전제로 하여, 국가 간의 상호 협력을 바탕으로 세계 평화를 실현하고자 하는 관점이다. 개인을 단위로 하는 세계 시민주의와 구별된다.

⑦ 이익 평등 고려의 원칙
쾌락과 고통을 느낄 수 있는 존재들의 이익을 평등하게 고려해야 한다는 원칙으로, 싱어가 주장하였다. 쾌고 감수 능력을 지닌 모든 존재들을 동일하게 대우하라는 의미는 아니다.

자료 04 칸트의 영구 평화론

국가로서의 민족은 개인 각자의 경우와 마찬가지로 그들이 자연 상태로 있을 때, 즉 외적 법칙에서 벗어나 있을 때는 서로 병존한다는 것 자체가 이미 서로를 해치는 것으로 생각할 수 있다. 따라서 그들은 각자 자신의 안전을 위해 각자의 권리가 보장될 수 있는 시민적 체제를 요구하게 된다. 그리하여 하나의 비슷한 체제로 들어갈 것을 서로에게 요구할 수 있고 또 그렇게 해야 한다. 이것이 아마도 국제 연맹일 것이다.
　　　　　　　　　　　　　　　　　　　　　　　　　　　 – 칸트, 「영구 평화론」 –

자료 분석 | 칸트가 말하는 평화란 전쟁이 일시적으로 중단된 상태가 아니라, 모든 적대감이 제거되고 보편적인 이성의 법이 실현된 상태에서만 이루어질 수 있는 영구 평화를 의미한다. 칸트는 이를 위해 국내적으로 시민이 정책을 결정할 수 있는 공화제를 도입해야 하며, 국제적으로 보편적인 우호 관계를 바탕으로 하는 국제법을 제정하고, 그것을 실행할 수 있는 권력 기구를 수립해야 한다고 주장한다.

자료 05 롤스의 만민법

질서 정연한 사회의 만민은 고통을 겪는 사회를 원조해야 할 의무가 있다. …… 사회들 간의 부와 복지의 수준은 다양할 수 있고 그럴 것으로 추정된다. 그러나 이런 부와 복지 수준을 조정하는 것은 원조의 목표가 아니다. 단지 고통을 겪는 사회들만 도움이 필요하다. …… 천연자원과 부가 빈약한 사회라 할지라도 만약 그들의 종교적·도덕적 신념과 문화를 떠받쳐 주는 그 사회의 정치적 전통, 법, 재산, 계급 구조가 자유적 사회나 적정 수준의 사회를 유지하게 하는 것이라면 질서 정연해질 수 있다.
　　　　　　　　　　　　　　　　　　　　　　　　　　　 – 롤스, 「만민법」 –

자료 분석 | 롤스는 질서 정연한 사회의 만민은 불리한 여건으로 인해 고통을 겪는 사회를 원조해야 할 의무가 있다고 보았다. 원조의 목적은 고통받는 사회가 질서 정연한 사회가 되도록 하는 데 있다. 즉 해외 원조의 목적은 빈곤을 일시적으로 해결하는 것이 아니라 빈곤의 원인인 사회 구조와 제도를 개선하는 것이다.

자료 06 원조에 대한 싱어의 관점

사치품과 부질없는 것에 낭비할 만큼 돈을 충분히 가진 사람들은 모두 넉넉한 양식과 깨끗한 식수, 비바람을 피할 보금자리, 기본적인 의료 혜택을 얻는 데 어려움을 겪는 사람들에게 자신의 소득 1달러당 적어도 1센트를 나누어 주어야 한다. …… 내가 돕는 사람이 나한테서 10야드 떨어진 곳에 사는 이웃의 어린아이인지, 아니면 이름도 알지 못하는 1만 마일 떨어진 벵골인인지가 나에게는 도덕적으로 아무런 차이가 없다.
　　　　　　　　　　　　　　　　　　　　　　　　　　　 – 싱어, 「세계화와 윤리」 –

자료 분석 | 싱어에 따르면 우리가 커다란 희생 없이도 어려운 처지에 있는 사람을 도울 수 있다면 무조건 돕는 것이 우리의 의무이다. 원조의 의무는 모든 존재의 이익을 동등하게 고려해야 한다는 '이익 평등 고려의 원칙'을 전제로 하고 있다. 일반적으로 우리는 나와 상관없이 멀리 떨어져 있는 사람들보다 나와 가까운 사람들을 먼저 도와야 한다고 생각한다. 그러나 싱어는 고통을 겪는 인간을 차별하지 말고 공평하게 원조해야 한다고 주장한다.

1 동서양의 다양한 평화 사상

갈퉁	• 소극적 평화: 범죄, 테러, 전쟁과 같은 직접적 폭력이 없는 상태 • 적극적 평화: (❶) 폭력까지 사라져 인간다운 삶을 누릴 수 있는 상태	
유교	• 도덕성을 회복하여 (❷)과 의를 실현해야 함 • 수기이안인과 수신제가 치국평천하를 제시함	
묵가	• 서로 차별 없이 사랑하고 이익을 나누어야 함 • (❸) 전쟁을 반대함	
도가	• 개인과 사회, 자연이 조화를 이루고 살아가야 함 • 무위의 다스림을 행해야 함	
불교	• 개인의 도덕적 수양을 통해 (❹)을 제거해야 함 • 연기를 자각하여 모든 존재가 서로 의존 관계에 있음을 깨닫고 자비를 실천해야 함	
에라스뮈스	전쟁을 피하는 방법으로 학자, 성직자 등이 분쟁 당사자의 화해를 돕는 (❺) 제도를 제안함	
생피에르	평화 실현을 위해 종교나 도덕성에 호소하기보다는 인간의 (❻)과 합리적 이성에 따를 것을 주장함	
현실주의	평화는 경쟁 국가와 대등한 힘을 보유하거나 동맹을 통해 세력 균형을 맞춘 상태임	
이상주의	평화는 국제적 갈등을 (❼)에 근거한 보편적 도덕 원리에 따라 해결해 나갈 때 실현할 수 있음	

2 세계 시민주의와 세계 시민 윤리의 구상

세계 시민주의	애피아	세계 시민주의를 지지하면서도 국가나 민족의 정체성을 인정할 수 있음
	누스바움	국가에 대한 소속감보다 보편적 인간애를 더 중시해야 함
해외 원조에 대한 입장	롤스	• 원조의 목적은 불리한 여건으로 고통받는 사회를 (❽)한 사회가 되도록 돕는 것임 • 질서 정연한 사회가 된 이후에는 더 이상의 원조는 요구되지 않음
	싱어	(❾) 고려의 원칙에 따라 도움이 필요한 사람과 나의 물리적 거리를 넘어서, 고통을 느낄 수 있는 모든 존재를 도와야 함
	노직	개인이 자발적으로 자신의 부를 빈곤으로 고통받는 사람들을 위해 사용할 수는 있지만, 해외 원조나 기부를 실천해야 할 윤리적 의무는 없음

정답 ❶ 간접적 ❷ 인 ❸ 침략 ❹ 삼독 ❺ 중재 ❻ 이기심 ❼ 이성 ❽ 질서 정연
❾ 이익 평등

01 다음 사상의 입장으로 옳은 것은?

> 자신이 수양된 이후에 집안이 잘 다스려지고, 집안이 잘 다스려진 이후에 나라가 잘 다스려지고, 나라가 잘 다스려진 이후에 천하가 평화롭게 된다.

① 고뇌, 탐욕, 원한이 갈등의 원인이다.
② 인간의 도덕적 타락이 갈등의 원인이다.
③ 인위적인 사회 제도가 갈등의 원인이다.
④ 존비친소를 분별하는 것이 갈등의 원인이다.
⑤ 인간의 그릇된 인식과 가치관이 갈등의 원인이다.

02 (가), (나) 사상에 대한 설명으로 옳은 것은?

> (가) 대도가 행해지고 현명하고 유능한 자를 뽑아 다스리게 하니, 사람들은 자기 부모만 부모로 여기지 않고 자기 자식만 자식으로 여기지 않는다.
> (나) 가장 훌륭한 것은 물처럼 되는 것이다. 물은 모두가 싫어하는 낮은 곳을 향하여 흐르기에 도에 가장 가까운 것이다.

① (가): 인위적인 사회 제도와 덕을 부정한다.
② (가): 통치자가 상과 벌로 통치해야 한다고 본다.
③ (나): 서로 차별 없이 사랑할 것을 강조한다.
④ (나): 나라의 규모가 작고 백성이 자급자족하는 사회를 추구한다.
⑤ (가), (나): 무위자연의 소박한 삶을 사는 사회를 이상 사회로 보았다.

03 다음 사상가에 대한 설명으로 옳은 것만을 〈보기〉에서 있는 대로 고른 것은?

> 직접적인 폭력은 잊히고 노예 제도도 잊혔지만 두 개의 폭력은 여전히 남아 있다. 바로 구조적 폭력을 나타내는 '차별'과 문화적 폭력을 나타내는 '편견'이 그것이다. 이는 언어를 순화하여 표현한 것으로서 그 자체가 문화적인 폭력이기도 하다.

┤ 보기 ├
ㄱ. 전쟁과 물리적 폭력이 없는 상태가 진정한 평화라고 보았다.
ㄴ. 평화의 개념을 국가 안보 차원에서 인간 안보 차원으로 확장하였다.
ㄷ. 소극적 평화란 전쟁, 범죄와 같은 물리적 폭력이 사라진 상태라고 보았다.
ㄹ. 구조적 폭력은 직접적 폭력이나 문화적 폭력을 정당화하는 범죄, 테러, 전쟁이라고 주장한다.

① ㄱ, ㄴ　　② ㄱ, ㄹ　　③ ㄴ, ㄷ
④ ㄱ, ㄴ, ㄹ　　⑤ ㄴ, ㄷ, ㄹ

04 그림은 한 학생의 필기 내용이다. ㉠에 들어갈 내용으로 가장 적절한 것은?

> [학습 주제] 에라스뮈스의 사상
> 1. 갈등의 근본 원인: 탐욕과 야망
> 2. 전쟁의 의미: 사회생활 전반에서 생기는 각종 불화
> 3. 전쟁에 대한 입장: _____㉠

① 전쟁을 통해 질서가 수립된다면 허용된다.
② 전쟁에 관해 신학자 아퀴나스의 입장을 계승한다.
③ 정당한 근거로 적법하게 수행되면 허용 가능하다.
④ 사회 전체의 질서를 혼란하게 하므로 피해야 한다.
⑤ 부당한 평화보다 정의로운 전쟁이 더 낫다고 본다.

05 다음 사상가가 긍정의 대답을 할 질문으로 가장 적절한 것은?

> 전쟁의 완전한 종식과 영구 평화는 도덕적 입법의 최고 자리에 위치한 이성이 명령하는 의무이다. 영구 평화를 실현하기 위해 모든 전쟁 수단의 금지와 국가 간 연맹의 확장이 필요하다.

① 국가는 상속, 매매, 교환의 대상이 될 수 있는가?
② 국제 연맹에 참여하는 국가들은 공화정이어야 하는가?
③ 세계 정부를 수립하여 국가 개념을 소멸시켜야 하는가?
④ 영구 평화를 위해 상비군은 최소한으로 유지되어야 하는가?
⑤ 정의를 위해서라면 다른 나라에 대한 폭력적 간섭이 허용되는가?

06 (가) 사상가 입장에서 ㉠에 진술할 말로 가장 적절한 것은?

(가)	국내법의 관점에서 각 국가의 시민적 체제는 공화정이어야 하며, 국제법의 관점에서 자유로운 국가들의 연합으로서의 국제 연맹이 요구된다. 그리고 세계 시민법의 입장에서 모든 나라의 국민들이 어디든지 자유롭게 방문할 수 있도록 해야 한다.
(나)	_____㉠_____ 그러면 국제 평화가 실현될 수 있을 것이다.

① 다른 나라의 내정에 적극적으로 개입하라.
② 모든 국가의 주권을 국제 연맹에 양도하라.
③ 민족 국가의 구성원이 아닌 세계 시민으로 살아가라.
④ 군사력을 바탕으로 하는 세력 균형 정책을 추구하라.
⑤ 각 국가의 주권을 존중하면서 상호 협력을 도모하라.

07 (가)에 비해 (나)의 입장이 갖는 상대적인 특징을 그림의 ㉠~㉤ 중에서 고른 것은?

> (가) 국제 관계는 본질적으로 지속적인 권력 투쟁의 연속이다. 그 속에서 국가들은 힘의 논리를 바탕으로 자국의 이익을 우선적으로 추구한다.
> (나) 국제 관계는 합리적 이성을 바탕으로 한 대화와 협력에 의해 이루어진다. 국가들은 다양한 제도들을 통해 국제 사회의 질서를 유지하고 균형과 조화를 추구한다.

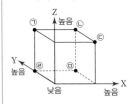

- X : 분쟁 해결을 위해 국제법을 중시하는 정도
- Y : 국제 정치에서 보편적 윤리를 중시하는 정도
- Z : 전쟁 억지를 위해 세력 균형을 강조하는 정도

① ㉠   ② ㉡   ③ ㉢   ④ ㉣   ⑤ ㉤

08 그림은 서술형 평가 문제와 학생 답안이다. 학생 답안의 ㉠~㉤ 중 옳지 <u>않은</u> 것은?

> **〈서술형 평가〉**
> ◎ **문제** 국제 관계를 보는 현실주의와 이상주의의 관점을 서술하시오.
> ◎ **학생 답안**
> ㉠ 현실주의에 따르면 국가는 생존과 이익을 추구하는 공동체이다. 그리고 이러한 ㉡ 국가보다 상위의 권위를 지니는 국제기구나 국제법은 존재하더라도 실효적인 권위가 없다. 따라서 ㉢ 평화는 국가들 간에 세력 균형을 맞출 때 실현될 수 있다. 이와 달리, ㉣ 이상주의자들은 인간은 자기 이익을 추구하는 이기적 존재이지만 국제 갈등을 보편적 도덕 원리에 의해 해결해 나갈 수 있다고 본다. 또한 ㉤ 국제 사회의 분쟁의 원인은 잘못된 제도에서 비롯된다고 본다.

① ㉠   ② ㉡   ③ ㉢   ④ ㉣   ⑤ ㉤

09 세계 시민주의 사상가 (가), (나)의 인물을 바르게 짝지은 것은?

> (가) 세계 시민주의를 지지하면서도 국가나 민족의 정체성을 전면적으로 부정하지 않는다.
> (나) 어느 나라에 태어났는가는 도덕으로 임의적인 특성이므로 국경과 무관하게 모든 인간은 정의와 선에 대한 합리적 추론 능력을 함양해야 한다고 본다.

	(가)	(나)
①	싱어	에라스뮈스
②	애피아	싱어
③	애피아	누스바움
④	누스바움	에라스뮈스
⑤	에라스뮈스	누스바움

10 ㉠에 들어갈 내용으로 가장 적절한 것은?

> 롤스는 국가와 국가 사이의 평화와 정의를 실현할 법 원리로 만민법을 주장한다. 만민법은 모든 사람이 자유롭고 독립적인 존재로서 인권을 존중받아야 하며, 부적절한 정치·사회 질서하에서 살아가는 사람을 도와야 할 의무가 있음을 보여 준다. 롤스의 입장은 국제주의인데, 국제주의는 [㉠]이다.

① 국가의 틀을 유지하며 국가 간 협력과 연대를 지향하는 사상
② 세계 평화를 위해 국가 안보보다 인간 안보를 중시하는 사상
③ 국가적 소속감이나 자국 중심의 배타주의를 극복하고 보편적 인간애를 강조하는 사상
④ 세계 시민주의를 주장하면서도 국가나 민족의 정체성을 전면적으로 부정하지 않는 사상
⑤ 만민은 이성을 지닌다는 점에서 평등하며, 인종과 혈통에 구애되지 않는 세계 시민이라고 보는 사상

11 다음은 현대 서양 사상가들의 가상 대화이다. ㉠에 들어갈 내용으로 가장 적절한 것은?

> 갑: 지역과 국가에 관계없이 세계의 모든 빈민에게 원조를 해야 합니다.
> 을: 저는 고통받는 사회를 원조해서 질서 정연한 사회가 되도록 해야 한다고 생각합니다.
> 갑: 아닙니다. 이익 평등 고려 원칙에 따라 모든 빈민에게 원조를 해야 합니다.
> 을: 그렇다면 제가 보기에 당신은 _____㉠_____

① 원조가 의무가 아니라 선택임을 간과하고 있습니다.
② 원조에서 차등의 원칙이 실시되어야 함을 간과하고 있습니다.
③ 원조에서 세계 시민주의적 관점이 필요함을 간과하고 있습니다.
④ 정치·사회 제도의 개선이 원조의 핵심 요건임을 간과하고 있습니다.
⑤ 부유한 국가의 부가 빈곤한 국가로 이전되어야 함을 간과하고 있습니다.

12 갑, 을 사상가에 대한 설명으로 옳은 것은?

> 갑: 질서 정연한 사회의 만민은 불리한 여건으로 인해 고통을 겪는 사회를 원조해야 할 의무가 있다.
> 을: 이익 평등 고려의 원칙에 따라서 세계의 모든 가난한 사람을 차별 없이 원조의 대상으로 삼아야 한다.

① 갑: 원조는 절대적으로 빈곤한 사회를 대상으로 해야 한다.
② 갑: 원조는 고통받는 사회가 질서 정연한 사회가 된 이후에도 계속되어야 한다.
③ 을: 세계 전체의 행복을 증진할 때 자신의 행복은 고려하지 않아야 한다.
④ 을: 세계의 모든 가난한 이들의 이익과 행복을 증진하기 위해 원조가 이루어져야 한다.
⑤ 갑, 을: 질서 정연한 사회의 국민은 원조의 대상에서 제외되어야 한다.

13 (가)의 서양 사상가 갑, 을의 입장을 (나)의 그림으로 표현할 때, A~C에 해당하는 적절한 진술을 〈보기〉에서 고른 것은?

(가)	갑: 고통받는 사회의 정치·사회적 제도를 개선하기 위해 원조가 이루어져야 한다. 우리는 불리한 여건으로 인해 고통받는 사회의 국민을 도와야 한다. 을: 인류의 고통 감소와 이익 증진을 위해 원조는 국적과 상관없이 이루어져야 한다. 우리는 세계 시민으로서 원조에 동참해야 한다.
(나)	

〈범례〉
A: 갑만의 입장
B: 갑, 을의 공통 입장
C: 을만의 입장

┃ 보기 ┃
ㄱ. A: 원조의 목적은 국가들 간의 경제 격차를 완화하는 것이다.
ㄴ. B: 개인이 아닌 국가적 차원에서 원조를 해야 한다.
ㄷ. B: 원조는 자선의 관점이 아니라 의무의 관점에서 행해져야 한다.
ㄹ. C: 인류 전체의 행복을 증진시키기 위해 원조를 해야 한다.

① ㄱ, ㄴ   ② ㄱ, ㄷ   ③ ㄴ, ㄷ
④ ㄴ, ㄹ   ⑤ ㄷ, ㄹ

14 다음 사상가가 긍정의 대답을 할 질문으로 옳은 것은?

> 인류의 고통 감소와 이익 증진을 위해 원조는 국적과 상관없이 이루어져야 한다. 우리는 세계 시민으로서 원조에 동참해야 한다.

① 원조 대상들의 국적은 도덕적으로 중요한가?
② 원조는 인도주의적 관점에서 자선으로 접근해야 하는가?
③ 모든 개인의 원조 의무를 규정하는 보편 원리가 있는가?
④ 원조를 통해 모든 사회의 복지 수준을 일치시켜야 하는가?
⑤ 해외 원조보다 자국의 약자에 대한 배려를 중시해야 하는가?

15 ㉠∼㉢에 들어갈 알맞은 말을 쓰시오.

> 갈퉁은 평화를 소극적 평화와 적극적 평화로 구분한다. 소극적 평화란 전쟁, 테러, 범죄와 같은 [㉠]이/가 없는 상태이다. 적극적 평화는 [㉠]뿐만 아니라 사회 제도나 관습에 의한 [㉡]와/과 종교·사상·예술 등의 영역에서 다른 폭력들을 정당화하는 [㉢]까지 사라진 상태를 말한다.

16 다음 사상가가 전쟁을 반대하는 이유를 서술하시오.

> 전쟁이란 국가와 백성에게 이롭지 않다. 전쟁으로 말미암아 국가는 제 본분을 잃고, 백성은 생업을 잃는다. 천하 민중이 전쟁을 반대하고 화목하여 단결함으로써 생산에 힘쓰고, 이로써 생산이 증대되면 백성에게 얼마나 이로울 것인가.

17 다음 사상가가 주장하는 평화의 의미를 서술하시오.

> 국가로서의 민족은 개인 각자의 경우와 마찬가지로 그들이 자연 상태로 있을 때, 즉 외적 법칙에서 벗어나 있을 때는 서로 병존한다는 것 자체가 이미 서로를 해치는 것으로 생각할 수 있다. 따라서 그들은 각자 자신의 안전을 위해 각자의 권리가 보장될 수 있는 시민적 체제를 요구하게 된다. 그리하여 하나의 비슷한 체제로 들어갈 것을 서로에게 요구할 수 있고 또 그렇게 해야 한다. 이것이 아마도 국제 연맹일 것이다.

18 해외 원조에 대한 갑, 을 사상가의 견해를 서술하시오.

> 갑: 빈곤과 기아 문제는 물적 자원의 부족이 아닌 정치적·사회적 제도의 결함에서 비롯됩니다. 또한 각 사회의 고유한 문화와 역사에 따라서 필요한 부의 수준이 다르므로 국가 간에 부를 평준화할 필요는 없습니다.
> 을: 물에 빠진 아이를 구하기 위해 비록 우리의 옷이 진흙투성이가 된다고 할지라도, 아이가 익사하는 것이 더 나쁜 것이기 때문에 우리는 아이를 구해야 합니다. 마찬가지로 우리는 유행에 따르는 옷, 값비싼 저녁 식사를 위해 돈을 사용하는 대신 어려운 처지에 있는 다른 사람을 도와야 합니다.

| 평가원 응용 |

01 다음 사상가가 지지할 주장으로 옳지 <u>않은</u> 것은?

> 평화란 직접적 평화, 구조적 평화, 그리고 문화적 평화가 모두 합쳐진 상태를 뜻합니다. 직접적 평화는 한 개인에게 직접 가해지는 언어적 폭력, 신체적 폭력이 부재한 상태이고, 구조적 평화는 부정의한 사회 구조로부터 발생하는 폭력이 부재한 상태입니다. 마지막으로 문화적 평화는 직접적이거나 구조적인 폭력을 정당화하거나 합법화하는 데 이용될 수 있는 폭력적인 문화가 부재한 상태를 말합니다.

① 직접적 폭력을 피하는 것만으로도 적극적 평화가 실현된다.
② 권위주의에서 비롯된 문화적 폭력은 구조적 폭력을 정당화한다.
③ 평화는 국가 안보 차원에서 인간 안보 차원으로 확장되어야 한다.
④ 테러나 범죄와 같은 물리적 폭력이 없는 상태가 소극적 평화이다.
⑤ 직접적·구조적·문화적 폭력은 서로 유기적으로 연결되어 있다.

| 교육청 기출 |

02 (가)를 주장한 고대 동양 사상가의 입장에서 볼 때, (나)의 ㉠에 들어갈 진술로 가장 적절한 것은?

(가)	통치자의 일은 천하의 이익[利]을 도모하고 해악을 제거하는 것이다. 큰 나라가 작은 나라를 침략하는 것은 천하의 해악이며, 이는 남을 차별하기에 생기는 것이다. 서로를 차별하여 대하는 사람[交別者]은 해악을 일으킨다. 남의 나라를 자기 나라처럼 위한다면 어찌 남의 나라를 침략하겠는가?
(나)	제자: 어떻게 해야 평화로운 세상이 실현될까요? 스승: ㉠

① 존비친소(尊卑親疏)를 엄격히 구분하는 사랑을 실천해야 하네.
② 자신과 남을 차별 없이 대하고 어떤 전쟁에도 불참해야 하네.
③ 자국을 이롭게 하는 침략 전쟁은 최소한으로 허용해야 하네.
④ 만인을 똑같이 사랑하고[兼愛] 서로 이익을 나누어야 하네.
⑤ 문명의 이기(利器)를 없애고 무위자연의 삶을 살아야 하네.

| 교육청 응용 |

03 다음 고대 동양 사상가의 입장만을 〈보기〉에서 고른 것은?

> 전쟁을 일으키는 자들은 승리라는 명예와 전쟁에서 얻는 이익[利]이 탐이 나서 전쟁을 한다. 그러나 명예는 생각해 보면 아무 소용이 없다. 그리고 전쟁에서 얻는 이익을 계산해 보아도 오히려 잃는 것이 더 많다. …… 세상 사람들이 모두 서로를 사랑한다면[兼相愛] 나라와 나라가 서로 공격하지 않고 가문과 가문이 서로 싸우지 않게 된다.

| 보기 |

ㄱ. 겸애를 실천하는 사람도 방어 전쟁에 참가할 수 있다.
ㄴ. 다른 나라들 간의 전쟁에는 절대로 개입해서는 안 된다.
ㄷ. 자기 나라를 위해 다른 나라를 침략하는 것은 의롭지 않다.
ㄹ. 전쟁은 침략을 당하는 나라에만 손해를 끼치는 행위이다.

① ㄱ, ㄴ   ② ㄱ, ㄷ   ③ ㄴ, ㄷ
④ ㄴ, ㄹ   ⑤ ㄷ, ㄹ

| 평가원 기출 |

04 사회사상가 갑, 을의 입장으로 가장 적절한 것은?

> 갑: 평화는 어떠한 폭력도 없는 상태이다. 폭력에는 전쟁처럼 직접적이고 물리적인 폭력 외에도 사회 구조 자체에서 일어나는 구조적 폭력과 종교와 사상 등에 내재하는 문화적 폭력이 있다.
>
> 을: 천하에 재난과 찬탈과 원한이 일어나는 것은 서로 사랑하지 않기 때문이다. 모든 사람을 똑같이 사랑하는 겸애(兼愛)와 서로 이롭게 하는 교리(交利)로 이러한 문제를 해결해야 한다.

① 갑: 직접적인 폭력을 제거하는 것만으로 진정한 평화는 달성된다.
② 갑: 소극적 평화를 이루면 적극적 평화를 지향해야 할 필요는 없다.
③ 을: 자국과 타국을 차별하지 않는 사랑으로 인류애를 실천해야 한다.
④ 을: 친소(親疏)를 분별하는 사랑으로 자국의 이익을 도모해야 한다.
⑤ 갑, 을: 평화 실현을 위해서라면 적국에 대해 선제공격해야 한다.

05 | 교육청 기출 |
(가)의 입장에 비해 (나)의 입장이 갖는 상대적 특징을 그림의 ㉠~㉤ 중에서 고른 것은?

> (가) 전쟁은 인간을 각국의 이해관계 실현을 위한 수단으로만 대우하는 것이므로 도덕적으로 정당화될 수 없다. 국가 간의 영구 평화를 보장하기 위해 국제 연맹의 창설과 보편적 우호의 조건을 기반으로 하는 세계 시민법의 제정이 필요하다.
>
> (나) 전쟁은 도덕적 판단의 대상이 아니며 정치적 목적을 위한 여러 수단 중 하나일 뿐이다. 각국은 힘의 원리에 따라 자국의 이익만을 추구하며 행동하므로 국가 간에 배려나 양보를 기대하는 것은 불합리하다.

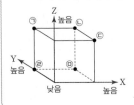

> • X: 자국의 이익을 위한 무력 사용의 필요성을 강조하는 정도
> • Y: 국가 간 세력 균형을 통한 분쟁 해결을 강조하는 정도
> • Z: 국제법의 준수를 통한 평화 유지 실현을 강조하는 정도

① ㉠ ② ㉡ ③ ㉢ ④ ㉣ ⑤ ㉤

06 | 수능 응용 |
다음 사상가가 지지할 주장으로 옳지 않은 것은?

> 우리가 연속적인 동심원들로 둘러싸여 있다고 생각해 봅시다. 첫째 원에는 자신, 다음 원에는 가족, 이어서 이웃과 지역 단체, 같은 도시의 시민과 같은 나라의 사람들이 있습니다. 이 모든 원의 바깥에 인류 전체라는 가장 큰 원이 있습니다. 세계 시민으로서 우리의 임무는 그 원들을 중심으로 끌어당겨 모든 인간을 우리의 동료 시민으로 만드는 것입니다.

① 세계 시민으로서의 정체성을 공유하고 서로를 존중해야 한다.
② 인류 전체에 대한 사랑을 도덕적 의무의 원천으로 삼아야 한다.
③ 누구도 우리의 관심 밖에 있는 이방인들이 아님을 깨달아야 한다.
④ 어떠한 편견도 타인을 혐오하는 구실이 될 수 없음을 깨달아야 한다.
⑤ 보편적 인류애가 아니라 가족과 이웃에 대한 친밀감을 중시해야 한다.

07 | 평가원 응용 |
서양 사상가 갑, 을의 입장으로 옳지 않은 것은?

> 갑: 전쟁의 완전 종식과 영구 평화는 도덕적 입법의 최고 자리에 위치한 이성이 명령하는 의무입니다. 영구 평화를 실현하기 위해 모든 전쟁 수단의 금지와 국가 간 연맹의 확장이 필요합니다.
> 을: 전쟁 종식만으로 평화가 보장되지 않습니다. 진정한 평화는 직접적, 구조적, 문화적 폭력을 예방함으로써 가능합니다. 이를 위해 억압과 착취의 구조를 시급히 개선해야 합니다.

① 갑: 개별 국가의 주권을 인정하면서 영원한 평화를 실현해야 한다.
② 갑: 국제법을 통한 국가 간 우호와 시민의 자유를 증진해야 한다.
③ 을: 편견 극복을 위한 교육은 적극적 평화를 실현하는 방법이다.
④ 을: 직접적 폭력을 제거함으로써 인간 존엄 실현의 조건이 완비된다.
⑤ 갑, 을: 평화의 실현을 위해서는 정치 제도의 개선이 필수적이다.

08 | 수능 기출 |
사회사상가 갑, 을의 입장으로 옳은 것은?

> 갑: 공화국 간에는 평화 연맹이 존재해야 한다. 평화 조약이 단지 하나의 전쟁을 종식시키기 위한 것이라면, 평화 연맹은 모든 전쟁을 영구히 종식시키기 위한 것이다.
> 을: 평화는 폭력을 줄이거나 피하는 것과 관련된다. 평화를 위협하는 폭력에는 직접적 폭력 외에도 구조적, 문화적 폭력이 있다. 이러한 폭력들이 제거된다면 적극적 평화가 실현될 것이다.

① 갑: 개별 국가의 정치 체제 형태는 세계 평화의 실현과 무관하다.
② 갑: 평화 연맹은 소속 국가의 자유를 보장하는 역할을 해야 한다.
③ 을: 구조적 폭력을 제거하기 위한 폭력 사용은 정당화되어야 한다.
④ 을: 평화 추구의 궁극적인 목표를 전쟁의 종식에 두어야 한다.
⑤ 갑, 을: 단일한 세계 정부를 창설해 적극적 평화를 이루어야 한다.

| 평가원 응용 |

09 갑, 을 사상가들의 입장으로 적절한 것만을 〈보기〉에서 있는 대로 고른 것은?

> 갑: 국가들은 자발적으로 결성한 평화 연맹에서 자유와 평화를 보장받고자 하며, 영구 평화를 위해 세계 시민적 체제로 나아가고자 한다.
> 을: 물리적 관점에서 협소하게 규정되던 기존의 폭력 개념은 불완전하다. 우리는 구조적, 문화적 폭력까지 없는 상태를 지향해야 한다.

┌─ 보기 ─
ㄱ. 갑: 모든 국가는 공화정 체제를 지향해야 한다.
ㄴ. 갑: 평화 연맹은 주권적 권력으로 기능해야 한다.
ㄷ. 을: 폭력의 예방 없이 적극적 평화를 실현할 수 없다.
ㄹ. 갑, 을: 모든 전쟁의 종식은 진정한 평화 실현의 필수 조건이다.
└─

① ㄱ, ㄴ   ② ㄱ, ㄷ   ③ ㄴ, ㄹ
④ ㄱ, ㄷ, ㄹ   ⑤ ㄴ, ㄷ, ㄹ

| 수능 응용 |

10 갑, 을 사상가들의 입장으로 적절한 것만을 〈보기〉에서 있는 대로 고른 것은?

> 갑: 원조의 목적은 고통받는 사회를 질서 정연한 사회가 되도록 하는 데 있다. 어떤 사회가 합당하게 합리적으로 통치된다면, 자원이 부족해도 질서 정연한 사회가 될 수 있다.
> 을: 원조는 극단적 빈곤을 방지하기 위해 이루어져야 한다. 이 경우 원조는 이익 평등 고려의 원칙에 따라 인종과 국적의 구분 없이 시행되어야 한다.

┌─ 보기 ─
ㄱ. 갑: 사회 제도 개선을 목표로 한 원조는 빈곤 해소에 도움이 될 수 있다.
ㄴ. 갑: 원조하는 나라는 원조받는 나라의 인권 개선을 위해 강제력을 행사할 수 있다.
ㄷ. 을: 원조 주체의 경제력에 대한 고려 없이 원조가 실행되어서는 안 된다.
ㄹ. 갑, 을: 다른 나라에 빈곤한 사람들이 있다는 사실은 필연적으로 원조의 의무를 정당화한다.
└─

① ㄱ, ㄴ   ② ㄱ, ㄷ   ③ ㄴ, ㄹ
④ ㄱ, ㄷ, ㄹ   ⑤ ㄴ, ㄷ, ㄹ

| 평가원 응용 |

11 (가)의 갑, 을 사상가들의 입장을 (나) 그림으로 탐구하고자 할 때, A~C에 들어갈 적절한 질문만을 〈보기〉에서 있는대로 고른 것은?

(가)	갑: 불리한 여건으로 고통받는 사회를 돕지 않는 것은 정당화될 수 없다. 그 사회가 스스로 미래의 경로를 결정할 수 있도록 원조의 의무를 실천해야 한다. 을: 절대 빈곤으로 고통받는 사람들을 방치하는 것은 정당화될 수 없다. 전 지구적 차원에서 이익의 평등성을 고려하여 원조의 의무를 실천해야 한다.
(나)	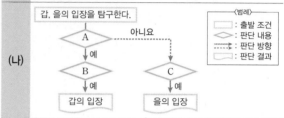

┌─ 보기 ─
ㄱ. A: 원조의 목적은 경제적 불평등을 해결하는 것인가?
ㄴ. B: 천연자원이 부족한 빈곤국도 원조 대상에서 제외 가능한가?
ㄷ. B: 원조의 목적은 고통받는 사회에 자유를 확립하는 것인가?
ㄹ. C: 원조 주체는 원조 결정 시 자기 이익을 고려해야 하는가?
└─

① ㄱ, ㄴ   ② ㄱ, ㄹ   ③ ㄴ, ㄷ
④ ㄱ, ㄷ, ㄹ   ⑤ ㄴ, ㄷ, ㄹ

| 평가원 응용 |

12 서양 사상가 갑, 을의 입장으로 가장 적절한 것은?

> 갑: 원조의 목표는 고통받는 사회가 만민의 사회의 완전한 성원이 되고, 그들 스스로 자신의 미래를 결정할 수 있게 돕는 데 있습니다.
> 을: 원조의 목표는 사람들의 고통을 줄이고 기본 욕구를 충족시키는 데 있습니다. 빈민을 돕는 것은 세계 시민으로서 우리의 의무입니다.

① 갑: 원조 대상국의 개선이 강제되어서는 안 된다.
② 갑: 원조는 빈곤 해소 시점까지만 행해져야 한다.
③ 을: 원조 대상은 근접성을 기준으로 결정해야 한다.
④ 을: 부유한 국가의 모든 시민들은 원조 대상에 포함되지 않는다.
⑤ 갑, 을: 원조 목표는 국가 간 부의 재분배를 통한 경제적 평등이다.

01. 사회사상과 이상 사회 ~ 국가

① 인간의 삶과 사회사상의 지향

• 사회사상의 기능: 사회 현상에 대한 이론적 틀을 제공하고, 평가 기준을 제시함

• 이상 사회의 기능: 더 나은 사회를 만들고자 하는 실천 의지를 부여함

② 동서양의 이상 사회론의 현대적 의의

공자	대동 사회를 지향함
노자	소국과민 사회를 지향함
플라톤	정의로운 국가를 지향함
모어	유토피아를 지향함
베이컨	뉴 아틀란티스를 지향함
마르크스	공산 사회를 지향함
롤스	질서 정연한 사회를 지향함

③ 국가의 기원과 역할

유교	• 가족의 질서가 확장된 공동체 • 민본주의를 바탕으로 위민을 실현해야 함
아리스토텔레스	• 인간의 사회적 본성에 따라 자연스럽게 형성된 공동체 • 시민이 행복한 삶을 살 수 있도록 이끌어야 함
공화주의	• 공동선에 합의하고 이를 구현하려는 시민이 모인 공동체 • 시민의 예속되지 않을 자유를 보장해야 함
사회 계약론	• 시민이 안전과 자유를 보장받고자 계약에 참여하여 만든 공동체 • 사회 질서와 평화를 유지하고, 개인의 생명·자유·재산을 보장해야 함
마르크스	• 소수의 지배 계급이 다수의 피지배 계급을 억압하고 착취하기 위한 수단 • 자본주의 국가는 자본가 계급만을 보호하고 노동자를 착취하는 것을 방임함

02. 시민

① 시민의 자유와 권리의 근거

자유주의	• 자연권 사상을 바탕으로 개인의 자유를 무엇보다 중시하는 사상 • 불간섭으로서의 자유: 외부의 간섭을 받지 않고 하고 싶은 일을 선택·실행할 수 있는 자유
공화주의	• 인간의 상호 의존성을 중시하며 시민을 개체적 존재가 아닌 사회적 존재로 보는 사상 • 비지배로서의 자유: 권력자의 자의적 지배가 없는 상태

② 공동체와 공동선 및 시민적 덕성

공동체와 공동선	• 자유주의: 사익보다 공익을 우선해야 하고, 공동선은 개인이 추구하는 개인선의 총합임 • 공화주의: 공동선은 모두에게 이로운 것이고, 공동선은 개인이 추구하는 개인선의 총합을 넘어섬
시민적 덕성	• 자유주의: 자신의 권리를 주장하는 것, 타인의 권리를 인정하는 관용 등 • 공화주의: 공동선에 관심을 두고 이를 실현하는 데 적극적으로 참여할 것
애국심	• 자유주의: 애국심은 헌법 정신에 합치하는 나라 사랑 • 공화주의: 애국심은 정치 공동체와 동료 시민들을 향한 대승적 사랑 • 민족주의: 집단에 기꺼이 구속되어 자발적으로 공동의 목표를 추구하고자 하는 의지

03. 민주주의

① 근대 민주주의의 지향과 자유 민주주의

- **민주주의의 의미:** 국민이 (주권자)로서 권력을 가지고 스스로 권력을 행사하는 정치 제도
- **민주주의의 근본 원리:** 지배하는 자와 지배받는 자가 같은 국민 주권의 원리
- **민주주의 발전에 기여한 사상가**

로크	정치 공동체의 권력 남용을 막기 위해 입법권과 집행권의 분리와 법치주의를 주장함
루소	국가는 공공의 이익을 추구하는 일반 의지에 근거하여 운영되어야 함
밀	개인의 자유를 최대한 보장하는 정부가 좋은 정부임

② 도덕적 자율성과 책임 및 시민의 소통과 유대

대의 민주주의	선거로 선출된 대표가 시민의 의사를 반영하여 정치 활동을 하는 민주주의 형태
참여 민주주의	공적 영역에서 시민이 적극적으로 참여할 것을 강조하는 민주주의
심의 민주주의	공론의 장에서 사회적 쟁점을 토론하고 심의하는 과정을 중시하는 민주주의

04. 자본주의

① 자본주의의 규범적 특징과 기여

고전적 자본주의	• 대표적 사상가: 애덤 스미스 • 보이지 않는 손에 의해 자원이 자율적으로 조정될 수 있음
수정 자본주의	• 대표적 사상가: 케인스 • 정부가 적극적으로 시장에 개입해 불황을 극복하고 복지를 확대해야 함
신자유주의	• 대표적 사상가: 하이에크 • 정부의 시장 개입을 반대하고 시장의 자율성과 경제적 효율성을 강조함

② 자본주의에 대한 비판과 대안

롤스	자연적이고 사회적인 조건의 우연성이 개인에게 미칠 영향을 최소화해야 함
마르크스 사회주의	• 프롤레타리아 혁명을 통해 자본주의를 무너뜨리고 생산 수단을 공유화해야 함 • 사유 재산·계급·국가가 소멸하고 평등하게 살아가는 공산 사회를 실현해야 함
민주 사회주의	• 의회를 통한 점진적 개혁으로 사회주의를 실현해야 함 • 사익보다 공익을 우선해야 함

05. 평화

① 동서양의 다양한 평화 사상

유교	개인이 도덕성을 회복하여 인과 의를 실현하고 통치자가 덕치를 펼쳐야 함
묵가	서로 (차별 없이) 사랑하고 이익을 나누어야 함
도가	소박하고 순수한 덕에 따라 개인과 사회, 자연이 조화를 이루어야 함
불교	연기를 자각하여 모든 존재가 서로 의존함을 깨닫고 자비를 실천해야 함
에라스뮈스	정전론은 선보다 악을 초래하므로 부당함
생피에르	공리적 관점을 바탕으로 군주들의 연합을 만들어 평화를 실현해야 함
현실주의	평화는 경쟁 국가와 대등한 힘을 보유하거나 동맹을 통해 (세력 균형)을 맞춘 상태임
이상주의	평화는 국제적 갈등을 이성에 근거한 (보편적 도덕 원리)에 따라 해결해 나갈 때 실현할 수 있음

② 세계 시민주의와 세계 시민 윤리의 구상

애피아	세계 시민주의를 지지하면서도 국가나 민족의 정체성을 부정하지 않음
누스바움	국가에 대한 소속감보다 보편적 인간애를 더 중시해야 함

Memo.

배움으로 행복한 내일을 꿈꾸는
천재교육 커뮤니티 안내 ...

교재 안내부터 구매까지 한 번에!
천재교육 홈페이지

자사가 발행하는 참고서, 교과서에 대한 소개는 물론
도서 구매도 할 수 있습니다. 회원에게 지급되는 별을 모아
다양한 상품 응모에도 도전해 보세요!

다양한 교육 꿀팁에 깜짝 이벤트는 덤!
천재교육 인스타그램

천재교육의 새롭고 중요한 소식을 가장 먼저 접하고 싶다면?
천재교육 인스타그램 팔로우가 필수!
깜짝 이벤트도 수시로 진행되니 놓치지 마세요!

수업이 편리해지는
천재교육 ACA 사이트

오직 선생님만을 위한, 천재교육 모든 교재에 대한 정보가 담긴
아카 사이트에서는 다양한 수업자료 및 부가 자료는 물론
시험 출제에 필요한 문제도 다운로드하실 수 있습니다.

https://aca.chunjae.co.kr

천재교육을 사랑하는 샘들의 모임
천사샘

학원 강사, 공부방 선생님이시라면 누구나 가입할 수 있는 천사샘!
교재 개발 및 평가를 통해 교재 검토진으로 참여할 수 있는 기회는 물론
다양한 교사용 교재 증정 이벤트가 선생님을 기다립니다.

아이와 함께 성장하는 학부모들의 모임공간
튠맘 학습연구소

튠맘 학습연구소는 초·중등 학부모를 대상으로 다양한 이벤트와 함께
교재 리뷰 및 학습 정보를 제공하는 네이버 카페입니다.
초등학생, 중학생 자녀를 둔 학부모님이라면 튠맘 학습연구소로 오세요!

개념을 잡아 주는 **자율학습 기본서**

고등 **셀파**

BOOK 1 | 개념 잡는 알집

윤리와 사상

개념을 잡아 주는 **자율학습 기본서**

고등 **셀파**

윤리와 사상

강혜원 · 김하람 · 윤용기 · 정다영 · 정선희 · 정우영

BOOK **2**

믿고 보는 정답 및 해설 **딱 맞는 풀이집**

천재교육

개념을 잡아 주는 자율학습 기본서

고등 **셀파**

선생님이 옆에서 풀어 주듯 친절한 해설!
오답 해결을 위한 완벽 시스템!

| 각 문항에 대한 상세한 설명이 필요할 때 | 정답을 찾아가는 셀파 - Tip |

| 문제와 관련된 개념 정리가 필요할 때 | 내 것으로 만드는 셀파 - Tip |

| 자료에 대한 분석 방법을 알고 싶을 때 | 자료를 분석하는 셀파 - Tip |

| 서술형 문제에서 고득점이 필요할 때 | 모범 답안 & 주요 단어 |

"정답인 이유, 오답인 이유를 확실하게 분석하여 문제 해결력을 키워 줍니다."

윤리와 사상

BOOK

2

믿고 보는 정답 및 해설

딱 맞는 풀이집

Ⅰ 인간과 윤리 사상

01 윤리 사상과 사회사상

p. 14 ~ p. 19

탄탄 내신 문제

01 ④	02 ⑤	03 ②	04 ③	05 ②	06 ④
07 ④	08 ③	09 ②	10 ⑤	11 ④	12 ④
13 ⑤	14 ①	15 ③	16 ④	17 ②	18 ③

19 ㉠ 이성, ㉡ 유희, ㉢ 사회　　20 (1) ㉠ 윤리 사상, ㉡ 사회사상
(2) 해설 참조 (3) 해설 참조　　21 해설 참조　　22 해설 참조

01 윤리적 존재로서의 인간　　답 ④

인간은 스스로 옳고 그름을 판단하여 도덕 법칙을 수립하고 실천할 수 있으며 자신의 삶을 반성하고 성찰할 수 있는 존재이다. 이는 인간다움의 본질인 윤리적 존재의 특성이다.

정답을 찾아가는 셀파 - Tip

① 고유의 문화를 창조하고 계승해 나가는 존재이다. (×)
　→ 문화적 존재로서의 인간의 특성이다.
② 필요에 따라 도구를 만들어서 사용하는 존재이다. (×)
　→ 도구적 존재로서의 인간의 특성이다.
③ 삶의 재미와 즐거움을 적극적으로 추구하는 존재이다. (×)
　→ 유희적 존재로서의 인간의 특성이다.
④ 도덕적 행동을 실천하여 인간다움을 실현하는 존재이다. (○)
⑤ 절대적 존재에 대한 믿음으로 종교 생활을 하는 존재이다. (×)
　→ 종교적 존재로서의 인간의 특성이다.

02 윤리적 존재로서의 인간　　답 ⑤

갑은 공자, 을은 칸트이다. 제시문에서 공자는 인간다움을 강조하고, 칸트는 도덕 법칙을 강조한다. 이처럼 공자와 칸트 모두 인간을 도덕을 실천할 수 있는 존재로 본다.

03 문화적 존재로서의 인간　　답 ②

인간은 식사와 관련된 의례를 창조하여 계승할 수 있는 문화적 존재이다. 또한 인간은 언어, 지식, 기술, 예술 등을 배워 문화를 창조하고 계승할 수 있다.

04 인간의 특성　　답 ③

제시문은 인간은 짐승과 달리 모여서 살 수 있다고 주장한다. 또한 인간이 모여서 살 수 있는 까닭은 도의, 즉 도덕성이 있기 때문이라고 주장한다. 이처럼 인간은 사회를 구성하여 모여 살 수 있는 존재이며, 옳고 그름을 분별하는 도덕적 능력이 있는 존재이다.

05 인간의 특성　　답 ②

인간은 자신의 필요에 따라 삶에서 사용하는 다양한 도구를 만들어 사용하는 도구적 존재이며, 인간 고유의 문화를 창조하고 계승해 나가는 문화적 존재이다.

06 인간 본성에 대한 고자와 맹자의 입장　　답 ④

갑은 고자, 을은 맹자이다. 맹자는 인간은 선한 본성을 지니고 태어났으나 주변 환경이나 욕망에 의해 악행을 저지를 수 있으므로 도덕적 수양이 필요하다고 본다. 이와 달리 고자는 인간이 타고나는 것은 식욕과 성욕뿐이며, 인간이 선하고 악한 것은 후천적인 요인에 의해 정해진다고 주장한다.

07 인간 본성에 대한 순자의 입장　　답 ④

제시문의 사상가는 순자이다. 순자는 인간은 악한 본성을 가지고 태어났으며 이러한 본성을 방치하면 사회 혼란을 피하기 어렵다고 본다. 따라서 그는 교육과 제도를 통해 인간의 욕망을 적절히 제어하여 본성을 변화시켜야 한다고 본다.

08 윤리 사상과 사회사상의 관계　　답 ③

윤리 사상과 사회사상은 궁극적으로 인간다운 삶의 실현을 목표로 한다는 점에서 공통점이 있으며 서로 상호 의존적이고 보완적인 관계이다.

09 윤리 사상과 사회사상　　답 ②

아리스토텔레스는 좋은 국가가 없으면 인간다운 삶이 불가능하고, 국가 역시 바람직한 인간이 없이는 제대로 운영되지 않는다고 보았다. 개인은 사회와 분리되어 존재할 수 없으며, 개인의 도덕적 삶이 실현되기 위해서는 좋은 공동체가 뒷받침되어야 한다.

정답을 찾아가는 셀파 - Tip

ㄴ. 윤리 사상과 사회사상은 대립적인 관계에 있다. (×)
　→ 윤리 사상과 사회사상은 상호 의존적인 관계이다.
ㄹ. 개인의 도덕성과 사회의 도덕성은 상호 독립적인 것이다. (×)
　→ 개인의 도덕성과 사회의 도덕성은 서로 밀접한 관련이 있다.

10 사회사상의 역할　　답 ⑤

사회사상은 사회가 나아가야 할 바람직한 방향을 제시하는 역할을 해 왔다. 또한 사회사상은 현실 사회의 잘못과 모순을 진단하고 인간의 삶을 개선하기 위한 방안을 제시함으로써 인류 사회의 발전에 큰 기여를 하였다. 이처럼 사회사상을 통해 차별 등의 사회 문제들을 비판하고 더 나은 방향으로 사회를 발전시켜 나갈 수 있다.

11 사회사상의 특징　　답 ④

사회사상은 인간의 사회적 삶에서 나타나는 현상을 설명하고 해석하여 바람직한 사회를 구현하고 운영하는 방법을 체계적으로 다룬 생각이다. 사회사상은 사회 현상에 대한 체계적인 해석의 틀을 제공하며, 바람직한 가치관을 바탕으로 한다.

12 윤리 사상의 특징　　답 ④

윤리 사상은 인간의 행위 규범이자 삶의 도리인 윤리에 관한 체계적인 생각을 의미한다. 윤리 사상은 어떻게 사는 것이 올바르게 사는 것이고 잘 사는 것인지를 논리적으로 체계화하고, 어떤 행위가 옳은 행위인지 또는 가치 있는 행위인지를 이론적으로 정당화한다. 이러한 윤리 사상은 자신의 삶을 반성적으로 성찰하여 삶의 목적과 방향을 설정하는 데 도움을 준다.

13 윤리 사상과 사회사상 비교　　　　　답 ⑤

(가)는 윤리 사상, (나)는 사회사상이다. 윤리 사상과 사회사상은 서로 탐구하는 영역은 다르지만 상호 보완적인 관계에 있다. 우리는 한 개인으로서 바람직한 삶을 살아가는 동시에 바람직한 사회를 실현하기 위해서는 어떤 윤리 사상과 사회사상이 바람직한가를 비판적으로 탐구해야 한다.

14 윤리 사상과 사회사상　　　　　답 ①

제시문은 아리스토텔레스의 주장이다. 아리스토텔레스는 훌륭한 국가와 훌륭한 시민은 떼려야 뗄 수 없는 관계라고 보고 개인의 삶과 사회는 분리해서 생각할 수 없다고 주장한다.

15 동양 윤리 사상의 특징　　　　　답 ③

한국과 동양의 윤리 사상은 공동체를 중시하는 삶의 태도와 개인의 인격 수양을 강조하며 세계를 유기적 관계로 맺어진 통합된 전체로 이해한다. 따라서 세계에는 독립된 존재가 있을 수 없고, 모든 존재는 다른 존재와의 관계 속에서만 존재할 수 있다.

16 사회사상의 종류　　　　　답 ④

㉠은 자유주의, ㉡은 자본주의, ㉢은 민주주의이다. 자유주의는 자유와 평등의 가치를 강조하며 시민이 단지 국가에 예속된 존재가 아니라 자유로운 존재임을 인식시켰다. 자본주의는 사유 재산과 자유로운 시장 경제를 보장하는 사상적 근거이다. 민주주의는 국가의 권력이 모든 국민에게서 나온다는 사실을 확인하는 사상적 근거이다.

17 윤리 사상과 사회사상을 바라보는 관점　　　　　답 ②

갑은 맹자, 을은 플라톤이다. 맹자와 플라톤은 지도자의 덕성을 공동체의 덕성과 관련지으며 개인의 도덕성과 사회의 도덕성이 서로 영향을 주고받는다고 본다.

18 사회사상의 역할　　　　　답 ③

제시문의 '이 사상'은 사회사상이다. 자기 이해에 필요한 올바른 기준을 제공해 주는 것은 윤리 사상의 역할이다. 사회사상은 자신이 속한 사회를 더 나은 모습으로 발전시키고자 노력해 왔다.

서답형 문제

19 인간의 특징　　　　　답 ㉠ 이성, ㉡ 유희, ㉢ 사회

인간은 고도의 사고 능력을 지닌다는 점에서 이성적 존재이고, 놀이를 즐길 줄 안다는 점에서 유희적 존재이다. 또한 사회 속에서 다른 사람들과 더불어 살아간다는 점에서 사회적 존재이다.

20 윤리 사상과 사회사상

(1) ㉠ 윤리 사상, ㉡ 사회사상
(2) **모범 답안 |** 이상 사회의 모습을 설계하고 추구하는 데 기여한다. 사회 제도나 정책을 판단하는 근거가 된다. 다양한 사회 문제를 비판하고 개선할 수 있는 기준을 제공한다. 사회적 존재로서 개인의 삶의 방식을 알려 준다.

채점 기준	배점
사회사상의 역할을 두 가지 이상 바르게 서술한 경우	상
사회사상의 역할을 한 가지만 바르게 서술한 경우	중
사회사상의 역할을 서술하지 않고, 윤리 사상의 역할을 서술한 경우	하

(3) **모범 답안 |** 윤리 사상과 사회사상은 서로 추구하는 바는 다르지만 둘 다 인간다운 삶의 실현에 도움을 주며, 서로 영향을 주고받으면서 발전하는 상호 의존적인 관계이다.

채점 기준	배점
윤리 사상과 사회사상의 관계를 구체적으로 설명한 경우	상
윤리 사상과 사회사상의 관계를 서술하였으나 잘못된 내용이 포함된 경우	중
윤리 사상과 사회사상의 관계를 설명하지 못한 경우	하

21 윤리적 존재로서의 인간

모범 답안 | 윤리적 존재, 옳고 그름을 판단하고 도덕 법칙을 수립해 실천할 수 있는 도덕적 자율성을 지니게 하는, 인간을 인간답게 만들어 주는 인간의 본질적 특성이다.

채점 기준	배점
윤리적 존재로서의 인간의 특성을 바르게 서술한 경우	상
윤리적 존재로서의 인간의 특성을 서술하였으나, 잘못된 내용이 포함된 경우	중
윤리적 존재가 아닌 다른 존재로서의 인간의 특성을 서술한 경우	하

22 인간의 본성에 대한 관점

모범 답안 | 갑은 맹자, 을은 순자이다. 맹자와 순자 모두 인간의 본성은 선천적으로 선 또는 악으로 정해져 있다고 본다. 또한 인간의 도덕적인 삶에 관심을 두고 도덕성을 실현하기 위해 후천적인 수양과 노력이 필요하다고 본다.

채점 기준	배점
맹자와 순자의 인간 본성에 대한 관점의 공통점을 바르게 서술한 경우	상
맹자와 순자의 인간 본성에 대한 관점을 서술하였으나 잘못된 내용이 포함된 경우	중
맹자와 순자의 인간 본성에 대한 관점의 공통점이 아닌 차이점을 서술한 경우	하

도전 수능 문제　　　　　p. 20 ～ p. 22

| 01 ④ | 02 ⑤ | 03 ① | 04 ③ | 05 ④ | 06 ⑤ |
| 07 ④ | 08 ④ | 09 ④ | 10 ④ | 11 ⑤ | 12 ⑤ |

01 윤리적 존재로서의 인간　　　　　답 ④

그림의 강연자는 반성을 중시한 동양 사상가를 소개하며 우리가 반성하며 살아갈 때 인간다운 삶을 살아갈 수 있다고 주장한다. 이처럼 인간은 자기반성과 도덕적 성찰을 통하여 인간다운 삶을 살 수 있으며 가치 있는 삶을 살고자 노력하는 존재이다.

02 사회적 존재로서의 인간 답 ⑤

제시문은 인간이 아무리 독립적이더라도 사회에서 벗어날 수 없다고 주장한다. 인간은 혼자서 살아갈 수 없고 자신이 속한 사회에 많은 영향을 받으며 살아가는 사회적 존재이다.

03 인간의 특성 답 ①

갑은 공자, 을은 소크라테스이다. 공자는 사사로운 욕심을 이기고 예로 돌아가야 한다고 주장하고, 소크라테스는 검토되지 않은 삶은 살 가치가 없다고 주장한다. 공자와 소크라테스는 모두 인간이 자기 자신을 반성적으로 성찰하여 인격 완성을 추구할 수 있는 존재라고 본다. 이는 윤리적 존재로서 인간이 지닌 특성이다.

04 사회사상의 필요성 답 ③

사회사상은 사회적 삶에서 나타나는 현상에 대한 해석과 사회 체제나 제도의 바람직한 모습, 그것의 구현에 관한 체계적인 사유를 의미한다. 이러한 사회사상은 다양한 사회 문제를 비판하고 개선할 수 있는 기준을 제공하고, 사회 속에서 마주치는 윤리 문제와 딜레마를 체계적으로 이해하여 해결해 나가는 데 도움을 준다.

05 윤리적 존재로서의 인간 답 ④

인간은 스스로 자기반성과 자기 제어를 할 수 있는 정신적이고 윤리적인 존재이다. 동물과 달리 인간은 스스로 옳고 그름을 판단해 도덕 법칙을 수립하고 실천할 수 있는 도덕적 자율성을 지니고, 어떤 삶이 가치 있는지를 고민하며, 인간답게 살려면 어떻게 해야 하는가를 스스로 묻고 선택할 수 있다. 오직 인간만이 윤리적 관점에서 자신의 삶과 자신을 둘러싼 세계의 모습을 반성하고 성찰할 수 있다.

06 인간의 본성에 대한 관점 답 ⑤

갑은 순자, 을은 맹자이다. 순자는 성악설을 주장하며 예를 배우고 노력하여 본성을 변화시켜야 한다고 보았으며, 맹자는 타고난 선한 본성을 유지하기 위해 노력해야 한다고 주장한다. 이러한 점에서 순자와 맹자는 모두 도덕적이고 선한 삶을 살아가기 위해서는 수양의 노력이 필요하다고 본다.

07 인간의 본성에 대한 관점 답 ④

갑은 맹자, 을은 순자, 병은 고자이다. 맹자와 순자는 성무선악설을 주장한 고자와 달리 인간의 본성은 선천적으로 선 또는 악으로 정해져 있다고 본다. 맹자는 선한 본성은 타고나는 것으로, 사단을 확충하면 선한 삶을 살 수 있다고 보았다. 순자는 악한 본성을 인위적으로 변화시켜 도덕적인 삶을 살기 위해 예의가 필요하다고 보았다.

08 인간의 본성에 대한 관점 답 ④

갑은 고자, 을은 맹자이다. 고자는 인간의 본성에는 선과 악이 없다고 보았지만 맹자는 인간이 본래 도덕성을 지닌 존재라고 본다. 맹자에 따르면 인간은 순수하게 선한 성품을 지니고 태어나지만, 인간은 육체를 지니고 환경에 영향을 받는 존재이므로 욕망이나 환경에 따라 악행을 저지를 수도 있다.

09 윤리 사상과 사회사상 답 ④

A는 윤리 사상, B는 사회사상이다. 윤리 사상과 사회사상은 탐구 영역이 서로 다르지만 서로 영향을 끼치는 조화로운 관계이다. 윤리 사상은 주로 인간의 본질과 삶의 영역에서 바람직한 인간의 모습을 탐구하고, 사회사상은 주로 사회적·정치적 영역에서 바람직한 공동체의 모습을 탐구한다. 이처럼 윤리 사상과 사회사상은 추구하는 바가 같지는 않지만 두 사상이 별개의 것은 아니다.

10 윤리 사상과 사회사상의 관계 답 ④

윤리 사상에서 추구하는 도덕적 인간은 바람직한 사회 속에서 구현될 수 있으며, 사회사상에서 추구하는 바람직한 사회를 실현하려면 구성원의 노력이 필요하다. 이처럼 개인의 도덕성과 공동체의 도덕성은 서로 영향을 주고받는 밀접한 관계라고 볼 수 있지만 언제나 일치하는 것은 아니다.

11 윤리 사상과 사회사상의 탐구 답 ⑤

㉠은 윤리 사상, ㉡은 사회사상이다. 윤리 사상은 주로 인간의 본질과 삶의 영역에서 바람직한 인간의 모습을 탐구하고, 사회사상은 사회 제도나 정책, 이상적인 사회의 모습 등 주로 바람직한 사회의 모습을 탐구한다. 우리가 바람직한 삶을 살고, 바람직한 사회를 실현하기 위해서는 윤리 사상과 사회사상을 비판적으로 탐구해야 한다.

12 윤리 사상과 사회사상의 역할 답 ⑤

㉠은 윤리 사상, ㉡은 사회사상이다. 윤리 사상과 사회사상은 상호 의존적이고 보완적인 관계이지만, 두 사상은 서로 고유한 독립된 영역을 가진다.

II 동양과 한국 윤리 사상

01 사상의 연원 ~ 인의 윤리

탄탄 내신 문제 | p. 30 ~ p. 34

01 ②	**02** ⑤	**03** ④	**04** ⑤	**05** ①	**06** ①
07 ⑤	**08** ②	**09** ①	**10** ③	**11** ②	**12** ①
13 ⑤	**14** ③	**15** (1) 풍류 (2) 해설 참조		**16** (1) ㉠ 항산,	

ⓛ 항심 (2) 해설 참조 **17** (1) ㉠ 이, ⓛ 기 (2) 해설 참조

18 해설 참조

01 동양 윤리 사상의 특징 　답 ②

동양 윤리 사상은 유기체적 세계관을 바탕으로 모든 존재는 세계 내에서 상호 의존적인 관계를 맺는다고 파악한다. 동양에서는 인간과 자연을 이분법적으로 나누기보다는 자연이라는 큰 틀에서 만물이 조화롭게 살아야 한다는 자연관이 형성되었다.

02 유·불·도 사상의 특징 　답 ⑤

㉠은 유교에서 강조한 인(仁), ⓛ은 불교에서 강조한 자비, ㉢은 도가에서 강조한 무위자연이 들어가야 한다. 유교의 인은 사람[人]과 둘[二]을 결합해 만든 글자로, 나와 상대방의 관계가 사랑과 인간다움으로 채워져야 한다는 의미를 내포한다. 불교에서는 연기(緣起)를 깨달아 괴로움에서 벗어난 경지인 해탈을 추구하고, 자비(慈悲)를 실천하여 중생을 깨우쳐야 한다고 주장한다. 그리고 도가는 무위자연(無爲自然)을 주장하며 인간은 인위적인 것을 배격하고 도를 따르는 삶을 살아야 한다고 본다.

내 것으로 만드는 셀파 - Tip

▶ 유·불·도 사상의 특징

유교	인간 사이의 도리를 지키며 사회적 관계 속에서 도덕적 삶을 살아갈 것을 주장함
불교	괴로움의 원인을 깨달아 모든 고통에서 벗어난 경지에 이를 것을 지향하고 자비의 실천을 강조함
도가	인간이 인위적이고 세속적인 가치에서 벗어나 자연에 따라 살아갈 것을 중시함

03 유교와 불교의 사상 　답 ④

갑은 유교, 을은 불교의 입장이다. 불교는 괴로움에서 벗어난 이상적인 경지인 해탈에 도달할 것을 주장하였고, 유교와 불교 모두 수양을 통해 이상적인 인간상을 실현할 것을 강조하였다.

정답을 찾아가는 셀파 - Tip

ㄱ. 갑은 무위자연(無爲自然)의 삶을 강조한다. (×)
→ 도가의 주장이다.

ㄷ. 갑은 을과 달리 만물을 더불어 살아가는 공생의 관계로 본다. (×)
→ 유교와 불교 모두 만물을 공생의 관계로 파악한다.

04 동양 윤리 사상의 특징 　답 ⑤

동양 윤리 사상에서는 세계를 하나의 유기체로 파악하고 인간과 자연이 서로 조화를 이루고 있다고 본다. 대표적인 동양 윤리 사상인 유·불·도 사상은 연원에는 차이가 있지만 우리가 사는 세상을 상호 의존적이고 상보적인 관계로 이루어진 하나의 유기적 전체로 이해한다는 인식이 공통으로 자리 잡고 있다.

정답을 찾아가는 셀파 - Tip

① 인간과 자연을 이분법적인 관계로 이해한다. (×)
→ 근대 서양 윤리 사상의 특징이다.

② 공동체보다 개인을 중시하는 태도를 강조한다. (×)
→ 개인을 중심에 두는 관점보다는 관계를 중시하는 공동체적 관점을 강조한다.

③ 이성을 지닌 인간이 가장 우월한 존재라고 여긴다. (×)
→ 서양 윤리 사상의 특징이다. 동양 윤리 사상에서는 인간은 자연의 한 부분일 뿐이라고 본다.

④ 자연은 인간과 독립된 질서를 지닌 유기체라고 본다. (×)
→ 인간과 자연은 부분과 전체로서 밀접한 관계를 맺는다고 본다.

⑤ 자연과의 조화를 바탕으로 인간과 자연의 하나됨을 추구한다. (○)

05 공자의 사상 　답 ①

제시된 대화의 스승은 공자이다. 공자는 인을 실현하기 위한 구체적인 방법으로 자신의 마음을 미루어 남을 헤아린다는 서(恕)의 덕목을 제시하였고, 이기심을 이기고 예를 회복해야 한다는 극기복례의 실천을 강조하였다. 유교의 인은 인간이 지니는 본질적인 사랑이며 인간다움이다. 예는 넓은 의미에서 사회 질서를 유지하기 위한 규범을 의미한다. 유교에서는 인과 예를 실천하여 인간다운 인간이 되고, 질서 있는 사회를 만들어 갈 수 있다고 주장한다.

06 맹자의 사상 　답 ①

제시문의 사상가는 맹자이다. 맹자는 백성을 저버린 군주를 교체할 수 있다는 민본주의적 혁명론을 제시하였으며, 통치자는 백성들의 생업을 보장해 주어야 한다고 본다. 맹자는 군주가 백성을 아끼고 사랑하며 덕으로 다스리는 왕도(王道) 정치를 도덕적 정치로 제시한다. 그가 주장한 왕도 정치의 바탕에는 군주보다 백성이 귀하고 국가도 백성을 위해서 존재한다는 민본(民本) 사상이 있다. 그래서 맹자는 군주가 정치를 그르치면 군주를 교체하고, 나라가 나라답지 못하면 왕조를 바꾸는 역성혁명이 정당하다고 여긴다.

07 순자의 사상 　답 ⑤

제시문의 사상가는 순자이다. 순자가 강조한 예는 본성을 교화하는 도덕규범이다. 순자에 따르면 인간이 믿고 따라야 할 인위란 성인이 합리적으로 만든 예의라는 사회 규범이다. 순자는 예의를 몸에 익히려면 교육과 배움이 무엇보다 중요하다고 보고, 어려서부터 예의를 배우고 익혀 몸에 익숙하도록 해야 개인이 행복하고 사회도 질서를 유지할 수 있다고 주장한다.

정답을 찾아가는 셀파 - Tip

ㄱ. 하늘로부터 부여받은 사덕(四德)을 확충해야 한다. (×)
→ 맹자의 주장이다.

ㄴ. 예는 백성이 스스로 만들어서 지키는 도덕규범이다. (×)
→ 순자에 따르면 예는 성인이 만든 도덕규범이다.

08 맹자와 순자의 사상 | 답 ②

갑은 맹자, 을은 순자이다. 맹자는 타고난 본성을 유지할 것을 강조한다. 맹자에 따르면 모든 사람의 마음속에는 측은지심(惻隱之心), 수오지심(羞惡之心), 사양지심(辭讓之心), 시비지심(是非之心)의 사단이 있고, 인간은 이를 잘 키워서 인의예지를 실천해야 한다. 순자는 예를 배워 본성을 교화시켜야 한다고 보았다. 그는 인간의 본성은 이익과 쾌락을 좋아하고 서로 미워하며 시기하므로, 본성을 변화시켜 인위를 일으켜야 한다고 보았다.

09 맹자와 순자의 사상 | 답 ①

갑은 맹자, 을은 순자이다. 맹자는 선한 본성의 근거인 사단을 확충하여 사덕에 이를 것을 강조하였으며, 두 사상가 모두 수양을 통한 도덕적 완성을 추구한다.

> ### 정답을 찾아가는 셀파 - Tip
>
> ㄷ. B: 선함과 악함은 선천적인 본성이라고 볼 수 없다. (×)
> → 맹자는 인간의 본성이 선하다고 보았고, 순자는 인간의 본성이 악하다고 보았다.
>
> ㄹ. C: 예의와 법도를 배우고 익혀서 본성을 회복해야 한다. (×)
> → 순자는 예의와 법도를 배우고 익혀 본성을 교화해야 한다고 본다.

10 주희의 사상 | 답 ③

제시문의 사상가는 주희이다. 주희에 따르면 사람의 본성은 곧 이와 일치한다. 즉 인간에게는 하늘로부터 받은 순수하고 선한 본성인 본연지성(本然之性) 또는 천명지성(天命之性)이 있다. 그리고 현실적 본성인 기질지성(氣質之性)도 있다. 기질지성은 본연지성과 달리 사람의 타고난 기질에 따라 차이가 있으며 선과 악이 섞여 있다. 따라서 마음속의 천리를 잘 보전하고 인욕을 없애려고 노력해야 한다.

11 주희의 사상 | 답 ②

제시문의 사상가는 주희이다. 주희는 이기론을 주장하며 만물을 이와 기의 결합으로 설명하였고 수양의 태도로 거경궁리를 제시하였다. 주희에 따르면 우리가 도덕적으로 살아가기 위해서는 몸가짐을 바르게 하고 마음을 경건하게 하는 경의 공부[居敬]와 인간의 본성과 사물의 원리를 올바르게 인식하기 위한 이치의 탐구[窮理]가 필요하다.

12 왕수인의 사상 | 답 ①

제시문의 사상가는 왕수인이다. 왕수인은 마음이 곧 리(理)라는 심즉리설을 제시하였고 도덕적 앎과 실천은 분리될 수 없다는 지행합일(知行合一)을 주장하였다. 지행합일설에 따르면, 선하지 않은 생각이 일어나는 것 자체가 나쁜 행동의 시작이므로 그러한 생각조차 그쳐야 한다. 그리고 마음에 선한 생각이 일어날 때에는 그러한 생각을 행동으로 옮겨서 실천해야 한다.

13 주희와 왕수인 비교 | 답 ⑤

갑은 주희, 을은 왕수인이다. 주희와 왕수인 모두 수양의 태도로 천리를 보존하고 사욕을 제거하는 존천리거인욕을 제시하였다. 주희에 따르면 본연지성과 일치하는 행동을 하려면 자신의 타고난 기질을 바르게 변화시키도록 수양해야 하고, 도덕적으로 살아가려면 마음속의 천리를 잘 보전하고 인욕을 없애도록[存天理去人欲] 노력해야 한다.

왕수인 또한 양지를 실현하는 데 사사로운 욕망이 방해가 된다고 보고, 사욕을 극복하여 순선한 마음을 유지[存天理去人欲]한다면 누구나 지선(至善)의 경지에 도달할 수 있다고 주장하였다.

> ### 내 것으로 만드는 셀파 - Tip
>
> ▶ 주희와 왕수인의 사상
>
> | 주희 | 주희 |
> | --- | --- |
> | 성즉리(性卽理) | 심즉리(心卽理) |
> | 지행병진, 선지후행 | 지행합일 |
> | 격물치지: 사물에 나아가 이치를 탐구하여 앎을 극진히 하는 것 | 격물치지: 양지를 적극적으로 발휘하여 마음을 바로잡는 것 |

14 주희와 왕수인 비교 | 답 ③

갑은 왕수인, 을은 주희이다. 왕수인은 심즉리설을 주장하여 마음 밖에 이치가 없다고 보았고, 주희는 개별 사물의 이치를 탐구하여 앎을 극진히 해야 한다고 보았다.

> ### 정답을 찾아가는 셀파 - Tip
>
> ① 도덕적 행위는 도덕적 앎이 선행되어야 하는가? (×)
> → 주희만이 긍정할 질문이다.
>
> ② 양지를 발휘하여 인간 본성을 변화시켜야 하는가? (×)
> → 주희와 왕수인 모두 부정할 질문이다.
>
> ③ 마음과 이치가 분리될 수 없음을 깨우쳐야 하는가? (○)
>
> ④ 천리를 보존하고 사사로운 욕구를 제거해야 하는가? (×)
> → 주희와 왕수인 모두 긍정할 질문이다.
>
> ⑤ 사물의 이치를 탐구하여 앎을 극진하게 해야 하는가? (×)
> → 주희만이 긍정할 질문이다.

서답형 문제

15 풍류도

(1) 풍류

(2) **모범 답안** | 풍류에는 유교, 불교, 도교의 요소가 모두 포함되어 있다. 이처럼 한국 윤리 사상은 여러 사상을 포섭하는 조화의 정신을 지녔다.

채점 기준	배점
풍류의 특징을 포함해 조화의 정신을 바르게 서술한 경우	상
조화의 정신을 서술하였으나 잘못된 내용이 포함된 경우	중
조화의 정신이 아닌 다른 내용을 서술한 경우	하

16 항산과 항심

(1) ㉠ 항산, ㉡ 항심

(2) **모범 답안** | 맹자는 백성은 일정한 생업이 있어야 선한 마음을 유지할 수 있다고 보았다. 맹자에 따르면 국가는 백성들이 도덕적 마음을 유지할 수 있도록 경제적 안정에 힘써야 한다.

채점 기준	배점
맹자가 항산을 강조한 까닭을 바르게 서술한 경우	상
맹자가 항산을 강조한 까닭을 서술하였으나 잘못된 내용이 포함된 경우	중
맹자가 항산을 강조한 까닭을 서술하지 못한 경우	하

17 성리학의 이기론

(1) ㉠ 이, ㉡ 기

(2) **모범 답안 |** 모든 존재와 현상은 이와 기의 결합으로 이루어져 있으므로 이와 기는 떨어질 수 없다. 동시에 원리로서의 이와 재료로서의 기는 의미와 역할이 다르므로 서로 뒤섞일 수 없다.

채점 기준	배점
성리학의 입장에서 이와 기의 관계를 바르게 서술한 경우	상
이와 기의 관계를 서술하였으나 잘못된 내용이 포함된 경우	중
성리학의 입장이 아닌 다른 입장을 서술한 경우	하

18 주희와 왕수인의 격물치지

모범 답안 | 주희는 격물치지를 사물에 나아가 그 이치를 탐구하는 것이라고 해석하였고, 왕수인은 마음의 사욕을 없애 마음속의 천리인 양지를 실현하는 것으로 해석하였다.

채점 기준	배점
주희와 왕수인의 격물치지 해석을 바르게 서술한 경우	상
주희와 왕수인 중 한 입장의 격물치지를 서술한 경우	중
주희와 왕수인의 입장이 아닌 다른 입장을 서술한 경우	하

도전 수능 문제   p. 35 ~ p. 37

01 ③	02 ④	03 ②	04 ②	05 ④	06 ⑤
07 ③	08 ①	09 ③	10 ③	11 ②	12 ④

01 공자와 묵자의 사상   답 ③

갑은 공자, 을은 묵자이다. 공자는 군자는 자신을 먼저 수양하고 남을 다스려야 한다고 보았고 묵자는 천하에 가장 해로운 것이 전쟁이라고 보았다.

정답을 찾아가는 셀파 - Tip

ㄱ. 갑: 인과 예를 회복하여 소국과민(小國寡民)을 실현해야 한다. (×)
→ 소국과민은 도가의 주장이다.

ㄹ. 갑, 을: 존비친소(尊卑親疏)의 구별 없는 사랑을 실천해야 한다. (×)
→ 묵자만의 입장이다.

02 공자의 사상   답 ④

공자는 각자 자기 역할에 충실하는 정명(正名)이 이루어질 때, 사회적 혼란이 사라질 수 있다고 보았다. 공자에 따르면 군주는 군주답고 신하는 신하답고 부모는 부모답고 자식은 자식답게 행동할 때[君君臣臣父父子子] 사회가 질서와 조화를 유지할 수 있다.

03 맹자의 사상   답 ②

(가) 사상가는 맹자이다. 맹자는 통치자는 인의를 바탕으로 한 왕도 정치를 해야 한다고 보았으며 백성들의 경제적 안정을 보장해야 한다고 주장하였다. 맹자는 백성은 일정한 생업[恒産]이 있어야 선한 마음[恒心]을 유지할 수 있다고 보아 국가가 백성이 인간답게 살 수 있도록 생업을 마련해 주어야 한다고 주장한다.

04 순자의 사상   답 ②

제시문의 사상가는 순자이다. 순자는 인간과 자연의 관계를 천인분이(天人分二)로 파악하였으며 인간의 본성은 악하므로 예를 통해 변화시켜야 한다고 주장하였다. 순자는 인간의 본성을 변화시키기 위한 예는 옛 성인이 제정해 놓았다고 보았다.

05 맹자의 사단과 집의   답 ④

맹자는 선천적인 사단을 확충하여 사덕을 실현해야 한다고 보았으며, 집의(集義)를 통해 호연지기를 기를 것을 강조하였다. 맹자는 호연지기를 갖출 때 어려운 조건에서도 도덕을 실천할 수 있는 용기를 지닐 수 있고, 도덕적 인간인 대장부(大丈夫), 즉 대인(大人)이 될 수 있다고 보았다.

06 맹자와 순자의 사상   답 ⑤

갑은 맹자, 을은 순자이다. 맹자는 인간의 본성과 본심 자체는 선하다고 보고, 순자는 인간의 본성은 이익과 쾌락을 좋아하고 서로 미워하고 시기한다고 본다. 이처럼 맹자와 순자는 인간마다 본성은 모두 같다고 보았다. 타고난 본성을 확충할 것을 강조한 것은 맹자만의 주장이다.

07 맹자와 순자의 사상   답 ③

갑은 맹자, 을은 순자이다. 순자는 예를 통해 인간의 이기적 욕망을 조절하고 제어할 수 있다고 보았다. 맹자의 입장에서는 인간의 본성은 선하기 때문에 욕심을 줄이고 선한 본심을 잘 보존하고 본성을 잘 길러서 사단을 확충해야 한다.

08 맹자와 순자의 사상 비교   답 ①

갑은 맹자, 을은 순자이다. 맹자는 인간의 본성이 선하다고 보았기 때문에 사단의 확충을 통한 본성의 함양을 강조하였고, 순자는 인간의 본성을 악하다고 보았기 때문에 예에 따라 본성을 변화시킬 것을 강조하였다.

09 주희와 왕수인의 사상 비교   답 ③

갑은 주희, 을은 왕수인이다. 주희는 마음을 인식의 주체로, 성을 인식의 근거로 보았으며, 마음은 성에 따라 정을 주재해야 하는 것이라고 보았다.

10 격물치지에 대한 주희와 왕수인의 해석   답 ③

갑은 왕수인, 을은 주희이다. 왕수인은 지행합일을 강조하며 앎과 행동은 둘이 아니라고 강조하였다. 주희는 지행병진을 주장하며 지와 행은 함께 나아가는 의존적 관계라고 보았다.

11 주희와 왕수인의 사상   답 ②

갑은 왕수인, 을은 주희이다. 주희는 격물치지의 격물을 사물에 나아가 이치를 탐구하는 것으로 해석한다. 주희가 격물치지를 도덕 법칙이 내재된 사물의 이치를 탐구하여 앎을 이루어 나가야 한다는 의미로 설명하였던 것과 달리, 왕수인은 바르지 못한 마음을 바로잡아 자기 마음의 양지를 실현하는 것을 격물치지라고 보았다.

12 성리학과 양명학 비교   답 ④

갑은 주희, 을은 왕수인이다. 왕수인은 심즉리를 주장하며 마음 밖에 이치가 없다고 본다. 사물에 이(理)가 객관적으로 존재한다고 본 주희와 달리 왕수인은 이가 마음 밖에 있는 것이 아니고, 욕심에 가리지 않은 본래의 마음이 바로 이라고[心卽理] 주장한다. 즉 인간 본심에 있는 도덕적 마음을 떠나 도덕적 이치가 외부에 별도로 존재하지 않는다고 본다.

02   도덕적 심성

탄탄 내신 문제   p. 42 ~ p. 46

01 ②	**02** ②	**03** ⑤	**04** ②	**05** ④	**06** ⑤
07 ④	**08** ④	**09** ④	**10** ②	**11** ③	**12** ②
13 ④	**14** ③	**15** 해설 참조		**16** (1) ㉠ 성(誠),	
㉡ 경(敬) (2) 해설 참조		**17** 해설 참조		**18** 해설 참조	

01 이황의 사상   답 ②

제시문의 사상가는 이황이다. 이황은 기(氣)보다 이(理)가 귀하다는 이귀기천을 바탕으로 이가 발한 사단과 기가 발한 칠정은 엄격하게 구분되어야 한다고 본다. 이황에 따르면 사단은 이에 근원하여 드러나므로 순선한 감정이고, 칠정은 기에 근원하여 드러나므로 선악의 가능성이 모두 있는 감정이다.

02 이와 기에 대한 이이의 입장   답 ②

제시문은 이이의 주장이다. 이이는 이와 기가 떨어질 수 없는 관계라는 이기불상리를 상대적으로 강조하였으며, 형체가 없는 이는 만물에 통하고 형체가 있는 기는 국한된다는 이통기국을 주장하였다. 이이에 따르면 이는 모든 사물의 원리이자 도덕 본성의 근거로서 어디에나 실재하지만, 기는 현실 세계에서 구체적으로 운동하고 변화하는 것이므로 국한된다.

03 이황과 이이의 사상   답 ⑤

갑은 이황, 을은 이이이다. 이황은 사단은 이가 발하여 기가 이를 따른 것이고 칠정은 기가 발하여 이가 그것을 탄 것이라고 보았다. 이황은 사단과 칠정의 관계에서 이의 능동성을 강조하였기 때문에 사단은 이가 발하고 기가 그것을 따르는 것이라고 하고, 칠정은 기가 발하고 이가 그것을 타는 것이라고 하였다. 반면에 이이는 사단을 포함한 칠정은 기가 발하고 이가 탄 것이라고 주장하였다.

내 것으로 만드는 셀파 - Tip

▶ **이황과 이이의 사상 비교**

이황	이이
이기호발설	기발이승일도설
이귀기천	이기지묘, 이통기국
사단은 이가 발한 것이고, 칠정은 기가 발한 것	사단과 칠정 모두 기가 발한 것

04 이이의 수양론과 사회 개혁론   답 ②

이이는 이황이 강조한 경(敬)을 비판하지 않았다. 이이는 경으로 마음을 바르게 하여 성(誠)에 이를 것을 강조하였다. 이황은 도덕 본성의 실현을 위해 도덕적 긴장 상태를 가리키는 경을 강조하였고, 이이도 이황과 마찬가지로 경의 실천을 통해 마음의 본체인 성에 이를 것을 강조하며 도덕적 실천을 중시하였다.

05 이황의 수양론   답 ④

제시문의 사상가는 이황이다. 이황은 사단은 선하여 악이 없지만 기에 가리면 불선이 있게 되며, 칠정은 기가 발하는 것이 절도에 맞지 않으면 악이 된다고 보았다. 따라서 불선을 막는 것은 기에 달려 있다고 보았다. 그래서 이황은 도덕 본성의 실현과 관련한 수양의 태도로 경(敬)을 강조하였다. 경의 실천 방법으로는 주일무적, 정제엄숙, 상성성 등이 있다.

06 이황과 이이의 사상   답 ⑤

갑은 이황, 을은 이이이다. 이기호발설을 주장한 이황은 사단과 칠정은 연원이 다르다고 보았다. 이황에 따르면 이와 기는 모두 운동성을 지닌다. 또한 이는 가치론적 입장에서 기보다 귀하다. 기의 발만을 인정한 이이는 사단과 칠정의 연원이 같다고 보았다. 이이는 이는 보편적이고 기는 특수한 것이라고 주장하였고, 이는 운동성이 없으므로 기가 발하고 이가 타는 경우밖에 없다고 보았다.

07 이황과 이이의 사단 칠정론   답 ④

갑은 이황, 을은 이이이다. 이황은 사단과 칠정은 분리되어 있다고 보고, 이이는 사단은 칠정의 선한 부분만을 가리키는 것으로 본다. 따라서 이이는 이황에게 사단이 칠정에 포함되는 것이라는 점을 간과하고 있다고 비판할 수 있다.

정답을 찾아가는 셀파 - Tip

① 이가 발할 수 있다는 것을 간과하고 있습니다. (×)
   → 이황의 입장이다.
② 이와 기는 섞일 수 없다는 점을 간과하고 있습니다. (×)
   → 이황의 입장이다.
③ 사단과 칠정이 모두 정(情)임을 간과하고 있습니다. (×)
   → 이황과 이이 모두 긍정할 내용이다.
④ 사단이 칠정에 포함되는 것임을 간과하고 있습니다. (○)
⑤ 칠정은 선악의 가능성이 모두 있음을 간과하고 있습니다. (×)
   → 이황과 이이 모두 긍정할 내용이다.

08 성리학과 실학   답 ④

㉠은 성리학, ㉡은 실학이다. 실학은 청나라의 고증 학풍의 영향을 받아 실천적인 이론을 제시하였다. 또한 성리학의 한계를 인식하고 대안을 모색하였으며, 현실의 구체적인 문제점을 해결하고자 정치 제도와 사회 구조의 개혁을 주장하였다.

09 정약용의 덕의 후천설   답 ④

제시문의 사상가는 정약용이다. 정약용은 덕의 후천설을 주장하며 사덕은 사단을 실천해야 형성되고, 선을 좋아하는 기호에 따라 행동을 실천함으로써 얻을 수 있다고 본다.

ㄱ. 사덕은 하늘로부터 부여받은 선한 본성이다. (×)
→ 정약용은 사람이 인간에게 선천적 본성으로 존재한다는 성리학적 관점을 비판하고, 사덕이 사람의 마음에 처음부터 있는 것이 아니라고 주장한다.

ㄷ. 사덕은 선천적으로 갖추어져 있는 마음의 기호이다. (×)
→ 정약용은 사덕이 덕 있는 행동을 통해 완성된다고 주장한다.

10 정약용의 성기호설 답 ②

제시문의 사상가는 정약용이다. 정약용은 인간의 본성을 기호로 파악하였고, 인간의 도덕적 자율성을 강조하였다. 정약용은 채소가 거름을 좋아하고 연꽃이 물을 좋아하는 것처럼 성은 기호라고 보며 성리학의 성즉리설을 비판한다.

11 정약용의 자주지권 답 ③

제시문의 사상가는 정약용이다. 정약용은 자주지권을 바탕으로 인간을 도덕적 자율성을 지닌 존재로 보았기 때문에 인간은 스스로의 도덕적 행위에 대해 책임질 수 있어야 한다고 주장한다. 정약용에 따르면 인간에게는 선하고자 하면 선할 수 있고 악하고자 하면 악할 수 있는 자주지권이 있다. 따라서 인간은 자율적 존재이고, 도덕적 실천에 힘쓰며 자신의 선택과 행위에 책임져야 하는 존재이다.

12 정약용의 성기호설 답 ②

제시문의 사상가는 정약용이다. 그는 인간의 본성을 기호라고 보았으며, 인간은 선을 좋아하고 악을 미워하는 영지의 기호를 지니고 있다고 본다. 정약용은 인간의 기호를 생존을 위한 육체적 욕망인 형구의 기호와 선에 대한 경향성인 영지의 기호로 분류하고, 인간만이 영지의 기호를 지닌다고 본다.

ㄴ. 인간은 태어날 때부터 악한 본성을 지닌 존재이다. (×)
→ 정약용은 인간을 선하고자 하면 선할 수 있고 악하고자 하면 악할 수 있는 존재로 본다.

ㄹ. 선을 좋아하고 악을 미워하는 본성을 형구(形軀)의 기호라고 한다. (×)
→ 선을 좋아하고 악을 미워하는 본성은 영지의 기호이다.

13 이황과 이이의 사상 비교 답 ④

갑은 이황, 을은 이이다. 이황은 사단과 칠정은 그 연원이 서로 다르다고 본 반면, 이이는 사단과 칠정은 모두 기가 발한 것으로 사단은 칠정 중에 순선한 부분만을 가리키는 것이라고 본다. 칠정에 대해서는 이황과 이이 모두 선악의 가능성을 인정한다.

ㄴ. B: 사단과 칠정은 모두 정이지만 근원이 다르다.
→ 이이는 사단과 칠정의 근원이 같다고 보았다.

14 이황과 이이에 대한 정약용의 비판 답 ③

제시문의 사상가는 정약용이다. 덕의 후천설을 주장한 정약용은 덕의 선천설을 주장하는 이황과 이이에게 사덕이 사단의 확충으로 형성되는 것임을 간과하고 있다는 반론을 제기할 수 있다.

① 사단은 본성이 아닌 감정임을 간과하고 있다. (×)
→ 이황과 이이는 사단을 정(情)으로 본다.

② 사단은 기(氣)가 발하여 이가 탄 것임을 간과하고 있다. (×)
→ 이이가 이황에게 할 수 있는 비판이다.

③ 사단을 확충해야 사덕이 형성되는 것임을 간과하고 있다. (○)

④ 사단은 칠정과 철저하게 구분되어야 함을 간과하고 있다. (×)
→ 이황이 이이에게 할 수 있는 비판이다.

⑤ 사단은 덕 있는 행위를 실천해야 갖춰질 수 있음을 간과하고 있다. (×)
→ 덕 있는 행위를 실천하면 사덕이 이루어질 수 있다.

서답형 문제

15 이황과 이이의 사단 칠정론

모범 답안 | 갑 이황과 을 이이는 모두 칠정은 기가 발하고 이가 기를 타면서 드러난 정이라고 주장했다. 이황은 사단이 이가 발한 것이라고 주장한 반면 이이는 이의 운동성을 인정하지 않는다.

채점 기준	배점
이황과 이이의 공통점과 차이점을 바르게 서술한 경우	상
이황과 이이의 공통점과 차이점 중 한 가지만 바르게 서술한 경우	중
이황과 이이의 공통점과 차이점을 모두 서술하지 못한 경우	하

16 이황과 이이의 사단칠정론

(1) ㉠ 성(誠), ㉡ 경(敬)

(2) **모범 답안** | 의식을 집중시켜 마음이 흐트러지지 않는 주일무적(主一無適), 몸가짐을 단정히 하고 엄숙한 태도를 유지하는 정제엄숙(整齊嚴肅), 항시 또렷이 깨어 있는 상성성(常惺惺)이 있다.

채점 기준	배점
경의 실천 방법 세 가지를 바르게 서술한 경우	상
경의 실천 방법 두 가지를 바르게 서술한 경우	중
경의 실천 방법 한 가지를 바르게 서술한 경우	하

17 정약용의 성기호설

모범 답안 | 영지의 기호는 선을 좋아하고 악을 미워하는 경향성으로, 동물에게는 없고, 오직 사람만이 지닌 것이다.

채점 기준	배점
영지의 기호의 의미와 특징을 바르게 서술한 경우	상
영지의 기호의 의미와 특징 중 한 가지만 바르게 서술한 경우	중
영지의 기호의 의미와 특징을 모두 서술하지 못한 경우	하

18 정약용의 사단과 사덕

모범 답안 | 정약용은 사단은 선천적인 마음이지만 사덕은 사단을 실천함으로써 형성되는 후천적인 덕이라고 보았다.

채점 기준	배점
정약용의 입장을 바르게 서술한 경우	상
정약용의 입장을 서술하였으나 잘못된 내용이 포함된 경우	중
정약용의 입장이 아닌 다른 입장을 서술한 경우	하

p.47 ~ p.49

| 01 ③ | 02 ② | 03 ③ | 04 ② | 05 ② | 06 ① |
| 07 ④ | 08 ⑤ | 09 ② | 10 ⑤ | 11 ⑤ | 12 ② |

01 이황과 이이의 이기론 답 ③

갑은 이황, 을은 이이이다. 이이는 이기불상리를 강조하며 작용하는 것은 기뿐이라고 본다. 이황은 만물의 질료나 기운인 기뿐만 아니라 만물의 원리 혹은 법칙으로서의 이 또한 운동성이 있다고 주장한다.

02 이황과 이이의 사상 비교 답 ②

갑은 이황, 을은 이이이다. 이황은 사단은 이가 발한 것이라고 보았으며, 이이는 사단과 칠정 모두 기가 발한 것이라고 보았다.

정답을 찾아가는 셀파 - Tip

ㄴ. B: 사단은 본성[性]이고 칠정은 감정[情]이다. (×)
→ 이황과 이이 모두 사단과 칠정을 감정으로 파악한다.

ㄷ. B: 이와 기는 모두 운동성과 자발성을 가지고 있다. (×)
→ 이황은 이의 운동성을 긍정하지만 이이는 이의 운동성을 인정하지 않는다.

03 이황과 이이의 사상 비교 답 ③

갑은 이황, 을은 이이이다. 이황은 이와 기가 모두 발할 수 있다고 보았고, 이이는 기만 발할 수 있다고 보았다. 이이에 따르면 기는 형체와 운동성이 있지만 이는 형체도 운동성도 없다. 그래서 이는 만물에 통하고 기는 형체에 국한된다는 이통기국을 주장한다.

정답을 찾아가는 셀파 - Tip

① A: 사단은 칠정의 순선한 측면을 가리키는 것인가? (×)
→ 이황은 아니요, 이이는 예라고 대답할 질문이다.

② B: 사단은 이가 발한 성이고 칠정은 기가 발한 정인가? (×)
→ 이황은 사단과 칠정을 모두 정이라고 본다.

③ B: 마음의 작용은 이의 발현과 기의 발현으로 구분되는가? (○)

④ C: 시비지심(是非之心)은 이가 발하고 기가 따르는 것인가? (×)
→ 이황이 예라고 대답할 질문이다.

⑤ C: 사단과 칠정은 기가 발함에 이가 타서 나타난 순선한 정인가? (×)
→ 이이는 칠정을 순선한 정으로 보지 않는다.

04 정약용의 덕의 후천설 답 ②

정약용은 덕의 후천설을 주장하며 사덕은 사단을 실천함으로써 형성되는 것이라고 본다. 정약용은 사덕이 인간에게 본성적으로 주어진다는 기존의 성리학적 설명을 거부하였다. 정약용에 따르면 인간은 선을 기호하기 때문에 사단과 같은 도덕적 마음을 가진다. 그리고 이를 실천함으로써 인의예지라는 사덕을 갖출 수 있다.

05 이황과 이이의 사단칠정론 답 ②

갑은 이황, 을은 이이이다. 사단을 칠정에 포함되어 있는 순선한 본성이라고 본 것은 이이의 주장이다. 이황은 기의 발현인 칠정은 선악이 정해지지 않았으나 악으로 흐를 가능성이 높다고 보았다. 이이는 기질을 바로잡음으로써 도덕 본성으로서의 이를 실현할 수 있다는 교

기질의 수양론을 제시하였고, 사단과 칠정은 모두 기가 발한 것이라고 보았다. 이황과 이이 모두 칠정은 기가 발하고 이가 그것을 타는 것으로 보았다.

06 이황의 수양론 답 ①

제시문의 사상가는 이황이다. 이황은 수양의 태도로 경(敬)의 실천을 강조하였다. 경의 구체적인 실천 방법에는 정제엄숙, 주일무적, 상성성 등이 있다.

내 것으로 만드는 셀파 - Tip

▶ 경의 구체적 실천 방법

정제엄숙	몸가짐을 바르게 하고 엄숙한 태도를 유지함
주일무적	마음을 한곳에 집중하여 잡념이 들지 않게 함
상성성	항상 또렷한 정신 상태를 유지함

07 이황과 이이의 사상 답 ④

갑은 이황, 을은 이이이다. 이이는 기는 발하는 것, 이는 발하는 까닭으로 파악하였다. 또한 사단과 칠정 모두 기가 발하는 것으로 그 연원이 같다고 보았으며 칠정이 사단을 포함한다고 주장하였다.

08 이황에 대한 정약용의 비판 답 ⑤

제시문의 사상가는 정약용이다. 정약용은 이황에게 덕이 도덕적 실천을 통해 형성되는 것을 모르고 있다는 반론을 제기할 수 있다. 정약용에 따르면 덕은 인간의 선천적 본성이 아니라 일상적 실천을 통해 형성되는 것이다.

09 정약용의 사덕 답 ②

㉠에 들어갈 내용은 사덕이다. 정약용은 사덕은 본성에 내재한 것이 아니라 일상에서의 실천을 통해 형성되는 것이라고 본다.

정답을 찾아가는 셀파 - Tip

① 인간과 동물이 모두 지니고 있는 생리적 욕구의 경향성이다. (×)
→ 형구의 기호에 대한 설명이다.

② 인간의 본성에 깃든 것이 아니라 노력[功]으로 이루는 것이다. (○)

③ 인간의 마음으로서 덕으로 나아가는 시작점[始]이 되는 것이다. (×)
→ 사단에 대한 설명이다.

④ 선하거나 악한 행동을 스스로 선택할 수 있는 권능[自主之權]이다. (×)
→ 자주지권에 대한 설명이다.

⑤ 하늘로부터 부여받은 이치[天理]가 아닌 마음의 기호(嗜好)이다. (×)
→ 성에 대한 견해이다.

10 정약용의 성기호설 답 ⑤

정약용은 단시설의 입장에서 사단의 '단'을 시작으로 해석하였다. 따라서 사단은 사덕을 형성하는 시작점으로 볼 수 있다. 정약용에 따르면 인의예지의 사덕은 성으로 주어지는 것이 아니라 인간의 선택과 실천을 통해 이루어 가는 것이다.

11 주희, 이이, 정약용의 입장 비교　　　　답 ⑤

갑은 주희, 을은 이이, 병은 정약용이다. 덕의 후천설을 주장한 정약용의 입장에서는 이이에게 사덕인 인은 사단인 측은지심을 실천해야 얻을 수 있다고 비판할 수 있다.

12 이이에 대한 이황의 비판　　　　답 ②

제시문의 사상가는 이황이다. 이황은 이이에게 이도 운동성을 지니고 있으므로 기처럼 발할 수 있다는 견해를 제시할 수 있다. 이황은 이의 운동성을 긍정하고 인간에게 도덕 행위의 근거인 도덕 본성이 이미 갖추어졌다고 보았다.

03　자비의 윤리

탄탄 내신 문제　　　　p. 54 ~ p. 58

01 ①	02 ⑤	03 ⑤	04 ②	05 ④	06 ②
07 ②	08 ①	09 ⑤	10 ⑤	11 ⑤	12 ③
13 ①	14 ⑤	15 (1) 사성제 (2) 해설 참조 16 해설 참조
17 (1) ㉠ 교종, ㉡ 선종 (2) 해설 참조　18 해설 참조

01 불교의 연기설　　　　답 ①

제시문은 불교의 연기 사상이다. 연기란 우주와 인생의 모든 존재와 현상은 원인과 조건에 의해 생겨난다는 상호 의존성의 원리이다. 부처는 "연기를 보는 자는 법을 보고, 법을 보는 자는 연기를 본다."라고 하여 연기를 삶과 우주를 설명하는 가장 근본적인 원리로 본다.

02 불교의 사성제　　　　답 ⑤

사성제는 석가모니가 깨달은 네 가지 성스러운 진리로, 괴로움이 생기는 원인과 그것을 멸하는 길을 밝힌 것이다. 오직 마음을 통해 모든 현상이 경험된다는 것은 유식 사상에 대한 설명이다.

내 것으로 만드는 셀파 - Tip

▶ 불교의 사성제

고성제	• 인생이 본질적으로 괴롭다는 진리 • 괴로움의 예: 생로병사, 사랑하는 사람과의 이별, 싫어하는 사람과의 만남, 원하는 것을 얻지 못함, 오온 등
집성제	• 괴로움에는 원인이 있다는 진리 • 괴로움의 원인: 탐욕, 분노, 무지의 삼독
멸성제	• 괴로움이 소멸한 상태에 관한 진리 • 괴로움이 소멸한 상태를 열반이라고 함
도성제	• 열반에 이르는 길에 관한 진리 • 팔정도: 열반에 이르는 여덟 가지 올바른 길 • 삼학: 도덕적 생활인 계, 마음을 하나의 대상에 집중하고 고요한 상태에 머무는 정, 정의 상태에서 사물의 본성을 통찰하는 지혜인 혜

03 부파 불교의 특징　　　　답 ⑤

제시문은 부파 불교에 대한 설명이다. 부파 불교는 개인의 해탈을 중시하였으며 사회와 분리된 엄격한 종교성을 추구하였다. 부파 불교의 특징은 부파 불교의 이상적 인간상인 아라한을 통해서도 엿볼 수 있다. 아라한이란 일반적으로 가장 높은 경지에 오른 수행자를 의미한다. 또한 부파 불교는 출가 수행자가 아니고서는 성취하기 어려운 교리를 강조한다.

04 용수의 사상　　　　답 ②

제시문의 사상가는 용수이다. 용수는 모든 현상이 인연에 따라 모이고 흩어질 뿐, 고정불변의 실체를 지닌 것이 아니라고 주장한다. 용수는 초기 불교의 연기를 재해석하여 연기는 개별 현상에 고유한 본질이 없다는 공성(空性)을 의미한다고 주장한다. 그는 연기와 공성의 원리에 따라 현상은 일시적으로 존재한다고 본다.

05 중관 사상과 유식 사상　　　　답 ④

(가)는 중관 사상, (나)는 유식 사상에 대한 설명이다. 유식 사상에서는 모든 것이 마음이 만든 허상이지만, 진리를 깨닫는 마음이 존재한다고 본다. 중관 사상에서는 모든 것은 고정불변의 실체로 존재하는 것이 아니고, 인연에 따라 임시로 존재한다고 본다. 용수는 자신의 관점이 현상에 불변하는 본질이 있다고 보아 유(有)에 집착하는 관점과 모든 현상이 우연적으로 존재한다고 보아 무(無)에 집착하는 관점의 양극단을 벗어났기 때문에 중도(中道)라고 주장한다. 이와 같은 중도를 지향한다는 의미에서 용수와 그의 학파가 주장한 사상을 중관 사상이라고 부른다.

06 불교의 이상적 인간상　　　　답 ②

제시문의 ㉠은 보살이다. 보살은 위로는 깨달음을 얻고자 노력하고 아래로는 중생을 구제하는 자비를 실천하고자 하는 대승 불교의 이상적 인간상이다. 대승 불교에서는 부파 불교가 개인의 번뇌를 소멸한 아라한(阿羅漢)의 길인 소승(小乘), 즉 작은 수레를 타고 개인의 구원만을 추구한다며 소승 불교라고 비판한다. 아울러 자신을 큰 수레로 자처하며 자비를 실천하고자 깨달음을 구하는 보살(菩薩)의 높은 이상을 추구한다.

07 불교의 중도 사상　　　　답 ②

제시문은 불교의 중도 사상이다. 불교에서는 고통의 원인인 삼독, 무명 등을 소멸해 진정한 해탈의 경지에 도달하면 삶의 괴로움에서 벗어나게 된다고 본다. 석가모니는 수행 끝에 쾌락과 고통의 양극단에서 벗어나 심신의 조화를 얻는 중도를 따를 때 비로소 깨달음을 얻을 수 있다는 것을 알게 되었다.

08 용수의 중도 사상　　　　답 ①

제시문의 사상가는 중도 사상을 주장한 용수이다. 용수는 연기와 공성의 원리에 따라 현상은 일시적으로 존재한다고 본다. 용수는 공은 고정불변하는 유(有)나 아무것도 없는 무(無)와 같이 극단이 있는 것이 아니라고 주장하면서 중도(中道)를 강조하였다. 이러한 용수의 사상에 따라 중관 사상에서는 중도를 잘 관찰하는 일을 중시하였는데, 깨달음을 얻기 위한 올바른 길을 찾기 위한 것이었다.

09 중도 사상 답 ⑤

제시문은 중도 사상에 대한 설명이다. 중도 사상은 양극단에 빠지지 않고 올바른 길을 실천해야 함을 강조한다. 용수는 공 사상을 이론적으로 체계화하여 중도의 관점에서 바라보는 중관 사상을 창시하였다. 중관이란 극단에 치우친 잘못된 견해를 바로잡고 중도의 진리를 올바르게 관찰하는 지혜를 말한다.

10 유식 사상 답 ⑤

제시문은 유식 사상에 대한 설명이다. 유식 사상은 구체적인 사물의 실체는 부정하면서 감각하고 지각하며 사고하는 마음의 작용인 식(識)은 존재한다고 본다. 따라서 마음의 작용을 떠나서는 어떠한 실재도 없다는 점을 강조한다. 유식 사상은 공 사상이 지나치게 공허한 사상으로 치우쳐 간다는 비판을 바탕으로 등장하였다.

11 교종과 선종의 특징 답 ⑤

대승 불교는 교종과 선종으로 발전하였다. 교종은 수행 단계를 설정한 뒤 점진적인 수행의 과정을 거칠 것을 강조하였으나, 선종은 복잡한 수행 체계, 의례보다는 본성의 자각을 중시하였다. 교종은 대체로 경전의 가르침을 통해서만 부처의 가르침을 올바르게 이해할 수 있다고 주장하는 반면 선종은 깨달음에 이르는 방법으로 교리 공부보다 선(禪)을 중요하게 여긴다.

▶ 교종과 선종

교종	• 경전의 교리를 깨닫고 실천하는 것을 중시함 • 지나치게 이론적이어서 대중과 괴리됨 • 천태종, 화엄종, 정토종
선종	• 부처의 마음에 주목하여 성립함 • 선(禪), 돈오(頓悟)의 수행법을 강조함 • 이심전심, 불립문자, 교외별전, 직지인심, 견성성불 등을 강조함

12 선종의 특징 답 ③

제시문은 선종에 대한 설명이다. 선종에서는 선(禪)을 강조하였고, 이를 위해 화두를 통해 마음의 실상을 깨닫는 것을 중시하였다. 선종에서는 불성에 대한 직관을 중시하였기에 마음을 한곳에 모아 고요한 경지에 들어가는 것인 선(禪)을 강조한다. 이를 위해 좌선을 주요한 수행 방법으로 하면서 화두를 통해 마음의 실상을 깨닫는 것을 중시하였다.

13 선종 답 ①

제시문은 선종에 대한 설명이다. 선종에서는 불교의 진리는 마음에서 마음으로 전달된다고 보았다. 선종에서는 불교의 진리, 곧 법(法)이란 마음으로 마음에 전하는 것[以心傳心]이므로, 따로 언어와 문자를 세워 말하지 않는 데[不立文字]에 참뜻이 있다고 보았다. 그리고 석가모니의 교설 이외에 따로 전하는 것[敎外別傳], 즉 부처의 마음이 있으니 복잡한 교리를 떠나 심성(心性)을 도야해야 한다고 보았다.

① 마음으로 가르침을 주고받는 것을 강조한다. (○)
② 참선 수행보다 경전을 통한 깨우침을 강조한다. (×)
→ 교종에 대한 설명이다.
③ 중생의 깨달음보다 자신의 깨달음에 힘써야 함을 강조한다. (×)
→ 부파 불교에 대한 설명이다.
④ 불성을 깨닫기 위해 외부의 도움이 필요하다는 것을 강조한다. (×)
→ 선종에서는 외부의 도움보다는 자신의 마음에 집중할 것을 강조한다.
⑤ 깨달음에 이르기 위해 타고난 본성을 변화시켜야 함을 강조한다. (×)
→ 선종에서는 깨달음에 이르기 위해 타고난 불성을 발견해야 한다고 본다.

14 선종에서 강조한 진리 답 ⑤

제시문은 선종에 대한 설명이다. 선종은 부처의 마음에 주목하여 불성에 대한 직관을 중시하였으며 경전의 이해보다는 마음을 통한 불성의 자각을 강조하였다. 무진연기는 화엄종에서 강조하는 것으로, 만물은 서로의 원인이고, 대립을 초월해 하나로 융합된다는 뜻이다.

15 불교의 사성제

(1) 사성제

(2) **모범 답안** | 괴로움의 원인은 무명(無明)과 애욕(愛慾), 삼독(三毒)이다. 괴로움을 소멸하기 위해서는 여덟 가지 올바른 길인 팔정도와 수행 공부의 세 가지 유형인 삼학을 통해 열반에 이르러야 한다.

채점 기준	배점
괴로움의 원인과 소멸하기 위한 방법을 바르게 서술한 경우	상
괴로움의 원인과 소멸하기 위한 방법을 서술하였으나 잘못된 내용이 포함된 경우	중
사성제와 관련 없는 내용을 서술한 경우	하

16 유식 사상의 특징

모범 답안 | 제시문의 사상은 유식 사상이다. 유식 사상의 유식은 불변의 본질을 가진 객관적 현상은 존재하지 않으며 오직 그것을 경험하는 우리의 마음만이 존재한다는 뜻이다. 유식 사상은 모든 현상이 마음을 통해 경험되는 것일 뿐이라는 원리를 제시한다.

채점 기준	배점
유식 사상의 특징을 바르게 서술한 경우	상
유식 사상의 특징을 서술하였으나 잘못된 내용이 포함된 경우	중
유식 사상이 아닌 다른 사상을 서술한 경우	하

17 교종과 선종

(1) ㉠ 교종, ㉡ 선종

(2) **모범 답안** | 교종은 경전 이해에 근거하여 체계적인 이론을 제시하였지만 선종은 경전이나 복잡한 수행 체계, 의례보다는 본성의 자각을 중시한다.

채점 기준	배점
교종과 선종의 차이점을 바르게 서술한 경우	상
교종과 선종의 차이점을 서술하였으나 잘못된 내용이 포함된 경우	중
교종과 선종을 반대로 이해한 경우	하

18 혜능의 돈오

모범 답안 | 제시문의 사상가는 혜능이다. 혜능은 깨달음에 이르는 길로 중생 스스로가 자신의 본성이 곧 부처라는 것을 확실히 자각하는 돈오(頓悟)를 강조한다. 그리고 돈오의 방법으로 훌륭한 스승에게서 직접적인 가르침을 받을 것을 중시한다.

채점 기준	배점
돈오의 내용을 바르게 서술한 경우	상
돈오의 내용을 서술하였으나 잘못된 내용이 포함된 경우	중
돈오가 아닌 다른 방법을 서술한 경우	하

도전 수능 문제
p. 59 ~ p. 61

01 ②	02 ④	03 ①	04 ③	05 ①	06 ④
07 ②	08 ③	09 ①	10 ①	11 ④	12 ②

01 불교의 사상
답 ②

제시문은 불교의 사상이다. 불교에서는 고통의 원인을 제거하면 윤회에서 벗어날 수 있다고 보았다. 석가모니는 생로병사를 비롯한 모든 인간의 삶과 문제를 괴로움으로 파악하였다. 그는 인간의 괴로움은 무언가를 갈망하는 애욕과, 이에 따른 집착과 번뇌, 그리고 생각, 말, 행동으로 짓게 되는 업으로 말미암아 생겨난다고 보았다. 또한 이러한 이치를 깨닫지 못하는 어리석음 때문에 인간이 윤회의 고통에서 벗어나지 못한다고 보았다.

02 중도 사상
답 ④

제시된 가상 대화에서 스승은 중도(中道)를 설명하고 있다. 중도란 현상에 불변하는 본질이 있다고 보는 유(有)의 관점과 모든 현상이 우연적으로 존재한다는 무(無)의 관점의 양극단을 벗어난다는 뜻이다.

정답을 찾아가는 셀파 - Tip

① 만물이 상호 의존함을 자각하여 윤회(輪廻)의 세계에 머문다. (×)
→ 불교에서는 윤회의 고통에서 벗어나야 한다고 본다.

② 삼독(三毒)을 제거하여 자아가 고정불변의 실체임을 깨닫는다. (×)
→ 불교에서는 고정불변하는 것이 없다는 사실을 깨달아야 한다고 본다.

③ 무명(無明)의 경지에 이르기 위해서 조건 없는 자비를 베푼다. (×)
→ 불교에서는 이치를 깨닫지 못한 어리석음인 무명에서 벗어나야 한다고 본다.

④ 사물에 대한 그릇된 인식에서 벗어나 중도(中道)를 실천한다. (○)

⑤ 도덕과 예의를 지속적으로 수양하여 타고난 본성을 변화시킨다. (×)
→ 유교의 순자가 강조하는 삶의 태도이다.

03 불교 사상
답 ①

제시문은 불교 사상이다. 불교에서는 연기의 법칙을 바탕으로 자비를 행할 수 있다고 주장하였다. 또한 해탈에 이르기 위한 수행 방법으로 팔정도를 제시한다. 팔정도는 괴로움에서 벗어나기 위한 여덟 가지 수행법으로, 삼학으로 분류할 수 있다.

정답을 찾아가는 셀파 - Tip

ㄷ. 집착과 탐욕을 버려야 무명(無明)을 얻을 수 있다고 본다. (×)
→ 집착과 탐욕을 버려야 무명에서 벗어날 수 있다.

ㄹ. 불변의 자아를 깨달아야 고통[苦]에서 벗어날 수 있다고 본다. (×)
→ 나라는 불변의 자아는 존재하지 않는다는 것을 깨달아야 한다.

04 대승 불교의 입장
답 ③

제시문은 대승 불교의 기본 입장이 담겨 있는 글이다. 대승 불교에서는 모든 존재에는 고정된 실체가 없음을 깨달을 것을 강조한다. 그리고 연기의 법칙을 깨달아 자신에 대한 집착을 버릴 것을 강조한다. 이러한 대승 불교의 교리는 공(空) 사상을 기본으로 전개되었다. 특히 공에 대한 이론적 측면을 철저히 논한 중관(中觀) 사상과 이를 수행론적인 측면에서 보완한 유식(唯識) 사상을 통해 이론과 수행의 양 측면에서 체계를 갖추게 되었다.

05 석가모니의 사상
답 ①

제시문의 사상가는 석가모니이다. 그에 따르면 무명은 괴로움의 원인이고, 욕망은 절제되어야 한다. 사성제는 석가모니가 깨달은 네 가지 성스러운 진리로, 연기설에 기초하고 있다. 구체적으로는 괴로움이 생기는 원인과 그것을 멸하는 길을 밝힌 것으로, 고집멸도(苦集滅道)의 네 가지를 가리킨다. 이에 따르면 인간은 무명과 욕망에서 벗어나야 한다.

06 석가모니의 사상
답 ④

제시문의 사상가는 석가모니이다. 석가모니는 오온에 집착하지 말 것을 강조한다. 석가모니에 따르면 만물은 늘 변화하며 인간의 현실적 삶은 고통이다. 또한 고통에는 반드시 원인이 있다. 오온이란 끊임없이 변화하는 인간 존재를 일시적으로 구성하는 물질, 느낌, 분별 의식, 의지, 인식의 다섯 더미를 가리킨다.

07 대승 불교의 입장
답 ②

제시문은 대승 불교의 입장이다. 대승 불교에서는 만물의 실상은 공(空)이며, 보살은 집착 없이 남에게 베푸는 무주상보시(無住相布施)를 행해야 한다고 주장한다. 대승 불교는 중생과 함께하는 대중적인 측면을 강조하여 수행자 자신의 깨달음뿐만 아니라 타인의 깨달음도 중시하였다.

08 석가모니의 주장
답 ③

제시문은 석가모니의 주장이다. 그는 수행을 통해 윤회로부터 벗어날 것을 강조하였다. 석가모니에 따르면 인간은 고통이 집착과 번뇌, 업에서 생겨난다는 사실을 알지 못해 윤회의 고통에서 벗어나지 못하고 있다.

09 혜능의 사상   답 ①

(가)의 스승은 혜능이다. 혜능은 불립문자(不立文字), 이심전심(以心傳心)을 강조하는 선종의 입장에서 본성을 직관하면 단박에 깨달음에 이를 수 있다고 보았다.

10 선종과 양명학 비교   답 ①

(가)의 갑은 혜능, 을은 왕수인이다. 혜능은 자신의 본성이 곧 부처라는 것을 자각하는 돈오(頓悟)를 통해 깨달음에 이를 것을 강조한다. 왕수인은 이치가 외부의 사물이 아니라 내 마음속에 있음을 강조한다.

11 불교의 중도 사상   답 ④

제시문은 불교의 중도 사상에 대한 설명이다. 중도는 고정불변하는 유나 아무것도 없는 무와 같은 극단에서 벗어나 모든 현상에 대한 집착에서 벗어날 것을 강조한다.

12 석가모니가 강조하는 삶의 태도   답 ②

제시된 가상 편지의 고대 동양 사상가는 석가모니이다. 석가모니는 집착과 고통에서 벗어나 열반(涅槃)에 이르기 위해 연기(緣起)를 자각하고 지나친 쾌락과 고행의 양극단의 치우침에서 벗어날 것을 강조하였다.

04 분쟁과 화합

탄탄 내신 문제   p. 66 ~ p. 70

01 ②	02 ③	03 ④	04 ②	05 ①	06 ⑤
07 ⑤	08 ⑤	09 ③	10 ⑤	11 ②	12 ⑤
13 ②	14 ②	15 해설 참조		16 해설 참조	
17 해설 참조		18 해설 참조			

01 원효의 일심 사상   답 ②

제시문의 사상가는 일심 사상을 주장한 원효이다. 원효는 일체의 대립을 떠나 서로 다른 쟁론을 하나로 귀결시키고자 하였다. 원효는 특정 종파의 사상에 기울지 않고, 당시 소개된 다양한 경전과 불교 사상가의 저작을 폭넓게 읽으면서 자신의 사상을 형성하였다.

02 원효의 사상   답 ③

제시문의 사상가는 원효이다. 원효는 모든 불경에 담긴 부처의 가르침 사이에 서로 모순이 없다는 것을 밝히고자 하였고, 불교의 대중화에 기여하였다.

03 원효의 일심 사상   답 ④

제시문의 사상가는 원효이다. 원효는 일심을 바탕으로 수많은 이론이 생기지만, 이는 다시 일심으로 종합되는 것임을 밝혔다. 이러한 원효의 일심 사상은 '모든 종파와 사상을 분리하여 고집하지 말고, 보다 높은 차원에서 하나로 종합해야 한다.'라는 원융회통(圓融會通) 사상으로 정립된다. 불교에서는 존재하는 모든 것은 고정불변하는 실체가 없다고 본다.

04 원효의 무애행   답 ②

㉠은 원효이다. 원효는 보통 사람도 염불을 하면 사후에 부처가 사는 땅에 태어나 성불할 수 있다고 가르쳐 불교가 대중에 널리 퍼질 수 있게 하였다. 원효는 중생 구제를 위해 깨달음을 추구하는 보살의 정신에 따라 출가 수행자의 계율에 구속되지 않고 무애행(無碍行)을 실천하였다. 무애행이란 원효가 표주박에 걸림이 없다는 뜻의 무애라는 이름을 붙이고 방방곡곡을 돌아다니며 보통 사람도 염불을 하면 사후에 부처가 사는 땅에 태어날 수 있다고 한 것이다. 이를 통해 원효는 당시 왕실 중심의 불교를 대중화하는 데 기여하였다.

05 의천의 사상   답 ①

제시문의 사상가는 의천이다. 의천은 교종을 중심으로 선종과의 조화를 중시하였으며, 내외겸전, 교관겸수를 강조하였다. 고려 초 교종과 선종의 대립 의식이 발생하자 의천은 이러한 대립을 극복하고자 이론적 측면에서 양자를 화해하는 길을 모색하였고, 훗날 직접 고려 천태종을 설립하여 교종을 축으로 선종을 통합하려 하였다. 의천은 선종과 교종의 갈등을 화해시키는 것을 무엇보다 중시하면서, 조화를 강조한 원효의 화쟁을 높이 평가하고 계승하였다.

06 의천의 교관겸수   답 ⑤

제시문의 사상가는 의천으로, 내외겸전에 대한 설명이다. 의천은 교종의 수행 방법과 선종의 수양 방법을 모두 갖추어야 한다는 것을 강조하였다. 교(敎)는 경전 속 부처의 가르침을 지적으로 이해하는 수행 방법으로, 교종에서 중시한다. 관(觀)은 명상 속에서 부처의 가르침을 음미하면서 진리를 통찰하는 수행 방법으로, 선종에서 중시한다. 이와 같이 교종과 선종의 방법을 모두 수용하여 깨달음을 추구하는 교관겸수에는 교종과 선종의 대립을 극복하려는 의지가 담겨 있다. 의천은 깨달음을 위해 종파에 얽매이지 않는 포용적 사유를 보인다.

07 원효와 의천의 사상   답 ⑤

갑은 원효, 을은 의천이다. 교종과 선종을 통합하여 조화를 실현하고자 하는 것은 의천에 대한 설명이다. 원효는 일체의 모든 이론은 일심 사상을 바탕으로 한 깨달음을 제시하고 있으며 하나인 마음의 진리를 다른 시각에서 본 것이라고 설명한다. 의천은 경전 읽기와 참선을 함께 수행하여 진리를 깨우쳐야 한다고 강조하며 교종과 선종의 대립을 해결하고자 하였다.

08 지눌의 사상   답 ⑤

제시문의 사상가는 지눌이다. 지눌은 선종의 입장에서 교종을 융화시키고자 하였으며 단번에 진리를 깨친 뒤 번뇌를 차차 소멸시키는 수양을 중시하였다.

정답을 찾아가는 셀파 - Tip

① 불성을 회복하여 시비와 선악을 초월해야 한다. (×)
→ 불성을 회복해 시비와 선악을 초월하는 것은 불교와 관련 없는 설명이다.
② 성인의 가르침을 배워 불변의 지식을 얻어야 한다. (×)
→ 불교에서는 불변의 지식을 강조하지 않는다.
③ 경전을 공부하는 것만이 참된 깨달음으로 인도한다. (×)
→ 지눌은 선종의 깨달음을 추구하면서 경전 공부의 중요성도 강조한다.
④ 지속적인 수양으로 타고난 본성을 변화시켜야 한다. (×)
→ 타고난 본성을 변화시키는 것은 불교와 관련 없는 설명이다.
⑤ 깨달은 후에도 나쁜 습관을 제거하기 위한 노력이 필요하다. (○)

09 지눌의 돈오점수   답 ③

제시문의 사상가는 지눌로, ㉠은 돈오, ㉡은 점수이다. 지눌은 점수를 위한 수행법으로 정(定)과 혜(慧)를 함께 닦아 나가는 것이 필요하다고 주장한다. 돈오는 '내 마음이 곧 부처'라는 사실을 한순간에 철저하게 자각하는 것이다. 그런데 돈오를 하더라도 내 마음속에 쌓인 오래된 인식과 습관은 바로 제거되지 않는다. 따라서 돈오의 바탕 위에 이를 점진적으로 제거하는 수행인 점수가 필요하다.

10 지눌의 사상   답 ⑤

제시문은 지눌의 사상이다. 지눌은 단박에 진리를 깨치는 돈오 뒤에 나쁜 습관을 차차 소멸시켜 나가는 점수의 필요성을 강조한다. 지눌은 돈오하더라도 오랫동안 누적된 그릇된 인식과 습기(習氣)는 바로 제거되지 않는다고 보았다. 따라서 이를 제거하기 위해서는 점진적이고 지속적인 수행인 '점수'가 필요하다고 보았다.

정답을 찾아가는 셀파 - Tip

ㄱ. 깨달음과 함께 마음속의 오래된 인식과 습관도 제거된다. (×)
→ 지눌은 깨달음 이후에 인식과 습관을 제거하는 수행이 필요하다고 본다.
ㄴ. 참된 깨달음을 위해 경전에 대한 의존에서 벗어나야 한다. (×)
→ 지눌은 선종의 깨달음 추구하면서도 경전 공부의 중요성을 강조한다.

11 지눌과 의천의 사상   답 ②

갑은 지눌, 을은 의천이다. 지눌은 단번에 진리를 깨친 돈오 후에도 습기를 제거하기 위한 점수의 필요성을 강조하였다. 의천은 경전 읽기와 참선을 함께 하는 수행을 강조하였다.

내 것으로 만드는 셀파 - Tip

▶ 의천과 지눌

의천	· 교종을 중심으로 선종과 조화해야 함 · 내외겸전: 외적인 공부와 내적인 수행을 함께 해야 함 · 교관겸수: 경전 공부와 참선 수행을 함께 해야 함
지눌	· 선종 중심으로 교종과 조화해야 함 · 돈오점수: 단박에 깨우친 뒤 습기를 제거하기 위한 수양이 필요함 · 정혜쌍수: 돈오 이후에 선정과 지혜를 함께 닦아야 함

12 호국 불교의 전통   답 ⑤

원광 법사의 세속오계, 고려의 대장경 간행, 조선 승려들의 의병 활동 등은 모두 한국 불교의 호국 불교적 성격을 보여 준다.

정답을 찾아가는 셀파 - Tip

① 종파 간의 통합을 추구하였다. (×)
→ 조화 전통의 특징에 대한 설명이다.
② 마음의 깨달음과 그 실천을 강조하였다. (×)
→ 실천 전통의 특징에 대한 설명이다.
③ 불교의 이론적 정비와 대중화에 기여하였다. (×)
→ 호국 불교적 성격과 관련 없는 설명이다.
④ 전통 신앙과 결합하여 기복적인 특징이 나타난다. (×)
→ 조화 전통의 특징에 대한 설명이다.
⑤ 나라의 위기를 극복하려는 호국 불교의 성격이 드러난다. (○)

13 한국 불교의 조화 전통   답 ②

제시문은 현대 사회의 다양한 갈등의 모습들을 보여 준다. 갈등은 서로 다름을 인정하지 못하기 때문에 발생하므로 한국 불교의 특징 중 차이와 다양성을 존중하는 조화의 정신에서 해결점을 찾을 수 있다.

14 한국 불교가 해결할 수 있는 현대 사회의 문제   답 ②

제시문은 원효의 사상이다. 원효는 온갖 대립과 갈등을 해소하여 더 높은 차원에서 통합할 것을 강조한다. 원효는 화쟁 사상을 바탕으로 당시 수많은 교종 이론들의 주장을 인정하고, 그것들의 대립을 더 높은 차원에서 통합하고자 하였다. 이러한 원효의 사상은 현대 사회의 다양한 갈등을 해결하는 데 도움을 줄 수 있다.

서답형 문제

15 원효의 무애행

모범 답안 | 원효는 중생 구제를 위해 깨달음을 추구하는 보살의 정신에 따라 출가 수행자의 계율에 구속되지 않고 무애행(無碍行)을 실천하였다. 원효는 전국 방방곡곡을 돌아다니며 보통 사람도 염불을 하면 사후에 부처가 사는 땅에 태어나 설법을 듣고 성불할 수 있다고 가르쳤다.

채점 기준	배점
원효의 무애행을 바르게 서술한 경우	상
원효의 무애행을 서술하였으나 잘못된 내용이 포함된 경우	중
무애행이 아닌 다른 내용을 서술한 경우	하

16 의천과 지눌의 수양 방법

모범 답안 | 갑은 의천이고 을은 지눌이다. 의천은 교종의 입장에서 선종과의 조화를 중시하며 교관겸수, 내외겸전을 주장하였다. 지눌은 선종의 입장에서 교종과의 조화를 추구하며, 돈오점수, 정혜쌍수를 주장하였다.

채점 기준	배점
원효와 의천의 수행 방법을 바르게 서술한 경우	상
원효와 의천 중 한 사상가의 수행 방법을 바르게 서술한 경우	중
원효와 의천이 아닌 다른 사상가의 수행 방법을 서술한 경우	하

17 혜능과 지눌의 수행 방법 비교

모범 답안 | 갑은 혜능, 을은 지눌이다. 혜능과 지눌 모두 타고난 본성인 불성을 단박에 자각함으로써 깨달음에 이를 수 있다고 보았다. 혜능은 깨달음의 순간 나쁜 습관도 함께 소멸한다고 본 반면에 지눌은 혜능과 달리 깨달음 이후에도 나쁜 습관을 없애는 지속적인 수행을 해야 한다고 하였다는 점에서 차이가 있다.

채점 기준	배점
혜능과 지눌의 수행 방법을 바르게 서술한 경우	상
혜능과 지눌 중 한 사상가의 수행 방법을 바르게 서술한 경우	중
혜능과 지눌의 수행 방법이 아닌 다른 내용을 서술한 경우	하

18 원효의 조화 정신

모범 답안 | 서로 다른 의견을 존중하며 보다 높은 수준에서 조화를 이루려는 노력이 필요하다.

채점 기준	배점
원효의 입장을 바르게 서술한 경우	상
원효의 입장에서 서술하였으나 잘못된 내용이 포함된 경우	중
원효가 아닌 다른 사상가의 입장에서 서술한 경우	하

도전 수능 문제
p. 71 ~ p. 73

01 ③	**02** ①	**03** ③	**04** ②	**05** ⑤	**06** ②
07 ②	**08** ③	**09** ①	**10** ⑤	**11** ③	**12** ④

01 원효와 지눌의 사상 〔답〕③

갑은 원효, 을은 지눌이다. 지눌은 단박에 깨친 후에 습기를 제거하기 위한 점진적인 수양이 필요하다는 것을 강조한다. 원효는 일심을 일체의 대립을 초월하는 것으로 보면서, 화쟁 사상을 강조하였다. 지눌은 '정'은 마음의 본체를, '혜'는 마음의 인식 작용을 가리키는 것으로서 둘로 분리되지 않는다고 보았다. 원효와 지눌 모두 모든 중생이 불성을 지녔다고 보았다.

02 원효와 혜능의 공통 입장 〔답〕①

갑은 원효, 을은 혜능이다. 원효는 다양한 논쟁을 하나의 마음으로 초월하는 일심 사상을 주장하였다. 혜능은 중국 선종의 대표자로, 자기 안의 타고난 불성의 자각을 통해 부처가 될 수 있음을 강조한다.

ㄷ. 중생도 염불만으로 이상 세계에 진입할 수 있다. (×)
→ 염불만 하면 부처가 사는 땅에 태어날 수 있다고 주장한 것은 원효이다.

ㄹ. 깨달은 순간부터 과거 행동의 결과는 모두 사라진다. (×)
→ 원효와 혜능 모두의 입장이 아니다. 깨달았다고 하더라도 그 순간에 '과거 행동의 결과'가 곧바로 사라지는 것은 아니다.

03 지눌의 사상 〔답〕③

제시문의 사상가는 지눌이다. 지눌은 정학을 강조하는 선종과 혜학을 강조하는 교종이 그 근본에서 일치한다는 점을 주장하였다. 지눌은 교종이 의지하는 부처의 언어적 가르침과 선종이 추구하는 교외별전(敎外別傳)은 그 근원에서 서로 모순되지 않는다고 설명한다. 또한 지눌의 선교일치론은 선종의 깨달음을 추구하면서도 "말로 말미암아 도(道)를 깨닫고 가르침에 의지하여 부처의 근본을 밝힌다."라고 강조하여 경전 공부의 중요성도 역설한다.

04 원효와 의천의 사상 〔답〕②

갑은 원효, 을은 의천이다. 원효는 모든 종파와 사상을 분리하여 고집하지 말고 보다 높은 차원에서 하나로 통합해야 한다고 주장하였다. 의천은 경전 공부와 명상 실천을 균형 있게 강조하는 교관겸수를 주장한다.

① 갑: 부처의 힘으로 극락왕생을 바라는 염불 수행은 삼가야 한다. (×)
→ 원효는 보통 사람도 염불을 하면 극락왕생할 수 있다고 보았다.

② 갑: 모든 종파의 이론들을 하나인 근원에 의거하여 회통해야 한다. (○)

③ 을: 능력이 출중한 자는 화두를 드는 간화선 수행을 해야 한다. (×)
→ 화두를 강조하는 것은 선종이다.

④ 을: 점차적인 수행을 거치지 않고 단박에 깨달아야[頓悟] 한다. (×)
→ 선종의 입장이다.

⑤ 갑, 을: 선(禪) 수행을 중심으로 하여 경전 연구를 병행해야 한다. (×)
→ 선을 수행하며 경전 연구를 병행할 것을 강조하는 것은 지눌이다.

05 의천과 지눌의 사상 〔답〕⑤

갑은 의천, 을은 지눌이다. 의천과 지눌은 모두 세상 만물이 항상 변화한다는 것을 깨달아야 함을 강조하였으며, 교종과 선종의 조화를 추구하였다. 교종과 선종의 조화를 위해 의천은 교관겸수와 내외겸전을 주장하였고, 지눌은 정혜쌍수를 주장한다.

① 갑: 모든 존재는 자성(自性)이라는 고정된 실체를 지니고 있다. (×)
→ 불교에서는 고정된 실체를 부정한다.

② 갑: 경전을 충실하게 공부하면 참선 수행까지 할 필요는 없다. (×)
→ 의천은 경전 공부와 참선 수행을 함께 강조한다.

③ 을: 본체인 선정을 작용인 지혜보다 우선적으로 닦아 나가야 한다. (×)
→ 지눌은 선정과 지혜를 함께 닦아야 한다고 보았다.

④ 을: 선(禪)은 부처의 말씀과 같고 교(敎)는 부처의 마음과 같다. (×)
→ 지눌은 부처의 말씀이 교이고, 부처의 마음이 선이라고 보았다.

⑤ 갑, 을: 세상의 모든 것이 변화한다는 것[無常]을 깨달아야 한다. (○)

06 의천과 지눌의 사상 답 ②

갑은 의천, 을은 지눌이다. 의천은 교종을 중심으로 선종과의 조화를 추구하고자 하였고, 내외겸전, 교관겸수를 주장하였다. 지눌은 선종을 중심으로 교종과의 조화를 추구하고자 하였고, 돈오점수와 정혜쌍수를 강조하였다.

07 원효의 일심 사상 답 ②

제시문의 사상가는 원효이다. 원효는 일심 사상을 주장하면서 참다운 진리의 측면과 현실의 측면 두 가지의 구분을 보다 높은 경지에서 조화시키고자 한다.

08 원효와 지눌의 사상 답 ③

갑은 일심 사상을 주장한 원효, 을은 돈오점수를 주장한 지눌이다. 원효는 불교의 모든 종파 사이의 차이를 극복하는 조화의 관점을 제시하였고, 지눌은 깨달은 뒤에도 지속적인 수양의 과정이 필요함을 강조하였다.

09 원효와 지눌의 사상 답 ①

갑은 원효, 을은 지눌이다. 원효는 현상이 고정적 실체로 존재한다는 것을 긍정하지 않는다.

10 지눌과 원효의 사상 답 ⑤

갑은 지눌, 을은 원효이다. 지눌에 따르면 화두를 통해 깨달음에 이를 수 있다. 원효는 무애행을 실천하며 누구나 깨달음에 이를 수 있다고 보았다. 지눌에게 있어 마음의 본체는 선정이고, 마음의 작용은 지혜이다.

11 원효와 의천의 사상 답 ③

갑은 원효, 을은 의천이다. 의천은 경전의 가르침인 교(敎)와 마음을 바라보는 관(觀)을 함께 닦아야 한다고 보았다.

12 한국 불교 사상의 특징 답 ④

학생의 노트 필기는 한국 불교 사상의 원효, 의천, 지눌의 사상을 정리한 것이다. 지눌은 한 번에 깨달은 후 점진적인 수행이 필요함을 강조하였다.

05 무위자연의 윤리

탄탄 내신 문제   p. 78 ~ p. 82

01 ②	02 ①	03 ①	04 ④	05 ②	06 ①
07 ④	08 ④	09 ③	10 ②	11 ①	12 ⑤
13 ③	14 ③	15 해설 참조		16 해설 참조	
17 해설 참조		18 해설 참조			

01 노자의 사상 답 ②

제시문의 사상가는 노자이다. 노자는 자연의 흐름에 따라 삶을 살아야 한다고 주장하였다. 노자는 유위(有爲)에 의한 문명이 인간과 만물의 본성을 왜곡하여 개인과 사회에 도덕적 문제가 일어난다고 보았다. 노자는 이를 무위자연(無爲自然)의 방법으로 치유할 수 있다고 주장한다. 무위자연이란 인위를 행하지 않고 자연에 따르는 것으로, 노자가 말하는 자연은 곧 도이다.

정답을 찾아가는 셀파 - Tip

① 겸손한 자세로 예의를 실천해야 한다. (×)
  → 노자는 예의와 같은 인위적인 것이 세상을 혼란하게 하는 원인이라고 본다.
② 자연의 흐름에 따라 소박한 삶을 살아야 한다. (○)
③ 분별적 인식을 바탕으로 규율을 정비해야 한다. (×)
  → 노자는 분별과 같은 인위적인 것을 거부한다.
④ 법에 의해 통치되는 이상적 공동체를 형성해야 한다. (×)
  → 노자가 생각하는 이상적 공동체는 무위의 다스림이 이루어진다.
⑤ 옳은 일을 반복적으로 실천하여 도덕성을 회복해야 한다. (×)
  → 맹자의 호연지기에 대한 설명이다.

02 노자의 소국과민 답 ①

제시문은 노자가 제시한 소국과민에 대한 설명이다. 노자는 적은 국민이 있는 작은 국가에서 인위적 제도에 얽매이지 않는 무위의 정치를 실현하고자 하였다. 자연에 따를 것을 주장한 노자는 어떤 문화적인 가치보다 인간의 자연스러운 본질인 생명이 중요하다고 본다. 그래서 노자는 생명 중시라는 이상을 실현하고자 소국과민(小國寡民)을 주장한다.

03 노자의 상선약수 답 ①

제시문의 사상가는 노자로, 상선약수에 대한 설명이다. 노자는 무위자연의 속성을 물이 갖는 속성에 비유하며 인위를 가하지 않은 자연스러움을 강조하고, 겸허와 부쟁의 덕이 실현되어야 함을 주장한다. 노자에 따르면 물은 낮은 곳에 머물면서 만물을 이롭게 하고 남과 다투지 않는다.

04 장자의 사상 답 ④

제시문의 사상가는 장자이다. 장자는 만물을 도의 관점에서 평등하게 바라보아야 함을 강조한다. 장자에 따르면 만물은 각기 다르기 때문에 취향이나 관점도 서로 다를 수밖에 없다. 만일 동일한 취향이나 관점이 존재한다면 그것은 인위적으로 조작된 것으로, 진실한 취향이나 관점이라 할 수 없다. 이는 곧 만물은 모두 상대적이고, 단지 주관적인 방식으로만 판단된다는 것을 의미한다. 즉 옳고 그름은 객관적인 관점이 아니라 자기의 관점에서만 말할 수 있다.

05 장자의 도 답 ②

제시문의 사상가는 장자이다. 장자는 옳고 그름은 객관적인 관점이 아니라 자기 관점에서만 말할 수 있다고 본다. 따라서 모든 것은 객관적으로 옳고 그름이나 비교를 벗어난 상태에 있다. 이러한 의미에서 장자는 도의 관점에서 보면 모두가 동일하고 그러므로 완전하게 평등하다고 주장하였다.

06 장자의 사상   답 ①

제시문의 사상가는 장자이다. 장자는 만물을 자기중심적 관점에서 바라봄으로써 혼란이 발생한다고 본다. 장자는 각각의 사물이 갖는 특성을 바탕으로 상대적으로 인식할 것을 강조한다. 또한 장자는 만물은 끊임없이 변화하므로 인간의 감각과 마음을 통해서는 참된 지식을 얻을 수 없다고 보았다. 감각과 마음을 통해 얻는 지식은 때와 상황에 따라 다를 수 있을 뿐만 아니라 관점에 따라서도 달라지기 때문이다.

07 장자의 사상   답 ④

제시문은 장자의 사상이다. 장자는 모든 것은 객관적으로 옳고 그름이나 비교를 벗어난 상태에 있다고 본다. 그는 도의 관점에서 보면 만물에 우열이 없다는 제물(齊物)을 주장한다.

08 노자와 장자의 사상   답 ④

갑은 노자, 을은 장자이다. 노자는 사유나 감정을 가지고 무엇을 조작하지 않는 무위(無爲)를 강조한다. 장자는 소요유의 경지에 이르기 위한 수양법으로 마음속의 인위와 조작을 지우는 좌망(坐忘)을 제시한다.

정답을 찾아가는 셀파 - Tip

ㄱ. 갑은 겸허의 덕으로 인의(仁義)를 실현해야 함을 강조한다. (×)
→ 노자는 인의와 같은 인위적인 규범을 거부한다.

ㄷ. 을은 옳고 그름에 대한 객관적인 기준이 필요하다는 점을 강조한다. (×)
→ 장자는 옳고 그름은 객관적인 관점이 아니라 자기의 관점에서만 말할 수 있으므로 모든 것은 객관적인 옳고 그름과 비교에서 벗어나야 한다고 본다.

09 노자와 장자의 무위자연   답 ③

갑은 장자, 을은 노자이다. 장자와 노자는 모두 무위자연(無爲自然)을 따르는 삶을 강조한다. 노자는 도는 항상 인위와 조작이 없다고 하며, 인위가 없을 때 자연이 왜곡되거나 변형되지 않고 발휘될 수 있기에 오히려 모든 것이 이루어진다고 주장한다. 장자는 노자의 사상을 계승하여 도가 사상을 심화하였다. 장자는 도의 관점에서 만물의 평등함과 정신의 자유로움을 강조하였다.

정답을 찾아가는 셀파 - Tip

① 인의(仁義)의 덕이 만물을 이롭게 하는가? (×)
→ 노자와 장자는 인의의 덕을 사회 혼란의 원인으로 보았다.

② 인간의 감각에 근거하여 진리를 추구해야 하는가? (×)
→ 노자와 장자는 만물을 도의 관점에서 인식해야 한다고 보았다.

③ 자연의 이치에 따르는 소박한 삶을 지향해야 하는가? (○)

④ 성현의 가르침을 바탕으로 제도를 정비해야 하는가? (×)
→ 노자와 장자는 인위적인 제도를 거부하였다.

⑤ 지속적인 수양을 통해 타고난 본성을 변화시켜야 하는가? (×)
→ 노자와 장자는 타고난 자연적 본성의 실현을 목표로 한다.

10 노자와 순자의 사상   답 ②

갑은 노자, 을은 순자이다. 노자는 도는 사유나 감정을 가지고 무엇을 조작하지 않고, 하늘과 땅은 어질지 않다고 주장한다. 순자는 타고난 본성을 인위적인 규범을 통해 다스려야 한다고 본다. 따라서 예의 규범을 강조한다.

정답을 찾아가는 셀파 - Tip

① 갑은 타고난 본성을 극복하기 위해 수양할 것을 강조한다. (×)
→ 노자는 타고난 자연적 본성에 따라 살아야 한다고 본다.

② 갑은 하늘과 땅은 인간적인 덕목을 가지지 않는다고 본다. (○)

③ 을은 본성을 잘 보존해 도덕적인 인간이 될 것을 강조한다. (×)
→ 순자는 타고난 본성을 인위적 규범으로 다스려야 한다고 본다.

④ 을은 예의 규범이 사회를 혼란하게 만드는 원인이라고 주장한다. (×)
→ 순자는 예의 규범을 통해 도덕적인 사회를 만들어야 한다고 본다.

⑤ 갑, 을은 모든 것은 객관적으로 옳고 그름이나 비교를 벗어난 상태라고 본다. (×)
→ 노자만이 지닐 수 있는 관점이다.

11 도교 사상의 전개   답 ①

㉠은 황로학파, ㉡은 오두미교, ㉢은 현학에 대한 설명이다. 황로학파는 도가를 바탕으로 유가, 묵가, 법가를 수용하여 무위의 정치를 중시하였고, 오두미교는 교리를 믿고 규율과 의식을 따르면 병이 낫는다고 주장하였다. 현학은 현실과 거리가 있는 청담 사상을 제시하였다.

내 것으로 만드는 셀파 - Tip

▶ 도교의 전개

황로학파	• 황제와 노자의 이름에서 유래함 • 제왕의 통치술인 무위를 통한 다스림을 강조함
태평도	• 태평 시대의 도래를 추구함 • 인간의 질병과 고통은 악행 때문에 발생한다고 봄 • 선행의 실천을 강조함
오두미교	• 노자를 교조로 도덕경을 경전으로 삼음 • 도덕적 선행을 통한 질병의 치료를 강조함
현학	• 도가 사상을 철학적으로 계승함 • 현실에서 벗어나 청담을 즐김 • 정신적 자유를 추구함

12 위진 시대 현학   답 ⑤

제시문은 현학에 대한 설명이다. 현학은 도가 사상을 철학적으로 계승하여 현실과 거리가 있는 청담을 즐겼다. 한나라 말기 이후 사회가 혼란해지고 강압적인 통치가 이루어지자 도가 사상이 성행하였다.

13 위진 시대의 현학과 유교   답 ③

(가)는 위진 시대의 현학이고, (나)는 유교 사상이다. 현학자들은 정치적 혼란에서 벗어나 정신적 자유를 추구하였다.

정답을 찾아가는 셀파 - Tip

① 본성을 변화시켜 인위를 일으켜야 합니다. (×)
→ 현학자들은 현실에서 벗어난 정신적 자유를 추구한다.

② 각자의 사회적 역할을 소홀히 해서는 안 됩니다. (×)
→ 유교에서 현학자에게 제시할 견해이다.

③ 정치적 혼란에서 벗어나 예술에 집중해야 합니다. (○)

④ 선한 본성을 잘 길러서 인의예지를 실천해야 합니다. (×)
→ 유교에서 제시할 견해이다.

⑤ 예라는 객관적 기준에 따라 세상을 다스려야 합니다. (×)
→ 순자가 제시할 견해이다.

14 도교 사상의 흐름 답 ③

제시문은 도교 사상의 전개 과정에 대한 설명이다. 오두미교는 도덕적 선행이 질병을 낫게 한다는 점을 강조하며 민중의 삶에 영향을 주었다.

서답형 문제

15 노자의 사상

모범 답안 | 노자는 인, 의 효, 자애 등 인위적인 것 때문에 사회 혼란이 발생한다고 보았다. 노자는 도(道)에 따를 때 사회 혼란을 극복할 수 있다고 주장한다. 노자가 제시한 도는 천지 만물의 근원이자 변화 법칙으로, 인간의 경험과 상식으로는 파악할 수 없는 절대적이고 근원적인 것이다.

채점 기준	배점
노자의 도(道)를 바르게 서술한 경우	상
노자의 도(道)를 서술하였으나 잘못된 내용이 포함된 경우	중
노자가 아닌 다른 사상가의 개념을 서술한 경우	하

16 장자의 수양 방법

모범 답안 | 장자는 정신적 자유의 경지에 도달하기 위한 수양 방법으로 좌망(坐忘)과 심재(心齋)를 제시한다. 좌망은 마음속에서 인위와 조작으로 된 것을 지우는 훈련이고, 심재는 마음을 깨끗이 하는 것이다.

채점 기준	배점
좌망과 심재를 바르게 서술한 경우	상
좌망과 심재 중 한 가지만 바르게 서술한 경우	중
좌망과 심재가 아닌 다른 내용을 서술한 경우	하

17 장자의 사상

모범 답안 | (가) 사상가는 장자이다. 장자는 도의 관점에서 보면 만물이 우열이 없다고 본다. 또한 도의 관점에서 보면 모두가 동일하고 완전하게 평등하다. 그러므로 우리는 외국인을 대할 때 서로 다른 태도로 대해서는 안 된다.

채점 기준	배점
장자의 입장에서 바르게 서술한 경우	상
장자의 입장에서 서술하였으나 잘못된 내용이 포함된 경우	중
장자의 아닌 다른 사상가의 입장에서 서술한 경우	하

18 도교에서 바라보는 마음과 육체의 관계

모범 답안 | 도교는 수련을 통해 신선이 되려는 내단(內丹)을 주장하였다. 내단은 인간의 정신과 육체를 수련하는 방식으로 성명쌍수(性命雙修)라고 한다. 도교는 마음과 육체가 서로 밀접하게 영향을 주고받는다고 보아 건강하지 못한 몸에 건전한 정신이 깃들 수 없고 불건전한 정신은 결국 몸도 망친다고 주장한다.

채점 기준	배점
도교의 마음과 육체의 관계를 바르게 서술한 경우	상
도교의 마음과 육체의 관계를 서술하였으나 잘못된 내용이 포함된 경우	중
도교가 아닌 다른 사상을 서술한 경우	하

도전 수능 문제 p. 83 ~ p. 85

01 ④	02 ④	03 ③	04 ②	05 ②	06 ④
07 ③	08 ①	09 ⑤	10 ①	11 ②	12 ⑤

01 노자의 사상 답 ④

제시문의 사상가는 노자이다. 노자는 무위자연의 경지에 이르기 위하여 허정에 힘쓸 것을 강조하였다. 허정은 마음에 내재한 일체의 인위적인 것을 비워 낸 본래의 마음 상태를 말한다. 그래서 노자는 무위와 무욕(無欲)의 자세로 살아가야 한다고 보았다.

정답을 찾아가는 셀파 - Tip

① 도는 감각적으로 경험되지 않으나 언어로 온전히 규정된다. (×)
→ 노자는 도를 언어로 규정할 수 없다고 본다.
② 도가 천하에 행해지면 인의를 갖춘 현자(賢者)가 숭상된다. (×)
→ 노자는 인의와 같은 규범을 거부한다.
③ 도를 인륜의 근본으로 삼아 예법(禮法)을 발달시켜야 한다. (×)
→ 노자는 예법을 강조하지 않는다. 예법을 강조하는 것은 순자이다.
④ 도에 따라 살기 위해 마음을 비우고 고요하게[虛靜] 해야 한다. (○)
⑤ 도를 체득해야만 자신의 본성을 교정하여 선을 이룰 수 있다. (×)
→ 노자는 자연스러운 본성을 따를 것을 강조한다.

02 노자의 사상 답 ④

제시문은 노자의 사상이다. 노자는 자연스러운 덕을 상덕(上德)이라고 하며, 무위, 무욕, 소박 등의 모습을 설명하였다. 노자의 입장에서 하덕은 인위적인 가치가 개입된 것들을 말한다.

03 노자와 공자 비교 답 ③

갑은 노자, 을은 공자이다. 노자는 인위적 가치 및 제도가 사회 혼란의 원인이라고 보고 소박한 삶을 지향하였다. 공자는 개인의 도덕적 함양을 중시하여 인(仁)의 가치를 중시하였으며, 대동 사회를 이상 사회로 제시한다.

04 장자의 사상 답 ②

제시문의 사상가는 장자이다. 장자는 인간은 자신의 편견에서 벗어나 도의 관점에서 만물을 바라보면 평등하게 대할 수 있음을 강조한다. 장자는 인간의 자기중심적 편견에서 비롯된 분별은 상대적인 것일 뿐이라고 보았다. 이러한 관점에서 그는 시비, 귀천, 미추, 생사 등의 분별을 초월하여 자연 만물이 절대적으로 평등하다고 보는 제물(齊物)의 경지를 제시하였다.

05 노자와 장자의 사상 답 ②

갑은 노자, 을은 장자의 사상이다. 노자는 무위자연의 실현을 강조하였고, 장자는 좌망과 심재의 수양을 중시하였다.

정답을 찾아가는 셀파 - Tip

ㄴ. 을은 분별적 지식을 얻는 수행으로서 좌망(坐忘)을 강조한다. (×)
→ 장자가 주장하는 좌망은 마음속의 인위와 조작을 지우는 훈련이다.
ㄷ. 을은 성인의 다스림을 통한 자연적 본성[性]의 교화를 강조한다. (×)
→ 장자는 자연의 도에 따라 살아야 정신적 자유를 실현할 수 있다고 보았다.

06 장자의 사상 답 ④

제시문의 사상가는 장자이다. 장자는 시비에 얽매이지 않는 정신적 자유의 경지인 소요유를 지향하였다. 소요유는 어디에도 구애받지 않는 편안한 산책이란 의미로, 모든 사람은 각자 타고난 본성과 능력에 따라 유유자적하게 살아야 한다는 주장이다.

07 장자의 사상 답 ③

제시문의 사상가는 장자이다. 장자는 도의 관점에서 보면 만물에 우열이 없다는 제물(齊物)을 주장한다. 제물이란 세속의 차별 의식에서 벗어나 '도'의 관점에서 만물을 평등하게 인식하는 것이다. 제물의 관점에서 사물을 보면 선악, 미추, 빈부 등의 분별은 상대적인 것에 불과하며 모든 차별이 사라진다.

08 장자와 노자의 사상 답 ①

갑은 장자, 을은 노자이다. 장자는 소요유와 같은 자유에 이르기 위해 좌망과 심재를 강조한다. 좌망은 마음속에서 인위와 조작으로 된 것을 지우는 훈련이고, 심재는 마음을 깨끗이 하는 것이다. 장자는 좌망과 심재의 수양으로 모든 인위·조작적인 것이 사라지면 도가 드러난다고 한다.

09 장자와 맹자 답 ⑤

갑은 장자, 을은 맹자이다. 장자는 인의(仁義)와 예(禮)에 대해 비판적인 입장을 취하였다. 그에 따르면 인의는 인간 본성을 어지럽히고 예는 세상을 혼란하게 한다.

정답을 찾아가는 셀파 - Tip

① 언어[言]로 도에 이를 수 있고 인위로 인의를 형성할 수 있는가? (×)
→ 장자는 언어로 도에 이를 수 없다고 보았다. 또한 인위를 거부하였다.

② 이상적 경지에 이르기 위해 누구나 따라야 할 도가 존재하는가? (×)
→ 장자는 누구나 따라야 할 객관적 진리를 거부한다.

③ 도를 행하면 분별적 지식이 늘어나고 타고난 덕성이 함양되는가? (×)
→ 장자는 분별적이고 인위적인 지식을 거부한다.

④ 도의 관점에서 사물을 바라보고 선악을 명확히 구분해야 하는가? (×)
→ 장자는 도의 관점에서 보면 모두 동일하고 평등하다고 본다.

⑤ 인의는 인간 본성을 어지럽히고 예(禮)는 세상을 혼란하게 하는가? (○)

10 장자와 순자 답 ①

갑은 순자, 을은 장자이다. 순자는 덕과 능력을 헤아려서 관직을 맡겨야 할 것을 강조하지만 재화의 균등 분배를 강조하지는 않는다.

11 장자와 불교 답 ②

갑은 장자, 을은 석가모니이다. 장자는 인간의 탄생과 죽음을 기(氣)가 모이고 흩어지는 자연 현상으로 인식한다. 불교에서는 해탈하기 이전까지 삶과 죽음은 끊임없이 반복된다고 본다.

12 도교의 특징 답 ⑤

제시문은 도교의 글이다. 도교는 양생을 중시하였고, 이를 위해 정신 수련과 의약 연구가 필요하다고 보았다. 또한 기를 단련해 수명 연장을 도모할 수 있고, 도에 이르기 위해 자연의 이치에 따라 살아가야 한다고 주장하였다.

06 한국과 동양 윤리 사상의 의의

탄탄 내신 문제 p. 90 ~ p. 93

01 ② 02 ② 03 ④ 04 ④ 05 ④ 06 ①
07 ④ 08 ② 09 ④ 10 ② 11 해설 참조
12 해설 참조 13 해설 참조 14 (1) ㉠ 군자,
㉡ 보살, ㉢ 진인 (2) 해설 참조

01 실학 사상 답 ②

제시문은 실학자 홍대용의 사상이다. 홍대용은 국가 경제를 회복하고 백성들의 삶을 윤택하게 하기 위해서는 먼저 노동을 비천하게 생각하는 의식이 변화되어야 하고, 각 개인의 재능에 따라 누구든지 직업을 갖고 놀고먹는 사람이 없게 해야 한다고 주장하였다. 이러한 홍대용의 주장에는 직업적 서열만을 중시하던 당시 현실에 대한 비판 정신과 개혁 의지가 담겨 있다. 사단과 칠정에 관해 심도 있게 논의한 것은 성리학에 대한 설명이다.

02 정제두의 사상 답 ②

제시문의 사상가는 정제두이다. 정제두는 인간을 도덕적 주체로 여겨 참된 자아를 각성할 것을 강조하였다. 또한 양명학을 뿌리로 하면서 불교, 도교 등 다른 사상에도 관심을 가졌다. 정제두는 심즉리설을 바탕으로 선한 삶의 근거를 자신의 내면, 즉 양지에서 찾고자 하였다. 특히, 인간의 육체적 욕구로 말미암아 생겨나는 사사로운 욕심을 없애기 위한 노력을 강조하였다.

정답을 찾아가는 셀파 - Tip

ㄴ. 사물의 이치를 탐구하여 진리를 구하려 하였다. (×)
→ 성리학의 격물치지에 대한 설명이다.

ㄹ. 만물에 선천적으로 이치가 내재되어 있다고 보았다. (×)
→ 만물에 선천적으로 이치가 내재되어 있다고 본 것은 성리학이다.

03 위정척사 사상 답 ④

제시문은 위정척사 사상이다. 위정척사 사상은 성리학에 바탕을 둔 유교적 질서를 지키고 서양의 종교와 문물을 배척해야 한다고 주장하였다. 이항로를 비롯해 위정척사를 주장한 학자들은 서양의 사상과 문물이 유교 윤리를 무너뜨리는 것이라고 보았다. 그래서 이들은 내적으로는 군주와 집권 관료층의 수양을 강조하면서 동시에 외적으로는 서양의 사상과 문물을 이단으로 규정하여 척양(斥洋)·척왜(斥倭)를 주장하였다.

04 동도서기론 답 ④

제시문은 개화사상 중 온건한 개화론인 동도서기론이다. 동도서기론은 유교의 질서를 지키면서 서양의 우수한 과학 문명을 받아들이자고 주장한다. 새로운 정부를 구성하자는 주장은 급진적 개화론이다. 이러한 개화사상들은 급변하는 국제 사회의 현실을 직시하고 서구 문명을 능동적으로 수용하여, 부국강병과 사회 개혁을 도모하는 근대 지향적인 사상의 면모를 보여 주었다. 개화사상은 구한말 애국 계몽 운동으로 이어졌다.

내 것으로 만드는 셀파 - Tip

▶ 개화사상

온건적 개화론	유교적 질서를 지키면서 서양의 과학 기술을 수용하자는 동도서기를 주장함
급진적 개화론	전제 군주제를 개혁하고 새로운 정부를 구성해 조선의 유교적 질서를 근본적으로 변혁하자고 주장함

05 동학 사상 답 ④

제시문은 동학에 대한 설명이다. 동학은 인간 존중과 평등의 정신을 제시하였다. 또한 후천 개벽 사상을 제시하여 신분 차별이 사라진 자유롭고 평등한 이상 사회가 현실에 도래할 것이라는 희망을 백성에게 심어 주었다. 동학은 천인합일의 관점에서 인간 존중과 평등을 제시한다. 이는 '내 안에 한울님을 모시고 있다[侍天主].' ' 내 마음이 곧 네 마음이다[吾心卽汝心].', '사람이 곧 하늘이다[人乃天].' 등의 가르침에 잘 드러나 있다.

정답을 찾아가는 셀파 - Tip

ㄱ. 원한을 풀면 육체가 영생한다고 보았다. (×)
→ 증산교에 대한 설명이다.

ㄷ. 성리학적 세계관을 통한 외세의 극복을 주장하였다. (×)
→ 위정척사 사상에 대한 설명이다.

06 원불교와 증산교 답 ①

갑은 원불교, 을은 증산교이다. 원불교는 세상의 변화에 대처할 수 있는 정신의 개벽을 주장하며 보은, 평등, 자비 실천을 강조한다. 증산교는 세상이 잘못되는 까닭은 사람들의 원한이 쌓였기 때문이라고 보고 원한을 풀어 함께 살아갈 것을 주장하였다. 이러한 신흥 종교들은 당시 혼란과 갈등을 극복하기 위한 방안을 제시하여 많은 호응을 얻었다.

내 것으로 만드는 셀파 - Tip

▶ 신흥 종교

동학	• 보국안민을 목표로 최제우가 창시함 • 경천 사상을 제시함 • 시천주, 사인여천, 인내천, 오심즉여심 등의 사상을 제시함 • 인간 존중과 평등 정신을 제시함
증산교	• 무속 신앙과 유·불·도 사상이 융합됨 • 해원상생과 보은 사상을 제시함
원불교	• 일상생활 속에서 수행할 것을 강조함 • 일원상을 신앙의 대상으로 삼음

07 유교의 이상적 인간상 답 ④

㉠은 유교의 이상적 인간상인 군자이다. 마음을 비우는 수양을 통해 인위적 욕심과 차별적 지식을 버리는 것은 도가의 이상적 인간상에 대한 설명이다. 유교의 군자는 스스로 덕을 닦고 타인을 배려하며 살기 좋은 사회와 나라를 위해 헌신하는, 인격이 훌륭한 사람이다. 즉 인의예지의 덕을 두루 갖추고 사회 속에서 자신의 도덕적 책임을 자각하여 좋은 공동체를 만들고자 노력하는 존재이다.

08 불교의 이상적 인간상 답 ②

제시문은 불교 사상에 대한 설명으로 불교의 이상적 인간은 보살이다. 보살은 위로는 깨달음의 지혜를 구하고 아래로는 중생을 교화하고 구제하면서 부처가 되기를 추구한다. 대승 불교에 따르면, 자신과 타인은 둘이 아니므로 보살은 타인이 느끼는 삶의 고통에 공감하고 타인에게 정신적·물질적으로 조건 없이 베풀며 함께 잘 사는 공동체를 만들고자 노력한다.

정답을 찾아가는 셀파 - Tip

ㄴ. 자신의 윤리적 성숙을 타인에게 보여 주고자 한다. (×)
→ 보살은 내면적 수양을 중시한다.

ㄹ. 수행을 통해 분별적 지식에서 벗어난 자유를 얻고자 한다. (×)
→ 도가 사상에서 추구하는 인간상이다.

09 도가의 이상적 인간상 답 ④

제시문은 도가의 사상이다. 도가의 이상적 인간은 어디에도 얽매이지 않고 진정한 자유를 누리고, 정신적 자유를 추구하는 존재이다. 중생의 어려움을 돕고자 헌신하는 존재는 불교의 이상적 인간인 보살이다. 도가의 이상적 인간은 남과 다투거나 싸우지 않고, 자기를 내세우지 않고 겸허하게 살아가며, 꾸밈과 가식 없이 소박한 삶을 지향한다. 또한 부귀나 명예와 같은 세속적 가치로부터 자유롭다. 그래서 물질적 가치에 집착하지 않고, 초연하게 정신적 자유를 누리면서 만물을 차별하지 않고 대하며, 조화로운 삶을 추구한다.

10 동양의 이상적 인간상 답 ②

제시된 내용은 조화로운 삶의 중요성을 강조하는 동양 사상의 특징이다. 이러한 조화의 정신은 사회 갈등을 극복하고 조화로운 삶이 실현된 사회를 만드는 데 도움을 준다. 군자는 자신의 생각을 지키면서도 타인과 조화롭게 살아가는 화이부동(和而不同)을 실천하며, 보살은 중도(中道)의 깨달음을 추구하며 살아간다. 지인·진인의 삶 역시 자연과 조화를 이룬 삶을 지향한다.

정답을 찾아가는 셀파 - Tip

① 부단한 자기 수양을 바탕으로 깨달음을 얻게 한다. (×)
→ 동양 윤리 사상의 자기 수양적 특성에 대한 설명이다.

② 조화 정신을 제시하여 사회 갈등 해결에 도움을 준다. (○)

③ 도덕적 사회를 구현하기 위한 제도 정비를 제시해 준다. (×)
→ 제시된 군자, 보살, 지인·진인에 대한 설명과 관련 없는 내용이다.

④ 정신적·윤리적 가치를 추구하는 삶의 모습을 제시해 준다. (×)
→ 동양 윤리 사상이 정신적·윤리적 가치를 추구하는 모습에 대한 설명이다.

⑤ 인간의 존엄성과 생명의 가치가 실현된 사회를 지향한다. (×)
→ 동양 윤리 사상이 추구하는 생명 존중 정신에 대한 설명이다.

11 실학의 특징

모범 답안 | ⊙은 실학이다. 실학의 특징은 세상을 다스리는 데 실익을 증진하는 학문을 하자는 경세치용, 경제적 풍요와 사회 복지에 힘써야 한다는 이용후생, 사실에 근거해 진리를 탐구하자는 실사구시로 요약할 수 있다.

채점 기준	배점
실학의 특징 세 가지를 바르게 서술한 경우	상
실학의 특징 두 가지를 바르게 서술한 경우	중
실학의 특징 한 가지를 바르게 서술한 경우	하

12 동학의 평등 사상

모범 답안 | (가)는 동학 사상이다. 북한 이탈 주민이나 이주민이라는 이유로 차별하지 말고, 인간은 모두 평등하고 존엄한 존재임을 인식하고 평등하게 대우해야 한다.

채점 기준	배점
평등, 존엄 등을 언급하여 바르게 서술한 경우	상
평등, 존엄 등을 언급하지 않고 서술한 경우	중
동학이 아닌 다른 사상을 포함하여 서술한 경우	하

13 위정척사 사상과 동도서기론

모범 답안 | 갑은 위정척사 사상, 을은 동도서기론이다. 둘 모두 유교적 가치를 인정하고 유교적 가치의 보존을 중시하였으나, 위정척사 사상은 서양 문물은 배척할 것을 주장하였고, 동도서기론은 서양이 우위에 있는 과학과 기술을 수용하자고 주장하였다.

채점 기준	배점
위정척사 사상과 동도서기론의 공통점과 차이점을 바르게 서술한 경우	상
공통점과 차이점 중 한 가지만 바르게 서술한 경우	중
위정척사 사상과 동도서기론이 아닌 다른 내용을 서술한 경우	하

14 유교·불교·도교의 이상적 인간상

(1) ⊙ 군자, ⓒ 보살, ⓒ 진인(지인)

(2) **모범 답안** | 보살은 자신의 깨달음뿐만 아니라 중생의 구제를 추구하므로 공감과 배려의 능력을 기르도록 가르침을 준다. 타인의 고통을 함께한다는 마음으로 더불어 사는 사회를 만들기 위해 노력해야 한다.

채점 기준	배점
보살의 입장에서 해결 방안을 바르게 서술한 경우	상
보살의 입장에서 해결 방안을 서술하였으나 잘못된 내용이 포함된 경우	중
보살이 아닌 다른 이상적 인간의 입장을 서술한 경우	하

도전 수능 문제

p. 94 ~ p. 95

01 ④	02 ④	03 ①	04 ②	05 ④	06 ①
07 ④	08 ④				

01 맹자와 정제두의 사상 ⊕ ④

갑은 맹자, 을은 정제두이다. 맹자에 따르면 인간은 누구나 선한 마음인 사단을 지니고 있으므로 인간은 이를 잘 키워서 인의예지를 실천해야 한다. 그래서 맹자는 욕심을 줄이고 선한 본심을 잘 보존하며 선한 본성을 잘 길러서 사단을 확충할 것을 강조한다. 반면에 정제두는 양지를 천리로 보는 왕수인의 입장을 계승하였다. 정제두의 학문을 계승한 강화학파는 사물의 이치에 대한 탐구를 강조한 성리학적 입장에서 벗어나, 주체로서의 참된 자아에 대한 각성과 생활 속의 실천을 중시하였다.

정답을 찾아가는 셀파 - Tip

ㄱ. 갑: 본성 실현을 위해 후천적 노력은 필요 없다. (×)
→ 맹자는 선한 본성을 실현하기 위해 선한 본심을 보존하려는 노력이 필요하다고 주장한다.

ㄷ. 을: 도덕 행위의 기준은 마음 밖에서 찾아야 한다. (×)
→ 정제두는 양명학의 입장을 계승하여 도덕 행위의 기준을 마음속에서 찾아야 한다고 주장한다.

02 정제두와 정약용의 사상 ⊕ ④

갑은 정제두, 을은 정약용이다. 정제두는 양명학을 바탕으로 심즉리를 주장하며 양지를 강조하고, 정약용은 성기호설을 주장하며 구체적인 실천의 중요성을 강조한다. 정약용의 성기호설은 기존의 성리학적 입장 대신 인간의 본성이 일종의 경향성, 즉 마음의 기호라고 보는 사상이다. 정제두와 정약용 모두 노력을 통해 누구나 성인이 될 수 있다고 본다.

정답을 찾아가는 셀파 - Tip

ㄱ. 갑은 도덕적 실천이 마음의 이치와 무관하다고 본다. (×)
→ 정제두는 도덕적 실천이 마음의 이치에 달려 있다고 본다.

ㄷ. 갑은 을과 달리 인간에게는 도덕적 주체성이 있다고 본다. (×)
→ 정제두와 정약용 모두 인간의 도덕적 주체성을 강조한다.

03 동학과 위정척사 사상 ⊕ ①

갑은 동학 사상가인 최시형이고, 을은 위정척사 사상가인 이항로이다. 최시형은 유교적 신분 질서의 변혁이 이루어져야 함을 강조하였다. 이에 비해 이항로는 정통 주자학의 기본 입장을 계승하였다. 평등 사상을 중시하는 동학 사상가의 입장에서는 유교 질서를 강조하는 위정척사 사상가에게 유교적 신분 질서의 개혁이 이루어져야 한다고 주장할 수 있다.

정답을 찾아가는 셀파 - Tip

① 유교적 신분 질서의 개혁이 이루어져야 함을 간과한다. (○)

② 개벽에 대비하여 모든 규범을 제거해야 함을 간과한다. (×)
→ 동학은 모든 규범을 제거할 것을 주장하지 않는다.

③ 서양 사상이나 종교를 철저하게 배척해야 함을 간과한다. (×)
→ 동학과 위정척사 사상 모두 서양 사상을 배척해야 한다고 주장한다.

④ 대도 실현을 위해 사회 변화에 무관심해야 함을 간과한다. (×)
→ 동학은 사회 변화를 주장한다.

⑤ 유교의 인륜 도덕이 사회 운영의 기본 원리임을 간과한다. (×)
→ 유교의 도덕을 강조하는 것은 위정척사 사상의 입장이다.

04 동학 사상 정답 ②

(가)의 사상가는 동학의 2대 교주인 최시형이다. 그는 천지만물이 한울님을 모시고 있다고 보았다. 그에 따르면 후천 개벽의 시대를 맞은 우리는 남녀노소를 차별 없이 존중하고 미물도 함부로 대하지 말아야 한다.

05 동학, 위정척사 사상, 동도서기론 정답 ④

갑은 동학, 을은 위정척사, 병은 개화사상의 동도서기론이다. 동학은 서구의 사상에 반대하며, 위정척사 사상은 서구의 사상과 문물 모두를 반대한다. 동도서기론은 동양의 정신을 계승하고 서양의 문물을 수용하자는 입장이다.

정답을 찾아가는 셀파 - Tip

① 갑: 시천주(侍天主) 사상을 토대로 내세에서 후천 개벽을 이뤄야 한다. (×)
→ 동학이 주장하는 후천 개벽은 내세가 아닌 현세에서 이루어진다.

② 을: 성리학적 질서의 한계를 극복하여 만민 평등을 실현해야 한다. (×)
→ 위정척사 사상은 성리학적 질서를 강조한다.

③ 병: 유교적 가치에서 벗어나 이용후생(利用厚生)을 추구해야 한다. (×)
→ 동도서기론은 유교적 가치를 유지하고자 한다.

④ 갑, 을: 외세의 침략에 맞서 나라를 바로 세우고 백성을 평안케 해야 한다. (○)

⑤ 을, 병: 전통적 정치 체제를 혁파하고 서구식 정부를 수립해야 한다. (×)
→ 위정척사 사상과 동도서기론 모두 정치 체제를 혁파할 것을 주장하지 않는다.

06 증산교와 동학 정답 ①

(가)는 증산교, (나)는 동학이다. 증산교는 해원상생의 실현을 목표로 하며, 동학은 인간 존엄과 평등 사회 실현을 목표로 한다. 증산교는 세상이 잘못되는 까닭은 신분·남녀 차별 등으로 수모와 박해를 받은 사람들의 원한이 쌓였기 때문이라고 보고, 원한을 풀어 버리고 함께 살아가자고 주장한다. 동학은 천인합일의 관점에서, 인간 존중과 평등의 정신을 제시하였다.

정답을 찾아가는 셀파 - Tip

ㄷ. 도학을 발달시켜 영(靈)과 육(肉)을 온전히 해야 한다. (×)
→ 영혼과 육체를 함께 닦는 것은 원불교의 주장이다.

ㄹ. 신앙과 수행을 위해 사회 변화에 초연한 자세를 취해야 한다. (×)
→ 증산교와 동학 모두 사회 변화를 추구한다.

07 정제두와 주희의 사상 정답 ④

갑은 정제두, 을은 주희의 사상이다. 정제두는 심즉리, 지행합일을 강조한 양명학의 사상을 수용하였다. 양명학은 앎과 행동은 둘이 아니고 하나라고 강조하였고, 앎과 행동이 서로 분리될 수 없다고 주장하며 지행합일(知行合一)을 말한다. 주희는 지행병진, 선지후행을 강조하며 성즉리설을 주장하였다. 주희는 먼저 올바른 지식을 갖추어야 참된 실천을 할 수 있다고 여겨 사물의 이치 탐구를 우선시한다.

정답을 찾아가는 셀파 - Tip

ㄹ. 갑, 을은 모두 앎과 행함은 합일되어 함께 간다고 본다. (×)
→ 정제두의 입장이다.

08 동학, 증산교, 원불교 정답 ④

갑은 동학, 을은 증산교, 병은 원불교에 대한 설명이다. 동학은 인내천 사상에 바탕을 둔 인간 존중 및 평등사상을, 증산교는 해원상생을 강조하였으며, 원불교는 일원상의 원리 아래 정신과 육체의 조화를 강조하였다.

Ⅲ 서양 윤리 사상

01 사상의 연원

탄탄 내신 문제 p. 104 ～ p. 108

01 ①	02 ②	03 ⑤	04 ③	05 ③	06 ③
07 ⑤	08 ③	09 ①	10 ②	11 ②	12 ⑤
13 ④	14 ③	15 해설 참조		16 해설 참조	
17 해설 참조		18 해설 참조			

01 고대 그리스 사상의 자연 철학 이해 정답 ①

고대 그리스의 자연 철학은 물, 불, 흙, 공기와 같은 요소로 인간과 자연을 설명하였다. 삶의 문제도 신탁과 예언보다 합리적인 논의와 이성적 판단으로 풀어 내고자 하였다.

02 고대 그리스와 헤브라이즘의 윤리 사상 비교 정답 ②

고대 그리스의 윤리 사상은 이성적인 판단, 합리적인 사고와 논변 등을 중시하고 사물과 인간의 본질에 큰 관심을 보였고, 헤브라이즘은 유일무이하고 절대적인 신에 대한 믿음을 중시하였다.

정답을 찾아가는 셀파 - Tip

ㄴ. ㉠은 인본주의적 세계관보다 신화적 세계관을 강조하였다. (×)
→ 고대 그리스 윤리 사상은 신화적 세계관에서 벗어나 인본주의적 성격을 띤다.

ㄹ. ㉡은 유일신을 신봉하였지만, 구세주의 도래는 부정하였다. (×)
→ 헤브라이즘에서는 구세주의 도래를 긍정한다.

03 고대 그리스 윤리 사상의 특징 정답 ⑤

제시문은 소크라테스의 주장이다. 소크라테스는 '행복한 삶'이나 '선한 삶'이 무엇인지를 탐구하였으며, 인간다운 삶을 살아가는 것이 중요하다고 강조하였다.

① 신에 대한 믿음과 사랑을 중시하였다. (×)
→ 헤브라이즘에 대한 설명이다.

② 삶의 문제를 신탁과 예언에 의존하였다. (×)
→ 신탁과 예언보다 합리적인 논의와 이성적인 판단을 중시하였다.

③ 물, 불, 흙, 공기 등과 같은 요소로 인간과 자연을 설명하였다. (×)
→ 그리스 초기 철학자들의 특징이지만, 제시된 내용과는 관련이 없다.

④ 합리적 논의와 이성적 판단보다는 인간의 욕망과 감정을 중시하였다. (×)
→ 합리적인 논의와 이성적인 판단과 인간의 욕망과 감정을 모두 중시하였다.

⑤ 인간이 추구해야 할 훌륭하고 행복한 삶은 어떤 것인지 숙고하고 논쟁하였다. (○)

04 서양 윤리 사상의 두 원천   답 ③

헤브라이즘은 신 중심의 윤리 사상으로 유일무이한 절대자로서의 신에 대한 믿음을 강조한다. 이러한 유일무이한 절대자로서의 신에 대한 믿음은 헤브라이즘의 가장 주요한 특징이다. 신에 대한 절대적인 믿음은 누구나 지켜야 하는 규율로서 제시되었다. 또 살인과 절도에 대한 금지, 부모에 대한 공경 등 보편적인 윤리적 행동 지침이 신의 명령이자 인간 삶의 규율로서 제시되었다.

05 고르기아스의 사상 이해   답 ③

제시문의 사상가는 소피스트인 고르기아스이다. 소피스트 사상가들은 바람직한 삶의 태도는 사람마다 다를 수 있다고 본다. 고르기아스는 회의주의적 관점에서 보편적이고 절대적인 존재와 진리, 그에 관한 객관적 인식을 부정한다.

① 절대적 진리를 추구해야 한다. (×)
→ 절대적 진리를 추구하는 것은 소크라테스이다.

② 상대적인 진리관에서 벗어나야 한다. (×)
→ 소피스트들은 상대적인 진리관을 주장한다.

③ 바람직한 삶의 태도는 사람마다 다를 수 있다. (○)

④ 누구나 따를 수 있는 보편적 진리가 존재한다. (×)
→ 보편적 진리를 주장한 것은 소크라테스이다.

⑤ 인간 소외를 극복하기 위해 주체적 결단을 해야 한다. (×)
→ 소피스트와 관련 없는 내용이다.

06 프로타고라스의 사상 이해   답 ③

제시문의 사상가는 소피스트인 프로타고라스이다. 소피스트들은 바람직한 삶의 태도와 방식에 관해 사람마다 의견이 다르다고 본다. 또한 공동체의 법과 관습, 윤리적 원칙도 사회나 시대마다 달라서 모두 상대적일 뿐이며 절대적이고 보편적인 것은 없다고 주장하였다.

07 소피스트 윤리적 상대주의의 한계   답 ⑤

제시문은 소피스트인 프로타고라스와 트라시마코스의 주장이다. 소피스트들은 그리스의 여러 도시 국가를 여행하면서 다양한 도덕규범이 존재한다는 사실을 발견하였으며, 이를 바탕으로 다양한 도덕규범 사이에서 어느 것이 옳은지 혹은 더 우월한지를 가려 줄 보편타당한 기준은 존재하지 않는다고 주장하였다.

ㄱ. 현실 삶에서 유용성의 가치를 도외시할 수 있다. (×)
→ 소피스트들은 유용성의 가치를 도외시하지 않는다.

ㄴ. 개인의 자유를 침해하고 사회를 획일화할 수 있다. (×)
→ 윤리적 보편주의가 가치 일원주의나 전체주의의 모습을 띨 때 나타날 수 있는 문제점이다.

08 소크라테스의 사상 이해   답 ③

제시문은 소크라테스의 주장이다. 소크라테스는 영혼을 돌보는 일을 강조하며 참된 앎을 깨달을 것을 주장한다. 소크라테스는 윤리적 문제를 제대로 모르면 올바르게 행동할 수 없고, 자신이 그것에 무지하다는 사실조차 모른다면 진리를 추구하려는 노력도 할 수 없다고 생각한다. 그래서 소크라테스는 참된 지식을 추구하고 올바른 삶을 살기 위해 이성적 숙고가 필요하다고 보았다.

09 소크라테스의 사상 이해   답 ①

제시문의 사상가는 소크라테스이다. 소크라테스는 주지주의자로서 참된 앎을 알고 도덕적인 삶을 살아야 한다고 보았다. 소크라테스에 따르면 참된 앎, 즉 보편타당한 절대적 진리와 도덕규범은 존재하며 참된 앎을 지닌 사람은 도덕적인 삶을 살아가게 된다. 따라서 소크라테스는 윤리적 문제를 모르는 무지, 자신이 무지하다는 사실조차 모르는 무지 이 두 가지를 깨닫고 참된 지식을 추구할 것을 제안한다.

① 자신의 무지를 깨닫고 도덕적인 삶을 살아야 한다. (○)

② 욕구 충족을 통해서 육체적 쾌락을 추구해야 한다. (×)
→ 소크라테스와 관련 없는 내용이다.

③ 불안과 고통이 없는 지속적인 쾌락을 추구해야 한다. (×)
→ 에피쿠로스의 주장이다.

④ 악한 행위를 하지 않기 위해서는 실천 의지를 길러야 한다. (×)
→ 아리스토텔레스의 주장이다.

⑤ 이성을 통해 참된 지식을 발견해 참된 쾌락에 이르러야 한다. (×)
→ 소크라테스와 관련 없는 내용이다.

10 소크라테스의 사상 이해   답 ②

제시문의 사상가는 소크라테스이다. 소크라테스는 인간의 이성으로 참된 앎을 추구할 수 있다고 보았으며, 참된 앎은 지닌 사람은 덕 있는 사람이 된다는 지덕일치론을 주장하였다. 또한 끊임없이 자신을 성찰할 것을 강조하였다.

11 소크라테스와 소피스트의 사상 비교   답 ②

갑은 소피스트 사상가인 프로타고라스, 을은 소크라테스이다. 프로타고라스는 윤리적 상대주의를 주장하였다. 반면 소크라테스는 인간이 추구해야 할 보편적 윤리가 있다고 본다.

ㄴ. B: 윤리 원칙에 절대적이고 보편적인 것은 없다. (×)
→ 프로타고라스만의 입장이다.

ㄷ. B: 모든 가치는 유용성에 비추어 판단해야 한다. (×)
→ 소크라테스는 유용성보다 참된 지식을 중요시한다.

12 소피스트에 대한 소크라테스의 비판 답 ⑤

갑은 소크라테스, 을은 소피스트인 프로타고라스이다. 소크라테스는 보편적 윤리가 존재하고, 인간의 이성으로 보편적 윤리를 파악할 수 있다고 본다. 프로타고라스와 같이 도덕 판단의 기준을 상대적인 것으로 보면 모순적 상황이 발생할 수 있다.

정답을 찾아가는 셀파 - Tip

① 도덕규범이 다양하다는 점을 간과한다. (×)
→ 소크라테스는 보편적인 윤리가 있다는 윤리적 보편주의를 주장한다.

② 비도덕적 행위는 개선 가능함을 간과한다. (×)
→ 소크라테스와 소피스트 모두 관련 없는 내용이다.

③ 현실의 문제들을 해결하는 것이 중요함을 간과한다. (×)
→ 소피스트는 현실의 구체적 문제에 관심을 기울였다.

④ 인간 삶의 문제에 대한 상대적 관점이 중요함을 간과한다. (×)
→ 소피스트가 강조할 내용이다.

⑤ 인간의 이성을 통해 보편적 윤리를 파악할 수 있음을 간과한다. (○)

13 소크라테스와 소피스트의 사상 비교 답 ④

갑은 소피스트, 을은 소크라테스이다. 소피스트들은 도덕규범의 다양성을 강조한 반면 소크라테스는 도덕규범의 보편성을 강조하였다. 소크라테스는 소피스트들의 윤리적 상대주의를 비판하면서, 인간의 이성을 통해 보편적인 윤리를 파악할 수 있다는 윤리적 보편주의를 주장하였다.

14 소크라테스와 소피스트의 사상 비교 답 ③

갑은 소크라테스, 을은 소피스트인 트라시마코스이다. 소크라테스는 변하지 않는 보편적인 진리가 있다고 주장한 반면 소피스트들은 절대적인 진리가 없다고 주장한다.

서답형 문제

15 소피스트의 윤리적 상대주의

모범 답안 | 윤리적 상대주의에서는 옳음의 보편적인 기준을 인정하지 않음으로써 가치관의 혼란을 가져올 수 있고, 도덕적 합의를 어렵게 만드는 윤리적 회의주의에 빠질 위험도 있다.

채점 기준	배점
제시된 입장이 윤리적 상대주의임을 알고 한계를 바르게 서술한 경우	상
윤리적 상대주의의 한계를 서술하였으나 잘못된 내용이 포함된 경우	중
윤리적 상대주의가 아닌 다른 내용을 서술한 경우	하

16 소크라테스의 윤리에 대한 입장과 한계

모범 답안 | 윤리적 보편주의, 윤리적 보편주의가 특정 가치를 절대적인 것으로 내세우며 가치 일원주의나 전체주의의 모습을 띠면, 인권과 개성을 억압하고 자율적인 삶을 훼손할 위험도 있다.

채점 기준	배점
제시된 입장이 윤리적 보편주의임을 알고 한계를 바르게 서술한 경우	상
윤리적 보편주의의 한계를 서술하였으나 잘못된 내용이 포함된 경우	중
윤리적 보편주의가 아닌 다른 내용을 서술한 경우	하

17 소크라테스의 지행합일설

모범 답안 | 소크라테스는 덕에 따르는 것이 자신에게 좋다는 사실을 알면서 고의로 나쁘거나 그릇된 행위를 하는 사람은 없다고 보았다. 소크라테스의 입장에서 보면 갑은 어떤 것이 옳은 행위인지 알지 못했기 때문에 옳은 일을 행하지 못한 것이다. 따라서 갑은 참된 앎에 이르기 위해 노력해야 한다.

채점 기준	배점
지행합일설의 입장에서 바르게 서술한 경우	상
지행합일설의 입장에서 서술하였으나 잘못된 내용이 포함된 경우	중
지행합일설이 아닌 다른 입장에서 서술한 경우	하

18 소크라테스의 문답법

모범 답안 | 소크라테스는 문답법을 통해 이성적이고 논리적인 대화를 나누는 과정에서 스스로가 자신의 무지를 깨닫고, 이성을 바탕으로 참된 앎에 다가설 수 있도록 한다.

채점 기준	배점
소크라테스의 문답법을 바르게 서술한 경우	상
소크라테스의 문답법을 서술하였으나 잘못된 내용이 포함된 경우	중
소크라테스의 문답법이 아닌 다른 내용을 서술한 경우	하

도전 수능 문제 p. 109 ~ p. 111

| 01 ④ | 02 ② | 03 ④ | 04 ② | 05 ④ | 06 ① |
| 07 ① | 08 ② | 09 ① | 10 ② | 11 ⑤ | 12 ③ |

01 트라시마코스와 소크라테스의 사상 비교 답 ④

갑은 소피스트인 트라시마코스, 을은 소크라테스이다. 소크라테스는 덕이 무엇인지 아는 사람은 행복에 이를 수 있다고 주장하였다.

정답을 찾아가는 셀파 - Tip

① 갑: 올바름은 현실적 이익에 얽매이지 않는 보편적인 것이다. (×)
→ 소피스트는 윤리적 상대주의를 주장한다.

② 갑: 강자가 자신의 몫을 약자를 위해 나누는 것이 올바름이다. (×)
→ 소크라테스의 주장이다.

③ 을: 올바르지 못함은 전적으로 의지의 나약함에서 비롯된다. (×)
→ 의지의 나약함은 아리스토텔레스의 주장이다.

④ 을: 참된 앎을 지닌 유덕한 사람은 행복한 삶에 이를 수 있다. (○)

⑤ 갑, 을: 도덕 판단은 주관적인 것으로서 그 기준이 사람마다 다르다. (×)
→ 소피스트의 입장이다.

02 프로타고라스와 소크라테스의 사상 비교 답 ②

갑은 프로타고라스, 을은 소크라테스이다. 프로타고라스는 보편타당한 윤리의 존재를 부정하였지만, 소크라테스는 이성을 통해 보편타당한 윤리를 발견할 수 있다고 보았다.

03 트라시마코스와 소크라테스의 사상 비교 답 ④

갑은 트라시마코스, 을은 소크라테스이다. 트라시마코스는 정의(正義)를 강자의 이익으로 보았다. 소크라테스는 욕구의 충족이나 무절제한 삶이 아니라 참된 지식에 대한 이성적 성찰을 강조하였다.

04 프로타고라스와 소크라테스의 사상 비교 · 답 ②

갑은 프로타고라스, 을은 소크라테스이다. 프로타고라스는 상대주의적 진리관을 주장하였고, 소크라테스는 덕을 아는 사람은 행복하다는 지덕복 합일설을 제시하였다.

정답을 찾아가는 셀파 - Tip

- ㄴ. 을: 인간의 모든 악행은 의지의 나약함에서 비롯된다. (×)
  → 소크라테스는 비도덕적 행위의 원인을 무지라고 본다.
- ㄹ. 갑, 을: 참된 앎을 위해 이성보다 경험이 중시되어야 한다. (×)
  → 소크라테스는 인간의 이성을 바탕으로 참된 앎을 추구해야 한다고 본다.

05 트라시마코스와 소크라테스의 사상 비교 · 답 ④

갑은 소피스트인 트라시마코스, 을은 소크라테스이다. 트라시마코스는 정의를 강자의 이익이라고 주장하며, 윤리가 시대와 상황에 따라 달라질 수 있다는 상대주의 입장을 지지하였다. 소크라테스는 지덕복(知德福)의 합일을 강조하면서 덕은 참된 앎에서 나온다고 주장하였다. 그는 소피스트의 상대주의적 윤리관을 비판하면서 절대적이고 보편적인 윤리 규범이 있음을 강조하였다.

06 소크라테스와 고르기아스의 사상 비교 · 답 ①

갑은 소크라테스이고, 을은 소피스트인 고르기아스이다. 소크라테스는 보편타당한 지식이 존재하며, 그러한 지식을 추구하기 위해서는 먼저 무지를 자각해야 한다고 주장하였다.

정답을 찾아가는 셀파 - Tip

① 갑: 보편적인 진리를 추구하기 위해 자신의 무지를 자각해야한다. (○)
② 갑: 올바른 지식과 덕을 갖춘 사람이라도 행복하지 않을 수 있다. (×)
  → 소크라테스는 올바른 지식과 덕을 갖추면 행복한 삶을 살게 된다고 보았다.
③ 을: 부단한 진리 탐구를 통해 객관적 존재의 본질을 파악할 수 있다. (×)
  → 소피스트는 객관적 존재의 본질을 부정한다.
④ 을: 선에 대한 기준은 인식할 수 없지만 궁극적인 선은 존재한다. (×)
  → 소피스트는 궁극적인 선의 존재를 부정한다.
⑤ 갑, 을: 감각적 경험을 행위의 선악을 판단하는 근거로 삼아야 한다. (×)
  → 소크라테스는 이성을 통해 참된 앎을 파악할 수 있다고 보았다.

07 프로타고라스와 소크라테스의 사상 비교 · 답 ①

갑은 프로타고라스, 을은 소크라테스이다. 프로타고라스는 진리는 인간의 주관에 따라 상대적일 수밖에 없다고 본다. 소크라테스는 참된 앎은 덕이고 덕은 행복이므로 참된 앎과 덕이 있는 사람은 행복할 수 있다고 본다.

정답을 찾아가는 셀파 - Tip

- ㄷ. 을: 선을 알면서도 그릇된 행위를 자발적으로 할 수 있다. (×)
  → 소크라테스는 참된 앎을 지니면 그릇된 행위를 할 수 없다고 보았다.
- ㄹ. 갑, 을: 이성보다 사회의 관습에 따라 도덕 판단을 해야 한다. (×)
  → 소크라테스는 이성에 따라 도덕 판단을 할 것을 강조한다.

08 소크라테스와 프로타고라스의 사상 비교 · 답 ②

갑은 소크라테스, 을은 소피스트인 프로타고라스이다. 소크라테스는 이성을 통해 무지를 자각하고 영혼을 수련함으로써 절대적 진리를 추구해야 한다고 보았다.

09 소크라테스가 강조하는 삶의 태도 · 답 ①

제시문의 사상가는 소크라테스이다. 소크라테스는 경험이 아닌 이성을 통해 무지(無知)를 자각하고 영혼을 수련함으로써 보편적인 진리를 추구해야 한다고 보았다.

10 소크라테스의 지행합일설 · 답 ②

갑은 소크라테스이다. 소크라테스는 덕은 지식이며, 선이 무엇인지 알면서 고의로 악을 행하는 사람은 없다고 주장하였다. 이러한 입장을 지닌 소크라테스가 A에게 제시할 수 있는 가장 적절한 조언은 '남을 돕는 것의 참된 의미가 무엇인지 정확히 알아야 한다.'라는 것이다.

11 고르기아스와 소크라테스의 사상 비교 · 답 ⑤

갑은 소피스트인 고르기아스, 을은 소크라테스이다. 소크라테스는 이성을 통해 절대적 진리를 추구함으로써 덕이 있는 사람이 될 수 있다고 보았다.

12 프로타고라스와 소크라테스의 사상 비교 · 답 ③

갑은 프로타고라스, 을은 소크라테스이다. 프로타고라스는 도덕이나 관습을 상대적인 것으로 보았으며, 모든 사람이 따라야 할 보편적 규범은 존재하지 않는다고 주장하였다.

---

02 덕

탄탄 내신 문제 · p. 116 ~ p. 121

01 ⑤	02 ⑤	03 ④	04 ②	05 ⑤	06 ②
07 ⑤	08 ③	09 ①	10 ②	11 ②	12 ⑤
13 ①	14 ④	15 ④	16 ③	17 ①	18 ⑤
19 ㉠ 이성, ㉡ 교육, ㉢ 습관			20 해설 참조		
21 해설 참조		22 해설 참조			

01 플라톤의 사상 이해 · 답 ⑤

제시문의 사상가는 플라톤이다. 플라톤은 기개와 욕구가 이성의 다스림을 통해 영혼 전체가 조화를 이룰 때 인간의 영혼이 정의의 덕을 갖게 된다고 보았다.

02 플라톤의 사상 이해 답 ⑤

제시문의 사상가는 플라톤이다. 플라톤은 이상적 인간인 철학자가 나라를 다스려야 한다고 보았고, 모든 존재의 궁극적 원인으로 좋음의 이데아를 제시한다.

> ㄱ. 가치 판단의 근거는 감각적인 쾌락이다. (×)
> → 플라톤은 감각적인 쾌락이 아닌 이성을 중시한다.
> ㄴ. 감각적 경험으로 이데아의 세계를 인식할 수 있다. (×)
> → 플라톤은 이성을 통해야 이데아의 세계를 인식할 수 있다고 본다.

03 플라톤의 이상적인 개인과 국가 답 ④

㉠은 기개, ㉡은 지혜, ㉢은 절제, ㉣은 군인, ㉤은 생산자이다. 플라톤에 따르면, 기개가 발달한 사람은 용기의 덕을 발휘해서 군인이 되어 나라를 지킨다. 플라톤은 한 나라를 구성하는 사람은 제각기 영혼의 탁월성이 다를 수 있다고 본다. 이성이 발달한 사람은 지혜가 뛰어나 철학자가 되고, 기개가 발달한 사람은 군인이 된다. 욕망이 왕성한 사람은 생산자가 되어 절제의 덕을 발휘하여 성실하고 열정적으로 생산에 종사한다.

04 플라톤의 이상 국가 답 ②

제시문은 플라톤의 주장이다. 플라톤은 지혜의 덕을 갖춘 철학자가 통치하거나 현재의 통치자들이 철학을 해야 이상 국가가 실현된다고 주장하였다. 여기서 지혜의 덕을 갖춘 통치자는 선의 이데아에 대한 인식과 실현이 가능한 철학자이다.

05 플라톤의 좋음의 이데아 답 ⑤

제시문은 플라톤의 주장으로, ㉠은 좋음(선)의 이데아이다. 플라톤에 따르면 각각의 사물에는 그것들의 이데아가 있으며, 최고의 이데아는 좋음의 이데아이다. 이데아는 사물의 불변하는 본질이자 참된 실재로서 완전한 것이다. 반면 현실에 존재하는 것들은 이데아를 모방한 것으로서 변화하며 불완전한 것이다.

06 플라톤의 사상 이해 답 ②

제시문은 플라톤의 주장이다. 플라톤은 이성을 통해 좋음의 이데아를 인식하는 것이 최고의 지식이며, 이 지식은 절대적이고 보편적인 것이라고 주장하였다.

> ① 세상의 모든 것에는 목적이 존재하는가? (×)
> → 아리스토텔레스의 주장이다.
> ② 참된 지식은 절대적이고 보편적인 것인가? (○)
> ③ 국가를 통치하는 자에게는 오직 지혜의 덕만이 필요한가? (×)
> → 모든 계층에게는 절제의 덕이 필요하다.
> ④ 이 세상은 개별적인 실체들로 이루어진 하나의 세계인가? (×)
> → 플라톤에 따르면 세계는 현실 세계와 이데아의 세계로 구성된다.
> ⑤ 노력의 결과에 따라 계층 간 역할 교환의 기회가 보장되어야 하는가? (×)
> → 국가 구성원의 세 계급은 타고난 재능에 따라 구성된다.

07 아리스토텔레스의 사상 이해 답 ⑤

제시문의 사상가는 아리스토텔레스이다. 아리스토텔레스는 의도적 행위뿐만 아니라 세상의 모든 것에는 목적이 있다고 보았으며, 플라톤의 세계 구분을 부정하고 좋음은 이데아의 세계가 아니라 현실 세계에 존재한다고 보았다.

08 아리스토텔레스의 사상 이해 답 ③

제시문은 아리스토텔레스의 글이다. 아리스토텔레스는 어떤 행동을 해야 할지 알아도 의지가 나약하면 실천하지 못할 수 있다고 보았다. 따라서 아리스토텔레스는 꾸준한 실천을 통해 중용을 습관화할 때 품성의 덕을 형성할 수 있다고 주장하였다.

> ① 모든 행위와 감정에는 중용이 존재한다. (×)
> → 악덕에는 중용이 성립하지 않는다.
> ② 품성적 덕과 지성적 덕은 상호 무관한 것이다. (×)
> → 품성적 덕과 지성적 덕은 밀접한 연관이 있다.
> ③ 윤리적 행동을 위해서는 실천 의지가 중요하다. (○)
> ④ 무엇이 옳고 그른지를 제대로 알면 그대로 행할 수 있다. (×)
> → 무엇이 옳고 그른지 알더라도 의지가 나약해서 행할 수 없는 경우도 있다.
> ⑤ 인간의 궁극적 목적은 정신적이고 지속적인 쾌락을 누리는 것이다. (×)
> → 인간의 궁극적 목적은 행복이다.

09 아리스토텔레스 중용의 특징 답 ①

아리스토텔레스는 중용을 산술적인 중간으로 오해해서는 안 된다고 말한다. 아리스토텔레스에 따르면 같은 행동이라도 상황에 따라, 사람에 따라 그 행동의 적절성 여부는 달라질 수 있다. 그렇기 때문에 중용이 무엇인지 판별하려면 지성의 덕인 실천적 지혜가 필요하다고 보았다.

10 아리스토텔레스가 구분한 덕의 종류 답 ②

(가)는 아리스토텔레스, (나)의 ㉠은 지성적 덕, ㉡은 품성적 덕이다. 아리스토텔레스는 무엇이 중용의 상태인지 안다고 하더라도 의지가 나약하여 실천하지 못하는 경우가 있다고 보았다. 아리스토텔레스에 따르면 모든 행동이나 기술에는 목적이 있는데, 인간은 궁극적으로 좋은 것을 목적으로 한다. 따라서 좋음이 무엇인지는 중요한 문제이다. 예를 들어 의술은 병을 치료하는 것을 목적으로 하는데, 그것이 좋기 때문이다. 병의 치료는 건강을 목적으로 하는데, 그것이 좋기 때문이다. 하지만 건강도 그보다 더 높은 목적을 달성하는 데 좋기 때문에 좋은 것이다. 이런 식으로 가장 높고 가장 좋은 목적을 찾는다면, 그것은 바로 행복이다.

11 아리스토텔레스가 강조하는 실천 의지의 중요성 답 ②

(가)는 아리스토텔레스이다. 아리스토텔레스는 중용이 무엇인지 알더라도 의지가 나약하면 앎을 실천으로 옮기지 못할 수 있다고 보았다. 따라서 이를 보완하기 위해 아리스토텔레스는 지속적인 도덕적 실천과 도덕적 행동의 습관화를 강조하였다.

12 매킨타이어의 현대 덕 윤리 답 ⑤

제시문의 사상가는 아리스토텔레스를 계승한 현대 덕 윤리학자인 매킨타이어이다. 매킨타이어는 도덕은 공동체의 전통과 삶의 양식, 관습 등에서 나온 것이며, 공동체가 합의한 덕을 개인의 행동을 판단하는 기준으로 삼을 것을 강조한다. 현대 덕 윤리에서는 개인의 행위를 그 자체로 평가할 것이 아니라, 행위가 이루어진 공동체에서 형성되어 온 구체적인 맥락 안에서 평가해야 한다고 주장한다. 그들의 주장에 따르면, 민주적 절차에 따라 공동체가 합의하고 공유하는 덕은 사회적 권위를 가지고 개인의 행동을 지도하고 판단하는 기준이 되고, 나아가 공동선을 실현하는 윤리적 방편이 된다.

▶ 도덕에 관한 두 접근

덕 중심 접근	도덕적으로 중요한 것은 단순히 도덕 규칙에 따라 행위를 하는 것이 아니라, 유덕한 사람이 되는 것을 포함함
행위 중심 접근	행위의 옳고 그름은 유덕한 사람인지 아닌지에 따라 판단되는 것이 아니라, 그 행위가 도덕 규칙이나 원리에 부합하는지에 따라 판단됨

13 아리스토텔레스의 행복 답 ①

가상 편지를 쓴 고대 서양 사상가는 아리스토텔레스이다. 아리스토텔레스는 인간만이 지닌 특별한 기능인 이성을 가장 탁월하게 발휘하는 것이 바로 최고선이자 행복이라고 주장한다. 아리스토텔레스는 각각의 선이 추구하는 상위의 목적으로 점점 올라가다 보면, 궁극적인 목적에 이른다고 본다. 아리스토텔레스는 이를 최고선이라 불렀다. 최고선은 언제나 그 자체로 선택될 뿐, 더 상위의 목적을 이루기 위한 수단으로 선택되지 않는다. 아리스토텔레스는 이러한 최고선을 행복이라고 보았다.

① 인간의 고유한 기능인 이성을 탁월하게 발휘해야 한다. (○)
② 자연적 본능에 따라 쾌락을 추구하고 고통을 회피해야 한다. (×)
  → 공리주의자의 주장이다.
③ 편안한 삶을 위해 도덕적인 삶보다 세속적인 성공을 추구해야 한다. (×)
  → 소피스트의 주장이다.
④ 지혜를 따르는 삶을 살기 위해 행복에 대한 욕구를 모두 제거해야 한다. (×)
  → 아리스토텔레스는 행복이 가장 높고 좋은 목적이라고 본다.
⑤ 지식의 상대성을 깨달아 절대적인 진리에 대한 집착에서 벗어나야 한다. (×)
  → 소피스트의 주장이다.

14 플라톤과 아리스토텔레스의 사상 비교 답 ④

갑은 플라톤, 을은 아리스토텔레스이다. 아리스토텔레스는 옳지 않다는 것을 알면서도 의지의 나약함 때문에 옳지 않은 일을 행할 수 있다고 말하며 의지의 역할을 강조하였다. 반면에 플라톤은 소크라테스의 입장을 계승하여 무엇이 옳지 않은 일인지 안다면 옳지 않은 일을 행할 수 없다고 보았다.

① 갑: 왕은 다수의 의견에 따라 국가를 통치해야 한다. (×)
  → 플라톤에 따르면 철학자는 참된 지혜를 갖추었으므로 올바르게 판단해 국가를 통치할 수 있다.
② 갑: 좋음의 이데아는 현상 세계의 선한 것들을 모방한 것이다. (×)
  → 플라톤에 따르면 선의 이데아는 최고의 선으로 어떤 것을 모방한 것이 아니다.
③ 을: 선(善)과 진리는 현실 세계가 아닌 이데아의 세계에 존재한다. (×)
  → 아리스토텔레스는 선과 진리가 현실 세계에 있다고 본다.
④ 을: 옳지 않다는 것을 알면서도 의지의 나약함 때문에 옳지 않은 일을 행할 수 있다. (○)
⑤ 갑, 을: 감각적 경험이 참된 지식의 근원이다. (×)
  → 플라톤과 아리스토텔레스 모두 감각적 경험보다 이성을 중시한다.

15 아리스토텔레스의 플라톤 비판 답 ④

갑은 아리스토텔레스, 을은 플라톤이다. 아리스토텔레스는 좋음(선)의 이데아가 존재한다는 것에 의문을 제기하고, 선은 이데아 세계가 아닌 현실 세계에 존재한다고 주장하였다. 아리스토텔레스는 플라톤에 비해 현실을 중시하는 태도를 취하였다. 특히 플라톤이 이데아의 세계와 현실의 세계를 구분한 것을 비판하면서, 세계는 개별적인 실체들로 이루어진 하나의 세계이며, 선(善, 좋음, good)은 이데아의 세계가 아닌 현실 세계에 존재한다고 보았다.

16 플라톤과 아리스토텔레스의 사상 비교 답 ③

갑은 아리스토텔레스, 을은 플라톤이다. 아리스토텔레스와 플라톤은 올바른 삶을 위해 지혜의 덕이 필요하다고 보았다.

① 지식의 획득과 선행의 실천은 분리될 수 있는가? (×)
  → 아리스토텔레스만이 긍정할 질문이다.
② 사물의 본질은 현실 세계에서 파악될 수 있는가? (×)
  → 아리스토텔레스만이 긍정할 질문이다.
③ 올바른 삶을 사는 인간은 지혜를 갖추고 있는가? (○)
④ 앎을 갖춘 사람은 항상 감정에 휘둘리지 않는가? (×)
  → 플라톤만이 긍정할 질문이다.
⑤ 옳고 그름은 주관적인 믿음에 따라서 결정되는가? (×)
  → 플라톤과 아리스토텔레스 모두 부정할 질문이다.

17 플라톤과 아리스토텔레스의 사상 비교 답 ①

갑은 아리스토텔레스, 을은 플라톤이다. 아리스토텔레스는 품성적인 덕의 실천과 관련하여 의지의 중요성을 강조하였다. 품성적인 덕은 반복적인 훈련과 습관을 통해 얻을 수 있기 때문이다. 플라톤과 아리스토텔레스 모두 덕 있는 삶을 살 때 행복한 삶을 살 수 있다고 보았다는 점에서 공통적이다.

ㄴ. B: 참된 진리는 경험 가능한 세계에 존재한다. (×)
  → 아리스토텔레스만의 주장이다.
ㄹ. C: 욕망은 이성의 적절한 통제를 받아야 한다. (×)
  → 플라톤과 아리스토텔레스 모두의 주장이다.

18 플라톤과 아리스토텔레스의 사상 비교 답 ⑤

갑은 플라톤, 을은 아리스토텔레스이다. 플라톤은 아리스토텔레스와 달리 참된 진리를 알기만 하면 도덕적 행위를 실행할 수 있다고 보았다. 아리스토텔레스는 무엇이 옳은지 알더라도 의지가 나약하면 실천하지 못하기 때문에 덕을 실천할 때 의지가 중요하다고 강조한다.

서답형 문제

19 아리스토텔레스의 사상 답 ㉠ 이성, ㉡ 교육, ㉢ 습관

아리스토텔레스에 따르면 인간은 영혼을 탁월하게 발휘해 덕이 있는 삶을 살아야 하고, 이를 통해 행복에 이를 수 있다. 아리스토텔레스는 덕을 지적인 덕과 품성적인 덕으로 구별하는데, 지적인 덕은 교육을 통해 얻을 수 있고, 품성적인 덕은 습관의 결과로 생겨난다.

20 아리스토텔레스의 의지의 나약함

모범 답안 | 아리스토텔레스는 도덕적 의지가 약한 사람은 옳은 행위가 무엇인지를 알면서도 이를 실천에 옮기지 못하는 과오를 범할 수 있다고 보았다. 아리스토텔레스의 입장에서 볼 때, 이 사건의 목격자들은 제노비스를 도와야 한다는 것을 알면서도 이를 적극적으로 실천하려는 의지가 부족했던 것으로 볼 수 있다.

채점 기준	배점
아리스토텔레스의 입장에서 제시문의 사례에 관해 서술한 경우	상
아리스토텔레스의 입장에서 서술하였으나 잘못된 내용이 포함된 경우	중
아리스토텔레스의 입장이 아닌 다른 입장에서 서술한 경우	하

21 아리스토텔레스의 중용

모범 답안 | ㉠은 중용이다. 지적인 덕의 하나인 실천적 지혜가 있어야만 각 상황에서 어떤 행동이 중용의 상태인지 알 수 있기 때문에 이성의 도움이 필요하다. 이처럼 인간 영혼의 이성적인 부분의 덕인 실천적 지혜는 품성적인 덕의 형성에 직접적인 영향을 미쳐 인간의 감정과 행위를 변화시킬 수 있다.

채점 기준	배점
㉠이 중용이라는 것을 알고 이성의 도움이 필요한 까닭을 바르게 서술한 경우	상
이성의 도움이 필요한 까닭을 서술하였으나 잘못된 내용이 포함된 경우 경우	중
중용이 아닌 다른 것과 관련한 내용을 서술한 경우	하

22 아리스토텔레스 덕 윤리의 특징

모범 답안 | 아리스토텔레스는 단순히 덕을 인식하는 것을 넘어서는 실제적인 덕의 실천을 강조한다. 아리스토텔레스는 덕을 아는 것에서 그쳐서는 안 되고, 덕을 반복적으로 실천해 중용의 상태로 내면화해야 한다고 강조한다.

채점 기준	배점
아리스토텔레스 덕 윤리의 특징을 바르게 서술한 경우	상
아리스토텔레스 덕 윤리의 특징을 서술하였으나 잘못된 내용이 포함된 경우	중
아리스토텔레스가 아닌 다른 사상가의 윤리 이론을 서술한 경우	하

도전 수능 문제 p. 122 ~ p. 125

01 ⑤	02 ②	03 ④	04 ④	05 ③	06 ⑤
07 ④	08 ①	09 ②	10 ②	11 ⑤	12 ③
13 ③	14 ⑤	15 ④	16 ⑤		

01 플라톤과 아리스토텔레스의 사상 비교 답 ⑤

(가)의 갑은 플라톤, 을은 아리스토텔레스이다. 플라톤은 개별 사물의 본질이 현실 세계를 초월한 이데아의 세계에 실재한다고 보았고, 아리스토텔레스는 사물의 본질이 이데아의 세계가 아닌 현실 세계의 사물에 내재한다고 주장하였다.

정답을 찾아가는 셀파 - Tip

> ㄱ. A: 감각을 통해 사물 각각의 본질을 파악할 수 있다. (×)
> → 플라톤은 이성을 통해 본질을 파악할 것을 주장한다.
> ㄴ. B: 부도덕한 행위는 모두 선에 대한 무지에서 비롯된다. (×)
> → 플라톤만의 주장이다.

02 소크라테스와 아리스토텔레스의 사상 비교 답 ②

갑은 소크라테스, 을은 아리스토텔레스이다. 소크라테스는 덕이 무엇인지를 아는 사람은 악덕을 행하지 않는다고 주장하였다. 반면 아리스토텔레스는 덕이 무엇인지 알아도 의지의 나약함으로 인해 악덕을 행할 수 있다고 주장하였다. 소크라테스와 아리스토텔레스는 모두 덕 있는 삶을 살기 위해서는 이성의 역할이 필요하다고 보았으며, 덕을 갖추고 있는 사람은 행복한 삶을 살게 된다고 주장하였다.

03 플라톤의 사상 이해 답 ④

제시문의 사상가는 플라톤이다. 플라톤은 정의로운 인간이 되려면 영혼의 세 부분이 조화를 이루어야 한다고 보았다. 또한 정의로운 국가에서는 모든 계층의 사람들이 절제의 덕을 지니고 있고, 선의 이데아를 인식한 철학자가 통치한다고 주장하였다.

04 소크라테스와 아리스토텔레스의 사상 비교 답 ④

갑은 소크라테스, 을은 아리스토텔레스이다. 아리스토텔레스에 따르면 지성적 덕인 실천적 지혜는 품성적 덕을 갖추기 위한 필수 조건이다. 아리스토텔레스는 중용의 상태를 아는 현명함을 실천적 지혜라고 한다. 이는 선택과 숙고가 필요한 구체적 상황 속에서 어떻게 하는 것이 좋은지 나쁜지를 판단하고 좋은 의견을 구성하는 지성적 덕이다.

05 플라톤의 정의로운 국가 답 ③

제시문은 플라톤의 주장이다. 플라톤에 따르면 정의로운 국가와 정의로운 인간은 서로 닮았다. 인간의 영혼이 세 부분으로 구성되듯, 국가도 통치자, 방위자, 생산자 세 계층으로 구성된다.

06 플라톤과 아리스토텔레스의 사상 비교 답 ⑤

갑은 플라톤, 을은 아리스토텔레스이다. 플라톤은 지혜, 용기, 절제, 정의라는 네 가지 덕의 실현을 강조하였다. 아리스토텔레스는 덕에 따르는 정신의 활동인 행복을 인간이 추구해야 할 최고선으로 보았다. 두 사상가는 모두 올바른 통치를 위해 통치에 대한 지혜가 필요하다고 보았다.

07 플라톤과 아리스토텔레스의 사상 비교 　　답 ④

갑은 플라톤, 을은 아리스토텔레스이다. 플라톤은 영혼의 정의를 이성, 기개, 욕구가 각자의 덕을 갖추어 조화를 이룬 상태라고 보았다. 아리스토텔레스는 실천적 지혜를 통해 중용을 파악할 수 있지만, 그 자체로 나쁜 행위에는 중용이 없다고 보았다.

08 아리스토텔레스의 사상 이해 　　답 ①

제시문은 아리스토텔레스의 주장이다. 그에 따르면 인간의 행동은 '좋음'을 추구하며, 최고의 좋음은 행복이다. 그는 좋음 자체가 현실 세계와 분리된 이데아계에 존재한다는 플라톤의 입장을 비판하면서 좋은 것들로부터 분리된 좋음 자체는 존재하지 않는다고 보았다. 또한 변화하는 상황과 사람의 관점에 따라 좋음이 다양하게 해석될 수 있다고 파악하였다.

09 프로타고라스, 소크라테스, 아리스토텔레스의 사상 　　답 ②

갑은 프로타고라스, 을은 소크라테스, 병은 아리스토텔레스이다. 소크라테스에 따르면 선이 무엇인지 알면서 고의로 악을 행하는 사람은 없다. 무엇이 옳은지 알면 실행할 수 있기 때문에 악행은 모두 무지에서 비롯된다.

10 아리스토텔레스와 플라톤의 사상 비교 　　답 ②

갑은 아리스토텔레스, 을은 플라톤이다. 아리스토텔레스는 중용을 산술적 중간이 아닌 모자람의 악덕과 지나침의 악덕, 즉 두 악덕 사이의 적절함이라고 하였으며, 실천적 지혜는 품성적 덕을 갖추기 위해 반드시 필요하다고 보았다. 플라톤은 정의를 영혼의 세 부분에 해당하는 덕인 지혜, 용기, 절제가 조화된 상태라고 하였다. 아리스토텔레스는 의지의 나약함으로 인해 용기가 무엇인지 알면서도 실천하지 않는 경우가 있다고 보았다.

11 플라톤과 아리스토텔레스의 사상 비교 　　답 ⑤

갑은 플라톤, 을은 아리스토텔레스이다. 플라톤과 아리스토텔레스 모두 이성을 탁월하게 발휘해야 행복에 이를 수 있다고 보았다.

12 플라톤과 아리스토텔레스의 사상 비교 　　답 ③

갑은 플라톤, 을은 아리스토텔레스이다. 아리스토텔레스에 따르면 우리는 중용의 반복적 실천을 통해 용기, 절제 등의 품성적 덕을 갖출 수 있다. 그리고 구체적인 상황에서 무엇이 중용인지는 실천적 지혜를 통해 파악할 수 있다.

13 플라톤과 아리스토텔레스의 사상 비교 　　답 ③

(가)의 갑은 플라톤, 을은 아리스토텔레스이다. 플라톤에 따르면 이성이 욕망을 지배하고 다스려야 갖출 수 있는 절제는 모든 사람에게 필요한 덕이다. 아리스토텔레스에 따르면 모든 행위와 감정에 중용이 있는 것은 아니다. 그 자체로 나쁜 감정인 심술과 그 자체로 나쁜 행동인 절도 등에는 중용이 없다.

14 아리스토텔레스의 중용 　　답 ⑤

제시문의 사상가는 아리스토텔레스이다. 그에 따르면 중용은 인간 영혼의 비이성적인 부분, 즉 감정과 욕구를 맡는 부분이 계발된 품성적 덕이다.

15 고르기아스, 소크라테스, 아리스토텔레스의 사상 　　답 ④

갑은 고르기아스, 을은 소크라테스, 병은 아리스토텔레스이다. 고르기아스는 회의주의적 입장을 강조한다. 소크라테스는 소피스트의 상대주의와 회의주의를 비판하고 지식을 모든 덕과 행복의 원천으로 보았다. 아리스토텔레스는 선이 현실 세계에서 실현된다고 보았다.

16 플라톤과 아리스토텔레스의 사상 비교 　　답 ⑤

갑은 아리스토텔레스, 을은 소크라테스이다. 아리스토텔레스는 선이 무엇인지 알면서도 의지의 나약함으로 인해 악을 행할 수 있다고 보면서 앎이 실천으로 나타나도록 의지의 힘을 길러야 한다고 주장하였다. 반면 소크라테스는 덕은 참된 앎에서 나오며 악덕은 무지에서 나온다고 주장하였다.

① 인간은 이성을 본성으로 지니고 있음을 간과한다. (×)
 → 아리스토텔레스와 소크라테스 모두 이성을 중시한다.

② 영혼에 도움이 되는 선을 추구해야 함을 간과한다. (×)
 → 아리스토텔레스와 소크라테스 모두 선을 추구한다.

③ 무엇이 나쁜지 알면 행하지 않을 것임을 간과한다. (×)
 → 소크라테스가 아리스토텔레스에게 제기할 수 있는 반론이다.

④ 모든 종류의 덕에 실천적 지혜가 있음을 간과한다. (×)
 → 아리스토텔레스에 따르면 악덕에는 실천적 지혜가 없다.

⑤ 덕과 악덕이 자발적 행위에 의한 습관의 결과임을 간과한다. (○)

03 행복 추구의 방법

탄탄 내신 문제   p. 130 ~ p. 134

01 ②	02 ⑤	03 ③	04 ④	05 ③	06 ②
07 ⑤	08 ②	09 ①	10 ④	11 ①	12 ②
13 ③	14 ②	15 해설 참조		16 해설 참조	
17 해설 참조		18 해설 참조			

01 에피쿠로스가 강조한 삶의 자세   답 ②

제시문의 서양 사상가는 에피쿠로스이다. 에피쿠로스학파는 자연적이고 필수적인 욕구를 추구해야 한다고 보았다. 또한 에피쿠로스학파가 추구하는 쾌락은 정신적이고 지속적인 쾌락이다. 에피쿠로스학파에 따르면 쾌락은 행복한 삶을 이루는 시작이자 끝이며, 다른 모든 가치를 평가하는 최고선이다.

02 에피쿠로스의 사상 이해   답 ⑤

제시문의 사상가는 에피쿠로스이다. 에피쿠로스학파는 진정한 쾌락은 육체에 고통이 없고 마음에 불안이 없는 평온한 상태, 즉 아타락시아라고 하였다. 이러한 쾌락은 에피쿠로스학파에게 최고선이다. 에피쿠로스학파는 쾌락을 적극적으로 추구하기보다는 고통과 불안이 없는 상태를 추구하는데, 이런 점에서 그들의 쾌락주의를 소극적 쾌락주의라고 할 수 있다.

① 자연적이고 필수적인 욕구를 최대한 충족해야 한다. (×)
 → 에피쿠로스학파는 소극적으로 쾌락을 추구한다.

② 모든 쾌락의 제거를 통해 진정한 행복을 얻어야 한다. (×)
 → 에피쿠로스학파는 쾌락을 추구하고 고통을 제거하고자 한다.

③ 자연의 법칙을 파악하기 위해 보편적 이성을 따라야 한다. (×)
 → 에피쿠로스학파와 관련 없는 내용이다.

④ 공동체에 대한 헌신을 윤리적 이상으로 삼고 실천해야 한다. (×)
 → 에피쿠로스학파는 공적인 삶에서 벗어나 은둔적 삶을 살 것을 강조한다.

⑤ 쾌락은 다른 모든 가치를 평가하는 최고선임을 알아야 한다. (○)

03 에피쿠로스의 사상 이해   답 ③

제시문의 사상가는 에피쿠로스이다. 부동심에 도달할 것을 강조하는 사상은 스토아학파이다. 에피쿠로스학파가 추구하는 쾌락은 무분별한 욕구 충족에서 오는 쾌락이 아니고, 사치스러운 향락에서 오는 쾌락도 아니다. 에피쿠로스학파는 이런 쾌락은 순간적이고, 고통을 남길 수 있으므로 억제되어야 한다. 이와 같은 쾌락에 탐닉하는 것은 결과적으로 쾌락으로부터 멀어지는 쾌락의 역설을 초래한다고 보았다.

04 에피쿠로스의 쾌락에 대한 입장   답 ④

(가)는 에피쿠로스의 주장이다. 에피쿠로스가 추구하는 쾌락은 감각적이고 육체적인 쾌락이 아니라 고통을 발생시키는 욕구를 절제함으로써 주어지는 정신적 쾌락이므로 쾌락 기계가 주는 쾌락은 진정한 쾌락이 아니라는 입장을 취할 것이다.

05 에피쿠로스학파의 입장   답 ③

에피쿠로스는 적극적인 욕망의 충족에 따른 쾌락이 아니라 고통을 제거함으로써 주어지는 쾌락을 추구하였다. 에피쿠로스는 궁극적으로 모든 고통이 제거된 상태가 지속됨으로써 주어지는 쾌락을 통해 참된 행복에 이를 수 있다고 보았다.

06 에피쿠로스의 덕   답 ②

제시문은 에피쿠로스의 주장으로, ㉠에 들어갈 말은 덕이다. 에피쿠로스는 절제, 용기, 지혜, 정의와 같은 덕목들은 쾌락을 얻기 위한 도구적 가치를 지닐 뿐이고, 오로지 쾌락만이 본래적 가치를 지닌다고 하였다. 에피쿠로스에 따르면, 진정한 쾌락을 추구하기 위해서는 이성과 이성의 덕인 지혜가 필요하다. 이성이나 지혜가 비록 그 자체로 쾌락은 아니지만, 진정한 쾌락에 이르는 데 필요한 수단이기 때문이다. 그래서 그는 육체의 고통을 없애는 지혜가 필요하다고 주장하였다.

07 스토아학파의 부동심   답 ⑤

제시된 일화는 스토아학파 사상가인 에픽테토스의 부동심이 드러나는 글이다. 스토아학파는 정념과 욕구를 극복하고 부동심을 유지할 것을 강조하였으며, 있는 그대로 자연을 인식하고 그에 의지를 일치시킬 것을 주장하였다. 스토아학파가 말하는 정념이란 외부의 자극으로 일어나는 마음의 모든 격렬한 움직임을 뜻하는 것으로, 평온한 삶을 깨뜨리는 원인이다.

① 정념에 예속된 삶을 윤리적으로 바람직한 삶으로 보았다. (×)
 → 정념에서 벗어날 것을 강조하였다.

② 몸의 고통과 마음의 불안이 모두 소멸한 상태를 추구하였다. (×)
 → 에피쿠로스학파에서 추구하는 이상적 상태이다.

③ 질적으로 수준 높은 쾌락을 추구하여 마음의 평정을 얻고자 하였다. (×)
 → 스토아학파는 쾌락의 추구를 강조하지 않았다.

④ 공적으로 맺은 인간관계가 고통과 불안을 일으킬 수 있다고 보았다. (×)
 → 공적인 삶에 참여할 것을 강조한다.

⑤ 있는 그대로의 자연을 인식하고 의지를 그에게 일치시키기 위한 수련을 강조하였다. (○)

08 스토아학파의 사상 이해　답 ②

제시문의 사상가는 스토아학파 사상가인 에픽테토스이다. 에픽테토스는 이성적인 사고를 통해 정념에 초연할 것과 주어진 운명에 순응하고 마음의 평온함을 유지할 것을 주장하였다. 스토아학파에 따르면 정념이란 이성에 복종하지 않는 과도한 충동 또는 비이성적이고 부자연스러운 영혼 안의 움직임으로, 정념은 우리의 이성적 판단을 방해하고 우리가 잘못된 행동을 하도록 이끈다. 따라서 정념에서 벗어난 상태인 부동심, 즉 아파테이아에 이르도록 노력해야 한다고 주장한다.

09 스토아학파가 강조한 삶의 태도　답 ①

제시문은 스토아학파 사상가인 아우렐리우스의 글이다. 스토아학파는 모든 욕망과 감정을 제거하는 것이 아니라 초연할 것을 강조하고, 각자 본분과 의무에 충실해야 한다고 주장한다.

ㄷ. 쾌락의 적극적 추구보다는 고통의 원인을 제거한다. (×)
→ 에피쿠로스학파의 주장이다.

ㄹ. 행복에 도달하기 위해 필연적인 자연법칙을 극복해야 한다. (×)
→ 스토아학파와 관련 없는 내용이다.

10 스토아학파의 사상 이해　답 ④

제시문의 사상가는 스토아학파 사상가인 에픽테토스이다. 에픽테토스에 따르면 외부에서 일어나는 모든 일은 이미 결정되어 있으므로 우리의 의지대로 변화시킬 수 없다. 따라서 운명에 순응하는 삶의 태도가 중요하다. 스토아학파에 따르면 외적으로 일어나는 모든 일은 이미 결정되어 있으므로 우리의 의지대로 변화시킬 수 없지만 내면의 동기나 의지는 조절할 수 있다. 그러므로 자연과 일치하고자 하는 한 우리의 동기나 의지는 선한 것이고 덕 있는 것이며 우리를 행복으로 이끈다.

11 스토아학파의 사상 이해　답 ①

제시문의 사상가는 스토아학파 사상가인 에픽테토스이다. 에픽테토스는 우리의 의지로 바꿀 수 있는 일과 없는 일을 구분해야 한다고 보았다.

① 의지로 바꿀 수 있는 것과 없는 것을 구분해야 한다. (○)
② 이성적 관조를 통해 자연법칙에서 벗어나야 한다. (×)
→ 자연법칙에 순응할 것을 강조한다.
③ 이성적 자각을 통해 스스로 운명을 개척해야 한다. (×)
→ 운명에 순응해야 한다고 본다.
④ 실천적 지혜로 자신의 주변 상황을 제어해야 한다. (×)
→ 스토아학파과 관련 없는 내용이다.
⑤ 육체적 쾌락을 억제하고 정신적 쾌락을 추구해야 한다. (×)
→ 에피쿠로스의 입장이다.

12 스토아학파와 에피쿠로스학파의 사상 비교　답 ②

갑은 스토아학파의 아우렐리우스, 을은 에피쿠로스이다. 스토아학파에서는 이성을 따름으로써 어떠한 상황에서도 동요되지 않는 부동심(不動心)에 이를 것을 주장하였다. 반면 에피쿠로스는 정신적 쾌락을 추구하면서 평온한 상태에 이를 것을 주장하였다.

ㄱ. A: 모든 정념을 제거해 부동심에 도달해야 하는가? (×)
→ 스토아학파는 자연스러운 정념을 인정한다.

ㄹ. C: 쾌락은 선이므로 가능한 많은 욕구를 충족해야 하는가? (×)
→ 에피쿠로스는 쾌락을 무분별하게 추구하면 쾌락의 역설을 일으킨다고 보았다.

13 스토아학파와 에피쿠로스학파의 사상 비교　답 ③

갑은 스토아학파, 을은 에피쿠로스이다. 에피쿠로스는 자연적이고 필수적인 욕망을 충족하는 소박한 삶을 살아야 몸의 고통과 마음의 불안이 소멸된다고 보았으며, 이러한 상태를 평정심이라고 하였다. 스토아학파가 주장하는 평온함이란 어떤 상황에서도 동요하지 않는 정신 상태인 부동심이다.

ㄱ. 갑은 자신의 운명을 적극적으로 개척해야 한다고 본다. (×)
→ 스토아학파는 운명은 바꿀 수 없다고 보았다.

ㄹ. 갑, 을은 모두 행복을 위해 공적인 삶에서 벗어나야 한다고 본다. (×)
→ 에피쿠로스학파에만 해당하는 내용이다.

14 스토아학파의 에피쿠로스 비판　답 ②

갑은 스토아학파의 에픽테토스, 을은 에피쿠로스이다. 공동선의 실현을 강조하는 스토아학파의 입장에서는 은둔 생활을 중시하는 에피쿠로스에게 공동선 실현을 위해 노력해야 한다고 비판할 수 있다.

15 에피쿠로스학파와 스토아학파의 이상적 상태

모범 답안 | 갑은 에피쿠로스학파, 을은 스토아학파이다. 에피쿠로스학파는 몸에 고통이 없고 마음에 불안이 없는 평온한 상태인 아타락시아(ataraxia)를 추구한다. 스토아학파가 추구하는 이상적 상태는 아파테이아(apatheia), 즉 정념이 없는 상태로, 어떠한 외부적 상황에서도 흔들리지 않는 정신의 의연함과 평온함을 의미한다.

채점 기준	배점
에피쿠로스학파와 스토아학파의 이상적 상태를 바르게 비교해 서술한 경우	상
에피쿠로스학파와 스토아학파의 이상적 상태를 서술하였으나 잘못된 내용이 포함된 경우	중
에피쿠로스학파와 스토아학파의 이상적 상태가 아닌 다른 내용을 서술한 경우	하

16 쾌락의 역설

모범 답안 | 쾌락의 역설, 쾌락의 역설이란 쾌락을 추구하다 보면 원래 목표로 삼았던 쾌락을 얻기보다 오히려 고통을 얻게 된다는 뜻이다.

채점 기준	배점
쾌락의 역설에 관해 바르게 서술한 경우	상
쾌락의 역설을 서술하였으나 잘못된 내용이 포함된 경우	중
쾌락의 역설이 아닌 다른 내용을 서술한 경우	하

17 스토아학파와 에피쿠로스학파 사상의 공통점

모범 답안 | 갑은 스토아학파, 을은 에피쿠로스학파로, 두 사상 모두 마음의 평온함을 추구하며, 이를 위해 검소하고 절제 있는 생활을 할 것을 강조한다.

채점 기준	배점
스토아학파와 에피쿠로스학파 사상의 공통점을 바르게 서술한 경우	상
스토아학파와 에피쿠로스학파 사상의 공통점을 서술하였으나 잘못된 내용이 포함된 경우	중
스토아학파와 에피쿠로스학파의 공통점이 아닌 다른 내용을 서술한 경우	하

18 에피쿠로스학파가 추구하는 쾌락

모범 답안 | 에피쿠로스학파가 추구하는 쾌락은 무분별한 욕구 충족에서 오는 쾌락이 아니라 지속적이고 정신적인 쾌락이다.

채점 기준	배점
에피쿠로스학파가 추구하는 쾌락을 바르게 서술한 경우	상
에피쿠로스학파가 추구하는 쾌락을 서술하였으나 잘못된 내용이 포함된 경우	중
에피쿠로스학파가 추구하는 쾌락이 아닌 다른 내용을 서술한 경우	하

도전 수능 문제
p. 135 ~ p. 137

01 ④	02 ②	03 ③	04 ⑤	05 ⑤	06 ②
07 ①	08 ⑤	09 ③	10 ③	11 ①	12 ②

01 스토아학파와 에피쿠로스학파의 사상 비교 답 ④

(가)의 갑은 스토아학파의 아우렐리우스, 을은 에피쿠로스이다. 아우렐리우스는 모든 일이 자연의 법칙에 따라 필연적으로 일어나며, 자연의 일부인 인간이 자연법칙을 통찰하고 순리에 따를 때 부동심의 경지에 이를 수 있다고 보았다. 에피쿠로스는 적극적인 욕망의 충족에 따른 쾌락이 아니라 몸에 고통이 없고 마음의 불안이 없는 상태를 추구해야 한다고 보았다.

02 스토아학파와 에피쿠로스학파의 사상 비교 답 ②

갑은 에피쿠로스, 을은 에픽테토스이다. 에피쿠로스는 쾌락을 중시하였고, 몸에 고통이 없고 마음에 불안이 없는 평온함을 강조하였다. 에픽테토스는 우리에게 일어나는 모든 일을 운명으로 받아들여야 한다고 보았다.

03 스토아학파와 에피쿠로스학파의 사상 비교 답 ③

갑은 에픽테토스, 을은 에피쿠로스이다. 에픽테토스가 금욕적인 삶을 추구한 데 비해 에피쿠로스는 지속적이고 정신적인 쾌락을 추구하였다. 에피쿠로스에 따르면 사려 깊고 고상하며 정의롭게 살아야 참된 쾌락을 누릴 수 있다.

04 스토아학파와 에피쿠로스학파의 사상 비교 답 ⑤

갑은 에피쿠로스, 을은 스토아학파 사상가인 키케로이다. 에피쿠로스와 키케로는 평온한 삶을 위해 자연의 원리를 알아야 한다고 보았다.

정답을 찾아가는 **셀파 - Tip**

① 갑은 인간은 주어진 운명에 순응하며 살아야 한다고 본다. (×)
　→ 스토아학파의 입장이다.

② 갑은 사려 깊은 사람은 즐겁게 사는 것이 불가능하다고 본다. (×)
　→ 에피쿠로스는 사려 깊은 사람이 쾌락을 누릴 수 있다고 보았다.

③ 을은 이성에 따른 삶과 자연에 따른 삶이 상이하다고 본다. (×)
　→ 스토아학파는 자연이 곧 이성 그 자체라고 보았다.

④ 을은 덕을 갖춘 사람은 신의 예정에서 벗어날 수 있다고 본다. (×)
　→ 스토아학파는 주어진 운명을 거부할 수 없다고 보았다.

⑤ 갑, 을은 평온한 삶을 위해 자연의 원리를 알아야 한다고 본다. (○)

05 스토아학파와 에피쿠로스학파의 사상 비교 답 ⑤

갑은 에피쿠로스, 을은 스토아학파 사상가 아우렐리우스이다. 에피쿠로스는 쾌락을 모든 욕구의 충족이 아니라, 몸에 고통이 없고 마음에 불안이 없는 상태로 보았다. 아우렐리우스는 각자가 자신의 운명에 순응하고 자연의 이치를 따르면서 사회적 역할과 의무를 충실히 수행할 것을 강조하였다. 에피쿠로스와 아우렐리우스 모두 진정한 행복을 위해 이성적 숙고의 태도가 필요하다고 주장하였다.

06 스토아학파와 에피쿠로스학파의 사상 비교 답 ②

갑은 에피쿠로스, 을은 스토아학파 사상가인 에픽테토스이다. 에피쿠로스는 육체의 고통과 마음의 불안이 없는 평온한 상태인 아타락시아를 추구하였다. 에픽테토스는 아파테이아를 이상적인 상태로 보고 그러한 상태에 이르기 위해 욕망과 감정의 지배에서 벗어날 것을 강조하였다.

07 소크라테스와 에피쿠로스의 사상 비교 답 ①

갑은 소크라테스, 을은 에피쿠로스이다. 소크라테스는 모든 덕은 참된 앎에서, 악은 무지에서 비롯된다고 보았으며, 도덕 판단의 기준은 개인의 경험에 따라 달라지지 않는다고 주장하였다. 에피쿠로스는 욕망을 절제하여 고통을 제거함으로써 참된 쾌락을 얻을 수 있다고 보았으며, 평정심에 이르기 위해 공적인 삶을 멀리할 것을 주장하였다. 한편 소크라테스와 에피쿠로스는 모두 행복한 삶과 유덕한 삶은 별개의 것이 아니라고 보았다.

08 에픽테토스와 장자의 사상 비교 답 ⑤

갑은 스토아학파의 에픽테토스, 을은 장자이다. 에픽테토스는 이성적인 사고를 통해 정념에 초연할 것과 주어진 운명에 순응하고 마음의 평온함을 유지할 것을 주장하였다. 장자는 자기중심적 편견을 극복하여 만물을 차별 없이 봐야 한다고 주장하였다. 에픽테토스와 장자는 모두 자연의 질서를 따름으로써 참된 자유를 실현해야 한다고 보았다.

09 스토아학파와 에피쿠로스학파의 사상 비교 답 ③

갑은 에피쿠로스, 을은 아우렐리우스이다. 에피쿠로스는 공적인 삶보다 은둔적 삶을 바람직한 것으로 보았다. 아우렐리우스는 자연에서 일어나는 모든 일은 신적 이성에 의해 이미 결정된 것으로서 바꿀 수 없고, 또한 최선의 것이므로 사람들은 주어진 운명에 순응해야 한다고 보았다.

10 스토아학파가 강조하는 삶의 태도　　　　　　답 ③

제시문의 사상가는 스토아학파의 아우렐리우스이다. 그는 자연의 필연적 법칙을 인식하고 자신의 욕구를 절제할 것을 강조하였다. 스토아학파의 관점에서 이성에 따른 삶이란 자연의 필연적 질서와 법칙에 순응하는 삶이자 신의 섭리와 예정에 따른 삶을 의미한다.

11 에피쿠로스와 소크라테스 사상의 비교　　　　　답 ①

갑은 에피쿠로스이고, 을은 소크라테스이다. 에피쿠로스에 따르면 필수적이지 않은 욕구를 추구하면 고통과 불안이 발생한다. 에피쿠로스와 소크라테스는 모두 행복의 실현을 위해서는 즐거움에 대한 이성적 숙고가 필요하다고 보았다.

12 에피쿠로스와 플라톤의 사상 비교　　　　　　답 ②

갑은 에피쿠로스, 을은 플라톤이다. 에피쿠로스는 고통을 피하고 쾌락을 추구하는 것이 행복한 삶을 가져온다고 보았다.

정답을 찾아가는 셀파 - Tip

① 철학자만이 최고의 행복을 성취할 수 있음을 간과한다. (×)
　→ 에피쿠로스와 관련 없는 내용이다.
② 개인 간의 정의는 최고선인 쾌락을 얻기 위한 것임을 간과한다. (○)
③ 현실에서의 좋음보다 초월적인 좋음을 추구해야 함을 간과한다. (×)
　→ 플라톤의 입장이다.
④ 쾌락은 지나침이나 모자람과 관계없이 그 자체로 악임을 간과한다. (×)
　→ 에피쿠로스는 쾌락을 긍정한다.
⑤ 지혜·용기·절제의 조화를 이룬 사람은 불행할 수 없다는 점을 간과한다. (×)
　→ 플라톤의 입장이다.

04　참된 신앙

탄탄 내신 문제　　　　　　　　　　　　p. 142 ~ p. 146

01 ④	02 ③	03 ④	04 ④	05 ②	06 ②
07 ①	08 ③	09 ④	10 ①	11 ②	12 ④
13 ②	14 ③	15 해설 참조		16 해설 참조	
17 해설 참조		18 해설 참조			

01 유대교의 특징　　　　　　　　　　　　　답 ④

㉠은 유대교이다. 유대교는 신으로부터 받은 율법을 엄격하게 지키려는 율법주의에 뿌리를 두고 있다. 예수는 이러한 유대교의 형식적인 율법주의를 비판하며 인간에 대한 사랑이라는 도덕적 의무를 강조하였다. 또한 예수는 "무엇이든지 남에게 대접받고자 하는 대로 너희도 남을 대접하라."라는 보편 윤리로서의 황금률을 제시하였다. 이는 이웃을 사랑함에 있어 율법적 의무보다는 도덕적 의무를 우선시해야 하며, 마음뿐만 아니라 반드시 실천이 따라야 함을 강조한 것이다.

02 그리스도교의 전개 과정　　　　　　　　　답 ③

제시된 종교는 그리스도교이다. 초창기 그리스도교는 통일된 교리를 갖추지 못했지만 그리스 사상과 만나면서 교리를 체계화하였다. 중세에는 교부 철학과 스콜라 철학으로 발전하였고, 점차 세계적인 종교로 발전하게 되었다.

03 아우구스티누스의 사상　　　　　　　　　답 ④

제시문의 사상가는 아우구스티누스이다. 그는 플라톤의 사상에 영향을 받아 세계를 완전한 신의 나라와 불완전한 인간의 나라인 지상의 나라로 나누었다. 아우구스티누스에 따르면 인간은 신의 모습대로 창조되었지만, 육체를 지니고 욕망에 따라 이 세상에서 살아가는 불완전한 존재이다. 그래서 결국 죄를 짓고 만다. 따라서 죄에서 벗어나 천국에 들어가는 것이 인간에게는 최고의 행복이고 구원이며, 신은 플라톤의 이데아처럼 인간이 추구해야 할 최고선이다.

정답을 찾아가는 셀파 - Tip

① 이성이나 철학은 신앙에 아무 도움을 주지 못하는가? (×)
　→ 아우구스티누스는 이성의 역할을 긍정하였다.
② 신에 대한 이성적 관조를 통해 최고의 행복에 도달할 수 있는가? (×)
　→ 아퀴나스의 입장이다.
③ 인간은 신이 부여한 자유 의지만으로 참된 행복에 이를 수 있는가? (×)
　→ 인간은 신의 사랑과 은총이 있어야 행복해질 수 있다.
④ 지상의 나라는 자기만을 사랑하는 불완전한 사람들로 이루어진 나라인가? (○)
⑤ 신은 존재하는 유일한 실체로서 필연적 질서와 인과 법칙에 따라 움직이는 기계인가? (×)
　→ 스피노자의 입장이다.

04 아우구스티누스의 신　　　　　　　　　　답 ④

제시문은 아우구스티누스의 주장이다. 그는 신을 실존적으로 만나야 하는 인격적 존재로 보았다. 아우구스티누스는 신을 종교적 경험을 통해 실제로 만날 수 있고, 감정 등을 지닌 존재로 파악하였다. 아우구스티누스에 따르면 신은 우주 만물을 창조한 창조주이기도 하다. 따라서 피조물을 사랑하는 왜곡된 사랑이 아니라, 창조주를 사랑하고 신을 향유하는 것이 진정한 행복에 이르는 길이라고 하였다.

내 것으로 만드는 셀파 - Tip

▶ **그리스도교의 신과 스피노자의 신**

그리스도교	신은 우주 만물의 창조주로, 이성적 인식을 넘어 실존적으로 만나야 하는 인격적 존재이자 최고선
스피노자	신은 곧 자연이자 세계

05 아우구스티누스의 악(惡)　　　　　　　　答 ②

제시문의 사상가는 아우구스티누스이다. 아우구스티누스는 악은 실체가 아니라 선의 결여이자 인간으로부터 비롯된 것이라고 주장한다. 아우구스티누스에 따르면 창조주 신은 우주 만물을 창조하였으나, 악을 창조한 것은 아니다. 신이 창조한 것은 오직 선(善)뿐이고 악은 그 선이 결여된 상태이다. 이 세상에 존재하는 악은 신이 인간에게 부여한 자유 의지를 인간이 남용하여 생긴 인간 행위의 결과이다.

① 선에 반대되는 실체로 신의 창조물이다. (×)
→ 악은 인간으로부터 비롯된다고 보았다.

② 자유 의지를 남용한 인간 행위의 결과로 선의 결여이다. (○)

③ 인간의 타고난 본성을 교화하지 않음으로써 강화되는 성질이다. (×)
→ 아우구스티누스와 관련 없는 내용이다.

④ 자연의 질서에 거스르며 인위적인 제도를 만듦으로써 생겨나는 것이다. (×)
→ 아우구스티누스와 관련 없는 내용이다.

⑤ 인간의 노력과 신에 대한 믿음만으로 원죄라는 악으로부터 구원받을 수 있다. (×)
→ 신의 사랑과 은총이 있어야 악으로부터 구원받을 수 있다.

06 아우구스티누스 사상의 사상적 의의   답 ②

제시문의 사상가는 아우구스티누스이다. 아우구스티누스는 플라톤의 사상을 수용하여 신앙과 사랑의 윤리를 체계화하였다. 아우구스티누스는 플라톤이 완전한 실재로 상정했던 선(善)의 이데아를 신으로 대체하였다.

07 아우구스티누스와 플라톤의 사상 비교   답 ①

갑은 아우구스티누스, 을은 플라톤이다. 아우구스티누스는 플라톤의 사상에 영향을 받아 플라톤의 지혜, 용기, 절제, 정의의 사주덕을 사랑의 다른 형태라고 재해석하였다. 아우구스티누스는 플라톤의 사주덕을 신과의 관계에서 파악한다. 그에 따르면, 인간이 덕을 구현하고 행복해지려면 계시를 통해 신의 은총을 받아야만 한다. 신은 이성을 통해 인식할 수 있는 대상을 초월한 존재이며, 실존을 통해 만나야 하는 인격적 존재이기 때문이다.

08 아우구스티누스의 행복   답 ③

제시문의 사상가는 아우구스티누스이다. 아우구스티누스는 참된 행복에 이르기 위해 최고선인 신을 사랑하고 그 선을 실현해야 한다고 주장하였다. 그리고 신의 은총을 통해 인간이 원죄로부터 구원받을 수 있다고 하였다.

09 아퀴나스와 아리스토텔레스의 사상 비교   답 ④

갑은 아퀴나스, 을은 아리스토텔레스이다. 아퀴나스는 아리스토텔레스가 추구한 행복은 현세에서의 행복으로서 완전한 행복으로 나아가기 위한 예비적 단계에 불과하다고 보았다. 아퀴나스에 따르면 아리스토텔레스가 자연적 덕을 통해 추구한 행복은 현세에서 추구할 목표이고, 궁극적 지복(至福)은 자연적 덕에 종교적 덕까지 추구함으로써 신의 은총을 받아야 내세에서 가능하다.

10 아퀴나스의 사상   답 ①

제시문의 사상가는 아퀴나스이다. 아퀴나스도 아우구스티누스와 마찬가지로 창조주 신을 인격적 존재로 보았다. 아퀴나스는 이성적 활동을 통해 지적인 덕과 품성적인 덕을 형성하는 것뿐만 아니라 신의 은총 아래 믿음, 소망, 사랑이라는 종교적 덕을 실천하여 신과 하나가 되어야 한다고 주장하였다.

① 신은 만물을 창조하고 주재하는 인격적인 존재이다. (○)

② 최고의 행복은 이데아에 대한 이성적 관조를 통해 실현된다. (×)
→ 최고의 행복은 신에 대한 지식과 관조를 통해 내세에서 이룰 수 있다.

③ 어떤 행위가 도덕적 의무와 일치하기만 하면 도덕적 가치를 지닌다. (×)
→ 아퀴나스와 관련 없는 내용이다.

④ 신에 대해 이성적 이해를 시도하는 것은 참된 신앙이라고 할 수 없다. (×)
→ 아퀴나스는 이성의 역할을 인정한다.

⑤ 윤리적 단계를 넘어 종교적 단계에 이를 때 참된 실존을 회복할 수 있다. (×)
→ 아퀴나스와 관련 없는 내용이다.

11 아퀴나스의 자연법   답 ②

제시문의 사상가는 아퀴나스이다. 아퀴나스에 따르면 자기 보존과 종족 보존은 다른 실체나 동물들과 공유하는 성향이다. 아퀴나스는 신의 명령인 영원법이 있고, 신이 인간에게 부여한 이성을 통해 영원법을 파악한 자연법이 있다고 본다. 자연법의 제1원리는 '선을 행하고 악을 피하라'이다. 이때 선의 구체적인 내용은 신이 부여한 인간의 자연적 성향을 따르는 것이다. 인간의 자연적 성향은 자기 보존, 종족 보존, 신에 대한 진리 파악, 사회적 삶의 향유 등을 포함한다.

12 아퀴나스의 사상 이해   답 ④

제시문의 사상가는 아퀴나스이다. 아퀴나스는 이성에 의해 파악된 자연적 성향을 따르고 신의 뜻을 따름으로써 신의 은총을 받아 내세에서 참된 행복에 이를 수 있다고 보았다.

13 루터의 사상   답 ②

제시문의 사상가는 루터이다. 루터는 중세 가톨릭 교회의 부패를 비판하며 그리스도교의 진리는 성서에 있다고 주장하였다. 루터는 교회의 부패한 행태를 지적하며 95개조의 반박문을 발표하였다. 그는 교황이 발행하는 면죄부가 인간을 구원하지 못하며, 예수의 가르침과 사랑을 실천해야 구원과 행복에 이를 수 있다고 보았다.

14 칼뱅의 사상   답 ③

제시문의 사상가는 칼뱅이다. 칼뱅은 예정설과 직업 소명설을 주장하며 성실하고 근면한 노동을 강조하였다. 칼뱅의 사상은 성실, 근면하게 생활하여 직업적 부를 축적하고 성공하는 것이 신으로부터 구원받을 수 있는 증표라고 여겨 근대 자본주의의 정신적 기반이 되었다.

서답형 문제

15 아우구스티누스의 사상적 특징

모범 답안 | 아우구스티누스는 플라톤 사상을 수용해 그리스도교의 관점에서 새롭게 해석하였다. 플라톤의 이데아론을 수용해 천상의 나라와 지상의 나라를 구분하였고, 플라톤이 강조한 사주덕은 신에 대한 사랑의 다른 표현으로 해석하였다.

채점 기준	배점
아우구스티누스의 사상적 특징을 바르게 서술한 경우	상
아우구스티누스의 사상적 특징을 서술하였으나 잘못된 내용이 포함된 경우	중
아우구스티누스가 아닌 다른 사상가의 특징을 서술한 경우	하

16 아우구스티누스의 악(惡)

모범 답안 | 악은 실체가 아니라 선의 결여이며, 신이 창조한 것이 아니라 인간 행위의 결과이다.

채점 기준	배점
아우구스티누스의 악에 관해 바르게 서술한 경우	상
아우구스티누스의 악에 관해 서술하였으나 잘못된 내용이 포함된 경우	중
아우구스티누스의 악에 관한 내용이 아닌 다른 내용을 서술한 경우	하

17 아퀴나스의 참된 행복

모범 답안 | 아퀴나스는 참된 행복에 이르기 위해서는 이성적 활동을 통해 지성적 덕과 품성적 덕을 형성하는 것뿐만 아니라 신의 은총 아래 믿음, 소망, 사랑이라는 종교적 덕을 실천하여 신과 하나가 되어야 한다고 주장한다.

채점 기준	배점
아퀴나스의 입장에서 참된 행복에 이르기 위해 필요한 조건을 바르게 서술한 경우	상
아퀴나스의 입장에서 참된 행복에 이르기 위해 필요한 조건을 서술하였으나 잘못된 내용이 포함된 경우	중
아퀴나스의 입장이 아닌 다른 사상가의 입장을 서술한 경우	하

18 아퀴나스의 자연법과 영원법

모범 답안 | ㉠은 자연법이다. 영원법은 인간의 자연적 성향에 반영되어 있으며, 인간은 이성을 통해 자연적 성향을 인식하고 따름으로써 영원법에 참여할 수 있다. 이와 같이 이성에 의해 인식된 영원법을 자연법이라고 한다.

채점 기준	배점
자연법과 영원법의 관계를 바르게 서술한 경우	상
자연법과 영원법의 관계를 서술하였으나 잘못된 내용이 포함된 경우	중
자연법과 영원법의 관계가 아닌 다른 내용을 서술한 경우	하

도전 수능 문제
p. 147 ~ p. 149

01 ④	02 ③	03 ①	04 ④	05 ②	06 ①
07 ②	08 ⑤	09 ⑤	10 ②	11 ③	12 ④

01 아퀴나스의 사상 이해   답 ④

제시문의 사상가는 아퀴나스이다. 아퀴나스에 따르면 인간은 동물적 존재로서 종족을 보존하려고 하는 자연적 경향성을 가지는 동시에 이성적 존재로서 사회적 삶을 살려고 하는 자연적 경향성을 가진다.

02 아리스토텔레스와 아퀴나스의 사상 비교   답 ③

고대 서양 사상가 갑은 아리스토텔레스, 중세 서양 사상가 을은 아퀴나스이다. 아퀴나스는 완전한 행복에 도달하는 것이 삶의 목적이라고 보았다. 아퀴나스는 아리스토텔레스의 영향을 받았지만, 아리스토텔레스가 말한 자연적 덕 이외에 믿음, 소망, 사랑이라고 하는 종교적 덕을 추구하고 신의 은총을 받아 완전한 행복에 도달해야 삶의 목적이 실현된다고 보았다.

03 아퀴나스와 아우구스티누스의 사상 비교   답 ①

갑은 아퀴나스, 을은 아우구스티누스이다. 아퀴나스가 강조한 자연법은 신이 자연을 만들었다는 주장을 전제로 삼는다. 자연법은 신의 명령인 영원법에 근원을 둔다.

정답을 찾아가는 셀파 - Tip

① 갑: 자연법은 영원법에 근원을 두고 있다. (○)
② 갑: 자유 의지가 없는 인간은 신의 뜻에 따라야 한다. (×)
　→ 아퀴나스는 인간의 자유 의지를 부정하지 않는다.
③ 을: 신은 악을 포함해 만물을 창조한 인격적 존재이다. (×)
　→ 아우구스티누스는 악은 인간에서 비롯된다고 보았다.
④ 을: 신에 대한 사랑을 통해 현세에서 완전한 행복이 실현된다. (×)
　→ 아우구스티누스는 인간의 노력만으로는 참된 행복을 누릴 수 없다고 보았다.
⑤ 갑, 을: 신의 존재는 오직 계시를 통해서만 증명될 수 있다. (×)
　→ 아퀴나스는 이성적 논증을 통해 신의 존재를 증명한다.

04 아우구스티누스, 아퀴나스, 키르케고르의 사상   답 ④

갑은 아우구스티누스, 을은 아퀴나스, 병은 키르케고르이다. 아우구스티누스와 아퀴나스는 그리스도교 사상가이고, 키르케고르는 현대 실존주의 사상가이다. 아우구스티누스와 아퀴나스 모두 인간의 노력, 즉 종교적 덕의 함양과 함께 신의 은총이 있어야 참된 행복에 이를 수 있다고 본다.

정답을 찾아가는 셀파 - Tip

① 갑: 전능한 신은 선의 결핍인 악의 최종적인 존재 근거이다. (×)
　→ 아우구스티누스는 악이 인간 때문에 발생한다고 보았다.
② 을: 도덕적 문제에서는 신의 명령보다 이성의 명령이 우선한다. (×)
　→ 아퀴나스는 신앙과 이성 모두 신으로부터 주어진 것이라고 보았다.
③ 병: 절대자에게 의존하지 않고 주체적 결단으로 절망을 극복해야 한다. (×)
　→ 키르케고르는 절대자에게 귀의할 것을 주장한다.
④ 갑, 을: 참된 행복을 위해 신앙뿐 아니라 신의 은총도 필요하다. (○)
⑤ 을, 병: 이성적 추론과 실존적 자각으로 신의 존재를 알 수 있다. (×)
　→ 아퀴나스는 실존적 자각을 강조하지 않는다.

05 아우구스티누스와 아퀴나스의 사상 비교   답 ②

갑은 아우구스티누스, 을은 아퀴나스이다. 아우구스티누스는 신을 이성적 인식을 넘어 실존적으로 만나야 하는 인격적 존재로 파악한다. 또한 아우구스티누스는 악은 선의 결핍이며 인간 행위의 결과라고 본다. 아퀴나스는 인간이 이성을 통해 신의 명령인 영원법을 이해한 것이 자연법이고, 인간 세상의 실정법은 이 자연법에 근거를 두어야 한다고 본다.

36 딱풀

06 아우구스티누스가 강조하는 삶의 태도 　답 ①

가상 편지를 쓴 사상가는 아우구스티누스이다. 편지에서는 신이 부여한 자유 의지를 인간이 남용함으로써 죄를 짓게 된 것에 대해 말하며, 신의 은총 속에서 참된 행복을 추구해야 함을 강조하고 있다.

07 아퀴나스의 사상 이해 　답 ②

제시문의 사상가는 아퀴나스이다. 아퀴나스는 인간의 본성에는 창조주의 영원법이 반영되어 자연적 경향성이 있다고 본다. 그는 인간의 이성을 통해 자연적 경향성을 파악할 수 있고, 이를 따라야 한다고 한다.

08 아우구스티누스와 루터의 사상 　답 ⑤

갑은 아우구스티누스, 을은 루터이다. 루터는 성서와 기도를 중시하였고, 아우구스투스와 루터 모두 은총과 믿음을 통해 구원이 이루어진다고 주장하였다.

09 아우구스티누스와 아퀴나스의 사상 　답 ⑤

갑은 아우구스티누스, 을은 아퀴나스이다. 아퀴나스는 신의 계시를 따라야 한다고 주장하고, 아퀴나스와 아우구스티누스 모두 인간의 완전한 행복을 위해 신의 은총이 필요하다고 본다.

10 아우구스티누스와 아퀴나스의 사상 　답 ②

갑은 아우구스티누스, 을은 아퀴나스이다. 아우구스티누스는 신앙이 이성보다 우위에 있고 이성이 기능을 수행함에 신앙이 기여할 수 있다고 보았다.

11 아우렐리우스와 아우구스티누스의 사상 　답 ③

갑은 스토아학파의 아우렐리우스, 을은 아우구스티누스이다. 아우구스티누스는 신을 경멸하고 자신을 사랑하는 사람들의 나라인 지상의 나라에서 자기 자신을 따름으로써 죄를 짓게 된다고 보았다.

정답을 찾아가는 셀파 - Tip

① 갑은 필연성에서 벗어날 때 정신적 자유에 이를 수 있다고 본다. (×)
　→ 스토아학파는 인간이 운명에서 벗어날 수 없다고 보았다.
② 갑은 인간이 영혼 속의 정념을 따르면 선한 삶을 살 수 있다고 본다. (×)
　→ 스토아학파는 정념에서 벗어나야 한다고 본다.
③ 을은 인간이 신보다 자기 자신을 따름으로써 죄를 짓는다고 본다. (○)
④ 을은 믿음이 아닌 신에 대한 이성적 인식으로 지복이 가능하다고 본다. (×)
　→ 아우구스티누스는 인간의 노력만으로는 행복에 이를 수 없다고 본다.
⑤ 갑, 을은 인간이 오직 신의 은총을 통해 신과 합일할 수 있다고 본다. (×)
　→ 아우구스티누스만의 주장이다.

12 아우구스티누스와 아퀴나스의 사상 　답 ④

갑은 아우구스티누스, 을은 아퀴나스이다. 아퀴나스에 의하면, 이성적인 탐구도 성경에 어긋나지 않는다. 또한 자연법은 인간이 신이 부여한 이성을 통해 신의 명령인 영원법을 이해한 것이다.

05 도덕의 기초

탄탄 내신 문제 　p. 154 ~ p. 158

01 ③	02 ②	03 ②	04 ④	05 ④	06 ④
07 ④	08 ⑤	09 ①	10 ①	11 ⑤	12 ①
13 ③	14 ③	15 해설 참조		16 해설 참조	
17 해설 참조		18 해설 참조			

01 근대 서양 사상의 특징 　답 ③

서양 사상은 근대로 전환되면서 신 중심적 사고에서 벗어나 인간 중심적 사고를 하며 진리와 도덕의 근거를 인간의 이성과 경험에서 찾고자 하였다. 근대의 사람들은 이성과 경험을 토대로 삶의 조건을 개선하고 실생활에 유용한 사상을 확립하려고 노력하였다.

02 연역적 방법 　답 ②

합리론에서 강조한 연역적 방법은 자명한 원리로부터 논리적 추론을 통해 개별 이치를 알아내는 방법이다. 연역적 방법은 경험적 검증을 경시하여 사변적 추론이 될 위험이 있다.

정답을 찾아가는 셀파 - Tip

① 성급한 일반화의 오류에 빠질 위험이 있다. (×)
　→ 귀납법에 대한 설명이다.
② 확실한 원리로부터 이성적 추론을 통해 지식을 얻어 낸다. (○)
③ 경험적 검증을 지나치게 강조하여 사변적 추론이 될 수 있다. (×)
　→ 연역법은 경험적 검증을 경시한다.
④ 도덕의 원천인 경험과 감정을 통해 일반화된 도덕 원리를 정립한다. (×)
　→ 경험주의에 대한 설명이다.
⑤ 관찰과 실험을 통해 여러 개별 사례를 관통하는 일반적 원리를 발견한다. (×)
　→ 귀납법에 대한 설명이다.

03 데카르트의 방법적 회의 　답 ②

제시문의 사상가는 데카르트이다. 데카르트는 이성적 추론을 통해 확실한 지식을 연역할 수 있는 철학의 제1원리를 찾아내기 위해 의심할 수 있는 모든 것을 의심해 보는 방법적 회의를 제시하였다. 데카르트는 의심할 수 있는 모든 것을 의심해 봄으로써 "의심하고 있는 나의 존재는 의심할 수 없다"라는 것을 밝혀냈다. 그래서 "나는 생각한다. 그러므로 나는 존재한다."를 철학의 제1원리로 삼았다.

04 스피노자의 신 　답 ④

제시문의 사상가는 스피노자이다. 스피노자에 따르면 신적 본성의 필연성을 이해하고 순응할 때 정념의 속박으로부터 벗어나 자유를 누릴 수 있다. 이성을 온전히 사용하는 것은 자연, 즉 신의 인과적 질서를 파악하는 것이다. 스피노자는 자연 만물의 궁극적인 원인을 신으로 보고, 신을 이성적으로 인식하고자 노력한다. 그는 신을 자연 바깥에 존재하는 초월적 창조자가 아니라 자연 그 자체로 파악하였다. 신, 즉 자연은 존재하는 유일한 실체이며, 자연의 개별 사물은 하나의 실체가 보여 주는 여러 가지 모습인 양태(樣態)이다.

05 스피노자와 데카르트의 사상 비교 답④

갑은 스피노자, 을은 데카르트이다. 스피노자와 데카르트 모두 이성주의 윤리 사상의 입장에서 진리를 탐구하였고, 지식과 사유의 원천을 인간의 이성으로 보았다.

▶ 스피노자와 데카르트의 사상

스피노자	• 이성을 통해 자연의 질서를 올바르게 인식할 것 강조함 • 모든 사물의 원인인 신, 즉 자연을 인식하고 이로부터 만물의 필연적인 인과 질서를 파악해야 한다고 주장함
데카르트	• 근대 이성주의의 기초를 닦음 • 이성을 통한 진리 탐구를 강조함 • 방법적 회의를 통해 철학의 제1원리를 도출함

06 데카르트의 사상 답④

가상 인터뷰의 사상가는 데카르트이다. 데카르트는 의심할 수 있는 모든 것을 의심하는 방법적 회의를 통해 절대 의심할 수 없는 철학의 제1원리를 찾아냈다.

07 스피노자의 사상 답④

제시문의 사상가는 스피노자이다. 스피노자가 말하는 신은 유일한 실체이며, 곧 자연이다. 그는 이러한 자연에 대해 이성적으로 관조하는 것이 자연의 필연 법칙을 파악하는 것이라고 본다. 스피노자에 따르면 모든 사물의 궁극적 원인은 신이다. 신은 자연을 창조한 초월적 존재가 아니라, 자연 그 자체이다. 따라서 여기서 발생하는 모든 만물을 포함한 세계는 필연적인 인과 질서에 의해 움직여지는 거대한 기계와 같다. 이러한 신은 유일한 실체이며 이성을 온전히 사용함으로써 파악할 수 있다.

08 스피노자와 아퀴나스의 사상 비교 답⑤

갑은 스피노자, 을은 아퀴나스이다. 아퀴나스는 신이 창조주인 인격신이라고 보는 반면 스피노자는 신이 자연 그 자체라고 주장한다. 스피노자가 말하는 신은 자연 바깥에 있는 초월적 창조자가 아니라 스스로가 자신의 존재 원인인 유일한 실체이다.

① 행복을 위해서는 자연적 덕 이외에 종교적 덕이 필요함을 간과한다. (×)
→ 아퀴나스의 주장이다.
② 진정한 행복은 내세에 신과 하나됨을 통해 도달할 수 있음을 간과한다. (×)
→ 아퀴나스의 주장이다.
③ 악은 신의 창조물이 아니라 인간이 자유 의지를 남용한 결과임을 간과한다. (×)
→ 아우구스티누스의 주장이다.
④ 신은 인식의 대상이 아니라 실존을 통해 만나야 할 인격적 존재임을 간과한다. (×)
→ 아우구스티누스의 주장이다.
⑤ 신은 자연 바깥에 존재하는 초월적 창조자가 아니라 자연 그 자체임을 간과한다. (○)

09 베이컨의 경험주의 답①

제시문의 사상가는 베이컨이다. 베이컨은 인간의 경험과 관찰을 통해 참된 지식을 얻을 수 있다고 보면서도, 확고한 지식 체계를 형성하기 위해 이성이 필요하다고 본다.

10 베이컨의 우상론 답①

제시문의 사상가는 베이컨이다. 베이컨은 인간이 지닌 선입관과 편견을 우상이라고 칭하며, 우상을 제거하고 자연을 있는 그대로 관찰할 때 올바른 지식을 획득할 수 있다고 주장하였다. 베이컨에 따르면 시장의 우상은 언어에 대한 잘못된 인식이나 그릇된 사용, 소문에서 비롯된 편견을 말한다.

▶ 베이컨의 네 가지 우상

종족의 우상	모든 것을 인간의 관점에서 바라보는 편견
동굴의 우상	개인의 특수한 기질, 경험, 환경, 교육 등에서 비롯된 편견
시장의 우상	잘못된 언어와 소문에서 비롯된 편견
극장의 우상	전통, 권위에 대한 맹신에 따른 편견

11 흄의 사상 이해 답⑤

제시문의 사상가는 흄이다. 흄은 도덕적 선악을 감정으로 느끼는 것이라고 파악한다. 그래서 어떤 행위를 바라볼 때 느끼는 시인의 감정과 부인의 감정을 표현하는 것이 곧 도덕적 선악이라고 생각한다.

① 실제적 원인과 결과 사이의 결합을 이성으로 파악할 수 있다. (×)
→ 흄의 주장과 관련 없는 내용이다.
② 이성은 도덕적 실천에 있어서 아무런 역할도 담당하지 못한다. (×)
→ 흄은 이성이 감정이 원하는 바를 실현하는 방법을 알려 준다고 보았다.
③ 참이나 거짓을 밝히는 이성은 도덕 행위를 직접 유발하는 동기이다. (×)
→ 흄은 감정이 행위를 직접 유발하는 동기라고 보았다.
④ 도덕적 선악은 도덕적 판단 대상인 사람의 행위나 품성 자체에 달려 있다. (×)
→ 흄은 도덕적 선악은 시인과 부인의 감정을 표현하는 것이라고 보았다.
⑤ 인간 도덕성의 기초는 사회적으로 유용한 것에 대한 시인(是認)의 감정이다. (○)

12 흄의 사상 이해 답①

제시문의 사상가는 흄이다. 흄에 따르면 도덕적 선악은 지적 판단의 대상이 아니라, 어떤 행위를 바라볼 때 느끼는 시인의 감정과 부인의 감정을 표현하는 것이다. 이러한 도덕적 감정이 개인의 주관성을 넘어 보편성을 지닐 수 있는 까닭은 공감 덕분이다. 흄은 공감을 우리가 감정을 교류하고, 서로를 이해하며, 편협하고 개인적인 관점을 극복하도록 해 주는 자연적 성향이라고 본다.

13 흄의 도덕적 선악 답③

서술형 평가 문제의 사상가는 흄이다. 흄은 도덕적 선악을 판단함에 있어 사회적 감정을 중시한다. 그에 따르면 도덕적 올바름과 악함은 판단된다기보다는 오히려 느껴지는 것이다.

14 합리론과 경험론 　　　　　　답 ③

(가)는 합리론, (나)는 경험론이다. 합리론은 칸트 윤리 사상에, 경험론 중 특히 흄의 사회적 공감은 공리주의에 영향을 주었다. 근대의 합리론은 자아의 이성 능력을 강조한 데카르트와 자연의 필연적 질서에 대한 이성적 인식을 주장한 스피노자를 거쳐, 이성적 판단을 통해 보편적인 도덕 원칙을 이끌어 내고자 했던 칸트 윤리 사상에 큰 영향을 주었다. 경험을 통한 지식의 확장을 중시하는 근대 경험론의 전통은 베이컨을 거쳐 흄으로 이어졌다. 사회의 행복에 유용한 행위를 강조한 흄의 윤리 사상은 공리주의의 사상적 뿌리가 되었다. 또한 경험론의 관점은 실용주의 윤리 사상의 형성에 큰 영향을 끼쳤다.

서답형 문제

15 연역적 탐구 방법의 한계

모범 답안 | 연역법은 경험적으로 검증되지 않을 경우 공허하거나 사변적인 추론이 될 수 있다는 한계가 있다.

채점 기준	배점
연역법의 한계를 바르게 서술한 경우	상
연역법의 한계를 서술하였으나 잘못된 내용이 포함된 경우	중
연역법이 아닌 귀납법의 한계를 서술한 경우	하

16 데카르트의 방법적 회의

모범 답안 | 방법적 회의, 데카르트는 방법적 회의를 통해 "나는 생각한다. 그러므로 나는 존재한다."라는 명제를 확고부동한 진리로 보고 이를 제1원리로 삼아 다른 진리를 연역해 나갔다.

채점 기준	배점
데카르트의 방법적 회의에 관한 내용을 바르게 서술한 경우	상
데카르트의 방법적 회의에 관해 서술하였으나 잘못된 내용이 포함된 경우	중
방법적 회의가 아닌 다른 내용을 서술한 경우	하

17 베이컨의 네 가지 우상

모범 답안 | 종족의 우상은 모든 것을 인간의 관점에서 보는 편견이다. 동굴의 우상은 개인적인 경험이나 자란 환경에 따라 생긴 편견이다. 시장의 우상은 유언비어나 실재하지 않는 말을 믿어서 생기는 편견이다. 극장의 우상은 전통이나 권위에 따른 지식이나 학문을 그대로 수용하면서 생기는 편견이다.

채점 기준	배점
베이컨의 네 가지 우상을 모두 바르게 서술한 경우	상
베이컨의 네 가지 우상 중 세 가지만 바르게 서술한 경우	중
베이컨의 네 가지 우상 중 두 가지만 바르게 서술한 경우	하

18 흄의 공감

모범 답안 | 공감, 흄에 따르면 공감이란 우리가 감정을 교류하고, 서로를 이해하며, 편협하고 개인적인 관점을 극복하도록 해 주는 자연적 성향이다. 흄은 공감을 도덕적 감정이 개인의 주관성을 넘어 보편성을 지닐 수 있는 까닭이라고 보았다.

채점 기준	배점
흄의 공감의 의미를 바르게 서술한 경우	상
흄의 공감에 관해 서술하였으나 잘못된 내용이 포함된 경우	중
흄의 공감이 아닌 다른 사상가의 내용을 서술한 경우	하

도전 수능 문제 　　　　　　p. 159 ~ p. 161

| 01 ① | 02 ① | 03 ④ | 04 ⑤ | 05 ① | 06 ① |
| 07 ⑤ | 08 ④ | 09 ④ | 10 ③ | 11 ② | 12 ⑤ |

01 스피노자의 사상 　　　　　　답 ①

(가)의 사상가는 스피노자이다. 스피노자에 의하면 신은 곧 자연이며 모든 것은 필연적인 인과 관계에 의해 결정되어 있다. 따라서 자연의 필연성을 인간의 이성을 통해 관조함으로써 참된 마음의 평화와 자유를 누릴 수 있다.

02 스피노자의 사상 　　　　　　답 ①

가상 대담 속 사상가는 스피노자이다. 스피노자는 인간이 지복에 이르기 위해서 이성을 온전히 사용해 신과 사물들의 필연적 인과 관계를 명확하게 파악해야 한다고 본다. 이는 신에 대한 지적인 사랑이라고 할 수 있다.

정답을 찾아가는 셀파 - Tip

① 이성의 인도에 따라 자기를 보존하고 신을 지적으로 사랑한다. (○)
② 신 또는 자연의 속성을 파악하여 세계의 필연성에서 벗어난다. (×)
　→ 자연의 필연적 인과 관계를 인식할 때 최고의 행복에 이를 수 있다고 보았다.
③ 감정과 욕망을 절제하면서 인격신이 부여한 계율을 준수한다. (×)
　→ 스피노자는 인격신을 부정한다.
④ 이성을 통해 만물의 궁극적이고 초월적 원인인 신을 인식한다. (×)
　→ 스피노자의 신은 자연을 초월한 인격신이 아니라 자연 그 자체이다.
⑤ 자유 의지의 남용으로 생긴 악을 극복하기 위해 신에게 귀의한다. (×)
　→ 아우구스티누스의 주장이다.

03 데카르트, 베이컨, 프로타고라스의 사상 　　　답 ④

갑은 데카르트, 을은 베이컨, 병은 프로타고라스이다. 데카르트는 방법적 회의를 통해 의심할 수 없는 명확한 진리인 철학의 제1원리를 도출하였다. 이성주의자인 데카르트뿐만 아니라 경험주의자인 베이컨도 진리를 탐구하는 데 이성의 역할이 필요하다고 본다.

04 흄의 사상 　　　　　　답 ⑤

제시문의 사상가는 흄이다. 흄은 덕과 악덕은 시인이나 부인의 감정이 느껴지는 형태라고 보았다. 덕은 공감에 의해 사회적 시인의 감정이라는 특별한 쾌락이 느껴진다는 점에서 악덕과 구분된다.

05 흄과 스피노자의 사상 　　　　　　답 ①

갑은 흄, 을은 스피노자이다. 흄은 도덕적 선악은 시인과 부인의 감정을 느끼는 것이라고 보았고, 공감을 통해 보편성을 지닐 수 있다고 보았다. 스피노자는 감정이 인과 질서에 따라 생긴다고 보았다.

ㄷ. 을은 갑과 달리 어떠한 감정도 도덕적 행위에 기여할 수 없다고
본다. (×)
→ 스피노자는 능동적 감정을 인정한다.

ㄹ. 갑, 을은 자기 보존의 욕망은 이성과 대립한다고 본다. (×)
→ 흄은 감정의 역할을 강조한다.

06 플라톤과 베이컨의 사상 답 ①

갑은 플라톤, 을은 베이컨이다. 플라톤에게 선의 이데아는 이성을
통해 파악할 수 있는 절대적인 것이다. 그가 제시한 이데아는 존재의
참모습이자, 보편적이고 절대적인 본질이다. 베이컨은 인간은 정신과
감각이 불완전하여 우상에 빠진다고 보았다.

07 아퀴나스와 스피노자의 사상 답 ⑤

갑은 아퀴나스, 을은 스피노자이다. 아퀴나스는 인간은 이성으로
자연법을 파악할 수 있다고 주장하였다. 스피노자는 이성적 관조를 통
해 신, 즉 자연의 필연적이고 인과적인 질서를 파악해야 한다고 본다.

① 갑: 인간이 제정한 자연법은 영원법에 기초해야 한다. (×)
→ 자연법은 인간이 제정한 것이 아니다.

② 갑: 인간은 자연적 성향을 극복해야 영원법에 참여할 수 있다. (×)
→ 자연적 성향을 따라야 한다.

③ 을: 인간은 자유 의지를 발휘하여 신적 질서에 순응해야 한다. (×)
→ 스피노자는 인간에게 자유 의지가 없다고 보았다.

④ 을: 인간은 신을 인식함으로써 자연의 필연성을 초월할 수 있다. (×)
→ 인간은 자연의 필연성에서 벗어날 수 없다.

⑤ 갑, 을: 인간은 이성적 인식을 통해 신의 섭리를 파악할 수 있다. (○)

08 베이컨과 데카르트의 사상 비교 답 ④

갑은 베이컨, 을은 데카르트이다. 베이컨은 우상을 타파하기 위해
참된 귀납법이 필요하다고 강조하였고, 데카르트는 방법적 회의를 통
한 진리 탐구를 강조하였다. 경험주의자인 베이컨도 진리 탐구 과정에
이성의 역할이 필요함을 인정한다.

09 흄과 스피노자의 사상 답 ④

갑은 흄, 을은 스피노자이다. 스피노자에 따르면 자연의 모든 것은
신의 자기 본성의 필연성으로 결정되어 있다. 따라서 자연의 인과 법
칙을 벗어날 수 있는 것은 없다.

10 베이컨과 데카르트의 사상 비교 답 ③

서술형 평가 문제 속 갑은 베이컨, 을은 데카르트이다. 베이컨은 우
상 타파를 위해 참된 귀납법을 강조하였고, 데카르트는 방법적 회의를
통해 더 이상 의심할 수 없는 자명한 원리인 제1원리를 도출하였다.

11 스피노자의 사상 답 ②

제시문의 사상가는 스피노자이다. 스피노자는 자연은 원인과 결과
로 필연적으로 이루어져 있기 때문에, 이것을 이성적으로 관조함으로
써 인과 법칙을 이해하고 자유로워질 수 있다고 본다.

① 초월적 원인인 신은 신앙의 대상이다. (×)
→ 신은 자연 그 자체이다.

② 자유는 필연에 대한 이해를 통해 실현된다. (○)

③ 인간은 도덕규범을 지킴으로써 실체로 변화한다. (×)
→ 인간은 자연의 실체가 보여 주는 양태이다.

④ 신은 자연의 인과 법칙에 얽매이지 않는 존재이다. (×)
→ 신도 원인과 결과의 필연적 관계에 속한다.

⑤ 참된 행복은 이성에 따라 욕구를 제거해 완성된다. (×)
→ 스피노자는 감정이나 욕구 자체를 배제하지 않는다.

12 흄과 벤담의 사상 비교 답 ⑤

갑은 흄, 을은 벤담이다. 흄은 공감의 기본 원리를 도덕의 기본 원리
로 제시하였고, 벤담은 공리의 원리를 도덕의 기본 원리로 제시하였
다. 흄과 벤담 모두 덕과 부덕은 이성이 아닌 감정에 의해 구별된다고
본다.

06 옳고 그름의 기준

p. 166 ~ p. 171

01 ④	02 ④	03 ④	04 ③	05 ④	06 ④
07 ⑤	08 ⑤	09 ②	10 ⑤	11 ④	12 ①
13 ⑤	14 ③	15 ④	16 ②	17 ③	18 ③
19 해설 참조		20 해설 참조		21 해설 참조	
22 해설 참조					

01 의무론의 이해 답 ④

제시된 근대 윤리 이론은 의무론이다. 의무론은 결과와 상관없이
인간이 마땅히 지켜야 할 의무를 따르는 것이 옳은 행위라고 보며, 옳
고 그름의 기준은 보편적으로 존재한다고 본다. 의무론에 따르면 도덕
법칙이나 의무에 따른 행위라면 좋지 않은 결과를 낳더라도 그 행위는
도덕적으로 옳다. 의무론의 대표적인 사상가로는 칸트가 있다.

02 칸트와 흄의 사상 비교 답 ④

갑은 칸트, 을은 흄이다. 흄은 칸트와 달리 이성은 도덕적 행위의 직
접적 동기가 될 수 없고, 감정을 도와 도덕적 판단을 내리게 하는 데
도움을 줄 수 있을 뿐이라고 본다.

▶ **흄과 칸트의 사상**

흄	• 도덕적 판단과 행위의 주요 원인은 이성이 아니라 감정임 • 도덕의 판단 기준은 시인과 부인의 감정임 • 인과 관계는 우리가 반복적 관찰로 알게 된 것일 뿐, 실제적 결합은 알 수 없다고 봄
칸트	• 행복주의, 쾌락주의, 경험주의를 비판함 • 순수한 동기에서 비롯된 행위만이 도덕적임 • 본능, 감정, 결과, 자연적 경향성에 따른 행위는 도덕적 가치가 없음

03 칸트의 사상   답 ④

제시문의 사상가는 칸트이다. 칸트는 도덕 법칙은 실천 이성이 부과한 자율적 법칙으로서 무조건 따라야 하는 정언 명령의 형식을 띤다고 본다. 칸트에 따르면 도덕 법칙은 우리 안의 실천 이성이 자율적으로 수립한 자유의 법칙이므로 자연법칙과 달리 오로지 이성적 존재에게만 적용된다. 그리고 도덕 법칙이 의무의 근거로서 타당하기 위해서는 모든 이성적 존재에게 보편화 가능해야만 한다.

04 칸트의 도덕적 행위   답 ③

(가)의 사상가는 칸트이다. 칸트는 선의지, 실천 이성, 도덕 법칙, 의무 의식에 따르는 행위가 도덕적으로 가치 있는 행위라고 보았다. 예를 들어 한 상인이 마땅히 그래야만 하기 때문에 누구에게나 똑같은 가격으로 물건을 공정하게 판매한다면, 이 상인의 행위는 도덕적이다. 하지만 이 상인의 행위가 사람들로부터 신용을 얻어 장기적으로 이익을 도모하기 위한 것이라면, 이는 욕구에서 비롯된 행위에 불과하기 때문에 도덕적인 행위는 아니다.

정답을 찾아가는 셀파 - Tip

① 인간이 가진 본능적 욕구에 따라 행위를 선택하세요. (×)
→ 칸트는 본능적 욕구를 강조하지 않는다.

② 직관적으로 중요하다고 판단되는 행위를 선택하세요. (×)
→ 직관을 중시하는 것은 로스의 입장이다.

③ 무조건적 명령인 도덕 법칙에 어긋나지 않는 행위를 선택하세요. (○)

④ 선의지에 따라 최대 다수의 행복한 삶의 추구에 기여하는 행위를 선택하세요. (×)
→ 최대 다수의 행복한 삶을 추구하는 것은 공리주의의 입장이다.

⑤ 개별 행위의 공리보다 도덕 규칙의 공리를 계산하여 보다 유용한 행위를 선택하세요. (×)
→ 공리주의 입장이다.

05 칸트가 강조하는 삶의 태도   답 ④

칸트에 의하면 유한한 존재인 인간은 경향성과 선의지를 모두 가지지만, 경향성이 유혹하는 순간에도 선의지에 따른 도덕적 행위를 해야 한다.

정답을 찾아가는 셀파 - Tip

① 개인들의 집합체인 사회의 선이 증가하도록 유용성에 따라 행동한다. (×)
→ 공리주의 입장이다.

② 질적으로 높고 낮은 쾌락을 두루 경험해 본 사람들의 판단을 존중한다. (×)
→ 밀의 입장이다.

③ 쾌락의 양뿐만 아니라 질적인 차이도 고려하여 고상한 쾌락을 추구한다. (×)
→ 밀의 입장이다.

④ 경향성의 유혹이 있더라도 선의지에 따라 의무에 따르는 삶을 살아간다. (○)

⑤ 사물을 포함한 세상의 모든 존재를 언제나 목적으로 대우하고자 노력한다. (×)
→ 모든 존재가 아닌 인간을 목적으로 대우해야 한다.

06 로스의 사상 이해   답 ④

제시문의 사상가는 칸트의 사상을 계승한 로스이다. 로스는 의무들 사이에 갈등이 발생할 경우 직관에 의해 상대적으로 강하다고 판단되는 의무가 실제적 의무가 된다고 보았다. 로스는 칸트 의무론의 한계인 도덕적 의무끼리 충돌하는 문제를 해결하고자 하였다. 이를 위해 절대적인 도덕적 의무보다 느슨한 조건부 의무를 제시한다. 로스에 따르면, 어떤 조건부 의무가 다른 조건부 의무와 충돌하지 않는다면 실제적 의무가 될 수 있으므로 그 실천이 유보될 수 없다. 그러나 만약 두 가지 조건부 의무 사이에 갈등이 발생한다면, 그중 더 우선하는 의무는 실제적 의무로 드러나게 되고 다른 의무는 유보된다.

07 칸트의 사상 이해   답 ⑤

제시문의 사상가는 칸트이다. 칸트는 도덕적 가치가 객관적으로 실재하며 자연적 경향성이 아닌 선의지에 따르는 행위가 도덕적이라고 보았다. 칸트의 선의지는 절대적이고 무조건적으로 선한 것으로, 옳은 행위를 오로지 그것이 옳다는 이유에서 받아들이고 따르려는 마음가짐이다. 어떤 것이 의무, 즉 도덕 법칙이기 때문에 그것을 하고자 하는 의지이다. 예를 들어 우리가 곤경에 처한 사람을 마땅히 돕고자 하는 마음이 바로 선의지이다. 도덕적 감정을 도덕의 근거로 보는 것은 흄의 입장이다.

08 칸트와 로스의 사상 비교   답 ⑤

(가)의 갑은 칸트, 을은 로스이다. 로스는 조건부 의무를 주장하며 의무 간의 갈등이 일어날 때 직관을 통해 의무가 결정된다고 주장한다. 칸트는 자신의 모든 경향성을 포기하더라도 객관적으로 존재하는 도덕 법칙에 따르는 행위를 해야 한다고 보았지만, 로스는 두 가지 이상의 의무나 도덕 법칙이 충돌할 때 적절한 해결책을 제시하기 어렵다는 칸트 사상의 한계를 극복하고자 하였다.

정답을 찾아가는 셀파 - Tip

① A: 행위의 도덕적 가치는 결과에 따라 달라진다. (×)
→ 행위의 도덕적 가치는 동기에 따라 달라진다.

② A: 인간은 자율적 존재로서 실천 이성의 명령에 따를 수 있다. (×)
→ 칸트와 로스의 공통된 입장이다.

③ B: 쾌락을 계산할 때 질적인 차이를 고려해야 한다. (×)
→ 밀의 입장이다.

④ B: 단일한 최고의 도덕 법칙이나 도덕 원리를 따라야 한다. (×)
→ 칸트만의 입장이다.

⑤ C: 조건부 의무가 상호 갈등할 때 직관에 따라 실제적 의무가 결정된다. (○)

09 벤담의 사상   답 ②

제시문의 사상가는 벤담이다. 벤담은 쾌락과 고통을 도덕 판단의 기준으로 삼는 양적 공리주의를 주장하였다. 벤담에 따르면 고통과 쾌락은 우리가 무엇을 행위 해야 할지를 알려 준다. 인간은 누구나 고통을 피하고 쾌락을 추구하려는 경향을 보이기 때문에 고통을 회피하고 쾌락을 추구하는 것이 우리 행위의 목적이 된다. 또한 모든 쾌락은 질적으로 동일하여 계산할 수 있고, 개개인 이익의 총합은 사회적 이익과 크기가 같다.

① 사회적 이익은 개개인 이익의 총합을 넘어선다. (×)
→ 사회적 이익과 개개인의 이익의 총합은 크기가 같다.

② 쾌락과 고통을 선악 판단의 기준으로 중시해야 한다. (○)

③ 쾌락의 양을 늘려 나가는 것은 인간 행위의 목적이 아니다. (×)
→ 쾌락의 양을 늘려 나가야 한다.

④ 좋은 결과를 낳는 행위보다 선의지를 따르는 행위가 옳다. (×)
→ 칸트의 입장이다.

⑤ 유일한 도덕 원리인 정언 명령을 따르는 행위를 선택해야 한다. (×)
→ 칸트의 입장이다.

10 벤담과 밀의 사상 비교　　　　답 ⑤

갑은 양적 공리주의를 주장한 벤담, 을은 질적 공리주의를 주장한 밀이다. 밀은 벤담의 쾌락주의, 행복주의, 결과주의를 계승하였지만, 벤담과 달리 쾌락의 질적인 차이도 고려해야 한다고 본다.

① A: 동기보다 행위의 결과가 도덕의 기준이다. (×)
→ 벤담과 밀의 공통된 입장이다.

② A: 매번 행위의 결과를 예측하는 것은 불가능하다. (×)
→ 규칙 공리주의의 입장이다.

③ B: 행복을 달성하기 위해 선의지의 명령을 따라야 한다. (×)
→ 벤담과 밀 모두 해당하지 않는 내용이다.

④ C: 모든 존재는 질적으로 고상한 쾌락이 무엇인지 알 수 있다. (×)
→ 합리적인 인간이 쾌락의 질적 차이를 분별할 수 있다.

⑤ C: 쾌락의 양만을 중시할 것이 아니라 질적 차이도 고려해야 한다. (○)

11 결과론의 특징　　　　답 ④

제시된 근대 윤리 이론은 결과론이다. 결과론은 행위의 동기가 아니라 행위의 결과에 주목하는 윤리 이론이다. 결과론에 따르면, 어떤 행위의 결과가 좋다면 의도와 상관없이 그 행위는 도덕적으로 옳은 행위로 인정된다. 또한 좋은 결과를 산출하는 데 도움이 되는 수단은 도덕적으로 정당화될 수 있다고 본다. 결과론은 행위의 동기나 행위 자체의 도덕성을 고려하지 않는다는 비판을 받기도 한다.

12 칸트와 밀의 사상 비교　　　　답 ①

갑은 칸트, 을은 밀이다. 칸트는 보편주의, 인격주의와 같은 도덕 법칙에 따라, 밀은 공리의 원리에 따라 행위 해야 한다고 주장한다.

① 인간은 보편적 도덕 원리에 따라 행위 해야 하는가? (○)

② 개인의 선호보다는 공동체의 전통을 중시해야 하는가? (×)
→ 공동체주의의 입장이다.

③ 도덕적 행위를 위해서는 자연적 감정과 동기가 모두 중요한가? (×)
→ 칸트와 밀 모두 부정의 대답을 할 질문이다.

④ 도덕성을 판단할 때 행위의 결과보다 동기를 중시해야 하는가? (×)
→ 밀이 부정의 대답을 할 질문이다.

⑤ 사회 전체 쾌락의 극대화를 도덕적 행위의 목표로 삼아야 하는가? (×)
→ 벤담의 입장이다.

13 밀의 사상 이해　　　　답 ⑤

제시문의 사상가는 밀이다. 밀은 인간이 추구하는 쾌락은 양적인 차이뿐만 아니라 질적인 차이도 있고, 질적 차이가 있는 쾌락을 모두 경험한 사람은 질적으로 고상한 쾌락을 선택할 것이라고 주장한다. 밀은 질적으로 높은 수준의 쾌락은 소량이더라도 질적으로 낮은 다량의 쾌락보다 우월하다고 본다. 인간은 누구나 인간으로서의 품위를 지키기를 원하므로 질적으로 낮은 다량의 감각적 쾌락보다는 내적 교양이 뒷받침된 정신적 쾌락을 추구할 것이기 때문이다.

14 벤담과 밀의 사상 비교　　　　답 ③

갑은 벤담, 을은 밀이다. 밀은 쾌락주의, 행복주의, 공리의 원리 등 벤담의 기본 입장을 계승하였다. 밀도 벤담처럼 삶의 궁극적인 목적을 행복으로 보고 '최대 다수의 최대 행복'이라는 공리의 원리를 강조한다. 그러나 밀은 벤담과 달리 쾌락에는 질적인 차이가 있으므로 쾌락의 양만을 중시할 것이 아니라 질적인 차이도 고려해야 한다고 주장한다.

15 벤담과 싱어의 사상 비교　　　　답 ④

갑은 양적 공리주의를 주장한 벤담, 을은 현대 선호 공리주의의 대표 학자인 싱어이다. 싱어는 이익 평등 고려의 원칙을 제시하며 쾌락과 고통을 느끼는 개체의 이익, 즉 선호는 평등하게 고려되어야 한다고 주장한다.

16 규칙 공리주의와 행위 공리주의　　　　답 ②

(가)는 규칙 공리주의, (나)는 행위 공리주의이다. 규칙 공리주의의 입장에서는 행위 공리주의로는 모든 개별 행위의 공리를 계산하기 어렵다고 비판할 수 있다.

17 벤담의 사상 이해　　　　답 ③

제시문의 사상가는 벤담이다. 벤담에 따르면 고통을 피하고 쾌락을 추구하는 것이 우리 행위의 목적이므로 인간의 행복 증진이 도덕의 목적이 된다. 또한 모든 쾌락은 단지 양에서만 차이가 난다는 양적 공리주의를 주장한다.

18 밀과 벤담의 사상 비교　　　　답 ③

갑은 밀, 을은 벤담이다. 질적 공리주의를 주장하는 밀은 쾌락에는 질적인 차이가 있으므로 쾌락의 양만을 중시할 것이 아니라 질적인 차이도 고려해야 한다고 주장한다.

19 칸트의 선의지

모범 답안 | 선의지, 선의지란 행위를 오로지 그것이 옳다는 이유에서 실천하려는 의지로, 그 자체로 선한 것이다.

채점 기준	배점
선의지의 내용에 관해 바르게 서술한 경우	상
선의지의 내용을 서술하였으나 잘못된 내용이 포함된 경우	중
선의지가 아닌 다른 내용을 서술한 경우	하

20 칸트의 정언 명령

모범 답안 | ㉠은 정언 명령이다. 도덕 법칙이 어떤 조건이 붙은 명령, 즉 가언 명령으로 나타난다면 도덕은 그 자체로 목적이 아니라 어떤 다른 목적을 실현하기 위한 수단이 되고 만다. 따라서 도덕 법칙은 무조건적인 명령인 정언 명령의 형식으로 나타나야 한다.

채점 기준	배점
도덕 법칙이 정언 명령의 형식으로 나타나야 하는 이유를 바르게 서술한 경우	상
도덕 법칙이 정언 명령의 형식으로 나타나야 하는 이유를 서술하였으나 잘못된 내용이 포함된 경우	중
도덕 법칙이 정언 명령의 형식으로 나타나야 하는 이유를 서술하지 못한 경우	하

21 벤담의 쾌락 계산 기준

모범 답안 | 제시문의 사상가는 벤담이다. 벤담은 쾌락 계산의 기준으로 강도, 지속성, 확실성, 신속성, 다산성, 순수성, 범위를 제시한다.

채점 기준	배점
벤담의 쾌락 계산 기준을 두 가지 이상 서술한 경우	상
벤담의 쾌락 계산 기준을 한 가지만 서술한 경우	중
벤담의 쾌락 계산 기준을 서술하지 못한 경우	하

22 벤담과 밀의 사상 비교

모범 답안 | 갑은 벤담으로, 벤담은 모든 쾌락에는 질적인 차이가 없고 양적인 차이만 있다고 보아 쾌락의 양을 계산할 수 있다고 주장하였다. 을은 밀로, 밀은 쾌락의 양적인 차이와 함께 질적인 차이도 고려해야 하며, 그 쾌락들을 모두 경험하고 자기 성찰을 통해 쾌락의 질을 비교할 수 있는 사람의 판단을 존중해야 한다고 주장하였다.

채점 기준	배점
벤담과 밀의 입장 차이를 바르게 서술한 경우	상
벤담과 밀의 입장 차이를 서술하였으나 잘못된 내용이 포함된 경우	중
벤담과 밀이 아닌 다른 사상가의 입장을 서술한 경우	하

도전 수능 문제
p. 172 ~ p. 175

01 ③	**02** ②	**03** ②	**04** ⑤	**05** ①	**06** ⑤
07 ④	**08** ③	**09** ⑤	**10** ②	**11** ④	**12** ⑤
13 ②	**14** ④	**15** ⑤	**16** ②		

01 밀과 칸트의 사상 비교 　답 ③

갑은 밀, 을은 칸트이다. 밀은 개인의 행복을 낳지 않는 행위이더라도 질적으로 고상한 쾌락을 동반하는 도덕적 행위가 있을 수 있다고 보고, 칸트는 도덕적 행위는 행복과 관련이 없다고 본다.

02 흄과 벤담의 사상 　답 ②

갑은 흄, 을은 벤담이다. 흄은 시인과 부정의 감정에 의해 덕과 악이 구분되고, 감정이 도덕적 실천의 직접적인 동기가 된다고 보았다. 벤담은 최대 다수의 최대 행복, 즉 공리의 원리를 실천하는 것이 도덕적 행위라고 보았다.

정답을 찾아가는 셀파 - Tip
ㄱ. 갑: 행위의 옳음은 선의지에 의해 결정된다. (×)
　→ 칸트의 입장이다.
ㄹ. 갑, 을: 이성만이 도덕적 실천의 직접적인 동기이다. (×)
　→ 흄은 감정이 도덕적 실천의 직접적 동기라고 본다.

03 칸트의 사상 이해 　답 ②

제시문의 사상가는 칸트이다. 칸트는 경향성을 따르지 않고 오직 선한 것을 하려는 선의지에서 비롯된 행위가 도덕적이라고 보았다. 선의지는 오직 어떤 행위가 옳다는 이유만으로 그 행위를 선택하려는 의지이다. 다른 이유가 아니라 그 행위가 의무이기 때문에 행하려는 의지인 것이다. 칸트는 선의지에 따른 행위를 의무로부터 비롯한 행위라고 부르면서, 결과적으로 의무에 알맞은 행위와 구분하였다.

04 벤담과 칸트의 사상 비교 　답 ⑤

갑은 벤담, 을은 칸트이다. 칸트는 의무에 일치하더라도 동정심 등의 경향성에서 비롯된 행위는 도덕적 가치가 없다고 본다. 벤담은 최대 다수의 최대 행복을, 칸트는 보편주의와 인격주의를 보편적 도덕 기준으로 제시한다.

05 밀과 칸트의 사상 비교 　답 ①

(가)의 갑은 밀, 을은 칸트이다. 밀은 의무감에서 비롯된 선한 행위와 함께 결과적으로 다수에게 쾌락을 가져다준 행위를 도덕적 행위로 보았다. 이에 비해 칸트는 의무에 맞을 뿐만 아니라 의무로부터 비롯된 행위만이 도덕적 가치를 갖는다고 보았다.

정답을 찾아가는 셀파 - Tip
ㄷ. C: 무조건적인 명령에 따른 의무로 인해 자율성이 침해된다. (×)
　→ 칸트의 선의지는 스스로 도덕 법칙에 따르려는 자율적 의지이다.
ㄹ. C: 행위자의 품성을 고려하지 않고도 행위의 도덕성을 판단할 수 있다. (×)
　→ 밀과 칸트의 공통 입장이다.

06 에피쿠로스와 벤담의 사상 비교 　답 ⑤

고대 사상가 갑은 에피쿠로스, 근대 사상가 을은 벤담이다. 에피쿠로스는 고통과 불안이 없는 상태 즉 아타락시아를 추구하고, 벤담은 최대 다수의 최대 행복을 추구한다.

07 흄과 칸트의 사상 　답 ④

갑은 흄, 을은 칸트이다. 흄은 자연적 성향인 공감을 도덕성의 기초라고 보았고, 칸트는 도덕 법칙은 이성적 존재에게 예외 없이 보편화 가능한 법칙이므로 누구나 반드시 지켜야 한다고 보았다.

08 밀과 칸트의 사상 비교 　답 ③

갑은 쾌락의 양과 질을 모두 고려한 밀, 을은 칸트이다. 밀은 결과의 유용성을, 칸트는 행위의 동기를 근거로 행위의 도덕성을 판단한다. 칸트는 도덕과 행복이 양립 가능하나, 행복이 도덕의 목적이 될 수는 없다고 본다.

09 칸트와 밀의 사상   답 ⑤

갑은 칸트, 을은 쾌락의 질적 차이를 구분할 수 있다고 본 밀이다. 행위의 결과가 아니라 선의지에 따라 행위의 도덕성을 판단하는 것은 칸트의 입장이다.

10 로스의 조건부 의무   답 ②

(가)는 현대 칸트주의자 로스이다. 로스는 도덕적 의무가 상충하는 문제 상황에서는 직관에 의해 우선하는 의무가 실제적 의무가 된다고 하였다. 로스는 칸트 이론의 한계를 극복하기 위해 조건부 의무론을 제시하며, 언제 어디서나 지켜야 하는 절대적 의무는 없다고 본다.

11 벤담과 칸트의 사상   답 ④

갑은 벤담, 을은 칸트이다. 칸트는 도덕과 행복이 양립할 수는 있지만 행복은 도덕의 목적이 될 수 없다고 본다. 벤담은 공리의 원리를 주장하며 도덕은 행복을 위한 수단이라고 본다.

12 벤담과 칸트의 사상   답 ⑤

갑은 벤담, 을은 칸트이다. 벤담은 도덕은 행복 실현을 위한 수단이라고 보았지만, 칸트는 결코 행복이 도덕의 목적이 될 수 없다고 본다. 칸트에게 도덕은 그 자체가 목적이다.

13 벤담과 칸트의 사상 비교   답 ②

갑은 벤담, 을은 칸트이다. 벤담은 행위가 산출하는 유용성에 따라 행위의 도덕적 가치를 평가한다. 칸트는 행위자가 책임질 수 있는 영역인 행위자의 의지에 따라 행위의 도덕성이 결정된다고 본다. 벤담은 공리의 원리, 칸트는 도덕 법칙이 행위의 도덕성을 평가하는 보편적 도덕 원리이다.

14 벤담과 칸트의 사상 이해   답 ④

갑은 벤담, 을은 칸트이다. 벤담은 최대 다수의 최대 행복 즉 공리의 원리를, 칸트는 보편주의와 인격주의를 도덕적 행위의 기준으로 본다.

칸트의 보편주의는 자신의 행위 준칙이 언제나 동시에 보편적 입법의 원리가 되어야 한다는 것이다.

15 칸트와 밀의 사상 비교   답 ⑤

(가)의 갑은 칸트, 을은 밀이다. 칸트는 정언 명령을 강조하고, 밀은 최대 행복의 원리를 도덕 원리라고 강조한다. 칸트는 이익과 같은 행위의 결과가 아니라 행위의 동기를 도덕성 평가의 기준으로 삼는다. 행위의 결과로서 주어지는 행복도 도덕과 양립할 수는 있다고 보았지만 행복이 도덕의 궁극적 목적은 될 수 없다고 하였다.

16 칸트가 강조하는 삶의 태도   답 ②

제시문의 사상가는 칸트이다. 칸트는 감성계의 지배로부터 벗어나 행동해야 한다고 본다. 즉 자연적 경향성이 아니라 자율적 도덕 법칙에 따라 행동해야 한다고 강조하였다. 칸트는 세상의 모든 생명체를 목적으로 대우하는 것이 아니라, 도덕적 주체가 될 수 있는 인간만을 목적으로 대우해야 한다고 주장한다.

07   현대의 윤리적 삶

탄탄 내신 문제   p. 180 ~ p. 184

01 ①	02 ③	03 ⑤	04 ③	05 ②	06 ④
07 ④	08 ②	09 ①	10 ②	11 ②	12 ②
13 ④	14 ②	15 해설 참조		16 해설 참조	
17 해설 참조		18 해설 참조			

01 실존주의의 등장 배경   답 ①

㉠ 사상은 실존주의이다. 실존주의는 인간의 실존 문제를 중시하면서 개별 인간의 결단을 통한 삶의 의미 회복을 중시하였다. 19세기 후반 서양에서는 인간의 본질을 이성에서 찾았던 기존의 사상과는 다른 사상들이 등장하였다. 그중 가장 대표적인 것이 실존주의이다. 여기에서 실존이란 지금 여기에 있는 구체적인 개인, 또는 주체적인 존재를 가리킨다. 따라서 실존주의는 인간의 보편적 합리성보다는 개개인의 주체성을 중시한다.

① 개인의 주체적인 삶과 개별성을 존중한다. (○)

② 지식의 실천적 유용성을 최고 가치로 삼는다. (×)
　→ 실용주의에 대한 설명이다.

③ 이성을 통한 절대적 진리의 발견을 신뢰한다. (×)
　→ 실존주의와 관련 없는 내용이다.

④ 선의지에 근거한 인간의 도덕적 의무를 강조한다. (×)
　→ 칸트에 대한 설명이다.

⑤ 불변하는 보편적 도덕 법칙을 준수해야 한다고 본다. (×)
　→ 실존주의와 관련 없는 내용이다.

02 실존주의 윤리 사상의 특징　　답 ③

야스퍼스는 한계 상황은 이성의 힘으로는 해결할 수 없다고 강조하였다. 키르케고르는 신 앞에 선 단독자와 실존에 이르는 3단계를 제시하였고, 사르트르는 무신론적 관점에서 실존은 본질에 앞선다고 주장하였다. 하이데거는 인간은 죽음을 자각함으로써 삶의 유한성과 일회성을 깨달아 자신의 실존에 대해 성찰하게 된다고 주장하였다.

03 사르트르의 사상 이해　　답 ⑤

제시문을 주장한 사상가는 사르트르이다. 사르트르는 신은 존재하지 않으며 실존은 본질에 앞선다고 보았고, 인간은 자신의 운명을 스스로 창조하는 존재라고 보았다. 사르트르에 따르면 인간의 본질을 정해줄 신이 존재하지 않으므로 인간에게는 마땅히 실현해야 할, 미리 결정된 본질이 없다. 인간은 어떤 결정된 목적 없이 이 세계에 내던져진 존재로서 자신의 결단을 통해 자기 자신의 모습을 만들어 가야 한다. 이러한 실존주의는 근대 이성주의의 한계에 대한 비판에서 출발하였다.

04 키르케고르의 죽음에 이르는 병　　답 ③

제시문의 사상가는 키르케고르이다. 키르케고르는 선택의 결정을 회피하면서 빠지게 되는 절망을 죽음에 이르는 병이라고 하였으며, 죽음에 이르는 병을 극복해야 실존을 회복할 수 있다고 강조하였다.

05 하이데거의 사상 이해　　답 ②

제시문을 주장한 사상가는 하이데거이다. 하이데거는 현존재는 이 세계 속에 던져진 존재로서 자신이 죽음에 이르는 존재임을 알고 늘 불안과 염려 속에서 살아간다고 본다. 그는 인간은 죽음을 미리 체험해 봄으로서 참된 실존에 도달할 수 있다고 보았다.

ㄴ. 인간의 실존보다 보편적 도덕 법칙을 중시해야 한다. (×)
　→ 하이데거와 관련 없는 내용이다.

ㄹ. 죽음을 미리 체험하면 실존에 도달하는 것은 불가능하다. (×)
　→ 죽음에 대해 자각할 때 참된 실존을 회복할 수 있다.

06 야스퍼스의 사상 이해　　답 ④

제시문의 사상가는 야스퍼스이다. 야스퍼스는 죽음, 고통, 전쟁 등 인간이 어떠한 수단을 동원해도 헤어날 수 없는 한계 상황이 있음을 강조하면서 이러한 한계 상황은 이성의 힘으로는 해결할 수 없다고 보았다.

07 사르트르와 키르케고르의 사상　　답 ④

갑은 사르트르, 을은 키르케고르이다. 사르트르는 신이 존재하지 않으므로 인간에게도 미리 정해진 본질은 없다고 본다. 따라서 인간은 자유로운 선택과 그 결과에 대해 스스로 책임져야 한다. 키르케고르는 인간은 종교적 단계에서 절망을 극복할 수 있다고 보았다.

▶ 실존주의 사상가들의 주장

키르케고르	• 선택의 상황에서 주체적 결단을 회피하면서 죽음에 이르는 병에 빠짐 • 인간은 신 앞에 선 단독자임을 자각해야 참된 실존에 이를 수 있음
야스퍼스	• 인간이 피할 수 없는 한계 상황이 있음 • 한계 상황을 발판 삼아 참된 실존을 이해할 수 있음
하이데거	• 현존재는 타인이 규정한 삶의 방식에 자신을 끼워 맞추며 살아감 • 죽음에 대한 자각을 통해 참된 실존을 회복할 수 있음
사르트르	• 인간은 신에 의해 계획된 존재가 아니라 우연히 내던져진 존재임 • 인간의 주체적인 선택과 결단에 따라 삶을 만들어 나가야 함

08 야스퍼스의 사상 이해　　답 ②

제시문을 주장한 사상가는 야스퍼스이다. 야스퍼스는 타자와 연대하여 실존을 회복할 것을 강조하였으며, 절대자에게 귀의하였을 때 자신의 참된 모습을 찾을 수 있다고 보았다.

09 하이데거와 스피노자의 사상　　답 ①

갑은 하이데거, 을은 스피노자이다. 실존주의자인 하이데거는 스피노자에게 인간은 합리적 사유보다는 주체적 결단을 통해 실존을 확립할 수 있음을 강조할 것이다. 하이데거에 따르면 인간은 자신의 가능성을 파악하고, 스스로 자신의 삶을 기획하고 창조함으로써 주체적인 삶을 살아갈 수 있다.

10 키르케고르의 사상　　답 ②

제시문의 사상가는 키르케고르이다. 키르케고르는 인간은 종교적 단계에 이르러 신 앞에 선 단독자가 되어야 절망에서 벗어날 수 있다고 보았다.

ㄴ. 인간은 이성을 통해 자아를 확립해야만 하는가? (×)
　→ 인간은 신을 믿고 결단할 때 참된 실존에 이를 수 있다.

ㄹ. 정해진 본질을 따르기만 하면 절망을 극복할 수 있는가? (×)
　→ 신 앞에선 단독자라고 생각하며 종교적 단계에 이르러야 절망을 극복할 수 있다.

11 듀이의 사상 이해　　답 ②

제시문의 사상가는 듀이이다. 듀이는 고정적이고 절대적인 가치의 존재를 부정하고 지식은 그 자체가 목적이 될 수 없다고 본다. 듀이에 따르면 지식이나 이론은 실천을 위해 유용하다고 평가될 때 가치를 지닌다.

12 제임스의 사상 이해
답 ②

제시문의 사상가는 실용주의 사상가 제임스이다. 제임스는 현금 가치를 지닌 것이 진리이며 경험과 관찰에 의해 실용성이 증명된 진리를 참된 진리라고 보았다.

정답을 찾아가는 셀파 - Tip

ㄴ. 어떤 행위의 가치는 행위의 동기에서 비롯된다. (×)
→ 행위의 가치는 실천적 유용성에 달려 있다.

ㄹ. 시공을 초월한 고정불변의 가치를 추구해야 한다. (×)
→ 고정적이고 절대적인 진리의 존재를 거부하였다.

13 듀이와 베이컨의 사상 비교
답 ④

갑은 듀이, 을은 베이컨이다. 듀이와 베이컨은 경험과 실험 등의 자연 과학적 탐구 방법을 통해 진리를 획득하면 인간의 삶의 질을 향상시킬 수 있다고 보았다.

정답을 찾아가는 셀파 - Tip

① 지식이 인간을 위한 수단으로 취급되어서는 안 된다. (×)
→ 듀이와 베이컨 모두 부정할 내용이다.

② 인간은 논리적 추론을 통해서만 진리를 획득할 수 있다. (×)
→ 듀이가 부정할 내용이다.

③ 선악은 인간의 현실을 초월해 존재하는 보편적 가치이다. (×)
→ 듀이는 도덕이나 윤리가 변화하는 것이라고 보았다.

④ 자연 과학적 탐구를 통해 인간의 삶의 질을 향상시킬 수 있다. (○)

⑤ 인간은 동물과 달리 절대 불변하는 도덕적 가치를 추구해야 한다. (×)
→ 듀이는 불변하는 고정적 진리나 지식은 존재하지 않는다고 보았다.

14 듀이의 사상 이해
답 ②

제시문의 사상가는 듀이이다. 듀이는 도덕적 지식은 사회를 진보시킬 경우에만 가치를 지닌다는 상대주의적 윤리관의 입장을 지니고 있다. 듀이에 따르면 도덕이나 윤리도 시대나 상황에 따라 변화하고 성장하므로 고정적이고 절대적인 원리는 없다.

서답형 문제

15 키르케고르의 실존 회복 방법
모범 답안 | ㉠은 심미적 단계, ㉡은 윤리적 단계, ㉢은 종교적 단계이다. 키르케고르는 신 앞에서 선 단독자로서 생각하고 행동하면서 참된 실존을 회복할 수 있다고 보았다.

채점 기준	배점
㉠~㉢을 쓰고, 키르케고르의 실존 회복 방법을 바르게 서술한 경우	상
㉠~㉢을 쓰고, 키르케고르의 실존 회복 방법을 서술하였으나 잘못된 내용이 포함된 경우	중
㉠~㉢만 쓴 경우	하

16 야스퍼스의 한계 상황
모범 답안 | 한계 상황은 죽음, 전쟁, 고통 등 인간이 피할 수 없는 상황이다. 인간은 자신의 유한성을 자각함으로써 초월자의 존재를 수용하고 참된 실존을 회복할 수 있다.

채점 기준	배점
야스퍼스의 참된 실존 회복 방법을 바르게 서술한 경우	상
야스퍼스의 참된 실존 회복 방법을 서술하였으나 잘못된 내용이 포함된 경우	중
야스퍼스가 아닌 다른 사상가의 실존 회복 방법을 서술한 경우	하

17 사르트르의 실존주의
모범 답안 | 제시문의 사상가는 사르트르이다. 사르트르는 인간은 사물과 달리 본질이 미리 결정되어 있지 않다고 보았다. 따라서 인간은 자신의 결단을 통해 자기 자신의 모습을 만들어 가야 한다. 이러한 의미에서 실존은 본질에 앞선다.

채점 기준	배점
사르트르가 실존은 본질에 앞선다고 한 의미를 바르게 서술한 경우	상
사르트르가 실존은 본질에 앞선다고 한 의미를 서술하였으나 잘못된 내용이 포함된 경우	중
사르트르가 아닌 다른 사상가의 실존주의를 서술한 경우	하

18 듀이의 도덕에 대한 관점
모범 답안 | 제시문의 사상가는 듀이이다. 듀이는 도덕이나 윤리도 시대나 상황에 따라 변화하고 성장하므로 고정적이고 절대적인 가치나 원리는 존재하지 않는다고 주장한다.

채점 기준	배점
듀이의 도덕에 대한 관점을 바르게 서술한 경우	상
듀이의 도덕에 대한 관점을 서술하였으나 잘못된 내용이 포함된 경우	중
듀이가 아닌 다른 사상가의 도덕에 대한 관점을 서술한 경우	하

도전 수능 문제
p. 185 ~ p. 187

01 ②	02 ②	03 ①	04 ④	05 ④	06 ⑤
07 ②	08 ②	09 ②	10 ②	11 ④	12 ⑤

01 키르케고르와 하이데거의 사상
답 ②

갑은 키르케고르, 을은 하이데거이다. 키르케고르는 심미적 단계나 윤리적 단계에서는 참된 실존을 회복할 수 없고, 종교적 단계에 이르러서야 참된 실존을 회복할 수 있다고 보았다. 하이데거는 현존재는 자신이 죽음을 향해 나아가고 있다는 사실을 받아들이고 삶의 유한성과 일회성을 깨달음으로써 일상적으로 획일화된 삶의 방식에서 벗어나고자 한다고 하였다. 그래서 현존재는 자신이 누구인지를 스스로 묻고 답함으로써 자신의 진정한 실존을 성찰한다.

02 사르트르와 스피노자의 사상 비교
답 ②

갑은 사르트르, 을은 스피노자이다. 실존주의자인 사르트르는 인간이 자유롭게 자신의 삶을 선택하고 결단하는 존재임을 강조한다. 따라서 모든 것은 필연적 인과 관계 속에 있다고 주장하는 스피노자에게 인간은 자유 의지에 따라 행동할 수 있음을 모르고 있다고 비판할 것이다.

08 키르케고르의 사상 이해 답 ②

가상 편지를 쓴 사상가는 키르케고르이다. 키르케고르는 신의 명령에 따라 살아가고자 하는 인간의 주체적인 결단을 강조하였다.

① 인간의 보편적 본질을 확립하여 한계 상황을 해결해야 한다. (×)
→ 키르케고르와 관련 없는 내용이다.

② 신에 의지하려는 주체적 결단을 통해 절망을 극복해야 한다. (○)

③ 실존적 상황에서 합리적 이성만으로 주체성을 확립해야 한다. (×)
→ 신에 의지하여 주체성을 확립해야 한다.

④ 종교적 단계를 극복함으로써 윤리적 실존 단계에 도달해야 한다. (×)
→ 윤리적 실존 단계를 넘어 종교적 단계에 도달해야 한다.

⑤ 개별성에서 벗어나 대중과 연대하여 실존적 불안을 극복해야 한다. (×)
→ 야스퍼스의 주장이다.

09 듀이의 사상 이해 답 ②

제시문의 사상가는 듀이이다. 듀이는 절대적인 진리란 없으며, 진리는 시대와 상황에 따라 성장, 진보, 발전하는 것이라고 주장하였다. 듀이에 따르면 도덕이나 윤리는 지식과 마찬가지로 그 자체로 목적이 아니며 시대와 상황에 따라 변화한다.

10 듀이의 사상 이해 답 ②

제시문의 사상가는 듀이이다. 듀이는 지식은 실제적인 문제 해결에 도움을 주는 유용성을 가질 때 가치를 지닌다고 주장하였다. 이러한 의미에서 듀이는 도구주의를 주장한다. 도구주의란 지식이 우리가 마주한 문제를 해결하거나 더 나은 목적을 달성하기 위한 도구로서 사용될 때 가치가 있다는 관점이다. 듀이에 따르면 지식은 실천이나 사회 변혁을 위해 사용될 때 가치가 있다.

11 베이컨과 듀이의 사상 답 ④

갑은 베이컨, 을은 듀이이다. 베이컨은 실험과 지성적 탐구를 통해서 진리를 추구할 수 있다고 보았으며, 베이컨과 듀이 모두 자연 과학적 방법을 통해 인간의 삶을 개선할 수 있다고 강조하였다.

ㄱ. 갑: 우상 타파를 위한 최선의 방법은 삼단 논법이다. (×)
→ 베이컨은 귀납법을 강조한다.

ㄷ. 을: 지식의 유용성보다 자명한 지식의 발견을 중시해야 한다. (×)
→ 듀이는 절대적인 진리를 부정하고 지식의 유용성을 강조한다.

12 키르케고르와 듀이의 사상 답 ⑤

갑은 키르케고르, 을은 듀이이다. 실존주의자인 키르케고르는 신을 믿고 따르는 주체적 결단을 통해 불안과 절망을 극복할 수 있다고 보았고, 실용주의자인 듀이는 지식을 얻기 위해서는 변화하고 발전하는 진리에 대한 관찰과 실험이 중요하다고 강조하였다. 또한 듀이는 절대적이고 보편적인 도덕 기준은 존재하지 않고 도덕은 성장하고 변화하는 것이라고 본다.

---

① 인간은 신적 본성의 필연성에 의해 존재함을 모르고 있다. (×)
→ 사르트르는 신의 존재를 부정한다.

② 인간은 자유 의지에 따라 행동할 수 있음을 모르고 있다. (○)

③ 보편적 법칙에 대한 순응이 실존 회복의 근거임을 모르고 있다. (×)
→ 사르트르는 개인의 주체적인 선택과 결단을 강조한다.

④ 행복을 누리려면 이성을 통해 감정을 순화해야 함을 모르고 있다. (×)
→ 사르트르와 관련 없는 내용이다.

⑤ 신은 만물의 초월적 원인이 아니라 내재적 원인임을 모르고 있다. (×)
→ 스피노자의 입장이다.

03 사르트르와 키르케고르의 사상 답 ①

갑은 사르트르, 을은 키르케고르이다. 사르트르는 인간은 자신이 선택한 주체적 삶에 대해 책임감을 가져야 한다고 주장한다. 사르트르에 따르면 인간은 자유롭도록 운명지워진 존재이다. 미리 결정된 것이 아무것도 없는 인간은 매 순간 주체적인 선택을 함으로써 자신의 삶을 만들어 가야 한다. 이러한 의미에서 "실존은 본질에 앞선다."라고 말할 수 있다.

04 사르트르와 키르케고르의 사상 비교 답 ④

(가)의 갑은 사르트르, 을은 키르케고르이다. 사르트르와 키르케고르는 모두 보편적 진리가 실존적 상황에서 문제를 해결해 주는 것은 아니라고 본다. 키르케고르는 절망은 종교적 단계에서 완전히 극복할 수 있다고 본다.

ㄱ. A: 보편적 진리가 실존 문제를 해결해 주는가? (×)
→ 사르트르와 키르케고르 모두 아니요라고 대답할 질문이다.

ㄷ. C: 윤리적 실존 단계에서 절망을 극복할 수 있는가? (×)
→ 윤리적 실존 단계를 넘어 종교적 단계에 이르러야 절망을 극복할 수 있다.

05 키르케고르, 하이데거, 사르트르의 사상 답 ④

갑은 키르케고르, 을은 하이데거, 병은 사르트르이다. 키르케고르는 신을 믿고 따르기로 결정함으로써 실존의 회복이 가능하다고 보지만, 사르트르는 신의 존재를 인정하지 않는다. 하이데거는 인간만이 자신의 존재 의미를 성찰한다고 본다.

06 키르케고르의 사상 이해 답 ⑤

가상 대화의 선생님은 키르케고르이다. 키르케고르는 신 앞에 홀로 선 단독자로서 주체적인 결단을 할 때 인간은 실존을 회복할 수 있다고 보았다.

07 키르케고르의 실존 회복 방법 답 ②

제시문의 현대 서양 사상가는 키르케고르이다. 키르케고르는 모든 것을 신에게 맡기고 신의 명령에 따라 살아가고자 결단할 때 인간은 실존을 회복할 수 있다고 보았다.

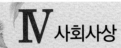

IV 사회사상

01 사회사상과 이상 사회 ~ 국가

탄탄 내신 문제
p. 198 ~ p. 202

01 ④   02 ④   03 ②   04 ③   05 ⑤   06 ⑤
07 ①   08 ④   09 ④   10 ⑤   11 ④   12 ②
13 ⑤   14 ⑤   15 해설 참조   16 해설 참조
17 해설 참조   18 해설 참조

01 사회사상의 의미와 특징   답 ④

사회사상은 끊임없이 변화하는 사회를 탐구 대상으로 한다. 따라서 탐구 대상인 사회의 변화에 따라 사회사상도 끊임없이 변화한다. 또한 사회사상은 사회적 삶에 관해 다양한 관점을 제시한다. 바람직한 사회가 어떤 사회인지는 여러 관점이 존재할 수 있으며, 이에 따라 같은 사회 문제에도 각기 다른 해결 방안을 제시할 수 있다. 더불어 사회사상은 변화 지향적이고 실천적인 성격이 강하다. 사회사상은 사회 현상을 분석하고 설명하는 데 그치지 않고 사회를 더 바람직하게 변화시키고자 한다.

02 공자의 이상 사회   답 ④

제시문의 사상가는 공자이다. 공자는 모든 사람이 조화롭게 어울려 사는 대동 사회를 제시한다. 대동 사회는 모든 사람이 서로를 위하여 가족 같은 관계를 맺으며, 자기의 이익만을 위하여 재물을 사용하지 않는 사회이다. 또한 사회적 재화가 고르게 분배되고 사회적 약자를 보호하는 사회이며, 자기 부모나 자식을 구분하는 가족 이기주의에서 벗어나 타인을 배려하는 사회이다.

정답을 찾아가는 셀파 - Tip

① 모든 생산 수단이 공유된 사회이다. (×)
　→ 공산 사회에 대한 설명이다.
② 계급이 사라진 절대 평등의 사회이다. (×)
　→ 공산 사회에 대한 설명이다.
③ 인격신의 명령을 소명으로 받드는 사회이다. (×)
　→ 대동 사회와 관련 없는 내용이다.
④ 인(仁)이 모든 사람에게 확대된 도덕 사회이다. (○)
⑤ 부국강병을 위해 최고의 군사력을 갖춘 사회이다. (×)
　→ 대동 사회와 관련 없는 내용이다.

03 노자의 이상 사회   답 ②

제시문의 사상가는 노자이다. 노자는 소국과민 사회를 이상적인 사회로 본다. 소국과민 사회는 사회 구성원이 인간의 본래 자연성에 따라 살아가는 소박한 삶을 지향하는 사회이다. 소국과민 사회는 작은 영토에 적은 수의 백성으로 구성되며, 예(禮)와 같은 인간의 자유로운 삶을 제약하는 인위를 거부하고, 구성원이 인간의 본래 자연성에 따라 살아간다.

04 모어의 유토피아   답 ③

㉠은 유토피아이다. 유토피아는 모어가 강조한 이상 사회로, 생산과 소유의 평등이 실현되고 경제적으로 풍요로우며, 도덕적으로 타락하지 않은 사회이다. 이러한 유토피아에서는 사유 재산을 인정하지 않기 때문에 사람들은 잉여 생산에 대한 욕망을 가질 필요가 없다. 따라서 필요 이상의 노동을 하지 않고 정신적 자유와 문화생활을 누리며 진정한 행복을 영위할 수 있다.

05 플라톤의 이상 사회   답 ⑤

제시문의 사상가는 플라톤이다. 플라톤은 국가를 이루는 세 부분, 즉 세 계층이 조화를 이룰 때 정의가 실현된다고 보았다. 또한 철학자가 국가를 다스려야 한다고 보았다. 플라톤에 따르면 각 계층의 사람이 자신의 본분과 역할에 해당하는 덕을 잘 발휘하여 조화를 이룰 때 정의로운 국가가 실현될 수 있다.

06 베이컨의 이상 사회   답 ⑤

제시문의 사상가는 베이컨이다. 베이컨은 그의 책 『뉴 아틀란티스』에서 과학 기술자가 지배하는 신비한 섬을 배경으로, 과학 기술이 발달하여 인간 생활이 풍요로워지고 복지가 증진되는 뉴 아틀란티스를 이상 사회로 제시하였다.

정답을 찾아가는 셀파 - Tip

① 자연에 순응하며 소박하게 살아야 한다. (×)
　→ 노자의 소국과민 사회에 대한 설명이다.
② 인위 문명을 멀리하는 삶을 추구해야 한다. (×)
　→ 노자의 소국과민 사회에 대한 설명이다.
③ 생산 수단이 국유화된 이상 사회를 지향해야 한다. (×)
　→ 베이컨과 관련 없는 내용이다.
④ 계급과 신분이 소멸된 평등 사회를 실현해야 한다. (×)
　→ 마르크스의 공산 사회에 대한 설명이다.
⑤ 과학 기술을 발달시켜 물질적 풍요를 이루어야 한다. (○)

07 아리스토텔레스의 국가에 대한 관점   답 ①

제시문의 사상가는 아리스토텔레스이다. 아리스토텔레스는 국가는 인간의 본성에서 비롯되는 자연스러운 것이라고 보았다. 또한 국가는 완전하고 자족적인 공동체이며 인간이라면 누구나 국가를 통해 삶을 영위해야 삶의 궁극적 목적인 행복을 실현할 수 있다고 강조하였다. 아리스토텔레스에 따르면 인간이 국가의 구성원으로 살아가는 목적은 자신의 행복을 추구하기 위해서이고, 국가의 본질은 국민의 행복을 추구하는 데 있다. 즉 모든 구성원이 행복을 실현하기 위해서는 정의로운 국가가 필요하다.

08 마르크스의 공산 사회   답 ④

제시문의 사상가는 마르크스이다. 마르크스는 생산 수단이 공유되고 사유 재산이 없는 공산 사회를 지향하였다. 그는 공산 사회에서는 계급과 국가가 사라지고 누구나 자아를 실현하면서 살 수 있다고 주장하였다.

ㄱ. 분업을 활성화하여 노동 생산성을 향상시켜야 한다. (×)
→ 마르크스는 분업이 인간 소외를 발생시킨다고 보았다.

ㄷ. 모든 사람은 육체노동에서 벗어나 정신노동에만 종사해야 한다. (×)
→ 마르크스의 주장과 관련 없는 내용이다.

09 홉스와 로크의 국가에 대한 관점 답 ④

갑은 홉스, 을은 로크이다. 홉스는 자연 상태를 만인의 만인에 대한 투쟁 상태라고 보고, 로크는 자연 상태를 비교적 평화로운 상태라고 본다. 로크는 국가가 역할을 제대로 수행하지 못하면 시민이 저항할 수 있다고 주장하였다. 로크에 따르면 정치권력을 국가에 양도한 본래의 목적대로 국가는 시민의 생명권, 자유권, 재산권 등과 같은 자연권적 기본권을 지키고 보장하는 역할을 다해야 한다.

10 공화주의의 국가에 대한 관점 답 ⑤

제시문의 사상가는 공화주의 사상가인 키케로이다. 공화주의는 국가를 공동선에 합의한 시민이 모인 공동체라고 보고, 시민이 공동체의 일에 적극적으로 참여할 때 국가가 유지될 수 있다고 주장한다. 공화주의에서는 국가가 자연 발생적으로 생겨난 것으로 보지 않고, 국가를 시민의 자유를 지키는 수단으로 인식한다.

ㄱ. 국가는 정치적 본성에 의해 생겨난 인간 간의 결합이다. (×)
→ 아리스토텔레스의 입장이다.

ㄴ. 국가는 피지배 계급을 억압하고 착취하기 위한 수단이다. (×)
→ 마르크스의 입장이다.

11 맹자의 국가에 대한 관점 답 ④

제시문의 사상가는 맹자이다. 맹자는 군주가 백성의 경제적 생업을 보장해야 백성이 도덕심을 유지할 수 있다고 보았고, 군주가 제 역할을 하지 못하거나 도덕적으로 타락할 경우 교체할 수 있다고 보았다. 맹자는 민본주의를 주장하지만, 군주가 백성의 뜻에 따라 선거를 통해 선출된다고 주장하지는 않는다.

12 로크의 국가에 대한 관점 답 ②

제시문의 사상가는 로크이다. 로크는 국가 권력은 계약에 의해 신탁된 권력이며, 국가가 제 역할을 다하지 못할 경우 국가는 정당성을 잃기 때문에 구성원은 정치적 저항권을 행사하여 입법부를 폐지하거나 변경할 수 있다고 보았다.

13 아리스토텔레스와 마르크스의 국가관 비교 답 ⑤

갑은 아리스토텔레스, 을은 마르크스이다. 아리스토텔레스는 국가가 인간의 본성에 의해 자연적으로 발생하는 것이라고 보고, 마르크스는 국가를 지배 계급의 권력 유지 수단이라고 본다.

① 국가는 지배 계급의 권력 유지 수단에 불과함을 간과하고 있다. (×)
→ 마르크스의 입장이다.

② 국가는 개인의 행복 실현을 위한 토대가 될 수 없음을 간과하고 있다. (×)
→ 아리스토텔레스는 국가가 개인의 행복 실현을 위한 토대라고 보았다.

③ 국가는 도덕적·정치적으로 중립성을 지녀야 한다는 점을 간과하고 있다. (×)
→ 아리스토텔레스는 국가가 도덕적이어야 한다고 보았다.

④ 국가는 모든 구성원의 재산과 이익을 보호하지 않는다는 것을 간과하고 있다. (×)
→ 마르크스의 입장이다.

⑤ 국가는 선을 추구하는 공동체로 인간의 본성에 의해 자연적으로 발생된 것임을 간과하고 있다. (○)

14 마르크스의 국가에 대한 관점 답 ⑤

제시문의 사상가는 마르크스이다. 마르크스는 국가의 본질은 이데올로기이고, 억압과 착취를 위한 계급 지배의 도구일 뿐이라고 보았다. 마르크스에 따르면 국가는 역사 발전 단계에 따라 필연적으로 소멸한다.

서답형 문제

15 노자의 소국과민 사회

모범 답안 | 소국과민 사회, 소국과민 사회는 백성이 작은 공동체를 이루어 소박하고 자연스러운 삶을 살아가는 사회로, 소국과민 사회의 백성들은 인위를 거부하고 인간의 본래 자연성에 따라 살아간다.

채점 기준	배점
제시된 이상 사회가 소국과민 사회임을 알고 바르게 서술한 경우	상
소국과민 사회를 서술하였으나 잘못된 내용이 포함된 경우	중
소국과민 사회가 아닌 다른 이상 사회를 서술한 경우	하

16 롤스의 정의로운 사회

모범 답안 | 제시문의 사상가는 롤스이다. 롤스가 주장하는 정의로운 사회는 구성원들의 선을 증진해 주면서도 공공의 정의관에 의해 효율적으로 규제되는 사회이며, 이 사회에서는 구성원의 기본적 자유와 권리가 보장되면서 동시에 사회적 약자나 소수자의 이익이 극대화된다.

채점 기준	배점
롤스의 정의로운 사회의 특징을 바르게 서술한 경우	상
롤스의 정의로운 사회의 특징을 서술하였으나 잘못된 내용이 포함된 경우	중
롤스의 정의로운 사회가 아닌 다른 이상 사회의 특징을 서술한 경우	하

17 국가의 기원에 대한 홉스의 입장

모범 답안 | 제시문의 사상가는 홉스이다. 홉스는 각 개인은 자연 상태에서 자신의 권리를 제대로 보장받지 못하기 때문에 계약을 통해 국가를 만들었다고 본다.

채점 기준	배점
국가의 기원에 대한 홉스의 입장을 바르게 서술한 경우	상
국가의 기원에 대한 홉스의 입장을 서술하였으나 잘못된 내용이 포함된 경우	중
홉스가 아닌 다른 사상가의 국가의 기원에 대한 입장을 서술한 경우	하

18 마르크스의 공산 사회

제시문의 사상가는 마르크스이다. 마르크스가 제시한 공산 사회는 생산 수단을 공유화함으로써 경제적 착취와 억압이 사라진 평등한 사회이며 누구나 자아를 실현하며 살아갈 수 있는 사회이다.

채점 기준	배점
마르크스의 공산 사회의 특징을 바르게 서술한 경우	상
마르크스의 공산 사회를 서술하였으나 잘못된 내용이 포함된 경우	중
마르크스의 공산 사회가 아닌 다른 이상 사회를 서술한 경우	하

도전 수능 문제

p. 203 ~ p. 205

| 01 ⑤ | 02 ① | 03 ⑤ | 04 ① | 05 ③ | 06 ⑤ |
| 07 ③ | 08 ② | 09 ② | 10 ② | 11 ① | 12 ④ |

01 모어와 플라톤의 이상 사회 답 ⑤

갑은 모어, 을은 플라톤이다. 모어의 유토피아에서는 사유 재산을 인정하지 않는다. 플라톤은 통치자, 방위자, 생산자 계층이 조화를 이루는 정의로운 사회를 이상 사회로 제시하였다.

02 플라톤과 롤스의 이상 사회 답 ①

갑은 플라톤, 을은 롤스이다. 플라톤은 이상적인 국가를 실현하기 위해서는 철인에 의한 통치가 이루어져야 하며 각 계층의 사람들이 각자의 역할을 충실히 수행하여 전체적으로 조화를 이루어야 한다고 보았다. 현대 사상가인 롤스는 정의로운 사회를 추구한다. 그는 사회 전체에 이익을 준다고 하더라도 그로 말미암아 고통받는 개인이나 집단이 존재한다면 그것은 정의롭지 않다고 본다. 또한 사회적 약자나 소수자에게 기회를 주고 그들을 배려해야 한다고 주장한다.

03 모어와 마르크스의 이상 사회 비교 답 ⑤

갑은 모어, 을은 마르크스이다. 마르크스는 능력에 따라 일하고 필요에 따라 분배받는 공산 사회가 실현되면 계급과 소유가 완전히 사라지고 모든 사람이 자아를 실현할 수 있을 것이라고 보았다.

ㄱ. A: 사유 재산 제도를 엄격히 시행해야 하는가? (×)
→ 모어와 마르크스 모두 사유 재산 제도를 부정하였다.

04 모어와 롤스의 이상 사회 답 ①

갑은 모어, 을은 롤스이다. 모어는 유토피아에서는 풍족한 재화와 높은 도덕성이 공존할 수 있다고 보았다. 롤스는 모두에게 이익을 줄 경우 경제적 불평등이 정당화될 수 있다고 본다.

ㄷ. 을: 경제적 불평등은 어떤 경우에도 정당화될 수 없다. (×)
→ 모두에게 이익이 될 경우 정당화될 수 있다.

ㄹ. 갑, 을: 모든 재화는 균등하게 분배되어야 한다. (×)
→ 모어만의 입장이다.

05 노자와 공자의 이상 사회 비교 답 ③

갑은 노자, 을은 공자이다. 노자는 규모가 작은 정치 공동체인 소국과민 사회를 강조하였고, 공자는 통치자가 도덕적 모범을 보이며 인륜과 도덕이 구현되는 정치 공동체인 대동 사회를 지향하였다. 노자의 소국과민 사회는 나라의 규모가 작고 백성이 적은 사회이다. 이곳의 백성들은 예(禮)와 같은 인위적인 분별과 차별에서 벗어나 소박한 삶을 산다.

06 플라톤과 모어의 이상 사회 답 ⑤

제시문의 갑은 플라톤, 을은 모어이다. 플라톤과 모어의 이상 사회는 모두 사유 재산을 인정하지 않는다. 플라톤은 철학자는 재산을 공유해야 한다고 주장하였고, 모어는 생산과 소유의 평등이 실현된 유토피아를 강조하였다.

07 마르크스의 이상 사회 이해 답 ③

가상 대화의 선생님은 마르크스이다. 마르크스는 생산 수단이 공유된 공산 사회는 계급과 억압이 사라진 평등 사회라고 보았다. 또한 공산 사회는 자신의 능력에 따라 일하고 필요에 따라 분배받는 평등한 사회이다. 마르크스는 물질 만능주의와 같은 도덕적 타락, 사기나 도둑질과 같은 범죄, 자본의 소유에 따른 차별 등과 같은 사회 문제들이 사유 재산 제도 때문에 발생한다고 보았다.

08 아리스토텔레스의 국가관 이해 답 ②

제시문의 사상가는 아리스토텔레스이다. 아리스토텔레스는 인간은 정치적 동물이며 인간의 이러한 본성으로 인하여 국가는 자연적으로 발생된다고 보았다. 또한 국가는 최고의 공동체로 인간은 국가 안에서만 행복을 실현할 수 있다고 본다.

① 국가는 구성원의 덕성 함양에 중립적이어야 한다고 본다. (×)
→ 국가는 구성원의 덕성 함양에 기여해야 한다.

② 국가 안에서만 개인의 궁극적인 목적이 실현된다고 본다. (○)

③ 국가와 구성원 간 합의로 정치적 의무가 소멸된다고 본다. (×)
→ 아리스토텔레스의 주장과 관련 없는 내용이다.

④ 국가는 개인들의 선택으로 구성되는 명목에 불과하다고 본다. (×)
→ 국가는 인간의 본성에 의해 생겨난 것이라고 보았다.

⑤ 국가 구성원으로서의 훌륭한 삶과 개인의 좋은 삶은 무관하다고 본다. (×)
→ 국가는 구성원의 훌륭한 삶을 실현해야 한다고 보았다.

09 아리스토텔레스, 홉스, 로크의 국가관 〈답〉②

갑은 아리스토텔레스, 을은 홉스, 병은 로크이다. 사회 계약론자인 홉스는 만인에 대한 투쟁 상태인 자연 상태를 극복하기 위해 합리적인 이성이 계약을 맺었다고 본다.

정답을 찾아가는 셀파 - Tip

① 갑: 국가는 개인의 생명과 재산을 보존하기 위한 수단적 공동체이다. (×)
→ 아리스토텔레스는 국가를 최상의 공동체로 보았다.

② 을: 이성은 자연 상태의 공포로부터 평화를 수립하도록 명령한다. (○)

③ 을: 자연 상태의 혼란은 자연권의 적극적인 행사로 극복 가능하다. (×)
→ 홉스는 자연 상태의 혼란을 극복하기 위해 국가가 형성되었다고 보았다.

④ 병: 사회 계약은 자연권 모두를 국가에 양도하는 것을 의미한다. (×)
→ 로크는 개인이 모든 권리를 국가에 양도하지 않았다고 보았다.

⑤ 을, 병: 주권은 국민에게 있으므로 국가 권력은 제한될 수 있다. (×)
→ 홉스는 개인의 정치적 저항이 불가능하다고 보았다.

10 아리스토텔레스의 국가관 〈답〉②

제시문의 사상가는 아리스토텔레스이다. 아리스토텔레스는 개인과 국가는 모두 선의 실현을 목표로 추구한다고 보며, 개인은 정치 공동체 속에서 궁극적 목적인 행복을 실현할 수 있다고 보았다.

정답을 찾아가는 셀파 - Tip

① 국가에 대한 의무는 사회 계약에서 비롯된다고 본다. (×)
→ 사회 계약론자의 주장이다.

② 개인과 국가는 선의 실현을 목표로 추구한다고 본다. (○)

③ 국가는 인간이 자신의 이익을 위해 만든 것으로 본다. (×)
→ 아리스토텔레스와 관련 없는 내용이다.

④ 개인은 국가에 저항하는 권리를 행사할 수 있다고 본다. (×)
→ 로크와 루소의 주장이다.

⑤ 국가는 공동선을 실현하려는 시민이 모인 공동체라고 본다. (×)
→ 공화주의의 주장이다.

11 홉스와 마르크스의 사상 〈답〉①

갑은 홉스, 을은 마르크스이다. 마르크스는 이상 사회에서는 노동자를 포함한 모든 계급이 소멸된다고 보았다. 홉스는 모든 시민이 만인의 만인에 대한 투쟁인 자연 상태의 불안과 혼란을 피하고자 자신의 권리를 국가에 양도하는 사회 계약에 동의하여 국가가 성립하였다고 주장한다.

12 아리스토텔레스와 로크의 국가관 〈답〉④

갑은 아리스토텔레스, 을은 로크이다. 로크는 명시적 동의뿐만 아니라 묵시적 동의로도 개인에게 정치적 의무가 발생할 수 있다고 보았다. 아리스토텔레스는 국가는 정치적 동물인 인간의 본성에 따라 자연스럽게 형성된다고 주장한다.

02 시민

탄탄 내신 문제   p. 210 ~ p. 214

01 ②	02 ②	03 ②	04 ④	05 ④	06 ④
07 ④	08 ⑤	09 ②	10 ①	11 ⑤	12 ④
13 ④	14 ⑤	15 ㉠ 불간섭으로서의 자유, ㉡ 비지배로서의
자유	16 해설 참조		17 해설 참조		
18 해설 참조					

01 자유주의 사상의 자유 〈답〉②

제시문의 사상가는 소극적 자유를 주장한 벌린이다. 벌린은 불간섭으로서의 자유를 주장하였으며 이를 위해 사상, 양심, 신체, 표현의 자유를 지지하였다. 자유주의자들은 소극적 자유(~로부터의 자유)를 중시하였다. 이는 외부의 부당한 압력이나 강제로부터 벗어난 상태를 뜻한다.

02 공화주의 사상의 자유 〈답〉②

제시문의 사상은 공화주의이다. 공화주의에 따르면 자유는 권력자의 자의적 지배가 없는 상태로, 누구도 다른 사람의 지배에 예속되거나 맹종하지 않아야 한다. 이런 의미에서 공화주의에서 주장하는 자유를 비지배로서의 자유라고 부른다.

03 로크와 비롤리의 사상 비교 〈답〉②

갑은 자유주의자 로크, 을은 공화주의자 비롤리이다. 자유주의에서는 개인들이 특정한 역사적·문화적 맥락에서 독립된 존재라고 본다. 공화주의에서는 비지배로서의 자유를 주장한다. 또한 공화주의에서는 국가 이전에는 권리가 없고 국가가 제도적으로 보장한 것이 권리가 된다고 한다.

정답을 찾아가는 셀파 - Tip

ㄴ. B: 자유의 본질은 외부로부터의 간섭의 부재이다. (×)
→ 자유주의의 입장이다.

ㄷ. B: 국가는 자연 상태의 개인들이 자연권 보호를 위해 만든 조직이다. (×)
→ 로크만의 입장이다.

04 자연권 사상 〈답〉④

㉠에 들어갈 말은 자연권이다. 자연권 사상은 홉스, 로크 등 근대 사회 계약론자에 의해 계승되고 발전되었다. 과거 절대 군주가 다스린 국가에서 신민은 군주의 소유물로서 자유와 존엄성을 인정받을 수 없었다. 반면 근대 이후 자유주의가 등장하고 자연권 사상이 확립되면서 모든 사람에게 시민의 자유와 권리를 보장해야 한다는 의식이 확산되었다. 자연권이란 모든 사람이 태어날 때부터 똑같이 지니고 태어나는 권리이다. 자연권 사상에 따르면, 시민의 자유와 권리는 천부 인권으로서 모든 사람이 평등하게 지니는 것이고, 다른 사람에게 양도하거나 어떤 명분으로도 훼손 또는 유보할 수 없는 것이다.

05 자유주의 사상의 이해　　답 ④

제시문의 사상은 자유주의이다. 자유주의의 입장에서는 개인선을 공동선보다 우선시한다. 또한 개인의 자유와 권리는 자연권으로서 국가 이전에 이미 존재한다고 하였다. 자유주의에서는 자신의 삶을 스스로 계획하고 결정할 수 있는 자율적인 존재로서의 인간을 강조하고, 정치 공동체는 개인의 자유와 권리를 보장하기 위해 존재한다고 파악한다. 따라서 공동선보다는 개인의 행복과 자아실현 등 개인선의 추구를 중시한다.

06 관용의 역설　　답 ④

제시문은 관용의 역설에 대한 설명이다. 관용의 역설이 발생하지 않기 위해서는 인권 등 보편적 가치를 침해하는 것에 대해 관용하지 않아야 한다. 자유주의에서는 관용을 자신과 다른 견해나 행동을 승인하고 자신의 견해나 행동을 다른 사람에게 강요하지 않는 태도로 인식한다. 이때 관용은 다른 사람의 견해나 사상, 행동에 동의하지 않음에도 이를 참거나 허용한다는 더욱 적극적인 태도를 포함한다. 하지만 이러한 관용의 태도가 무조건적인 관용을 의미하지는 않는다. 타인을 존중하고 관용한다고 해서 다른 사람의 인권과 자유를 침해하는 일까지 관용하는 것은 아니기 때문이다.

07 자유주의와 공화주의 사상　　답 ④

(가)는 자유주의, (나)는 공화주의 사상이다. 공화주의에서는 법에 의해 자유가 보장된다고 본다. 또한 공화주의에서는 전체의 의견을 모아서 탄생한 법률에 모두가 따라야 한다고 보고, 이러한 법치가 비지배로서의 자유를 보장할 수 있다고 여긴다. 이처럼 공화주의는 모든 사람이 법 앞에 예외 없이 평등하다고 보며 법치에 예외 없이 복종해야 하는 의무를 강조한다.

08 자유주의에 대한 공화주의의 비판　　답 ⑤

공화주의에서는 자연권 사상을 인정하지 않고 권리는 정치 제도에 의해 주어진 것이라고 본다. 자유주의는 타인의 권리를 침해하는 경우에는 자유를 제한하는 것이 가능하다고 본다.

09 자유주의와 공화주의 사상 비교　　답 ②

(가)는 자유주의, (나)는 공화주의 사상이다. 공화주의는 구체적으로 존재하는 공동체에 대한 헌신을 강조하므로 개인의 정체성 형성에 큰 영향을 준다. 또한 자유주의보다 개인과 공동체를 상호 유기적인 관계로 여기는 정도가 높고 공동선의 실현을 위해 공동체에 대한 개인의 헌신을 요구하기도 한다.

10 공동체주의 사상　　답 ①

제시문은 공동체주의의 입장이다. 공동체주의는 공동체의 역사와 전통을 중시하고 공동선을 실현하기 위해 개인의 책임 의식을 강조한다. 공동체주의의 입장에서는 개인의 권리나 이익보다 시민의 정치적 의무를 더 우선시한다. 그리고 이런 의무는 개인이 선택하거나 거부할 수 없다고 보았다.

11 공동체주의와 자유주의의 사상　　답 ⑤

(가)는 공동체주의, (나)는 자유주의의 주장이다. 자유주의보다 공동체주의가 개인과 공동체의 유기적 관계를 중시한다. 공동체주의는 사회적 존재로서의 시민적 덕성을 강조하고, 공동체에 대한 책임을 중시한다. 자유주의는 개인의 자유를 중시하고, 개인의 권리 보장이 공동체의 목적이라고 본다.

12 자유주의와 공동체주의의 관점 이해　　답 ④

(가)는 자유주의, (나)는 공동체주의이다. 시민의 연대성과 문화적 전통을 더 중시하는 것은 공동체주의의 입장이다. 자유주의는 개인의 목표 성취를 지향하고, 공동체주의는 공동체가 설정한 이상과 목적을 지향한다.

13 애국심에 대한 공화주의의 관점　　답 ④

제시문은 공화주의에서 주장하는 애국심에 대한 견해이다. 공화주의에 따르면 애국심은 국가 자체를 향한 맹목적 사랑이 아니라 자유롭고 정의로운 공화국에 대한 자발적 헌신과 사랑이다.

14 자유주의와 공화주의의 애국심 비교　　답 ⑤

공화주의에서 말하는 조국이란 시민이 태어난 장소를 의미하는 것이 아니라 법으로써 시민의 자유와 행복을 지켜 주는 국가, 정치 체제를 의미한다. 공화주의의 애국심은 민족주의적 애국심과도 다르다. 민족주의적 애국심은 혈연, 지연, 전통에 기초한 선천적 애착을 강조한다. 이와 달리 공화주의의 애국심은 '자유와 정의가 확립된 조국을 대하는 인위적 열정'을 의미한다.

서답형 문제

15 자유주의와 공화주의의 자유

답 ㉠ 불간섭으로서의 자유, ㉡ 비지배로서의 자유

자유주의가 주장하는 자유는 외부의 간섭을 받지 않고 스스로 하고 싶은 일을 선택하여 실행할 수 있는 자유로, 불간섭으로서의 자유라고 부른다. 공화주의에서는 자유를 권력자의 자의적 지배가 없는 상태로 본다. 누구도 다른 사람의 지배에 예속되거나 맹종하지 않고, 공동체 전체에 지배적 영향력을 행사하는 개인이나 집단이 없는 것으로, 비지배로서의 자유라고 부른다.

16 시민적 공화주의와 신로마 공화주의의 정치 참여

모범 답안 | ㉠ 시민적 공화주의, ㉡ 신로마 공화주의, 시민적 공화주의의 입장에서 정치 참여는 시민의 책무이자 자유를 행사하는 것으로서, 그 자체가 목적이다. 이에 비해 신로마 공화주의의 입장에서 정치 참여는 그 자체가 목적이 아니라 외세와 폭정으로부터 시민의 자유를 지키기 위한 수단이다.

채점 기준	배점
시민적 공화주의와 신로마 공화주의의 정치 참여에 대한 견해를 바르게 서술한 경우	상
시민적 공화주의와 신로마 공화주의의 정치 참여에 대한 견해를 서술하였으나 잘못된 내용이 포함된 경우	중
시민적 공화주의와 신로마 공화주의 중 한 가지 입장에서 정치 참여에 대한 견해를 서술한 경우	하

17 자유주의와 공화주의의 법치의 목적

모범 답안 | 자유주의에서 법치의 목적은 개인의 사생활에 대한 국가의 과도한 간섭과 개인의 자유에 대한 무분별한 침해를 방지하기 위한 것이다. 이에 비해 공화주의에서 법치의 목적은 권력을 이용한 특정 세력의 자의적 지배를 방지하기 위한 것이다.

채점 기준	배점
자유주의와 공화주의의 법치의 목적을 바르게 서술한 경우	상
자유주의와 공화주의의 법치의 목적을 서술하였으나 잘못된 내용이 포함된 경우	중
자유주의와 공화주의 중 한 가지 입장에서 법치의 목적을 서술한 경우	하

18 민족주의의 애국심

모범 답안 | 민족주의에서는 애국심을 어떤 집단에 기꺼이 다른 사람과 함께 귀속되어 자발적으로 공동의 목표를 추구하고자 하는 의지라고 본다. 또한 바람직한 애국심이란 집단 바깥의 존재를 밀어내는 배타적 사랑이 아니라, 집단 내의 구성원을 끌어안는 포용적 사랑이라고 강조한다.

채점 기준	배점
민족주의의 애국심을 바르게 서술한 경우	상
민족주의의 애국심을 서술하였으나 잘못된 내용이 포함된 경우	중
민족주의가 아닌 다른 입장에서 애국심을 서술한 경우	하

도전 수능 문제

| p. 215 ~ p. 217

01 ①	02 ③	03 ⑤	04 ②	05 ②	06 ①
07 ③	08 ③	09 ①	10 ②	11 ⑤	12 ①

01 밀과 비롤리의 사상

답 ①

갑은 자유주의 사상가인 밀, 을은 공화주의 사상가인 비롤리이다. 밀은 타인에게 해를 끼치지 않는 범위 내에서 최대한의 자유를 보장해야 한다고 주장하였고, 비롤리는 자유를 지키기 위해 정치 참여가 필요하다고 하였다.

정답을 찾아가는 셀파 - Tip

ㄷ. 을: 자신이 소속된 민족에 대한 무조건적 사랑이 애국이다. (×)
→ 공화주의의 애국심은 민족이 아닌 공동체에 대한 애국이다.

ㄹ. 갑, 을: 자유를 실현하려면 국가의 어떤 간섭도 배제해야 한다. (×)
→ 자유주의와 공화주의 모두 개인에 대한 국가의 간섭이 가능하다고 보았다.

02 자유주의와 공화주의에서의 자유

답 ③

갑은 자유주의 사상가 벌린, 을은 공화주의 사상가이다. 공화주의 사상가는 타인의 자의적 지배가 없는 상태를 참된 자유로 보았고, 이러한 자유는 법에 의해 실현 가능하다고 보았다. 공화주의에서는 권력의 타락을 방지하는 것이 법치의 목적이라고 본다. 공화주의자들이 우려하는 권력의 타락은 소수가 공적인 권력과 자원을 사익 추구의 도구로 활용하고, 법을 무시하며 시민들을 자의적으로 지배하는 것이다. 따라서 법치로써 이러한 병폐를 경계하고, 시민적 덕성과 법 앞의 평등을 바탕으로 공동선을 실현하고자 한다.

03 비롤리와 벌린의 입장 비교

답 ⑤

갑은 공화주의자 비롤리, 을은 자유주의자 벌린이다. 소극적 자유를 강조한 벌린은 국가의 간섭을 최소한으로 하고자 하였다. 소극적 자유는 국가와 타인에게 구속당하지 않고 행동할 수 있는 사적 영역을 보장함으로써 실현될 수 있다. 그리고 이러한 자유는 간섭이 없는 상태인 방임으로서의 자유를 의미하기도 한다.

정답을 찾아가는 셀파 - Tip

ㄱ. A: 자유를 실현하려면 권력의 자의적 지배에 의한 간섭을 배제해야 하는가? (×)
→ 공화주의자와 자유주의자 모두 예라고 대답할 질문이다.

ㄴ. B: 법의 지배는 공화국 시민들의 자유를 위축하는가? (×)
→ 법치는 시민의 자유를 보호해 준다.

04 자유주의와 공동체주의의 사상

답 ②

(가)는 자유주의, (나)는 공동체주의(시민적 공화주의)이다. 자유주의에서는 개인의 삶의 방식에 대한 결정권이 개인에게 있다고 본다. 자유주의는 자신의 삶을 스스로 계획하고 결정할 수 있는 자율적인 존재로서의 인간을 강조한다. 자유주의 입장에서는 정치 공동체가 개인의 자유와 권리를 보장하기 위해 존재하므로 공동선보다는 개인의 행복과 자아실현 등 개인선의 추구를 중시한다.

05 벌린과 페팃의 사상　답 ②

갑은 소극적 자유를 강조한 벌린, 을은 신로마 공화주의자 페팃이다. 공화주의에서는 권리가 천부적으로 주어지는 것이 아니라 법에 의해 주어지는 것으로 본다.

정답을 찾아가는 셀파 - Tip

ㄴ. 을: 시민권은 자연적으로 주어진 천부 인권이다. (×)
　→ 자유주의자의 입장이다.
ㄹ. 갑, 을: 자유를 보장하기 위해 법으로 행위를 제한할 필요가 없다. (×)
　→ 자유주의자와 공화주의자 모두 타인의 권리를 침해할 경우 국가가 간섭할 수 있다고 보았다.

06 벌린과 비롤리의 사상　답 ①

갑은 소극적 자유를 주장한 벌린, 을은 공화주의자 비롤리이다. 자유주의 사상에서는 타인에게 해를 끼친 사람에게는 자유의 제한이 필요하다고 본다. 공화주의자는 권력자의 자의적 지배가 없는 비지배로서의 자유를 지향한다.

07 롤스의 국가에 대한 관점　답 ③

제시문의 사상가는 롤스이다. 롤스의 입장에서 한 시민이 다른 사람의 자유를 침해할 경우 국가는 개입해야 한다. 또한 국가는 공적 의사 결정을 할 때 구성원의 동등한 권리를 보장해야 한다. 국가가 개인의 정체성을 형성하는 구성적 공동체라는 주장은 공동체주의의 입장이다.

08 밀과 비롤리의 사상　답 ③

갑은 자유주의자 밀, 을은 공화주의자 비롤리이다. 공화주의에서는 애국심이 시민이 지녀야 할 덕성이라고 본다. 자유주의와 공화주의는 모두 권력자의 자의적 지배를 반대한다.

정답을 찾아가는 셀파 - Tip

ㄱ. 갑은 개인의 자유는 어떤 경우에도 제한될 수 없다고 본다. (×)
　→ 타인의 자유를 부당하게 침해할 경우 개인의 자유가 제한될 수 있다고 보았다.
ㄷ. 을은 갑과 달리 공동선과 개인선이 양립할 수 있다고 본다. (×)
　→ 자유주의와 공화주의 모두 공동선과 개인선이 양립할 수 있다고 보았다.

09 자유주의와 공화주의의 입장 비교　답 ①

(가)는 자유주의, (나)는 공화주의이다. 공화주의는 자유주의보다 공동선과 공익을 강조하고, 자유주의는 공동선보다 개인선이 우선한다고 본다.

10 자유주의와 공화주의의 사상　답 ②

(가)는 자유주의, (나)는 공화주의이다. 공화주의는 공동선을 위한 정치 참여를 강조한다. 또한 공화주의에서는 공동체의 시민으로서 이행해야 할 의무와 공동체적 삶의 중요성을 강조한다. 공화주의는 개인적 자유와 권리의 실현이 정치 공동체의 존재 없이는 불가능하다고 보기 때문이다.

정답을 찾아가는 셀파 - Tip

① (가)는 시민을 개체적 존재라기보다 사회적 존재로 본다. (×)
　→ 자유주의는 시민을 개체적 존재로 보았다.
② (나)는 정치 참여를 통해 시민적 책무를 다해야 한다고 본다. (○)
③ (가)는 (나)와 달리 공동선을 위한 개인의 헌신을 강조한다. (×)
　→ 공화주의의 입장이다.
④ (나)는 (가)와 달리 시민의 권리는 자연적으로 부여된다고 본다. (×)
　→ 자유주의가 강조하는 내용이다.
⑤ (가), (나)는 개인선과 공동선의 양립이 가능하지 않다고 본다. (×)
　→ 자유주의와 공화주의 모두 개인선과 공동선이 양립 가능하다고 보았다.

11 매킨타이어의 공동체주의　답 ⑤

제시문의 사상가는 공동체주의 사상가 매킨타이어이다. 공동체주의는 개인의 권리, 자유, 선보다 공동선과 공동체 속에서의 사회적 역할을 강조한다.

12 자유주의와 공화주의의 사상 비교　답 ①

(가)는 자유주의, (나)는 공동체주의이다. 공동체주의는 개인의 가치관 형성에 국가가 개입해야 한다고 하였고, 개인의 정체성과 선이 공동체적 토대를 가진다고 하였다. 또한 개인들의 정치 참여와 유대의식을 강조한다.

03　민주주의

탄탄 내신 문제　　　　　p. 222 ~ p. 226

01 ④	02 ③	03 ①	04 ④	05 ①	06 ④
07 ②	08 ③	09 ⑤	10 ①	11 ⑤	12 ⑤
13 ②	14 ②	15 해설 참조		16 해설 참조	
17 해설 참조		18 해설 참조			

01 고대 그리스 민주주의의 특징　답 ④

제시문은 고대 그리스 아테네의 정치가 페리클레스의 추도사로, ㉠에 들어갈 말은 민주주의이다. 고대 아테네에서는 시민으로 구성된 민회가 국가의 중요한 사항을 직접 토론하고 결정하는 직접 민주 정치가 시행되었다.

02 플라톤의 민주주의 비판　답 ③

제시문은 민주주의를 비판한 플라톤의 주장이다. 플라톤은 민주주의가 정치에 필요한 자질이나 전문적인 지식이 부족한 대중에 의한 정치가 될 우려가 있다고 비판하였다.

03 사회 계약 사상과 자유주의   답 ①

㉠은 사회 계약 사상, ㉡은 자유주의이다. 사회 계약 사상에서는 주권이 특정한 소수가 아니라 모든 인민에게 있다고 주장하였다. 사회 계약 사상에 따르면 국가 권력의 정당성은 개인들의 동의에서 발생한다. 국가는 자유롭고 평등한 개인이 자신의 자유와 권리를 보장하기 위해 맺은 계약의 산물이기 때문이다.

04 로크의 사상   답 ④

제시문의 사상가는 로크이다. 로크는 입법권을 최고의 권력으로 보고 입법권과 집행권을 분리해야 한다고 주장한다. 로크는 자연 상태에서 인간은 누구나 완전한 자유와 자연법상의 모든 권리와 특권을 간섭받지 않고 누릴 수 있는 자격을 평등하게 가지고 태어난다고 보았다. 또한 개인의 생명, 자유, 재산을 지키려고 만든 국가가 제 역할을 하지 못하고 국민의 의사에 반하는 방향으로 권력을 행사한다면 국민은 저항권을 행사하여 국가에게 위임하였던 권리를 회수할 수도 있다고 주장한다.

> **정답을 찾아가는 셀파 - Tip**
>
> ① 국가는 일반 의지에 근거하여 운영되어야 한다고 주장한다. (×)
> → 루소에 대한 설명이다.
>
> ② 자유로운 성인 남성만이 민주주의에 참여할 수 있다고 주장한다. (×)
> → 로크와 관련 없는 내용이다.
>
> ③ 국가가 제 역할을 하지 못하더라도 저항권을 행사할 수 없다고 주장한다. (×)
> → 로크는 개인이 국가에 대한 저항권을 가진다고 보았다.
>
> ④ 입법권을 최고의 권력으로 보고 입법권과 집행권을 분리해야 한다고 주장한다. (○)
>
> ⑤ 다수인 대중은 지적 수준이 높지 않으므로 대의제를 실행해야 한다고 주장한다. (×)
> → 밀에 대한 설명이다.

05 로크의 권력 분립   답 ①

제시문의 사상가는 로크이다. 로크는 입법권과 집행권을 분리해야 한다고 보았고, 입법권이 집행권보다 우위에 있다고 보았다. 로크는 입법권을 최고의 권력으로 보고, 권력을 독점하였을 때 발생할 수 있는 문제를 방지하고자 법을 제정하는 입법권과 제정된 법을 집행하는 집행권을 분리해야 한다고 주장한다. 인간에게는 권력을 장악하고 싶어 하는 경향이 있어 법률을 제정하는 권력을 가진 사람이 법률을 집행하는 권력까지도 가지려 한다고 보기 때문이다.

06 자연 상태에 대한 루소의 견해   답 ④

제시문의 사상가 루소이다. 루소는 사유 재산의 발생으로 인해 자유와 평등을 누릴 수 없게 되었고, 사회 계약을 맺어 자연 상태에서 누리던 자연적 자유 대신 시민적 자유를 누리게 된다고 하였다. 루소에 따르면 각 개인은 정치 공동체의 구성원이 되면서 자연 상태에서의 자유를 포기하지만, 스스로가 주권자이고 입법자인 공동체 내에서 자연 상태에서의 자유에 상응하는 시민적 자유를 재발견하게 된다.

> **정답을 찾아가는 셀파 - Tip**
>
> ㄱ. 사유 재산의 발생으로 인해 경제적 풍요를 누릴 수 있게 되었다. (×)
> → 사유 재산의 발생 때문에 자유와 평등을 누릴 수 없게 되었다.
>
> ㄷ. 사회 계약을 통해 자연 상태에서 누리던 자연적 자유를 회복해야 한다. (×)
> → 사회 계약을 통해 자연 상태에서 누리던 자유가 시민적 자유로 대체되었다.

07 루소의 일반 의지   답 ②

제시문의 사상가는 루소이다. 루소는 법은 공공의 이익을 지향하는 의지인 일반 의지에 따라 제정되어야 한다고 주장한다. 또한 주권은 양도, 대표될 수 없다고 본다.

08 밀의 민주주의에 대한 관점   답 ③

제시문의 사상가는 밀이다. 밀은 지성과 덕성이 뛰어난 사람이 더 큰 영향력을 행사하는 대의제를 이상적인 정치 체제로 생각한다. 그는 다수인 대중은 지적 수준이 높지 않으므로, 지적 수준이 높은 소수의 사람이 정치 문제에 영향력을 행사할 수 있어야 한다고 주장한다. 사회 전체의 이익을 먼저 고려하는 현명한 소수가 제 역할을 다해야 주로 자기 계급의 이익을 추구하는 대중만을 대변하는 거짓 민주주의가 아니라 전체 국민을 대변하는 참된 민주주의를 실현할 수 있다고 보기 때문이다.

09 대의 민주주의에 대한 루소의 견해   답 ⑤

제시문의 사상가는 루소이다. 루소는 대의 민주주의는 대표자를 선출할 때만 국민이 자유로울 수 있다고 비판한다.

> **내 것으로 만드는 셀파 - Tip**
>
> ▶ **대의 민주주의의 문제점**
>
> | 대표성의 위기 | 국민의 의사가 정책 결정에 반영되지 못하는 현상이다. 참여 민주주의에서는 대표성의 위기의 원인이 시민의 참여 부족이라고 본다. |
> |---|---|
> | 공공성의 위기 | 공공의 이익이 정책 결정에 반영되지 못하는 현상이다. 심의 민주주의에서는 공공성의 위기의 원인이 심의의 부재라고 본다. |

10 엘리트 민주주의의 한계   답 ①

제시문은 엘리트 민주주의에 대한 설명이다. 엘리트 민주주의에서는 시민의 정치적 의사가 대표자들을 통해서만 표출되어 시민의 정치 참여 욕구가 제한될 수 있고, 선출된 대표자들이 시민의 다양한 의사를 모두 반영할 수 없다는 문제점이 있다.

> **정답을 찾아가는 셀파 - Tip**
>
> ㄷ. 공적 토론과 심의를 강조하여 시민들의 정치적 피로감이 높아질 수 있다. (×)
> → 심의 민주주의가 지니는 한계이다.
>
> ㄹ. 모든 영역에서 시민의 참여를 강조하여 정책 결정의 효율성이 떨어질 수 있다. (×)
> → 참여 민주주의가 지니는 한계이다.

11 소로와 롤스의 시민 불복종 답 ⑤

갑은 소로, 을은 롤스이다. 롤스와 소로 모두 시민 불복종은 신중하고 양심적인 표현이어야 한다고 주장한다. 소로는 양심을 시민 불복종의 판단 기준으로 삼아, 양심에 어긋나는 법과 정책에는 복종하지 않을 수 있다고 주장한다.

12 롤스의 시민 불복종 답 ⑤

제시문의 사상가는 롤스이다. 롤스는 시민 불복종이 거의 정의로운 민주적 입헌 체제의 국가에서 그 체제의 합법성을 인정하고 받아들이는 시민에 의해 이루어져야 한다고 본다.

정답을 찾아가는 셀파 - Tip

① 부정의한 정책에 대해 즉각 불복종해야 하는가? (×)
→ 민주적 절차가 실패할 때 시도할 수 있는 최후의 방법이다.

② 모든 종류의 시민 불복종은 정당화될 수 있는가? (×)
→ 시민 불복종이 정당화되기 위해서는 여러 조건을 충족해야 한다.

③ 시민 불복종은 개인의 양심에 어긋나는 법이나 정책을 대상으로 해야 하는가? (×)
→ 시민 불복종은 공적인 정의관에 근거하여 행해져야 한다.

④ 의사소통 합리성과 같은 형식적 도덕 원칙에 따라 시민 불복종을 합리화해야 하는가? (×)
→ 하버마스가 긍정의 대답을 할 질문이다.

⑤ 시민 불복종은 체제의 합법성을 인정하고 받아들이는 시민에 의해 이루어져야 하는가? (○)

13 하버마스의 시민 불복종 답 ②

제시문의 사상가는 하버마스이다. 하버마스는 롤스와 다르게 정의의 원칙과 같은 실질적 도덕 원칙에 근거하지 않고, 의사소통적 합리성과 같은 형식적인 도덕 원칙에 따라 시민 불복종을 정당화한다.

14 하버마스와 롤스의 시민 불복종 비교 답 ②

갑은 하버마스, 을은 롤스이다. 하버마스는 시민 불복종은 의사소통을 통해 합의한 원칙이나 헌법이 정당성을 판단하는 기준이 된다고 보았다. 하버마스와 롤스는 모두 시민 불복종은 다수의 정의감에 호소할 의도에서 이루어진다고 보았다.

서답형 문제

15 고대 그리스 민주주의에 대한 비판

모범 답안 | 자유로운 성인 남자만 시민이 될 수 있고, 여성과 노예와 외국인은 시민이 될 수 없기 때문에 오늘날 보편적 평등을 기반으로 하는 민주주의와 차이가 있다.

채점 기준	배점
오늘날의 관점에서 고대 그리스 민주주의에 대한 비판을 바르게 서술한 경우	상
오늘날의 관점에서 고대 그리스 민주주의에 대한 비판을 서술하였으나 잘못된 내용이 포함된 경우	중
고대 그리스 민주주의에 대한 비판을 서술하지 못한 경우	하

16 대표의 실패

모범 답안 | 대표의 실패는 대표자가 시민들의 의사를 온전히 대표하지 못하는 현상이다.

채점 기준	배점
대표의 실패에 관해 바르게 서술한 경우	상
대표의 실패를 서술하였으나 잘못된 내용이 포함된 경우	중
대표의 실패가 아닌 다른 내용을 서술한 경우	하

17 롤스와 하버마스의 시민 불복종에 대한 견해

모범 답안 | 갑은 롤스, 을은 하버마스이다. 롤스와 하버마스 모두 비폭력성과 처벌 감수를 시민 불복종의 정당화 요건으로 제시한다. 그러나 롤스는 정의의 원칙과 같은 실질적인 도덕 원칙에 근거하여 시민 불복종을 정당화하고, 하버마스는 의사소통적 합리성과 같은 형식적 도덕 원칙에 따라 시민 불복종을 정당화한다.

채점 기준	배점
롤스와 하버마스의 시민 불복종에 대한 견해의 공통점과 차이점을 바르게 서술한 경우	상
롤스와 하버마스의 시민 불복종에 대한 견해의 공통점과 차이점을 서술하였으나 잘못된 내용이 포함된 경우	중
롤스와 하버마스의 시민 불복종에 대한 견해의 공통점과 차이점 중 한 가지만 서술한 경우	하

18 롤스가 제시한 시민 불복종의 정당화 조건

모범 답안 | 행위 목적의 정당성(공익성), 비폭력성, 최후의 수단, 처벌 감수, 공개성 등

채점 기준	배점
롤스가 제시한 시민 불복종의 정당화 조건을 바르게 서술한 경우	상
롤스가 제시한 시민 불복종의 정당화 조건을 서술하였으나 잘못된 내용이 포함된 경우	중
롤스가 아닌 다른 사상가의 시민 불복종의 정당화 조건을 서술한 경우	하

도전 수능 문제 | p. 227 ~ p. 229

01 ②	**02** ③	**03** ⑤	**04** ③	**05** ②	**06** ⑤
07 ①	**08** ⑤	**09** ①	**10** ④	**11** ⑤	**12** ④

01 하버마스와 슘페터의 민주주의에 대한 견해 답 ②

갑은 심의 민주주의를 주장한 하버마스, 을은 엘리트 민주주의를 주장한 슘페터이다. 하버마스는 공론장에 참여한 시민이 다른 주장에 대해 이의를 제기할 수 있다고 보았고, 슘페터는 민주주의가 인민에 의한 지배가 아니라 정치가의 지배라고 보았다.

02 로크와 루소의 사상 답 ③

갑은 로크, 을은 루소이다. 루소는 주권은 대표될 수 없으므로 주권을 가진 인민이 직접 통치를 하는 직접 민주주의를 주장하였다. 로크는 입법권과 집행권의 권력 분립을 주장하고, 입법권이 집행권보다 우위에 있다고 보았다.

① 갑: 입법권은 자연법에 부합하지 않아도 된다. (×)
→ 입법권은 자연 상태의 권리를 보장해야 한다.
② 갑: 법률을 제정하는 사람이 법률을 집행해야 한다. (×)
→ 법을 제정하는 입법권과 법을 집행하는 집행권을 분리해야 한다.
③ 을: 주권을 가진 사람이 입법권을 가져야 한다. (○)
④ 을: 일반 의지의 대행자인 통치자는 법에 자유롭다. (×)
→ 통치자도 법에 따라야 한다.
⑤ 갑, 을: 국민은 자신이 선택한 대표자를 통해 주권을 행사해야 한다. (×)
→ 루소는 대의 민주주의를 반대하였다.

03 홉스와 루소의 사상 비교 　답 ⑤

갑은 홉스, 을은 루소이다. 홉스는 자연 상태를 만인의 만인에 대한 투쟁 상태로 보았다. 이에 비해 루소는 자연 상태에서 인간은 자유롭고 평등하며 평화로운 삶을 누리지만 사회 상태로 옮겨가면서 사유 재산이 발생하였고, 불평등과 함께 자유가 속박되는 불행한 상태에 처하게 된다고 보았다.

04 홉스와 로크의 사상 　답 ③

갑은 홉스, 을은 로크이다. 홉스는 평화와 안전은 자연 상태에서 이룰 수 없고 사회 계약 이후에 가능하다고 본다. 루소는 자연권이 국가 성립 이후에도 소멸되지 않는다고 본다. 루소에 따르면 개인은 공동체 내에서 시민적 자유를 재발견하게 된다.

05 로크와 루소의 사상 　답 ②

갑은 로크, 을은 루소이다. 로크는 자연 상태는 비록 불완전하지만 자연 상태의 인간은 누구나 침해받아서는 안 되는 권리를 지니고 있다고 보았다.

① 갑은 국가 권력 분립이 가능하지도 정당하지도 않다고 본다. (×)
→ 로크는 입법권과 집행권의 분리를 주장한다.
② 갑은 자연 상태의 인간은 침해받아서는 안 될 권리를 지닌다고 본다. (○)
③ 을은 시민의 주권은 계약으로만 정부에 양도될 수 있다고 본다. (×)
→ 루소는 주권이 양도될 수 없다고 보았다.
④ 을은 사유 재산제가 성립되면서 경제적 불평등이 해소된다고 본다. (×)
→ 루소는 사유 재산의 발생 때문에 인간이 불평등한 상황에 처한다고 보았다.
⑤ 갑, 을은 시민의 동의 없이도 정치적 복종 의무가 정당화된다고 본다. (×)
→ 시민의 동의가 있어야 복종 의무가 정당화된다.

06 루소와 홉스의 사상 비교 　답 ⑤

갑은 루소, 을은 홉스이다. 루소는 주권은 대표될 수 없다고 하여 시민이 직접 정치 과정에 참여해야 한다고 주장하였다. 루소에 따르면 시민은 공동체 내에서 스스로 주권자인 동시에 입법자이다.

07 로크와 루소의 사상 　답 ①

갑은 로크, 을은 루소이다. 로크에 따르면 자연 상태에서는 분쟁을 해결해 줄 재판관이 없다. 루소는 자연 상태에서 인간은 자유롭고 평등한 삶을 누리지만 사회 상태로 옮겨 가면서 불평등에 처하게 된다고 본다.

ㄷ. 을: 이상적인 국가는 절대 군주제가 시행되는 국가이다. (×)
→ 루소는 국민 주권의 원리를 중시하였다.
ㄹ. 갑, 을: 사회 계약이 체결된 후에는 저항권이 상실된다. (×)
→ 로크는 국가가 제 역할을 하지 못할 경우 저항권을 행사할 수 있다고 보았다.

08 홉스와 로크의 사상 비교 　답 ⑤

갑은 홉스, 을은 로크이다. 로크는 홉스와 달리 시민의 저항권을 인정하였다. 로크에 따르면 국가가 개인의 생명, 자유, 재산을 지키는 제 역할을 하지 못하고 국민의 의사에 반하는 방향으로 권력을 행사한다면 국민은 저항권을 행사하여 위임하였던 권리를 회수할 수도 있다.

09 로크와 루소의 사상 　답 ①

갑은 로크, 을은 루소이다. 로크는 개인이 자연권 보존을 위해 사회 계약을 맺는 것이므로 개인의 자연권은 국가에 의해 침해되어서는 안 된다고 본다.

① 갑: 인간의 소유권은 절대 군주에 의해서도 침해되어서는 안 된다. (○)
② 갑: 시민은 계약의 목적을 위반한 입법부에 저항할 수 없다. (×)
→ 국가가 제 역할을 못하면 저항권을 행사할 수 있다.
③ 을: 통치자는 일반 의지를 대행하므로 법의 지배로부터 자유롭다. (×)
→ 통치자도 법의 지배에서 자유롭지 않다.
④ 을: 주권은 시민이 선출한 대의원을 통하여 대표되어야 한다. (×)
→ 루소는 대의 민주주의를 반대한다.
⑤ 갑, 을: 사회 계약 이후에 국가는 계약 위반자에 대한 처벌권이 없다. (×)
→ 사회 계약 이후에도 국가는 계약 위반자를 처벌할 수 있다.

10 루소와 홉스의 사상 　답 ④

갑은 루소, 을은 홉스이다. 루소는 직접 민주주의를 주장하여 일반 의지에 의한 법에 복종하는 것은 자기 자신에게 복종하는 것이라고 하였다. 일반 의지는 개인의 사적인 이익을 초월하여 오로지 공공의 이익만을 지향하는 보편적인 의지이다.

11 루소와 마르크스의 사상 　답 ⑤

갑은 루소, 을은 마르크스이다. 루소는 사유 재산의 발생과 함께 인간은 불평등한 상황에 처하고 자유가 속박되었다고 본다. 마르크스는 사유 재산이 폐지된 공산 사회를 추구한다. 이처럼 두 사상가 모두 사유 재산 때문에 경제적 불평등이 발생했다고 본다.

12 심의 민주주의의 특징　답 ④

제시문은 심의 민주주의의 필요성과 특징과 관련된 글이다. 심의 민주주의는 시민들 간의 대화, 토론, 소통을 통해 개인들이 자신의 선호를 계속 변화시켜 나가면서 공공성을 지향한다.

04　자본주의

01 자본주의와 프로테스탄티즘　답 ⑤

종교 개혁과 함께 프로테스탄티즘이 등장하면서 각 개인이 부를 축적하는 것이 도덕적으로 정당화되었고, 건전한 직업의식과 소유권 개념이 형성되고 발달하였다.

02 프로테스탄티즘이 자본주의 발전에 끼친 영향　답 ②

제시문의 사상은 프로테스탄티즘이다. 프로테스탄티즘은 직업적 성공에 따른 부의 축적을 도덕적·종교적으로 긍정하였다. 칼뱅은 직업을 신의 소명으로 보고 직업적 성공에 따른 부의 축적을 정당화하였다. 이러한 칼뱅의 사상에 영향을 받은 프로테스탄티즘은 합리적인 이윤 추구를 긍정하였고, 자본주의의 발전에 영향을 끼쳤다.

03 스미스의 고전적 자본주의　답 ④

제시문의 사상가는 애덤 스미스이다. 스미스는 각 개인의 경제적 자율성을 최대한 보장하여 개개인이 시장에서 자신의 이익을 자유롭게 추구할 수 있을 때 사회 전체의 부도 증가한다고 본다. 그래서 그는 개인의 경제 활동을 최대한 보장하기 위해 국가의 역할은 국방과 치안, 공공사업 등 최소한의 영역에 국한되어야 한다고 주장하였다.

내 것으로 만드는 셀파 - Tip

▶ 자본주의의 전개 과정

고전적 자본주의	• 대표 사상가: 애덤 스미스 • 개인의 경제적 자율성을 최대한 보장함
수정 자본주의	• 대표 사상가: 케인스 • 정부가 경제 활동에 적극적으로 개입해야 함
신자유주의	• 대표 사상가: 하이에크 • 정부의 시장 개입에 반대함

04 스미스의 보이지 않는 손　답 ④

스미스는 시장 경제의 자율적 조정 기능을 신뢰하여 정부의 시장에 대한 간섭을 최소화해야 한다고 주장하였다. 스미스는 각 개인의 경제적 자율성을 최대한 보장하여 개개인이 시장에서 자신의 이익을 자유롭게 추구할 수 있을 때 사회 전체의 부도 증가한다고 본다.

정답을 찾아가는 셀파 - Tip

① 사익보다 공익을 우선해야 한다 (×)
→ 사익의 자유로운 추구를 강조한다.
② 노동자는 노동 과정에서 주체가 될 수 없다 (×)
→ 마르크스의 입장이다.
③ 정부가 민간 부문의 유효 수요를 확대해야 한다 (×)
→ 수정 자본주의의 입장이다.
④ 시장에 대한 국가의 간섭을 최대한 배제해야 한다 (○)
⑤ 생산 수단을 공유하여 경제적 평등을 실현해야 한다 (×)
→ 마르크스의 입장이다.

05 시장 실패와 정부 실패　답 ⑤

㉠은 시장 실패, ㉡은 정부 실패이다. 시장 실패는 시장에서 효율적인 자원 배분이 이루어지지 않는 현상을 말하고, 정부 실패는 정부의 개입으로 인해 발생하는 정부의 거대화, 무능과 부패 등의 현상을 말한다. 신자유주의는 정부의 시장 개입을 반대하기 때문에 신자유주의에서는 고전적 자본주의에서와 같이 시장 실패가 나타날 수 있다.

내 것으로 만드는 셀파 - Tip

▶ 시장 실패와 정부 실패

시장 실패	시장 경제에서 '보이지 않는 손'이 제대로 작동하지 않아 효율적으로 자원을 배분하거나 공정한 소득 분배가 이루어지지 못하는 상황
정부 실패	정부의 거대화, 무능과 부패와 같은 문제가 발생하는 상황

06 케인스의 수정 자본주의　답 ⑤

제시문의 사상가는 케인스이다. 케인스는 공황과 실업의 원인을 기업의 투자 감소와 국민의 소비 감소로 보았다. 그래서 정부가 재정 지출을 확대하여 유효 수요가 늘어나면 경제적 문제를 해결할 수 있다고 보았다.

정답을 찾아가는 셀파 - Tip

ㄱ. 공기업을 민영화하고 노동 시장을 유연화해야 한다. (×)
→ 신자유주의자 하이에크의 주장이다.
ㄴ. 국가의 개입이 항상 시장 경제의 효율성을 저해한다. (×)
→ 고전적 자본주의와 신자유주의의 주장이다.

07 스미스의 고전적 자본주의　답 ⑤

윗글의 사상가는 스미스이다. 스미스는 국가의 개입이 없어도 시장은 보이지 않는 손에 의해 자원 배분이 효율적으로 이루어진다고 하였고, 각 개인의 사익 추구가 공익을 증진시킨다고 주장하였다. 스미스에 따르면 사익 추구는 사회 전체의 부를 증가시킨다.

08 마르크스의 자본주의 비판 　　　　🔘①

제시된 사상가는 마르크스이다. 마르크스는 자본주의 사회에서 빈부 격차가 심해지고 인간 소외 등의 문제가 나타나므로 프롤레타리아 혁명을 통해 공산 사회를 건설해야 한다고 주장한다. 인간 소외란 인간이 만들어 낸 물질에 의해 인간이 지배당하거나 물질적 가치만을 좇으면서 인간성을 상실하는 현상을 말한다. 마르크스는 이러한 현상이 자본주의적 생산 방식에서 비롯된다고 보았다.

09 자본주의가 인간 삶에 기여한 부분 　　　🔘④

밑줄 친 경제 체제는 자본주의이다. 자본주의는 경제적 효율성을 증진하여 물질적 풍요를 가져왔다. 자유 경쟁하에서 사람들이 더 많은 이윤을 얻으려고 경제 활동에 집중함으로써 재화의 대량 생산과 소비가 가능해졌다. 또한 자본주의는 개인의 자유와 권리 신장에 기여하였다. 자본주의는 개인의 자유로운 경제 활동과 사적 소유권을 보호하고 증진함으로써 개인의 자유와 권리를 신장시켰다. 그리고 자본주의는 개인의 자율성과 창의성을 증대시켰다. 자본주의 사회에서는 무엇을 얼마만큼 생산하고 소비할 것인지는 개인이 자율적으로 판단하고 선택할 수 있으므로 개인의 자율성이 증진될 수 있었다. 하지만 자본주의에서는 물질적 가치를 중시하는 풍토가 생겨 인간 소외 현상이 발생하였다.

10 자본주의의 문제점 　　　　　　　🔘④

(가)는 자본주의 사회의 문제점 중 가치 전도 현상에 관한 설명이고, (나)는 인간 소외에 대한 설명이다. 가치 전도 현상과 인간 소외 현상은 모두 자본주의 사회에서 나타나는 윤리적 문제점이다.

11 민주 사회주의 　　　　　　　　🔘②

제시문은 민주 사회주의 사상이다. 민주 사회주의에서는 자유와 민주주의의 가치를 존중하며 의회를 통한 점진적 개혁을 주장하였고, 마르크스 사회주의의 급진적인 폭력 혁명론을 비판하였다.

정답을 찾아가는 셀파 - Tip

① 공공의 이익보다 사적 이윤이 우선하는가? (×)
→ 사익보다 공익을 우선할 것을 강조한다.

② 급진적인 폭력 혁명론은 비판받아야 하는가? (○)

③ 사회주의적 계획 경제는 사적 소유와 양립 불가능한가? (×)
→ 사적 소유와 계획 경제를 모두 긍정한다.

④ 사회주의는 민주주의 자유의 가치와 양립 불가능한가? (×)
→ 자유의 가치와 사회주의의 장점을 살려 복지 자본주의의 발전에 기여하였다.

⑤ 의회를 통한 점진적 개혁으로는 사회주의 달성이 어려운가? (×)
→ 의회를 통한 점진적 개혁을 주장한다.

12 자본주의의 문제점 　　　　　　　🔘⑤

갑은 마르크스 사회주의, 을은 민주 사회주의이다. 민주 사회주의는 의회를 통한 점진적 개혁을 주장한다. 마르크스 사회주의와 민주 사회주의 모두 인간이 소외되지 않는 사회를 실현하고자 한다.

13 자본주의에 대한 롤스의 대안 　　　🔘④

제시문의 사상가는 롤스이다. 롤스는 국가의 재분배를 인정하였고, 자연적이고 사회적인 우연성으로 인한 결과를 모두 개인의 소유물로 인정할 수 없다고 하였다.

14 자본주의에 대한 마르크스와 롤스의 견해 　🔘⑤

갑은 마르크스, 을은 롤스이다. 프롤레타리아 혁명은 마르크스만의 주장이다. 마르크스는 자본주의 사회에서 나타나는 빈부 격차와 같은 문제가 생산 수단의 사적 소유에서 비롯된다고 본다. 그래서 그는 프롤레타리아 혁명을 통해 자본주의를 무너뜨리고 생산 수단을 공유화하여 경제적 평등을 실현함으로써 모두가 인간답게 살아가는 사회이자 계급이 없는 공산 사회를 실현할 것을 주장한다.

서답형 문제

15 스미스의 시장에 대한 관점

모범 답안 | 스미스는 각 개인의 경제적 자율성을 최대한 보장하여 개개인이 시장에서 자신의 이익을 자유롭게 추구할 수 있을 때 사회 전체의 부도 증가한다고 본다. 또한 보이지 않는 손의 역할을 통해 자원이 효율적으로 배분된다고 보아, 시장에 대한 국가의 간섭은 최대한 배제해야 한다고 주장한다.

채점 기준	배점
시장에 대한 스미스의 관점을 바르게 서술한 경우	상
시장에 대한 스미스의 관점을 서술하였으나 잘못된 내용이 포함된 경우	중
스미스가 아닌 다른 사상가의 시장에 대한 관점을 서술한 경우	하

16 하이에크의 케인스 비판

모범 답안 | 갑은 하이에크, 을은 케인스이다. 정부의 기능을 축소하고 시장에서의 자유로운 경쟁을 최대한 보장해야 한다. 국가가 경제 계획을 통해 시장을 통제할 수 있다는 생각은 잘못이며, 국가는 단지 자유 경쟁이 최대한 효율적으로 작동할 수 있도록 해야 한다.

채점 기준	배점
하이에크의 입장에서 케인스를 비판한 내용을 바르게 서술한 경우	상
하이에크의 입장에서 케인스를 비판한 내용을 서술하였으나 잘못된 내용이 포함된 경우	중
하이에크가 아닌 다른 사상가의 입장에서 서술한 경우	하

17 인간 소외에 대한 마르크스의 입장

모범 답안 | ㉠은 인간 소외이다. 마르크스는 자본주의 사회에서 노동은 자본가에 의해 강제되고 노동자가 생산한 상품은 노동자에게 귀속되지 않으므로 노동자는 노동 과정에서 주체가 될 수 없다고 본다. 따라서 분업화된 자본주의 사회에서 노동자가 노동을 통해 자신의 본질을 실현하기는 어렵다고 주장한다.

채점 기준	배점
인간 소외에 대한 마르크스의 입장을 바르게 서술한 경우	상
인간 소외에 대한 마르크스의 입장을 서술하였으나 잘못된 내용이 포함된 경우	중
마르크스가 아닌 다른 사상가의 입장을 서술한 경우	하

18 마르크스 사회주의와 민주 사회주의

모범 답안 | (가) 마르크스 사회주의는 폭력 혁명을 강조하고 생산 수단의 완전한 공유화를 주장하였지만, (나) 민주 사회주의는 의회를 통한 점진적 개혁을 강조하였고, 생산 수단의 일부 부문에서의 사유화를 인정하였다.

채점 기준	배점
마르크스 사회주의와 민주 사회주의의 차이점을 바르게 서술한 경우	상
마르크스 사회주의와 민주 사회주의의 차이점을 서술하였으나 잘못된 내용이 포함된 경우	중
마르크스 사회주의와 민주 사회주의가 아닌 다른 내용을 서술한 경우	하

도전 수능 문제
p. 239 ~ p. 241

01 ⑤	02 ③	03 ④	04 ②	05 ①	06 ④
07 ⑤	08 ⑤	09 ⑤	10 ⑤	11 ④	12 ⑤

01 하이에크와 케인스의 사상　　답 ⑤

갑은 하이에크이고 을은 케인스이다. 하이에크는 시장의 기능을 신뢰하였다. 케인스는 불황과 실업과 같은 문제는 정부의 개입이 필요하다고 보았다.

02 케인스와 하이에크의 사상 비교　　답 ③

갑은 케인스, 을은 하이에크이다. 케인스는 실업 문제 해결을 위한 정부 개입을 강조하고, 하이에크는 시장의 자생적 질서를 신뢰하여 정부 역할의 축소를 주장한다.

03 스미스에 대한 케인스의 비판　　답 ④

갑은 케인스, 을은 스미스이다. 케인스는 시장에 대한 정부의 개입을 주장한다. 케인스는 자유 시장 경제의 불완전성을 지적하며 고전적 자본주의를 비판하였다. 그리고 국가가 시장에 적극적으로 개입하여 문제를 해결해야 한다는 수정 자본주의를 주장하였다.

04 케인스와 하이에크의 사상　　답 ②

갑은 케인스, 을은 하이에크이다. 케인스는 정부의 개입을 주장하지만 시장 경제, 자본주의 질서를 옹호하였다.

정답을 찾아가는 셀파 - Tip

① 갑: 정부는 사유 재산제 철폐를 통해 실업 문제를 해결해야 한다. (×)
→ 사유 재산제 철폐가 아닌 정부의 개입을 주장한다.
② 갑: 정부는 시장 실패를 해결하기 위한 정책을 시행해야 한다. (○)
③ 을: 정부 규모를 확대하여 개인의 경제적 자유를 증진해야 한다. (×)
→ 정부의 규모를 축소해야 한다.
④ 을: 정부는 수요와 공급의 균형을 위해 계획 경제를 도입해야 한다. (×)
→ 정부의 기능을 축소하고 개인의 자유와 시장 경제를 확대해야 한다.
⑤ 갑, 을: 정부는 재화의 재분배를 위해 시장의 자생적 질서에 개입해야 한다. (×)
→ 케인스만의 입장이다.

05 케인스와 하이에크의 사상 비교　　답 ①

갑은 케인스, 을은 하이에크이다. 케인스는 실업 문제 해결을 위해 정부가 개입을 해야 한다고 보았다. 케인스는 공황과 실업이 기업의 투자 감소와 국민의 소비 저하로부터 발생한다고 파악한다. 따라서 정부가 다양한 공공 정책을 펼치면 기업 투자의 불확실성에서 비롯한 문제도 완화할 수 있고, 국민이 기본적인 실제 구매력을 잃지 않도록 유효 수요도 창출할 수 있다고 본다.

06 케인스와 민주 사회주의의 사상　　답 ④

갑은 수정 자본주의를 주장한 케인스, 을은 민주 사회주의이다. 사회주의의 이상을 추구하는 민주 사회주의는 사적 이익보다 공공의 이익을 강조한다. 케인스와 민주 사회주의 모두 시장에 대한 정부의 개입을 긍정한다.

정답을 찾아가는 셀파 - Tip

ㄱ. (가): 유효 수요의 과잉이 실업을 초래하는 근본적인 원인이다. (×)
→ 케인스는 공황과 실업이 국민의 소비 저하로부터 발생한다고 보았다.
ㄷ. (나): 계획 경제는 사회 구성원의 자유를 지속적으로 침해한다. (×)
→ 민주 사회주의는 계획 경제를 긍정하였다.

07 케인스와 하이에크의 사상　　답 ⑤

갑은 케인스, 을은 하이에크이다. 케인스와 하이에크 모두 자본주의와 자유 시장 경제 체제를 인정한다. 케인스는 시장에 대한 정부의 개입이 필요하다는 수정 자본주의를 주장하였고, 하이에크는 시장의 자율성을 강조하는 신자유주의를 주장하였다.

정답을 찾아가는 셀파 - Tip

① 갑: 시장의 자연적 조화 기능으로만 대량 실업을 해소해야 한다. (×)
→ 정부가 실업 해결을 위해 개입해야 한다.
② 갑: 효율성을 저해하는 병폐 치유를 위해 국가 기능을 축소해야 한다. (×)
→ 정부의 기능을 확대해야 한다.
③ 을: 기업의 자유로운 이윤 추구를 막는 법적 규제를 강화해야 한다. (×)
→ 법적 규제를 완화해야 한다.
④ 을: 공유제와 계획 경제의 법적 틀을 점진적으로 확대해야 한다. (×)
→ 민주 사회주의의 입장이다.
⑤ 갑, 을: 개인의 자유와 사유 재산 및 시장 경제를 인정해야 한다. (○)

08 하이에크에 대한 케인스의 비판　　답 ⑤

갑은 케인스, 을은 하이에크이다. 케인스는 하이에크와는 달리 시장 실패 극복을 위해 정부가 개입을 해야 한다고 주장한다. 케인스에 따르면 정부의 적극적인 시장 개입을 통해야 불황과 실업을 극복하고 복지를 확대할 수 있다.

09 스미스와 케인스의 사상　　답 ⑤

갑은 스미스, 을은 케인스이다. 케인스는 시장에 대한 정부의 개입을 인정한다. 스미스와 케인스 모두 시장 경제 질서와 자본주의를 긍정하였다.

ㄱ. 갑: 국가의 부를 증진하는 원동력은 개인의 이타심에 있다. (×)
  → 개인이 자신의 이익을 자유롭게 추구해야 사회 전체의 부가 증가한다.

ㄴ. 갑: 정부는 경제적 불평등 완화를 위해 복지 정책을 확대해야
  한다. (×)
  → 정부는 개인의 경제적 자율성을 최대한 보장해야 한다.

10 케인스와 하이에크의 사상 답 ⑤

갑은 케인스, 을은 하이에크이다. 케인스는 시장 경제와 자본주의
를 긍정한 기반 위에 정부의 개입을 주장했다. 하이에크는 정부의 개
입을 최소화하고 시장의 자생적 질서에 맡겨야 한다고 하였다.

11 마르크스 사회주의와 민주 사회주의 비교 답 ④

(가)는 마르크스 사회주의, (나)는 민주 사회주의이다. 민주 사회주
의는 자유와 민주주의의 한계 내에서 의회를 통해 점진적으로 사회주
의를 실현하고자 한다.

12 민주 사회주의와 신자유주의의 사상 비교 답 ⑤

(가)는 민주 사회주의, (나)는 작은 정부를 지향하는 신자유주의이
다. 민주 사회주의는 공유제를 바탕으로 사적 소유를 인정하며, 필요
에 따른 분배를 주장한다. 두 사상 모두 경쟁이 공정해야 한다는 데 동
의한다.

05 평화

탄탄 내신 문제
p. 246 ～ p. 250

01 ②	02 ④	03 ③	04 ④	05 ②	06 ⑤
07 ⑤	08 ④	09 ③	10 ①	11 ④	12 ④
13 ⑤	14 ③	15 ㉠ 직접적 폭력, ㉡ 구조적 폭력, ㉢ 문화적			
폭력	16 해설 참조	17 해설 참조			
18 해설 참조					

01 유교에서 보는 갈등의 원인 답 ②

제시문은 유교의 사상이다. 유교에서는 인간의 도덕적 타락을 불화
와 갈등의 원인으로 본다. 따라서 침략에 따른 전쟁이나 계층 간의 불
화와 같은 갈등을 해소하고 평화와 화합을 이루기 위해서는 구성원 각
자가 도덕성을 회복하여 인과 의를 실현할 것을 강조한다. 이는 통치
자에게도 똑같이 적용된다. 통치자가 인과 의를 바탕으로 덕치와 인정
을 펼치면 백성의 생활이 안정되어 서로 화목하게 지내므로 공동체의
화합이 이루어진다.

02 유교의 대동 사회와 도가 사상 답 ④

(가)는 유교의 이상 사회인 대동 사회, (나)는 도가 사상에 대한 설명
이다. 도가 사상은 문명이 발달하지 않은 무위자연의 사회를 이상적으
로 보았다. 도가에 따르면, 무위의 다스림이 이루어지며 나라의 규모
가 작고 백성이 자급자족할 때 평화를 이룰 수 있다. 그 안에서는 모두
가 만족하며 생활하기 때문에 주변국과 무역이나 교류조차 할 필요가
없으며 서로를 침략하지 않고 평화롭게 살아간다.

① (가): 인위적인 사회 제도와 덕을 부정한다. (×)
  → 도가 사상에 대한 설명이다.

② (가): 통치자가 상과 벌로 통치해야 한다고 본다. (×)
  → 통치자는 인과 의를 바탕으로 덕치를 펼쳐야 한다.

③ (나): 서로 차별 없이 사랑할 것을 강조한다. (×)
  → 묵가에 대한 설명이다.

④ (나): 나라의 규모가 작고 백성이 자급자족하는 사회를 추구한
  다. (○)

⑤ (가), (나): 무위자연의 소박한 삶을 사는 사회를 이상 사회로 보
  았다. (×)
  → 도가 사상에만 해당하는 설명이다.

03 평화에 대한 갈퉁의 견해 답 ③

제시문의 사상가는 갈퉁이다. 갈퉁은 폭력을 인간의 기본적 욕구를
모독하는 모든 것이라고 하였고, 직접적 폭력이 없는 상태를 소극적
평화, 구조적·문화적 폭력까지 사라진 상태를 적극적 평화라고 하였
다. 갈퉁에 따르면 직접적 평화는 개인에게 가해지는 언어적, 신체적
폭력이 부재한 상태이고, 구조적 평화는 부정의한 사회 구조로부터 발
생하는 폭력이 부재한 상태이다. 문화적 평화는 가부장적 권위주의와
같이 직접적이거나 구조적인 폭력을 정당화하는 데 이용될 수 있는 폭
력적인 문화가 부재한 상태이다.

▶ 갈퉁의 폭력 개념

| 구조적 폭력 | 사회 제도나 관습 또는 사람들의 의식이 폭력을 용인하거나 정당화하는 형태의 폭력 |
| 문화적 폭력 | 종교, 사상, 언어, 예술, 과학 등의 문화적 영역이 직접적 폭력이나 구조적 폭력을 정당화하는 데 이용되는 것 |

04 에라스뮈스의 평화 답 ④

에라스뮈스는 전쟁을 반대하는 입장으로, 중세의 아퀴나스가 주장
한 정전론과 같은 입장에 대해서도 비판적이다. 그는 아무리 정당한
전쟁이라도 부당한 평화보다 못하다고 주장하였다.

05 칸트의 국제 연맹 답 ②

제시문의 사상가는 칸트이다. 칸트는 세계 평화를 위해 주권국들의
연합인 국제 연맹을 창설해야 한다고 하였고, 각 국가들의 정체는 공
화정이어야 한다고 하였다.

06 평화에 대한 칸트의 견해 답 ⑤

(가)의 사상가는 칸트이다. 칸트는 다른 나라의 내정에 간섭하지 않을 것을 주장한다. 또한 세계 국가를 건설할 것이 아니라 주권국들이 연맹을 만들어야 한다고 주장하였다.

정답을 찾아가는 셀파 - Tip

① 다른 나라의 내정에 적극적으로 개입하라. (×)
→ 국제 연맹은 개별 국가의 자유를 보장해야 한다.
② 모든 국가의 주권을 국제 연맹에 양도하라. (×)
→ 주권 국가의 존립을 인정해야 한다.
③ 민족 국가의 구성원이 아닌 세계 시민으로 살아가라. (×)
→ 세계 시민주의 입장이다.
④ 군사력을 바탕으로 하는 세력 균형 정책을 추구하라. (×)
→ 평화에 대한 현실주의 입장이다.
⑤ 각 국가의 주권을 존중하면서 상호 협력을 도모하라. (○)

07 현실주의와 이상주의의 사상 비교 답 ⑤

(가)는 현실주의, (나)는 이상주의이다. 이상주의는 국제법과 국제기구를 통해 평화 달성이 가능하다고 보는데 비해, 현실주의는 국가 간의 세력 균형이 이루어질 때 평화 달성이 가능하다고 본다.

08 국제 관계를 보는 현실주의와 이상주의의 관점 답 ④

이상주의에서는 인간을 선하고 상호 협력할 수 있는 이성적 존재로 본다. 국가 간의 갈등의 원인은 잘못된 제도에 있다고 보고, 국제기구나 국제법을 통해 잘못된 제도를 바로잡고자 한다. 현실주의에서는 국가를 생존과 이익을 추구하는 공동체로 본다. 그리고 이러한 주권 국가보다 상위의 권위를 지니는 국제기구나 국제법은 존재하지 않거나 존재하더라도 실효적인 권위가 없다고 파악한다. 따라서 평화는 경쟁하는 국가와 대등한 힘을 보유하거나, 군사 동맹을 통해 세력 균형을 맞출 때 실현될 수 있다고 주장한다.

09 애피아와 누스바움 답 ③

(가)는 애피아, (나)는 누스바움이다. 누스바움은 국가적 소속감이나 자국 중심의 배타주의를 극복하고 보편적 인간애를 중시하는 세계 시민주의를 강조한다.

10 롤스의 국제주의 답 ①

국제주의는 국가라는 틀을 유지한 채로 개별 국가의 이해를 초월하여, 국가 간의 협력과 연대를 지향하는 사상이다. 롤스와 같은 국제주의자는 고통받는 사회를 질서 정연한 사회로 만드는 것이 해외 원조의 목적이라고 주장한다. 질서 정연한 사회란 시민들의 인권이 보장되고 민주적으로 의사 결정이 이루어지는 사회이다.

11 해외 원조에 대한 싱어와 롤스의 견해 답 ④

갑은 싱어, 을은 롤스이다. 롤스는 원조의 목적을 부의 이전이 아니라 정치 제도의 개선이라고 보았다. 롤스에 따르면, 해외 원조는 인류의 복지 수준을 향상하기보다는 빈곤의 원인이 되는 잘못된 사회 구조를 개선하여 사회 정의를 실현하는 데 목적이 있다.

정답을 찾아가는 셀파 - Tip

① 원조가 의무가 아니라 선택임을 간과하고 있습니다. (×)
→ 노직의 입장이다.
② 원조에서 차등의 원칙이 실시되어야 함을 간과하고 있습니다. (×)
→ 차등의 원칙은 해외 원조에는 적용되지 않는다.
③ 원조에서 세계 시민주의적 관점이 필요함을 간과하고 있습니다. (×)
→ 롤스의 주장과 관계 없는 내용이다.
④ 정치·사회 제도의 개선이 원조의 핵심 요건임을 간과하고 있습니다. (○)
⑤ 부유한 국가의 부가 빈곤한 국가로 이전되어야 함을 간과하고 있습니다. (×)
→ 롤스는 원조의 목적을 부의 이전이라고 보지 않는다.

12 롤스와 싱어의 사상 답 ④

갑은 롤스, 을은 싱어이다. 싱어는 세계 모든 가난한 이들의 이익과 행복 증진을 위해 원조를 해야 한다고 주장한다. 그는 이익 평등 고려의 원칙에 따라 도움이 필요한 사람과 나의 물리적 거리를 넘어서, 고통을 느낄 수 있는 모든 존재를 도와야 한다고 보았다.

13 롤스와 싱어의 사상 비교 답 ⑤

갑은 롤스, 을은 싱어이다. 롤스와 싱어 모두 원조를 의무의 관점에서 바라보았다. 싱어는 원조의 목적이 인류 전체의 행복을 증진시키기 위한 것이라고 본다.

정답을 찾아가는 셀파 - Tip

ㄱ. A: 원조의 목적은 국가들 간의 경제 격차를 완화하는 것이다. (×)
→ 원조의 목적은 잘못된 사회 구조를 개선하는 것이다.
ㄴ. B: 개인이 아닌 국가적 차원에서 원조를 해야 한다. (×)
→ 롤스만의 입장이다.

14 해외 원조에 대한 싱어의 견해 답 ③

제시문은 싱어의 주장이다. 싱어는 이익 평등 고려 원칙이라는 보편적 원리에 따라 원조의 의무를 도출하고 있다. 싱어는 인류 전체의 행복과 이익 증진이라는 관점에서 해외 원조의 양을 늘려야 한다고 여기며, 지구적으로 최저 수준에 있는 사람들의 복지 향상에 관심을 기울인다.

서답형 문제

15 갈퉁의 평화 구분 답 ㉠ 직접적 폭력, ㉡ 구조적 폭력, ㉢ 문화적 폭력

갈퉁은 폭력을 인간의 기본적인 욕구를 모독하는 모든 것으로 정의하면서 물리적·직접적 폭력 외에 구조적 폭력, 문화적 폭력이 존재함을 지적하고, 평화를 소극적 평화와 적극적 평화로 구분한다. 소극적 평화란 전쟁, 테러, 범죄와 같은 물리적 폭력이 없는 상태이다. 이는 직접적으로 폭력을 제거한다는 점에서 의미가 있으나, 빈곤이나 인권 침해와 같은 다양한 차원의 폭력을 고려하지 않는다는 한계가 있다. 따라서 갈퉁은 물리적 폭력뿐만 아니라 구조적 폭력과 문화적 폭력까지 사라진 상태인 적극적 평화를 추구해야 한다고 본다.

16 묵자가 침략 전쟁을 반대하는 까닭

모범 답안 | 묵자가 침략 전쟁을 반대한 까닭은 다른 나라를 해치고 자기 나라를 이롭게 하려는 태도는 의롭지 못하다고 보았기 때문이다. 또한 전쟁은 침략당하는 나라와 침략하는 나라 모두에게 정치적 혼란과 경제적 손실을 일으키기 때문이다. 그리고 전쟁으로 말미암아 무수한 인명 피해가 발생하며 한 국가가 쇠망할 수도 있기 때문이다.

채점 기준	배점
묵자가 전쟁을 반대하는 이유를 바르게 서술한 경우	상
묵자가 전쟁을 반대하는 이유를 서술하였으나 잘못된 내용이 포함된 경우	중
묵자가 아닌 다른 사상가의 내용을 서술한 경우	하

17 칸트의 평화

모범 답안 | 칸트가 말하는 평화란 전쟁이 일시적으로 중단된 상태가 아니라, 모든 적대감이 제거되고 보편적인 이성의 법이 실현된 상태에서만 이루어질 수 있는 영구 평화를 의미한다.

채점 기준	배점
칸트가 주장하는 평화의 의미를 바르게 서술한 경우	상
칸트가 주장하는 평화의 의미를 서술하였으나 잘못된 내용이 포함된 경우	중
칸트가 아닌 다른 사상가가 주장하는 평화를 서술한 경우	하

18 해외 원조에 대한 롤스와 싱어의 견해

모범 답안 | 갑은 롤스, 을은 싱어이다. 롤스는 고통받는 사회가 질서 정연한 사회가 되도록 하는 데 원조의 목적이 있다고 본다. 이에 비해 싱어는 모든 존재의 이익을 동등하게 고려해야 한다는 이익 평등 고려의 원칙에 따라 원조를 해야 한다고 주장한다.

채점 기준	배점
해외 원조에 대한 롤스와 싱어의 견해를 바르게 서술한 경우	상
해외 원조에 대한 롤스와 싱어의 견해를 서술하였으나 잘못된 내용이 포함된 경우	중
해외 원조에 대한 롤스와 싱어의 견해 중 한 가지만 바르게 서술한 경우	하

도전 수능 문제
p. 251 ~ p. 253

01 ①	**02** ④	**03** ②	**04** ③	**05** ⑤	**06** ⑤
07 ④	**08** ②	**09** ④	**10** ②	**11** ⑤	**12** ①

01 갈퉁의 사상 <답> ①

제시문의 사상가는 갈퉁이다. 갈퉁은 적극적 평화가 달성되기 위해서는 직접적 폭력뿐만 아니라 구조적·문화적 폭력까지 사라져야 한다고 주장하였다.

02 묵자의 사상 <답> ④

(가)의 사상가는 묵자이다. 묵자는 겸애교리를 주장하며 서로 차별 없이 사랑하고 이익을 나누어야 한다고 강조하였다. 또한 천하의 혼란

을 막기 위해 겸애해야 한다고 주장하였다. 겸애란 모든 사람을 똑같이 사랑한다는 의미로, 묵자는 서로 차별 없이 사랑하고 서로 이로움을 나누어야 전쟁과 같은 불의(不義)한 상황이 발생하지 않을 것이라고 보았다.

03 전쟁에 대한 묵자의 견해 <답> ②

제시문의 사상가는 묵자이다. 묵자는 침략 전쟁에 반대하였으나 방어 전쟁은 인정하였다. 그는 침략 전쟁이 의롭지 못하기 때문에 해서는 안 된다고 보았다. 또한 묵자는 전쟁이 가져오는 불이익을 강조하며 타국을 정복하거나 침략하기 위한 전쟁을 해서는 안 된다고 주장하였다.

04 갈퉁과 묵자의 사상 <답> ③

갑은 갈퉁, 을은 묵자이다. 묵자는 서로 차별 없이 사랑하고 이익을 나누어야 세상의 혼란을 극복할 수 있다는 겸애교리를 주장하였다. 갈퉁은 간접적 폭력까지 제거되어야 진정한 평화가 달성됨을 강조하며 평화의 개념을 국가 안보 차원에서 인간 안보 차원으로 확장하였다.

정답을 찾아가는 셀파 - Tip

① 갑: 직접적인 폭력을 제거하는 것만으로 진정한 평화는 달성된다. (×)
→ 간접적인 폭력까지 제거되어야 한다.
② 갑: 소극적 평화를 이루면 적극적 평화를 지향해야 할 필요는 없다. (×)
→ 적극적 평화를 지향해야 한다.
③ 을: 자국과 타국을 차별하지 않는 사랑으로 인류애를 실천해야 한다. (○)
④ 을: 친소(親疏)를 분별하는 사랑으로 자국의 이익을 도모해야 한다. (×)
→ 차별 없는 사랑을 추구해야 한다.
⑤ 갑, 을: 평화 실현을 위해서라면 적국에 대해 선제공격해야 한다. (×)
→ 갈퉁과 묵자 모두 부정할 내용이다.

05 이상주의와 현실주의의 사상 비교 <답> ⑤

(가)는 국제 관계에 대한 칸트의 이상주의, (나)는 현실주의 입장이다. 현실주의는 국제법보다는 국가 간의 세력 균형을 통해 분쟁이 일어나지 않게 된다고 보았다.

내 것으로 만드는 셀파 - Tip

▶ 이상주의와 현실주의

이상주의	• 인간은 선하고 상호 협력할 수 있는 이성적 존재임 • 개인 관계에서 적용되거나 국내 정치에서 통용되는 도덕 원리를 보편적인 것으로 보아, 국제 관계에도 적용할 수 있다고 여김
현실주의	• 국가는 생존과 이익을 추구하는 공동체임 • 평화는 경쟁하는 국가와 대등한 힘을 보유하거나, 군사 동맹을 통해 세력 균형을 맞출 때 실현될 수 있음

06 누스바움의 사상 　　　　　　　　　　답 ⑤

　제시문의 사상가는 세계 시민주의를 주장한 누스바움이다. 누스바움은 인간은 보편적 인류애를 중시해야 한다고 보았다. 누스바움에 따르면 우리가 어느 나라에서 태어났는가는 도덕적으로 임의적인 특성이므로 국경과 무관하게 모든 인간은 정의와 선에 대한 합리적 추론 능력을 함양해야 한다.

07 평화에 대한 칸트와 갈퉁의 견해 　　　　　　답 ④

　갑은 칸트, 을은 갈퉁이다. 갈퉁은 직접적 폭력이 제거된 소극적 평화뿐만 아니라 구조적·문화적 폭력까지 사라진 적극적 평화를 주장하였다.

08 칸트와 갈퉁의 사상 　　　　　　　　　　답 ②

　갑은 칸트, 을은 갈퉁이다. 칸트는 국가 간의 영구 평화를 보장하기 위해 국제 연맹을 창설해야 한다고 보았다.

① 갑: 개별 국가의 정치 체제 형태는 세계 평화의 실현과 무관하다. (×)
→ 공화정을 추구해야 세계 평화를 실현할 수 있다.
② 갑: 평화 연맹은 소속 국가의 자유를 보장하는 역할을 해야 한다. (○)
③ 을: 구조적 폭력을 제거하기 위한 폭력 사용은 정당화되어야 한다. (×)
→ 폭력 사용은 정당화될 수 없다.
④ 을: 평화 추구의 궁극적인 목표를 전쟁의 종식에 두어야 한다. (×)
→ 전쟁의 종식뿐만 아니라 간접적 폭력까지 사라진 상태를 추구해야 한다.
⑤ 갑, 을: 단일한 세계 정부를 창설해 적극적 평화를 이루어야 한다. (×)
→ 칸트와 갈퉁 모두 부정할 내용이다.

09 칸트와 갈퉁의 사상 　　　　　　　　　　답 ④

　갑은 칸트, 을은 갈퉁이다. 칸트는 모든 국가의 정치 체제는 공화정이어야 한다고 주장하였다. 또한 평화 연맹은 세계 국가가 아니라 주권 국들의 연합으로 보았다. 칸트와 갈퉁 모두 모든 전쟁이 종식되는 것이 평화의 조건이라는 것에 동의한다.

10 해외 원조에 대한 롤스와 싱어의 입장 　　답 ②

　갑은 롤스, 을은 싱어이다. 롤스는 고통받는 사회의 정치적·사회적 제도 개선 및 인권 확립을 원조의 목표로 보았다. 싱어는 지구적으로 최저 수준에 있는 사람들의 복지 향상에 관심을 기울인다.

ㄴ. 갑: 원조하는 나라는 원조받는 나라의 인권 개선을 위해 강제력을 행사할 수 있다. (×)
→ 원조를 위해 강제력을 행사해서는 안 된다.
ㄹ. 갑, 을: 다른 나라에 빈곤한 사람들이 있다는 사실은 필연적으로 원조의 의무를 정당화한다. (×)
→ 싱어만의 입장이다.

11 롤스와 싱어의 사상 비교 　　　　　　　　답 ⑤

　갑은 롤스, 을은 싱어이다. 롤스는 원조의 주된 목적을 경제 문제에 두지 않았으며, 천연자원이 부족한 빈곤국도 원조 대상에서 제외 가능하다고 본다.

ㄱ. A: 원조의 목적은 경제적 불평등을 해결하는 것인가? (×)
→ 롤스가 아니요라고 답할 질문이다.

12 롤스와 싱어의 사상 　　　　　　　　　　답 ①

　갑은 롤스, 을은 싱어이다. 롤스는 고통받는 사회가 질서 정연한 사회가 되도록 하는 것이 원조의 목적이지만, 강제적으로 행해서는 안 된다고 보았다.

① 갑: 원조 대상국의 개선이 강제되어서는 안 된다. (○)
② 갑: 원조는 빈곤 해소 시점까지만 행해져야 한다. (×)
→ 원조는 사회 구조의 개선이 목적이다.
③ 을: 원조 대상은 근접성을 기준으로 결정해야 한다. (×)
→ 거리와 관계 없이 도움이 필요한 사람을 원조해야 한다.
④ 을: 부유한 국가의 모든 시민들은 원조 대상에 포함되지 않는다. (×)
→ 부유한 국가의 시민이더라도 빈곤에 처하면 원조해야 한다.
⑤ 갑, 을: 원조의 목표는 국가 간 부의 재분배를 통한 경제적 평등이다. (×)
→ 롤스와 싱어 모두 부정할 내용이다.